Mob: 9341704030
CIRQUE DU SOLEIL
BOOM!

GUINNESS WORLD RECORDS 2018

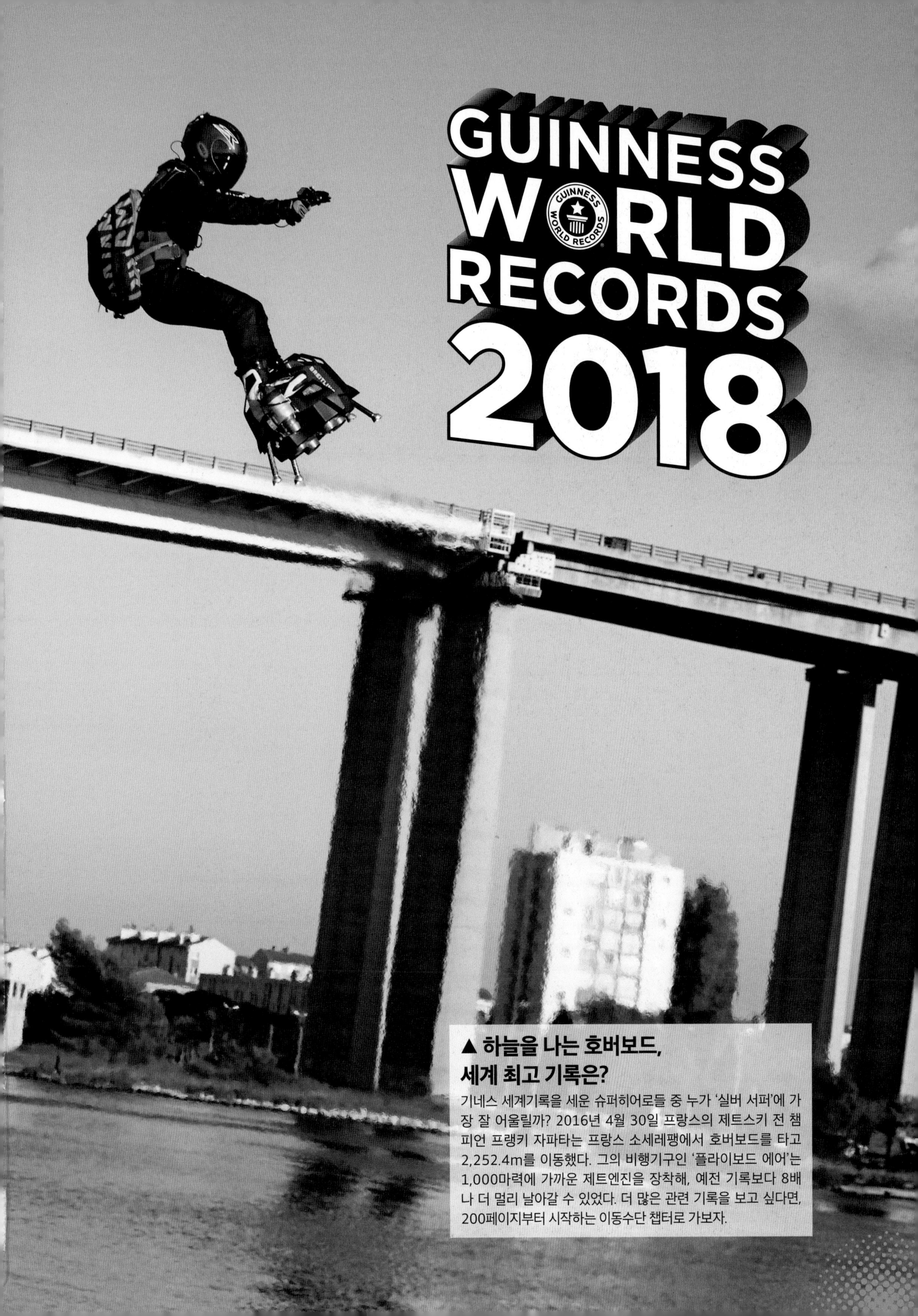

▲ 하늘을 나는 호버보드, 세계 최고 기록은?

기네스 세계기록을 세운 슈퍼히어로들 중 누가 '실버 서퍼'에 가장 잘 어울릴까? 2016년 4월 30일 프랑스의 제트스키 전 챔피언 프랭키 자파타는 프랑스 소세레팽에서 호버보드를 타고 2,252.4m를 이동했다. 그의 비행기구인 '플라이보드 에어'는 1,000마력에 가까운 제트엔진을 장착해, 예전 기록보다 8배나 더 멀리 날아갈 수 있었다. 더 많은 관련 기록을 보고 싶다면, 200페이지부터 시작하는 이동수단 챕터로 가보자.

목차 CONTENTS

보고된 기록 4만 5,000건, 1,000장의 사진과 함께 책에 실린 3,000건의 신기록, 기네스 세계기록만의 독점 사진 60장이 들어 있다.

올해 《기네스 세계기록 2018》은 특별 구성된 슈퍼히어로 챕터, 포스터 형식으로 무료 다운로드받을 수 있는 '최고의 기록' 챕터와 다양한 주제로 구성된 12개의 분야로 이루어져 있다. 여기에는 심해와 고산을 누비는 용감한 모험 이야기부터 블록버스터 영화와 인기 TV 프로그램까지 다루어진다. 또한 위풍당당한 고래와 사랑스러운 판다를 비롯해, 동물 세계의 특별한 개체들의 사진도 볼 수 있다. 물론 최신 과학기술과 과거부터 지금까지 세워진 스포츠의 신기록 하이라이트도 감상이 가능하다.

각 챕터의 끝에 있는 '~전반'에는 앞에서 다루지 못했던 기록들이 포함된다. 여기에는 기네스 세계기록이 발행되기 직전 아슬아슬하게 추가된 기록들이 담겼다.

사진에 100% 표시가 보인다면, 그게 거대한 딱정벌레든 아주 긴 귀털이든 실물 크기와 같다는 뜻이다.

이 책은 모두 컬러로 이루어져 있다. 각각의 챕터는 큰 사진 한 장으로 시작하는데, 해당 챕터에 포함된 기록과 관련된 사진이다.

기네스 세계기록은 매년 1,000장 이상의 사진을 싣는다. 대부분 매우 특이하고 처음 보는 사진들이다. 우리의 열정적인 사진 팀이 전 세계를 누비며 놀라운 모습을 보여주는 신기록 보유자들의 모습을 담아온다.

88페이지부터 슈퍼히어로들에 관한 내용이 담겨 있다. 원조 만화책 캐릭터부터 TV 프로그램, 영화, 비디오게임에 나오는 히어로들, 그리고 슈퍼히어로 코스튬플레이 기록도 등장한다. 또 현실 속 신기록 보유자들은 어떤 허구의 영웅들과 어울리는지 상상해보았다.

한입 크기의 동그라미 상자는 별것 아닌 것 같지만 신기한, 정말 특별한 기록들을 담고 있다. 이것은 당신의 기록 탐독증을 만족시켜줄 것이다.

목차 2
편집자의 편지 4
슈퍼히어로 연합............ 8
최고의 팀................ 10
내 안의
슈퍼히어로를 깨우자! 12
기네스 세계기록의 날 14

지구.................... 16
늪, 습지 & 맹그로브 18
암석 20
중금속................... 22
구조학................... 24
오염 & 환경 26
대화재................... 28
균류 30
심해 32
지구 전반 34

가장 키가 큰...............36

동물.................... 38
딱정벌레.................. 40
사슴 42
독수리 44
판다 46
앵무새 48
돼지 50
파충류 52
거북 54
고래 56
애완동물.................. 58
동물 전반 60

가장 빠른 62

슈퍼휴먼 64
로버트 워들로.............. 66
최고령 사람들.............. 68
부위별 기록 70
보디 아트 72
트랜스휴머니즘.............. 74
피트니스 광(狂)............. 76
인간의 힘 78
100m 최고 기록 80
서커스 묘기 82
슈퍼휴먼 전반 84

가장 긴 86

슈퍼히어로 88
슈퍼히어로 연대기 90
코믹 북 92
영화 속 슈퍼히어로 94
비디오게임 96
코스튬플레이 98
카파우! 100
슈퍼히어로 전반 102

가장 무거운 104

기록 마니아............ 106
큰 물건 108
수집품................... 110
큰 음식 112
재미있는 음식 114
최다 참여 기록 116
신기한 재능 118
루빅큐브 120
대단한 공 122
기록 마니아 전반 124

최연소.................126

모험..................128
세계일주 130
등산 132
극지방................... 134
대양 조정................. 136
국제항공연맹............... 138
모험 전반................. 140

가장 높은 142

사회.................. 144
정치 & 초강대국............ 146
돈 & 경제................. 148
범죄 & 처벌 150
😂🙈👶👂😈💬🌍📖.. 152
깃발 154
패션의 끝................. 156
화장실................... 158
사회 전반................. 160

가장 수입이 많은 162

알고 있는 상식으로 우리가 내는 퀴즈를 맞혀보자. 자신이 먼저 풀어보고, 친구와 가족들에게 문제를 내, 퀴즈 마스터가 돼 보자.

표에는 더 많은 정보가 가득 차 있다. 음악 차트에서 1위를 기록한 노래부터 믿을 수 없는 힘을 가진 남성과 여성들의 기록까지. 필요한 모든 정보를 손끝으로 집어내보자.

인포그래픽 칸은 정보를 쉽고 재미있게, 한눈에 알아볼 수 있도록 구성돼 있다.

눈을 크게 뜨고 타원형 상자에서 더 많은 정보를 알아내 보자. 이 책에 나온 별난 기록 보유자들은 어떻게 놀라운 능력을 지니게 됐는지 뒷이야기를 들을 수 있다.

예술 & 미디어 164
책 166
TV 168
블록버스터 170
무비 스타 172
스타워즈 174
음악 176
차트 1위 178
예술 & 미디어 전반 180

최고령 182

과학기술 & 엔지니어링 184
우주의 끝 186
혜성 188
3D프린팅 190
사진 & 이미지 192
불꽃놀이 194
과학기술 & 엔지니어링 전반 ... 196

가장 비싼 198

이동수단 200
기차 & 철도 202
도시 이동수단 204
커스텀 카 206
몬스터트럭 208
군용차량 210
이동수단 전반 212

가장 작은 214

스포츠 216
피파 월드컵 218
클럽 축구 220
국제 축구 경기 221
미식축구 222
야구 223
농구 224
아이스하키 225
럭비 226
테니스 227
복싱 228
무술 229
크리켓 230
골프 231
오토 스포츠 232
사이클 233
과녁 스포츠 234
역도 235
트랙 & 필드 236
마라톤 238
수영 240
수상 스포츠 241
겨울 스포츠 242
동계 올림픽 미리 보기 243
익스트림 스포츠 244
엑스게임 245
스포츠 전반 246

찾아보기 248
도움을 준 사람들 252
전반 254

▲ 최고 기록 포스터들

《기네스 세계기록 2018》을 위해 특별히 제작한 '최고 기록' 페이지에는 다양한 기록들이 인포그래픽으로 생생히 담겨 있다. 이 2페이지짜리 포스터는 각각의 챕터 사이에 들어가 있으며 **'가장 키가 큰'**, **'가장 긴'**, **'가장 높은'** 혹은 **'가장 무거운'** 주제별 최고 기록이 모아져 있다.

이 페이지에 표시된 기록들은 작은 것부터 순서대로 나열돼 있어(혹은 큰 것부터) 독자들이 하나씩 쉽게 비교할 수 있다. 우사인 볼트와 치타 중에 누가 더 빠를까? **가장 큰 크리스마스트리**가 **가장 큰 눈사람**보다 클까? **가장 비싼 기타**와 **가장 비싼 샌드위치** 중 더 비싼 것은? 무료 포스터는 guinnessworldrecords.com/2018에서 다운로드할 수 있다.

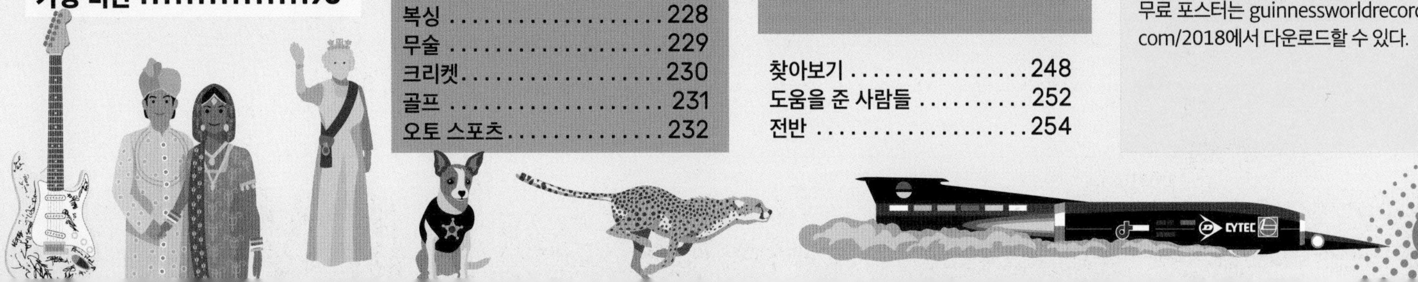

편집자의 편지 EDITOR'S LETTER

기네스 세계기록은 2016년에 4만 5,118건의 기록 인증 신청서를 받았다. 3만 2,114건은 개인이, 나머지는 기업과 정부, 자선단체 등에서 보냈다.

이번 초능력 특별판을 함께하게 되어 진심으로 환영하고, 영광이다. 우리는 모든 사람이 잠자고 있는 내 안의 슈퍼히어로를 깨울 수 있다고 믿는다. 바로 여기에 증명되어 있다. 이 책에는 신기한 재주로 세계 최고가 된 수천 명의 일상 속 영웅들의 이야기가 가득하다.

언제나 그렇듯, 이 책에는 새로 업데이트된 수천 가지의 기록과 흥미로운 옛 자료가 담겼다. 특별히 올해는 새롭고 놀라운 요소들을 추가했다. 이번 기네스 세계기록 특별판은 허구 속, 또는 현실 속의 환상적인 슈퍼히어로에 영감을 받아 제작됐다.

우리는 세계 기록 보유자들을 살아 숨 쉬는 슈퍼히어로라고 생각해왔다. 그들의 힘, 체력, 지능, 지구력, 투지가 합쳐진 놀라운 능력들은 분명 현실 속 슈퍼맨, 원더우먼, 아이언맨의 모습이라고 할 수 있다. 우리가 슈퍼히어로로 팀을 만든다면, 선택할 만한 사람들이 수천 명이나 된다! 실제로 우리가 고른 '최고의 팀'이 뒷장에 나와 있다. 모두 현실 속 다양한 분야에서 신기록을 세운 기록 보유자들로 구성했다.

물론, 기록 보유자가 되고 싶다고 팬티를 바지 위에 입을 필요는 없다(따로 기록이 있기는 하다. 모건 리어든과 나탈리 에드워드는 **'1분 동안 바지 위에 팬티 많이 입기(2인 팀)'** 종목에서 18장 입기에 성공했다!).

우리는 누구에게나 한 분야의 최고가 될 잠재력이 있다고 믿는다. 당신이 노력을 통해 새로운 영웅이 될 수 있도록 기회를 주는 게 기네스 세계기록의 목적이다. 올해 소개된 영웅들이 당신이 원하는 모든 분야에서 최고가 될 수 있도록 영감을 주

▲ 가장 큰 프로젝트 이미지

LBL 커뮤니케이션 그룹과 모스크바 정부(둘 다 러시아)는 작년에 자신들이 세운 기록을 넘어서는 5만 458㎡ 크기의 그림을 빛으로 그렸다. 200개가 넘는 강력한 프로젝터를 사용해, 모스크바 국립대학교 건물 정면에 움직이는 그림을 빔으로 쐈다. 이 놀라운 광경은 2016년 9월 23일 열린 모스크바 국제 페스티벌 '서클 오브 라이트'의 6번째 행사로 펼쳐졌다.

터보 트레이너는 어떤 실외용 자전거도 실내용 자전거로 바꿔주는 장치다. 페달을 밟는 저항을 매번 맞출 수 있어 트레이닝에 안성맞춤이다.

▲ 터보 트레이너 자전거로 1시간 동안 발생시킨 가장 많은 역학 에너지

당뇨병에 관한 지식을 알리기 위해 터키 당뇨병 재단(터키)은 제약회사 일라이 릴리 앤 컴퍼니와 함께 2016년 11월 20일 자전거에 올랐다. 60분 동안 2,300개의 스마트폰을 동시에 충전할 수 있는 8,457.2와트의 에너지가 생산됐다. 29개의 자전거를 각각 2명씩 번갈아 탔는데, 최소 1분 이상 페달을 밟아야 다른 사람과 바꿀 수 있는 규칙이었다.

▲ 밴디 월드 챔피언십 최다 출장(남성)
밴디는 퍽 대신 공을 사용하는, 아이스하키가 변형된 종목이다. 스웨덴에서 열린 2017년 월드 챔피언십에는 벨라루스, 캐나다, 중국, 체코 공화국, 에티오피아, 핀란드, 독일, 헝가리, 일본, 카자흐스탄, 몽골, 네덜란드, 노르웨이, 러시아, 소말리아, 스웨덴, 우크라이나, 미국까지 18개 팀이 참가했다. 2016년과 동일한 참가국 수인데, 라트비아가 대회 중간에 기권하지 않았다면 19개국이 될 수 있었다.

길 바란다.

지난 12개월 동안 우리는 지구 곳곳에서 4만 5,000건 이상의 세계기록 신청서를 받았다. 하지만 그중 대부분은 이 책에 이름을 올리지 못한다. 우리의 엄격한 심사 절차를 거치고 나면 전체 신청자의 극히 일부인 약 5% 정도만 성공적인 기록으로 인정받게 된다. 기록이 인정받지 못하더라도 너무 상심하지 말기를 바란다. 또 다른 도전을 통해 당신이 얼마나 대단한 사람인지 증명하면 된다! 만약 기네스 세계기록 인증서를 받아 신기록 보유자 그룹에 합류하게 됐다면 진심으로 축하한다. 당신은 정식으로 대단함을 인정받은 것이다!

전문가들과의 만남

모든 기록이 일반인들에게서 나오지는 않는다. 우리는 전문가와 자문가로 구성된 특별 팀의 도움을 받아 끊임없이 매년 새롭게 등장하는 기록들을 찾고 있다. 전 세계의 패널들 덕분에 광범위한 분야의 기록들이 이 책에 수록될 수 있었다. 우리는 이 과정을 "전문가들에게서 추출한다"고 말한다. 고고학자, 노인학자, 기상학자, 동물학자들로부터 가장 빠른 것, 가장 키가 큰 것, 최고령과 최연소에 관한 자료를 받았다. 개인적으로 우리의 모든 전문가에게 감사의 말을 전하고 싶다. 당신들이 없었다면 이 책은 나오지 못했을 것이다.

▲ 레고 블록으로 만든 가장 큰 풍력 터빈
레고 그룹(덴마크)이 최근 영국 서부 연안의 풍력발전 지역에 투자한 것을 기념하기 위해 기록적인 구조물을 만들었다. 이 장난감 회사는 2017년 5월 15일 영국 리버풀에 7.63m 높이의 풍력 터빈을 세웠다. 여기에는 14만 6,251개의 블록이 사용됐고 영국, 프랑스, 헝가리에서 모인 레고 전문가들이 600시간을 들여 제작했다.

▶ 피겨 스케이팅 총점 최고 기록(여성)
예브게니아 메드베데바(러시아)는 2017년 3월 31일 핀란드 헬싱키에서 열린 국제빙상연맹(ISU) 월드 챔피언십 대회에서 233.41점을 기록했다. 그녀는 쇼트 프로그램에서 79.01점, 프리 스케이팅에서 154.40점(프리 스케이팅 최고 기록)을 얻었다. 메드베데바는 합계 230점을 넘긴 최초의 여성 스케이터다.

메드베데바는 세계 주니어 대회에서 우승한 뒤 바로 다음 해 성인 대회에서 우승한 최초의 여성 선수다(2015~2016). 또한 2001년 이후 연속 타이틀을 거머쥔 최초의 여성 선수이기도 하다(2016~2017).

편집자의 편지 EDITOR'S LETTER

전 세계에서 60만 명의 사람들이 2016년 11월 17일에 열린 기네스 세계기록의 날 12번째 행사에 참여했다. 여기에는 브라질의 가장 키가 작은 부부도 있었다(71페이지 참조)**.**

▲ 가장 긴 샌드위치 랩

심지어 매일 먹는 음식으로도 신기록을 세울 수 있다. 2016년 10월 13일 OSES 그룹 샌 Ltd(터키)가 평범한 샌드위치 랩을 전혀 새로운 수준으로 끌어올렸다. 이 음식은 길이가 무려 231m로 축구장 길이의 2배나 됐다. 샌드위치의 내용물은 불가(쪘다가 말린 밀가루 음식), 민트, 상추, 파슬리, 석류 시럽 등 완전한 채식 식단으로 구성됐다.

또 올해는 스타워즈 역사가 제임스 번스도 팀에 합류했다. '머나먼 우주'가 아닌 바로 이 책에 관련 기록(174페이지)이 나온다. 제임스 프라우드는 트랜스휴먼과 사이보그에 관한 놀라운 기록(74페이지)들을 파헤쳐줬다. 항공 스포츠 기록들을 제공해준 국제항공연맹(FAI)과 영화 분야의 통계를 알려준 더 넘버스의 분석가 브루스 내시에게도 고맙다는 말을 전하고 싶다.

올해 새로 포함된 주제로는 대화재(28페이지), 루빅큐브(120페이지), 이모지(152페이지)와 불꽃놀이(194페이지)가 있다.

▲ 1시간에 가장 많이 추출한 에스프레소(팀)

2017년 2월 17일, 네슬레 포르투갈을 대표하는 250명의 직원이 포르투갈 카르발할에서 2만 1,000잔이라는 믿기 힘든 수의 에스프레소를 만들었다. 이 작지만 강한 향의 커피는 업계에서 '한 잔'의 표준으로 인정하는 30mL 이상 돼야 기록에 포함되었다. 네슬레 직원들은 이전 최고 기록인 9,000잔을 가볍게 넘어섰다! 이 어려운 일을 해낸 사람들이야말로 카페인을 보충할 필요가 있어 보였다.

이번 《기네스 세계기록 2018》에는 전에는 다루지 않았던 주제를 조사하고, 자료를 자세하게 수집하기 위해 새로운 자문가들을 팀에 합류시켰다. 깃발 협회의 사서인 이안 섬너를 예로 들면, 처음으로 깃발 기록(154페이지)을 작성하는 데 많은 도움을 줬다. 애버리스트위스 대학교 국제정치학부의 워렌 독터는 정치와 초강대국에 관한 기록(146페이지)에 도움을 줬다. 만화책 전문가인 롭 케이브와 T Q 제퍼슨은 초인적인 능력을 지닌 허구 속 영웅들의 자료(88페이지부터 시작되는 슈퍼히어로 참조)를 알려주었다.

기네스 세계기록은 필요한 정보라면 폭넓게 주제를 추가한다는 걸 증명한 셈이다. 만약 화장실에서 이 책을 보고 있다면 화장실과 관련된 모든 기록(158페이지)을 탐구해보길 바란다. 지구에는 휴대전화를 가진 사람이 깨끗한 물을 사용하는 사람보다 많다는 사실을 포함해, 놀랍고도 중요한 기록들을 담고 있는 주제 중 하나다.

55 디자인의 디자이너들은 새로운 주제들을 신선한 볼거리와 함께 제공했다. 올해 기네스 세계기록은 아주 독특하게 구성되어 있다. 먼저 '가장 키가 큰', '가장 긴', '가장 무거운', '최고령' 등의 기록을 담고 있는 포스터 페이지를 들 수 있다. 각 챕터들 사이에 들어가 있는 이 인포그래픽 스타일의 페이지들은 집에서 다운로드해 프린트할 수 있다. 또한 각 챕터의 끝에는 '~전반' 편이 추가로 있다.

데이비드슨은 남극 모험을 시작하며 오직 신기록 수립만을 목표로 했다. 그녀는 남극까지 약 50일 정도면 도착하리라 예상했다.

◀ 최단 기간 남극 단독 탐험(여성, 도움과 지원 없이)

2016년 11월 15일부터 12월 24일까지, 스웨덴의 탐험가 요한나 데이비드슨은 남극대륙 서부 연안 허큘리스 만에서 출발해 지리남극점까지 38일 23시간 5분 만에 도착해, 이전 기록을 10시간이나 앞당겼다. 그녀는 직선거리 1,130km를 이동했으며 재보급 없이 자신의 힘만으로 탐험했다. 허큘리스 만으로 복귀할 때는 카이트 스키(Kite ski)를 활용해 12일 만에 돌아왔다.

▲ 최대 규모 보물찾기 게임

그리스령의 크레타 섬 레팀논 시에서 축제 시즌에 열리는 행사 중 하나로 '보물찾기'가 있다. 1년에 1번 도시 전체를 배경으로 현지 주민들이 참가해 대회를 진행한다. 2017년 2월 12일에 열린 28번째 행사에는 총 1,384명의 수수께끼 애호가들이 참여했다. 비록 우승자에게 진짜 보물을 주지는 않지만, 다음 대회를 기획하고 단서를 남길 수 있는 영광이 주어진다.

마지막으로, 역대 최장신 남성인 로버트 워들로의 생일을 진심으로 축하한다. 2018년 2월은 그가 탄생한 100주년이다. 우리는 그의 놀랍고도 비극적이었던 짧은 생을 기념(66페이지)했다. 워들로는 가장 유명한 기록 보유자이며, 특별한 삶을 통해 지금까지도 모두에게 놀라움을 전하는 진정한 초인이다.

어떤 분야든 새로운 기록을 세우고 싶다면 **guinnessworldrecords.com**에 방문해 신청서를 등록해 주기 바란다. 또 우리가 매년 전 세계에 있는 특별한 사람들을 위해 여는 '기네스 세계기록의 날' 행사 소개를 참조하면 좋겠다(12~14페이지). 당신도 그날 세계기록을 세워보는 건 어떨까? 누구나 우리의 기록 관리자가 인정하는 단 5%의 사람 중 1명이 될 수 있다. 팬티를 바지 위에 입는 기록에 도전하고 싶다면 물론 그것도 환영이다!

편집장

크레이그 글렌데이

에기더스는 크로스핏 트레이닝 분야에서 뚜렷한 성과를 나타내는 만큼이나, 핸드볼과 미식축구에서도 훌륭한 기량을 보인다.

▲ 3분 동안 오버헤드 스쿼트로 가장 많은 무게 들기(남성)

다양한 종목의 운동선수로 활약 중인 프레더릭 에기더스(덴마크)는 2017년 2월 1일, 미국 뉴욕 브루클린에서 오버헤드 스쿼트로 4,902.75kg을 들어 올렸다. 이날은 스포츠 브랜드 리복(미국)이 기획한 피트니스 행사에서 44개의 기네스 세계기록이 쏟아져 나온 전설적인 날이었다. 행사는 영국 런던, 호주 시드니, 그리고 미국 뉴욕과 로스앤젤레스에서 열렸다.

여기에는 다른 일반적인 주제의 페이지들과는 어울리지 않거나, 기록 저장소에 늦게 추가된 내용이 실려 있다. 책의 끝에 있는 '전반'(254페이지)에도 정식 제출 기한이 지난 뒤에 추가된 가장 최근의 기록들이 담겨 있다.

올해 스포츠 챕터(216페이지)에서는 작년에 세워진 세계 신기록들을 중점적으로 다룬다. 자문가 칼 셔커 박사가 도움을 준 동물 챕터(38~61페이지)는 동물의 왕국을 광범위하게 다루기보다는 몇몇 뛰어난 생물들에 집중해 더 깊이 탐구할 수 있게 했다.

▲ 최장 거리 앞돌기 슬램덩크

2016년 11월 17일 헝가리 부다페스트에서 열린 기네스 세계기록의 날 축하행사에서 농구 신기록 3가지가 탄생했다. 발린트 후자르(헝가리, 맨 위 사진 참조)는 작은 트램펄린을 사용해 6.18m 거리에서 앞돌기를 한 뒤 슬램덩크를 했다. 후자르는 '페이스 팀 아크로바틱 스포츠 시어터'의 멤버 5명 중 1명이다. 아론 타칵스, 게르게이 플라피, 피터 서보, 아담 슈토로 이루어진 이 팀은 **트램펄린을 사용해 1분 동안 슬램덩크 많이 하기 기록**(39번, 중간 사진 참조)도 달성했다.

마지막으로, 안나 말릭(헝가리, 바로 위)은 기타 헤드스톡에 공을 올리고 13.23초 동안 회전시켜 **기타로 오랫동안 농구공 회전시키기** 기록을 세웠다. 그녀는 놀랍게도 밴스 조이의 '립타이드'를 연주하며 기록을 작성했다.

▶ 30초 동안 저글링 많이 하기(곤봉 5개)

'태양의 서커스' 팀의 스피드 저글링 전문인 루돌프 야나체크(체코)는 2016년 9월 28일, 곤봉 5개를 이용해 30초 만에 저글링을 총 429번 했다. 캐나다 온타리오 주 토론토의 혼잡한 유니언 역에서 열린 이 도전은 서커스 공연 〈루치아〉를 홍보하기 위해 진행됐다. 5세부터 곤봉으로 저글링을 시작한 야나체크는 여러 공연자가 도전한 뒤에 등장했다.

INTRODUCTION

슈퍼히어로 연합 SUPERHEROES UNITE

기네스 세계기록의 올해 주제는 슈퍼히어로로, 만화책 속에서 범죄자들과 싸우는 허구의 영웅들부터 현실에서 세계기록을 작성해낸 특별한 능력을 지닌 슈퍼휴먼까지 다룬다. 허구 속 영웅들에 관한 챕터는 이 책 88페이지부터 시작된다. 하지만 여기 도입부에서는 먼저 그런 영웅들에게 영향을 받아 현실에서 신기록을 세운 사람들에 대해 알아보자. 영화 속 새로운 스파이더맨, 톰 홀랜드도 만나본다.

시 슌

키가 가장 큰 사람 전(前) 기록 보유자인 시 슌(중국, 2.361m)은 슈퍼히어로는 생김새나 크기에 구애받지 않고 등장한다는 걸 몸소 보여줬다. 이 중국의 거인은 2006년 배 안에 플라스틱이 걸린 돌고래 2마리의 생명을 구했다. 세계에서 키가 가장 큰 슌은 돌고래의 배 속에 자신의 긴 팔을 직접 넣어 플라스틱을 꺼냈고, 덕분에 돌고래들은 위험한 수술을 피할 수 있었다.

마이클 칼렌버그

슈퍼히어로 복장으로 스포츠 대회에 참가하는 건 그리 드문 일은 아니다. 특히 자선 마라톤 대회의 경우에는 더 그렇다. 마이클 칼렌버그(영국, 왼쪽)는 2016년 10월 2일에 영국 웨일스에서 열린 카디프 하프마라톤에 부상당한 영국 공군들을 위한 모금을 위해 참가했다. 마이클은 1시간 9분 33초로 결승선을 통과해 **슈퍼히어로 복장 하프마라톤 최고 기록**을 세웠다. 영웅들의 복장으로 자선 마라톤에 참가해 기록을 세운 사람들의 이야기는 98페이지와 238~239페이지에서 더 찾아보도록 하자.

당신은 슈퍼히어로가 될 요소를 갖추었는가?

마스크를 쓰고 자기 정체를 숨긴 채 악당들과 싸우는 영웅에 관한 아이디어는 1930년대에 처음 나왔다. 로빈 후드나 스칼렛 핌퍼넬, 타잔 같은 소설 속 영웅 혹은 허구의 캐릭터에 영감을 받아 생겨났다. 만화계의 황금시대 때 생겨난 수천 명의 영웅은 지금까지도 우리에게 새로운 영감과 즐거움을 주고 있다. 그리고 오늘날 극장가에는 망토나 갑옷을 입은 전사들이 넘쳐난다.

그렇다고 당신이 총알보다 빨리 달리거나, 방사능 거미에게 물린 슈퍼히어로가 될 필요는 없다. 우리는 모든 사람이 언젠가 세계기록을 세울 만한 초능력을 가지고 있다고 믿는다. 기네스 세계기록은 현실의 슈퍼히어로들을 모집하는 '실드'나 '젠틀맨 리그' 같은 역할을 한다. 올해 당신이 이 책을 보고 자기 안의 슈퍼히어로를 깨워 세계 최고의 기네스 세계기록 팀에 합류하길 기대해본다.

스탠 리

스탠 '더 맨' 리(미국)는 신기록을 보유한 현대 만화의 아버지다. 그가 1941년부터 창조해온 놀라운 캐릭터들은 수많은 만화 제작자들에게 영감을 줘, 그들만의 슈퍼히어로를 만드는 데 영향을 끼쳤다. 스탠 리가 대중문화에 기여한 영웅적인 일들은 90~103페이지에 기록되어 있다.

나단은 '블록 예술: DC 슈퍼히어로'의 일부로 이 작품들을 제작했는데 여기에는 거의 200만 개의 블록이 사용됐다.

나단 사와야

일평생 만화 팬으로 살아온 예술가 나단 사와야(미국)는 2017년 2월 28일, 영국 런던에서 **최대 규모 레고 블록 슈퍼히어로 제작 기록**(실물 크기)을 세웠다. 배트맨, 슈퍼맨, 더 플래시를 포함한 11명의 DC 캐릭터가 만들어졌다.

톰 홀랜드

배우 톰 홀랜드(영국)는 20세 123일의 나이로 〈스파이더-맨: 홈커밍〉(미국, 2017)의 촬영을 마쳐, **마블 시네마틱 유니버스 최연소 주연배우**에 올랐다. 기네스 세계기록은 홀랜드가 세계에서 가장 인기 있는 슈퍼히어로를 연기하며 어떻게 부담감을 이겨냈는지, 그에게 영감을 준 실생활 속 슈퍼히어로는 누가 있는지 독점 인터뷰했다.

인터뷰: 톰 홀랜드

이 상징적인 슈퍼히어로를 연기한 소감은?
정말 큰 영광이에요. 사실 스파이더맨을 연기했다는 게 믿기지 않았어요! 지금도 완전히 믿기지는 않고요. 제가 어렸을 때부터 정말 좋아했던 캐릭터라 꿈을 이룬 느낌이에요.

슈퍼히어로들이 아직도 인기가 많은 이유는 뭐라고 생각하는지?
영화들이 재미있고, 드라마틱하죠. 박진감 넘치고 액션 요소도 많아서 관객들이 좋아하고요. 그리고 스파이더맨은 친숙한 점이 많아 사랑받는 캐릭터예요. 어린 친구들은 누구나 고등학교에 다니고, 여자친구에게 처음으로 말을 걸 때 어색함을 느끼잖아요. 숙제 때문에 고생하고 지각하지 않으려 노력하는 것도 마찬가지고요. 슈퍼히어로도 같은 일을 겪는다니 어린 세대에게 새로운 흥밋거리가 될 거예요. 어른들도 고등학교 시절을 회상할 수 있겠죠.

슈퍼히어로들이 주는 교훈이 있다면?
피터 파커를 보면, 어린 시절 엄청난 힘을 얻게 되는데 그 힘을 범죄를 저지르는 데 쓰지 않고 자신이 사는 도시를 더 좋은 곳으로 만드는 데 사용하죠. 어린 친구들이 명심해야 할 엄청난 메시지예요. 솔직히 말하면, 저에게 그런 큰 힘이 생긴다면 좋은 일에만 쓸 것 같진 않아요. 은행을 한 번쯤 털겠죠, 두 번 털거나요! 하지만 피터 파커는 최고의 모습만 보여줘요, 어린 친구들에게는 좋은 롤 모델이에요.

만약 한 가지 능력을 선택할 수 있다면?
순간이동을 택할 거예요! 저 같은 직업은 비행기를 정말 자주 타거든요, 순간이동을 할 수 있다면 아주 편할 것 같아요.

스무 살인데 일이 바쁘군요. 성공 비결이 있다면?
한 가지에 몰입해서 계속 연마하는 게 최고의 방법 같아요. 그게 어려울수록, 자신이 더 열심히 할수록, 그 상황에서 더 많은 걸 얻을 수 있어요. 학교든, 일이든, 영화 촬영장이든 말이죠. 저는 뭐든 열심히 해야 한다고 믿어요, 그 분야에서 제일 열심히 하는 사람이 되어야 해요.

현실에서 우러러보는 영웅은?
저는 더 락(드웨인 존슨, 아래)을 보고 많은 영감을 받았어요. 언젠가 운이 좋아서 그를 만난 적이 있는데, 정말 친절하고 좋은 사람이었어요. 주변에서 들었는데 그는 쉬는 날이 없다고 하더라고요. 하루도 쉬지 않고 일한대요. 저는 피곤할 때마다 '드웨인은 아마 지금 체육관에서 운동하고 있을 거야'라고 생각해요. 그리고 이렇게 생각하죠. '내가 원하는 위치에 가려면 더 열심히 해야 해.' 또 어려운 일이 생기면 스스로 이렇게 물어요. '더 락이라면 어떻게 했을까?'

더 락도 기네스 세계기록 보유자예요!
정말요! 더 락과 한 발 더 가까워진 기분이네요. 다음 '락'은 제가 될 거예요. 아니면 작은 락이라도 돼야죠!

기네스 세계기록 보유자가 된 기분이 어떤가요?
저는 기네스 세계기록의 열렬한 팬이에요. 거짓말이 아니라, 제 크리스마스 양말에는 언제나 이 책이 들어 있었어요. 내가 여기에 나온다니 기분이 날아갈 것만 같아요! 신기록을 세우게 되다니 정말 놀랍고 또 행복해요. 이 인증서를 어서 빨리 제 방 벽에 걸고 싶어요. 아마 영국 아카데미 상 옆이 되겠죠!

영국 아카데미의 떠오르는 스타

톰은 영국 영화와 텔레비전 예술상(영국 아카데미) 시상식에서 신인상을 받았다. 그는 2008년 런던에서 뮤지컬로 상연된 〈빌리 엘리어트〉의 주연을 맡으며 연기로 주목을 받기 시작했다. 〈더 임파서블〉(스페인/미국, 2012)로 스크린에 모습을 드러냈는데 〈캡틴 아메리카: 시빌 워〉(미국, 2016)에서도 스파이더맨으로 잠시 출연했다.

최고의 팀 SUPERLATIVE SQUAD

수많은 기네스 세계기록 목록에서 선발해 슈퍼히어로 팀을 구성해야 한다면 머리가 아플 것이다. 그래도 한번 정말 놀라운 능력을 지닌 사람들로 팀을 구성해봤다. 모두 현실에 존재하는 최고 능력자들이다.

사무라이

울버린에 맞설 날 선 영웅으로 마치이 이사오(일본)를 선택했다. 2011년 그는 이탈리아 밀라노에서 검을 휘둘러 기록을 세웠는데, 종목은 **3분 동안 다다미(볏짚) 많이 베기**(252회)였다. 4년 뒤, 이사오는 일본 도쿄에서 **볏짚 한 단을 검으로 많이 베기 기록**도 달성했다(8회).

킬로-걸

이제 여기 쉬헐크를 보자. 니나 거리아(우크라이나)는 힘이 남아도는 여자다. 2012년 3월 28일, 그녀는 이탈리아 로마에서 열린 〈로 쇼 데 레코드〉에서 겨우 12.33초 만에 **오리걸음으로 120kg 빨리 옮기기 기록**을 세웠다. 120kg이 어느 정도인지 궁금한가? 볼링 공보다 17배 이상 무겁다!

고무 인간

피부가 가장 잘 늘어나는 사람인 개리 터너(영국)보다 미스터 판타스틱의 신축성을 더 잘 흉내 낼 사람이 과연 있을까? 개리는 엘러스 단로스 증후군 때문에 복부의 피부가 15.8cm까지 늘어난다. 이 증후군은 피부 조직 , 인대, 내부 장기의 조직 연결에 이상을 가져와 피부가 탄력을 잃고 관절이 과하게 움직인다.

슈퍼-후퍼

마라와 이브라힘(호주)은 극한의 훌라후프 기술로 태풍을 일으킨다. 그녀는 **하이힐 롤러스케이트를 타고 훌라후프 3개를 돌리며 오래 버티기** 기록(2분 29초)과 **하이힐 롤러스케이트를 타고 훌라후프 8개 돌리며 멀리 가기** 기록을 보유하고 있다(43.2m).

'슈퍼라티브
(Superlative)'
1. **형용사** 최상의, 최상급의
2. **명사** 비교할 수 없이 훌륭한 어떤 것, 혹은 사람

인간 거미

고층 건물을 굳이 어려운 방법으로 올라가 '스파이더맨'이라는 별명을 얻은 사람이 있다. 알랭 로베르(프랑스)는 **가장 많은 건물을 벽으로 올라간** 기네스 세계기록을 보유하고 있다(121개). 그는 1994년부터 타워, 기념비, 고층빌딩 등에 오르기 시작했고, 최근인 2015년 4월 12일에는 UAE 두바이에 있는 306m 높이의 카얀 타워에 오르는 데 성공했다.

불꽃

무모하기로 치자면, 요세프 토틀링(오스트리아)은 휴먼 토치와 치열한 경쟁이 예상된다. 요세프는 2013년 11월 23일, 오스트리아 잘츠부르크 소방서에서 **온몸에 불을 붙인 채 산소 없이 오래 참기 기록**을 세웠다(5분 41초).

사과 분쇄자

캡틴 마블의 강력한 힘을 찾는가? 린지 린드버그(미국)가 나설 차례다! 그녀는 **1분 동안 이두박근으로 사과 많이 부수기**(여성), **1분 동안 전화번호부 많이 찢기**(5권) 등 힘에 관한 많은 기록을 보유하고 있다.

캡틴 프리즈

당신이 위험에 처한다면 냉철한 머리를 가진 사람이 필요하다. 그리고 진 송하오(중국)보다 차가운 사람은 그 누구도 없다. 이 살아 있는 아이스맨은 2014년 9월 4일, 중국 푸젠 성 샤먼에서 **전신을 얼음에 직접 대고 오래 버티기** 기록을 세웠다(1시간 53분 10초).

백발백중

호크아이가 생각나는 낸시 세프커(미국)의 능력은 누구라도 탐낼 만하다. 이 놀라운 궁수는 2013년 6월 20일, 미국 캘리포니아 주 로스앤젤레스에서 열린 〈기네스 세계기록〉 무대에서 **가장 먼 거리에서 발로 화살을 쏴 표적 맞히기** 기록을 세웠다(6.09m).

원더 휠스(놀라운 바퀴)

프로페서 X에게 텔레파시 능력이 있다면, 애런 포더링험(미국)에게는 누구도 따라오지 못하는 휠체어 타기 능력이 있다! 그는 2008년에 **최초로 휠체어로 공중 뒤돌기**에 성공했고, 2010년에는 **휠체어 타고 경사대를 이용한 높이뛰기 기록**을 세웠다(60cm). 그리고 2012년에는 **수동 휠체어 한쪽 바퀴로만 균형 오래 잡기 기록**을 세웠다.

내 안의 슈퍼히어로를 깨우자! UNLEASH YOUR INNER SUPERHERO!

신기록 보유자가 되고 싶은가? 우리의 기록 심판팀이 기네스 세계기록에 이름을 새기는 몇 가지 방법을 알려준다. 먼저 자신 안에 숨겨진 슈퍼파워를 찾는 것부터 시작한다면, 얼마 지나지 않아 당신도 정말 놀라운 사람이 될 수 있다!

LIVE!

▼ 기네스 세계기록 라이브!

기네스의 심판과 코치들은 새로운 신기록을 많은 사람에게 알리고, 또 모두에게 도전할 기회를 주기 위해 자주 길을 나선다. 그곳은 쇼핑몰일 수도 있고, 연휴의 캠핑장, 컨벤션 센터나 운동 경기장, 혹은 우리의 〈기네스 세계기록 라이브! 챌린지 페어〉일 수도 있다! '기네스 세계기록 라이브!'를 찾아보자. 우리 팀이 당신의 마을에 곧 나타날 수 있으니까!

블랙풀(영국)
1분 동안 물풍선 많이 받아서 들고 있기

당신의 버킷 리스트에 기네스 세계기록 인증서 받기가 있거나, 재미있는 방법으로 기부하고 싶다면 'guinnessworldrecords.com'에서 그 영광의 길을 시작하면 된다. 먼저 당신의 아이디어를 우리 기록 관리팀에게 알려주면, 우리가 그에 맞는 조언이나 가이드라인을 답변해줄 것이다.

아니면 기네스 세계기록 행사에 참여해 기록을 깰 수도 있고, 세계 곳곳의 기네스 전시관에 들러 기록에 도전할 수도 있다. 어쩌면 당신에게 우리의 TV 쇼에 참여해달라는 요청이 갈 수도 있다. 여기, 슈퍼히어로들이 기네스 세계기록에 참여하는 몇 가지 방법들이 있다. 물론 당신도 원한다면 어떤 종목에든 참여할 수 있다. 행운을 빈다!

키드로폴리스
장난감 다트 총으로 표적 5개 빨리 넘어뜨리기: 13.65초, 해리 랙(영국), 2016년 10월 26일

키자니아 2016년(사우디아라비아)
눈 가리고 10가지 과일 종류 알아맞히기

시리아 필름(알바니아), 최대 규모 '컵' 악기 앙상블
참가자 2016명, 시리아 필름(알바니아) 주최. 2017년 3월 25일 알바니아 티라나

◀ 비즈니스 솔루션

새로운 기록에 대한 도전은 기부금을 모으거나, 학생들에게 가르침을 주는 아주 재미있고 효과적인 방법이다. 또 신제품을 발표하거나 직원들의 단합에도 좋다. 우리의 기록 관리자들은 당신이 필요로 하는 종목 선택에서부터 신청법 등 모든 과정을 돕고 있다. 학교, 자선단체, 기업을 대표해 신청한다면 기네스 웹사이트에 있는 '비즈니스 솔루션' 섹션을 보자.

포르쉐-영국
기성 차량으로 무거운 비행기 끌기
284톤, 포르쉐, 2017년 4월 21일 영국

몸에 불이 붙은 채 말에게 매여 멀리 끌려가기 500m, 요세프 토틀링(오스트리아), 2015년 6월 27일

1분 동안 도미노 많이 넘어뜨리기
기록 없음

1분 동안 굴착기로 풍선 많이 터뜨리기
44개, 앤디 밸렌타인(영국),
2016년 9월 16일 영국 스트루드

▲TV

기네스는 1998년부터 19개 지역에서 TV 프로그램도 제작하고 있는데, 〈오피셜리 어메이징〉(사진)은 인기리에 방영되고 있다. 우리의 '재능 스카우터'들은 언제나 재미있고 괴상한, 신선한 아이디어를 찾아 헤맨다. 만약 당신에게 비상한 재주가 있다면 우리에게 알려주길 바란다!

두 바퀴로 달리는 자동차 2대 최대한 밀착하기
1.29m, 존과 알라스테어 모팻(둘 다 영국), 2016년 9월 12일 영국 스태퍼드

몸 뒤로 접어서 발로 달걀 6개 컵에 빨리 넣기
25.45초, 클라우디아 휴스(영국), 2016년 9월 6일

우리의 심판들은 당신의 도전 아이디어를 받아들일 준비가 되어 있다. 만약 당신의 제안이 마음에 든다면 도전의 가이드라인을 제시하거나, 혹은 제출한 아이디어에 적당한 도전 제목을 만들어 진행하기도 한다.

▼전시관

기네스 세계기록 관련 이야기들을 더 알고 싶거나, 또 다양한 도전을 해보고 싶다면 미국 테네시 주 개틀린버그에 있는 전시관에 방문해보자. 믿기 어려운 전시품과 진품, 놀라운 장식과 멋진 게임, 소소한 놀거리부터 주제별 갤러리와 영상까지 다 볼 수 있다. 벽돌 깨기, 권총 빨리 뽑기, 벌목꾼 나무 자르기, 프리스비 던지기 같은 20가지가 넘는 게임과 도전도 기다리고 있다!

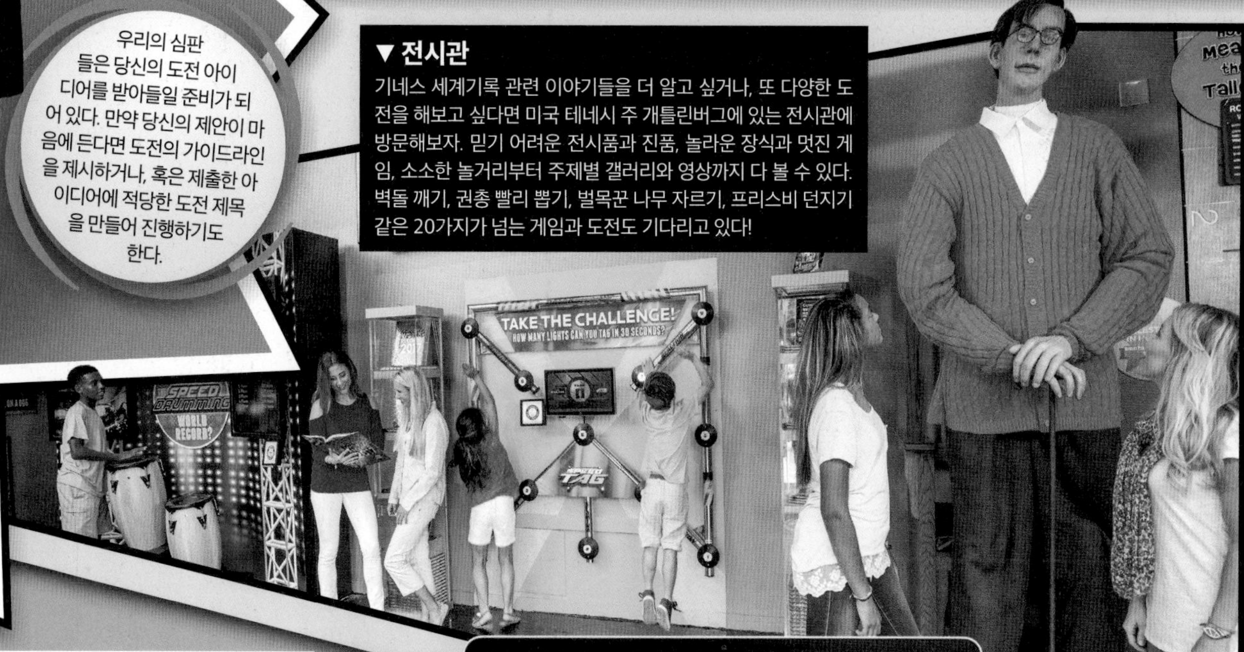

▶기네스 세계기록 닷컴

새로운 기록 뉴스가 분 단위로 업데이트되는 우리의 웹사이트에서는 오래된 도전 내용도 물론 읽을 수 있다. 또 신기록 보유자들의 독점 영상도 시청 가능하다. 예를 들어 오스트리아의 스턴트맨, 요세프 토틀링이 온몸에 불을 붙이고 말에 끌려가는 영상 같은 것 말이다(왼쪽)! 페이스북이나 유튜브, 인스타그램, 팝잼이나 스냅챗에서 #gwr을 검색해보자.

여기서 찾아보자
twitter.com/gwr
youtube.com/guinnessworldrecords
Facebook.com/guinnessworldrecords

기네스 세계기록의 날 GWR DAY

'기네스 세계기록의 날'은 전 세계에서 신기록 탄생을 축하하는 날이다. 2016년 11월 17일에 어떤 일들이 있었는지 살펴보자.

▲ 스쿼트 최다 인원

피트니스 권위자 케일라 잇시네스(호주)가 호주 멜버른에서 기네스 세계기록의 날에 엄청난 규모의 운동 수업을 진행했다. 여기서 총 2,201명이 스쿼트를 해 이전 최고 기록인 665명을 박살 내버렸다. 케일라는 '신병 훈련소'라는 이 행사로 5개의 최다 기록을 세웠는데, **최다 인원 런지**(2,201), **스타점프**(2,192), **윗몸일으키기**(2,005), **제자리달리기**(2,195)다.

사람이 모여 만든 가장 큰 구름 모양

소프트웨어 기업 델탁(미국)이 클라우드 컴퓨팅 서비스를 알리기 위해 미국 메릴랜드 주 게이로드 내셔널 리조트 & 컨벤션 센터에서 '인사이트 2016' 사용자 콘퍼런스를 열고 초대한 사람들로 세계에서 가장 큰 구름 모양 만들기 기록에 도전했다. 이날 총 468명이 참가하였는데, 흰색과 짙은 파란색 판초를 입고 11.38×19.40m 크기의 구름 모양 선 안에 들어가 기록 도전에 성공했다. 이 구름의 크기는 런던 버스보다 약 2배 긴 길이다.

▲ 몸을 뒤로 구부려 입으로 꽃을 문 최다 개수(1분)

리우탱(중국)은 1분 동안 자기 발아래 있는 꽃을 물어 올려 손으로 다른 꽃병에 놓는 동작으로 총 15송이를 옮겼다. 이 기록은 중국 허난 성 융청에서 열린 행사에서 세워졌다. 리우탱은 2015년 1월 5일, 중국 장쑤 성 장인에서 11송이의 이전 기록을 달성한 동료 곡예사 '줄라타' 줄리아 귄텔(독일)과 선의의 경쟁을 즐겼다.

최다 종이 코끼리 전시

야생동물보호협회(WCS)가 미국 뉴욕 시 브롱크스 동물원에 전시할 종이 코끼리를 보내달라고 요청하자 이집트, 이란, 카자흐스탄을 포함한 여러 나라에서 7만 8,564마리를 보내왔다. 협회는 처음부터 신기록을 세울 만큼 많은 양을 원했고, 각각의 종이 코끼리는 받침이나 고정 없이 서 있을 수 있어야 한다는 게 조건이었다. 이 전시는 야생동물보호협회가 상아 때문에 죽는 코끼리가 하루에 96마리나 된다는 사실을 알리기 위해 진행한 '96 코끼리' 캠페인의 일환이었다.

▲ 스카이다이빙 중에 한 최다 마술

마틴 리스(영국)가 영국 윌트셔 솔즈베리에 있는 올드 새럼 비행장의 '고 스카이다이브'에서 낙하 중에 11개의 마술을 선보였다. 193km/h의 낙하속도는 이 용감한 마술사에게는 별문제가 되지 않았다. 리스는 자유낙하는 물론 낙하산이 펴진 뒤에도 계속 묘기를 선보였다. 이 도전은 기네스 세계기록의 날 행사이자 아이들을 위한 모금 활동의 하나였다.

최대 규모 인간 퍼즐 조각

코베스트로 도이칠란트 AG(독일)는 자사의 132m짜리 공장 굴뚝에 장식한 새로운 퍼즐 작품을 공개하며, 축하행사로 직원들이 거대한 퍼즐 조각 모양으로 서는 퍼포먼스를 선보였다. 분홍색 후드를 입은 548명의 직원은 독일 브룬스뷔텔에서 한 조각의 퍼즐이 됐다.

링에 매달려 돌린 가장 많은 훌라후프

마라와 이브라힘(호주)이 미국 캘리포니아 주 로스앤젤레스 할리우드 에어리얼 아츠에서 열린 '라이브 페이스북 기록 도전'에서 전신으로 50개의 훌라후프를 돌리는 데 성공했다. 마라와가 도전한 종목은 링에 매달린 채 공중에서 3회 이상 성공해야 기록으로 인정된다. 그녀는 2005년 6월 4일, 호주 뉴사우스웨일스에서 열린 기네스 세계기록의 날 행사에서 카리나 오츠(호주)가 세운 41개를 경신했다.

▲ 턱 위에 세운 최다 라바 콘(원뿔형 교통표지)

케이스케 요코타(일본)는 도전 전날 흥분으로 잠을 이루지 못했지만, 일본 도쿄 시부야에 있는 집 앞마당에서 26개의 라바 콘을 턱에 올리고 균형을 잡는 데 성공했다. 그는 자전거보다 무거운 라바 콘들을 올리고 버틸 수 있었던 비밀은 강한 신념이라고 말했다. 요코타는 2016년 10월 9일, 일본 이와키에서 열린 알리오스 파크 페스에서 자신이 세운 22개의 기록을 경신했다. 이 행사는 큰 피해를 입은 후쿠시마를 돕기 위해 열렸다.

▶ 앵무새가 바에 링을 끼운 최다 개수(1분)

2015년에 스케이트보드를 타는 불도그 도토의 영상이 인터넷에서 선풍적인 인기를 끌며 유튜브에서 250만 뷰를 기록했다. 2016년에는 스키퍼 블루라는 이름의 마코앵무새가 주목을 받았다. 트레이너 '와일드라이프' 웬디 호턴(미국)의 지도를 받은 이 영특한 앵무새는 미국 캘리포니아 주 로스앤젤레스에서 60초 동안 바에 19개의 링을 끼웠다.

가사만으로 아바의 노래 제목을 가장 많이 맞힌 기록

영국 입스위치에 있는 라디오 서퍽에서 쇼를 진행하던 DJ 루크 딜(영국)은 1분 만에 스웨덴 4인조 팝가수 아바의 노래를 15개나 맞혔다. 영국 현지의 다른 9명의 DJ가 기록에 도전했지만, 승리의 영광은 딜에게 돌아갔다.

기네스 세계기록의 날에 도전해보고 싶은가? guinessworldrecords.com에 지원방법이 나와 있다.

▲ **최다 더블더치 스타일 줄넘기**(30초)
더블더치 줄넘기는 2개의 줄을 서로 반대 방향으로 돌리고 그 안에 1명 이상의 사람이 들어가 뛰는 방식이다. 더블더치 줄넘기 팀 '다이아나'의 아유미 사카마키(일본)와 팀원들은 일본 이바라키 현 도리데 시에서 129회라는 유례없는 기록을 세웠다. 기네스 세계기록 심판들은 아유미가 넘은 줄넘기의 횟수를 세고, 규정에 맞게 실행했는지 확인하기 위해 영상을 느린 동작으로 확인했다.

기네스 세계기록의 날은 2005년《기네스 세계기록》의 1억 부 판매를 기념해 처음 열렸다. 현재는 11월마다 전 세계의 축하 속에 새로운 기록들이 탄생하고 있다.

한쪽 다리 아래로 던져 넣은 최장 거리 슛(농구)
할렘 글로브트로터스 팀(오른쪽 사진)의 선더 로(미국)가 미국 텍사스 주 샌안토니오의 AT&T 센터에서 15.98m의 거리에서 한쪽 다리를 들고 그 아래로 농구공을 던져 골을 넣었다. 여기서 그치지 않고 로는 17.91m 거리에서 **앉은 자세 최장 거리 슛**도 성공했다.
그의 기록에 맞서 유튜브 스포츠 엔터테이너인 '듀드 퍼펙트' 글로브트로터의 빅 이지 로프톤(미국)이 17.74m라는 말도 안 되는 거리에서 **눈을 가리고 한 최장 거리 훅 슛**에 성공했다. 또 22.1m에서 **최장 거리 훅 슛**에도 성공하며 기대를 저버리지 않았다.
글로브트로터의 팀원인 제우스 맥클러킨(미국)도 **1분 내 최다 슬램덩크**(개인) 16개를 성공시키며 관객들에게 큰 즐거움을 선사했다.

▲ **1분에 넣은 최다 3점 슛**(공 1개)
미국 텍사스 샌안토니오 AT&T 센터에서 할렘 글로브트로터스가 농구 신기록의 날을 열어 즐거움을 주었다(왼쪽부터 선더 로, 치즈 치스홀름, 빅 이지 로프톤, 앤트 앳킨슨, 제우스 맥클러킨, 모두 미국). 앤트와 치즈는 60초 동안 공 하나로 10개의 3점 슛에 성공했다(슛을 쏠 때마다 공을 주우러 다녀야 하는 종목).

농구공 4개 최장 시간 저글링
마르코 베르메르(네덜란드)가 네덜란드 위트레흐트에서 농구공 4개를 공중에서 돌리며 5분 26초를 버텼다. 기록으로 인정받기 위해 베르메르는 공들을 양손으로 번갈아 돌려야 했다.

▲ **실내에 가장 많이 장식된 전구**
유니버설 스튜디오 싱가포르는 82만 4,961개의 전구를 이용해 싱가포르 리조트 월드 센토사에 놀라운 겨울 장식을 만들었다. 찰리 채플린, 마릴린 먼로 등 8개 주제로 유니버설 저니의 대표적인 장소에 설치된 이 작품들은 방문객들이 크리스마스 기분을 더 많이 느끼도록 했다. 설치에만 2개월이 걸렸다.

▲ **최고 높이 번지 덩크**
익스피어리언스 데이즈의 도움으로 무모한 도전자 사이먼 베리(영국)가 영국 버크셔의 브레이 레이크 워터스포츠에서 73.41m 높이에서 뛰어내려 비스킷을 머그잔 안에 든 차에 담갔다. 베리는 매우 신중하게 점프를 해야 했는데, 정해진 규정에 따르면 머그잔은 높이와 둘레가 모두 15cm 미만이어야 했다.

지구 EARTH

오늘은 지구의 탄생 이후 가장 긴 날이다. 지구의 자전은 100년마다 약 0.0014초씩 느려진다. 1억 4000만 년 후면 하루는 25시간이 된다.

성층화산들은 대개 가파른 면을 가진 원뿔형으로 용암, 부석(浮石, 용암이 갑자기 식으며 생기는 다공질의 돌), 화산재 층이 겹겹이 쌓여 형성된다. 에트나 화산은 지금까지 50만 년째 계속 높아지고 있다.

CONTENTS

늪, 습지 & 맹그로브 18
암석 20
중금속 22
구조학 24
오염 & 환경 26
대화재 28
균류 30
심해 32
지구 전반 34

가장 오래된 화산의 폭발 기록

이탈리아 시칠리아 섬에 있는 에트나 화산의 첫 폭발 기록은 기원전 1500년으로, 당시 엄청난 폭발로 사람들이 집을 잃었다고 한다. 해발 3,329m의 성층화산인 에트나 화산은 그 뒤로도 200번가량 폭발했다.

가장 최근의 주목할 만한 폭발은 2017년 3월에 있었는데, 사진은 2015년 12월 2일, 현지 사진작가인 페르난도 파미아니가 인근 안전지대인 메시나 지방에서 이 장면을 찍었다.

파미아니는 "폭발은 30분 정도였지만 엄청난 용암이 며칠간 분출됐다"고 말했다. 폭발 당시 용암은 상공 1km까지 치솟았고 며칠 뒤 쌓인 화산재 기둥의 높이는 약 7km에 이르렀다.

늪, 습지 & 맹그로브 SWAMPS, BOGS & MANGROVES

적도부터 추운 지역까지 어디에나 있는 '습지'는 지구 표면의 약 6%를 차지한다.

▲보그 습지에서 발견된 가장 오래된 시신

'코엘버그(Koelbjerg) 남성'이 1941년 덴마크 오덴세 인근의 토탄흙에서 두개골과 몇몇 뼈만 남은 채 발견됐다. 방사선 탄소연대측정법으로 따져보니 그는 기원전 8000년, 마글레모제 문화(중석기 시대)에 북유럽에 살았던 것으로 짐작된다. 사망 당시 나이는 25세로 추정됐다. 유해에 폭행 흔적이 없는 것으로 보아 단순히 익사했을 가능성이 있다.

습지의 형태

보그(Bog)
주변보다 지대가 높은 보그는 대부분 빗물로 채워진다.

마쉬(Marsh)
항상 물에 잠겨 있다. 만조나 우기가 되면 넘치기도 한다.

늪(Swamp)
평평하고 낮은 지역에 형성되며 나무가 무성히 자란다. 흔히 강 주변에 생긴다.

가장 오래된 보그 버터

보그 버터(Bog butter)는 토탄흙에서 나무상자에 든 채로 발견되는 버터 혹은 왁스 같은 형태의 사람이 만든 물질이다. 고대에 음식을 저장하던 방식으로 짐작되는데, 토탄흙이 시원하고 산성을 띠며, 산소 유입이 적기 때문에 이용한 것으로 보인다. 아일랜드나 영국에서 주로 나오는데 유제품이나 동물의 지방으로 구성되어 있고, 파라핀 왁스 같은 질감이다. 가장 오래된 버터는 2013년 아일랜드 오펄리 튤라모어에 있는 발라드 보그에서 발견됐다. 5000년 이상 됐지만 땅에서 파낼 당시 여전히 버터 향이 났다. 담고 있던 나무상자는 폭 30.4cm, 높이 60.9cm에 무게는 45.3kg 이상이었다.

가장 큰…

토탄흙 지역

서시베리아 평원은 서쪽의 우랄산맥과 동쪽의 예니세이강 사이에 펼쳐져 있다. 260~270만km²로 미국 텍사스주의 4배 정도 된다. 이중 토탄흙(여러 식물의 유해가 미분해 혹은 약간 분해된 상태로 퇴적된 토지)은 60만 3,445km²를 차지한다. 이곳의 토탄은 깊이가 10m에 이르며 차갑고 습한 환경이어서 죽은 식물이 완전히 분해되지 않은 상태로 보존된다.

보그 습지

'더 그레이트 바시유간 마이어'는 서시베리아 평원에 있다. 면적이 5만 5,000km²로 스위스보다 크며 이중 2%는 토탄흙으로 되어 있다.

얼어붙은 토탄지

서시베리아 아북극 지역에는 얼어붙은 토탄지가 100만 km²에 걸쳐 있다. 과학자들은 2005년 이 지역이 녹는 것을 발견했는데, 1만 1000년 전 토탄지가 생성된 이래 처음 있는 일이라고 한다.

토탄지 개간 프로젝트

인도네시아 정부는 1996년 메가 라이스 프로젝트를 계획했다. 토탄지를 논으로 개간하여 증가하는 자국의 인구가 먹을 수 있는 쌀을 재배하겠다는 게 목표였다. 하와이 섬 크기와 맞먹는 약 100만 헥타르가 논으로 개간됐지만 안타깝게도 산성 토양에 영양이 부족해 쌀 재배에는 부적합했다. 프로젝트는 1998년 폐기되었고, 이곳에서는 아주 소량의 쌀만 생산되고 있다.

Q: 메소포타미아 문명이 탄생한 지역의 습하고 비옥한 땅에는 어떤 의미의 이름이 붙었을까?

A: 비옥한 초승달 지대

갈대 생태계

다뉴브 강 삼각주는 흑해로 흘러 들어가는 퇴적물이 쌓여 6,500년 전에 형성됐다. 울창한 숲과 수많은 호수, 섬, 늪으로 이루어진 삼각주의 80%는 루마니아 영토이고 20%는 우크라이나 땅이다. 이 삼각주는 매년 둘레가 24m 정도 커진다. 또 1,563km²의 갈대 생태계가 형성돼 있고, 300종 이상의 새와 45종 이상의 민물고기가 서식한다.

갯벌

네덜란드에서 덴마크까지 북유럽 해안을 따라 500km 정도 뻗은 바덴 해는 수심이 낮아 갯골, 해초지, 사주(砂洲), 홍합 생태계, 염생습지 등 다양한 생태 환경이 조성되어 있다. 주로 해안과 프리지아 군도에 약 1만km² 면적으로 뻗어 있다. 바덴 해는 철새가 모이는 중심지로 매년 1,000만~1,200만 마리의 철새가 방문하며, 텃새도 610만 마리 이상 산다.

실내 습지

미국 네브래스카 주 오마하에 있는 53헥타르 규모의 헨리 돌리 동물원에는 0.1헥타르의 면적에 60만 5,665ℓ의 물을 채운 실내 습지가 조성돼 있다. 여기에는 38종의 습지 동물과 미국악어 9마리가 산다. 이중 1마리는 매우 희귀한 흰 악어(알비노)인데, 전 세계에 15마리 미만만 생존하는 것으로 여겨진다.

◀가장 오래된 사용 가능한 목재

마오리족 언어 '카우리'로 더 잘 알려진 남양삼목 과 침엽수는 뉴질랜드에서 가장 크게 자라는 나무 중 하나다. 토탄지에서 선사시대 나무가 발견되는데, 원형 그대로 혹은 씨앗을 담는 통으로 만든 게 보이기도 한다. 이 '습지 카우리'는 보통 3000년 정도 전의 나무들이지만 방사선 탄소연대측정법에 따르면 간혹 5만 년 전의 나무도 나온다. 대체로 목재 상태가 좋아 건조시켜 가구로 만든다. 고대 카우리 목재에는 '치어'라는 무늬가 있는데, 목재에 햇빛이 비치면 작은 물고기 떼가 빛을 받아 반짝이는 듯한 결이 생기기 때문이다. 오른쪽 접시에 나타나 있다.

보그의 유산

북유럽의 보그는 특히 산성이 높고 산소 함량이 적어, 토양에 묻힌 물건이 잘 보존된다. 나무나 가죽, 철로 만든 고대 물건이 나오기도 하고, 가끔 사람의 살도 그대로 유지된 채 발견된다.

보그 버터

보그 버터는 대개 수천 년 전에 만들어진 것으로 영국이나 아일랜드의 보그에서 발견된다.

사람의 시신

시신이 토탄흙에 들어가면 대체로 미라화되어 피부뿐 아니라 연약한 조직도 그대로 보존된다.

무기

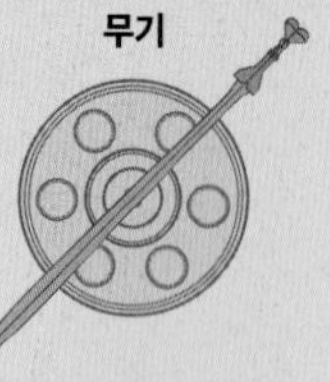

중세의 검, 방패, 심지어 교살용 흉기도 보그에서 발견된다. 대개 옆에는 피해자가 함께 있기 마련이다.

책

2006년 아일랜드의 한 보그에서 표지가 가죽으로 된 찬송가 책이 발견됐다. 서기 800~1000년쯤 만들어졌을 거로 추측되는데 아직 읽을 수 있는 상태다.

배

'페세 카누'는 1955년 네덜란드 호헤번에서 도로를 건설하던 인부가 발견했다. 길이 2.98m로, 방사선 탄소연대측정법에 따르면 기원전 8040~7510년 것으로 추정된다.

주거지역

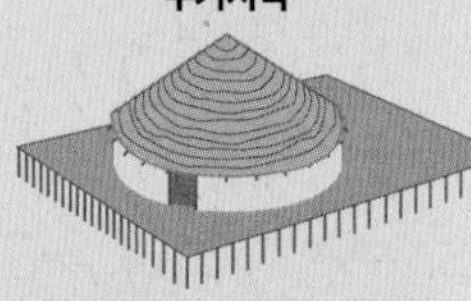

2016년, 영국 케임브리지셔에 있는 보그에서 청동기 시대 마을이 통째로 발견됐다. 냄비에는 음식이 그대로 있었다.

▼ 가장 넓은 늪지 보호구역

남수단의 저지대에 있는 수드 습지는 건기에는 3만km²지만 우기가 되면 4배 이상 늘어 약 13만km²에 이른다. 이곳은 매년 절반 정도의 물이 증발해 없어지고 있다. 이중 일부인 5만 7,000km²를 2006년부터 습지 보전을 위한 람사르 협약으로 보호하고 있다. 습지 생태 지역을 보호하기 위한 이 협약은 전 세계의 지지를 받고 있다. 1971년 컨벤션이 처음 열린 이란 람사르의 이름을 따왔다.

▲ 가장 넓은 습지 보호구역

2013년 2월 2일, 볼리비아 정부는 야노스 데 모조스의 6만 9,000km² 지역을 람사르 협약으로 보호한다고 발표했다. 볼리비아와 페루, 브라질의 국경에 위치하는 이곳은 대초원을 이루는 열대 습지로 건기와 우기가 존재한다. 세계 습지의 날은 2월 2일이다.

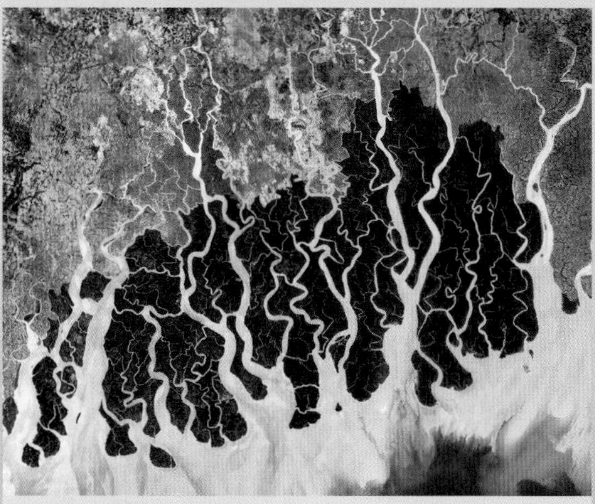

▲ 가장 큰 해안 맹그로브 숲

'아름다운 숲'이라는 뜻의 순다르반스는 인도와 방글라데시를 가로질러 1만 5,540km² 지역에 뻗어 있다. 쓰나미를 막아주는 자연 방파제 역할을 하며, 사이클론을 막아주기도 한다. 소금물에 강한 뿌리를 가진 맹그로브 나무가 21m가 넘게 자라 숲을 이룬다. 모래와 회색 점토가 겹겹이 쌓여 형성된 섬들도 있다. 1,600km 떨어진 히말라야에서 강물에 쓸려온 퇴적물이 벵골 만까지 와 쌓였다.

▼ 가장 큰 늪지

대다수 면적이 브라질 남서부에 위치한 판타날(스페인어로 '습지대'를 뜻한다)은 15만km²로 잉글랜드의 총면적보다 넓은데 볼리비아와 파라과이에도 일부 걸쳐 있다. 우기에는 판타날의 80%가 물에 잠긴다. 세계에서 가장 다양한 수생식물이 살고 있다.

▼ 맹그로브가 가장 많은 국가

과학자 스튜어트 해밀턴과 대니얼 케이시(둘 다 미국)에 따르면 인도네시아에서 맹그로브가 가장 많이 번식하고 있다. 2014년 계산에 따르면, 전 세계 맹그로브 생물군계의 25.79%인 4만 2,278km²가 인도네시아에 있다. 해밀턴과 케이시는 세계 산림 변화, 육지 생태계 그리고 세계 맹그로브 숲 분포도 등 3개의 데이터를 근거로 분석했다. 아래 사진은 인도네시아 라자 암팟의 외딴 지역에 있는 맹그로브 숲이다.

맹그로브는 뿌리가 빽빽해 불안정한 토양에서도 줄기가 곧게 자란다. 오른쪽 끝 네모 안에 있는 사진은 인도네시아 부나켄 섬이 만조가 되었을 때 맹그로브 숲의 모습이다.

암석 HARD ROCK

화강암은 지구 표면의 대부분을 이루고 있으며, 모든 대륙에서 볼 수 있다. 하지만 지금까지 태양계 어디에서도 화강암의 흔적이 발견되지 않았다.

▲ 가장 최근에 있었던 용암 폭발

거대한 화산 폭발이 일어나 땅이나 바다의 많은 면적을 용암(홍수 현무암)이 덮으면 용암대지가 형성된다. 1783년 아이슬란드 라키에서 있었던 화산 폭발로 유사 이래 2번째 용암대지가 생겨났다. 8개월에 거쳐 15km²의 용암이 분출됐고, 1억 2,200만 톤의 아황산가스가 나왔다. 이 대량의 가스는 1783~1784년 겨울의 엄청난 추위와 1784년의 시원한 여름에 영향을 끼쳤다.

가장 깊은 곳에서 형성된 암석

호주 퀸즐랜드 대학교의 지질학자들이 2000년 5월 19일, 솔로몬 제도의 말레이타 섬에서 한 암석을 발견했다고 발표했다. 이 암석은 마이크로다이아몬드나 메이저라이트처럼 엄청난 고압에서만 형성되는 광물을 함유하고 있었으며, 이산화규소가 풍부한 석류석 입자 형태였다. 연구팀은 마그네슘 결정의 구조를 조사해본 결과 지표면 기압의 25만 배 이상인 23GPa(기가파스칼)의 압력을 받은 지하 400~670km에서 형성된 암석으로 결론지었다.

가장 큰 화산 폭발

186년 무렵 뉴질랜드 타우포 화산 폭발로 생성된 부석의 양은 300억 톤 정도로 1만 6,000km² 지역을 뒤덮었다.

대륙지각 표면에서 발견되는 가장 흔한 암석

대륙지각 표면의 약 75%는 퇴적암으로 되어 있다. 퇴적암은 보통 화성암과 변성암 위에 얇은 판 형태로 덮여 있으며, 사암(沙巖), 이암(泥岩), 백악(白堊), 각력암(角礫巖)이 여기에 포함된다. 이 암석들은 작은 입자들이 오랜 시간 쌓여 압력을 받아 만들어져 침식과 지각 변동으로 인해 지표면으로 드러난다.

가장 흔한 퇴적암은 이암인데 셰일, 실크스톤(Silkstone), 0.0625mm 이하의 작은 입자들로 이루어져 있다. 지구에 있는 퇴적암 중 65%를 차지하며, 최대 80% 이상일 가능성도 있다. 이암은 주로 점토 광물로 바다나 호수 바닥에서 형성된다. 화석연료는 원 침전물과 유기물의 사체가 섞여 셰일 같은 암석에서 만들어진다.

가장 어린 월석(月石)

화산석, 현무암의 일종인 월석은 달 표면의 어두운 바다(Lunar sea)에서 형성됐다. 가장 최근의 표본은 32억 년 전에 생성된 것으로 지구의 가장 오래된 암석과 나이가 같다. 아폴로 호가 임무 과정에서 382kg의 샘플을 수집해 왔다.

Q: 용암과 마그마의 다른 점은?

A: 마그마는 지표면 아래에서 용해된 상태의 암석이다. 마그마가 땅으로 분출하면 용암으로 불린다.

가장 큰…

운석

지금까지 가장 큰 운석은 길이 2.7m, 폭 2.4m, 무게 59톤으로 알려져 있다. 1920년 나미비아 그루트폰테인 인근의 호바웨스트에서 발견됐다.

달에서 온 가장 큰 운석은 칼라하리 009로, 무게는 총 13.5kg이다. 1999년 9월, 보츠와나의 칼라하리에서 발견됐다. 지금까지 달에서 온 운석은 약 50개 정도다.

암괴류

빙하기가 끝날 무렵 꽁꽁 얼었던 세상이 녹으며 바위들이 강처럼 흐르듯이 쌓인 모습을 '암괴류'라고 한다. 폴크랜드 섬 스탠리 북동부에 위치한 프린스 거리에는 암괴류가 400m 폭으로 4km 정도 이어져 있다. 여기에는 0.3~2m 크기의 단단한 규암이 수천 개나 쌓여 있다.

사장암 지역

화성암과 사장암은 대부분 사장석장석 광물로 이루어져 있다. 지구에는 두 종류의 사장암이 있는데, 시생대(약 38~24억 년 전)와 원생대(25~5억 년 전)에 형성된 것으로 나뉜다. 맨틀이 일부 융해돼 밀도가 높은 고철질암과 낮은 규장질로 나뉘는 지하 마그마류에서 형성되는 것으로 보인다. 캐나다 퀘벡의 세인트 존 호수의 북쪽 약 2만km² 지역 땅속에는 많은 양의 사장암이 자리 잡고 있다.

대륙괴

대륙지각의 큰 덩어리. 선캄브리아대, 5억 4200만 년 전을 끝으로 판의 구조적 변동을 거의 받지 않아 안정적인 상태다. 보통 대륙의 안쪽에 위치하며 지구의 가장 오래된 암석도 일부 포함한다. 북아메리카대륙괴가 가장 큰데, 대륙의 약 70%를 이룬다. 20억 년 전 몇몇 작은 대륙들의 충돌로 생성됐다.

1996년 마스 글로벌 서베이어 호(화성전역조사선)는 자가미 운석의 일부를 싣고 이륙했다. 그 운석 조각은 우주선과 함께 자신의 고향인 화성으로 돌아갈 예정이다.

◀ 가장 큰 화성 운석

자가미 운석은 벽돌보다 약 6.5배 무거운 18kg으로 1962년 10월 3일, 나이지리아 자가미 지역의 마을에 떨어졌다. 옥수수 농장에 들어간 소를 꺼내려던 농부의 바로 옆이었다. 그는 많이 놀랐지만, 덕분에 0.6m 크기로 파인 구덩이에서 외계운석을 발견했다. 지금까지 화성에서 지구로 떨어진 운석은 약 32개다.

사우스다코타 주의 러시모어 산 화강암에 4명의 미국 대통령을 조각하기 위해 400명이 14년 동안 작업했다.

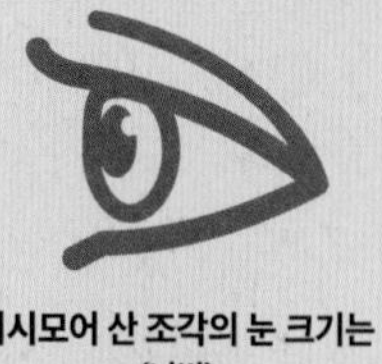

러시모어 산 조각의 눈 크기는 (너비)

3.35m

러시모어 산 조각의 코 (길이)

6m

러시모어 산 조각이 전신상이었을 경우, 조지 워싱턴의 키는

141.7m

지각의 64.7%는 화성암, 7.9%는 퇴적암, 27.4%는 변성암이다.

모스 경도에서 가장 강한 물질

2005년 독일 바이로이트의 바이에른 지오인스티튜트 연구원들은 다이아몬드보다 압축성이 11% 적은 다이아몬드 나노로드 집합체를 만들었다.

▲ 가장 큰 화강암 기둥

미국 캘리포니아 주 요세미티 국립공원에 있는 해발 1,095m의 엘캐피턴 산은 세계에서 가장 거대한 화강암 덩어리다. 약 1억 200만 년 전에 생긴 심성암으로 이루어져 있으며 270만 년에 거쳐 형성됐다. 심성암과 화산암은 모두 화성암으로 마그마나 용암이 식어 응고돼 만들어진다. 심성암은 땅속에서, 화산암은 땅 위에서 형성된다.

▲ 가장 두꺼운 지각

지각은 암석권에서 가장 바깥쪽에 위치한 차고 단단한 부분으로, 뜨거운 대류열 암석권(맨틀 위에 있는 반용융 암석)을 덮고 있다. 그리고 밀도가 높은 대양 지각과 낮은 대륙 지각 등 2개의 판으로 나뉜다. 가장 두꺼운 지각은 중국에 있는 히말라야 산맥으로 두께가 75km다.

▲ 가장 큰 빙하 표석

빙하 표석은 빙하와 함께 이동하다 얼음이 녹으며 땅에 자리 잡은 암석이다. 오코톡스 빙하 바위가 그중 하나인데, 캐나다 앨버타 주 캐나다 대초원 내의 오코톡스 마을 인근에 있다. 이 바위는 변성암규암으로 구성되어 있으며 넓이 약 41×18m, 높이 9m, 무게는 대략 1만 6,500톤이다.

▲ 가장 큰 사암 단일 암체

'울루루'는 호주 노던 테리토리의 황량한 벌판에 348m 높이로 솟아 있다. 호주의 랜드마크이며 에어즈 록이라고도 불리는 이 사암은 밖으로 노출된 크기만 길이 2.5km, 폭 1.6km이며, 땅속으로 2.5km 더 뻗어 있다. 울루루 특유의 붉은색은 바위 표면의 철 성분이 녹슬며 생긴 것으로 원래는 회색이다.

▲ 가장 흔한 화산암

지구 표면 화산암 중 90% 이상이 현무암이다. 대양 지각의 가장 큰 부분을 차지하며, 하와이 섬과 아이슬란드를 포함한 대양 지형의 많은 부분을 이루는 것으로 보인다. 현무암은 색이 검고 질감이 매끄럽다. 성분의 약 50%는 이산화규소로 이루어져 있으며 철과 마그네슘도 상당 부분 포함한다. 위 사진은 북아일랜드 앤트림 카운티의 해안에 있는 현무암 각주로 이루어진 절벽 자이언츠 코즈웨이이다.

▶ 가장 큰 화성암 기둥

미국 와이오밍 주에 있는 데빌스타워는 5000만 년 전 땅속에 마그마가 암석 틈을 따라들어가 굳어진 화성암이 주변의 부드러운 퇴적암의 풍화로 기둥 같은 형태의 단일 암체로 모습을 드러낸 경우다. 마그마가 식어 형성된 이 화성암 기둥은 높이가 178m다. 자이언츠 코즈웨이(왼쪽)도 화성암 기둥의 다른 형태다.

북미 원주민들은 이 암석기둥을 다양한 이름으로 불렀는데, 카이오와 족은 '나무 바위' 혹은 '하늘 바위'로, 라코타 족은 '회색곰의 오두막'이라고 했다.

중금속 HEAVY METAL

1700년대에는 주기율표에 있는 84가지 금속 원소 중에 단 7가지만 발견된 상태였다. 이 '오래된 금속들'은 금, 구리, 은, 납, 주석, 철 그리고 수은이었다.

82
Pb
207.2

▲ 원소 학교

주기율표에 있는 모든 원소는 고유한 원자번호와 원자량, 화학기호를 가진다. 예를 들면 납은 원자번호가 82인데 이는 모든 원자가 82개의 양성자를 가진다는 뜻이다. 원자량(상대 원자량)은 207.2로, 탄소-12의 12분의 1의 값을 1이라고 했을 때, 납 원자의 상대적인 무게를 말한다. 원소기호는 Pb인데 라틴어 plumbum, '액체 은'이라는 뜻이다.

알파 붕괴에 의한 반감기가 가장 긴 물질

반감기는 불안정 원소가 붕괴하는 데 걸리는 시간을 말한다. 반감기가 하루라는 말은 표본의 원자핵 반이 줄어들어 안정된 상태가 되는 데 1일이 걸린다는 뜻이다. 2003년 프랑스 과학자들은 비스무트-209가 안정됐다는 예전의 견해와 달리 2000경 년의 반감기를 거쳐 서서히 붕괴한다는 걸 알아냈다. 이 기간은 우주의 나이보다 10억 배 이상 길다.

인공적으로 만든 최초의 원소

테크네튬(Tc)은 1937년 이탈리아 시칠리아의 팔레르모대학교에서 카를로 페리에, 에밀리오 세그레(둘 다 이탈리아)가 발견했다. 이 둘은 사이클로트론이라는 입자가속기로 방사성 수치를 높인 몰리브덴(Mo)의 표본에서 이 원소를 분리해냈다. 안정 동위원소인 테크네튬 -98의 반감기는 약 420만 년으로, 이는 지표면의 어떤 주요 광상(鑛床)에도 방사성 붕괴로 인한 루테늄-98이 없다는 뜻이다.

연구실에서 만든 가장 큰 프란슘 원자 집단

2002년 12월, 미국 뉴욕 주립대학교의 과학자들은 중이온 핵융합 원자로로 만든 프란슘(Fr) 원자 30만 개 이상을 광자기 포획으로 뭉쳤다. 프란슘 안정 동위원소의 반감기는 고작 22분으로 **자연 발생하는 원소 중 가장 불안정**하다. 실용성은 없었다.

플루토늄 최다 보유

2016년 현재, 영국은 약 126톤의 플루토늄을 가지고 있는데 이중 23톤은 다른 나라 소유다. 원자로 반응을 시킨 우라늄의 부산물, 즉 플루토늄을 컴브리아의 세라필드 핵 시설에 보관 중이다. 분말 형태로 철과 알루미늄으로 봉인돼 있다.

Q: 사람의 몸을 이루는 원소 중 가장 많은 것은?

A: 산소. 약 65%를 구성하고 있다.

가장 무거운…

자연 발생 원소

1971년, 과학자 달린 호프먼(미국)은 미국 캘리포니아 주에서 찾은 선캄브리아대 인산염 침적에서 소량의 플루토늄-244를 발견했다고 발표했다. 플루토늄의 원자번호는 94다.

알칼리 금속 희유원소

주기율표의 가장 왼쪽을 차지하는 1족, 알칼리 금속은 부드럽고 화학반응이 잘 일어나며 밀도가 낮다. 이중 프란슘(87)이 가장 무겁고 그다음은 세슘(55)이다. 프란슘은 지각에 극히 미량만 존재하며 육안으로 찾을 수 없다.

란타넘족 금속

란타넘족 금속은 원자번호 57~71 사이 15가지인데 이트륨, 스칸듐을 포함해 '희토류'라고도 부른다. 루테튬의 원자번호는 71로 란타넘족 중 가장 무겁다.

전이원소

주기율표의 3-12족 원소는 전이원소다(루테튬과 로렌슘은 제외). 알칼리 금속보다는 화학반응이 덜하지만 금, 구리, 철 등의 전이금속은 열과 전기에 쉽게 반응한다. 코페르니슘(Cn)은 원자번호 112로 이중 가장 무거운데, 1996년 인간이 만든 원소로 자연에서는 발생하지 않는다.

핵융합으로 발생하는 에너지

원소는 항성이 핵 합성을 하는 과정에 별의 중심부에서 만들어지며 상대적으로 가벼운 양성자와 중성자가 합쳐져 무거워진 형태를 갖는다. 철(원자번호 26)은 따로 에너지를 가하지 않고 만들어지는 원소 중 가장 무겁다. 철보다 무거운 원소를 만드는 별은 에너지 출력이 급격이 떨어지며 붕괴해 초신성이 된다.

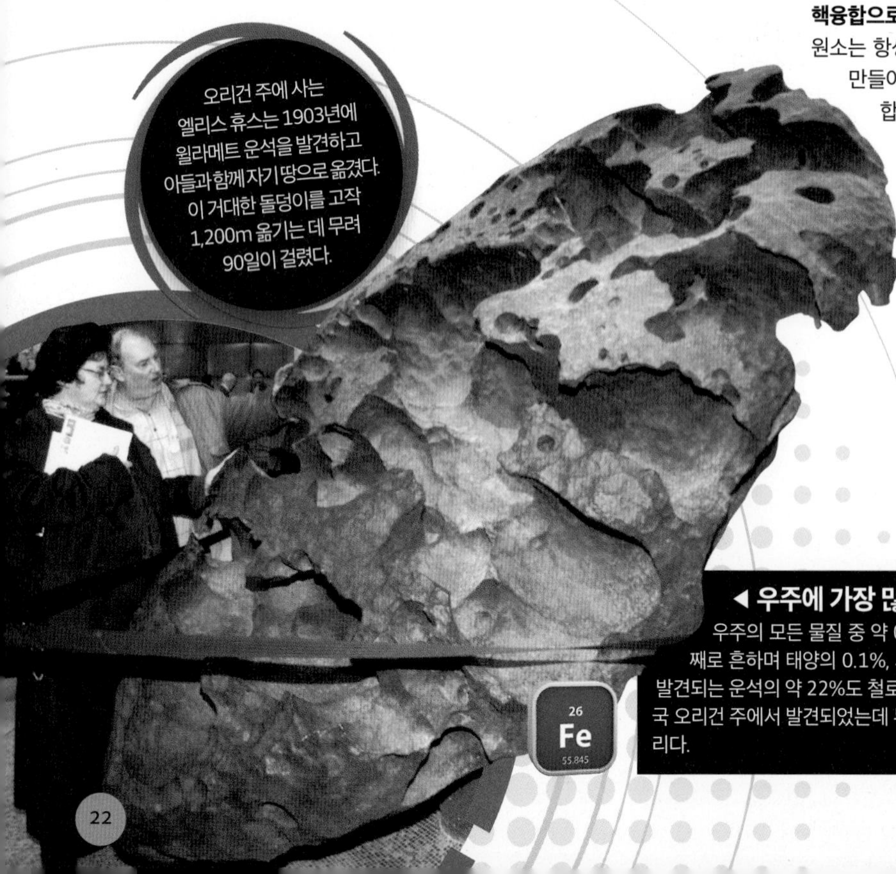

오리건 주에 사는 엘리스 휴스는 1903년에 윌라메트 운석을 발견하고 아들과 함께 자기 땅으로 옮겼다. 이 거대한 돌덩이를 고작 1,200m 옮기는 데 무려 90일이 걸렸다.

◀ 우주에 가장 많은 금속

26
Fe
55.845

우주의 모든 물질 중 약 0.11%는 철(Fe)로 되어 있다. 모든 원소 중 6번째로 흔하며 태양의 0.1%, 사람 몸의 0.006%를 구성한다. 또한 지구에서 발견되는 운석의 약 22%도 철로 되어 있다. 잘 알려진 윌라메트 운석(왼쪽)은 미국 오리건 주에서 발견되었는데 무게가 14.51톤에 이르는 거대한 철-니켈 덩어리다.

금성의 '눈'은 납, 비스무트, 황화물로 되어 있어 금속이 산을 뒤덮고 있다.

빅토리아 시대에는 독성을 가진 삼산화비소에 석회, 식초를 섞어 화장품으로 썼다!

코발트(Co) 원소는 고블린이라는 뜻의 독일어 Kobalt에서 따왔다.

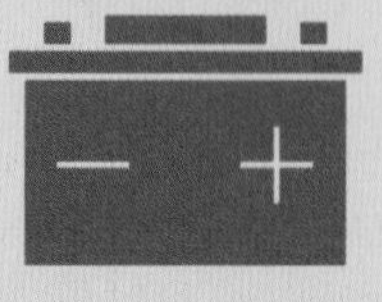

세계 납 생산량의 절반 이상이 자동차 배터리를 만드는 데 쓰인다.

담배에는 중금속인 카드뮴, 납, 비소, 니켈이 들어 있다.

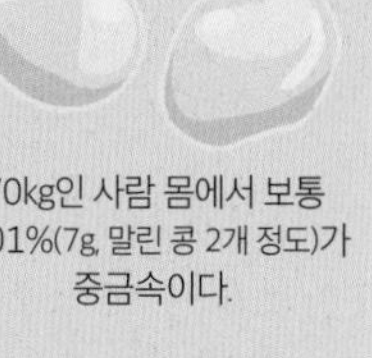

70kg인 사람 몸에서 보통 0.01%(7g, 말린 콩 2개 정도)가 중금속이다.

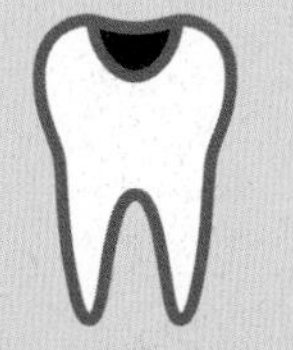

충치를 때우는 '치과용 아말감'은 수은과 다른 금속이 섞인 액체 합금이다. 이 기술은 서기 658년에 개발됐다.

▲ 최초의 합금

합금은 한 금속과 다른 금속을 혼합하거나, 금속이 아닌 물질과 섞는 걸 말한다. 인간이 만든 최초의 합금은 동으로, 구리에 약 10%의 주석을 섞는다. 기원전 약 4세기 고대 근동 지역에서 만들어졌으며, 당시 무기나 도구 재료로 쓰였다. 이 시기부터 채굴과 제련이 발달하고, 고대 문명들 사이에 거래망이 생기기 시작했다.

▲ 상온에서 액체로 존재하는 가장 가벼운 금속

1875년에 발견된 원자번호 31의 희금속 갈륨(Ga)은 29.76℃에서 녹는다. 독성이 강한 액체 수은과는 달리 갈륨은 손에서 녹아도 안전하다. 일부 화학자들은 갈륨으로 장난도 많이 치는데, 차를 대접할 때 갈륨 스푼을 줘서 젓는 동안 사라지게 한다.

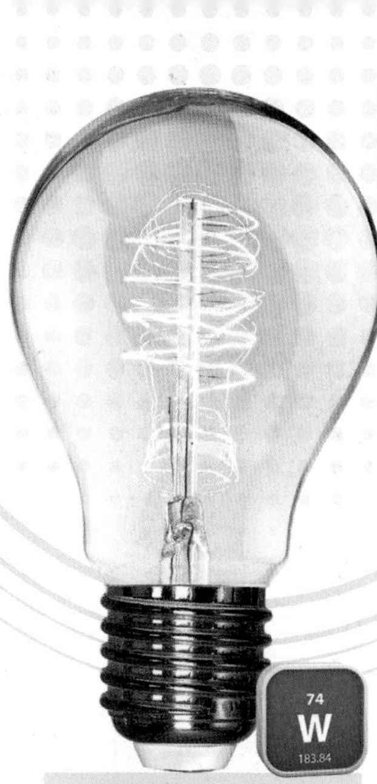

▲ 끓는점이 가장 높은 금속

국제텅스텐산업협회(ITIA)에 따르면 텅스텐(W)은 끓는점이 5,700℃(오차범위 ±200℃)로 태양 표면의 온도와 같다. 텅스텐은 **모든 금속 중 녹는점도 가장 높은**데, 3,422℃에 오차범위는 15℃다. 열에 유난히 강한 텅스텐은 드릴이나 용광로 같은 산업 장비에 아주 유용하게 쓰인다.

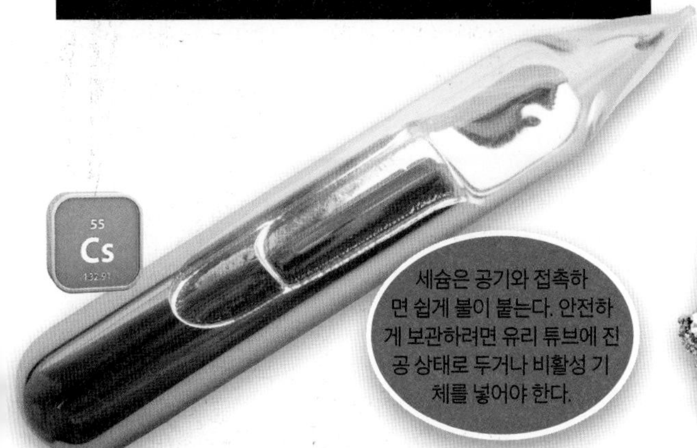

▲ 가장 부드러운 금속성 원소

모스 경도가 고작 0.2인 세슘(Cs)은 버터나이프로 자를 수 있을 만큼 무르다. 녹는점은 28℃이며, 물에 닿으면 엄청난 폭발을 일으킨다. 세슘은 1860년에 로베르트 분젠과 구스타프 키르히호프(둘 다 독일)가 발견했다. 이들이 광천수의 표본에서 세슘을 추출한 방식은 최근 불꽃분광학 기술로 발전했다. 은빛과 금빛이 혼합된 세슘은 주로 정확하기로 정평이 난 원자시계를 만드는 데 쓰인다.

▲ 밀도가 가장 높은 금속

1803년, 스미슨 테넌트와 윌리엄 하이드 울러스턴(둘 다 영국)이 발견한 오스뮴(Os)은 밀도가 22.59g/cm³로 납의 2배다. 산화하면 독성이 생기기 때문에 자연 상태로 사용되는 경우는 드물지만, 내구성이 좋아 합금으로 만들어 전기재료나 펜촉으로 쓴다. 상온에서 **밀도가 가장 낮은 금속**은 0.5334g/cm³의 리튬이다.

▲ 가장 무거운 알칼리 토금속

알칼리 토금속은 주기율표에서 2개 그룹을 차지한다. 모두 자연적으로 발생하며 밝은 은색과 흰색을 띤다. 이중 라듐(Ra)이 가장 무거우며 원자번호는 88이다. 마리 퀴리, 피에르 퀴리(둘 다 프랑스)가 1898년 발견했으며 알칼리 토금속 중 유일한 방사성 원소다. 산업 이미징과 방사성 발광 장치에 사용된다.

▶ 가장 강한 금속 원소

크롬(Cr)은 광물끼리 서로 긁어서 단단함을 측정하는 모스 경도가 8.5에 이른다. 빛나는 회색 강철인 크롬은 녹는점도 높고 부식에도 강하다. 철을 충분히 섞어주면, 부식 방지 금속으로 알려진 스텐인리스스틸이 된다. 크롬의 이름은 그리스어 '색(Color)'에서 따왔는데, 루비의 붉은색은 이 원소에서 나온다. 태즈메이니아 납 광산에서 많이 발견되는 홍연석의 선명한 붉은빛도 크롬이 내는 색이다(바로 아래 왼쪽).

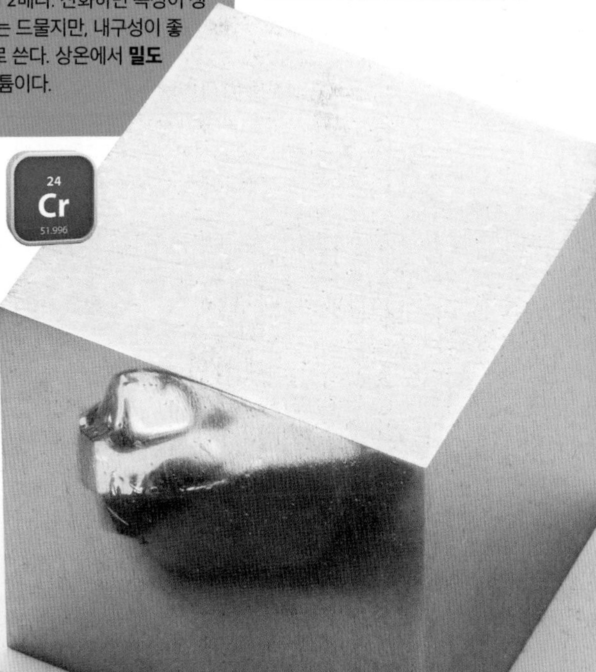

구조학 TECTONICS

지구의 지질 활동은 대부분 지질구조판이 만나거나 나뉘는 지점에서 일어난다.

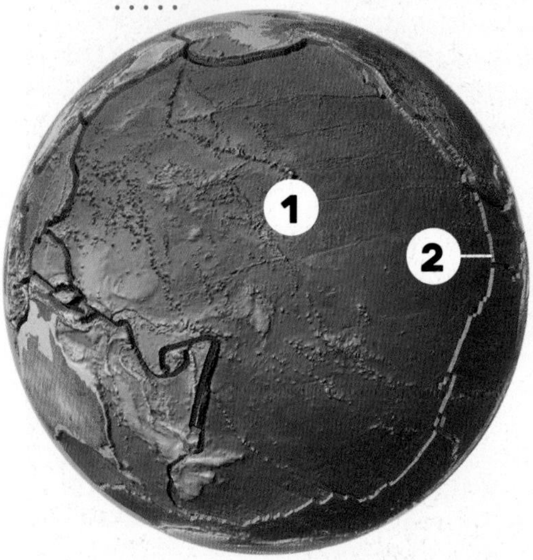

▲ 가장 큰 또는 가장 작은 지질구조판

암석으로 이루어진 지구의 겉부분이 갈라진 큰 조각을 '판'이라고 부른다. 판은 계속해서 움직이고 있다. 태평양판①은 넓이가 1억 300만km² 이상이다. 매년 북아메리카를 향해 북서쪽으로 약 7cm씩 이동하는 모습이 하와이 섬 부근에서 측정된다.

태평양에 위치한 북갈라파고스 미판②은 남아메리카 서쪽 해안에 자리 잡고 있다. 면적은 겨우 1,559km²이며, 나스카판, 코코스판 그리고 태평양판과 맞닿아 있다.

▲ 근래 가장 많은 사상자를 낸 지진

2010년 1월 12일 협정세계시 21시 53분, 아이티의 수도 포르토프랭스 서쪽 약 25km 지점을 진앙으로 진도 7의 지진이 발생했다. 9만 7,294채의 집이 무너져 130만 명의 난민이 생겼는데, 아이티 정부는 사망자 수를 31만 6,000명으로 발표했다. 집계된 사망자의 수는 예상보다 약 10만 명 정도 적었다.

▲ 가장 최근에 있었던 초대륙

먼 옛날, 지질구조판의 이동으로 대륙들이 하나의 큰 땅덩어리로 뭉쳐 있던 상태를 초대륙이라고 하며, 7개 대륙이 하나로 뭉쳐 있다가 지질구조판이 이동하며 다시 갈라진 것으로 추측된다. 3억 년 전, 남반구에 모여 형성됐던 마지막 소대륙을 '판게아'라고 한다.

▲가장 긴 대지구대

대지구대는 지질구조판이 갈라지며 생겨난다. 동아프리카 대지구대는 길이가 아마존 강과 비슷한 약 6,400km이며, 평균 폭은 50~65km로 요르단에서부터 모잠비크까지 이어져 있다. 골짜기 가장자리 경사면의 평균 높이는 600~900m 정도다. 이 대지구대는 아라비아 반도가 아프리카에서 분리될 때 약 3,000만 년에 걸쳐 형성됐다.

▼ 가장 큰 오피올라이트

오피올라이트는 해양 지각이 해수면 위로 올라와 형성된 염기성 또는 초염기성 화성암의 총칭으로, 간혹 대륙 지각에서도 발견된다. 오만의 하자르 산맥에 위치한 세마일 오피올라이트는 550×150km에 넓이는 약 10만km²다. 9600만~9400만 년 전인 백악기 후기에 형성됐으며, 구리와 크롬철광이 풍부하다. 아래 사진은 하자르 산에 있는 '베개 용암'의 모습이다. 둥글게 굳은 용암은 원래 바닷속에서 형성됐다.

판 경계의 세 가지 종류

변환단층 경계
지각판들이 엇갈리며 평행하게 움직인다.

발산 경계
판들이 반대 방향으로 멀어진다.

수렴 경계
판들이 맞부딪쳐 한쪽이 아래로 들어간다.

가장 넓은 대륙붕

해안평야가 확장된 모습의 대륙붕은 바닷속 지형으로 면적이 넓고 경사가 완만하다. 전체 바다 면적의 7.4%를 차지한다. 가장 넓은 대륙붕은 북극해와 인접한 세르비아, 러시아 해안으로 1,210km에 걸쳐 형성돼 있다.

가장 큰 대륙 충돌 지역

4000만~5000만 년 전, 인도 아대륙과 유라시아 대륙이 충돌했다. 그 충격으로 히말라야 산맥이 생겨났으며, 아직도 2,400km에 이르는 구간에 영향을 끼치고 있다. 파키스탄에 있는 낭가파르바트 산은 두 대륙의 충돌로 생겨나기 시작했다. **가장 빠르게 높아지는 산**으로 매년 7mm씩 솟아오르고 있다.

Q: 우리는 지각 맨 위층에 살고 있다. 지각의 두께는 어느 정도일까?

A: 약 70km

가장 빠르게 움직이는 주향이동단층

뉴질랜드의 알파인 단층은 태평양판과 호주판이 만나는 남섬 대부분에 걸쳐 형성돼 있다. 이 판들은 서로 맞물려 이동 중이다(위 변환단층 경계 참조). 2016년 3월 8일, 웰링턴 빅토리아 대학교와 뉴질랜드 정부 지질연구소의 과학자들은 이 판들이 매년 엇갈린 채 4.7cm씩 이동하고 있으며 2500만 년 전부터 지금까지 700km를 움직였다고 말한다.

▲ 가장 긴 침입대

'침입'은 하나의 지질구조판이 다른 지질판 밑으로 들어가는 현상을 말한다(왼쪽 수렴 경계 참조). 안데스 산맥 침입대 지역은 남아메리카 서부 해안 7,000km에 걸쳐 있다. 밀도가 높은 해양 지각인 나스카판이 상대적으로 가벼운 남아메리카 대륙 지각을 파고들며 맨틀 상단에서 소실된다.

▲ 최장 기간 지진

2004년 12월 26일, 인도양 수마트라-안다만 섬 지진이 가장 오랜 시간 동안 계속되었다. 측정 시간이 500~600초로 무려 10분에 가까웠다! 강도 9.1~9.3의 지진은 엄청난 쓰나미(피해 사진)를 일으켰고 인도양의 낮은 지대와 저 멀리 소말리아에까지 큰 피해를 입혔다.

▲ 가장 긴 해저산맥

바닷속 산맥인 중앙해령은 북극해부터 대서양을 거쳐 아프리카, 아시아, 호주 그리고 태평양 아래에서 북아메리카 서부 해안까지 6만 5,000km에 이른다. 해령은 심해 바닥부터 꼭대기까지 높이가 4,200m로, **가장 높은 산**인 에베레스트의 절반 정도다.

가장 빠른 해저 확장 지형

동태평양 해령은 남극대륙에서 미국 서부 연안으로 향하는 판의 경계에 있다. 태평양-나스카판 경계와 만나는 동태평양 해령은 두 대륙판을 1년에 약 15cm씩 밀어낸다.

가장 느린 해저 확장 지형은 대서양 중앙해령의 북쪽에 뻗어 있는 가켈 해령이다. 북아메리카판과 유라시아판이 분리되는 지점인 그린란드 북부부터 시베리아까지 1,800km에 걸쳐 있다. 이 확장 지형은 매년 그린란드 인근에서는 13.3mm씩, 다른 끝부분인 시베리아 인근에서는 6.3mm씩 멀어진다.

가장 최근에 형성된 대양

2005년, 에티오피아의 아파르 평원(다나킬 평원, 아프리카의 가장 낮은 지대)에 56km 길이의 균열이 생겼다. 2009년 11월, 지질학자들은 이곳을 새로운 대양으로 명했다.

태평양은 **가장 오래된 대양**이다. 해저에는 약 2억 년 정도 된 바위도 있다.

가장 오래된 지질구조판 활동 증거

2002년 7월 8일, 중국과 미국의 지질학자들은 25억 년 전 지각판의 지질 활동을 보여주는 바위를 찾았다고 발표했다. 이전 견해보다 약 5억 년 정도 앞당겨진 사례다.

최초의…

대륙

36억~28억 년 전 지구에는 하나의 대륙만 있었음을 보여주는 지질학적 증거가 있다. '발바라'라는 이름의 초대륙은 오늘날의 어떤 대륙보다도 작았다.

대륙이동설

지도를 보면, 아프리카 서부 해안과 아메리카 동남부 해안의 모양이 일치한다. 이를 최초로 알아챈 사람은 지도 제작자 아브라함 오르텔리우스(벨기에)로 알려져 있다. 그는 두 대륙이 원래 하나였다가 '지진과 홍수로 갈라졌다'고 주장했다. 대륙이동설은 20세기 후반이 되어서야 학계의 주류 이론으로 받아들여졌다.

위성 궤도에서 감지된 지진

유럽우주기구(ESA) 소속인 지구중력장 탐사 인공위성 GOCE는 2009년 3월 17일에 궤도에 진입했다. 이 위성은 2013년 11월 11일까지 지구의 중력장을 도표화하고 대기에 재진입하는 과정에서 연료를 모두 소진하고 추락했다. 위성은 지구의 극박(極薄) 열권을 통과하는 동안 일본에서 발생한 강력한 지진이 내는 미세한 음파를 감지했다.

오염 & 환경 POLLUTION & ENVIRONMENT

2016년, 과학자들은 남극대륙에 있던 오존층 구멍이 치유되고 있다고 발표했다. 이런 추세가 지속되면 뚫렸던 오존층 구멍이 2050년에는 복구가 가능해진다.

▲남극 이산화탄소 최고치

미국 해양대기관리처(NOAA)에 따르면 남극 관측소의 이산화탄소 측정치가 2016년 5월 12일 최초로 400ppm을 넘었다고 한다. 세계 인구의 대부분은 북반구에 살고 오염도 주로 그곳에서 일어나기 때문에 남극의 이산화탄소 농도에 영향을 끼치는 데는 시간이 걸린다.

기온이 가장 높았던 달(月)

2016년 9월 12일, 나사(NASA)는 2016년 7월과 8월이 온도를 기록한 이래 가장 더운 달이었다고 발표했다. 미국 뉴욕의 나사우주연구소(GISS)의 분석에 따르면, 2016년 8월의 기온은 1951~1980년까지의 8월 평균기온보다 0.98℃ 높았다. 이는 이전 최고 기록인 2014년 8월보다 0.16℃ 높다.

역사상 빙하의 면적이 가장 좁았던 기록

북극해 표면을 떠도는 얼음의 양은 계절마다 바뀌는데, 여름이 끝날 무렵 가장 적어진다. 역사상 가장 적었던 기록은 2012년 9월 17일로, 341만km²에 불과했다.

가장 넓은 면적의 죽음의 바다

일부 연안 지역은 산소 함량이 너무 낮아 많은 생물종이 생존할 수 없기에 '죽음의 바다'라 불린다. 가장 넓은 면적의 죽음의 바다는 발트 해의 4만 9,000km²에 이르는 지역으로 지난 40년 동안 지속되었다. 1971년에는 벨기에 국토의 2배 이상인 7만km²로 커졌다.

남극 해빙 최다 기록

남극대륙은 얼어붙은 바다에 둘러싸여 있는데, 이 얼음의 양은 겨울이 오면 최고에 달한다. 2014년 9월 20일, 남극 해빙은 2,020만 1,000km² 면적에 달했다. 하지만 증가한 해빙의 양은 줄어든 남극대륙의 얼음 양에 비하면 아주 적다.

대기 중 이산화탄소 최고치 기록

2015년, 대기 중 이산화탄소의 양이 최초로 400ppm에 도달했다. 과거에도 잠시 비슷한 수치를 기록한 적이 있었지만, 연 평균치가 400ppm에 도달한 건 처음이었다.

2016년, 하와이 파파하노모쿠아키아 해양 국립기념물의 면적이 4배 넓어지면서 멕시코만과 거의 같아졌다.

Q: 종이는 몇 회 재활용이 가능할까?

A: 6회. 종이의 섬유질 강도는 6회가 한계다.

바닷물의 산성(酸性) 최고치

2004년 6월 4일, 미국 알래스카 북부 보퍼트 해수(海水)는 2m 깊이에서 산도 6.9718을 기록했다. 이는 평균보다 10배 높은 수치였다.

물속에 녹아 있는 기체의 양은 압력을 측정해 알아내는데, 많은 양이 녹아 있을수록 압력이 높다. 2004년 6월 4일 채집한 해수 표본은 이산화탄소의 압력이 384.71파스칼로 평균보다 10배나 높았다. **바닷물에 녹아 있는 이산화탄소 최고치** 기록이다.

가장 긴 산호 백화(白化) 현상

공기 중 이산화탄소 농도가 높아지면 바다에 더 많은 산성가스가 유입된다. 바다의 산성화는 산호 백화 현상을 일으키는 하나의 원인이다. 이 현상은 2014년 중반 태평양 서부에서 처음 발견된 이후 전 세계에서 계속 진행되었는데, 2017년 1월까지 2년 반 이상 이어지고 있다. 2016년 11월 29일, 과학자들은 호주 북동부 퀸즐랜드에 위치한 그레이트배리어리프(산호초 지역) 700km 산호초 구간 중 3분의 2가 죽어 있는 걸 발견했다. **그레이트배리어리프 산호초가 가장 많이 사라진 기록**이었다. 호주연구재단(ARC) 산호초 연구기관의 앤드루 베어드 교수가 이끄는 잠수 팀이 2016년 10월과 11월에 조사한 결과에 따르면 바닷물 온도 상승이 원인이었다.

최초의 전 세계 대양 플라스틱 오염 조사

2014년 12월 10일, '5대 환류대연구소(미국)'가 이끄는 국제 연구팀이 전 세계 대양의 플라스틱 오염도를 조사한 결과를 발표했다. 해변에 있는 플라스틱 잔해와 항해 샘플을 수집하고, 컴퓨터 분석을 기반으로 연구한 결과 전 세계 바다에는 5조 2,500억 개의 플라스틱 조각이 있다고 한다.

2016년 8월에는 유엔환경계획(UNEP)이 바다에 떠다니는 플라스틱 더미를 분석했는데, 이중 약 50%를 차지하는 **최다 오염원**은 버려진 비닐봉지였다.

◀ 가장 넓은 해양보호구역

2016년 8월 26일, 버락 오바마 미국 대통령은 하와이 군도 인근의 파파하노모쿠아키아 해양국립기념물 지역을 확대한다고 발표했다. 면적 150만km²로 **가장 넓은 해양보호구**가 됐지만 약 2개월 후인 2016년 10월 28일, 유럽연합과 24개국이 남극 로스 해안의 155만km²를 해양보호구로 지정하는 데 동의하며 더 넓은 보호지역이 됐다. 이른바 '취득금지' 지역으로 지정해 35년 동안 해양 생물이나 자원을 포함한 어떤 것도 가지고 나갈 수 없다.

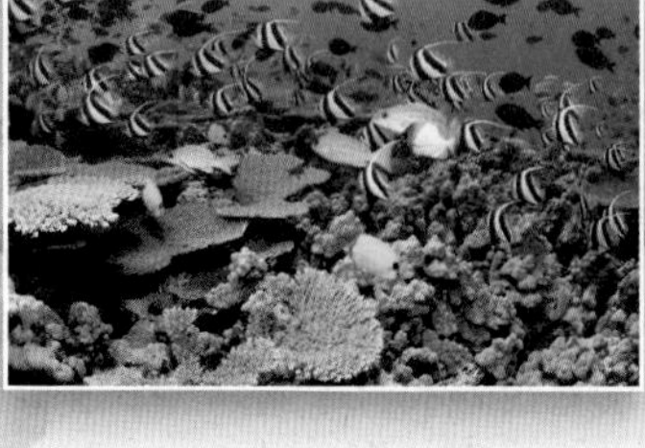

주유소

나이지리아 오니차 시(인구 100만)는 **대기오염이 가장 심한 도시**다.

세계 오염 도시 30위 중 16개가 인도에 있다. 그중 델리의 오염이 가장 심하다.

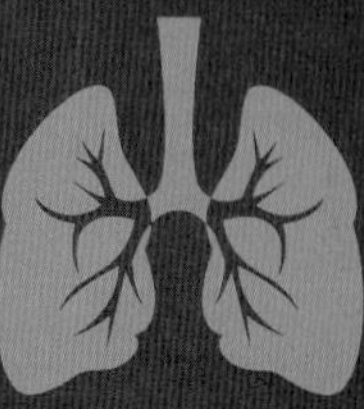

대기오염은 뇌졸중, 심장질환, 폐암 그리고 호흡기 질환의 위험을 높인다.

300만

매년 대기오염으로 죽는 사람의 수

80%

도시 인구가 세계보건기구(WHO)가 제한하는 수치보다 심한 대기오염에 노출되어 있다.

▲ 환경성과지수가 가장 높은 나라

2016년 1월 23일 열린 세계경제포럼에서 미국의 예일 대학교와 콜롬비아 대학교 과학자들이 발표한 연구 결과에 따르면, 환경성과지수가 가장 높은 국가는 핀란드였다. 연구는 180개국을 대상으로 9개의 카테고리와 20개의 주요 지표를 사용해 조사했다. 평가 기준에는 건강 요소, 대기 수준, 물과 위생, 수자원, 농업, 삼림, 어류, 생물의 다양성과 서식, 기후와 에너지가 포함됐다.

▲ 역대 최저 삼림 면적

2015년 9월 2일, 미국 예일 대학교의 과학자들이 주도한 국제 연구팀은 지구에는 총 3조 400억 그루, 인구 1명당 약 422그루의 나무가 있다고 발표했다. 그리고 인류 문명이 시작된 이래 지구의 나무는 약 46% 줄었으며, 숲의 면적이 역사상 가장 좁아진 상태라고 전했다. 인간은 매년 150억 그루의 나무를 베고 있다.

▲ 최악의 강 오염 사건

1986년 11월 1일, 소방관들은 스위스 바젤에 있는 산도스 화학공장의 불을 끄며 약 30톤의 농약을 물과 함께 라인 강으로 흘려보냈다. 강물은 살충제와 수은이 포함된 화학물의 유입으로 붉게 변했다. 10일 후에는 오염물질이 북해에 도착하며 독성 화학물질로 50만 마리의 물고기가 떼죽음을 당했다.

▲ 최악의 대기오염 도시

PM_{10}는 10미크론 이하의 그을음(탄소), 금속, 먼지가 포함된 '분진'을 뜻한다. 2016년 WHO의 대기오염 보고서에 따르면 나이지리아 남동부에 위치한 오니차 항구는 세제곱미터당 594마이크로그램의 PM_{10}를 기록했다. WHO 권장 기준인 세제곱미터당 20마이크로그램을 약 30배 넘는 수치로 최악의 대기오염 도시가 됐다.

▲ 이산화탄소 최대 발생지(국가)

네덜란드 환경영향평가청과 유럽위원회 공동연구센터는 전 세계 대기오염 조사를 위해 배기가스 데이터베이스(EDGAR)를 공동 프로젝트로 만들었다. 여기 자료에 따르면 중국은 2015년 100억 6,400만 톤의 이산화탄소를 발생시켰다. 전체 지표와 비교해보면, 2015년 세계 이산화탄소 총 발생량은 360억 2,400만 톤이다.

▲ 가장 넓은 '밤하늘 보호지구'

2013년 6월 28일, 캐나다 왕립 천문학 협회는 캐나다 우드버펄로국립공원을 '밤하늘 보호지구'로 지정했다. 이곳은 캐나다 최대의 국립공원으로 면적은 44,807km^2다. 인위적인 빛을 차단해 동식물들이 자연 상태의 빛을 그대로 받을 수 있게 하고, 사람들 또한 빛 오염 없는 자연 상태의 밤하늘을 보도록 규칙을 정해 시행하고 있다.

▼ 전 세계 가장 많은 독성물질

비영리단체 '퓨어 어스(전 블랙스미스협회)'는 2015년 세계에서 가장 심각한 오염물질 6개를 나열한 보고서를 발표했다. 납 오염이 가장 심각했는데, 전 세계적으로 2,600만 명이 위험에 노출되어 있었다. 그외 오염물질은 수은, 방사성핵종, 크롬, 살충제, 카드뮴이다.

자동차 엔진에 사용되는 납 축전지는 납과 황산을 포함하고 있어 매우 유독하다. 아래는 케냐 아티 강 인근 마을에 쌓여 있는 배터리 더미의 모습이다.

대화재 WILDFIRES

'화재 추적자' 딱정벌레(Melanophila 속)는 적외선 탐지능력을 이용해 산불이 난 곳을 찾는다. 불에 탄 나무는 딱정벌레가 알을 낳기에 최적의 장소다.

▲ 도깨비불

브라질 세라도 생태 지역에 도깨비불이 난 모습이다. 대형화재는 보통 인간이 일으키지만, 숲의 마른 낙엽에 불이 붙거나, 번개가 쳐 간혹 자연적으로 발생하기도 한다. 이러한 자연발생적 산불은 피해만큼이나 긍정적인 면도 있다. 오래된 나무와 잡초를 태우고 새 나무들이 자라게 하며, 타버린 식물에서 나오는 미네랄과 영양소가 흙으로 돌아간다. 또 너무 높게 자란 나무의 상층부를 제거해, 그 아래에 사는 식물에 더 많은 햇살이 비치게 한다.

가장 오래된 도깨비불 흔적

2004년 4월, 카디프 대학교의 지구, 대양, 행성 과학자들은 4억 1900만 년 전 실루리아기에 불완전연소 도깨비불이 소규모로 났었던 증거를 발견했다. 불은 번개로 시작됐을 가능성이 높은데, 연구팀은 영국 러들로 인근 바위에서 찾은 작은 식물화석이 검게 타 있는 원인을 연구하다가 이 사실을 발견했다.

최장기간 화재

호주 뉴사우스웨일스 주 윙겐 산 아래의 불타는 석탄층은 5000년 전부터 타고 있던 것으로 보인다. 이 화재는 석탄층이 지구 표면 외부로 드러난 곳에 번개가 쳐 시작된 것으로 추측된다. 현재 지하 30m에서 타고 있는 불로 주변 지역은 서서히 침식하고 있다.

최초의 화재 피난처

산불에 둘러싸이면 소방관들은 최후의 방법으로 화재 피난처를 구축한다. 1인용 텐트처럼 생겼는데 땅 위 혹은 얕은 구덩이에 설치한다. 피난처는 열을 반사하고 전도성이 낮은 재질로 만들어졌으며, 호흡용 산소도 들어 있다. 최초의 피난처는 1804년 10월 29일, 모험가 윌리엄 클라크의 기록에 나온다. 미국 노스다코타 주 포트 맨단 인근 대초원에 들불이 났을 당시, 클라크는 원주민 어머니가 아들을 화염에서 보호하려 '녹색 버펄로 가죽'을 덮어주는 모습을 목격했다.

탈 때 가장 많은 에너지를 발생시키는 나무

모든 불의 열 함유량은 목재의 밀도, 수지(송진), 재, 수분에 영향을 받긴 하지만 일반적으로 오세이지 오렌지 나무(Maclura pomifera)가 가장 많은 열을 낸다. 뽕나뭇과 식물인 이 거대한 낙엽성 관목은 북아메리카 전반에 널리 분포해 있다. 함수율 20% 천연 건조 상태에서 1코드가 탈 때 348억 줄의 힘을 발생시킨다. 1코드란 1.21m 길이의 목재를 폭 2.43m, 높이 1.21m로 쌓은 것으로, 평균부피는 2.2㎥이며 목재를 쌓은 중간에 공간이 있어 공기가 통하게 되어 있다.

Q: 1666년 런던 대화재는 어떻게 진화됐을까?

A: 불길 방향에 있는 빌딩을 폭파해서 화재가 번지는 걸 막았다.

가장 긴 방화대

방화대란 화재가 번지는 걸 막기 위해 미리 초목을 없애는 행위를 말한다. 보통 화재 위험이 높은 장소에 전략적으로 도로를 만들어 방화대로 사용한다. 폰데로사 도로는 1931년, 미국 캘리포니아 주 시에라네바다 산맥 서쪽 경사면에 건설을 시작했다. 이 도로의 길이는 라인 강과 맞먹는 1,287km이며, 약 1만 6,000명의 민간보존단체 인력들이 공사에 참가했다. 하지만 그 방화대는 1934년 일어난 11회의 산불 중 9회에 걸쳐 원인을 제공했다.

삼림소방대원이 가장 많은 국가

삼림소방대원은 산불이 일어나는 즉시 투입되는 엘리트 소방관들이다. 산불이 나면 하루나 이틀 정도 버틸 수 있는 물과 식량, 장비를 가지고 현장 주위에 낙하산으로 투입된다. 대원들은 배치되는 즉시 전기톱과 장비를 사용해 나무들을 자르고 겉흙을 파내 화재 피난처를 만든다. 러시아는 1936년 무렵 삼림소방대원 제도를 만들었고, 현재는 약 4,000명 정도가 맹활약하고 있다.

지하 석탄불이 가장 크게 난 국가

세계 최대의 석탄 생산국인 중국은 100군데가 넘는 지하 석탄층에 불이 나 있다. 이중 일부는 수세기째 타는데 매년 2,000만 톤이 파괴되고 그 10배 면적의 석탄층이 열기로 인해 접근조차 할 수 없다.

도깨비불은 낙엽이나 죽은 잔가지, 줄기에서 자연 발생한다.

산불의 80% 이상은 인간에 의해 일어난다. 의도였든, 사고였든.

번개도 일정 조건에서 산불을 일으킬 수 있다.

산불의 이동속도는 **23km/h**다.

1,010만 에이커
2015년 미국에서 산불로 파괴된 면적이다.

2만 개
미식축구장이 날마다 불에 탄 꼴이다!

1871년 위스콘신과 미시간 지역에서 산불로 파괴된 면적은 벨기에보다 약간 크고, 쿠웨이트보다 2배 넓다.

◀ 화재로 인한 최다 사망자 기록

1871년 10월 8일, 미국 미시간 주 북부와 위스콘신 주 북동부를 유린한 산불로 약 1,200명에서 2,500명이 사망했고, 3,885㎢ 이상의 숲과 농지가 파괴됐다(왼쪽 그림 참조). 이 정도 규모의 화재 상황에서는 열이 상승하며 토네이도처럼 회전하는 '불기둥'이 생기기도 한다. **불기둥으로 가장 많이 사망한 사건**은 1923년 9월 1일, 일본 혼슈의 간토 지역에 들이닥친 간토대지진 때 발생한 화재다(왼쪽 사진 참조). 안타깝게도 3만 8,000명이 도쿄에 있는 전 일본군 피복 창고에 몰려들었다가 불기둥이 치솟아 사망했다.

▲ 화재로 자연이 가장 많이 파괴된 최악의 해

세계자연보호기금에 따르면, 1997년은 인간이 일으킨 불에 자연환경이 가장 많이 파괴된 역사상 최악의 해다. 브라질에서 난 산불이 가장 규모도 크고 횟수도 많았는데, 성난 불길이 1,600km까지 이어진 적도 있다. 비록 아마존 유역이 가물었고, 동남아시아도 산불에 일부 원인(엘니뇨 효과)을 제공했지만, 이런 재앙을 불러온 가장 큰 원인은 인간이 일으킨 방화였다.

보잉 747-400기는 고도 120~240m까지 내려와 260km/h로 비행하며 적재한 방화수를 뿌릴 수 있다.

▲ 가장 큰 소방비행기

글로벌슈퍼탱커서비스는 보잉 747-400 점보제트기를 소방비행기로 개조했다. 이 비행기에는 7만 4,200ℓ의 물, 혹은 화재 지연재를 실을 수 있다. 1994년에 도입된 Mi-26TP기는 길이 33.73m의 **가장 큰 소방헬리콥터**로 최대 56톤까지 적재할 수 있다. 두꺼운 낙하산 재질로 된 자루 형태의 살수장치, VSU-15를 장착한 뒤 저수지로 내려가 30초 만에 15톤의 물을 채우는 게 가능하다.

▲ 최초로 기록된 '파이어 토네이도'

파이어 토네이도는 대규모 화재 적운에서 생성된다(오른쪽 참조). 최초의 파이어 토네이도는 2003년 1월에 호주 캔버라에서 발생했던 화재에서 같은 달 18일 '매킨타이어 헛' 화재 중에 솟아올랐다. 불기둥은 약 30km/h의 속도로 발생 지점부터 0.5km 정도를 이동했는데, 자동차를 움직이고 건물 지붕을 뜯어버릴 정도로 강력했다.

▲ 산불로 생긴 가장 높은 구름

산불로 발생한 뜨거운 열이 날씨를 바꾸기도 한다. 공기의 강한 상승기류가 대기에 수증기와 재를 날라와 화재 적운이라고 알려진 일종의 뭉게구름을 만든다. 이 구름은 1만m 높이까지 커지며 최대 1만 6,000m까지 다다르기도 한다.

소방관이 산불을 향해 삽으로 흙을 뿌리고 있다. 자세히 보면 어린 나무를 잘라 손잡이로 만들어 사용하고 있다.

◀ 최대 규모 산불(현재)

그린피스에 따르면, 2016년 6월 기준으로 시베리아 3만 5,000km² 면적의 땅이 산불에 뒤덮였다. 최근 아주 건조해진 날씨가 계절적 요인으로 자연 발생한 산불을 더 악화시켰다. 이러한 현상은 러시아의 기후변화가 가장 유력한 원인인데, 러시아는 1976~2012년까지 전 세계의 평균 기온 상승보다 2배 이상 상승했다. 시베리아는 지구에서 가장 삼림이 울창한 지역으로 곰과 늑대, 검독수리 등을 포함한 다양한 생물 종이 살고 있다.

균류 FUNGI

모든 버섯의 약 50%는 먹을 수 있다. 25%는 아무 맛이 없고 20%는 배탈을 일으키며 4%는 맛이 좋다. 마지막 1%의 버섯은 당신을 죽일 수도 있다.

▲ 가장 비싼 균류

화이트 트러플은 세계에서 먹을 수 있는 균류 중 가장 비싼데, 1kg당 3,000달러를 호가한다. 이 버섯은 이탈리아의 피에몬테, 에밀리아-로마냐, 투스카니, 마르케 그리고 크로아티아의 이스트리아 반도에서만 난다. 화이트 트러플은 땅속 30cm 아래 있어 찾으려면 돼지나 훈련된 개의 도움이 필요하다.

▲ 분류학상 가장 많은 균류의 문(門)

균류의 7가지 문 중 가장 많은 종을 포함하고 있는 건 자낭균류다. 과학적으로 6만 4,000개 이상의 종이 속해 있고, 아직 발견되지 않은 종도 많은 것으로 여겨진다. 왼쪽 위 사진부터 시계방향으로 화려한 색을 자랑하는 지상 균류 4종이다. 스칼렛엘프컵, 그린엘프컵, 컵버섯, 데빌스매치스틱이다(화살표 참조).

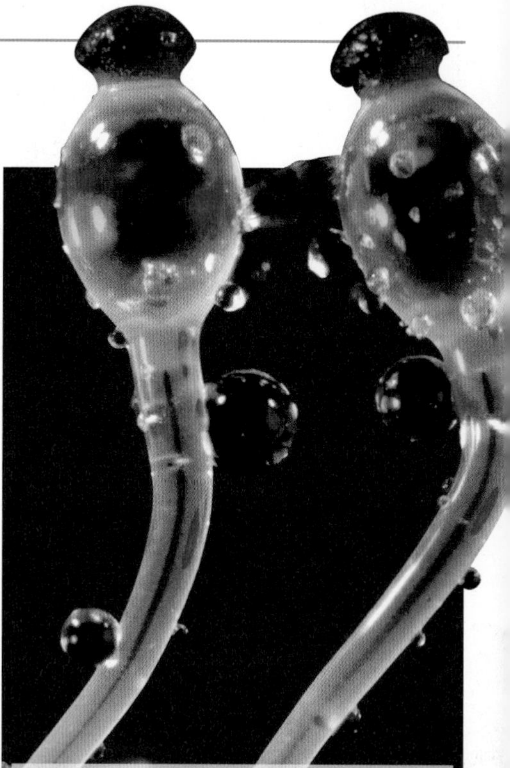

▲ 가장 빠른 유기체

모자 던지기 버섯은 유라시아와 북아메리카 그리고 호주에 서식한다. 이 균류의 포자낭병(포자낭을 지지하는 일종의 가지)의 줄기는 투명한 작은 뱀처럼 생겼는데 끝에 포자낭이 달려 있다. 성체가 되면 포자낭병 내부에 강한 압력이 생겨 모자처럼 생긴 포자낭에 2마이크로초 동안 중력의 2만 배에 달하는 힘을 가해 0~20km/h의 속도로 '던져' 버린다. 이는 총알이 날아갈 때보다 상대적으로 더 강한 힘으로, 사람에게 적용하면 음속의 100배로 날아가게 할 만한 힘이다.

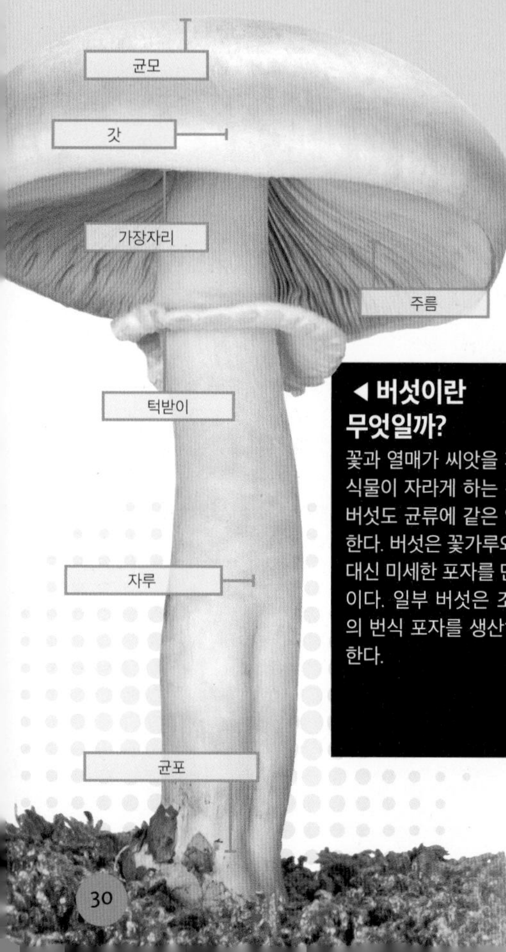

◀ 버섯이란 무엇일까?

꽃과 열매가 씨앗을 퍼뜨려 식물이 자라게 하는 것처럼 버섯도 균류에 같은 역할을 한다. 버섯은 꽃가루와 씨앗 대신 미세한 포자를 만들 뿐이다. 일부 버섯은 조 단위의 번식 포자를 생산하기도 한다.

균류는 우리에게 가장 필요한 의약품 20개 중 10개의 생산 가공에 중요한 역할을 한다.

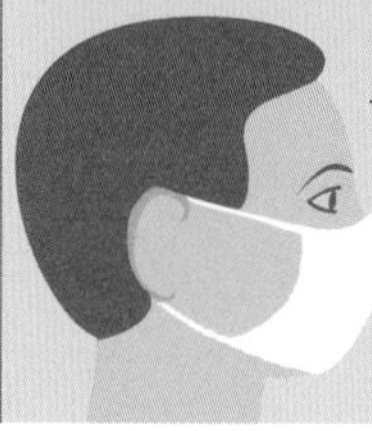

우리가 숨 쉬는 공기 중에는 세제곱미터당 **약 1만 개의** 포자가 있다.

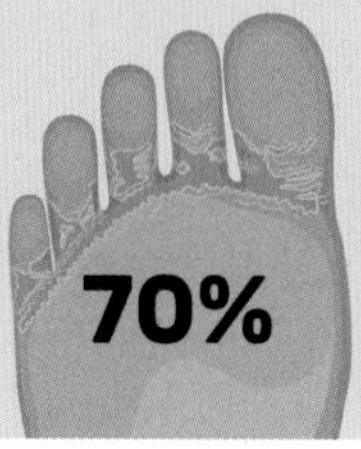

70%의 인구가 진균으로 인해 '운동선수의 발'이라고 부르는 병(무좀)을 앓고 있다. **세계에서 가장 흔한 피부병**이다.

최초의 지의류

지의류 윈프레나티아는 약 4억 년 전인 데본기 초기에 진화했다. 라이니 처트(퇴적암)에서 화석이 일부 발견되는데 이곳의 퇴적층은 식물과 균류, 이끼와 동물들의 화석이 아주 잘 보존되어 있기로 유명하다. 화석 지역의 이름은 영국 애버딘셔 라이니 인근의 마을에서 따왔다.

가장 키가 큰 균류

프로토택사이트는 실루리아기 후기부터 데본기 후기까지(4억 2000만 년 전~3억 7000만 년 전) 존재했던 선사시대 균류다. 이 북아메리카 지생식물은 커다란 나무와 같은 구조를 하고 있었는데 폭 1m, 높이 8m로 기린보다 컸다. 줄기는 수많은 관으로 짜여 있었는데, 관 하나의 폭은 50마이크로미터를 넘지 않았다. 규모에서 짐작하듯이 프로토택사이트는 당시 존재했던 균류 중에 가장 큰 유기체로 알려져 있다.

Q: 버섯의 몇 %가 수분으로 되어 있을까?

A: 약 90%

가장 무거운 단일 균류

1992년 4월 2일 미국 미시간 주 숲에서 살아 있는 단일 토양균이 15헥타르 면적을 덮고 있는 것이 발견됐다. 무게는 100톤 이상으로 계산됐는데 하마 30마리와 비슷한 수준이다. 이 균류는 최소 1500년 전 하나의 포자에서 시작된 것으로 추측된다.

가장 많은 성별을 가진 종

일부 균류는 동물이나 식물처럼 2개의 성별이 만나 2개의 성별을 산출한다. 하지만 어떤 균류는 2개의 성별이

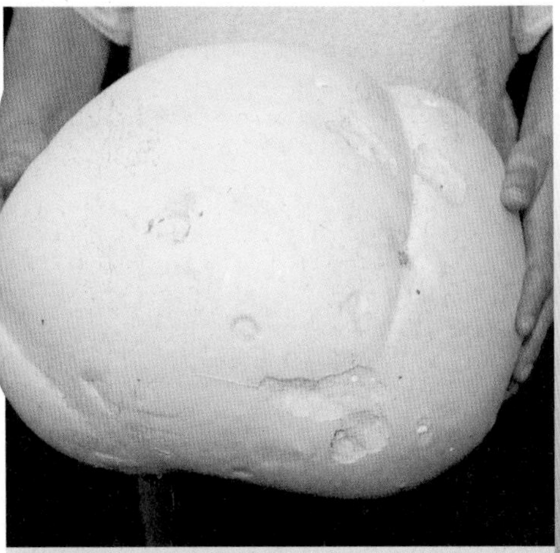

▲ 가장 큰 댕구알버섯

'자이언트 풋볼'로 불리는 이 균류는 세계 곳곳에서 흔히 볼 수 있다. 둥근 자실체는 지름 1.5m, 무게 20kg까지 자란다. 늦여름과 가을에 들판이나 목초지 낙엽수림에서 난다.

▶ 먹을 수 있는 가장 큰 균류

1990년 10월 15일, 영국 도싯 브로드스톤에 사는 조반니 파바는 영국 햄프셔 뉴포레스트에서 '숲속의 닭'으로 불리는 커다란 버섯을 발견했다. 이 초대형 버섯의 무게는 45.35kg이었다. 이 이름은 실제 닭고기 맛이 나기 때문에 붙게 됐다.

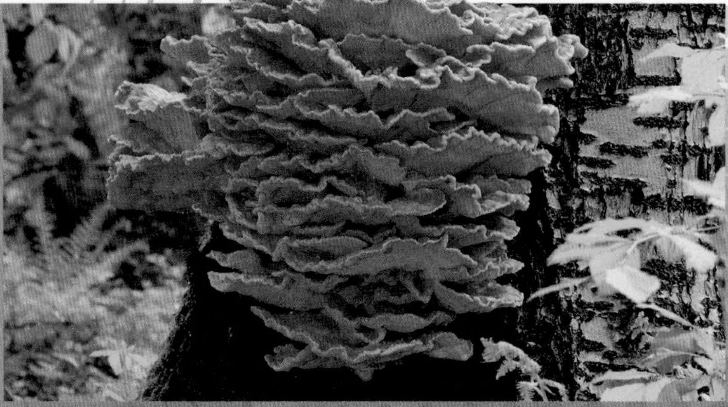

◀ 가장 독이 많은 균류

세계 곳곳에서 발견되는 팔로이드버섯은 균류로 일어나는 중독 사례 원인의 90%를 차지한다. 건조 중량 1g당 7~9mg의 독성(아마톡신)이 들어 있다. 개인의 체중에 따라 다를 수 있지만, 아마톡신은 5~7mg 정도면 인간에게 치명적인 영향을 끼치는데, 이는 건조하지 않은 버섯 50g 미만에 들어 있는 양이다.

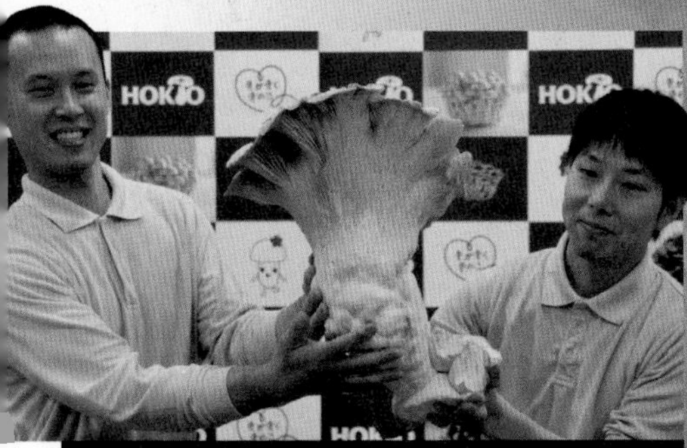

▲ 식용 가능한 가장 긴 버섯

호쿠토 기업(일본)이 재배한 큰느타리버섯은 2014년 7월 25일, 일본 나가노에 있는 회사의 버섯 연구소에서 측정한 결과 길이가 59cm였다. 연구팀은 66일 만에 3.58kg까지 자란 이 버섯이 자신의 무게를 버티지 못해 부서지거나 떨어지지 않도록 신경 써서 관리했다.

균류는 청바지가 오래되어 보이게 하는 '스톤 워시'에 자주 사용된다.

균류는 맥주, 칵테일, 와인, 빵, 치즈를 만드는 데 중요한 역할을 한다.

현재 510만 종의 각기 다른 균류가 존재하는 것으로 보고되고 있다.

만나 몇 개의 대립형질(유전자)을 만들기도 하는데, 결과적으로 수많은 성별이 생기게 된다. 전 세계에서 흔히 볼 수 있는 말광버섯은 지금까지 2만 8,000개가 약간 넘는 성별이 있는 것으로 보고됐다. 성 유전자 2개 중 하나에는 300개 이상의 대립형질이 있고 다른 한쪽에 90개 이상이 있어 총 2만 8,000개 이상의 조합이 가능하다.

물과 가장 친한 버섯종

수중버섯은 미국 오리건 주 로그 강이 원산지다. 자실체(子實體)가 물속에 있는 유일한 담자균(擔子菌) 종이다. 강의 강하고 빠른 물살을 견디기 위해 0.5m 깊이의 퇴적층에 자리 잡는다. 학계에 알려진 고등균류 버섯 중에서 유일하게 물속에 산다.

가장 큰…

트러플

2014년 12월 6일, 미국 뉴욕 소더비 경매에서 사바티오 타르투피(이탈리아)가 내놓은 1,786g짜리 화이트 알바 트러플이 대만 응찰자에게 6만 1,250달러에 팔렸다. 이탈리아에서 발견될 당시 이 트러플은 1,890g이었으나 일주일간 건조되며 무게가 줄었다.

균류의 성장

미국 이스트 오리건 블루 마운틴에 위치한 멀루어 국유림에 있는 한 균류는 축구장 1,220개와 맞먹는 890헥타르를 뒤덮고 있다. 뽕나무버섯속의 꿀버섯인 이 균류는 최소 2400년 전부터 자란 것으로 보인다.

이는 **생물 발광 유기체 중 가장 크게 자란** 기록이기도 하다. 꿀버섯은 생물 발광하는 박테리아 때문에 지표에서 자라는 것처럼 보이지만, 뿌리 역할을 하는 균사 대부분이 지하 1m에 파묻혀 있다.

목재부후균

(목재에 생기는 균류)

1995년, 영국 서리 큐 왕립식물원의 균류 표본실에 있는 죽은 느릅나무에서 떡따리버섯이 1.6×1.4m 크기로 자란 게 발견됐다. 이 기록적인 크기의 균류는 둘레가 4.8m였다.

담자포자

'고등균류'로 알려진 담자균류에는 양송이, 독버섯, 먼지버섯, 떡따리버섯, 녹병균이 포함돼 있다. 대부분 교배를 통해 담자포자로 알려진 미세한 포자를 생산한다. 가장 큰 담자포자를 가지고 있는 버섯은 중국에서 나는 흰무늬딱지버섯이다. 크기 34×28마이크로미터, 무게 17나노그램, 부피 14피콜리터다. 이해하기 쉽게 설명하면, 이 책에 나오는 마침표의 10분의 1 크기다.

심해 THE DEEP

해수면 200m 아래를 '심해'라고 한다.
밑으로 내려가면 온도는 0℃에 가까워지며 빛은 희미해지고 압력이 수면보다 수백 배 높아진다.

▲ 가장 깊은 곳에 있는 열수구

2013년 2월 21일, 'RRS 제임스 쿡 호'(배)에 타고 있던 영국 과학자들은 바다 4,968m 깊이에서 열수구(뜨거운 물이 지하에서 솟는 구멍)를 발견했다. 카리브 해 케이만 트로프에 있는 이 열수구는 원격 조종 무인 잠수정(ROV)에 의해 발견되었다. 이곳에서 분출되는 물의 온도는 401℃이며 미네랄이 풍부하다.

가장 큰 난파선

총 15만 3,479톤의 VLCC(초대형 원유 운반선) '에너지 디터미네이션' 호가 1979년 12월 13일 페르시아 만 호르무즈 해협에서 두 동강이 나 가라앉았다. 짐을 싣고 있지는 않았지만, 배의 가치만 5,800만 달러였다.

심해를 탐사한 가장 큰 잠수정

'벤 프랭클린(PX-15)' 호는 길이 14.85m, 총 배수량이 약 133.8톤이다. 나사와 노스럽그러먼(둘 다 미국)이 개발했으며, 스위스에서 제작했다. 이 잠수정은 1969년 7월 14일 진수됐으며, 6명의 선원이 탑승해 멕시코만류 최저 600m 심해에서 30일간 임무를 수행했다. 1971년 개인에게 팔려 현재는 캐나다에 있는 벤쿠버해양박물관에 전시돼 있다.

최초의…

심해 탐사에 사용된 과학기기

1840년 탐험가 제임스 로스 경(영국)이 남극대륙을 탐사하며 강삭측심법으로 수심 3,700m까지 측정했다. 끝에 납을 매달아 해저에 닿을 때까지 가느다란 줄을 내리는 측정법이다.

대양 해저와 우주의 전화통화

1965년 8월 29일, 나사의 제미니V 임무 중에 궤도를 돌고 있던 우주인 고든 쿠퍼와 찰스 콘래드는 동료 우주비행사 스콧 카펜터(모두 미국)가 건 무선전화를 받았다. 카펜터는 미국 캘리포니아 주 연안 수심 62m에 마련된 '시랩II' 실험용 해양 서식지에 머물고 있었다. 그는 30일간 그곳에 살며 생리학 실험을 진행했다.

기록된 고래 낙하

1956년 고래의 사체가 해저로 내려간다는 내용을 자세하게 쓴 논문이 발표됐다. 1977년에는 심해 잠수정 '트리에스테II'가 미국 서해안 연안의 산타카탈리나 유역을 탐험하며 최초로 자연 상태의 고래 낙하를 발견했다. 대양 해저에는 영양분이 적어 이곳에 사는 많은 종이 '바다의 눈'으로 알려진 유기체들의 낙하에 의지해 살아간다. 40톤 무게의 고래 사체가 공급하는 탄소원(독립영양을 하는 식물이나 미생물이 이용)은 해저 1헥타르에 100~200년 동안 내리는 바다 눈의 양과 같다.

Q: 초심해대(Handal Zone)란 무엇일까?

A: 바다의 가장 깊은 곳을 말한다. 그리스 신화에 나오는 지하세계의 신, 하데스(Hades)의 이름에서 따왔다.

가장 깊은…

잠수부 인양

1942년 5월 2일, 영국의 군함 HMS 에든버러 호가 노르웨이 북부 바렌츠 해의 북극권 수심 245m에 침몰했다. 그러자 여러 기업이 컨소시엄을 구성해 잠수부 12명을 내려보냈고, 31일 동안(1981년 9월 7일~10월 7일) 431개의 금괴를 찾아냈다. 5년 뒤, 29개의 주괴가 더 인양됐다.

군용 잠수정 기록

러시아의 K-278 잠수함은 1984년 8월 4일, 노르웨이 바다 1,027m 깊이까지 내려갔다. K-278은 1983년 12월 28일 처음으로(그리고 마지막으로) 임관했다. 이 프로토타입 원자력추진 공격용 잠수함은 이중선체로 되어 있어(안쪽 선체는 티타늄으로 구성), 다른 어떤 잠수함보다 더 깊이 내려갈 수 있다.

난파선

1996년 11월 28일, 블루워터 리커버리스(영국)는 측면 촬영 탐지기술을 활용해 2차 세계대전에서 독일이 사용한 'SS 리오그란데' 호가 난파돼 대서양 남부 해저에 있는 걸 발견했다. 배는 5,762m 깊이에 잠들어 있었다.

물고기

뱀 목(目)의 물고기 개체 1마리가 푸에르토리코 해구 8,370m 깊이에서 잡혔다.

대양의 지점

챌린저해연은 괌의 남서쪽 300km, 태평양 마리아나 해구에 있다. 2010년 10월 USNS 섬너의 측정에 따르면, 챌린저해연의 바닥은 수면 1만 994m 아래에 있다고 한다.

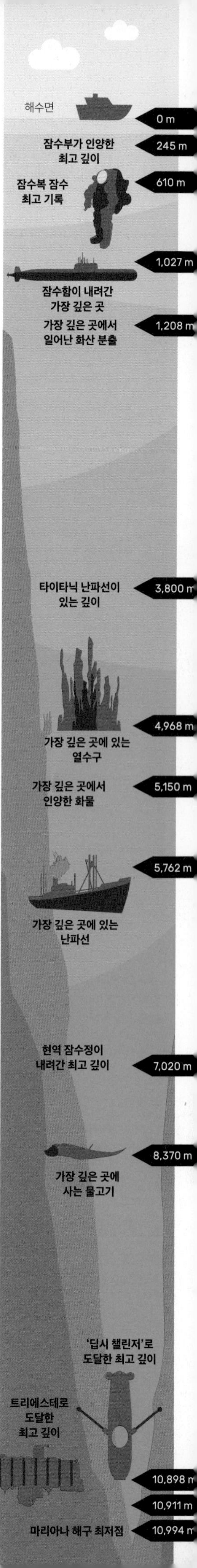

보티 맥보트페이스는 RRS 데이비드 아텐버러 경에 탑재될 원격 조종 무인 잠수정의 이름으로 쓰일 예정이다. 현재 영국 버컨헤드에서 제작하고 있으며, 2019년 항해를 시작할 계획이다.

◀ 대중 투표에서 가장 많이 득표한 탐사선 이름

2016년 3월, 영국의 자연환경연구협회(NERC)가 탐사선 'RRS 제임스 클락 로스'와 'RRS 어니스트 섀클턴'을 대체할 새로운 배 이름을 대중 투표로 정하겠다고 발표했다. 투표는 2016년 4월 16일 마무리됐고, 12만 4,109표로 당선된 이름은 '보티 맥보트페이스'였다. 하지만 NERC는 탐사선의 이름을 영국의 자연사 방송인의 이름을 따 'RRS 데이비드 아텐버러 경'으로 지었다. 투표에서 4위를 기록한 이름이었다.

▲ 현역 최저 잠수 기록

현역으로 활동하는 해저탐사 심해 잠수정 중 '자오룽' 호가 가장 깊은 곳까지 내려갔다. 2012년 6월 24일 예 공, 리우 카이저우, 양 보(모두 중국)는 자오룽 호를 타고 태평양 서쪽 마리아나 해구 7,020m까지 잠수했다. 11시간의 잠수 동안 '오세아노트(해저 작업요원)'들은 해저 바닥에 3시간을 머물며 침전물과 바닷물 샘플 등을 수집하고 탐사했다.

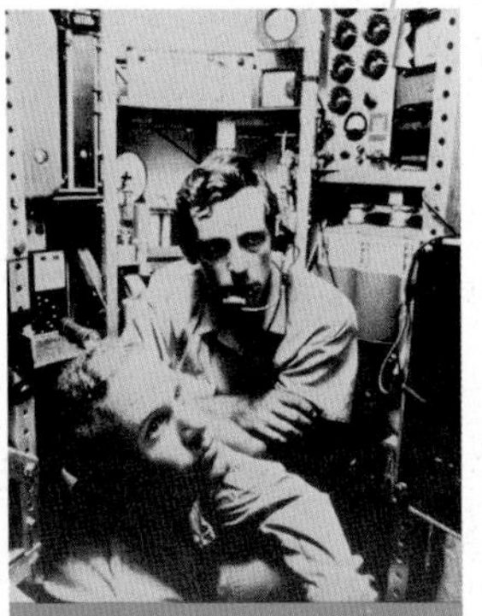

▲ 유인 최저 잠수 기록

1960년 1월 23일, 자크 피카르 박사(스위스, 위)와 도널드 월시 중위(미국, 아래)는 스위스가 제작한 미 해군 심해 잠수정 '트리에스테'를 타고 마리나 해구에 있는 챌린저해연의 1만 911m 깊이까지 내려갔다.

▶ 타이태닉 호를 탐사한 최연소 인물

2005년 8월 4일, 세바스티안 해리스(미국, 1991년 9월 19일생)는 아버지 마이클과 함께 러시아 잠수정 '미르-2'를 타고 타이태닉 난파선에 내려가 8시간을 탐사했다. 오른쪽 사진은 탐사 당시 가지고 내려간 스티로폼 컵의 모습이다. 해저의 강한 압력으로 크기가 많이 줄어들었다.

▲ 유인 최저 잠수 기록(단독)

2012년 3월 25일, 영화감독 제임스 카메론(캐나다)은 특별 제작된 1인용 '수직 어뢰형' 잠수정 '딥시 챌린저'를 타고 2시간을 단독으로 내려가 챌린저해연 1만 898m 깊이에 도달했다. 물을 주제로 한 영화 〈타이태닉〉(미국, 1997)과 〈심연〉(미국, 1989)을 촬영한 카메론 감독은 해구에서 몇 시간을 머물며 가는 실트(모래보다 곱고 진흙보다 거친 침적토)와 아주 작은 이름을 알 수 없는 생명체들을 관찰했다.

▲ 가장 깊은 곳에서 목격된 화산 폭발

미국의 과학자들이 2009년 5월 5~6일 사모아 인근 태평양 바다 1,208m 깊이에서 화산이 폭발하는 모습을 촬영했다. '제이슨 2'라는 로봇 잠수정이 찍은 이 영상에는 웨스트마타 화산이 용암을 뿜는 모습이 담겼다. 이곳은 세계에서 가장 활발한 화산 중의 하나로, 사모아 섬 남서쪽 약 200km 지점에 있다.

▲ 최저 깊이 난파선 인양

1942년 11월 6일, 영국의 여객선 'SS 시티 오브 카이로' 호가 어뢰 공격으로 침몰해 탑승자 104명이 목숨을 잃었다. 그리고 이 선체를 2011년 난파선 인양회사 '딥 오션 서치'가 해저 5,150m에서 찾은 사실이 2015년 4월에 알려졌다. 배에는 100톤의 은화가 실려 있었는데 인양 팀은 약 5,220만 달러 가치의 은화를 건져 올렸다.

▲ 대기압 잠수복을 사용한 잠수 최고 기록

미 해군 최고 잠수부 대니얼 잭슨은 2006년 8월 1일, 미국 캘리포니아 주 라호야 연안에서 해수면 아래 610m까지 잠수했다. 그는 해군이 해저 구출작전에 사용하기 위해 개발한 최신 대기압 잠수복(ADS) '하드슈트 2000'을 실험 중이었다. 높은 기압에서도 견디도록 설계돼 있어 사용자가 해저를 직접 걸을 수 있다. 비행용 2중 프로펠러를 사용해 추진력을 얻는다.

지구 전반 EARTH ROUND-UP

지구 핵의 온도는 약 6,000℃다. 지구 표면 온도의 평균은 약 14℃다.

▲ **가장 높은 곳에서 자라는 나무**
폴리레피스 토멘텔라는 해발 4,000~5,200m에서 자란다. 이 나무는 중부 안데스 고산지대에 펼쳐진 알티플라노 고원의 반건조 지대에 퍼져 있다.
가장 키가 큰 나무는 레드우드와 유칼립투스로 2종 모두 113m까지 자랄 수 있다.

외핵의 액체 상태 철이 움직이는 속도는 나무늘보가 움직이는 속도의 50분의 1이지만 풀이 자라는 속도보다 3만 5,000배 빠르다.

▲ **지구 핵에서 가장 빠르게 움직이는 물질**
2016년 12월 19일, 과학사들은 지구 외핵의 액체 상태의 철은 매년 50km씩 움직인다고 발표했다. DTU 우주 연구소(덴마크)와 리즈 대학교 연구팀(영국)은 유럽우주기구(ESA)가 지구 자기장 연구를 위해 제작한 3대의 스웜 인공위성의 데이터를 활용해 3,000km 땅속에 녹아 있는 많은 양의 철을 찾아냈다. 폭 420km로 행성의 반을 감싸고 있다.

가장 오래 지속된 번개
2016년 9월, 세계기상기구는 2012년 8월 30일 프랑스 남동부 상공에서 구름과 구름 사이 약 200km 거리에서 전류가 7.74초 동안 수평으로 흘렀다고 발표했다. 번개의 평균 지속 시간은 0.2초다.
지구에서 가장 뜨거운 장소는 번개가 치는 주변의 공기로 순간적으로 태양의 표면보다 5배나 뜨거운 3만℃까지 올라간다.

가장 어린 화산
멕시코의 파리쿠틴 화산은 1943년 2월 20일 옥수수밭에서 솟아나, 1952년까지 활동했다. 대다수 화산 활동은 첫해에 일어났으며, 이 기간에 화구구는 355m까지 높아졌다.
화산에서 뿜어져 나온 많은 재는 수 km나 되는 곳까지 넓은 지역을 덮었고, 비가 내려 파라쿠틴 마을은 점차적으로 폐허가 되었다고 한다. 지리학자들은 파리쿠틴은 화산의 탄생과 발달, 그리고 죽음까지 모두 목격할 수 있었던 아주 특이한 사례라고 말한다.

이 연구는 과거 런던 스모그와 현재 중국 도심의 대기오염에 비슷한 화학반응이 있다고 전한다.

▲ **가장 치명적인 스모그**
스모그는 '연기(Smoke)'와 '안개(Fog)'의 합성어다. 1952년 12월 5~9일 런던은 심각한 스모그를 겪었다. 차가운 날씨와 고기압이 만나 오염원들이 하늘을 뒤덮었고 약 1만 2,000명이 목숨을 잃었다.
2016년 11월, 국제 연구팀이 런던 스모그 분석 자료를 보면 주거지역과 공장에서 석탄을 태워 발생한 이산화황과 이산화질소가 황산으로 변해 안개에 스며들었다고 한다. 그래서 폐에 염증을 일으켰고, 많은 사람이 질식해 숨졌다. 당시 새들러즈 웰즈 극장에서는 오페라 〈라 트라비아타〉가 상연 중이었는데 공연장에 스며든 스모그에 관객들이 기침을 시작하고, 뒷자리 사람들은 무대를 볼 수 없을 정도가 돼 공연을 망쳤다고 한다. 런던의 이스트엔드에 위치한 독 섬에서는 스모그가 너무 짙어 사람들이 자기 발을 볼 수 없을 정도였다.

가장 오래된 물(유성 외)
2016년 12월 13일, 바바라 셔우드 롤라(캐나다)가 이끄는 연구팀이 캐나다 온타리오 주 티민스의 키드 크릭 광산 지표면 3km 아래에서 20억 년 된 물을 발견했다고 미국지구물리학회에 발표했다. 이 정도 깊이의 지표에 갇힌 물은 당시 주변 환경을 보여주는 단서를 포함하고 있을 가능성이 높다. 물의 나이는 포함된 헬륨, 네온, 제논, 크립톤, 아르곤을 분석해 측정했다. 염분이 바닷물보다 8배나 더 많았다.

소행성으로 발생한 가장 강력한 쓰나미
6,500만 년 전 유카탄반도(현 멕시코)에 지름 10km 이상의 소행성이 충돌했다. 충격은 인간이 만든 가장 강력한 핵폭발의 200만 배 이상이었고, 그 결과 지름 180km짜리 크레이터가 생겼다. 이때 발생한 쓰나미의 높이는 약 1km였는데, 소행성이 수심이 얕은 반도가 아닌 깊은 바다에 떨어졌으면 더 높았을 것이다.

가장 큰 파도
날씨나 기후의 영향으로 생긴 파도 중 공식적으로 기록된 가장 높은 파도는 34m다. 이는 USS 라마포에서 측정된 파도로, 1933년 2월 6~7일 밤 필리핀 마닐라에서 발생한 126km/h의 태풍과 함께 미국 캘리포니아 주 샌디에이고로 밀려왔다.

육지에서 가장 먼 곳
남태평양의 48° 52.6′ S, 123° 23.6′ W 지점은 육지에서 거리가 2,699km나 된다. 이곳은 니모 포인트(Point Nemo), 혹은 태

▼ **가장 많은 열을 발생시킨 화산**
미국과 영국의 지질학자들이 2015년 1월 28일 발표한 자료에 따르면, 하와이의 킬라우에아 화산은 2000~2014년까지 9.8×1016줄의 열에너지를 방출했다고 한다. 인공위성 데이터를 활용해 지구에서 가장 활발한 화산 95개를 분석한 연구결과다.
사진은 2010년 1월~2011년 5월까지 레이더 데이터를 이용해 화산 폭발로 용암 분출량이 늘고 줄어듦에 따라 지형이 미묘하게 변하는 모습을 나타낸 것이다. 색이 변할 때마다 1.5cm가 상승한다. 가운데로 향할수록 경사가 가팔라진다.

▲ 최대 규모 이화산 폭발

인도네시아 동 자바 지역의 이화산(泥火山)은 2006년 5월 이후 계속 폭발하고 있다. 점토와 물 혼합물이 쏟아져 나와 시도아료 시 6.5km² 면적에 진흙이 40m 높이로 쌓였고, 약 4만 명이 집을 잃었다. 화산 폭발이 가장 활발할 때는 하루 18만 ㎥의 진흙을 뿜어냈는데, 2주간 지속된다면 이집트 기자 대피라미드의 부피만큼 쌓이게 된다. 폭발은 최소 25~30년 정도 지속될 것으로 보인다.

▲ 현대에 시작된 지질연대

2016년 8월 29일, 국제지질학연합의 인류세 워킹그룹이 새로운 지질연대의 증거를 제시했다. 인류세란 인류의 활동이 지구의 생태계에 영향을 끼치기 시작한 지질시대를 뜻한다. 연구팀은 인간이 핵무기 실험으로 방사성원소가 지구 전역에 퍼지기 시작한 1950년 무렵 인류세가 정식으로 시작됐다고 한다.

평양 도달불능극이라고 부른다(지리적으로 도달하기 어려운 지역으로, 물리적으로 도달하기 불가능한 곳은 아니다). 만약 당신이 그 지점에 서 있고 국제우주정거장이 바로 위를 지나면 지구에 있는 그 어떤 사람들보다 고도 400km에 있는 우주비행사들과 가깝게 된다.

가장 큰…

대륙

지구에 있는 모든 대륙 중(유럽, 아프리카, 아시아, 북아메리카, 남아메리카, 오스트랄라시아/오세아니아, 남극대륙) 아시아의 면적이 4,503만 6,492km²로 가장 넓다. 2번째로 넓은 대륙은 아프리카로, 면적은 3,034만 3,578km²다.

섬

대륙으로 간주되기도 하는 호주를 제외하면, 지구에서 가장 큰 섬은 그린란드로 면적은 약 217만 5,600km²에 이른다.

모래섬

세계에서 가장 큰 모래섬은 프레이저 섬으로 호주 퀸즈랜드주 브리스번 북쪽 200km 거리에 있다. 이 섬의 총면적은 1,630km²이며, 길이는 120km다(100개 이상의 담수 호수가 있다). 프레이저 섬은 1992년 유엔교육과학문화기구(유네스코)에 의해 세계문화유산으로 지정됐다.

모래언덕

세계에서 가장 높은 모래언덕은 알제리 동부 이사오우아네-엔-타이페르닌(Isaouane-n-Tifernine)의 사하라 사막 모래 바다에 있다. 길이는 5km이며, 높이는 465m다.

빙하

남극대륙의 램버트 빙하는 100만km²의 면적을 뒤덮고 있으며, 남극 동부 빙상(기반의 형태와 관계없이 광대한 지역을 덮고 있는 빙체)의 얼음을 매년 약 330억 톤씩 남극해로 나르고 있다.

길이 400km, 폭 40km에 이르는 램버트 빙하는 세계에서 가장 긴 빙하이기도 하다. 산맥을 통과하는 곳은 1년에 약 230m 정도의 속도로 움직이지만 아메리(Amery) 빙붕과 합쳐지는 곳에서는 1년에 약 1km 정도의 속도로 움직인다.

호수 데이터베이스

2016년 12월 15일, 캐나다 몬트리올에 있는 맥길 대학교 지질학 팀이 현존하는 가장 완성도 높은 전 세계 호수 데이터베이스를 만들어 발표했다. '하이드로레이크(HydroLAKES)'로 알려진 이 데이터베이스에는 면적이 10헥타르 이상인 호수 142만 개의 물의 양과 둘레를 포함한 다양한 정보가 들어 있다. 여기에 기록된 호수의 물을 모두 더하면 18만 1,900km³에 달하며, 둘레를 모두 더하면 약 720만 km에 이른다.

용암호

콩고 민주공화국에 있는 순상화산(유동성이 큰 용암이 서서히 유출한 대형 화산)인 니라공고 산에는 지름 1,250m의 분화구에 용암호가 형성되어 있다. 르완다와의 국경 부근에 있는 이 활화산은 1882년 이후 34번 폭발했다. 1894년 제1회 등정 탐험으로 용암호가 발견된 이후 현재까지 용암호가 현존하는 세계 유일의 화산으로 알려져 있다.

빙하 속에 있는 산

남극 동부에 위치한 감버트세프스 산맥은 대륙을 가로질러 1,200km나 뻗어 있으며 높이는 해발 약 2,700m다. 유럽의 알프스 산맥 크기와 비교될 정도로 엄청난 규모다.

이 산맥은 600m 이상의 얼음 속에 갇혀 있어 아무도 직접 보지 못했다. 1958년 구소련 연구팀이 인공적으로 지하에 진동을 일으키고 전파를 관측해, 지하의 상황을 추측하는 탐사법인 탄성파 탐사로 찾아냈으며, 약 5억 년 전부터 있었던 산맥으로 여겨진다.

발견되기 전까지 남극대륙 깊은 곳은 평평할 것이라고 믿었던 과학자들은 이 산맥의 등장에 깜짝 놀랐다.

▼ 최초의 기술권 대규모 측정

지구의 생물권에서 파생된 기술권은 언젠가 '기술화석'이 될 인간이 만든 모든 구조물과 물질을 뜻한다. 도시와 도로들(참조 사진: 뉴욕 시)부터 자동차, 쓰레기 매립지 등에서 비롯되는 모든 폐기물이 기술권에 속한다. 영국 레스터 대학교 지질학자들이 주도한 국제 연구팀은 2016년 11월 28일 학술지 〈인류세 리뷰〉에 지구 기술권의 총량을 측정해 발표했다. 연구에 따르면 총량은 엠파이어스테이트 빌딩의 약 9,000만 배인 30조 톤에 달한다고 한다.

연구에서 측정한 기술권 총량은 전체 지구 표면 1m²당 50kg이 넘는 무게다. 금괴 4덩이 혹은 농구공 80개와 맞먹는다.

가장 키가 큰 TALLEST...

무엇이 더 클까? **가장 크게 만든 눈사람**과 **거대 공룡** 중에 더 큰 것은? **가장 큰 여객선**과 **동상**을 비교하면?
당신은 어느 정도일까? **가장 큰 사람**과 비교하면 당연히 작겠지만 **가장 큰 개**와 비교한다면 누가 클까? 지금부터 알아보자!

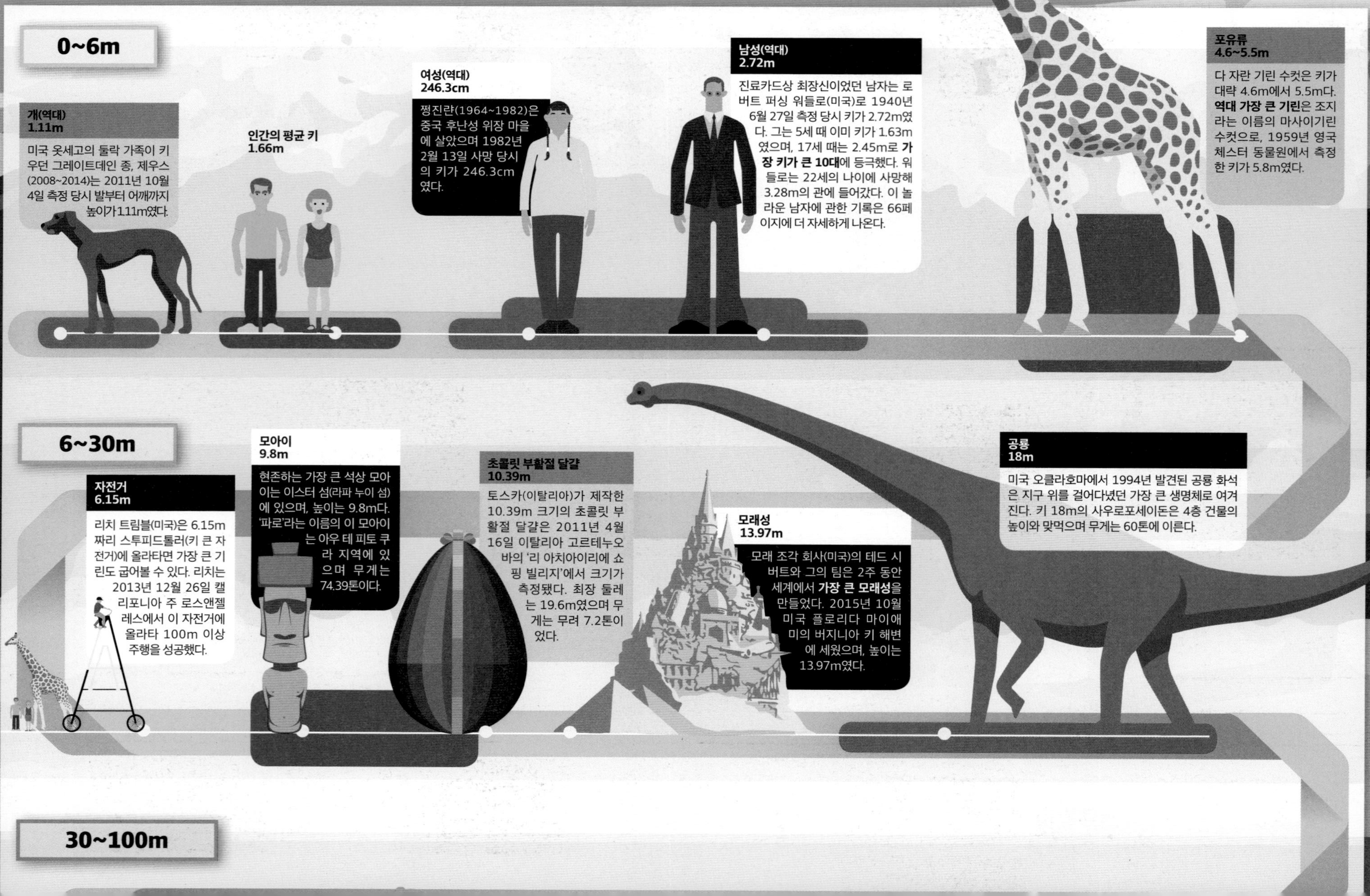

눈사람
37.21m

2008년 2월 미국 메인 베델의 주민들은 37.21m짜리 눈사람을 만들었다(이름은 올림피아로 성별을 따지자면 여성이다). 가문비나무로 된 팔과 스키로 만들어진 속눈썹이 있었다.

모닥불
47.39m

세례자 요한 기념일을 맞아 노르웨이 올레순에 47.39m 높이의 장작을 쌓아올려 2016년 6월 25일 모닥불을 붙였다. 장작은 약 3개월에 걸쳐 모두 사람 손으로 쌓았다.

크리스마스트리
67.36m

1950년 12월, 미국 워싱턴 주 시애틀의 노스게이트 몰에서 크리스마스트리가 새로 공개됐다. 기록에 따르면 잘 꾸며진 이 미송(美松)의 높이는 67.36m에 달했다.

여객선
81m

2009년과 2010년 진수된 로열 캐리비언 사(社)의 오아시스 클래스 여객선인 'MS 오아시스 오브 더 시'와 'MS 얼루어 오브 더 시'는 굴뚝을 최대로 뻗었을 때 배의 용골부터 측정한 높이가 81m에 이른다.

100~500m

나무(현존)
115.54m

'히페리온'은 세쿼이아(소나뭇과) 나무로 2006년 9월 측정 당시 115.54m였다. 크리스 앳킨스와 마이클 테일러(둘 다 미국)가 2006년 8월 25일 미국 캘리포니아 주 레드우드 국립공원에서 발견했다. 이 나무는 역사상 **가장 큰 크리스마스트리**보다 약 2배 정도 크다.

조각상
127.64m

중국 허난성 루산 현에 있는 중위안 대불은 127.64m 높이로 주변을 압도한다. 2009년 9월 1일 완공되었으며 그해 12월 2일 측정됐다. 사람의 평균 키보다 7,600배 크다.

피라미드
146.7m

이집트 기자에 있는 쿠푸 왕의 피라미드가 세계에서 가장 큰 대피라미드다. 이 피라미드는 4500년 전에 지어질 당시엔 높이가 146.7m였지만, 부식과 기물 파괴로 손상돼 현재 높이는 137.5m다.

빙산
167m

미국해양경비대 쇄빙선 이스트윈드가 1957년 그린란드 서쪽에서 발견한 빙산은 수면 위의 높이만 건물 55층과 맞먹는 167m였다.

깃대
171m

사우디아라비아 제다의 킹 압둘라 광장에 있는 깃대는 높이가 171m다. 여기에 걸려 있는 국기의 길이는 49.35m로 올림픽 수영장만한 크기다.

연안 가스 플랫폼
472m

북해 노르웨이 연안의 트롤 A 가스 시추 장치는 높이 472m, 무게 68만 3,600톤이다. 해수면 303m 아래 바닥에 설치돼 있다. 여기 쓰인 철을 모두 합치면 에펠탑 15개를 지을 수 있으며, 사용된 콘크리트는 집 21만 5,000채의 토대를 만들 수 있을 정도다. 다른 곳에서 제작해 현재 위치로 이동시켰으며 **인간이 제작하고 이동시킨 가장 큰 물체**다.

500m 이상

빌딩
828m

인공구조물 부르즈 할리파는 2010년 1월 4일 UAE 두바이에서 문을 연 이래 세계에서 가장 큰 건물로 기록돼 있다. 이 빌딩은 828m, 160층으로 **인간이 만든 가장 높은 건축물**이다.

폭포
979m

베네수엘라 카라오 강의 지류에 위치한 앙헬 폭포(에인절 폭포)는 세계에서 가장 키가 큰 폭포다. 총 높이는 979m이며 최장 자유낙하 구간은 807m다. 폭포의 이름은 미국 파일럿 지미 에인절(1956년 12월 8일 사망)에게서 따왔는데, 그는 1933년 11월 16일 이곳을 관측 노트에 기록했다. 하지만 최초로 발견한 사람은 베네수엘라 탐험가 에르네스토 산체스 라 크루스다. 그는 1910년에 발견했다.

구조물
1,432m

'높이'의 정의가 지구 표면에서 위로 향한 거리를 뜻한다면 멕시코만에 있는 ETLP 시추 장비가 세계에서 인간이 만든 가장 키가 큰 구조물이다. 이 장비는 해저 1,432m에서 해수면에 떠 있는 플랫폼까지 연결되어 있다.

산
10,205m

가장 높은 산은 에베레스트(8,848m)지만, 키가 가장 큰 산은 미국 하와이 섬의 마우나케아 산이다. 마우나케아는 해발 4,205m지만 바닷속 잠수함 기지가 있는 하와이안 트로프(화산으로 섬을 둘러싼 해저 지형이 움푹 들어가 있다)부터 측정하면 10,205m다.

포스터 다운로드 받는 곳: guinnessworldrecords.com/2018

동물 ANIMALS

과학자들은 지구에는 1조 개의 미세 생물 종(種)과 그만큼의 거대 동물 종이 있다고 말한다.
한 숟가락 정도의 흙에도 1만 가지 다른 종의 박테리아가 산다.

공작갯가재는 자신의 몸무게인 0.6kg의 100배나 되는 힘으로 펀치를 날린다. 펀치의 속도는 사람이 눈을 깜빡이는 것보다 50배나 빠르다!

CONTENTS

딱정벌레 40
사슴 42
독수리 44
판다 46
앵무새 48
돼지 50
파충류 52
거북 54
고래 56
애완동물 58
동물 전반 60

◀ 가장 눈이 좋은 동물

인도양과 태평양의 따뜻한 물속을 거니는 화려한 색의 공작갯가재는 1.6km 멀리서 다가오는 위험도 눈으로 볼 수 있다. 돌출된 눈은 각각 따로 움직일 수 있으며, 수백만 개의 감광 세포와 16개의 색 수용체를 가지고 있다(인간은 3개뿐이다).

공작갯가재에게는 강력한 비밀 무기도 있는데, **체격 대비 가장 강력한 펀치를 날리는 동물**이다. 몽둥이처럼 생긴 앞발을 23m/sec의 속도로 휘두르는데 무려 그 힘이 1,500뉴턴에 이른다. 먹잇감의 껍질을 산산이 부서트리거나, 방심한 포식자에게서 도망칠 때 사용한다.

딱정벌레 BEETLES

딱정벌레 연구가들은 딱정벌레 종 중에 약 85%가 아직 학계에 보고되지 않았으며 이름도 지어지지 않았다고 말한다.

▲가장 긴 바구미

현재 과학적으로 확인된 바구미는 6만 종 이상이며, 딱정벌레목(目) 중에서 가장 많은 수를 차지하고 있다. 다수의 바구미가 아주 작은 편이지만 기린바구미는 수컷 성충의 길이가 9cm에 달한다.
남아프리카의 긴주둥이 소철바구미는 딱정벌레목 중에서 몸길이에 비해 **가장 긴 주둥이를 가지고** 있다. 이 바구미는 몸길이 2cm 중 3분의 2가 주둥이다.

생물 수가 가장 많은 분류군

과학에서는 모든 유기체를 생물학적 형태에 따라 분류하고 계통화한다. 딱정벌레들은 분류상 딱정벌레목에 속하는데, 모든 생물 중에 가장 수가 많다. 동물과 식물, 곰팡이류를 포함한 살아 있는 모든 유기체 5종 중 한 종은 딱정벌레다. 또 현재 과학계에 발견된 곤충들의 약 40%는 딱정벌레목으로 분류된다.
이 곤충은 남극대륙과 북극 지역, 해양 서식지를 제외한 거의 전 세계에 퍼져 있다. 지금까지 약 40만 종이 발견되었고 매년 많은 종이 추가로 보고되고 있다. 하지만 이 숫자는 지구에 시는 딱정벌레 중 15%에 불과하다.

딱정벌레와 유사한 최초의 종

현대의 딱정벌레와 닮은 고대의 곤충은 페름기 초기(2억 8000만 년 전)에 처음 나타난 것으로 보이며 그 흔적은 체코 공화국과 러시아 우랄산맥에서 발견된다. 이들은 선사시대 생물 분류로는 프로토콜레오프테라의 트셰카르도콜레이대과로 분류되는데, 번역하자면 '최초의 딱정벌레'라는 뜻이다.

가장 무거운 딱정벌레목 애벌레

남아메리카에 서식하는 악테온장수풍뎅이의 애벌레는 다 자라면 평균 200g이 나간다. 기록상 가장 큰 표본은 2009년 일본에서 사육된 무려 228g의 애벌레로, 다 큰 암컷 쥐와 비슷한 무게였다. 이 표본은 모든 딱정벌레 중 그리고 모든 곤충 중에 가장 무거운 것으로 기록됐다.

가장 작은 곤충

세계에서 가장 작은 딱정벌레는 곧 세계에서 가장 작은 벌레라는 2개 부분의 기록을 석권했다. 페더윙딱정벌레는 피틸리데과에 속하며, 크기는 0.25~0.30mm다. 페더윙딱정벌레종은 사이도셀라 무사와센시스와 마찬가지로 분류학적으로 나노셀리니족에 속한다.

가장 무거운 딱정벌레 성충(모든 곤충 포함)

다 자란 적도아프리카 골리앗풍뎅이는 딱정벌레 세계의 헤비급 선수다. 수컷은 뿔 끝에서 배 끝까지의 길이가 11cm에 이르며, 무게는 무려 70~100g로 테니스 공보다 1.5배 더 무겁다.

Q: 고대 이집트에서 신성시된 딱정벌레는 무엇일까?

A: 쇠똥구리(The scarab beetle)

가장 큰 길앞잡이

이름도 적절한 만티고라길앞잡이는 길앞잡이 중에 가장 크다(만티고라는 '크다'는 뜻이다). 남아프리카 보츠와나, 모잠비크에 서식하며 길이는 6.5cm에 달한다. 수컷은 커다란 부리 같은 뿔이 있어 더 무섭게 생겼다. 사슴벌레의 뿔과 비슷하지만, 사슴벌레는 뿔을 형식적으로 사용하는데 만티고라길앞잡이는 뿔을 기능적으로 아주 잘 이용한다. 이 딱정벌레는 먹이를 먼저 뿔로 잡고 갈기갈기 자른 뒤 덩어리를 게걸스럽게 먹는다.

가장 사회성이 뛰어난 딱정벌레

사회성이 가장 뛰어나다고 알려진 딱정벌레는 호주에 서식하는 나무좀의 일종인 오스트로플래티퍼스 인컴퍼투스다. 바구미과로, 유칼립투스 나무의 줄기 가운데 군락을 형성한다. 각각의 군락에는 번식활동을 하는 암컷(여왕) 한 마리가 번식할 수 없는 암컷들(일꾼)에게 보호받으며 생활하고, 생식 가능한 수컷과 교미하여 애벌레를 낳는다. 이런 계급 제도는 벌이나 개미의 사회성과 비슷한 수준이다.

가장 빠른 딱정벌레

딱정벌레계의 우사인 볼트는 모든 곤충 중에서도 가장 빠르다. 오스트레일리언길앞잡이는 2.5m/s(9km/h)로 이동할 수 있는데, 자기 몸길이의 125배나 되는 거리를 1초에 달린다. 볼트의 보폭인 2.44m로 계산하면 마하에 약간 못 미치는 305m/s 속도로 달리는 셈이다. 이 연구는 1999년 미국 플로리다 대학교의 곤충 & 선충학과 토머스 M 메릿이 발표했다.

딱정벌레는 알에서 애벌레 형태(위 왼쪽)로 부화하며 '영(齡, 곤충의 탈피와 탈피의 중간) 단계'와 '번데기'를 거쳐 마침내 성충이 된다.

악테온장수풍뎅이 애벌레 하나는 다 자란 참새 6.25마리의 무게와 같다!

인간은 최소 300종의 딱정벌레를 먹는다(보통 애벌레).

나미비아의 부족인 산족은 잎벌레의 애벌레와 번데기에서 추출한 치명적인 독을 화살촉에 묻혀 사용한다.

전체 동물의 3분의 2는 생물학상 곤충으로 분류되며 이중 40%는 딱정벌레다 (동물로 분류된 150만 종 중에서 40만 종이 딱정벌레다).

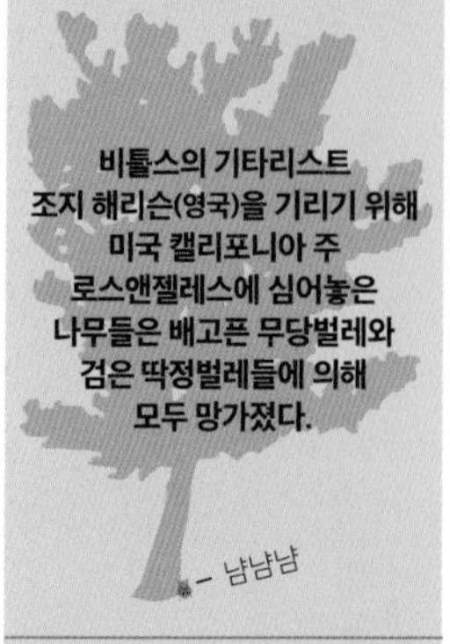

비틀스의 기타리스트 조지 해리슨(영국)을 기리기 위해 미국 캘리포니아 주 로스앤젤레스에 심어놓은 나무들은 배고픈 무당벌레와 검은 딱정벌레들에 의해 모두 망가졌다.

요즘 같은 모습의 딱정벌레는 2억 8000만 년 전에 처음 나타났으며, 공룡이 멸망한 위기에서도 살아남았다.

딱정벌레 성충의 실제 크기 사진 100%

◀ 가장 밝은 빛을 내는 생물

아메리카 대륙의 열대지방에 서식하는 발광방아벌레는 LED 손전등 하나와 맞먹는 45밀리램버트(millilamberts)의 빛을 낸다. 머리에 빛을 내는 두 개의 점이 있고, 배에도 하나 있다(날아다닐 때만 보인다). 불빛을 이용해 다른 딱정벌레에게 신호를 보낸다.

◀ 가장 생명력이 강한 딱정벌레

가장 생명력이 강한 딱정벌레의 족은 표본벌레족이다. 곤충학 박사 맬컴 버는 1,547개의 딱정벌레 표본이 12년 동안 뚜껑이 닫힌 병 속에서 단백질 카세인만 먹고도 잘 살았다고 말한다. 버 박사는 다른 표본 무리는 독성 식물인 독말풀의 잎이 있는 통에서 15년이나 살아남았다고 전했다.

▲ 가장 긴 딱정벌레 표본

가위톱장수하늘소는 길이가 보통 99~170mm지만 2007년 페루에서 채집한 이 표본은 총 길이가 177mm다. 이 하늘소 수컷은 톱니 모양의 턱이 있는데, 전체 길이의 3분의 1을 차지한다.

▲ 가장 긴 딱정벌레(몸길이)

뿔을 제외한 몸의 크기만 따지면 남미의 타이탄하늘소가 가장 큰 딱정벌레목 곤충이다. 머리에서 배까지 길이가 평균 150mm다.

▶ 가장 오래 산 곤충

수명이 가장 긴 곤충은 비단벌렛과 곤충이다. 1983년 5월 27일 영국 에섹스 사우스엔드온시에 있는 집의 목재에서 발견된 비단벌렛과의 한 표본은 최소 47년간 애벌레로 살았다.

▶ 은하를 보고 방향을 찾는 최초의 동물

아프리카 쇠똥구리는 은하수를 보고 방향을 찾는다. 2013년 과학자들은 이 풍뎅잇과 곤충이 구름이 끼거나 달이 뜨지 않은 날에도 은하수의 빛을 보고 똥을 일직선으로 굴리는 걸 발견했다. 다른 동물들도 별을 보고 자신의 위치를 알아내지만, 쇠똥구리는 전체 은하를 보고 방향을 찾는 게 증명된 첫 번째 동물이다.

▲ 가장 힘이 센 곤충

풍뎅잇과의 딱정벌레들이 대체로 힘이 아주 강하다. 오각뿔장수풍뎅이는 자신보다 850배 무거운 걸 떠받을 수 있다. 인간은 보통 자기 무게의 17배 정도까지 버틸 수 있는데, 이 딱정벌레는 사람으로 치면 다 큰 아프리카코끼리 10마리의 무게를 견디는 셈이다.

◀ 가장 긴 딱정벌레(전체)

헤라클레스장수풍뎅이는 한 쌍의 기다란 뿔까지 포함해 크기가 보통 44~172mm이다. 아종인 헤라클레스'왕'장수풍뎅이는 그중에서 가장 크다(사진).

사슴 DEER

사슴은 눈이 옆에 있어서 시야가 310°나 된다. 뒤에 있는 물체도 볼 수 있다.

◀ 가장 큰 사슴

말코손바닥사슴보다 큰 사슴 종은 없다. 이 사슴은 여름이면 하루에 나뭇잎 등의 초목을 33.1kg이나 먹는다. 겨울에는 식물의 싹을 먹는데 하루 식사량이 15.4kg으로 절반가량 떨어진다. 1897년 9월 캐나다 유콘 준주에서 사냥한 알래스카말코손바닥사슴은 어깨높이 2.34m, 무게가 816kg나 됐다.

▲가장 피에 굶주린 유제류

('유제류'란 사슴처럼 발굽이 있는 동물이다.) 영국 럼 이너헤브리디스 제도의 초목들은 칼슘과 인 같은 미네랄의 함량이 부족하다. 그래서 이 섬의 붉은사슴은 영양의 균형을 맞추기 위해 땅에 둥지를 짓는 슴새 같은 바닷새의 새끼들을 잡아먹는다. 새의 머리를 물어뜯고 뼈를 씹어 필요한 영양소를 얻는다.

▼ 가장 먼 거리를 이주하는 육상동물

알래스카와 북미 유콘 준주에 사는 순록은 육상동물 중 가장 먼 거리를 이주하는데, 이는 매년 4,800km에 이른다. 여름에는 툰드라 북부에서 풀과 초목을 먹고, 겨울이 오면 이끼 같은 먹이를 찾아 유콘 지역으로 남하한다.

카리부(북미 순록)는 10만 마리 이상이 무리를 이루기도 한다.

100,000

4개의 위

소나 사슴 같은 동물은 위가 네 부분으로 나눠져 있다. 소화 과정에 되새김질을 하는 모든 '반추동물'은 형태가 동일하다.

고라니는 뿔은 없지만 대신 긴 송곳니가 있다.

처음으로 뿔갈이를 한 사슴 종

디크로세루스 엘레간스(Dicrocerus elegans)는 학계에 가장 먼저 뿔갈이를 한 사슴으로 알려진 종이다. 중신세(2000~500만 년 전) 때 유럽에 살았으며 프랑스, 독일, 포르투갈, 슬로바키아, 세르비아 그리고 중국에서 화석이 발견된다. 뿔이 아주 단순하게 생겨 '포크 뿔'이라는 별명이 붙었다. 갈래가 많지 않고 뿌리 쪽이 두껍다. 뿔은 수컷에게만 있었고 매년 뿔갈이를 했다. 지금의 문착사슴처럼 뿔갈이를 할 때마다 중심부가 점점 짧아졌다.

선사시대에 살았던 가장 큰 다마사슴 종

화석이나 벽화를 근거로 보면 큰뿔사슴(Megaloceros giganteus)은 어깨높이가 2m 정도였던 것으로 추정된다. 아일랜드에서 화석이 많이 발견돼 '아일랜드 엘크'라고 알려졌지만 큰뿔사슴은 엘크와는 연관이 없다. 유전자 연구에 따르면 가장 가까운 현대의 사슴 종은 다마사슴이라고 한다.

가장 큰 문착사슴 종

자이언트 문착은 베트남과 캄보디아 태생이다. 무게는 30~50kg으로 다른 문착사슴에 비해 2배 정도 무거우며 몸길이는 3분의 1 정도 길다. 뿔은 4배나 더 크다. 하지만 더 놀라운 점은 이 정도 크기의 사슴 종이 1994년까지 과학계에 알려지지 않았다는 사실이다.

가장 최근에 발견된 쥐사슴 종

쥐사슴, 애기사슴은 분류학적으로 사슴과가 아닌 꼬마사슴과이며, 1개의 아프리카 종을 제외하면 모두 아시아에 서식한다. 과학계에서 가장 최근 발견한 쥐사슴 종은 노란줄무늬아기사슴이며 정식으로 이름이 붙은 건 2005년이다. 서식지는 스리랑카의 섬이다.

가장 작은 유제류는 자바애기사슴으로 어깨높이 20~25cm, 몸길이 42~55cm, 몸무게 1.5~2.5kg이다. 다 큰 수컷은 위쪽 어금니가 엄니처럼 턱에서 돌출되며, 암컷은 새끼를 낳는 데 2시간이 안 걸린다고 알려져 있다.

Q: 사슴은 몇 종이나 있을까?

A: 약 100종이 있다. 남극과 호주를 제외한 모든 대륙에 서식한다.

▲ 가장 많은 사슴 속(屬)

문착(Muntiacus) 속에는 문착사슴, 아기사슴 등 12종이 포함된다고 일반적으로 알려졌지만, 일부 연구자들은 16종이라고도 한다. 차이가 나는 4종은 연구자들이 하나로 본 자바문착 종들이다. 문착 속 사슴들은 아시아 태생이지만 일부 종들은 영국을 포함한 다른 지역에도 유입됐다.

▲ 가장 작은 사슴 종

북방푸두는 다 자라야 어깨 높이가 고작 35cm이며, 몸무게는 6kg이다. 이 사슴은 콜롬비아의 안데스 산맥, 에콰도르, 페루에 서식한다. 뾰족한 뿔이 있고 매년 뿔갈이도 하지만 다른 사슴 종들과 달리 갈라진 뿔은 아니다. 암컷은 뿔이 없다.

▲가장 작은 순록 아종

노르웨이 스발바르 제도에 사는 스발바르순록 수컷은 몸길이 160cm에 몸무게는 65~90kg이다. 암컷은 150cm에 53~70kg까지 자란다. 이 순록은 봄에서 가을 사이에 체중이 늘어난다.

과학용어 '팜메이티드(Palmated)'는 펼친 손을 뜻하며 손바닥과 손가락이 모두 뻗은 모양을 가리킨다.

▲ 가장 큰 뿔

1897년 10월, 캐나다 유콘의 스튜어트 강 인근에서 잡힌 말코손바닥사슴의 펼쳐진 '톱니' 같은 뿔은 그 크기가 1.99m였다. 선사시대 큰뿔사슴은 **알려진 동물 중에 가장 긴 뿔**을 가지고 있었다. 아일랜드 늪지에서 발견된 한 표본은 손바닥처럼 펼쳐진(Palmated) 거대한 뿔을 가졌는데 가로 길이가 4.3m였다.

30 ft

흰꼬리사슴 같은 일부 종들은 9.1m 거리를 점프할 수 있다. 또 약 2.4m 높이까지 도약할 수 있다.

▼ 역사상 가장 큰 사슴

홍적세에 살았던 '브로드 프론티드 무스(Cervalces latifrons)'가 가장 크다. 화석을 근거로 살펴보면 2.1m로 큰뿔사슴보다 약간 큰 정도지만 1,200kg으로 2배나 무겁다.

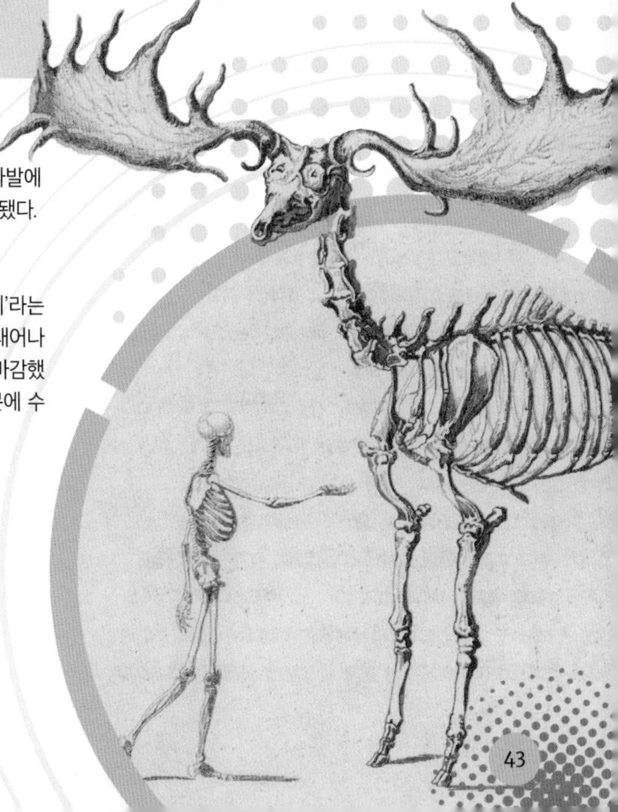

가장 적은 지역에 서식하는 사슴 종

심각한 멸종 위기종인 바웨안사슴은 쿨돼지사슴으로도 알려져 있으며, 인도네시아의 작은 섬 바웨안에만 서식한다. 이 섬은 보르네오와 자바 섬 사이에 있으며 총면적은 200㎢, 가장 넓은 지점의 폭은 15km밖에 안 된다. 단 250마리가 이곳 야생에 살고 있으며, 지형적으로 2개의 작은 무리로 나뉘어 생활한다. 종의 멸종을 막기 위해 다른 장소에 포획 번식 프로그램을 실행하고 있지만, 여전히 **가장 희귀한 사슴**이다.

가장 많은 사향노루 종

7종의 사향노루 종이 모두 희귀하고 멸종 위기에 처해 있지만, 현재 그나마 가장 많은 종은 세계자연보전연맹(IUCN)에서 '감소 종'으로 분류하는 시베리안 사향노루다. 다른 6종은 '멸종 위기'다. 전 세계 사향노루는 사냥으로 개체 수가 감소하고 있는데, 수컷에게 있는 사향 분비샘은 높은 가격에 거래된다. 현재 약 23만 마리 중에 15만 마리가량이 러시아 연방의 동아시아 지역에 산다.

뿔이 가장 작은 사슴

아시아에 사는 솔기머리사슴의 뿔은 겨우 5cm 정도밖에 안 된다. 그나마도 이마에 난 검은 털 다발에 가려질 때가 많다. 종의 이름은 이런 모습에서 비롯됐다.

가장 오래 산 사슴

영국의 프레이저 가족이 애완용으로 기르던 '밤비'라는 이름의 스코틀랜드 붉은사슴은 1963년 6월 8일 태어나 1995년 1월 20일, 31세 226일의 나이로 생을 마감했다. 야생의 사슴은 어려서부터 위험에 처하기 때문에 수명은 보통 10~20년 정도다.

독수리 EAGLES

독수리들은 몸집에 비해 사람보다 20배나 큰 눈을 가지고 있다.
'매의 눈'을 가진 사람이 실제로 있다면 눈의 크기가 볼링 공의 2배일 것이다!

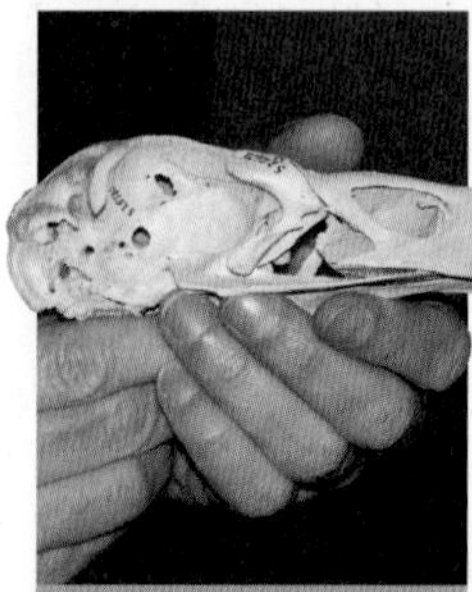

▲ 가장 긴 독수리 부리

지금은 멸종된 하스트독수리(Harpagornis moorei)는 아래쪽 부리의 길이가 무려 11.4cm에 달한다. 현존하는 가장 긴 부리를 가진 독수리보다 거의 2배나 긴데, 필리핀독수리와 참수리의 부리 기록은 7cm 정도다.

가장 많은 독수리 속(屬)

분류학적으로 가장 많은 독수리 속은 '진짜' 독수리로 불리는 아퀼라이며, 현재까지 15종이 있다. 유라시아와 북아메리카의 검독수리, 거대한 호주 쐐기꼬리독수리, 검은 깃털을 가진 아프리카의 흰허리독수리, 그리고 너무나 아름다운 스페인흰죽지수리가 포함된다.

최초의 아퀼라(진짜) 독수리

현재 과학계에 알려진 최초의 아퀼라 속 독수리를 알아보려면 약 1200만 년 전 중신세로 거슬러 올라가야 한다. 3종이 있는데, 블락켄시스(A. bullockensis), 델피넨시스(A. delphinensis), 페나토이데스(A. pennatoides)다. 첫 번째 종은 호주에 살았고 나머지 두 종은 프랑스 그리브생알반에서 화석이 발견됐다.

역사상 가장 큰 독수리 종

지질학자 율리우스 하스트(독일)가 1871년 늪지에서 잔해를 처음 발견한 하스트독수리는 뉴질랜드 남쪽 섬에 서식했던 거대한 맹금류다. 다 큰 암컷은 10~15kg이 나갔지만, 수컷은 9~12kg 정도로 추정된다. 현존하는 가장 큰 독수리도 하스트독수리에 비하면 몸크기가 40% 나 작다.

하스트독수리는 모아새를 잡을 만큼 거대하고 무서운 포식자였다. 모아새는 날지는 못하지만 타조보다 더 크고 무겁다. 하지만 이 섬에 마오리 원주민이 정착하며 모아새를 과도하게 사냥했고, 1400년대에는 하스트독수리 마저 멸종하게 했다.

야생의 희귀한 독수리

	이름	상태	개체 수
1	마다가스카르바다수리	CE	약 240
2	플로레스뿔매	CE	<255
3	필리핀독수리	CE	약 600
4	스페인흰죽지수리	V	약 648
5	필리핀뿔매	V	600~900
6	필리핀바다수리	V	2,500~10,000
7	샌퍼드바다수리	V	약 5,000
8	항라머리검은독수리	V	<8,000
=9	인도얼룩독수리	V	3,500~15,000
=9	보두엥뱀독수리	V	3,500~15,000
=9	뉴기니독수리	V	3,500~15,000
=9	카나발루뱀독수리	V	3,500~15,000
=9	웰레스뿔매	V	3,500~15,000
=9	흰죽지수리	V	3,500~15,000

CE: 멸종 위기 V: 감소 종 <: 그 이상

가장 희귀한 독수리

마다가스카르바다수리는 단 120쌍만이 마다가스카르(인도양) 북서부 밀림에 사는 것으로 여겨진다. 이 섬은 한때 다른 거대 맹금류인 마다가스카르관뿔매의 터전이기도 했는데, 1500년 무렵에 멸종했다. 이 지역의 아퀼라 속 독수리 한 종 역시 멸종했다. 비록 이 두 종은 멸종했지만, 그 영향력은 아직 마다가스카르여우원숭이에게 남아 있다. 이곳의 원숭이들은 여전히 맹금류를 살피는 습성을 가지고 있다.

가장 희귀한 뿔매

플로레스뿔매는 255마리 이하만 생존한 것으로 보인다. 이들은 모두 소순다열도의 플로레스, 롬복, 숨바와, 알로르 섬 그리고 아주 작은 사톤다와 린카 섬에 산다.

기록된 가장 큰 독수리 먹이

무게가 7kg이 나가는 어린 수컷 베네수엘라붉은짖는원숭이가 1990년 페루 마누 국립공원에서 남미수리(아래 오른쪽)에게 사냥당해 끌려가는 장면이 목격됐다.

남미수리는 조용히 나무에 앉아 23시간이나 먹이를 기다릴 정도로 참을성이 많은 완벽한 사냥꾼이다. 아래 그림은 남미수리 발톱의 실제 크기다.

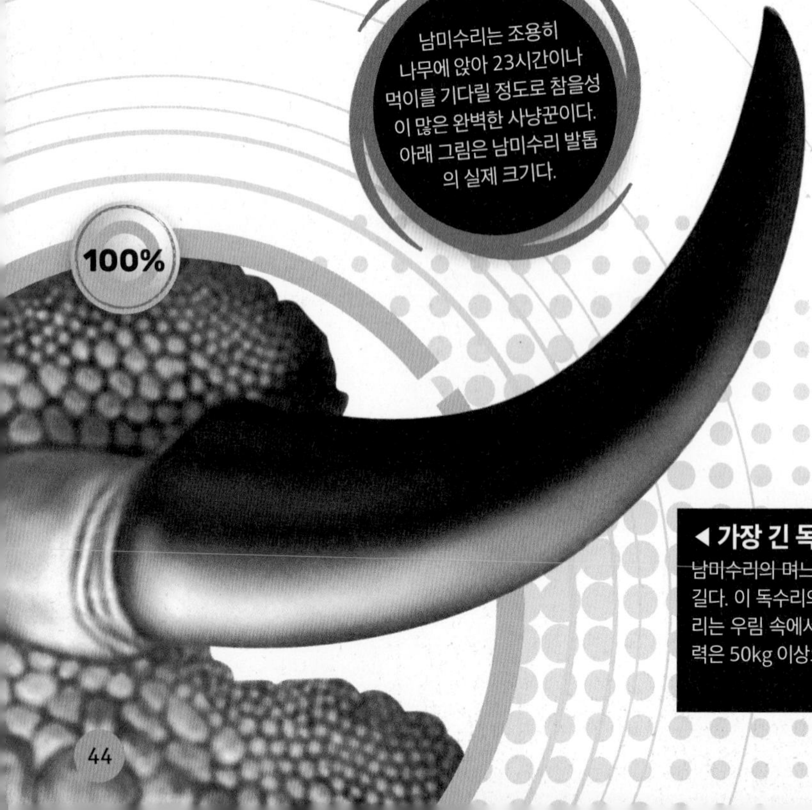

◀ 가장 긴 독수리 발톱

남미수리의 며느리발톱은 13cm까지 자라는데 회색곰의 발톱보다 길다. 이 독수리의 다리는 어린아이의 손목 두께와 비슷하다. 남미수리는 우림 속에서 먹이를 덮치는데 이때 먹이에 가해지는 발톱의 압력은 50kg 이상으로 뼈를 부수고도 남는 힘이다.

신성로마제국의 공식 문양은 머리가 2개 달린 독수리다.

암컷 독수리는 수컷 독수리보다 훨씬 크다.

같은 무게라고 가정하면, 독수리의 날개가 비행기의 날개보다 강하다.

71

학계에 알려진 현존하는 모든 독수리 종

CONVOCATION
(집회)
독수리의 무리를 나타내는 집합명사

대머리독수리(흰머리수리)는 대머리가 아니다. 흰머리를 말하기 위해 쓰인 용어다.

▲ 날개 길이가 가장 긴 독수리

원숭이 사냥꾼으로 알려진 필리핀독수리는 공식 날개 길이가 2.2m로 다른 모든 종의 평균 길이보다 길다. 하지만 몸의 크기나 무게에 비하면 상대적으로 날개가 작은 편이다. 날개가 길면 필리핀 우림에서 원숭이, 새, 파충류 등의 먹이를 사냥하는 데 필요한 폭발적인 속도를 내기 어렵기 때문이다.

▲ 가장 작은 독수리

사우스니코바르뱀독수리는 몸무게 450g, 길이 40cm로 암컷 새매보다 조금 더 크다. 이 독수리는 인도네시아 수마트라 섬 북부 그레이트 니코바르 섬에서 볼 수 있다. 1902년이 되어서야 정식으로 기록됐는데, 동물학자 세실 B 클로스(영국)가 처음으로 이름을 붙였다.

▲ 가장 큰 새 둥지

미국 플로리다 주 세인트피터즈버그 인근에서 1963년 1월 1일 측정한 흰머리수리 한 쌍의 둥지는 폭 2.9m에 깊이 6m였으며, 무게는 1,995kg 이상으로 추정됐다.

하지만 이 둥지는 호주풀숲무덤새(*Leipoa ocellata*)가 알을 부화시키기 위해 만드는 **흙무더기 형태의 둥지**에 비하면 장난감 수준이다. 풀숲무덤새의 둥지 제작에 쓰이는 재료의 총 무게는 보잉 747 여객기와 맞먹는 300톤에 이른다!

▲ 가장 큰 독수리

식물학자 게오르크 스텔러(독일)의 이름을 딴 참수리(Steller's sea eagle)는 무게가 5~9kg이며, 평균 몸무게 6.7kg으로 모든 독수리 중에 가장 크다. 러시아 해안에 주로 서식하며, 한국과 일본에도 일부 살고 있다. 연어, 송어, 대구 같은 물고기를 주로 먹고 살지만 게, 오리, 오징어, 심지어 물개까지 먹는 것으로 알려져 있다. 이 헤비급 조류는 날개도 아주 큰데, 필리핀독수리(위)와 크기가 비슷한 표본도 있다. 하지만 평균 날개 길이는 212.5cm로 독수리 중 3위에 그친다.

▶ 먹이를 가장 잘 잡는 새

암컷 남미수리는 자신과 무게가 비슷한 9kg의 동물을 죽이고 운반할 만큼 힘이 세다. 먹이사슬의 정점에 있는 강력한 포식자로, 나무늘보나 짖는원숭이를 주식으로 한다. 남미수리가 먹이를 덮칠 때의 속도는 32km/h인데 이때 발산하는 힘은 약 2,258줄로 매그넘 권총에서 총알이 발사될 때 에너지의 거의 3배에 달한다.

판다 PANDAS

판다는 후각이 매우 발달해 밤에도 대나무를 냄새만으로 찾을 수 있다.

▲ 과학계에 처음 알려진 판다

중국 남서부와 히말라야 동부에 사는 너구리판다는 1825년, 동식물연구가 프레데리크 퀴비에(프랑스)가 학명을 붙였다. 토마스 하드위크 장군이 그보다 4년 먼저 이 판다 종에 이름을 붙여 런던 린네협회에 논문을 보냈으나 이 논문은 1827년이 되어서야 발표됐다.

대왕판다의 가장 오래된 화석

약 200~400만 년 전인 플라이오세 때 중국 남부 열대 대나무 숲에 살았던 피그미대왕판다의 머리뼈가 중국 남부 광시의 진옌 종유굴에서 2007년에 발견됐다.
이 피그미대왕판다는 **대왕판다 중 가장 작다**. 몸길이 1m로 현존하는 대왕판다보다 작아 뚱뚱한 중국 강아지와 비슷한 모습이다. 다만 독특한 치아 형태를 지녔는데, 과학자들은 현대의 덩치 큰 판다와 마찬가지로 대나무 순을 먹고 살았을 것으로 추측했다.

현존하는 가장 원시적인 곰

대왕판다는 진화 과정에서 1800만~2500만 년 전부터 다른 곰들과 그 갈래를 달리해 아종과 함께 대왕판다아과(Ailuropodinae: '검고 흰 고양이 발'이라는 뜻)로 분류된다.
산시 성 친링 산의 암컷 대왕판다들은 뉴욕 센트럴파크보다 약간 넓은 4.2km²의 면적에 사는데, 기록된 모든 곰의 서식 면적 중 **가장 좁은 지역에 사는 종**이다.

판다가 가장 많이 태어난 해

2006년은 판다가 가장 많이 태어난 해로, 30마리의 새끼 판다들이 사육소에서 태어났다. 대부분 중국 남서부의 워룽 판다 연구소에서 성공시켰지만 30번째 새끼 판다는 2006년 12월 23일, 일본 와카야마의 어드벤처월드에서 세상의 빛을 보았다.

동물원에서 가장 비싼 종

전 세계 모든 판다는 중국이 원산지이며 중국 소유다. 미국 샌디에이고, 애틀랜타, 워싱턴, 멤피스에 있는 4개 동물원은 이 희귀한 동물 한 쌍을 임대하기 위해 매년 중국 정부에 100만 달러를 내고 있다. 만약 새끼가 1마리 태어나거나 간혹 쌍둥이가 태어나면, 마리당 60만 달러를 내야 한다. 돈은 중국의 판다 보호 프로젝트에 쓰인다. 판다의 유지비(대나무 재배와 보안)는 코끼리(2번째로 많은 비용이 든다)보다 무려 5배나 더 든다.

역대 최고령 사육소 판다 지아지아가 37번째 생일파티에서 과일 주스와 물을 얼려 만든 생일 케이크를 받고 있다.

식성이 가장 까다로운 곰

대왕판다는 식사의 99% 이상을 대나무로 해결한다. 1% 이하로만 다른 식물과 작은 새, 설치류를 먹고 간혹 썩은 고기도 먹는다. 사육소에서 기르는 판다는 달걀, 과일, 꿀, 생선도 섭취한다. 판다는 대나무에서 단백질과 에너지를 얻지만 흡수율이 매우 낮아 엄청난 양을 먹어야 한다. 대나무 순을 하루에 14kg 이상 먹어야 건강을 유지할 수 있다.

Q: 대왕판다는 손가락이 몇 개일까?

A: 6개. 5개의 손가락과 마주 보는 손가락인 엄지가 하나 더 있다.

최초의…

너구리판다 기록

너구리판다 혹은 레서판다에 대한 언급은 13세기 중국 문서에 처음 나온다. 이 판다의 특징이 설명되었고 사람에게 쫓기는 모습이 그려져 있다. 하지만 서양 과학계에는 토마스 하드위크 장군이 1821년에 쓴 논문으로 처음 알려졌다(왼쪽 참조).

서양인이 목격한 살아 있는 대왕판다

동물학자 위그 바이골드(독일)는 1916년, 중국 민 강 동부 와수 지역에서 대왕판다의 새끼를 구매했다. 당시 바이골드는 슈테츠너 탐험에 참여해 중국 서부와 동부 티베트를 돌았는데 대왕판다를 찾는 데는 실패했다. 그 후 사들인 새끼 판다를 직접 키워보려 했지만 사료가 모자라 판다는 금방 죽고 말았다.

중국 밖으로 나간 대왕판다

1936년, 중국 쓰촨 성 민 강 인근에서 생후 9주 정도 된 대왕판다의 새끼가 속 빈 나무에 버려진 것이 발견됐다. 이 대왕판다는 수린('작고 귀한 것'이라는 뜻)이라고 이름 붙여졌는데 발견자 루스 하크네스(미국, 탐험가)가 그해 12월 미국으로 데려갔다. 그는 판다가 암컷이라 생각했지만 사실 수컷이었다. 하크네스가 주는 우유를 먹고 자란 수린은 1937년 4월, 시카고의 브룩필드 동물원으로 팔려갔다. 그곳에서 1938년 봄까지 살았는데, 공식적인 사망 원인은 목에 걸린 잔가지였다.

◀ 사육소에서 가장 오래 산 판다(역대)

지아지아(좋음)는 암컷 대왕판다로 1978년에 태어났다. 1999년 3월 홍콩 오션파크로 옮겨간 뒤 그곳에서 2016년 10월 16일에 38세의 나이로 죽었다. 대왕판다의 수명은 야생에서는 보통 18~20년이며, 사육소에서는 30년이다. 판다는 야생에서 한때 중국 남부와 동부 전역, 심지어 미얀마와 베트남에 걸쳐 서식했지만, 서식지 유실과 밀렵으로 지금은 세계에서 가장 심각한 멸종 위기 동물이 됐다.

판다의 검은색과 흰색의 조화는 음양 문양과 비교되곤 한다. 중국에서는 우주의 균형을 유지하는 2가지 힘을 상징한다.

너구리 판다의 학명을 해석하면 **'불꽃 고양이 곰'**이다.

대왕판다는 심한 근시다.

영어 단어 **어색함**(Embarrassment)은 판다 무리를 뜻하는 집합명사다.

2011년, 사업가 옌스(중국)가 판다 똥을 거름으로 해 키운 녹차를 팔았는데 가격은 kg당 6만 5,065달러였다.

▲ 가장 최근 태어난 대왕판다 세쌍둥이

사육소에서 대왕판다가 세쌍둥이를 낳은 기록은 단 4회뿐이다. 가장 최근은 2014년 7월 29일, 중국 광저우에 있는 창룽 파라다이스 놀이공원에서의 세쌍둥이 출산이다. 어미 주샤오가 2014년에 인공수정으로 얻은 새끼들로, 4시간 간격으로 태어났다. 새끼들은 모두 공원의 관리를 받으며 2016년 10월 6일 현재까지 건강하게 살고 있다.

대왕판다 보호구역의 넓이는 미국 로드아일랜드 주의 3배가량이다.

▲ 가장 넓은 대왕판다 서식지

중국 쓰촨 성 충라이와 천단 산에 위치한 쓰촨 대왕판다 보호구역이 가장 넓은 대왕판다 서식지다. 전 세계 판다의 30% 이상이 이곳 9,245㎢ 넓이의 자연보호공원에 산다. 2006년 유네스코 세계문화유산 지역으로 공식 지정됐다.

◀ 사육소에서 태어난 최초의 대왕판다

1963년 9월 9일, 밍밍('밝은'이라는 뜻)이라는 이름의 수컷 대왕판다가 처음으로 사육소에서 태어났다. 중국 베이징 동물원 사육소였고 아빠는 피피, 엄마는 리리다.
정확히 1년 뒤인 1964년 9월 4일, 리리는 2번째 출산을 했다. 새로 태어난 판다는 린린('예쁜 옥'이라는 뜻)이라는 이름의 암컷이었다.

▲ 새로운 판다 종

친링대왕판다는 2005년 판다의 아종으로 정식 분류됐다. 털이 검정과 흰색으로 이루어진 일반 대왕판다와는 다르게 친링대왕판다는 짙은 갈색과 밝은 갈색으로 돼 있다. 머리도 일반적인 대왕판다보다 작고 둥글다. 이 판다는 전 세계에 200~300마리만 있는 것으로 추정된다.

◀ 가장 배고픈 곰

대왕판다는 매일 체중의 38%에 달하는 대나무 순을 먹거나 15% 무게의 대나무 잎과 줄기를 먹어야 살 수 있다. 자신이 먹는 대나무의 단 21%만 소화할 수 있기 때문인데, 이런 이유로 다른 곰들처럼 겨울에 잠을 자는 대신 사계절 내내 먹어야 한다. 하루의 15시간을 먹는 데 쓰며, 다른 어떤 종의 곰보다 체중 대비 많은 음식을 먹는다.

앵무새 PARROTS

**앵무새는 자신을 위협하는 천적을 잡아먹는 포식자의 울음소리를 흉내 낼 수 있다!
애완동물로 키우면 집에서 나는 사람의 말소리나 전화벨, 초인종 소리까지 따라 한다.**

최다 앵무새 상과(上科)
분류학적으로 볼 때, 앵무 목에는 거의 400개의 근대 종(種)이 속해 있는데 이는 3개의 상과로 나뉘어 있다. 참앵무상과, 유황앵무상과 그리고 뉴질랜드앵무상과다. 참앵무상과가 350종으로 가장 많은데, 대부분 남반구의 열대와 아열대 지역에 서식한다.
뉴질랜드앵무상과가 **수가 가장 적으며,** 단 3종만 생존해 있다. 모두 뉴질랜드가 원산지며 현존하는 다른 앵무새들과 유전적으로 다르다. 카카포(옆 페이지 하단 참조), 케어, 카카가 있다.

최초의 말하는 애완동물, 잉꼬
1788년, 토마스 와틀링(영국)은 런던에서 은행권을 위조한 죄로 체포돼, 호주 뉴사우스웨일스 주로 이송됐다. 그는 유형수 식민지의 의사이자 동물학자인 존 화이트에게 예를 표하기 위해 자신이 키우던 잉꼬에게 "안녕하세요, 화이트 박사님?"이라는 말을 가르쳤다.

앵무새에게 나타난 가장 극단적인 성적 이형(性的 異形)
성적 이형이란 같은 종 안에서 성별로 인해 크기나 외형에 나타나는 차이를 말한다. 수컷 뉴기니앵무는 몸 대부분이 밝은 녹색의 깃털인데 반해 암컷은 새빨간 바탕에 목 주위로 짙은 파란색 깃털이 난다. 이런 극단적인 색 차이로 1920년대에는 수컷과 암컷 뉴기니앵무가 서로 완전히 다른 종이라는 가설도 있었다.

가장 큰 멕시코잉꼬(코뉴어)
페루, 볼리비아 그리고 아르헨티나 숲과 삼림 지역에 서식하는 미트레드 코뉴어는 상대적으로 긴 꼬리 덕분에 몸길이가 38cm 정도 된다. 이 녹색 깃털의 잉꼬는 '참'코뉴어 속(屬)인 아라팅가에 포함됐으나 2013년 대대적인 연구가 있고 나서 프시타카라 속으로 옮겨졌다.

가장 큰 모란앵무
검은 날개의 모란앵무, 아비시니아모란앵무는 16.5cm까지 자란다. 몸의 대부분이 녹색이지만 수컷은 이마에 강렬한 붉은색 깃털이 난다. 에티오피아, 에리트레아 등 동아프리카 지역에 서식한다.

가장 작은 마코앵무
남아메리카에서 발견된 붉은어깨마코는 아종이 없는 유일한 앵무새다. 크기가 작고 온순해 애완동물로 인기가 많으며, 사람들 사이에서 '미니 마코'로 불리기도 한다. 30cm 이상 크지 않으며 무게는 고작 165g이다.

Q: 다른 새와 비교해 앵무새가 먹이를 먹을 때 특이한 점은 뭘까?

A: 앵무새는 발로 음식을 집어 먹는 유일한 새다.

아마존 앵무새 중 가장 작은 종
현재 알려진 아마존 앵무새는 약 30종이다. 이중 검은부리아마존앵무가 25cm로 가장 작다. 자메이카의 심장부에 있는 산악 우림지대에 서식한다. 한때는 가장 흔한 종 중의 하나였으나 삼림 파괴와 애완동물 거래를 위한 밀렵으로 수가 감소했다. 현재는 세계자연보전연맹(IUCN)에서 '감소종'으로 분류하고 있다.

새장에서 가장 오래 산 잉꼬
1948년 4월에 태어난 찰리는 1977년 6월 20일, 29세 60일의 나이로 죽었다. 영국 런던의 J. 디즈니가 키웠다.

희귀한…

앵무새
세계자연보전연맹이 '멸종 위기종'으로 분류하는 필리핀앵무새는 단 560~1,150마리만 남은 것으로 추정된다. 이 종이 서식하는 저지대 삼림지의 파괴와 애완용 판매를 위한 포획으로 수가 급격히 줄었다. 남은 필리핀앵무새는 몇몇 필리핀 섬에 흩어져 살고 있다.

잉꼬
호주 뉴칼레도니아 섬에만 서식하는 뉴칼레도니아잉꼬의 마지막 목격 기록은 1913년이었다. 하지만 신뢰할 만한 발견 사례가 수차례 보고된 뒤 세계자연보전연맹은 이 앵무새 종들이 섬의 고지대 우림에 아직 남아 있다고 결론 내렸다. 현재는 '멸종'이 아닌 '멸종 위기' 상태다.

야생에 있는 트루마코
카닌데 혹은 와글러마코로 알려진 푸른목마코앵무새는 볼리비아 북부의 일부 지역, 로스 야노스 데 모조스에만 서식한다. 아르모니아협회와 앵무새공원기금의 야생종 조사에 따르면 350~400마리 정도가 남아 있다고 한다. 세계자연보전연맹이 '멸종 위기종'으로 분류해 4,600헥타르 면적의 특별 보호구역에 살고 있다.

▲ 역대 가장 오래 산 앵무새
쿠키라는 이름의 분홍관앵무는 1934년, 미국 일리노이 주 시카고에 있는 브룩필드 동물원에 처음 모습을 드러냈다. 1933년 6월 30일에 태어난 쿠키는 당시 만 1세였다. 이 앵무새는 생일마다 야외에서 축하행사를 했기 때문에 인기가 아주 많았는데, 매번 머핀 크기의 케이크를 선물로 받았다. 쿠키는 2016년 8월 27일, 82세 88일의 나이로 죽었다.

대부분의 앵무새가 잡식성으로, 고기를 포함한 무엇이든 먹을 수 있다. 뉴질랜드의 케어 앵무새는 건장한 양의 등을 부리로 쪼아 살을 찢는 모습이 영상에 찍히기도 했다.

100%

◀ 가장 작은 앵무새
파푸아와 파푸아뉴기니에 사는 난쟁이앵무새는 다 자라도 몸길이 8cm에 무게는 11.5g 정도다. 모두 6종이 있으나 온갖 노력에도 불구하고 사육에는 실패했다. 이 앵무새의 주식인 곰팡이와 균류를 공급하기 힘든 점도 원인 중 하나로 보인다.

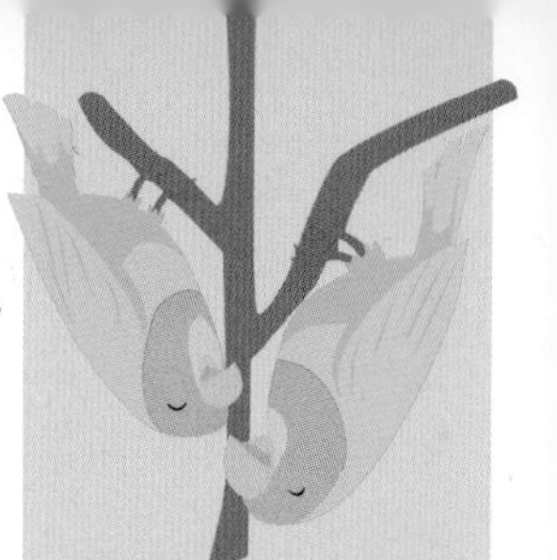

사탕앵무는 가지에 거꾸로 매달려 잔다.

393
일반적으로 여겨지는 앵무새 근대 종의 수

뉴질랜드 케어 앵무새가 모이면 '서커스'라고 부른다.

3,000
잉꼬의 평균 깃털 수

앵무새의 발은
'대지족(對指足)'이다.

총 4개의 발가락 중 2개는 앞으로, 2개는 뒤로 향해 있다.

잉꼬는 세계에서 가장 인기 있는 애완용 새다.

◀ **가장 시끄러운 앵무새**

미국 캘리포니아 주 샌디에이고 동물원의 실험에 따르면, 유황앵무는 귀청이 찢어질 듯한 소리인 135데시벨의 울음소리를 낸다. 인도네시아의 몰루카 제도에 서식하는데 몸 대부분이 흰색 깃털이며 불안하거나 흥분할 때 세우는 분홍색 볏을 가지고 있다. 애정이 넘치는 동물로 관심이 필요할 때면 비명을 지른다.

▲**현존하는 어휘력이 가장 풍부한 새**

독일 바트오에인하우젠의 가브리엘라 다니슈가 키우는 잉꼬, 오스카는 2010년 9월 8일까지 148개 단어를 암기했다. 이 새가 외우는 단어에는 독일어, 영어, 폴란드어도 있었다.

역대 최고로 어휘력이 풍부한 새는 퍽이라는 이름의 잉꼬로 1,728개의 단어를 외웠다. 미국 캘리포니아 주 페탈루마에 사는 카미유 조던이 키우던 이 새는 1994년에 죽었다.

▶ **가장 긴 앵무새**

남아프리카 중부와 동부에 사는 하야신스마코금강앵무는 몸길이가 100cm까지 자라며, 무게는 1.7kg에 이른다. 카카포(올빼미 앵무새) 종을 제외하면 가장 무겁다. 서식지의 파괴와 애완용 판매를 위한 포획으로 개체 수가 급격히 줄었다. 고작 4,300마리만 남은 이 앵무새는 세계자연보전연맹에서 '감소종'으로 분류한다.

▲ **최대 규모 앵무새 사육소**

스페인 테네리페 섬 푸에르도 데 라 크루스 지역 외곽에 있는 앵무새 공원은 4,000마리의 앵무새가 사는 집으로, 350개의 종과 아종이 있다. 이 공원은 세계자연보전연맹이 '멸종 위급종'으로 분류하는 스픽스마코 같은 희귀종 새끼도 사육할 여건을 갖추고 있다. 왼쪽부터 시계방향으로 금강앵무, 오색청해앵무, 황금앵무다.

▶ 가장 무거운 앵무새

뉴질랜드의 작은 섬 3곳에만 사는 카카포는 희귀한 만큼이나 그 모습도 독특하다. 모든 앵무새 중에 유일하게 날지 못하며, 에너지 저장을 위해 체지방을 늘리는 특별한 능력도 갖고 있다. 카카포가 앵무새 중에서 헤비급인 건 어쩌면 당연한 일이다. 완전히 다 크면 무게가 4kg 정도 나간다.

▲**가장 작은 유황앵무**

호주에서만 찾을 수 있는 왕관앵무는 크기가 30~33cm 정도다. 다른 유황앵무 종보다 상대적으로 꼬리가 길어, 몸길이의 반을 차지한다. 역사적으로 왕관앵무가 앵무새에 속하는지 논란이 있었지만, 최근 생화학 분자 실험을 통해 앵무새로 증명됐다.

돼지 PIGS

멧돼지의 일종인 바비루사는 안으로 굽은 엄니를 갈지 않으면, 자기 머리를 관통할 정도로 길게 자란다!

▲ 가장 큰 야생돼지

1904년이 되어서야 학계에 보고된 중앙아프리카의 자이언트숲멧돼지는 이름에 어울리는 크기로 성장한다. 이 거대한 돼지는 머리를 포함한 몸길이가 1.3~2.1m, 어깨높이 85~105cm, 몸무게 130~275kg으로 성인 남자 3명을 합친 것보다 무겁다.

▲ 가장 큰 돼지

수수당밀, 바나나 껍질과 음식물 찌꺼기를 먹고 자란 폴란드차이나 종의 돼지 '빅 빌'은 다 큰 북극곰보다 2배 무거운 1,157kg까지 성장했다. 1933년 다리가 부러져 걷지 못하게 된 후에도 축제 장소에 실려 다니며 사람들에게 모습을 드러냈다. 하지만 어느 순간 보이지 않게 되었고, 그 후 어떻게 됐는지는 알 수 없다.

▲ 가장 큰 바비루사

바비루사 '사슴-돼지'는 굽은 엄니로 잘 알려져 있다. 바비루사 속(屬)은 2002년 여러 종으로 분류되기 전까지 모두 하나의 종으로 여겨졌다. 인도네시아 토기안 군도의 작은 섬 말렌지, 바투다카, 토기안, 탈라타코에 서식한다. 말렌지 혹은 토기안 바비루사로 불리는 종은 90kg까지 자란다.

▲ 가장 넓은 지역에 서식하는 페커리

목도리페커리는 아르헨티나 북부에서부터 중앙아메리카, 멕시코, 미국의 텍사스와 애리조나 주까지 퍼져 있다. 트리니다드, 쿠바, 푸에르토리코 같은 카리브 해 섬에도 서식한다. **가장 가벼운 페커리 종**이며, 작은 것은 14kg 정도다.

▼ 가장 큰 지옥의 돼지

지옥의 돼지, 혹은 종결자 돼지로 알려진 엔텔로돈트는 분류학상 돼지를 닮은 잡식성 동물로 구분한다. 중신세 초기에 살았던 동물로 지금은 멸종됐다. 이중 가장 큰 종인 다에오돈 쇼쇼넨시스는 어깨높이 1.8~2.0m로 인간의 평균 키보다 컸다(아래 참조). 두개골은 길이 90cm였지만 뇌의 크기는 오렌지만 했다.

돼지의 집합명사는 '떼(drift)', 혹은 '무리(drove)'다.

가장 많은 종이 있는 돼지 속

수스 속에는 일반 돼지와 야생종을 포함한 10가지 근대종이 포함되어 있다. 집돼지의 직계 조상인 유라시안 멧돼지뿐 아니라 아시아 섬에 사는 희귀종 팔라완수염돼지와 민도로워티피그도 여기에 속한다.

가장 최근 분류된 새로운 멧돼지 종

중앙아시아멧돼지는 1981년이 되어서야 하나의 종으로 분류됐다. 상대적으로 크기가 작고 밝은 갈색이며 갈기가 길다. 파키스탄과 인도 북서부에서 이란 남동부 지역까지 서식한다.

가장 작은 돼지

피그미호그는 다 자란 수컷의 길이가 61~71cm이며, 암컷은 55~62cm다. 인도 테라이 지역, 네팔과 부탄에 서식하며 세계자연보전연맹(IUCN)에서 1996년부터 '멸종 위급종'으로 지정했다. 인도 아삼 주와 야생동물 보호구역에 소수의 개체만 생존해 있다.

Q: 인간과 돼지의 DNA는 얼마나 일치할까?

A: 약 95%

'피그미호그 기생충'은 이 종의 피만 먹고사는 **가장 희귀한 돼지 기생충**이다. 숙주인 피그미호그가 약 150마리 정도만 존재하기 때문에 이 기생충도 함께 '멸종 위급종'이 됐다.

가장 작은 아프리카 덤불멧돼지

밝은 빨간색 털을 가진 덤불멧돼지는 아프리카 중부와 서부의 우림·습지에 서식하며, 특히 기니와 콩고에 많이 산다. 다 큰 수컷은 무게 45~120kg, 길이 100~145cm이며, 어깨높이는 55~80cm다. 덤불멧돼지는 의외로 맑고 아름다운 울음소리를 내는 걸로 유명하다.

▲ 가장 큰 혹멧돼지

혹멧돼지는 케냐, 탄자니아, 나이지리아, 남아프리카를 포함한 사하라 사막 이남 아프리카 대부분에 서식한다. 다 큰 수컷은 몸무게가 150kg 이상 나가며, 머리를 포함한 몸의 길이가 1.5m나 된다. 암컷은 수컷보다 약 15% 정도 가볍다. 짝짓기 철에는 난폭한 싸움꾼이 되지만, 사자나 악어 같은 포식자들을 만나면 도망가기 바쁘다.

▲ 가장 털이 많은 돼지

만갈리차 종은 양처럼 털이 길고 숱이 많다. 1830년대 헝가리에서 생긴 종으로 유로피언 멧돼지와 시베리안 슈마디아, 그리고 일반 돼지 2종을 이종 교배해 만들었다. 털빛은 금색 털, 붉은 털 그리고 배 부분만 색이 다른 3종류가 있으며, 고기는 육즙이 많기로 유명하다. 털이 긴 또 다른 돼지 종 '링컨셔 컬리 코트'는 현재 멸종됐다.

▶ 가장 작은 일반 돼지

마오리족 말로 '포동포동'을 뜻하는 쿠네쿠네 돼지는 뉴질랜드가 원산지다. 19세기 무역선과 포경선을 타고 아시아에서 넘어온 종으로 추정된다. 다 자란 돼지는 어깨 높이 48cm에 몸무게는 60kg이다. 무분별한 사냥으로 1970년대 말 순종 쿠네쿠네는 50마리 미만만 존재했지만 번식 프로그램의 도움으로 지금은 멸종 위기에서 벗어났다.

오늘날 전 세계에 있는 일반 돼지의 수

선사시대 야생돼지인 뿔돼지(Kubanochoerus)는 유니콘처럼 길고 뾰족한 뿔이 하나 있었다.

현존하는 야생 돼지 종의 수

바하마의 빅 메이저 케이 지역은 야생 돼지들의 천국이다. 돼지들은 관광객의 보트에 헤엄쳐 가서 먼저 인사한다.

일반 돼지는 17.1km/h의 속도로 달릴 수 있다.

가장 오래 산 돼지

1991년 7월 17일에 태어난 에르네스틴이라는 이름의 집돼지는 2014년 10월 1일, 23세 76일의 나이로 사망했다. 이 암컷 돼지는 캐나다 앨버타 캘거리에서 주인 주드와 댄 킹과 함께 살았다.

가장 희귀한 멧돼지

비사얀워티피그는 필리핀 비사야 제도의 네그로스 섬과 파나이 섬에만 사는 것으로 확인됐다. 최근 몇 년 사이 개체의 약 80%가 줄었으며, 서식지 면적은 95%가 줄었다. 세계자연보전연맹은 비사얀워티피그를 '멸종 위급종'으로 분류했다.

가장 높이 뛰는 돼지

돼지는 날 수 없다. 하지만 코테츠라는 이름의 돼지는 2004년 8월 22일, 일본 미에 현 모쿠모쿠 테드수쿠리 농장에서 공중으로 70cm나 뛰어올랐다. 18개월 된 코테츠는 마코토 레키(일본)에게서 훈련받았다.

가장 긴 거리를 잠수한 돼지는 톰 밴덜리어(호주)가 키운 '미스 피기'로 기록은 3.31m다. 이 돼지는 2005년 7월 22일 호주 다윈의 로열 다윈 쇼 수영장에서 86.5cm 깊이의 물속으로 뛰어들었다.

한 어미에서 태어난 가장 많은 복제 돼지

2000년 3월 5일, 밀리, 크리스타, 알렉시스, 카렐 그리고 닷컴이라는 이름의 새끼돼지 5마리가 핵 이식 복제기술로 태어났다. 1996년에 복제 양 돌리를 만들어 유명해진 PPL세러퓨틱이라는 기업이 미국 버지니아 주 블랙스버그에서 이 돼지들을 만들었다.

최초의 생물 발광(發光) 돼지

2005년, 대만 대학교 축산학부 팀은 약 265개의 돼지 배아에 해파리의 생물 발광 DNA를 넣어 8마리의 돼지에 착상했고, 3마리의 수컷 생물 발광 돼지가 태어났다. 이 돼지의 피부와 내부 장기는 어두운 곳에서 파란 빛을 받으면 녹색으로 밝게 빛났다. 여기서 추출한 줄기세포는 사람의 질병을 추적하는 데 활용할 수 있는데, 돼지가 만들어낸 녹색 빛의 단백질은 생체 검사나 외과 검사를 하지 않아도 쉽게 찾을 수 있기 때문이다.

문서로 기록된 최초의 동물 처형

중세시대 초기에는 개나 소, 말이나 돼지 같은 동물들도 큰 죄를 지으면 재판장으로 소환됐다. 1266년에 한 돼지가 아이를 먹은 죄로 재판을 받고 화형에 처해졌다. 처형식은 프랑스 퐁트네오로즈에서 거행됐고, 쥬느비에브 성당의 수도사들이 참관했다.

파충류 REPTILES

작년 《기네스 세계기록 2017》이 출판된 뒤, 우리는 미국 사우스다코다 주에 있는 파충류 가든에 새로운 기록을 찾기 위해 갔다. 이곳의 직원들은 희귀한 동물들과 어울려 지내고 있었다.

▼ 최대 규모 파충류 동물원

사우스다코타 주 래피드시티에 위치한 파충류 가든은 2017년 2월 28일 현재, 다른 어떤 동물원이나 야생공원보다 많은 225종 이상의 파충류와 그 아종을 보유하고 있다.

▲ 킹코브라

하마드리아데스(나무의 요정)로도 알려진 킹코브라는 평균 길이 3~4m로, **가장 길이가 긴 독사**다. 사진 속 파충류 가든의 직원 테리가 자신 있게 보여준 표본도 상당히 긴 편이지만, 역대 가장 긴 코브라에 비하면 한참 짧은 길이다. 1937년 4월 말레이시아 네게리셈빌란 주 포트딕슨 인근에서 잡혀 1937년 영국 런던 동물원에 전시되었던 킹코브라는 1939년 가을 역대 최고인 길이 5.71m까지 자랐다.

▲ 사바나 모니터

첼시가 바라보고 있는 파충류가 사바나 모니터다. 이 중간 크기의 파충류는 사하라 사막 이남의 아프리카 대부분 지역에 서식하며, 애완동물로 인기가 높다. CITES(멸종 위기에 처한 야생 동식물의 국제거래에 관한 협약)의 자료에 따르면 **사바나 모니터 최대 수입국**은 미국으로, 2010년에 64만 2,500마리를 들여왔다. 이 파충류는 현재 전 세계에 상당한 개체 수가 있으며, 멸종 위기 종으로 분류하지 않는다.

▲ 민물 악어

위 사진에서 랜스가 어린 호주악어를 조심스럽게 들고 있다. 호주가 원산지인 이 악어는 **땅 위에서 가장 빠른 악어**다. 육상에서 이동할 때는 자세를 바꿔 달리는데 최대 17km/h까지 속도를 낼 수 있다. 이러한 달리기 자세는 소수의 악어 종만 취할 수 있다.

▲ 불라불라 피지이구아나

2008년까지 피지 섬에는 2종류의 이구아나만 산다고 알려졌다. 하지만 그해 피지 중심 지역에서 새로운 종이 발견됐다는 논문이 나왔다. **새로운 피지 이구아나**의 일반명은 아직 정해지지 않았지만, 학명은 불라불라 피지이구아나('불라불라'는 피지어로 '건강한' '번성한'을 뜻한다)다. 캐서린이 잡고 있는 표본이다.

▲ 예멘 베일드카멜레온

예멘과 사우디아라비아에서만 사는 이 파충류는 때때로 43cm까지만 자라기도 해, **가장 작은 베일드카멜레온 아종**으로 분류된다. 위 사진에는 파충류 가든의 직원 버지니아가 이 화려한 색의 동물원 가족이 쉴 수 있도록 자신의 머리를 내주고 있다.

갈라파고스땅거북은 야생에서 100년 이상 살기도 한다. 하지만 기록으로 남아 있는 **최장수 거북**은 마다가스카르방사상거북으로, 188세까지 살았다.

▼ 버마왕뱀

버마왕뱀은 보통 3.7m까지 자라는데 '베이비'라는 이름의 암컷은 5.74m까지 자라 **가장 긴 버마왕뱀**으로 기록됐다. 베이비는 미국 일리노이 주 거니에 있는 뱀 사파리에서 27년을 살았다. 클린트가 들고 있는 개체는 알비노(백색증) 돌연변이 버마왕뱀이다.

▼ 멕시코독도마뱀

숲속에 사는 검고 노란색의 멕시코독도마뱀은 보통 90cm까지 자랄 수 있다. **가장 오래 산 독도마뱀**은 33세 11개월까지 살았다. 카일이 파충류 가든에 사는 멕시코독도마뱀을 들고 있다.

'리티큘레이티드(Reticulated)'라는 단어는 '그물 같은'이라는 뜻이다. 뱀 가죽의 무늬를 말할 때 사용된다.

▶ 그물무늬 비단뱀

케이시가 알비노 그물무늬 비단뱀을 보여주고 있다. 동남아시아, 인도네시아, 필리핀에 서식하는 이 뱀은 보통 6.25m 이상 자란다. 기록된 가장 긴 표본은 10m다.

▲ 힐러몬스터

힐러몬스터라고도 하는 아메리카독도마뱀은 미국 남서부와 멕시코 북서부에 서식한다. **가장 많은 독을 가진 파충류**로, 04.mg/kg의 독은 쥐에게 매우 치명적이다. 테레사(오른쪽)는 힐러몬스터가 가진 독은 사람에게 많이 주입되지만 않는다면 죽음에 이를 정도로 치명적이지 않다는 사실을 정확히 알고 있다.

▲ 갈라파고스땅거북

갈라파고스땅거북과 함께 있는 사람은 맷이다. 그가 자랑스럽게 들고 있는 건 파충류 가든이 기네스 세계기록에서 **가장 큰 파충류 동물원**으로 인정받은 증서다. **역대 가장 큰 거북**은 '골리앗'이라는 이름의 갈라파고스땅거북이다. 폭 102cm, 높이 68.5cm, 무게 417kg였다. 골리앗은 미국 플로다 주 세프너에 있는 라이프 펠로우십 조류 보호구역에서 1960~2002년까지 살았다.

▲ 붉은다리거북

붉은다리거북은 남아메리카 북부에서 서식한다. 가장 큰 표본은 길이 60cm, 무게는 28kg 이상이었다. 성장에 중요한 영향을 주는 2가지 요소는 먹이의 풍부성과 수명이다. 위에 린다가 들고 있는 거북은 보통 크기다.

거북 TURTLES

거북 등딱지는 50개의 뼈로 이루어져 있다.
늑골과 척추가 합쳐져 거북의 몸 밖으로 튼튼하고 몸에 딱 맞는 갑옷을 만들었다.

껍질을 일부만 가지고 있던 초기의 거북

2008년 정식으로 명명된 오돈토켈리스는 중국 남서부에서 2억 2000만 년 전인 트라이아스기 후반에 생존했다. 현대 거북들과는 다르게 이빨이 있었으며 등딱지 혹은 껍질 대신 변형된 신경판(척추동물의 발생 초기 배(胚)의 등 쪽에 생기는 납작한 조직)과 넓은 늑골이 있었다.

완전한 껍질을 가진 최초의 거북

프로가노켈리스는 공룡과 포유류의 진화 직후인 2억 1000만 년 전, 트라이아스기 후반에 처음 지구에 모습을 드러냈다. 이 거북은 완전한 껍질, 등갑과 배갑(배쪽 딱지)을 가지고 있었다. 이빨은 없었지만 잡식성이었고 길이는 약 60cm 정도였다.

▲ 가장 작은 거북 과(科)

3개의 거북 과가 현생 종(種)을 단 1개씩만 갖고 있다. 돼지코거북과에는 플라이 리버 거북이라고 불리는 발에 물갈퀴가 있는 돼지코거북만 있고, 강거북과에는 중앙아메리카 강거북만 포함된다. 그리고 장수거북과에는 장수거북만 있다. 장수거북은 지구상에 사는 거북류 중 가장 크다.

가장 오래된 바다거북 화석

1940년대 콜롬비아 비야데레이바에서 최초로 발굴된 2m 길이의 데스마토첼시스 파딜라이 종의 화석은 1억 2000만 년도 더 된 백악기 초기에 살던 거북의 화석이다.

역대 가장 큰 민물 거북

2005년, 콜롬비아 석탄 광산에서 처음 발견된 '석탄거북'은 2012년이 되어서야 정식으로 명명됐다. 6000만 년 전 팔레오세에 살았던 거북으로 등껍질 길이는 1.72m, 두개골은 미식축구공의 크기와 맞먹었다. 몸길이는 2.5m로 2인승 소형 자동차보다 약간 작다.

해양 척추동물 잠수 최장 시간

2003년 2월, 붉은바다거북이 튀니지 지중해 연안에서 10시간 14분을 잠수했다. 이 수중 마라톤 수영 기록은 영국 엑서터 대학교의 아넷 브로데릭 박사 팀이 측정했다. 붉은바다거북은 내부기관의 활동을 늦춰 산소의 필요량을 줄이기에 호흡 한 번으로 수중에서 몇 시간씩 생존하는 능력을 가졌다.

파충류 최장 거리 이주

2006년, 태그를 달아 위성으로 관찰 중인 붉은바다거북이 자신의 집인 인도네시아 파푸아 해변을 떠나 2년 동안 2만 558km를 헤엄쳐 미국 오리건 주 해변에 있는 먹이장으로 이주했다. 이 용감무쌍한 거북이는 647일 만에 여행을 마쳤다.

붉은바다거북은 **물속에서 가장 빠른 거북**으로, 어떤 거북은 35km/h를 기록하기도 했다.

Q: 가장 오래 산 거북이 '투이 말릴라'는 1965년 죽을 당시 몇 살이었을까?

A: 188세

최다 거북 집회

매년 2월 인도 동부 오디샤 주 가히르마타 해변에 어둠이 내리면, 바다에서 나타난 거북들이 해변 10km 거리를 가득 채운다. 거북들은 모래 안에 5,000만 개 이상의 알을 낳고 새벽이 오면 다시 바다로 사라진다. 1991년에는 약 61만 마리의 올리브각시바다거북이 해변에 둥지를 지은 것으로 추정된다.

가장 희귀한 거북

한때 양쯔 강과 중국 전역에서 서식했던 자이언트 양쯔자라는 현재 단 3마리만 생존해 있다. 원래 4마리가 살았으나 1마리는 2016년 1월에 죽었다(오른쪽 참조). 살아있는 양쯔자라 중 1마리는 2008년 베트남 북부의 호수에 서식하고 있는 게 발견됐고, 다른 2마리인 수컷과 암컷 한 쌍은 중국 쑤저우 동물원에서 사육하고 있다. 새끼 자라들을 번식시키기 위한 노력은 현재까지 모두 실패했다. 세계자연보전연맹(IUCN)에서는 당연하게도 자이언트 양쯔자라를 '멸종 위급종'으로 분류하고 있다.

가장 희귀한 바다거북

켐프각시바다거북은 환경오염과 서식지 감소로 개체 수가 줄고 있으며, 또 새우잡이용 그물에 얽혀서도 상당수가 죽었다. 멕시코에서는 식재료로도 인기가 높다. 2014년에 둥지 수로 파악한 켐프각시바다거북의 개체 수는 118마리였으나, 같은 해 미국 텍사스 주 해안에서 야생동물 기관에 의해 1만 594마리의 부화한 새끼가 방사됐다. 이 거북은 멕시코 만과 따뜻한 대서양에 퍼져 있고, 미국 뉴저지 주 같은 먼 북쪽에도 일부가 산다. 세계자연보전연맹은 이 거북을 '멸종 위급종'으로 분류했다.

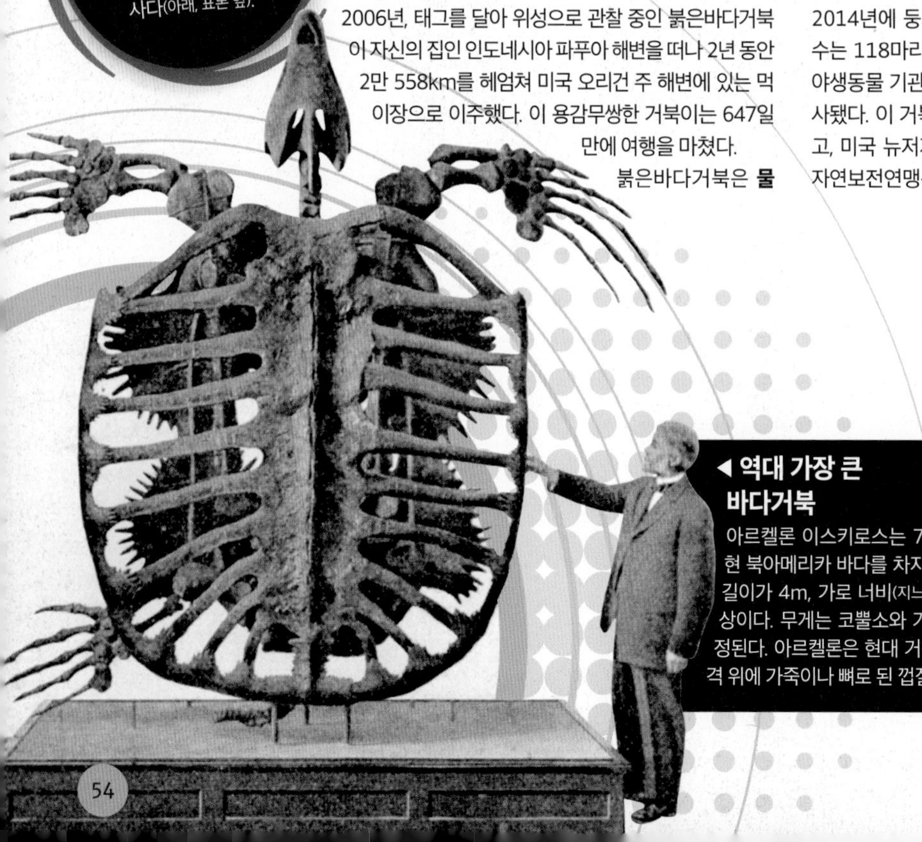

아르켈론 이스키로스의 표본은 1895년 미국 사우스다코타 주 피어 셰일층에서 처음 발견됐다. 공식적으로 명명한 사람은 G R 빌란트 박사다(아래, 표본 옆).

◀ 역대 가장 큰 바다거북

아르켈론 이스키로스는 7000~8000만 년 전, 백악기에 현 북아메리카 바다를 차지해 살았다. 가장 큰 표본은 세로 길이가 4m, 가로 너비(지느러미부터 지느러미까지)가 4.9m 이상이다. 무게는 코뿔소와 거의 비슷한 2,200kg 정도로 추정된다. 아르켈론은 현대 거북 같은 단단한 딱지 대신, 뼈 골격 위에 가죽이나 뼈로 된 껍질이 있었던 것으로 보인다.

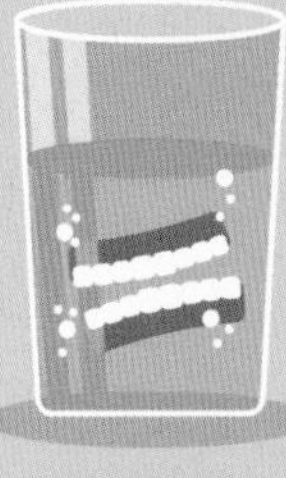

거북은 이빨이 없다.

새로 부화한 1,000마리의 바다거북 중에 성체가 될 때까지 살아남는 건 단 1마리뿐이다.

초록바다거북은 숨을 전혀 쉬지 않고 바닷속에서 5시간을 머무를 수 있다.

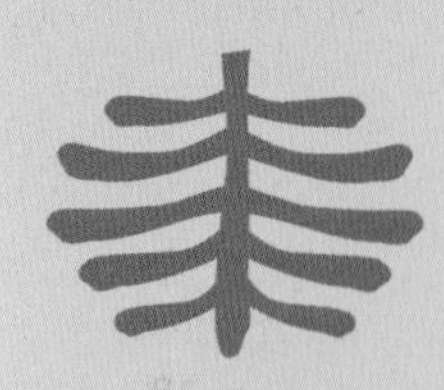

거북의 딱지는 흉곽과 척추 일부가 진화해 형성됐다.

거북의 집합명사는 둥지, 더미, 슬픔, 회전 등 많은 뜻으로 알려져 있다.

북아메리카 악취거북은 딱지 주위의 냄새분비선에서 나는 고약한 냄새 때문에 이런 이름이 붙었다. 천적을 쫓기 위해 냄새를 피우는 것으로 추측된다.

'가짜 거북 수프'는 18세기 영국에서 거북을 넣지 않고 만든 음식이다. 이 요리는 루이스 캐럴의 소설 《이상한 나라의 앨리스》(1865)에 나오는 가짜 거북 캐릭터에 영감을 받아 만들었다.

▲ 가장 게으른 민물거북

캄보디아의 메콩 강 같은 저지대 강에서 발견되는 칸토어 자이언트 소프트셸 터틀은 생의 95%를 강바닥에 꼼짝도 안 하고 묻힌 채 물고기나 연체동물 같은 먹이가 다가오기만 기다린다. 하루 두 번 숨을 쉬기 위해 수면으로 올라온다. 붉은바다거북과 마찬가지로 아주 긴 시간을 물속에서 보내지만, 성격은 정반대로 매우 소극적이다.

▲ 가장 큰 늑대거북

늑대거북 과의 종들은 큰 머리와 힘센 턱으로 유명하다. 악어거북은 그 이름처럼 뾰족한 딱지와 강한 무는 힘을 가지고 있다. 미국 남동부의 담수 지역에 살며 평균 80kg 정도지만 간혹 100kg 이상 나가기도 한다. 1937년 캔자스에서 발견된 한 표본은 183kg으로 보고됐다.

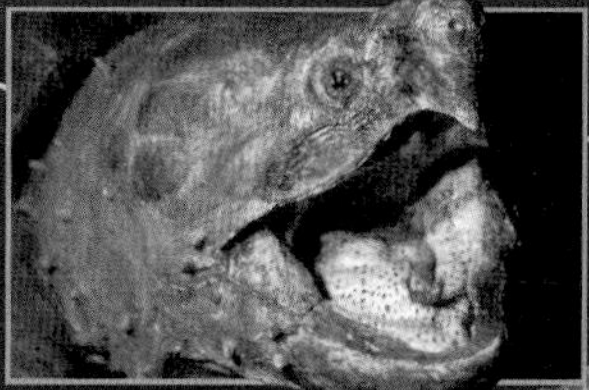

▲ 가장 큰 거북류

1988년 9월 23일, 영국 귀네드 할레크 해변에서 수컷 장수거북의 몸을 닦고 있는 모습이다. 이 거북은 등딱지 길이가 2.91m, 양 지느러미 사이의 폭은 2.77m였다. 무게는 그랜드 피아노보다 2배 무거운 914kg이다. 1990년 2월 16일, 이 거북은 영국 카디프에 있는 웨일스 국립박물관에 전시됐다.

▲ 가장 작은 바다거북

멕시코 만과 대서양의 따뜻한 물에 사는 켐프각시바다거북은 등딱지의 길이가 최대 75cm, 무게는 50kg까지 자란다. 가로 폭이 길이와 같아 동그란 형태를 이룬다. 태평양과 인도양에 서식하는 올리브각시바다거북 혹은 태평양각시바다거북으로 불리는 종은 자신의 친척인 켐프각시바다거북보다 약간 무겁다.

2016년 1월 19일, 자이언트 양쯔자라 '쿠루아(위대한 할아버지 거북)'가 베트남 하노이에서 죽었다. 사람들은 덕망 있는 거북이를 보면 행운이 찾아온다고 믿었다.

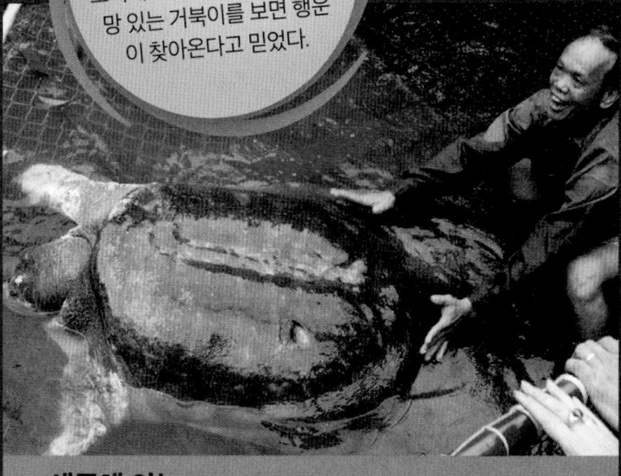

▲ 생존해 있는 가장 큰 민물거북

자이언트 양쯔자라는 길이 1m, 폭 0.7m 이상으로 측정된다. 가장 무거운 표본은 250kg까지 나갔다. 칸토어 자이언트 소프트셸 터틀이 더 큰 민물거북이라는 주장도 있는데, 그 거북은 구분되지 않은 여러 종이 혼합된 것으로 보여 논란이 있다.

▲ 가장 깊이 잠수한 거북

독특하게도 장수거북은 대양의 수심 200m 아래로 잠수해 많은 시간을 해파리를 잡아먹으며 보낸다. 넓은 어깨와 유선형 껍질을 가진 장수거북은 빠르고 효율적으로 헤엄친다. 1987년 5월에 스콧 에케르트(미국) 박사가 신호기를 장치한 장수거북은 서인도 제도의 US 버진 제도에서 1,200m 깊이까지 잠수해 들어갔다.

고래 WHALES

분류학적으로 고래만큼 다양한 동물은 없다.
고래 하목에는 여러 포유동물 그룹이 고래로 분류되어 있다.

▲ 가장 긴 고래 이빨

수컷 일각돌고래는 나선형으로 뻗은 평균 2m 길이의 상아색 엄니를 가지고 있다. 하지만 한 표본의 엄니는 길이 3m 이상에 무게 10kg 이상, 둘레가 약 23cm였다. 아주 드물지만 한 쌍의 엄니가 자라는 경우도 있다.

▲ 가장 작은 고래

고래는 일반적으로 고래 하목(돌고래와 알락돌고래도 포함한다)에 속하는 큰 동물을 말하지만 모든 고래가 거대하지는 않다. 가장 작은 종은 보통 쇠향고래로 여겨지는데 길이 2.72m에 무게는 272kg 정도다.

▲ 가장 큰 동물

대왕고래(Balaenoptera musculus)의 평균 길이는 24m이며, 무게는 160톤까지 나간다. 1947년 3월 20일 남극해에서 잡힌 한 표본은 길이가 27.6m였다.
하지만 가장 긴 동물은 북해의 얕은 물에서 사는 긴끈벌레다. 1864년 해안에 떠밀려온 표본은 길이가 55m 이상이었다.

◀ 덩치에 비해 가장 작은 먹이를 먹는 동물

대왕고래는 **가장 큰 포유류**이자 **가장 큰 동물**(왼쪽 위 참조)이다. 하지만 이 고래는 아주 작은 먹이를 먹는데, 크릴새우라는 길이가 50mm밖에 안 되는 갑각류를 주식으로 한다. 대왕고래는 먹이를 먹기 위해 엄청난 양의 바닷물을 크릴새우와 함께 삼킨다. 그 뒤에 세상에서 제일 **큰 혀**(약 4톤) 밑으로 바닷물을 배출하면서, 위턱에 달린 수염(단백질로 형성된 강모)으로 크릴새우를 걸러낸다. 그러곤 입에 먹이만 남겨 삼킨다.

▼ 가장 큰 체중 감소를 겪는 동물

7개월 동안의 수유 기간 동안 암컷 대왕고래는 새끼를 돌보느라 체중이 25%까지 감소한다. 대왕고래의 새끼들은 태어날 때 몸무게가 2,500kg 정도지만 모유를 먹는 기간은 하루 80~100kg이 증가한다. 어미는 이 7개월 동안 음식을 아주 적게 먹고 몸에 축적해둔 에너지에 의지해 산다.

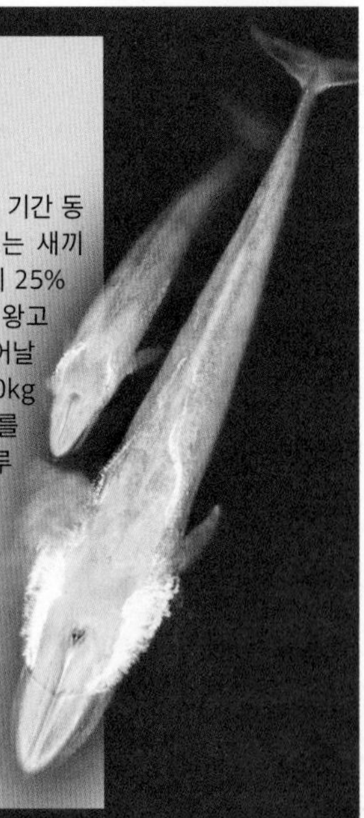

대왕고래의 코는 **5m**에 이른다.

대왕고래의 심장 소리는 **3km** 밖에서도 들린다.

대왕고래 혀의 무게는 다 큰 수컷 코끼리와 비슷하다.

현존하는 고래의 가장 가까운 친척은 하마다.

가장 긴 바실로사우리드

바실로사우리드는 3400~4000만 년 전 에오세 때 살았던 고래다. 구불구불하고 장어 같은 몸이 엄청난 길이로 자라는 게 특징이다. 현재까지 발견된 가장 긴 바실로사우리드 종의 화석은 바실로사우루스 케토이데스의 것으로 알려졌는데 생존 당시 18m 이상까지 성장했던 것으로 보인다. 이 엄청난 길이는 흉곽 중심부와 척추 앞쪽의 꼬리뿌리가 잘 늘어났기 때문이다.

가장 큰 입

대왕고래는 세상에서 **가장 큰 동물**(위 참조)이지만 입이 가장 크지는 않다. 북극고래가 세상에서 가장 큰 입을 가진 동물이란 영광을 차지했는데 길이 5m, 높이 4m, 폭 2.5m의 입을 가지고 있다. 혀의 무게는 약 1톤으로 젖소와 비슷하다.

가장 흔한 수염고래

남극밍크고래는 상대적으로 크기가 작고 지방이 적으며, 남반구에 서식하는 덕에 근대 이전의 포경업 대상에서 제외됐고, 현재 많은 수가 살아남았다. 3회에 걸친 극지방의 밍크고래 개체 과학조사 자료를 보면 남극밍크고래는 1978~1979년, 2003~2004년 그리고 2006년에 약 수백에서 수천 마리가 생존해 있는 것으로 밝혀졌다. 이는 다른 수염고래 수보다 훨씬 많은 것이다.

가장 많은 종을 포함하고 있는 수염고래 과(科)는 수염고래 과(Balaenopteridae)로 현재 긴수염고래를 포함해 9종이 포함되어 있다. 대왕고래, 정어리고래, 혹등고래 등도 여기에 속한다. 긴수염고래는 다른 수염고래와 마찬가지로 자신의 수염, 즉 거름망처럼 생긴 긴 기관으로 바닷물에 있는 작은 해양유기체를 걸러 먹는데, 간혹 큰 물고기를 삼키기도 한다.

다 큰 수컷 들쇠고래는 몸길이가 최고 7.2m로 **거두고래과 중 가장 큰 종**이다. 암컷은 5.5m까지 자란다. 이 고래는 태평양의 따뜻한 물과 열대의 바다에 산다.

가장 큰 부리고래

망치고래는 뼈죽주둥이고래 과에 속한 3종 중 하나다. 북태평양의 차가운 물에 살며 길이는 13m, 무게는 14톤까지 나간다.

가장 작은 부리고래 종은 난쟁이부리고래다. 다 큰 성체의 길이가 4m이며 태어날 때는 약 1.6m다. 조사는 미국 캘리포니아 주와 멕시코 바하칼리포르니아 주에서 남아메리카 북서부의 페루와 칠레까지 이어져 있는 동부 열대 태평양 바다에서 이뤄졌다.

2016년 10월, **부리고래의 새로운 종**이 일본에서 발견됐다. 현지 어부들은 통칭 '카라수(까마귀)'라고 부르고 있지만, 학계에서는 종의 특징과 명칭을 공식화하지 않은 상태다. 가까운 친척쯤 되는 큰부리고래보다 훨씬 작고 검은 카라수는 일본과 한반도 얕은 해안, 그리고 알래스

Q: 향유고래는 자는 모습이 특이한데, 어떻게 잘까?

A: 꼿꼿이 서서 잔다.

▲ 가장 긴 꼬리

동물의 왕국에서 혹등고래의 꼬리는 절대적으로 큰 크기를 자랑한다. 양쪽으로 뻗은 꼬리는 다 자라면 폭이 기린의 키와 비슷하다. WhaleNet.org.의 낸시 스테비크의 조사에 따르면 꼬리가 5.28m로 측정된 개체도 있다.

향유고래의 윗니는 잇몸 밖으로 드러나 있지 않다. 사실 이 생명체는 음식을 씹지 않고 삼키는 경우가 많다. 향유고래는 이빨이 하나도 없어도 생존할 수 있다.

▲ 포유동물 중 가장 큰 이빨

성숙한 수컷 향유고래는 평균 16m지만 20.5m까지 자라기도 한다. 이 고래가 실제로 사용하는 이빨은 아래턱에만 나며(한쪽에 18~26개씩), 위턱에는 아랫니에 맞는 공간이 형성돼 있다. 아랫니는 하나가 1kg까지 무게가 나간다.

▲ 가장 큰 턱

영국 런던의 자연사박물관에는 길이가 5m나 되는 향유고래의 턱이 있다. 이는 야구 방망이 5개를 일렬로 놓은 것과 비슷한 길이다. 이 거대한 턱의 주인이었던 수컷 고래는 몸길이가 거의 25.6m에 육박했다.

과거에는 일각돌고래의 엄니를 전설 속 동물 유니콘의 뿔이라고 생각했다.

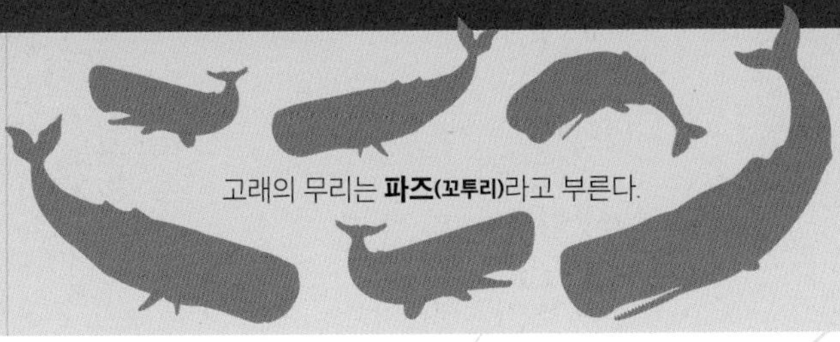

고래의 무리는 **파즈(꼬투리)**라고 부른다.

카 베링 해에 서식한다.

포유류 최저 깊이 잠수 기록은 민부리고래가 2013년 미국 남캘리포니아 해안에서 세웠다. 해양과학자들은 고래 8마리에 신호기를 부착해 위성으로 고래의 잠수 기록을 측정했는데, 최저 2,992m까지 잠수했다. **세계에서 가장 높은 빌딩**(36~37페이지 참조) 부르즈 할리파의 높이보다 3배나 깊다.

셰퍼드부리고래는 뉴질랜드, 호주, 아르헨티나에 서식한다. 위아래 턱에 27쌍의 실용적인 이빨이 있고, 수컷은 아래턱 끝에 한 쌍의 짧은 엄니도 있다. **이빨이 가장 많은 부리고래 종**이다. 다른 부리고래들은 단 몇 개의 이빨만 가지고 있다. 적은 이빨 수가 이 고래들을 구분 짓는 특징이기도 하다.

▲ 가장 큰 포유류 폭발

2004년, 길이 17m, 무게 50톤의 수컷 향유고래가 대만 해변으로 떠내려와 죽었다. 사체를 트럭에 실어 옮겼는데(아래), 사체가 부패하며 내부에 엄청난 양의 가스가 모였다. 1월 26일 이 죽은 고래는 타이난 시를 통과하던 중에 폭발했고, 피와 내장이 주변 가게와 자동차들, 그리고 행인들에게 뿌려졌다(위).

애완동물 PETS

고대 이집트인들은 개와 고양이는 물론이고 개코원숭이, 매, 가젤, 사자, 몽구스 심지어 하마에 이르는 다양한 동물을 애완용으로 길렀다.

▲ 가장 오래 산 왕관앵무

얼룩무늬 왕관앵무새 '선샤인'은 2016년 1월 27일 나이가 32세였다. 이 기록의 새는 미국 뉴멕시코 주 앨버커키에서 주인 비키와 함께 살고 있다. 비키는 1983년 콜로라도에서 선샤인을 샀는데 이후 전국을 함께 누볐다. 이 앵무새는 음식에 까다로운 편인데 채소는 먹지 않고 치즈와 스파게티 면을 좋아한다.

스케이트보드를 타고 100m를 가장 빨리 달린 개

2013년 9월 16일, 점피라는 강아지가 미국 캘리포니아 주 로스앤젤레스에서 열린 〈오피셜리 어메이징〉 무대에 올라 스케이트보드로 100m를 19.65초 만에 주파했다.

애완동물 최다 모집

2007년 8월 7일, 콜롬비아 메데인에서 열린 '꽃 축제'에서 4,616마리의 애완동물들이 주인과 함께 산책했다.

가장 못생긴 개 선발대회 최다 우승

희귀종인 아프리칸샌드도그 '치치'는 미국 캘리포니아 주 페탈루마의 소노마 마린 페어에서 열린 〈세상에서 가장 못생긴 개 선발대회〉에서 7회나 우승했다. 1978년, 1982~1984년, 1986~1987년 그리고 1991년이다. 치치의 손자 라스칼도 2002년에 우승하며 가풍을 잇고 있다.

가장 높이 점프한 미니어처(말)

로버트 반스(호주)가 키우는 '캐스트러스 페일페이스 오리온'이 2015년 3월 15일, 호주 뉴사우스웨일스 탬워스에서 1.08m를 뛰어올랐다.

가장 멀리 뛴 기니피그

2012년 4월 6일, 트러플스라는 이름의 기니피그가 영국 파이프 주 로사이스에서 48cm의 간격을 뛰어넘었다.

역대 키가 가장 큰 말

1846년에 태어난 샤이어 겔딩 품종의 샘슨(후에 매머드로 이름을 바꿨다)은 영국 베드퍼드셔 토딩턴 밀스에 살던 토마스 클리버가 키웠는데 1850년 키가 2.19m였다.

현존하는 가장 키 큰 말은 벨기에 겔딩 품종의 9살짜리 말 빅 제이크다. 2010년 1월 19일, 미국 위스콘신 주 포이네트에 있는 스모키 할로 농장에서 말굽을 빼고 측정한 키가 2.10m였다.

키가 가장 큰 염소

팻 로빈슨(영국)이 키웠던 1977년 죽은 브리티시 자아넨 종의 염소 모스틴 무어콕은 어깨높이 1.11m, 몸길이 1.67m였다.

털수염도마뱀의 목에는 가시로 뒤덮인 주머니가 달려 있다. 턱수염도마뱀은 이 주머니를 부풀려 포식자에게 겁을 주는데, 자신의 영역이 침범당했다고 느끼거나 구혼의식을 할 때도 부풀린다.

Q: 미국 동물보호소의 동물들은 매년 얼마나 입양될까?

A: 미국 동물학대방지단체(ASPCA)에 따르면 270만 마리다.

키가 가장 작은 소

악사이 NV(인도)가 키운 마닉얌은 2014년 6월 21일, 인도 케랄라에서 측정했을 때 발굽부터 견갑골까지의 높이가 61.1cm였다.

키가 가장 작은 당나귀

크니히는 2011년 7월 26일, 미국 플로리다 주 게인스빌에 있는 베스트 프렌즈 농장에서 측정한 견갑골까지의 높이가 64.2cm였다. 미니어처 지중해 당나귀인 크니히는 제임스, 프랭키, 라이언 리가 키우고 있다(모두 미국).

털이 가장 긴 고양이

소피 스미스라는 이름의 고양이는 2013년 11월 9일, 미국 캘리포니아 주 오션사이드에서 측정한 털 길이가 25.68cm였다. 소피의 주인은 자미 스미스(미국)다.

털이 가장 긴 토끼

앙고라토끼 프란체스카의 털은 2014년 8월 17일 측정 결과 36.5cm였다. 이 토끼는 미국 캘리포니아 주 모건힐에서 주인 베티 추와 함께 살고 있다.

혀가 가장 긴 개(현재)

칼라와 크레이그 리케르트(둘 다 미국)가 키우는 세인트버나드 종의 모치는 2016년 8월 25일, 미국 사우스다코타 주 수폴스에서 측정한 혀의 길이가 18.5cm다.

역대 혀가 가장 긴 개는 43cm의 혀를 가진 브랜디다. 복서 종의 이 개는 2002년 9월까지 미국 미시간 주 세인트클레어 쇼어스에서 주인 존 샤이트와 함께 살았었다.

가장 오래 산 친칠라

크리스티나 앤서니(독일)가 키운 라다(1985년 2월 1일생)는 2014년 9월 18일, 미국 캘리포니아 주 액턴에서 29세 229일의 나이로 죽었다.

가장 오래 산 당나귀

배스 오거스타 멘저(미국)가 키운 수지라는 이름의 당나귀는 2002년에 54세였다.

가장 오래 산 토끼

1964년 8월 6일에 포획된 플롭시라는 이름의 야생 토끼는 호주 태즈메이니아 롱퍼드에 있는 L B 워커의 집에서 18년 10개월 3주를 더 살고 죽었다.

◀ 역대 가장 오래 산 턱수염도마뱀

1997년 6월 1일생인 턱수염도마뱀 세바스찬은 2016년 1월 24일, 18세 237일의 나이로 세상을 등졌다. 그의 주인 리앤 버제스는 1997년 크리스마스이브에 세바스찬을 영국 미들섹스의 집으로 데려왔다. 턱수염도마뱀의 기대 수명은 보통 7~14년이지만 야생에서는 5~8년을 산다.

고양이를 기르는 미국인 중에서 단 25%만 고양이를 애완동물로 선택했다. 나머지 75%는 고양이에게 간택됐다.

고양이는 **의무적 육식**을 해야 한다. 고기를 먹어야만 살 수 있다.

기니피그는 **뒷발에 3개**의 발가락이 있고, **앞발에는 4개**의 발가락이 있다.

달마티안 중에서 3분의 1은 청각장애를 가졌다.

미국 애완동물 BEST 5
(단위 100만)

1. 민물고기: 95.5

2. 고양이: 85.8

3. 개: 77.8

4. 새: 14.3

5. 작은 동물: 12.4

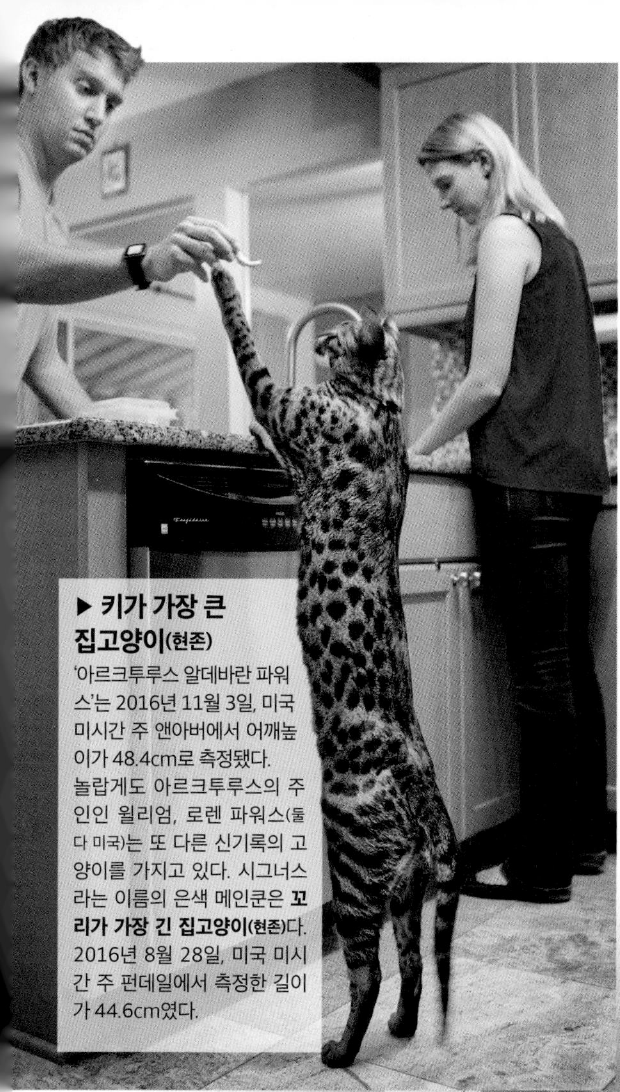

▶ 키가 가장 큰 집고양이(현존)

'아르크투루스 알데바란 파워스'는 2016년 11월 3일, 미국 미시간 주 앤아버에서 어깨높이가 48.4cm로 측정됐다. 놀랍게도 아르크투루스의 주인인 윌리엄, 로렌 파워스(둘 다 미국)는 또 다른 신기록의 고양이를 가지고 있다. 시그너스라는 이름의 은색 메인쿤은 **꼬리가 가장 긴 집고양이(현존)**다. 2016년 8월 28일, 미국 미시간 주 펀데일에서 측정한 길이가 44.6cm였다.

▲ 최대 규모 강아지 요가 수업

링크 에셋 매니지먼트(홍콩)가 2016년 1월 17일, 중국 홍콩의 스탠리 플라자에 270마리의 참가 견들과 그 주인들을 위한 요가 수업을 열었다. 홍콩 안내견협회가 주최한 '해변의 강아지'의 한 행사로 도가(도그 요가) 강사 수제트 아커만(홍콩)이 진행했다.

2014년 9월 28일, 링크 에셋 매니지먼트는 같은 장소에서 **코에 간식을 올린 채 기다리는 가장 많은 개** 신기록도 세웠다. 총 109마리의 개가 재주를 뽐냈다.

▲ 공 위에 올라 10m를 가장 빨리 이동한 개

세일러라는 이름의 개가 2016년 2월 5일, 공 위를 걸어 10m를 33.22초 만에 갔다. 이 행사는 미국 일리노이 주 버논힐스 남부에 있는 호손 중학교 체육관에서 열렸다.

세일러는 같은 행사에서 **공 위를 뒤로 걸어 10m를 가장 빨리 이동하는 개**에도 등극하며 균형 감각을 뽐냈다. 기록은 17.06초였다.

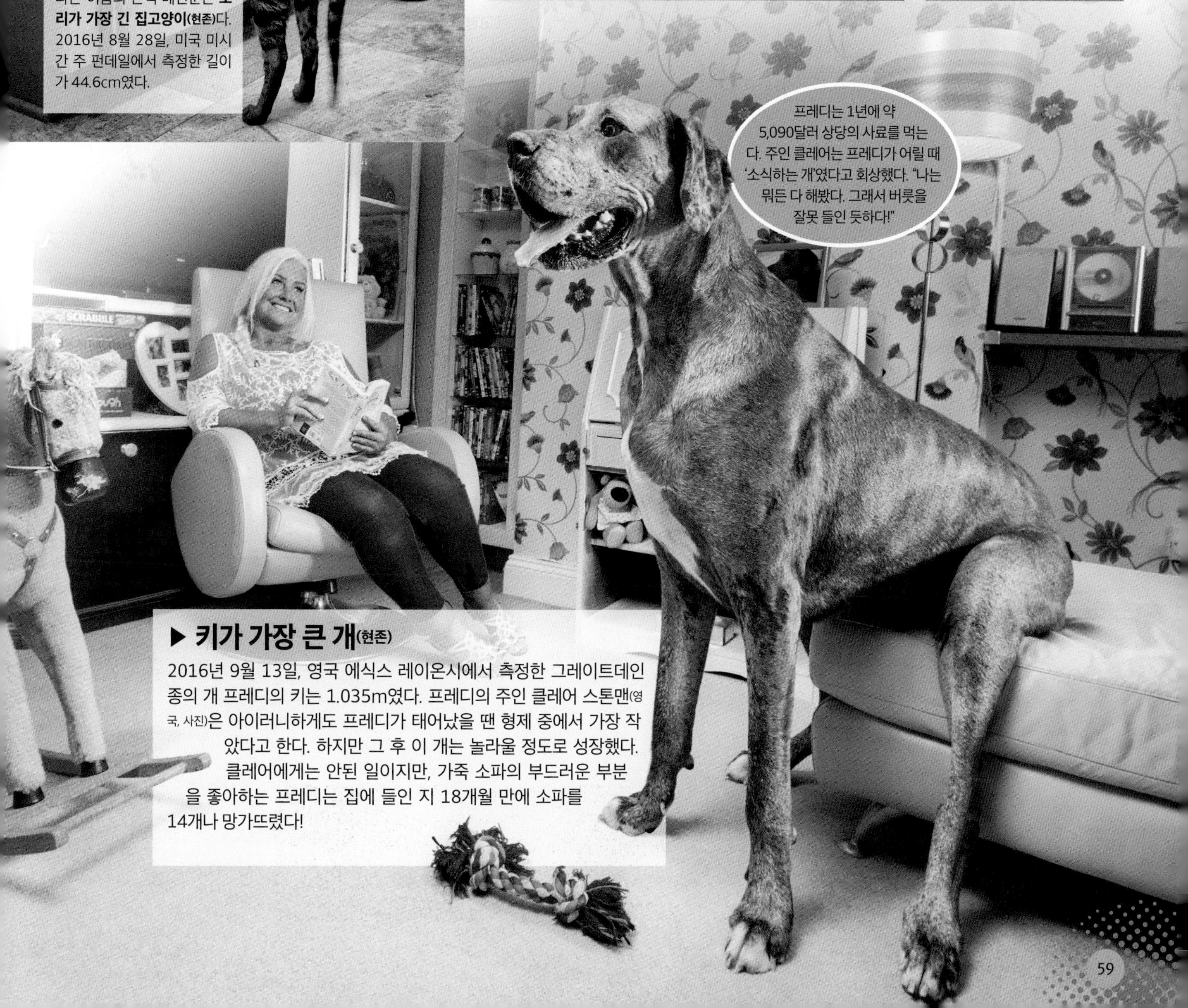

프레디는 1년에 약 5,090달러 상당의 사료를 먹는다. 주인 클레어는 프레디가 어릴 때 '소식하는 개'였다고 회상했다. "나는 뭐든 다 해봤다. 그래서 버릇을 잘못 들인 듯하다!"

▶ 키가 가장 큰 개(현존)

2016년 9월 13일, 영국 에식스 레이온시에서 측정한 그레이트데인 종의 개 프레디의 키는 1.035m였다. 프레디의 주인 클레어 스톤맨(영국, 사진)은 아이러니하게도 프레디가 태어났을 땐 형제 중에서 가장 작았다고 한다. 하지만 그 후 이 개는 놀라울 정도로 성장했다. 클레어에게는 안된 일이지만, 가죽 소파의 부드러운 부분을 좋아하는 프레디는 집에 들인 지 18개월 만에 소파를 14개나 망가뜨렸다!

동물 전반 ANIMALS ROUND-UP

폴란드 핵 방어시설에 갇힌 개미 군락은 여왕개미나 수개미 없이도 무리를 형성했다.

▲ 말을 위한 최초의 스리피스 정장

2016년 3월 15일, 영국 글로스터셔에서 열린 첼튼엄 페스티벌의 개막식을 위해 패션 디자이너 엠마 샌드엄킹(영국)이 밤색 경주마 모어스테드를 위한 해리스 트위드 정장을 만들었다. 셔츠, 넥타이, 모자(플랫캡)가 포함된 이 스리피스 정장은 제작에 총 4주가 걸렸으며, 손으로 직접 짠 트위드 천이 18m나 사용됐다. 사람 정장 10벌을 만들 수 있는 양이다.

공룡

영국 런던의 자연사박물관 과학자들이 상세한 공룡 가계도를 만들었는데, 현재까지 발견된 **가장 오래된 공룡**보다 1000만 년 전 존재한 공룡도 가계도에 나와 있다. 니아사사우루스는 약 2억 4000만 년 전에 생존했다고 한다.

유인원

키 3m, 몸무게 약 1,580kg의 유인원 기간토피테쿠스 블라키는 과학자들의 2016년 발표에 따르면 10만 년 전에 숲이 대초원으로 바뀌면서 식량 부족으로 멸종했다고 한다.

▲ 호박에서 발견된 최초의 공룡 꼬리

2015년 베이징 중국 지질학대학교의 고생물학자 리다 싱 박사는 미얀마 카친 주에 있는 보석 상점들을 둘러보다가 놀라운 발견을 했다. 한 호박 덩어리 안에 9900만 년 전 백악기 중기 것으로 짐작되는 깃털 달린 꼬리가 있었다. X선 촬영 결과 그 깃털과 8개의 뼈는 조류가 아닌 공룡의 것으로, 실러러소르(위 그림)의 꼬리일 확률이 높았다.

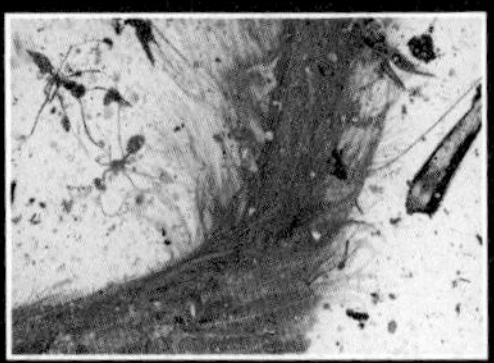

새로운 소식…

백상아리

길이 6.09m, 무게 907kg의 백상아리가 2012년 4월 15일에 멕시코 코르테즈 바다에서 잡혔다. 백상아리는 **가장 큰 포식 어류**로 성체의 길이는 4.3~4.6m다. 대개 암컷이 수컷보다 크고 간혹 6m가 넘는 개체도 있다.

마사이 기린

와일드 네이처 인스티튜트는 생태계 분열이 기린에게 어떤 영향을 미치는지 알아보는 **최대 규모 기린 조사 프로젝트**를 진행하고 있다. 4,000km² 면적에 서식하는 2,100마리를 관찰 중인데 목적은 탄자니아 타랑기레 국립공원에서 환경 분열이 기린 서식지의 축소와 손실에 어떤 영향을 주는지 조사하기 위해서다.

기록된 **역대 가장 큰 기린**은 조지라는 이름의 마사이 기린으로 1959년 1월 8일 영국 체스터 동물원에서 측정된 키가 5.8m였다. 조지는 키가 너무 커서 우리에 들어가고 나올 때마다 목을 숙여야 했다.

▼ 가장 희귀한 야생 버펄로

민도로물소는 필리핀 민도로 섬에만 사는 버펄로다. 이 물소는 섬의 산악지형 초원에 서식하는데, 벌목과 인간의 거주지 확장으로 생존지역이 축소되고 있다. 2016년까지 430마리 정도가 생존하는 것으로 추정되는 이 버펄로는 세계자연보전연맹(IUCN)에서 '멸종위기종'으로 분류되었다.

나일악어

2016년 5월, DNA 검사 결과 미국 플로리다 주 늪에서 발견된 악어 3마리는 식인 나일악어였다. 이 개체들이 어떻게 미국에 들어오게 됐는지는 확인되지 않았지만, 수집가가 불법으로 밀수했을 가능성도 있다. 나일악어는 **최다 종을 포함한 악어 속(屬)**인 크로커딜러스에 속한 12종 중의 하나다. 여기 속한 다른 종으로는 최근 발견된 사막악어와 늪지악어가 있다.

무스

2016년 11월, 2명의 여행자가 약 20cm 얼음 위로 2쌍의 무스 뿔이 뒤엉켜 나와 있는 걸 발견했다. 두 마리가 싸우다 뿔이 엉켰고 함께 물에 빠져 익사한 뒤 얼어붙은 것으로 짐작된다.

알래스카 무스는 **가장 큰 사슴종**이다. 높이 2.34m, 몸무게 약 816kg인 개체가 1897년 9월 캐나다 유콘 준주에서 사냥된 적이 있다.

개

포메라니안 종의 '지프폼'(미국)은 **가장 많은 인스타그램 팔로워**를 가진 개다. 2017년 5월 3일까지 480만 명이 팔로우하고 있다. 계정에 '영화배우/모델'로 프로필이 되어 있는 지프는 다양

▲ 경매에서 가장 비싸게 팔린 도도새 골격

2016년 11월 22일, 거의 완전한 형태를 갖춘 도도새 골격이 영국 웨스트서식스 주 빌링스허스트에 있는 서머스 플레이스 '에볼루션' 경매에서 익명의 구매자에게 수수료 포함 42만 8,931달러에 판매됐다. 이 골격은 현존하는 13개 중 하나로 나머지는 모두 박물관 소유로 알려져 있다.

▼ 가장 큰 천산갑 종

2016년, '멸종위기에 처한 야생 동·식물의 국제거래에 관한 협약(CITES)'에 참석한 182개국은 천산갑의 국제거래 금지에 합의했다. 길이 2m, 무게 32kg의 큰천산갑은 아프리카 세네갈부터 앙골라까지 서식한다. 다른 천산갑 종들은 나무에서도 생활하는 반면, 큰천산갑은 덩치가 커서 온전히 땅에서만 산다.

평화를 사랑하는 천산갑은 포식자가 위협하면 몸을 공처럼 단단히 말아버린다. 천산갑(pangolin)이라는 이름은 말레이어 '구르는 동물(penggulung)'에서 유래했다.

▶ 가장 큰 트로곤

트로곤은 열대와 아열대 아프리카, 동남아시아와 라틴 아메리카에 사는 밝은 색 깃털을 가진 새다. 몸길이는 대개 23~40cm 정도지만, 수컷 케찰(트로곤의 일종, 오른쪽 참조, 최근 코스타리카에서 촬영)은 1.05m까지 자라기도 한다. 이는 한 쌍의 긴 꽁지 깃털이 번식기에 암컷을 유혹하기 위해 길어지기 때문이다.

눈부시게 빛나는 새, 케찰은 과테말라의 국조다. 국기와 문장(紋章)에도 등장하며, 현지 통화의 이름이기도 하다(GTQ로 줄여서 부른다).

▲ 따뜻한 몸을 가진 최초의 물고기

2015년 처음 발견된 붉평치는 아주 독특한 신진대사를 한다. 어류인데도 자신이 사는 바닷물 온도보다 체온이 항상 높게 유지된다. 커다란 디스크 형태의 몸을 가진 이 해양 종은 산갈치, 리본피시 등과 연관된 종으로, 세계의 온대 바다에 두루 분포한다.

한 옷을 입은 사진, 집에서 쉬거나 영화 시사회나 시상식에 참석한 사진 등을 포스팅한다. 또는 TV 촬영장이나 패션쇼장에서 찍은 사진을 올리기도 한다.

카리부

매니토바 대학교가 2016년 2월 발표한 연구에 따르면 캐나다 북서부 사투 지역에는 아직 학계에 보고되지 않은 카리부(북미 순록)가 서식할 가능성이 있다. 연구팀은 현재 딘 지역 원주민들이 '잘 달리는 순록'으로 부르는 카리부를 찾고 있다.

가장 먼 거리를 이주하는 육상 동물은 알래스카와 북아메리카 유콘 준주에 서식하는 그랜츠 카리부다. 이 순록은 매년 4,800km를 이동한다.

왕도마뱀

2016년 2월, 핀란드 투르쿠 대학교의 과학자들은 저 멀리 태평양 무소 섬에서 **새로운 왕도마뱀**을 발견했다고 발표했다. 바라누스 세모투스라는 이름이 붙은 이 도마뱀은 길이가 1m 이상이며, 검은 바탕에 노란색과 오렌지색 점이 있고 꼬리는 푸른색이다. 유전자 분석에 따르면 다른 왕도마뱀들과 떨어져 무소 섬에 수백만 년 동안 고립돼 살았다고 한다.

▲ 알을 낳은 최고령 바닷새

2016년 12월, '위즈덤'이라는 이름의 암컷 레이산알바트로스가 66세의 나이로 알을 품고 있는 것이 목격됐다. 환경보호 활동가는 여러 해 동안 태평양에 위치한 미드웨이 환초 야생보호구역에 매년 돌아오는 위즈덤의 모습을 관찰했다. 이번은 위즈덤이 41번째 낳은 알로, 2006년 이후 9마리의 새끼를 부화시켰다.

수마트라코뿔소

2016년 3월 12일, 수마트라코뿔소가 멸종 지역으로 알려진 인도네시아 보르네오 섬 칼리만탄에서 발견됐다. 안타깝게도 이 코뿔소는 덫 때문에 생긴 상처에 감염이 생겨 사망했다. 수마트라코뿔소는 몸길이 최대 3.18m, 꼬리 길이 70cm, 어깨 높이 1.45m로 **가장 작은 코뿔소 종**이다.

▲ 최초의 '수륙양용' 지네

2016년 5월, 국제학술지 〈주키스〉에 게재된 스콜로펜드라 카타락타는 독이 있고, 육식을 하며 몸길이는 20cm다. 동남아시아에 서식하는 이 지네는 양서류처럼 생활하는데, 마치 장어처럼 몸을 물결치듯 움직여 물속을 헤엄치기도 한다.

가장 빠른 FASTEST...

자연의 산물이든 인간의 창조물이든, 속도에는 보는 이를 전율하게 만드는 힘이 있다.
탱크에서 롤러코스터까지, 구식 비행기부터 우주선까지, 속도의 기록은 곧 인류 발전의 기록이다.
인간이 어떻게 자연에 맞서 기술을 더 발전시키고 전보다 빠르게 이동할 수 있게 됐는지 살펴보자.

0~100km/h

인간(달리기)
37.57km/h

2009년 8월 16일, 우사인 볼트(자메이카)는 독일 베를린에서 열린 세계선수권대회에서 100m를 9.58초에 달렸다. 평균속도는 37.57km/h였고, 최고 속도는 44km/h에 가까웠다.

육상동물(장거리)
56km/h

영양의 한 종류인 가지뿔영양은 미국, 캐나다, 멕시코에서 발견되는 유제류(발굽 동물)다. 이 동물이 6km 이상의 거리를 56km/h의 속도로 이동하는 게 관찰됐다.

그레이하운드
67.2km/h

1994년 3월 5일, 스타 타이틀이라는 이름의 그레이하운드는 호주 뉴사우스웨일스 와이용에 있는 직선주로에서 67.2km/h의 속도를 기록했다. 365.7m의 코스를 19.57초 만에 질주했다.

탱크
82.23km/h

리페어크래프트 PLC가 개발한 S 2000 스콜피언 피스키퍼 탱크가 2002년 3월 26일, 영국 서리 처트세이에 있는 키네틱 테스트 트랙에서 82.23km/h의 속도를 기록했다. RS 2133 하이-스피드 디젤 엔진을 장착한 이 탱크는 강화된 외부 장갑, 탄도 방호 덮개, 교체 가능한 고무 트랙이 설치돼 있다.

모노휠 모터사이클
98.464km/h

케빈 스콧과 영국 모노휠 팀(모두 영국)은 2015년 9월 20일, 노스요크셔의 엘빙턴 비행장에서 '워호스'로 98.464km/h를 기록했다. 이 탄소섬유 프레임 차량은 4명의 기술자가 2년에 걸쳐 제작했다.

100~300km/h

육상동물(단거리)
104.4km/h

1965년의 연구에서 다 큰 암컷 치타가 29m/s의 속도로 201.1m 이상을 질주했다.

새(수평비행)
127km/h

남극 연안 지방의 학자들이 발표한 논문에는 위성 꼬리표를 부착한 회색머리 앨버트로스가 약 127km/h의 대지속도(지표면에 대한 속도)로 비행했다고 기록됐다. 앨버트로스는 사우스조지아 새섬에 있는 둥지로 가는 8시간 이상 이 속도를 지속했는데 당시에는 남극 태풍까지 부는 중이었다.

로켓 자전거
139.45km/h

토드 라이헤르트(캐나다)는 2015년 9월 19일, 자신의 팀 에어로벨로가 만든 에타 자전거를 타고 '월드 휴먼 파워 스피드 챌린지' 대회에 참가해 139.45km/h를 기록했다. 그는 미국 네바다 주 배틀 마운틴 인근에서 열린 대회에 참가해 3일 동안 3번의 시도 끝에 신기록을 세웠다.

롤러코스터
240km/h

2010년 11월 4일에 공개된 UAE 아부다비 페라리 월드에 있는 포뮬러 로사 롤러코스터는 240km/h까지 속도를 낼 수 있다. 심지어 위로 올라가는 코스에서도 52m를 4.9초에 주파한다.

테니스 서브
263km/h

2012년 5월 9일, 사무엘 그로스(호주)는 대한민국 부산에서 열린 ATP 챌린저 대회에서 263km/h짜리 서브로 득점에 성공했다. 기록은 대회 2회전 울라디미르 이그나틱(벨라루스)과의 경기중 동점 상황에서 나왔다. 이 선수는 같은 시합에서 255.7km/h, 253.5km/h의 서브를 때려 이전 최고 기록인 이보 카를로비치(크로아티아)의 251km/h 기록을 3회나 넘겼다. 그는 세계기록 경신에 성공했지만 6-4, 6-3으로 경기에서는 패했다.

300~1,000km/h

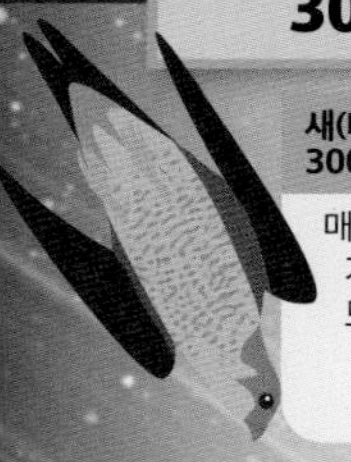

새(다이빙)
300km/h

매는 날개를 구부려 다이빙할 때 최종 속도가 약 300km/h에 달한다. 매가 최고 속도로 날면 어떤 동물도 따라잡을 수 없다.

지상풍 속도(고고도)
371km/h

1934년 4월 12일, 미국 뉴햄프셔 마운트워싱턴(1,916m)에 371km/h의 지상풍이 불었다.

복엽기
520km/h

1942년, 피아트 CR.42DB기가 520km/h의 속도를 기록했다. 날개가 이중으로 달린 이 이탈리아 비행기에는 1,010마력의 다임러-벤츠 DB 601A 엔진이 장착됐다. 기록적인 속도에도 불구하고 이 비행기는 단 1대의 실험용 기체만 생산됐다.

사륜 오토바이
315.74km/h

테리 윌미스(미국)는 2008년 6월 15일, 미국 오리건 주에 있는 마드라스 공항에서 2회 주행해 평균 315.74km/h를 기록했다. 그의 오토바이 'ALSR 로켓 랩터 버전 6.0'은 야마하 랩터 700에 하이브리드 로켓 추진기를 달아 만들었다.

보트
511.09km/h

수상에서의 세계 최고 빠른 기록은 켄 워비(호주)가 제트파워 수상기 '스피릿 오브 오스트레일리아'로 1978년 10월 8일, 호주 뉴사우스웨일스의 블로워링 댐 호수에서 세운 511.09km/h다.

자기부상열차
603km/h

LO(A07)는 센트럴재팬레일웨이가 개발한 자기부상열차 시리즈다. 2015년 4월 21일, LO는 일본 야마나시 현에 있는 실험주행 코스인 야마나시 자기부상철도에서 603km/h를 기록했다.

1,000~20,000km/h

자동차(지상속도)
1,227.985km/h

앤디 그린(영국)은 1997년 10월 15일, 미국 네바다 주 블랙록 사막에서 트러스트 SSC를 타고 1,227.985km/h의 속도로 주행했다. 2개의 롤스로이스 제트 엔진을 장착한 트러스트 SSC는 **최초로 음속을 돌파한 자동차**다.

인간(자유낙하)
1,357.6km/h

2012년 10월 14일, 펠릭스 바움가르트너(오스트리아)는 우주의 가장자리에서 1,357.6km/h의 속도로 낙하했다. 이 도전은 '레드불 스트라토스 미션'에서 시도됐다.

여객기
2,587km/h

1968년 12월 31일, 구소련에서 처음 비행한 투폴레프 Tu-144기는 마하 2.4(2,587km)까지 기록했다. 그러나 2회의 사고 이후로 1978년에 이 비행기는 운항을 중단했다.

유인 비행기
3,529.56km/h

부차적인 장치를 달지 않고 스스로 이착륙이 가능한 유인 비행기의 최고 속도는 3,529.56km/h다. 기록은 엘든 저지 대위와 조지 모건 주니어 소령(둘 다 미국)이 1976년 7월 28일, 미국 캘리포니아 주 빌 공군기지 인근에서 록히드 SR-71A 블랙버드를 타고 기록을 세웠다.

비행기
(로켓 추진)
7,274km/h

1967년 10월 3일, 미국 공군 테스트 파일럿 나이트가 미국 캘리포니아 상공에서 마하 6.7(7,274km/h)로 비행했다. 그는 B-52 폭격기 밑에 달린 실험기체 X-15A-2기를 공중에서 분리해 비행하며 실험 중에 기록을 세웠다.

20,000km/h 이상

인간(속도만 비교했을 때)
3만 9,897km/h

1969년 5월 26일, 아폴로10의 사령선이 3만 9,897km/h의 속도로 지구로 떨어졌다. 그 안에는 3명의 미국 우주 비행사들이 타고 있었다. 토머스 스태포드 대령, 유진 서넌 중령, 존 영 중령이다.

지구 대기권 진입속도
4만 6,660km/h

2006년 1월 15일, 나사의 스타더스트 우주선이 혜성 빌트 2의 샘플 수집 임무를 마치고 7년 만에 지구로 돌아왔다. 이 우주선은 지구 대기권을 4만 6,660km/h로 돌파했다.

행성
17만 2,248km/h

수성은 평균 거리 5,790만km의 태양 궤도를 87.9686일 만에 돈다. 평균 공전 속도가 17만 2,248km/h로 지구보다 2배 빠르다.

다가오는 은하계
150만 8,400km/h

우주는 팽창 중이지만 일부 은하계는 지구와 가까워지고 있다. 처녀자리 은하단에서 5,200만 광년 떨어진 렌즈형 은하 M86은 419km/sec의 속도로 우리에게 다가오고 있다.

별
240만km/h

2005년 2월 8일, 미국 하버드-스미스소니언 천체물리학센터의 천문학자들이 240만km/h로 이동하는 별 SDSS J090745.0+024507을 찾았다고 발표했다.

가능 속도
10억 7,925만 2,848.8km/h

우주에서 가장 빠른 속도를 내는 건 빛이다. 빛 그리고 전파 같은 전자기복사의 형태에서만 가능한 속도의 영역이 있다. 진공 상태를 통과할 때 빛의 속도는 2억 9,979만 2,458m/sec로 치솟는다.

* 이미지는 실재와 비례하지 않습니다.

포스터 다운로드 받는 곳: guinnessworldrecords.com/2018

다이버인 알레이스 세구라 벤드렐(스페인)은 시트콤 〈빅뱅이론〉 에피소드 한 편의 길이보다 오랜 시간 호흡을 참을 수 있다.

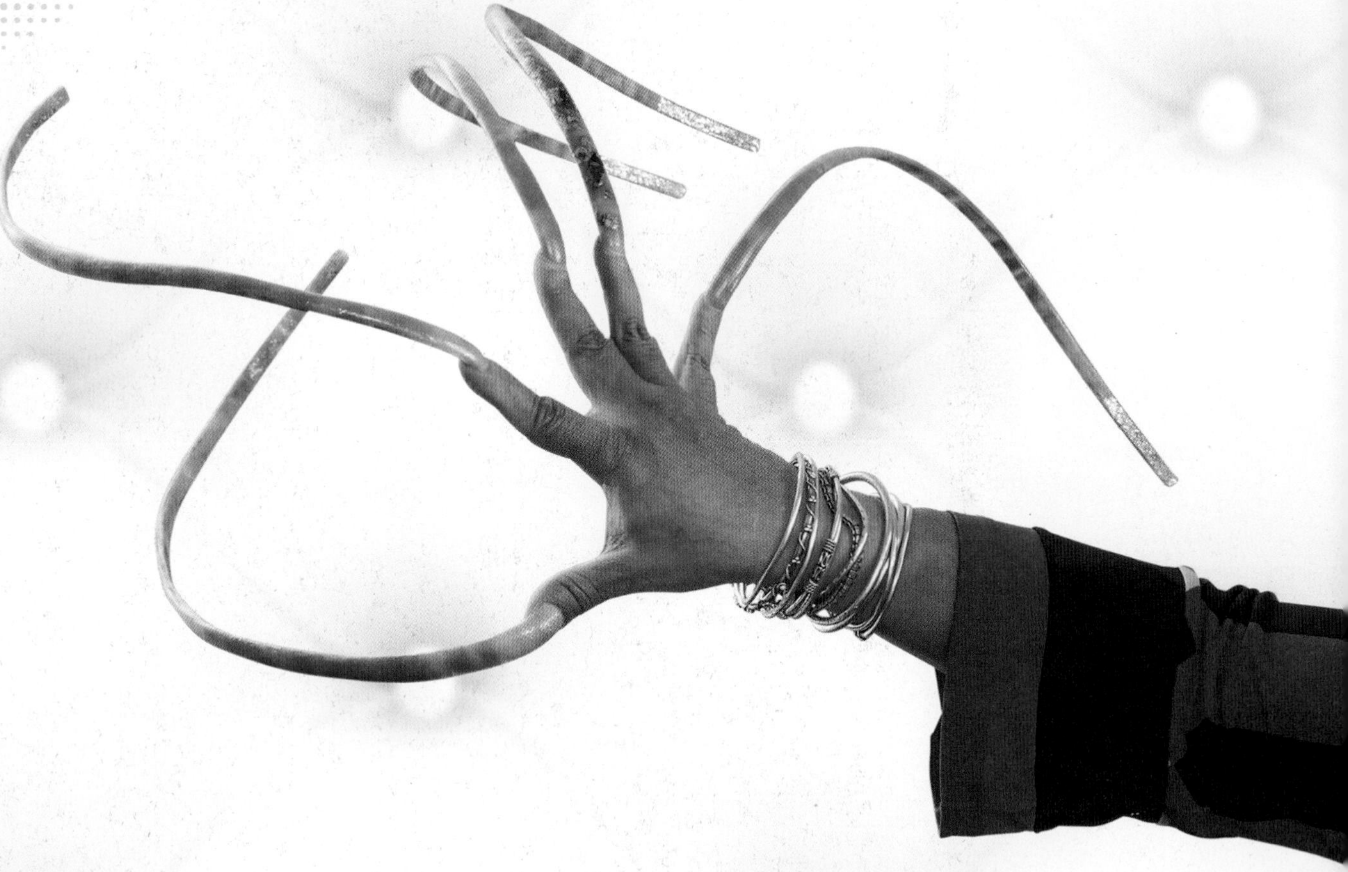

▶ 양손의 손톱이 가장 긴 사람(여성)

미국 텍사스 주 휴스턴에 사는 얀나 윌리엄스는 2017년 2월 7일까지 20년 넘게 손톱을 길렀다. 손톱의 길이를 모두 더하면 576.4cm에 이른다. 그녀는 왼손 손톱이 오른손 손톱보다 길다. 왼쪽은 총합 326.5cm인데 반해 오른쪽은 249.8cm다. 얀나가 그 어마어마한 손톱에 매니큐어를 다 칠하려면 20시간이 걸리고 매니큐어 2통을 모두 써야 한다. 그녀는 손톱이 부러지지 않도록 설거지도 하지 않고, 잘 때는 베개에 곱게 모셔두고 잔다. 얀나는 이전 기록 보유자인 크리스 '더 더치스' 월턴(미국)이 기르던 손톱을 자르자(총 731.4cm), 그 뒤를 이어받아 기록 보유자가 됐다.

CONTENTS

로버트 워들로 66
최고령 사람들 68
부위별 기록 70
보디 아트 72
트랜스휴머니즘 74
피트니스 광(狂) 76
인간의 힘 78
100m 최고 기록 80
서커스 묘기 82
슈퍼휴먼 전반 84

얀나의 손톱 중 가장 긴 손톱은 왼쪽 엄지로, 길이는 68cm다. 이는 **역대 가장 작은 남자** 찬드라 바하두르 단기의 키 54.6cm보다 길다.

로버트 워들로 ROBERT WADLOW

2018년이면 100주년을 맞는 《기네스 세계기록》에 가장 상징적인 기록을 보유한 사람은 로버트 워들로다. 그는 **역대 가장 큰 사람**으로, 1940년 사망 당시 키가 272cm였다. 로버트의 거대한 키는 뇌하수체 이상에 따른 성장 호르몬의 과다 분비가 원인이었다. '얼턴의 거인', 혹은 '일리노이의 거인'으로 알려진 그는 겸손하고 온화했으며, 눈에 띄는 외모에도 불구하고 평범하게 살기 위해 노력했다. 로버트의 기록은 영원히 깨지기 힘들기 때문에 그의 유품들은 오늘날까지 전시되고 있다.

10세
195.5cm

1918년 2월 22일, 미국 일리노이 주 얼턴에서 태어난 로버트는 출생 당시 몸무게가 3.8kg으로 그리 특별하지 않았다. 하지만 8세가 되자 아버지 해롤드(키 182cm)보다 키가 더 커졌다. 로버트가 다니던 초등학교는 그를 위한 책상을 특별히 제작했고, 지역에 '얼턴의 거인'이라는 말이 퍼지기 시작했다.

로버트는 믿기 힘든 키 때문에 길을 지나든, 기자와 인터뷰를 하든 언제나 사람들의 이목을 집중시켰다. 그는 1937년 링글링 브라더스 서커스단과 함께 공연했는데, 무대에 오를 때는 언제나 정장을 입은 권위 있는 모습으로 잠시만 출연했다.

13세
224cm

아버지(오른쪽), 동생 유진(왼쪽)과 함께 찍은 사진에서 알 수 있듯이 로버트는 성장 속도가 줄어들 기미가 보이지 않았다. 그가 보이스카우트에 가입했을 때는 2m 24cm 키에 맞는 특별 제작 유니폼이 필요했는데 폭 0.9m, 길이 12.8m의 원단이 사용됐다.

로버트 워들로의 특별한 삶

나이	키	몸무게(알려진 것만)
5세	162.5cm	48kg
8세	182.8cm	77kg
9세	188.5cm	82kg
10세	195.5cm	95.6kg
11세	200.6cm	-
12세	209.5cm	-
14세	226.0cm	137kg
15세	233.6cm	161kg
16세	239.3cm	170kg
17세	244.8cm	143kg*
18세	252.7cm	-
19세	257.8cm	218kg
20세	260.9cm	-
21세	264.7cm	223kg
22세	272.0cm	199kg

* 건강 악화로 체중 감소

18세
252.7cm

로버트는 1936년 고등학교를 졸업하고 대학에 갔다. 커진 것은 그의 옷만이 아니었다. 로버트는 **역대 가장 큰 발** 기록 보유자이기도 하다. 신발 크기가 470mm로 신발값은 당시 100달러였는데, 요즘 돈으로 환산하면 1,500달러와 같다.

1937년, 로버트는 세계적인 신발 기업 '피터 슈즈'의 광고 모델로 나섰다(왼쪽). 그 대가로 로버트에게는 특대 사이즈 신발이 공짜로 제공되었다.

21세
264.7cm

로버트는 아버지 해롤드와 함께 출장, 개인적인 목적으로 41개 주 800개 도시를 방문했다. 할리우드에서는 메리 픽포드 같은 영화배우와 사진을 찍기도 했다. 하지만 로버트는 큰 몸집 때문에 건강이 나빠지기 시작했다. 걷기 위해 다리 보호 기구를 착용해야 했고, 발에서는 점차 감각이 사라지기 시작했다.

영원히 기억될 기록

태어난 지 벌써 100년이 다 됐지만, 로버트는 아직도 많은 사람을 매혹시키고 있다. 그는 핸섬 패밀리의 노래 〈일리노이의 거인〉과 수프얀 스티븐스의 곡 〈가장 큰 남자, 가장 넓은 어깨〉의 주인공이기도 하다. 2010년 미국 뉴욕에서 '믿거나 말거나 박물관'의 위들로 전시물에 생존하는 가장 작은 남자인 카겐드라 타파 마가르(네팔)가 방문했다. 카겐드라는 키가 67.08cm로 로버트의 신발보다 고작 20cm가 더 크다!

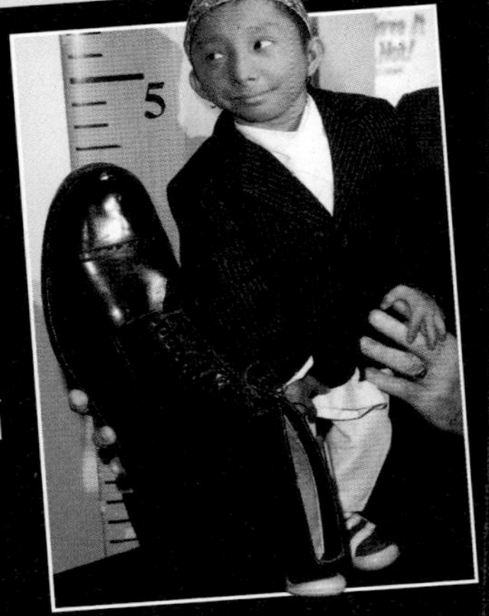

2016년 7월 폴란드 크라쿠프 주 카즈미에시 갤러리에서 열린 '세계 최대 레고 블록 쇼'에 지팡이를 짚고 서 있는 로버트의 레고 입상이 공개됐다. 그의 동상들은 미국 미시간 주와 얼턴 시, 나이아가라 폭포와 파밍턴 힐에도 있다.

22세
272cm

로버트는 조악한 다리 보호 기구로 생긴 발목 염증이 패혈증으로 이어져 1940년 7월 15일 미국 미시간 주 매니스티에서 사망했다. 그는 얼턴에 있는 오크우드 묘지에 묻혔는데, 관의 길이는 3.28m, 폭은 81cm, 높이는 76cm였다. 장례식에는 2만 7,000명이 참석해 '얼턴의 친절한 거인'에게 안녕을 고했다.

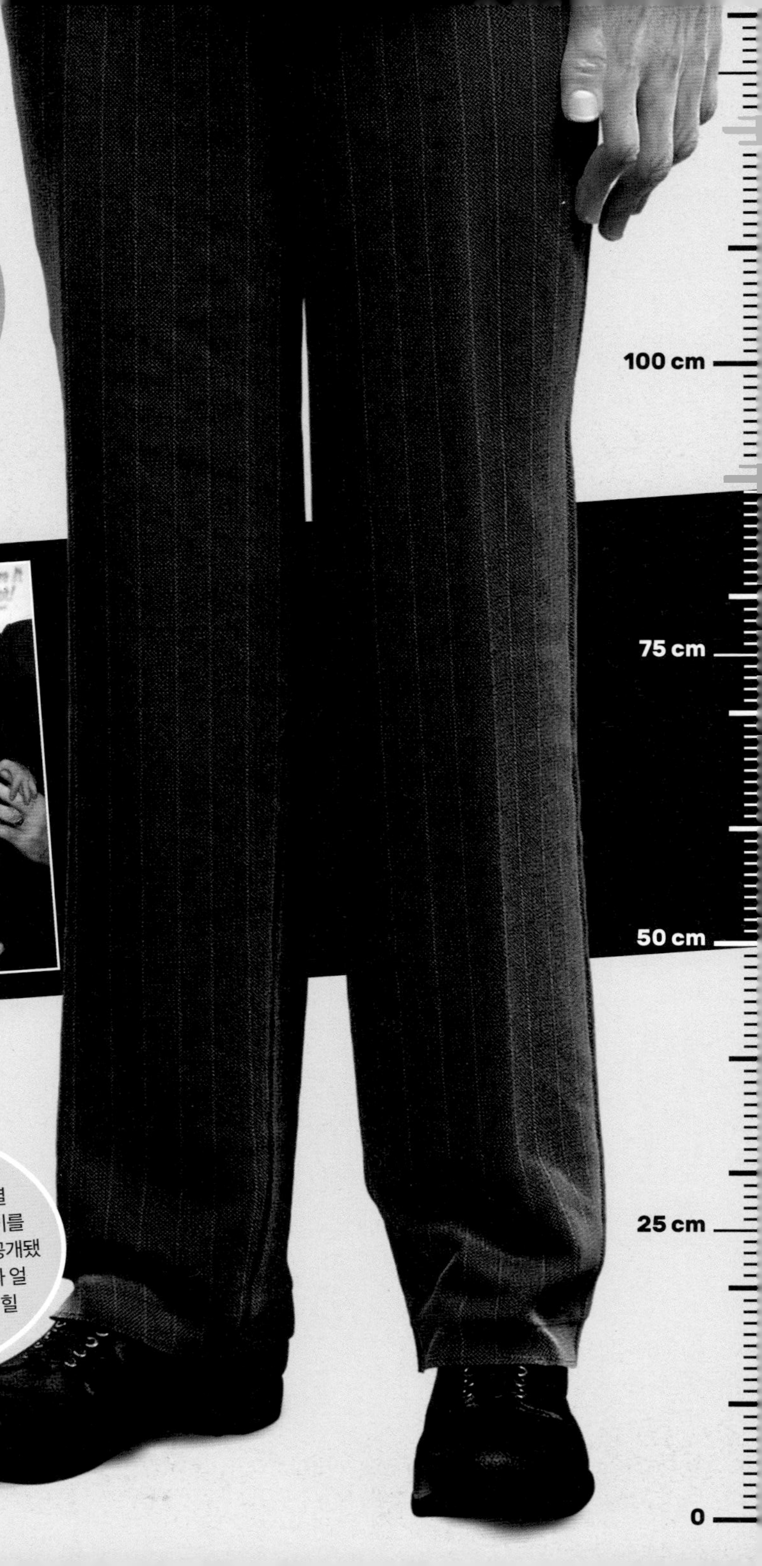

최고령 사람들 OLDEST PEOPLE

세계보건기구에 따르면, 2050년에는 80세 이상의 인구가 3억 9,500만 명에 이른다고 한다. 2000년에 비해 4배 많은 수다.

▲ 현역 최고령 다트 선수

조지 하니스(영국, 1917년 8월 7일생)는 2016년 7월 18일, 98세 346일의 나이에 영국 보스턴에서 열린 올드 릭스 대회와 지역 다트 리그에 참가해 경기를 펼쳤다. 조지는 1938년 다트를 시작했다. 그는 오랜 선수생활 중, 영국 다트의 전설 에릭 브리스토와 경기한 적도 있지만, 패했다.

▲ 100세 이상인 사람들이 가장 많이 모인 기록

2016년 11월 4일, 호주 퀸즐랜드 브리즈번의 국회의사당에 100세 이상인 노인이 45명이나 모였다. 이 행사는 퀸즐랜드 커뮤니티 케어 네트워크(호주)가 기획했다. 퀸즐랜드 주 총리이자 요양시설 100세 클럽의 홍보대사인 아나스타샤 팔라스쿠크가 호스트를 맡은 이른 성탄절 만찬 행사였다.

◀ 현역 최고령 축구심판

피터 팍-은고 팽(미국, 인도네시아 출생, 1932년 11월 4일생)은 83세 137일의 나이에 미국 캘리포니아 주 새너제이에서 열리는 성인 남성 리그의 심판을 정기적으로 보고 있다. 피터는 2016년 3월 20일, 새너제이에서 열린 아가베와 모크테수마의 경기에 심판으로 나서며 신기록을 작성했다.

▲ 최고령 운동선수

로베르 마르샹(프랑스, 1911년 11월 26일생)은 **최고령 현역 사이클 선수**다. 그는 2017년 1월 4일, 105세 39일의 나이로 프랑스 생캉탱앙이블린의 국립 경륜장에서 열린 남자 '105세 이상 마스터' 종목에 출전해 22.547km를 달렸다.

에이비스 누트(영국, 1938년 6월 24일생)는 **최고령 현역 카누 선수**다. 그녀는 2016년 3월 6일, 77세 256일의 나이로 영국 덜버턴에서 열린 대회에 참가해 노를 저었다.

마라톤에 참가한 최고령 부부의 나이를 합하면 163세 360일이다. 마사츠구 우치다는 83세 272일, 그의 아내 료코 우치다(둘 다 일본)는 80세 88일의 나이로 2016년 10월 30일, 일본 스즈오카 시마다에서 열린 시마다 오이가와 마라톤 대회에 참가했다.

▼

▲

현존 최고령 인물(2017년 4월 26일 기준)

이 책을 집필할 당시, 세계 최고령 20명 중에 19명은 여성이었다. 그리고 그중 9명은 일본인이었다.

1. 바이올렛 브라운	**2. 나비 타지마**	**3. 치요 미야코**	**4. 아나 벨라-루비오**	**5. 마리-조세핀 고데트**	**6. 주세피나 프로제토-프로**
(자메이카) 1900년 3월 10일생	(일본) 1900년 8월 4일생	(일본) 1901년 5월 2일생	(스페인) 1901년 10월 29일생	(이탈리아/미국) 1902년 3월 25일생	(이탈리아) 1902년 5월 30일
117세 47일	116세 265일	115세 359일	115세 179일	115세 32일	114세 331일

정보 제공: 노인학연구소(www.grg.org)

▼ 최장기 밴드 멤버 경력자

존 개논(아일랜드, 1918년 5월 27일생)은 1936년 3월 22일 '세인트 제임스 브라스 앤 리드 밴드'의 멤버로 등록됐다. 그는 2017년 3월 22일까지 81년째 꾸준히 밴드 활동을 이어오고 있다. 활동 25년이 되던 1961년, 밴드의 평생 회원이 되어 존은 회비를 내지 않아도 된다.

최고령 모녀(역대)

사라 크나우스(미국, 1880~1999)가 사망할 당시 딸 캐서린 '키티' 크나우스 설리번(미국, 1903~2005)은 96세로 당시 모녀의 나이를 합하면 215세 140일이었다. 사라는 정확히 119세 97일의 나이에 세상을 떠났고, 그때 캐서린은 96세 43일이었다.

최고령…

올림픽 참가 선수(여성)

옥사나 추소비티나(우즈베키스탄)는 2016년 8월 14일, 브라질 올림픽에 41세 56일의 나이로 참가해 여자 체조 뜀틀 종목에서 결선 7위로 대회를 마감했다.

경쟁이 치열한 리그에서 득점한 최고령 프로축구 선수

요코하마 FC 소속의 카즈요시 미우라(일본, 1967년 2월 26일생)는 2017년 3월 12일, 50세 14일의 나이로 일본 요코하마의 니파츠 미츠자와 스타디움에서 열린 경기에 출장해, 상대 팀의 골망을 흔들었다.

ITF 서킷 대회 최고령 승자

69세 85일의 테니스 선수 게일 팔켄베리(미국, 1947년 1월 16일생)가 대회에서 47살이나 어린 상대를 꺾었다. 그녀는 2016년 4월 10일, 미국 앨라배마 주 펠햄에서 열린 국제테니스연맹(ITF) 퓨처스 대회 예선 1라운드에서 22세의 로잘린 스몰(미국, 1993년 6월 22일생)을 6-0, 6-1로 이겼다. 경기는 클레이 코트에서 펼쳐졌다.

우주비행사

존 글렌 주니어(미국, 1921년 7월 18일~2016년 12월 8일)는 1998년 10월 29일, 디스커버리 STS-95의 일원으로 우주에 진입했을 때 나이가 77세 103일이었다. 임무는 9일간 지속됐고 글렌은 1998년 11월 7일 지구에 복귀했다.

페기 윗슨(미국, 1960년 2월 9일생)은 56세 282일의 나이로 **최고령 여성 우주비행사**가 됐다. 이 나사 우주비행사는 카자흐스탄 바이코누르에 있는 우주 로켓 발사기지에서 현지시각 2016년 11월 18일 오전 2시 20분에 소유즈 MS-03 우주선을 타고 이륙해 국제 우주정거장으로 향

◀▶ 현존 최고령 사람들

현존 최고령 인물은 바이올렛 브라운(자메이카, 1900년 3월 10일생)으로 2017년 4월 26일 나이가 117세 47일이다. 그녀는 빅토리아 여왕 시대에 살았던 마지막 사람이다. 바이올렛은 엠마 마르티나 루이지아 모라노(이탈리아)가 2017년 4월 15일, 117세 137일의 나이로 세상을 등지며 새로운 기록 보유자가 됐다. **현존 최고령 남성**은 이스라엘 크리스탈(이스라엘)로, 러시아 제국 말레니에 마을(현 폴란드)에서 1903년 9월 15일 태어났다. 그는 2017년 4월 26일, 나이가 113세 223일이다.

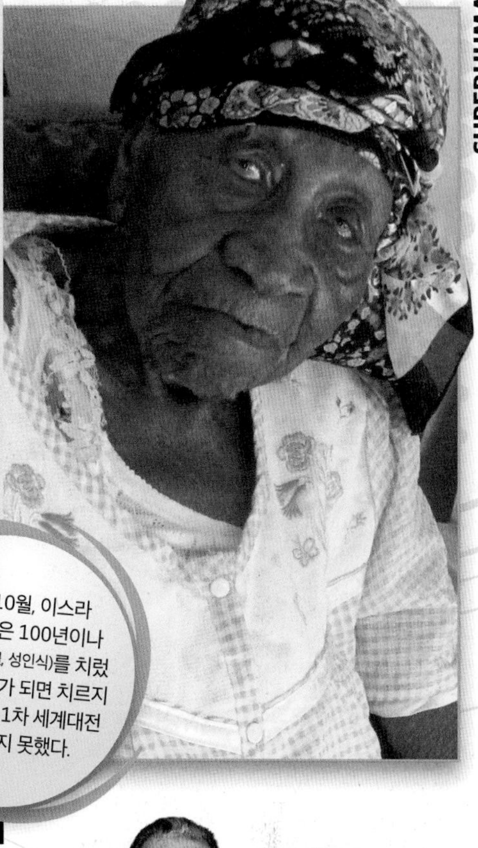

2016년 10월, 이스라엘 크리스탈은 100년이나 늦게 관례(冠禮, 성인식)를 치렀다! 대개 13세가 되면 치르지만, 그는 당시 1차 세계대전 중이라 하지 못했다.

◀▶ 최고령 억만장자

억만장자 영화 제작자 런 런 쇼 경(중국, 왼쪽)은 2014년 1월 7일 사망했을 당시 나이가 106세라고 전해진다. 그의 정확한 생년월일은 알려지지 않았다. 비공식적인 출생일은 1907년 11월로 사망 당시 나이는 최소 106세 8일로 짐작된다. 데이비드 록펠러 시니어(미국, 1915년 6월 12일생, 오른쪽)는 2017년 3월 20일 101세 281일의 나이로 사망할 당시 순 자산액이 33억 달러에 달했다. 그는 **공식적으로 확인된 최고령 억만장자**다.

▲ 최고령 코믹북 아티스트이자 최고령 코믹북 표지 삽화가

켄 볼드(미국, 1920년 8월 1일생, 위 왼쪽)는 2015년 11월 4일, 95세 95일의 나이로 《콘테스트 오브 챔피언스 #2》의 표지를 그렸다. 기네스 세계기록은 최근 켄과 이야기를 나눴다.

Q: 지금까지 그린 표지 중 좋아하는 것은?
A: 제일 좋아하는 표지는 1940년대에 나온 《나모라 #1》입니다. 2번째로 좋아하는 표지는 《밀리 더 모델 #9》이죠. 그리고 3번째로 좋아하는 표지가 2015년에 마블에서 그린 《콘테스트 오브 챔피언스》입니다. 제가 95세 나이에 히트한 만화책의 표지를 그리게 해줬을 뿐 아니라, 만화 황금시대에 그렸던 3개의 캐릭터도 다시 그릴 수 있게 기회를 줬죠. 게다가 그 캐릭터들이 모두 현대적으로 표현됐습니다.

Q: 기네스 세계기록 타이틀을 2개나 거머쥔 소감은?
A: 두 기록 모두 정말로 황홀합니다. 내 최고의 친구 스탠 리(위 오른쪽)와 함께 기네스 세계기록에 등재된 건 저의 가장 빛나는 업적 중 하나입니다. 스탠과 저는 함께 만화를 시작해, 지난 70년의 세월 동안 서로 이야기를 나눠왔죠. 우리가 커리어의 끝에 다다랐을 때 함께 일을 마칠 수 있다면 정말 멋질 거라 생각합니다.

7. 카네 다나카
(일본) 1903년 1월 2일
114세 114일

8. 마리아-주세파 로부치-나르지소
(이탈리아) 1903년 3월 20일
114세 37일

9. 이소 나카무라
(일본) 1903년 4월 23일
114세 3일

10. 타에 이토
(일본) 1903년 7월 11일
113세 289일

했고, 8분 뒤 궤도에 진입했다.

그리니치 평균시 2017년 3월 30일 15시 51분, 윗슨은 **여성 우주유영 임무 수행 최장 시간(누적)**인 50시간 40분을 돌파했다. 이는 나사의 우주비행사 수니타 윌리엄스가 앞서 세운 기록이었다. 윗슨의 우주유영 임무는 그리니치 평균시 11시 29분에 공식적으로 시작해 7시간 4분 동안 이루어졌고, 우주유영 임무 시간(누적) 신기록은 53시간 22분까지 늘어났다.

졸업

2016년 3월 19일, 시게미 히라타(일본, 1919년 9월 1일생)는 96세 200일의 나이로 일본 교토의 교토조형예술대학에서 학위를 받았다.

가장 많은 나이에 첫 타투를 한 사람

잭 레이놀즈(영국, 1912년 4월 6일생)는 정확히 104세가 되던 2016년 4월 6일, 영국 체스터필드에서 'Jacko(잭코) 6.4.1912'라는 문신을 새겼다. 잭이 직접 디자인한 것이다.

쌍둥이(역대)

킨 나리타와 긴 카니에(둘 다 일본, 1892년 8월 1일생)는 공식적으로 기록된 최고령 여성 쌍둥이다. 킨은 2000년 1월 23일, 107세 175일의 나이에 심부전으로 사망했다. 공식적으로 기록된 **최고령 남성 쌍둥이**는 글렌과 데일 모이어(미국, 1895년 6월 20일생)로 둘 다 105세 이상까지 살았다. 글렌은 2001년 4월 16일, 105세 300일의 나이로 사망했다.

최고령자(역대)

지금까지 공식적으로 확인되었던 최고령자는 122세 164일까지 살았던 잔 루이즈 칼망(프랑스)이다. 1875년 2월 21일 태어나, 1997년 8월 4일 프랑스 아를의 요양원에서 세상을 떠났다. 120세 생일날 장래에 바라는 것을 묻자, '짧은 생(生)'이라고 대답했다. 역대 최고령 남성은 지로몬 기무라(일본)로 1897년 4월 19일 태어나 2013년 6월 12일 116세 54일의 나이로 세상과 이별했다.

부위별 기록 ANATOMY

인간은 빛을 낸다.
인체가 발하는 아주 약한 빛은 눈으로 인지할 수 있는 최소한의 빛의 세기보다 수천 배 약하다.

▲ 현존하는 가장 작은 사람(보행 가능)

조티 암지(인도, 왼쪽)는 2011년 12월 16일, 생일에 측정한 키가 62.8cm였다. 그녀는 가장 작은 10대 여성이었다.

카젠드라 타파 마가르(네팔, 오른쪽)는 2010년 10월 14일 측정한 키가 67.08cm로 키가 가장 작은 10대 남성이었다.

출생 당시 손가락 발가락이 가장 많았던 사람(다지증)

아크샤 사세나(인도)는 2010년 3월 20일, 14개의 손가락(한 손에 7개씩)과 20개의 발가락(한 발에 10개씩)을 가지고 태어났다. 아크샷은 여러 차례의 수술을 거쳐 손가락과 발가락을 10개씩으로 줄이는 데 성공했다.

역대 가장 긴 손톱(한쪽 손)

쉬리타르 칠랄(인도)의 왼손 손톱은 모두 합친 길이가 909.6cm였다. 이 기록은 2014년 11월 17일 인도 마하라슈트라 주 푸네에서 측정했다. 이중 가장 긴 손톱은 엄지로 197.8cm였다.

역대 가장 긴 손톱(남성, 양손) 기록은 멜빈 부스(미국)가 가지고 있다. 부스의 손톱은 2009년 5월 30일, 미국 미시간 주 트로이에서 측정했을 때 총 9.85m였다.

역대 가장 긴 손톱(여성, 양손) 기록은 리 레드먼드(미국)가 가지고 있다. 그녀는 1979년부터 손톱에 매니큐어를 칠하며 소중히 기르기 시작해 2008년 2월 23일 측정 당시 길이가 8.65m에 이르렀다. 하지만 리는 2009년 자동차 사고로 손톱을 잃었다. 이 여성에 관한 기록은 86페이지에 나와 있다.

패럴림픽에 출전한 최장신 선수

2016년 9월 7~18일 열린 리우 패럴림픽에 좌식 배구 선수로 출전한 모르테자 메흐르자드 셀락자니(이란)의 키는 2.46m다. 그는 결승에서 최다 득점인 28점을 올리며 팀이 금메달을 따도록 이끌었다. 셀락자니는 앉은 자세에서도 1.93m 높이의 공을 스파이크할 수 있다.

현존 최장신

술탄 쾨센(터키, 1982년 12월 10일생)은 2011년 2월 8일, 터키 앙카라에서 측정한 키가 251cm다. 그는 **가장 큰 손** 기록도 가지고 있는데 2010년 5월 7일 영국 런던에 있는 기네스 세계기록 본사에서 측정한 크기(폭)가 30.48cm였다.

현존하는 최장신 여성은 시디카 파르빈(인도)이다. 최초 보고된 그녀의 키는 249cm였으나, 안타깝게도 현재는 건강이 악화돼 똑바로 설 수 없어 정확한 키는 알 수 없다. 그녀를 검사한 의사 데바시스 사하는 파르빈이 똑바로 설 수 있다면 최소 233.6cm는 될 거라고 말했다.

Q: 하이퍼트리코시스(Hypertrichosis)는 몸에 무엇이 많이 나는 걸까?

A: 털

최장신 쌍둥이(남성)

미시간 주 트로이에 사는 일란성 쌍둥이 마이클과 제임스 러니어(미국)는 둘 다 키가 2.235m로, 각각 덴버 대학교와 UCLA에서 농구선수로 활약하고 있다. 남매인 제니퍼의 키는 1.57m다.

최장신 쌍둥이(여성)는 앤과 클레어 레히트(미국)다. 2007년 1월 10일 측정한 둘의 평균 키는 2.01m로 모두 배구선수로 활약 중이다.

최장신 부부(역대)

안나 헤이닝 스완(캐나다, 1846~1888)은 키가 246.38cm로 여겨졌으나 실제 측정해 보니 241.3cm였다. 그녀는 1871년 6월 17일 신장 236.22cm의 마틴 반 뷰런 베이츠(미국, 1837~1919)와 결혼했다. 이 키다리 커플의 키를 합하면 477.52cm다.

최단신 여성(역대)

파울라인 공주로 알려진 파울라인 무스터스(네덜란드)는 출생 당시 키가 30cm였다. 1895년 19세의 나이로 사망했으며, 사후 측정한 키는 61cm였다.

찬드라 바하두르 단기(네팔)는 **역대 최단신 남성**으로 2012년 2월 26일, 네팔 카트만두에서 확인된 키가 54.6cm다.

최단신 쌍둥이

미국 시민권을 얻은 헝가리 부다페스트 출생의 마티우스와 벨라 마티나(1903~1935)는 둘 다 키가 76cm였다.

가장 급격한 성장

아담 라이너(오스트리아, 1899~1950)는 의료 역사상 유일하게 난쟁이이자 거인으로 기록된 사람이다. 그는 21세 때 키가 118cm였으나, 그 후 급격하게 성장했다. 1931년에는 키가 거의 2배로 자라 218cm에 달했다. 아담은 지나친 성장으로 몸이 약해져 침상을 벗어나지 못하는 상태가 됐다. 사망 당시 측정한 키는 234cm였다.

◀ 최장신 배우

닐 핑글톤(영국, 왼쪽은 기네스 세계기록의 책임 편집자 크레이그 글렌데이)의 키는 232.5cm였다. 그는 농구를 하다가 배우로 전향해 〈엑스맨: 퍼스트 클래스〉(미국/영국, 2011), 〈47 로닌〉(미국, 2013), 〈주피터 어센딩〉(미국/호주, 2015)에 출현했다. 또 닐은 TV 시리즈 〈닥터 후〉에도 출현했으며, 〈왕좌의 게임〉에서 힘센 거인 맥 더 마이티 역을 맡기도 했다. 안타깝게도 2017년 2월 25일 사망했다.

가장 긴 사람의 털

털은 실처럼 뻗은 단백질(대부분 케라틴으로 손톱과 발톱에도 많이 포함되어 있다) 가닥이다. 발바닥과 손바닥, 입술을 제외한 몸 전체에 난다.

100%

등 털: 13cm, 크레이그 베드퍼드(영국), 2012년 11월 9일

배 털: 16.77cm, 일레인 마틴(미국), 2013년 1월 25일

젖꼭지 털: 17cm, 다니엘레 투베리(이탈리아), 2013년 3월 13일

귀 털: 18.1cm, 앤서니 빅터(인도), 2007년 8월 26일

팔 털: 18.9cm, 겐조 츠지(일본), 2012년 10월 22일

눈썹: 19.1cm, 쟁 슈센(중국), 2016년 1월 6일

다리 털: 22.46cm, 제이슨 앨런(미국), 2015년 5월 25일

가슴 털: 23.5cm, 자오 징타오(중국), 2014년 9월 13일

▲ 가장 긴 속눈썹

상하이 출생의 유 지안샤(중국)는 길고 풍성한 속눈썹을 가지고 있다. 그녀의 왼쪽 눈꺼풀에 난 속눈썹은 2016년 6월 28일, 중국 장쑤 성 창저우에서 길이가 12.40cm로 측정됐다. 이전 최고 기록은 질리언 크리미니시(캐나다)의 왼쪽 속눈썹으로 2016년 5월 13일, 8.07cm로 측정됐다.

▲ 가장 높이 기른 '하이 탑 페이드'

모델 베니 할렘(미국)은 딸 잭슨과 함께 찍은 사진을 인스타그램에 올려 선풍적인 인기를 얻었다. 그의 '하이 탑 페이드' 머리(옆머리는 짧게 자르고 윗머리는 계속 기르는 스타일)는 2016년 11월 6일 미국 캘리포니아 주 로스앤젤레스에서 측정한 높이가 52cm였다. '왕관'이라고 부르는 그의 머리는 손질하고 모양을 잡는 데만 2시간이 더 걸린다.

▲ 최고령 보디빌더

2015년 9월 7일, 짐 애링턴(미국, 1932년 9월 1일생)은 83세 6일의 나이로 미국 캘리포니아 주 베니스의 머슬 비치에서 열린 프로 보디빌딩 대회에 참가했다. 그는 60세 이상 참가자 중 4위를 기록했다. 짐은 보디빌딩을 시작한 지 40년이 넘었지만, 아직도 체육관에 가는 걸 멈출 수 없다고 말한다.

▲ 최단신 부부

파울로 가브리엘 다 실바 바로스와 카추시아 호시노(둘 다 브라질)의 키를 더하면 181.41cm다. 두 사람의 키는 2016년 11월 3일, 브라질 상파울루에서 측정했다. 파울로와 카추시아는 2008년 12월 20일 소셜 미디어를 통해 만나 2016년 9월 17일 결혼에 골인했다. 이 행복한 부부는 '2016년 기네스 세계기록의 날'에 영국 런던에 있는 기네스 본사에 찾아와, 〈페이스북 라이브〉 행사를 함께했다.

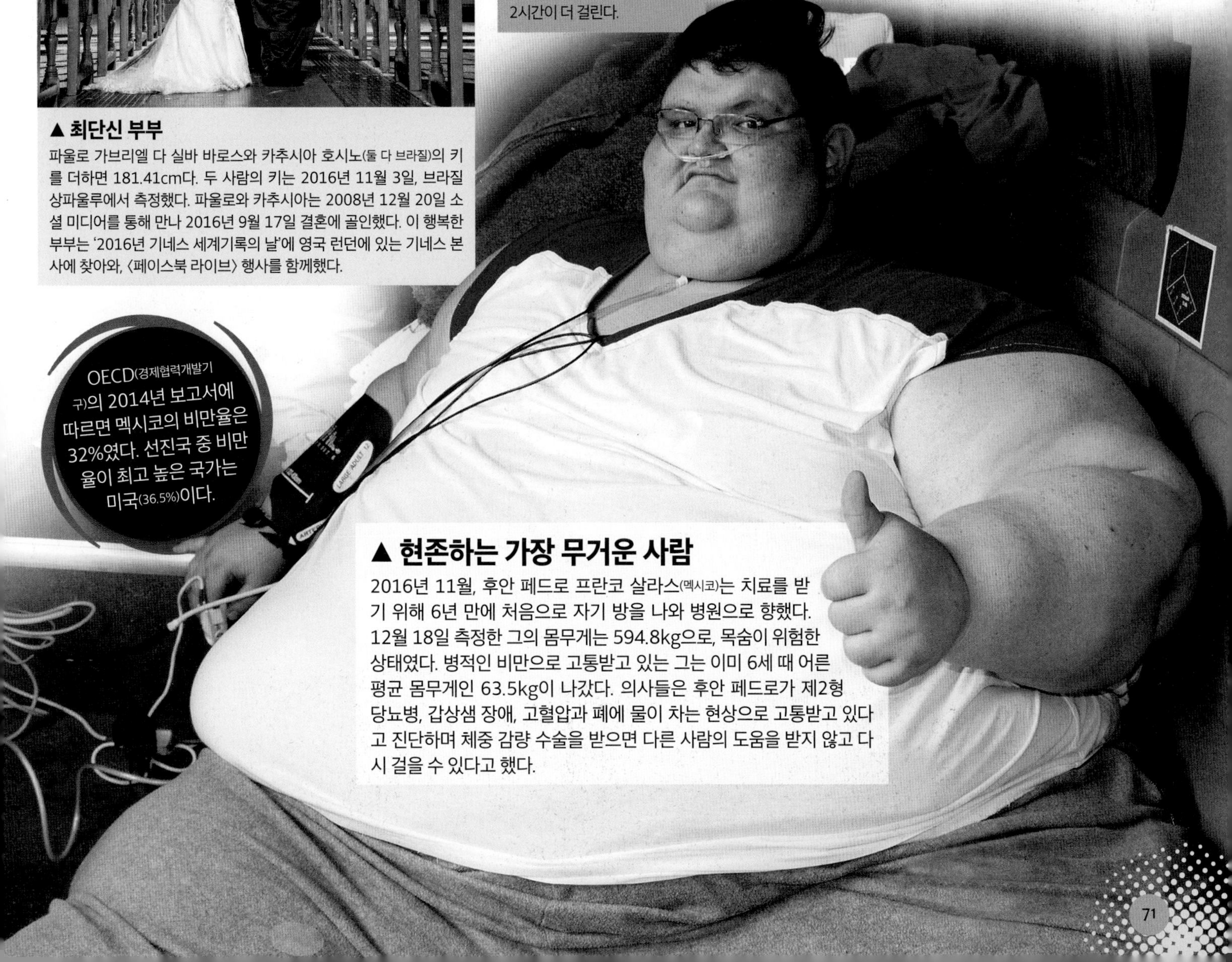

OECD(경제협력개발기구)의 2014년 보고서에 따르면 멕시코의 비만율은 32%였다. 선진국 중 비만율이 최고 높은 국가는 미국(36.5%)이다.

▲ 현존하는 가장 무거운 사람

2016년 11월, 후안 페드로 프란코 살라스(멕시코)는 치료를 받기 위해 6년 만에 처음으로 자기 방을 나와 병원으로 향했다. 12월 18일 측정한 그의 몸무게는 594.8kg으로, 목숨이 위험한 상태였다. 병적인 비만으로 고통받고 있는 그는 이미 6세 때 어른 평균 몸무게인 63.5kg이 나갔다. 의사들은 후안 페드로가 제2형 당뇨병, 갑상샘 장애, 고혈압과 폐에 물이 차는 현상으로 고통받고 있다고 진단하며 체중 감량 수술을 받으면 다른 사람의 도움을 받지 않고 다시 걸을 수 있다고 했다.

보디 아트 BODY ART

타투 기계는 피부를 약 1mm 깊이로 1분에 3,000번 정도 찌른다.

▲ 몸에 새긴 최다 뼈 문신

릭 제네스트(캐나다)는 2011년 4월 27일까지 139개의 뼈 문신을 몸에 그렸다. 기록은 이탈리아 밀라노에서 열린 〈로 쇼 데 레코드〉에서 확인됐다. 릭은 몸이 송장처럼 보이게 하는 문신을 많이 새겨 '좀비 보이'란 별명이 생겼다. 대다수 디자인은 몬트리올의 타투 아티스트 프랭크 루이스와 함께 만들었다.

▲ 가장 큰 타투 기계

네오탓의 레이 웹(미국)과 버너비 Q 오박스, 스위트 페퍼 클로펙(둘 다 캐나다)은 높이 1.29m, 길이 0.83m, 폭 0.32m, 무게 68.94kg의 타투 기계를 제작했다. 네오탓 타투 기계를 확대한 이 설비의 크기는 2015년 8월 30일 미국 애리조나 주 피닉스에서 열린 '헬 시티 타투 페스티벌'에서 측정됐다. 오박스는 이 기계를 사용해 페퍼의 다리에 문신을 새겼다(위 오른쪽).

▲ 최장 시간 문신 작업(1명)

주세페 콜리바치(이탈리아)가 2016년 7월 17~19일까지 이탈리아에 있는 '타투 판타지' 상점에서 다니 갈라시(이탈리아)의 몸에 52시간 56분 동안 문신을 새겼다. 콜리바치는 타투(문신) 업계에 30년 이상 몸담고 있으며, 최근에는 웹사이트에 작업하는 모습을 공개하고 있다.

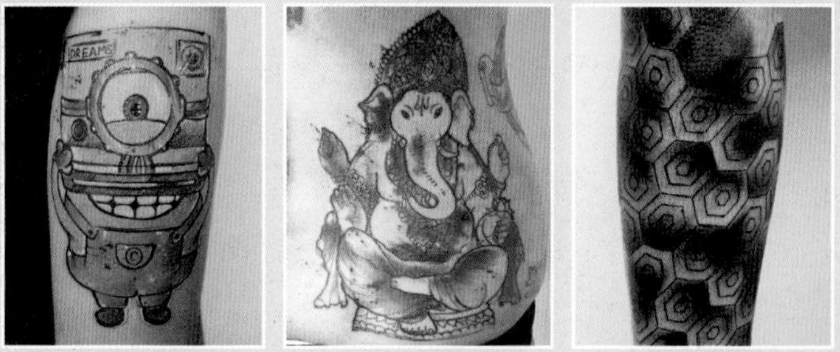

▲ 최장 시간 문신 작업(여러 명)

'알레 타투' 알레산드로 보나코르시(이탈리아)는 2017년 1월 3일 이탈리아 리미디 디 솔리에라에서 57시간 25분 30초 동안 문신을 새겼다. 그는 미니언(위 왼쪽), 힌두교의 신 가네샤(위 가운데), 추상적인 패턴(위 오른쪽)을 포함한 총 28개의 문신을 완성했다. 알레산드로가 세운 다른 세계기록은 옆 페이지 하단에 나와 있다.

보디 아트의 역사

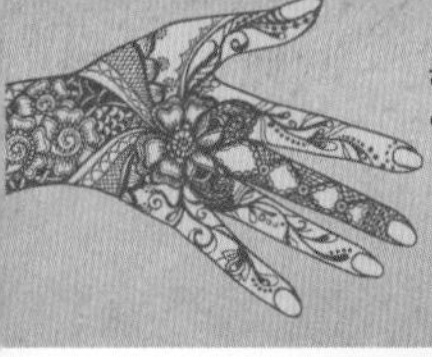

기원전 5000년
헤나 보디 페인팅이 인도에서 시작됐다.

기원전 3200년
'냉동인간' 외치의 몸에 새겨진 61개의 문신은 **현존하는 가장 오래된 문신**이다.

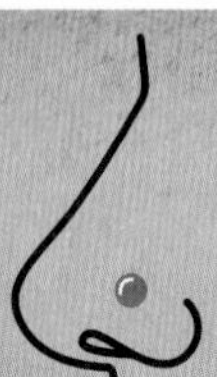

기원전 3000년
코와 혀에 피어싱을 하는 게 흔했다.

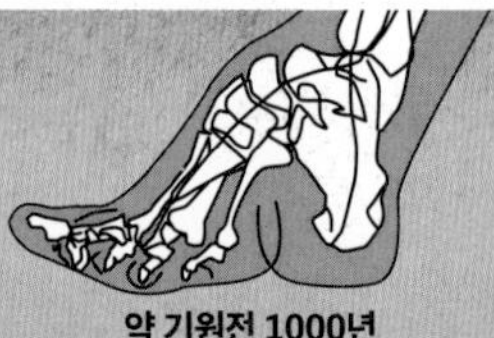

약 기원전 1000년
중국에 전족(纏足) 풍습이 생겼다.

서기 200년
남아메리카 파라카스에 머리 형태를 인위적으로 바꾸는 편두(扁頭) 풍습이 있었다.

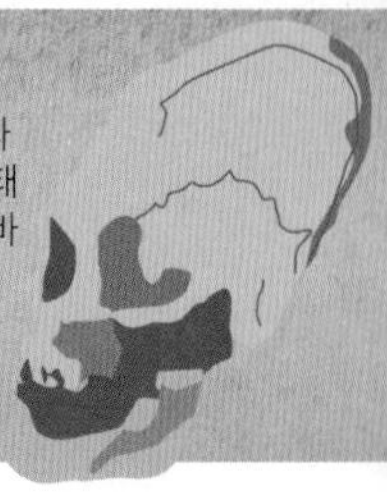

신체 개조

최다 신체 개조

롤프 부크홀츠(독일)는 2017년 3월 14일까지 자신의 신체를 516번 개조했다. 여기에는 481개의 피어싱과 2개의 '뿔' 보형물이 포함되며 오른손 손가락 끝에는 5개의 자석 보형물을 달았다.

여성 최다 신체 개조 기록은 마리아 호세 크리스테르나(멕시코)가 가지고 있다. 마리아는 이마, 가슴, 팔에 보형물 삽입과 눈썹, 입술, 코, 혀, 귓불, 배꼽에 피어싱을 포함해 신체를 총 49군데 개조했다. 2011년 2월 8일에는 몸의 96%를 문신으로 덮어 **타투를 가장 많이 한 여성**에 등극했다.

◀ 플래시터널이 가장 많은 얼굴

플래시터널은 튜브 모양으로 생긴 피어싱 액세서리다. 조엘 미글러(독일)는 2014년 11월 27일 독일 바덴뷔르템베르크 주 발스후트에서 얼굴에 11개의 바람구멍이 있는 게 확인됐다. 조엘의 얼굴에 있는 장식품은 크기가 3mm짜리부터 34mm까지 다양하다.

Q: 1961~1997년까지 뉴욕에서 문신을 정식으로 금지한 이유는 무엇인가?

A: B형 간염을 퍼뜨릴 수 있기 때문

빅토르 페랄타(우루과이)와 그의 아내 가비(아르헨티나)는 **최다 신체 개조 부부**다. 이 기록은 2014년 7월 7일 이탈리아 밀라노에서 열린 〈로 쇼 데 레코드〉에서 84개로 확인됐다. 둘이 합쳐 50개의 피어싱, 8개의 마이크로더멀(몸에 박는 피어싱), 14개의 보형물, 5개의 치아 임플란트, 4개의 귀 확장기, 2개의 귀 볼트, 1개의 갈라진 혀가 있다.

평생 가장 많은 피어싱을 한 여성

일레인 데이비드슨(브라질/영국)은 2006년 6월 8일까지 4,225번의 피어싱을 했다. 그녀는 자신의 독특한 외형을 타투와 화려한 화장, 머리의 깃털과 장식들로 강조했다.

◀ 하나의 애니메이션에 나오는 캐릭터 최다 문신

마이클 백스터(호주)는 자신의 몸을 〈심슨네 가족들〉에 나오는 203개의 캐릭터로 장식했다. 기록은 2014년 12월 3일 호주 빅토리아 바커스마시에서 확인됐다. 약 12개월에 걸쳐 문신을 모두 새겼는데, 바늘로 찌르는 것만도 130시간 정도가 소요됐다. 타투 아티스트 제이트 백스터-스미스가 작업했다.

▲ 보디 페인팅 최다 인원

2015년 7월 31일, 497명이 알록달록한 페인트를 뒤집어썼다. 이 형형색색의 페인트 놀이는 PLAY(폴란드)가 매년 열리는 폴란드 우드스톡 페스티벌 21회를 기념해 기획했다. 기획자는 페스티벌의 정신인 재미와 자기표현에 보디 페인팅이 잘 어울린다고 생각했다.

◀ 문신을 가장 많이 한 고령자

2006년 나비 문신을 시작으로 **가장 문신을 많이 한 노인**이 되기까지 샬럿 구텐버그(미국)는 1,000시간 이상을 들여 몸 91.5%를 문신으로 덮었다. 기록은 2015년 6월 3일 확인됐다. **문신을 가장 많이 한 남자 노인**인 찰스 '척' 헬름키(미국)는 1959년 처음 문신을 했다. 그는 2016년 8월 2일까지 93.75%의 자기 몸에 문신을 새겼다. 인생의 동반자인 척과 샬럿은 타투 스튜디오에서 처음 만났다.

1300년
마르코 폴로는 버마에서 목을 인공적으로 늘린 사람을 처음 기록했다.

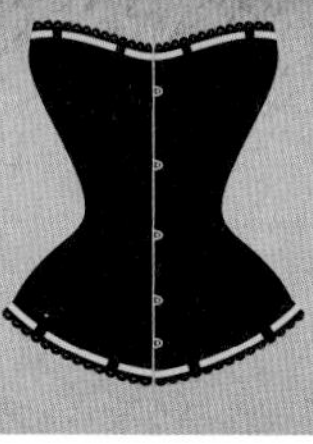

약 1850년
'말벌' 같은 허리를 만들기 위해 말도 안 되는 코르셋이 도입됐다.

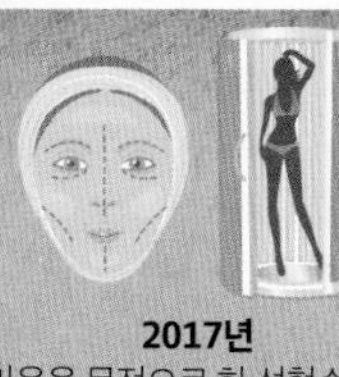

2017년
미용을 목적으로 한 성형수술과 선탠이 흔해졌다.

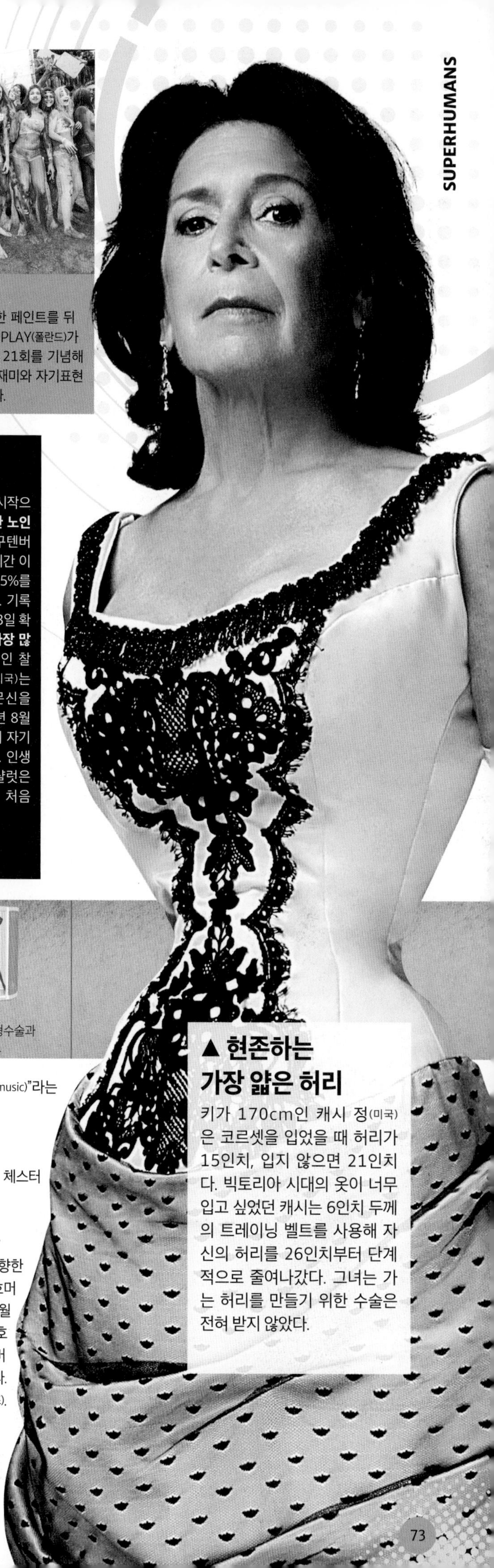

▲ 현존하는 가장 얇은 허리

키가 170cm인 캐시 정(미국)은 코르셋을 입었을 때 허리가 15인치, 입지 않으면 21인치다. 빅토리아 시대의 옷이 너무 입고 싶었던 캐시는 6인치 두께의 트레이닝 벨트를 사용해 자신의 허리를 26인치부터 단계적으로 줄여나갔다. 그녀는 가는 허리를 만들기 위한 수술은 전혀 받지 않았다.

얼굴에 한 가장 많은 피어싱

아르헨티나 빌라 마리아 출신의 악셀 로살레스는 2012년 2월 17일 기록상 얼굴에 280개의 피어싱을 했다.
2017년 1월 5일 기록상으로 미국 뉴저지 주 벨빌의 프란체스코 바카는 **혀에 한 가장 많은 피어싱**인 20개를 기록하고 있다.

귓불에 있는 가장 큰 플래시터널

칼라윌로 카이위(미국)가 두 귓불에 10.5cm짜리 바람구멍을 낸 게 2014년 4월 14일 미국 하와이 주 힐로 내추럴 헬스 클리닉에서 확인됐다.

타투(문신)

가장 많은 사람에게 문신으로 한 글자씩 새긴 문장

알렉산드로 보나코르시(이탈리아)는 2015년 10월 10일 이탈리아 모데나 리미디 디 솔리에라에서 "세계의 평화, 행복, 가족, 열정, 예술, 사랑, 타투, 음악을 위해 모두 한 걸음씩 나아가자(Step by step together for a world of peace happiness family passion art love tattoo and music)"라는 문장을 77명에게 한 글자씩 새겼다.

문신을 처음 한 최고령자

잭 레이놀즈(영국, 1912년 4월 6일생)는 영국 체스터필드에서 104세 생일날 타투를 했다.

한 만화 캐릭터로 가장 많이 문신한 사람

리 위어(뉴질랜드)의 〈심슨네 가족들〉을 향한 사랑은 진실하다. 그는 몸에 41개의 호머 심슨 문신을 했다. 이 기록은 2014년 6월 5일 뉴질랜드 오클랜드에서 확인됐다. 호머는 '잭 인 더 박스' 버전, '죽음의 신' 버전, 헐크 버전, 도넛 버전 등으로 새겨졌다. 마이클 백스터의 문신을 다시 보자(위 참조).

동시 헤나 최다 인원

2015년 7월 28일, 인도 구자라트 주 아난드에서 1,200명이 헤나를 했다.

트랜스휴머니즘 TRANSHUMANISM

'트랜스휴머니즘'이란 과학기술을 이용해 신체와 정신을 강화하고 인간의 한계를 뛰어넘는 걸 말한다.

▲ 패럴림픽에서 최초로 사용된 3D프린팅 의료보조기

사이클 선수 데니스 쉰들러(독일)는 3D프린터로 제작한 폴리카보네이트 의족을 하고 2016년 패럴림픽에 참가했다. 그녀는 3D프린터로 만든 보조기를 착용하고 대회에 출전한 최초의 선수로, 타임 트라이얼 종목에서 은메달, 로드 레이스에서 동메달을 획득했다. 데니스의 의족은 무게가 고작 812g이었으며, 신체 스캔 후 제작까지 겨우 48시간이 걸렸다.

최초의…

카메라 삽입

이라크 출생의 사진작가이자 미국 뉴욕대학교의 교수인 와파 비랄은 2010년 11월, 예술 프로젝트 '3rdi'를 위해 카메라를 신체에 삽입했다. 그는 말 그대로 '뒤통수에도 눈이 달렸으면 좋겠다'는 생각을 실현하기 위해 두피에 티타늄판을 달고 카메라를 설치했다. 카메라는 1분 간격으로 사진을 찍어 인터넷에 올렸으며, 이 이미지들은 카타르에 있는 미술관의 디지털 설치 작품에 전시됐다.

지진 탐지 기술을 탑재한 바이오해커

'바이오해킹'이란 신체에 '사이버네틱(Cybernetic)' 장비를 삽입해 능력을 강화하는 걸 말한다. 2013년, 예술가이자 무용수인 문 리바스(스페인)는 지구에서 발생하는 모든 지진에 관한 정보를 실시간으로 받는 보형물을 자신의 왼쪽 팔에 삽입했다. 맞춤 제작한 스마트폰 앱으로 작동하게 되어 있는데 전 세계 지진 탐지시설과 연결되어 리히터 지진계 수치 1도 감지할 수 있다. 지진의 강도에 따라 리바스의 팔에 삽입된 보형물에 진동이 전해진다. 그녀는 자신이 경험하는 진동을 예술로 승화해 무대 위에서 표현하기도 한다.

바이오모니터링 컴퓨터 삽입

소프트웨어 개발자 팀 캐논(미국)은 바이오해킹의 선구자로, 해당 기술을 개발하는 그라인드하우스 웻웨어의 공동 창립자다. 2013년, 그는 자신의 팔뚝 피부 아래 '그라인드하우스 서카디아 보디 센서'를 최초로 삽입했다. 이는 일정한 시간 간격으로 사람의 체온과 맥박을 스마트폰에 전송하는 장치다. 서카디아는 배터리 충전 상태를 LED로 표시해 피부에 투과되는 빛으로 확인할 수 있으며, 무선 충전이 가능하다. 약 3개월 정도 유지된다.

완전한 인공 팔

10년 전 팔을 잃은 스웨덴의 트럭 운전사가 2013년 1월, 남아 있는 뼈와 신경에 인공 팔을 부착한 최초의 이식자가 됐다. 스웨덴 예테보리의 찰머스 공과대학교의 과학자들은 먼저 남자의 팔 상박 골수에 티타늄 보형물을 영구적으로 삽입했다. 그런 뒤 전극으로 조종하는 의수를 역시 상박에 부착했다. 이 기술은 피부 표면에 장치된 센서를 이용해 정교하고 안정적으로 인공 팔을 조종하게 만든다.

이어폰 삽입

2013년, 리치 리(미국)는 스피커를 그의 이주(바깥 귀)에 삽입해 음악을 듣고 목에 감은 전자기 코일을 사용해 통화까지 할 수 있게 했다.

Q: '사이보그'는 무엇의 줄임말일까?

A: 사이버네틱 유기체

리는 삽입한 장비들을 업그레이드해 박쥐처럼 반향정위(소리나 초음파를 내어 그 반향으로 사물을 인지)가 가능하게 할 계획이다.

3D프린터로 만든 생체공학 귀

2013년 5월, 미국 뉴저지 프린스턴 대학교의 나노기술 과학자들은 존스홉킨스 대학교와 함께 무선주파수를 조절할 수 있는 인공 귀를 3D프린터로 제작했다. 일반적으로 구매할 수 있는 프린터를 사용했고, 조직공학 분야(생체 기능의 유지·향상·복원을 목표로 하는 학문)에서 틀을 만드는 데 사용하는 하이드로젤을 재료로 썼다. 인공 귀는 5GHz 이상의 주파수를 잡을 수 있다.

팔에 귀를 심은 사람

행위예술가이자 호주 퍼스 커틴 대학교의 연구원인 스텔락(호주, 키프로스 출생)은 2007년 자신의 팔 피부 아래 '3번째 귀'를 만들었다. 이 프로젝트는 연구와 모금에 10년이나 걸렸다. 하지만 스텔락은 인체에 거부반응이 없는 틀을 써 자신의 세포를 바탕으로 귀를 만들어 줄 3명의 성형외과 의사를 결국 찾아냈다. 세포들은 보형물을 따라 자랐고, 피가 흐르는 진짜 살아 있는 몸의 일부가 됐다. 하지만 그 귀로 소리를 듣지는 못한다.

구매할 수 있는 바이오 나침반

노스 센스(아래)는 사람의 흉부에 붙이는 작은 나침반으로 사용자가 북쪽을 향하면 진동으로 신호를 보낸다. 이 제품은 바이오해킹 그룹인 사이보그 네스트가 사람들이 나침반을 보지 않고도 방향을 알 수 있도록 하기 위해 만들었다. 사용자는 마치 육감으로 북쪽을 찾아내듯 몸속의 진동을 '느끼게' 된다. 피어싱용 영구 금속 바에 둘러싸여 있는 노스 센스는 금속 바를 몸속에 피어싱으로 해 영구적으로 고정하게 되어 있다. 판매는 2016년 6월부터 시작했다. 가장 많은 보형물 삽입으로 신기록을 세운 닐 하비슨이 사이보그 네스트의 공동 창립자 중 한 명이다(아래 참조).

◀ 최초의 안테나 삽입

100%

2004년, 닐 하비슨(영국)은 자신의 두개골 뒤에 안테나를 설치했다. 그는 태어날 때부터 전색맹으로, 검은색과 흰색을 제외하고 그 어떤 색도 인지하지 못했다. 눈앞에 부착된 카메라와 연결된 안테나는 색을 빛의 파동으로 인지하고 소리로 바꿔 그에게 음파(소리)로 전달한다. 현재는 하비슨이 들을 수 있는 색의 범위가 넓어졌는데, 낮은 음은 어두운 붉은색으로 인지하고 높은 음은 보라색으로 인지한다. 그는 **공식적으로 기록된 최초의 사이보그**다.

인공기관의 역사

기원전 10~8세기
기원전 950~710년 전 여성 귀족의 미라에서 나온 나무와 가죽으로 만든 엄지발가락이 **가장 오래된 인공기관**으로 알려져 있다.

기원전 5세기
헤로도투스는 다리가 잘린 군인을 위해 나무 의족을 만들었다고 기록했다.

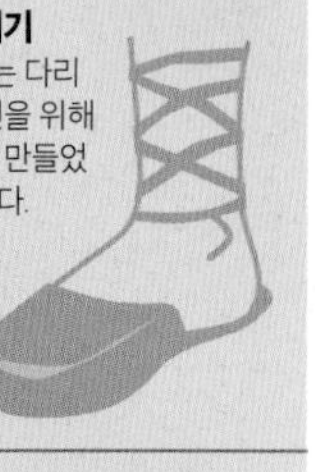

약 기원전 200년
로마 장군 마르쿠스 세르기우스는 오른손을 잃자 철로 손을 만들어 방패를 들 수 있게 했다.

약 1540년
군의관 앙브루아즈 파레(프랑스)는 스프링으로 작동하는 기계 손 '레 프티 로랭'과 잠금 기능이 있는 무릎관절을 만들었다.

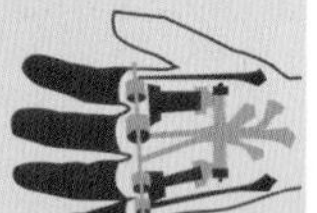

1861년
미국 남북전쟁에 연합군으로 참전해 교전 중 다리를 잃은 제임스 행어는 후에 '행어 림'을 제작해 특허를 받았다. 이 인공기관은 무릎과 발목에 경첩이 달려 있다.

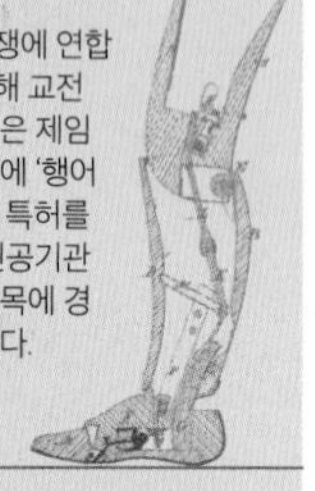

1880년대
최초의 유리 콘택트렌즈는 유리 제조인인 F A 뮐러(독일)가 만들었다. 내과의사 아돌프 픽(덴마크)과 안경사 오이게네 칼트(프랑스)도 비슷한 시기에 제작했다.

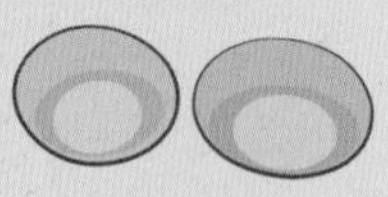

1982년
그래엄 클라크(호주)는 최초의 '바이오닉(인체에 전자기기나 기계를 설치) 인공기관'이라고 부를 수 있는 인공 귀를 발명했다.

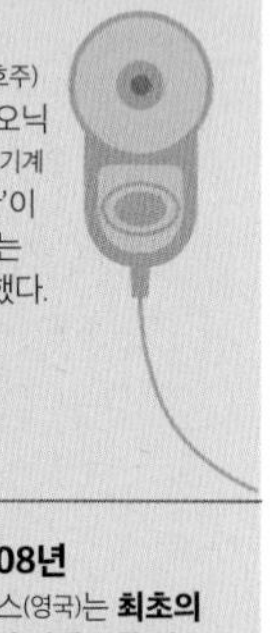

2008년
터치 바이오닉스(영국)는 **최초의 일반 구매가 가능한 인체 공학 의수**인 'i-림(i-limb)'을 출시했다.

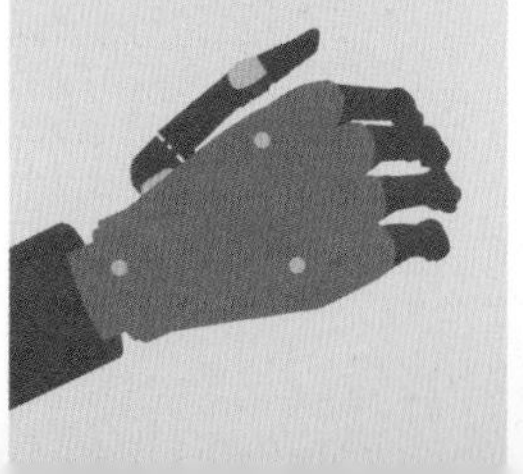

▲ 비디오게임을 보고 만든 최초의 팔

2015년 4월에 구상하고 2016년 6월 1일 완성한 '젠슨 암'은 영국 기업 오픈 바이오닉이 비디오게임을 바탕으로 만든 최초의 인공 팔이다. 게이머 다니엘 멜빌(영국)의 이 의수는 게임 〈데이어스 엑스〉의 주인공 아담 젠슨의 팔을 본 따 만들었다. 이 게임은 신체를 업그레이드하는 트랜스휴먼이 사는 미래 시대를 배경으로 한 사이버 펑크 장르다. 3D 프린터로 제작하고, 입을 수 있게 만드는 데 약 1개월이 걸렸다.

▲ 최초의 인체 공학 카메라 의안(義眼)

2009년, 롭 스펜스(캐나다)는 인체 공학 눈을 개발해 자신이 어린 시절 잃은 안구를 대신했다. '아이보그'로 알려진 이 의안은 안에 작은 디지털카메라가 탑재돼 있어, 녹화한 영상을 무선으로 전송한다. 이 의안 중 한 버전은 1984년 영화 〈터미네이터〉에 나온 사이보그처럼 빨간 LED 빛을 발사한다.

▶ 동력형 외골격을 입고 최장 거리 이동

2005년, 몬티 리드(미국)는 '세인트 패트릭의 날 달리기 대회'에서 자신의 '생명 유지 장치' 외골격 장비를 입고 95분 동안 5.47km를 이동했다. 평균 속도는 3.2km/h가 조금 넘었다. 리드는 미국 특수부대 레인저로 복무하던 중 1987년 허리를 다쳤고, 그 후 동력형 로봇 외골격 장비를 설계하고 제작했다.

▶ '마음'으로 움직이는 의수

사고로 양팔을 잃은 레슬리 보(미국)는 2014년 12월, 신경으로 조종하는 바이오닉(인체 공학) 팔을 장착한 최초의 사람이 됐다. 이 팔은 미국 메릴랜드 주 존스홉킨스 대학교가 개발했다. 레슬리는 인공 팔에 신경을 연결해 조종할 수 있게 만드는 수술을 받았다. 그런 뒤 각각의 팔을 따로 움직일 수 있을 때까지 마음을 집중하는 훈련을 받았다.

▲ 타투 기계를 장착한 최초의 의수

2016년, 예술가이자 기술자인 J L 곤잘은 리옹에서 활동하는 타투 아티스트 J.C. 쉐이탕 테닛(둘 다 프랑스, 위)에게 탈부착이 가능한 타투 건을 만들어줬다. 곤잘은 오래된 기계식 타자기와 축음기를 활용해 가벼우면서 스팀펑크 분위기가 나는 의수를 제작했다. 어린 시절 오른팔 전박을 잃은 테닛은 이 기계를 자신의 작품에 명암을 넣는 데 주로 사용한다.

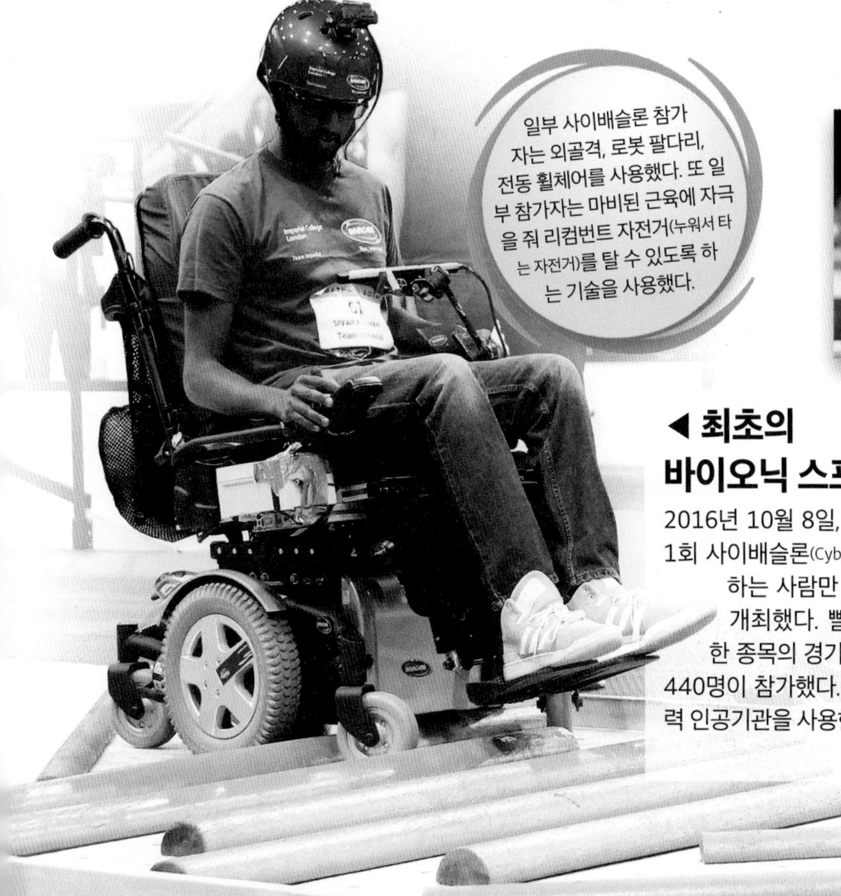

일부 사이배슬론 참가자는 외골격, 로봇 팔다리, 전동 휠체어를 사용했다. 또 일부 참가자는 마비된 근육에 자극을 줘 리컴번트 자전거(누워서 타는 자전거)를 탈 수 있도록 하는 기술을 사용했다.

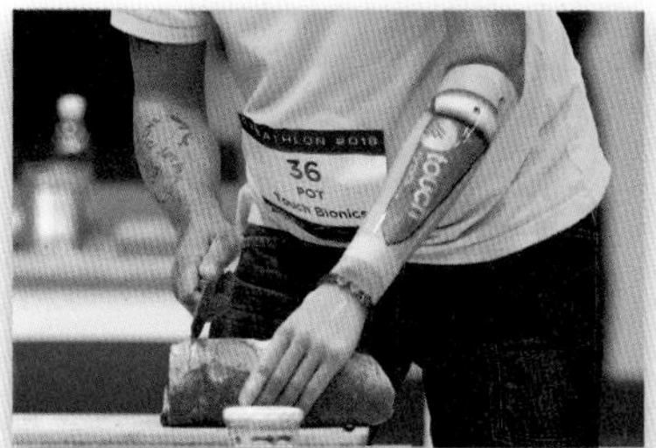

◀ 최초의 바이오닉 스포츠 대회

2016년 10월 8일, 스위스 취리히 연방공과대학교가 제1회 사이배슬론(Cybathlon), 즉 바이오닉 인공기관을 사용하는 사람만 참가할 수 있는 '바이오닉 올림픽'을 개최했다. 빨래하기부터 장애물 넘기 같은 다양한 종목의 경기가 시행됐고, 여러 국가에서 66개 팀, 440명이 참가했다. 패럴림픽과는 달리 사이배슬론은 동력 인공기관을 사용한다.

피트니스 광(狂) FITNESS FANATICS

패디 도일(영국)은 1년 동안 150만 230개의 푸시업을 했다.
매일 4,100개 가까이 한 셈이다.

▲ **두 손가락 최다 풀 업(1분)**

2016년 3월 19일, 잠시드 투라에프(우즈베키스탄)는 키프러스 리마솔에 있는 피트니스 클럽에서 1분 동안 검지와 중지로 풀 업 19개를 성공시켰다. 이 기록을 세우기 위해 5년간 연습한 투라에프는 할당된 시간 내에 25개를 했지만, 그중 6개는 규정을 어겨 기록으로 인정받지 못했다.

풀 업 & 친 업

시간 내 최다 풀 업…	기록	이름	장소	날짜
1분	50개	마이클 에케르트(미국)	일본, 이와쿠니	2015년 10월 11일
1분(박수)	30개	블레이크 어거스틴(미국)	미국, 네오쇼	2015년 12월 19일
1분(머리 뒤로 바 넘기기)	23개	잠시드 투라에프(우즈베키스탄)	키프로스, 리마솔	2015년 5월 16일
1분(두 손가락, 오른쪽 참조)	19개	잠시드 투라에프(우즈베키스탄)	키프로스, 리마솔	2016년 3월 19일
1분(18kg 가방)	29개	론 쿠퍼(미국)	미국, 올스턴	2016년 7월 20일
	29개	애덤 샌델(미국)	미국, 올스턴	2016년 7월 20일
1분(27kg 가방)	23개	론 쿠퍼(미국)	미국, 마블헤드	2016년 7월 23일
1시간	1.009개	스티븐 하이랜드(영국)	영국, 스톤리	2010년 8월 1일
1시간(여성)	725개	에바 클라크(호주)	UAE, 아부다비	2016년 3월 10일
6시간	3,515개	앤드루 샤피로(미국)	미국, 그레이트폴스	2016년 5월 14일
12시간	5,742개	앤드루 샤피로(미국)	미국, 그레이트폴스	2016년 5월 14일
12시간(여성)	2,740개	에바 클라크(호주)	UAE, 아부다비	2016년 5월 11일
24시간	7,306개	앤드루 샤피로(미국)	미국, 그레이트폴스	2016년 5월 14일
익스플로시브 풀 업…	**기록**	**이름**	**장소**	**날짜**
4m 오르기	8.23초	타치오 가비올리(이탈리아)	중국, 베이징	2012년 12월 7일
7m 오르기	19.5초	타치오 가비올리(이탈리아)	중국, 베이징	2016년 1월 12일
친 업…	**기록**	**이름**	**장소**	**날짜**
1분	57개	가이 쇼트(미국)	미국, 산타로사	2008년 12월 20일
1시간	993개	스티븐 하이랜드(영국)	영국, 스톤리	2011년 11월 16일
8시간	3,733개	스티븐 하이랜드(영국)	영국, 스톤리	2007년 6월 24일
12시간	4,040개	요나스 마키펠토(핀란드)	핀란드, 헬싱키	2016년 10월 28일
24시간	5,050개	요나스 뫼키펠토(핀란드)	핀란드, 램페레	2016년 2월 6~7일
인간깃발 자세	25개	쟁당슈안(중국)	중국, 베이징	2016년 1월 8일

* **풀 업:** 손등이 안쪽으로 향하게 바를 잡고 하는 턱걸이 / **친 업:** 손등이 바깥으로 향하게 바를 잡고 하는 턱걸이 / **익스플로시브 풀 업:** 마지막 당길 때 점프하듯 손을 튕기며 하는 턱걸이

▼ **밸런스 보드 위에서 피스톨 스쿼트를 한 최다 횟수(1분)**

실비오 사바(이탈리아)는 도끼날부터 미식축구공에 이르는 다양한 물체 위에서 피스톨 스쿼트하기 기록을 갖고 있다. 그는 2016년 6월 10일, 이탈리아 밀라노에서 1분 동안 밸런스 보드 위에서 22개의 피스톨 스쿼트를 하는 데 성공했다. 이전 기록을 1개 경신하며 간신히 신기록을 수립했다.

스쿼트, 스쿼트 스러스트 & 피스톨 스쿼트

시간 내 최다 스쿼트	기록	이름	장소	날짜
1분(한 발)	47개	실비오 사바(이탈리아)	이탈리아, 밀라노	2012년 1월 2일
1분(18kg 가방)	59개	실비오 사바(이탈리아)	이탈리아, 밀라노	2016년 9월 6일
1분(27kg 가방)	47개	실비오 사바(이탈리아)	이탈리아, 밀라노	2016년 7월 21일
1분(36kg 가방)	42개	실비오 사바(이탈리아)	이탈리아, 밀라노	2016년 7월 24일
1분(45kg 가방)	38개	패디 도일(영국)	영국, 버밍엄	2012년 12월 30일
1시간	4,708개	패디 도일(영국)	영국, 버밍엄	2007년 11월 8일
시간 내 최다 스쿼트 스러스트	**기록**	**이름**	**장소**	**날짜**
1분	70개	크레이그 디 벌트(영국)	영국, 마감	2007년 6월 24일
1분(18kg 가방)	21개	패디 도일(영국)	영국, 버밍엄	2011년 3월 28년
1시간(다리 바꿔서)	2,504개	패디 도일(영국)	영국, 런던	1992년 9월 3일
시간 내 최다 피스톨 스쿼트	**기록**	**이름**	**장소**	**날짜**
1분 바늘 침대 위	30개	실비오 사바(이탈리아)	영국, 런던	2015년 3월 6일
1분 쇠파이프 위	30개	실비오 사바(이탈리아)	이탈리아, 밀라노	2013년 10월 10일
1분 도끼날 3개 위 맨발	29개	실비오 사바(이탈리아)	이탈리아, 밀라노	2016년 7월 4일
1분 미식축구공 위	23개	실비오 사바(이탈리아)	이탈리아, 밀라노	2015년 7월 21일
1분 밸런스 보드(왼쪽 참조)	22개	실비오 사바(이탈리아)	이탈리아, 밀라노	2016년 6월 10일
1분 철 와이어로프 위	20개	실비오 사바(이탈리아)	이탈리아, 밀라노	2015년 5월 5일
1분 다른 사람 머리 위	18개	실비오 사바(이탈리아)	이탈리아, 밀라노	2016년 6월 21일

* **피스톨 스쿼트:** 한 발을 앞으로 들고 하는 스쿼트(앉았다 일어나는 자세) * **스쿼트 스러스트:** 스쿼트-엎드린 자세-일어서기(혹은 점프)의 연속동작

버피

시간 내 최다 횟수	기록	이름	장소	날짜
1분	47개	마리오 실베스트리(이탈리아)	이탈리아, 베나프로	2016년 3월 19일
1분(여성)	37개	웬디 아이다(미국)	미국, 레이크우드	2012년 7월 2일
1분(백 플립)	25개	조슈아 로미오(미국)	미국, 코랄 게이블스	2015년 12월 12일
1시간	1,840개	패디 도일(영국)	영국, 버밍엄	1994년 2월 4일
1시간(여성, 오른쪽 참조)	1,272개	에바 클라크(호주)	UAE, 두바이	2015년 1월 9일
1시간, 가슴을 땅에 대고	920개	에바 클라크(호주)	UAE, 두바이	2016년 11월 14년
12시간	8,718개	에바 클라크(호주)	UAE, 두바이	2015년 1월 9일
12시간(남성)	6,800개	리 라이언(영국)	UAE, 두바이	2015년 1월 9일
24시간	1만 2,003개	에바 클라크(호주)	UAE, 두바이	2015년 1월 10일
24시간(남성)	1만 110개	리 라이언(영국)	UAE, 두바이	2015년 1월 10일

* **버피:** 스쿼트-푸시업-일어서기(혹은 점프)의 연속동작

▲ **1시간 내 최다 버피(여성)**

군인 출신인 에바 클라크(호주)는 울트라마라톤부터 크로스핏, 주짓수에 이르기까지 육체적 한계에 도전하기를 즐긴다. 그녀는 2015년 1월 9일, UAE 두바이 오토드롬에서 1,272개의 버피를 했다.

푸시업

시간 / 방법	기록	이름	장소	날짜
한 손가락, 연속	124개	폴 린치(영국)	영국, 런던	1992년 4월 21일
90˚, 연속	16개	윌리 웰던스(프랑스)	프랑스, 파리	2014년 11월 9일
30초, 한 손가락	41개	시에 구이종(중국)	중국, 베이징	2011년 12월 8일
5시간, 한 팔	8,794개	패디 도일(영국)	영국, 버밍엄	1996년 2월 12일
12시간	1만 9,325개	패디 도일(영국)	영국, 버밍엄	1989년 5월 1일
24시간	4만 6,001개	찰스 세르비치오(미국)	미국, 폰타나	1993년 4월 25일
24시간, 주먹	9,241개	에바 클라크(호주)	UAE, 아부다비	2014년 2월 1일
1분 / 방법	**기록**	**이름**	**장소**	**날짜**
손등	132개	압둘 라티프 마흐무드 사딕(카타르)	카타르, 도하	2009년 11월 20일
전신 점프	82개	스티븐 버틀러(영국)	영국, 모르다	2011년 11월 17일
플라이오메트릭(1m 플랫폼으로 튀어 오르기)	9개	아메드 발렌티노 케리고(노르웨이)	중국, 베이징	2016년 1월 11일
물구나무(오른쪽 참조)	27개	맨벨 마모얀(아르메니아)	아르메니아, 예레반	2015년 10월 23일
플렌체(발이 땅에 닿지 않고)	36개	테무르 다디아니(조지아) *양발 절단	조지아, 트빌리시	2014년 8월 3일
아즈텍(한 번 할 때마다 공중에서 손으로 발을 터치한다)	50개	제이슨 센(미국)	미국, 팰로앨토	2014년 1월 18일
메디신볼 위	68개	마흐무드 하산 버트(파키스탄)	파키스탄, 카라치	2015년 6월 7일
박수	90개	스티븐 버틀러(영국)	영국, 모르다	2011년 11월 17일
주먹	85개	로만 도센바흐(스위스)	스위스, 바젤	2016년 12월 21일
양팔/ 두 손가락	52개	아리안 그로버(인도)	인도, 자이푸르	2015년 8월 26일
18kg 가방	77개	데이비드 와일먼(영국)	영국, 맨스필드	2013년 11월 27일
18kg 가방, 박수	55개	스티븐 버틀러(영국)	영국, 모르다	2011년 11월 17일
18kg 가방, 주먹	26개	이르판 메흐수드(파키스탄)	파키스탄, 카이베르파크툰크와	2016년 9월 5일
18kg 가방, 한 팔	33개	히로유키 곤도우(일본)	일본, 야마토	2014년 5월 10일
18kg 가방, 한 발 들고	31개	이르판 메흐수드(파키스탄)	파키스탄, 카이베르파크툰크와	2016년 7월 21일
18kg 가방,	57개	론 쿠퍼(미국)	미국, 마블헤드	2016년 2월 11일
27kg 가방	22개	패디 도일(영국)	영국, 버밍엄	2011년 7월 18일
27kg 가방, 한 팔	38개	패디 도일(영국)	영국, 버밍엄	2011년 7월 18일
27kg 가방, 손등	51개	로흐타쉬 추다리(인도)	인도 파리다바드	2016년 6월 21일
36kg 가방	21개	패디 도일(영국)	영국, 버밍엄	2011년 9월 8일
36kg 가방, 한 팔	37개	패디 도일(영국)	영국, 버밍엄	2012년 1월 8일
36kg 가방, 한 발 들고	21개	이르판 메흐수드(파키스탄)	파키스탄, 카이베르파크툰크와	2016년 9월 5일
45kg 가방	38개	론 쿠퍼(미국)	미국, 마블헤드	2016년 12월 2일
45kg 가방, 손등	26개	패디 도일(영국)	영국, 버밍엄	2012년 1월 8일
1시간 / 방법	**기록**	**이름**	**장소**	**날짜**
양팔	2,392개	로만 도센바흐(스위스)	스위스, 바젤	2016년 11월 29일
손등	1,940개	패디 도일(영국)	영국, 버밍엄	2007년 11월 8일
한팔	1,868개	패디 도일(영국)	영국, 버밍엄	1993년 11월 27일
한팔, 손등	1,025개	더그 푸르던(캐나다)	캐나다, 에드먼턴	2008년 11월 8일
주먹	2,175개	시에드 타지 무하마드(파키스탄)	파키스탄, 카라치	2016년 3월 20일
주먹(여성)	1,206개	에바 클라크(호주)	UAE, 아부다비	2014년 1월 31일
18kg 가방, 손등(오른쪽 참조)	663개	패디 도일(영국)	영국, 버밍엄	2008년 5월 13일

▲ 1분 내 최다 물구나무 푸시업

2015년 10월 23일, 운동선수 멘벨 마모얀(아르메니아)은 아르메니아 예레반에서 물구나무 자세로 60초 동안 27개의 푸시업을 했다. 이 자세에서 횟수를 인정받으려면 팔꿈치를 90° 이상 굽힌 다음에 다시 팔을 곧게 뻗어야 한다.

▲ 18kg 가방을 메고 1시간 동안 손등으로 푸시업 한 최다 횟수

2008년 5월 13일, 패디 도일(영국)은 1시간 동안 손등으로 푸시업을 663개나 했다. 패디는 등에 4살 아이 몸무게와 맞먹는 무게의 가방을 메고 있었다!

▲ 트레드밀(러닝머신) 위에서 한 발 뛰기를 가장 오래 한 사람

세계 줄넘기 챔피언을 7회나 한 피터 네슬러(미국)가 2014년 9월 6일, 미국 오클라호마 주 털사에서 트레드밀 위를 한 발로 8분 6.5초 동안이나 뛰었다. 속도는 6.5km/h로 일정했다. 피터는 뜀뛰기 마라톤 훈련을 하던 중 이 기술을 익혔다.

트레드밀

최장 거리…	기록	이름	장소	날짜
12시간	143.84km	로니 델저(미국)	미국, 우드랜즈	2016년 8월 20일
12시간(여성)	128.62km	버나뎃 벤슨(호주)	호주, 퍼스	2016년 5월 28일
24시간	260.40km	데이브 프록터(캐나다)	캐나다, 캘거리	2016년 5월 28일
24시간(여성)	247.20km	에디트 베르세스 (헝가리)	헝가리, 부다페스트	2004년 5월 9일
48시간	405.22km	토니 망간(이스라엘)	아일랜드, 롱퍼드	2008년 8월 24일
48시간(여성)	322.93km	크리스티나 팔텐(스웨덴)	스웨덴, 스톡홀름	2014년 11월 5일
48시간(12명 팀)	868.64km	포르셰 휴먼 퍼포먼스(영국)	영국, 굿우드	2009년 7월 5일
1주일	833.05km	새론 게이터(영국)	영국, 미들즈브러	2011년 12월 21일
1주일(남성)	827.16km	마르시우 비야르 아마랄(브라질)	브라질, 리우데자네이루	2015년 7월 4일
최단 시간…	**기록**	**이름**	**장소**	**날짜**
50km(여성)	3시간 55분 28초	젬마 카터(영국)	영국, 런던	2015년 3월 6일
80.47km(남성)	7시간 1분	이안 그리피스(영국)	영국, 고드허스트	2001년 11월 7일
100km	6시간 21분 40 초	필 앤서니(영국)	영국, 캔터베리	2014년 12월 3일
100km(여성)	8시간 30분 34초	에이리얼 피츠제럴드(캐나다)	캐나다, 캘거리	2016년 5월 28일
100km(12명 팀)	5시간 1분 20초	하이 퍼포먼스 러닝(벨기에)	벨기에, 로케런	2013년 12월 14일
160.93km	13시간 42분 33초	스레쉬 요아킴(호주)	캐나다, 미소시거	2004년 11월 28일
160.93km(여성)	14시간 15분 8초	에디트 베르세스(헝가리)	헝가리, 부다페스트	2004년 3월 9일
160.93km(12명 팀)	8시간 23분	래들리 대학(영국)	영국, 애빙던	2011년 2월 13일

* 모든 기록은 2016년 12월 21일 기준이다.

인간의 힘 FEATS OF STRENGTH

북한 역도 팀은 자신들의 성공을 김치와 냉면 덕분이라고 말했다.

▲ **2분간 사람을 들어서 던진 최다 기록**

아네타 플로치크(폴란드)는 2008년 12월 19일 스페인의 〈기네스 세계기록〉 무대에 올라 남성 지원자 12명을 들어서 던졌다. 앞선 참가자 이레네 구티에레즈(스페인)의 기록 10명은 단 몇 분 만에 깨지고 말았다. 아네타는 맨손으로 프라이팬을 말아버리는 영상이 입소문을 타면서 유명해졌다.

역기

종목	기록	이름	장소	날짜
암 컬(1시간)	50,320kg	이몬 킨(아일랜드)	아일랜드, 루이스브로	2012년 5월 31일
암 컬(1분)	3,600kg	이몬 킨(아일랜드)	아일랜드, 루이스브로	2012년 11월 18일
벤치프레스(1회)	401.5kg	블레인 섬너(미국)	미국, 콜럼버스	2016년 3월 5일
벤치프레스(1시간, 한 팔)	10,458.42kg	다리우스 슬로윅(캐나다)	덴마크, 호른슬레트	2016년 6월 2일
벤치프레스(1시간, 양팔)	138,480kg	이몬 킨(아일랜드)	미국, 마리나델레이	2003년 7월 22일
벤치프레스(1분)	6,960kg	이몬 킨(아일랜드)	아일랜드, 루이스브로	2012년 11월 18일
파워리프트 벤치프레스(12시간)	815,434kg	글렌 테노버(미국)	미국, 어바인	1994년 12월 17일
프레스, 스탠딩(1시간)	68,500kg	이몬 킨(아일랜드)	아일랜드, 루이스브로	2012년 12월 8일
프레스, 스탠딩(1분)	4,000kg	이몬 킨(아일랜드)	아일랜드, 루이스브로	2012년 12월 8일
로(1시간)	126,720kg	이몬 킨(아일랜드)	아일랜드, 루이스브로	2012년 11월 18일
로(1분)	4,700kg	이몬 킨(아일랜드)	아일랜드, 루이스브로	2012년 12월 8일
스탠딩 업라이트 로(1분)	4,440kg	이몬 킨(아일랜드)	아일랜드, 루이스브로	2012년 11월 18일
데드리프트(스트롱맨, 1회)	500kg	에디 홀(영국)	영국, 리즈	2016년 7월 9일
데드리프트(타이어, 1회)	524kg	지드루나스 사비카스(리투아니아)	미국, 콜럼버스	2014년 3월 1일
데드리프트(한 손가락)	121.70kg	베닉 아이슬리리안(아르메니아)	아르메니아, 예레반	2012년 2월 12일
데드리프트(새끼 손가락)	110kg	수린 아가베이얀(아르메니아)	아르메니아, 예레반	2013년 3월 23일
데드리프트(24시간)	475,065kg	이안 앳킨슨(영국)	영국, 워링턴	2002년 11월 16일
데드리프트(1시간)	115,360kg	이몬 킨(아일랜드)	아일랜드, 루이스브로	2013년 7월 14일
데드리프트(1분)	5,520kg	이몬 킨(아일랜드)	아일랜드, 루이스브로	2012년 11월 18일
스모 데드리프트(1시간, 남성)	54,464kg	닉 맬러리(영국)	영국, 헤멜헴프스테드	2011년 3월 21일
스모 데드리프트(1시간, 여성)	47,552.9kg	티에나 호(미국)	미국, 샌프란시스코	2010년 8월 14일
스모 데드리프트(1분)	9,130kg	그렉 오스틴 듀셋(캐나다)	캐나다, 핼리팩스	2015년 8월 9일
스쿼트(24시간)	459,648kg	숀 존스(영국)	영국, 노위치	2010년 3월 23일
스쿼트(1시간)	57,717.36kg	월터 어번(캐나다)	미국, 뉴욕	2011년 9월 16일
스쿼트(1분)	5,035.42kg	조슈아 스페이스(미국)	미국, 케너윅	2015년 8월 15일

왼쪽은 이몬 킨(중앙)이 12개의 기네스 세계기록 증서를 받는 모습이다. 이몬은 운동을 하지 않을 때는 초등학교 선생님으로 일하고 있다!

덤벨

종목	기록	이름	장소	날짜
프런트 레이즈(1시간)	18,830kg	이몬 킨(아일랜드)	아일랜드, 루이스브로	2011년 10월 12일
프런트 레이즈(1분)	1,215kg	이몬 킨(아일랜드)	아일랜드, 루이스브로	2013년 10월 16일
로, 양손(1시간)	32,730kg	이몬 킨(아일랜드)	아일랜드, 캐슬바	2010년 3월 30일
로, 한손(1분)	1,975.85kg	로버트 나톨리(미국)	미국, 리버풀	2014년 3월 22일
스탠딩 덤벨 프레스(1분, 여성)	910kg	크리스틴 로즈(미국)	중국, 베이징	2012년 12월 4일
인클라인 덤벨 플라이(1시간)	40,600kg	이몬 킨(아일랜드)	아일랜드, 루이스브로	2011년 9월 28일
인클라인 덤벨 플라이(1분)	2,160kg	이몬 킨(아일랜드)	아일랜드, 루이스브로	2013년 10월 16일
래터럴 레이즈(1시간)	19,600kg	이몬 킨(아일랜드)	아일랜드, 루이스브로	2011년 2월 1일
래터럴 레이즈(1분)	1,575kg	이몬 킨(아일랜드)	아일랜드, 루이스브로	2013년 10월 16일
리어 레터럴 레이즈(1시간)	32,500kg	이몬 킨(아일랜드)	아일랜드, 루이스브로	2010년 10월 6일
리어 레터럴 레이즈(1분)	1,845kg	이몬 킨(아일랜드)	아일랜드, 루이스브로	2013년 10월 16일

▲ **최단 시간 케틀벨 옮기기(225kg×3개)**

지드루나스 '빅 Z' 사비카스(리투아니아)는 2014년 6월 26일, 이탈리아에서 열린 〈로 쇼 데 레코드〉 무대에 올라 31.60초 만에 225kg짜리 케틀벨 3개를 계단 5칸 위로 옮겼다. 케틀벨 하나의 무게는 그랜드 피아노 절반 정도가 된다.

케틀벨

종목	기록	이름	장소	날짜
롱 사이클(1시간)	33,184kg	아나톨리 예조프(벨라루스)	크로아티아, 자그레브	2014년 9월 21일
밀리터리 프레스(1시간, 남성)	51,030kg	아나톨리 예조프(벨라루스)	이스라엘, 텔아비브	2015년 6월 7일
밀리터리 프레스(1시간, 여성)	26,441.8kg	라리사 스트루체바(러시아)	러시아, 아르한겔스크	2016년 2월 7일
스내치(1시간, 남성)	34,160kg	예브게니 나자리비치(벨라루스)	벨라루스, 그로드노	2015년 4월 13일
스내치(1시간, 여성)	14,430.3kg	안나 레반도프스카(폴란드)	벨라루스, 그로드노	2015년 10월 17일
저크(1시간)	53,424kg	아나톨리 예조프(벨라루스)	우즈베키스탄, 타슈켄트	2014년 6월 15일
스윙(1시간)	21,224kg	제이슨 피터 지(미국)	미국, 브라이턴	2015년 6월 6일
스윙(1시간, 여성)	20,816kg	에스테르 푈레키(헝가리)	헝가리, 죈죄시	2016년 9월 17일

무거운 물체 끌기

신체부위/방법	대상	기록	이름	장소	날짜
혀(여성)	여성	113kg	일레인 데이비드슨(영국)	영국, 런던	2012년 9월 16일
혀(남성)	여성	132kg	고르도 갬스비(호주)	영국, 런던	2012년 9월 16일
눈구멍-안와	인력거와 여성 3명	411.65kg	'스페이스 카우보이' 체인 홀트겐(호주)	이탈리아, 밀라노	2009년 4월 25일
귀(피어싱)	경비행기	677.8kg	조니 스트레인지(영국)	영국, 노스윌드	2014년 5월 12일
비강과 입을 통과시킨 갈고리	자동차	983.1kg	라이언 스톡(캐나다)	터키, 이스탄불	2013년 6월 5일
눈꺼풀	자동차	1,500kg	동창성(중국)	중국, 창춘	2006년 9월 26일
귀(귀걸이)	자동차	1,562kg	가오린(중국)	중국, 베이징	2006년 12월 19일
삼킨 칼	자동차	1,696.44kg	라이언 스톡(캐나다)	미국, 라스베이거스	2008년 10월 28일
귀(고정, 여성)	밴	1,700kg	아샤 라니(인도)	영국, 레스터	2013년 6월 20일
수염	자동차	2,205kg	카필 겔롯(인도)	인도, 조드푸르	2012년 6월 21일
	기차 1칸	2,753.1kg	이스마엘 리바스 팔콘(스페인)	스페인, 마드리드	2001년 11월 15일
하이힐	트럭	6,586.16kg	리아 그리마니스(캐나다)	캐나다, 토론토	2014년 6월 11일
머리카락(남성)	버스	9,585.4kg	헤이춘(중국)	중국, 장인	2015년 1월 13일
머리카락(여성)	이층버스	12,216kg	아샤 라니(인도)	이탈리아, 밀라노	2014년 7월 7일
팔씨름 자세	소방차	14,470kg	케빈 패스트(캐나다)	캐나다, 코부르그	2016년 4월 13일
치아	버스와 승객 12명	13,713.6kg	이고르 자리포프(러시아)	중국, 장인	2015년 1월 7일
	기차 2칸	260.8톤	베루 라타크리쉬난(말레이시아)	말레이시아, 쿠알라룸푸르	2003년 10월 18일
	대형 선박	576톤	오마르 하나피에프(러시아)	러시아, 마하치칼라	2001년 11월 9일

▲ 집 끌기

기네스 기록을 다수 보유하고 있는 케빈 패스트(캐나다) 목사님이 2010년 9월 18일, 캐나다 온타리오 코부르그에서 35.9톤의 집을 11.95m 끌었다. 모금행사의 일환으로 펼쳐진 이 도전은 1분 1초가 걸렸다. 힘이 장사인 케빈 목사님은 자신의 성공이 잘 튀겨진 감자튀김에 녹인 치즈와 그레이비소스를 끼얹은 음식, '푸틴' 덕분이라고 말한다.

▲ 귀의 피어싱으로 들어 올린 최고 무게

2016년 8월 21일, 영국 블랙풀 노브렉 캐슬 호텔에서 곡예사 조니 스트레인지(영국)가 귀의 피어싱 구멍으로 21.63kg짜리 맥주 통을 들어 올렸다. 자신의 종전 기록은 6.73kg였다. 그의 별명이 '강철 귀의 사나이'인 건 당연한 결과다.

무거운 물체 들기

신체부위/방법	기록	이름	장소	날짜
이마를 관통한 갈고리	4.5kg	버너비 Q 오르박스(캐나다)	이탈리아, 밀라노	2014년 7월 21일
눈구멍-안와(여성)	6kg	아샤 라니(인도)	인도, 마힐푸르	2013년 2월 1일
볼의 고리	6.89kg	스위트 페퍼 클로펙(캐나다)	캐나다, 세인트존	2016년 7월 18일
손톱	9.98kg	앨래구 프라타(인도)	인도, 타밀나두	2016년 9월 18일
혀	12.5kg	토마스 블랙손(영국)	멕시코, 멕시코시티	2008년 8월 1일
멘탈플로스(입과 코를 통과한 끈)	15.8kg	크리스토퍼 스닙(영국)	영국, 그레이브젠드	2013년 5월 11일
귀(피어싱, 들어서 돌리기)	16kg	'리자드 맨' 에릭 스프래그(미국)	이탈리아, 밀라노	2014년 6월 19일
눈구멍-안와(남성)	16.2kg	만지트 싱(인도)	영국, 레스터	2013년 9월 12일
귀(피어싱)	21.63kg	조니 스트레인지(영국, 왼쪽 참조)	영국, 블랙풀	2016년 8월 21일
양쪽 눈구멍-안와(여성)	22.95kg	엘렌 '핑키' 펠(미국)	미국, 채터누가	2016년 4월 2일
발가락	23kg	가이 필립스(영국)	영국, 호닝	2011년 5월 28일
양쪽 눈구멍-안와(남성)	24kg	만지트 싱(인도)	영국, 레스터	2012년 11월 15일
젖꼭지	32.6kg	'남작' 미카 니에미넨(핀란드)	영국, 런던	2013년 7월 19일
양쪽 귀(고정)	34.9kg	아샤 라니(인도)	인도, 람푸르	2014년 7월 18일
팔을 관통한 갈고리	45.18kg	버너비 Q 오르박스(캐나다)	캐나다, 세인트존	2015년 7월 17일
견갑골	51.4kg	팽이시(중국)	중국, 베이징	2012년 12월 8일
머리카락(여성)	55.6kg	아샤 라니(인도)	인도, 람푸르	2014년 7월 18일
수염	63.80kg	안타나스 콘트리마스(리투아니아)	터키, 이스탄불	2013년 6월 26일
새끼손가락	67.5kg	크리스티안 홀름(노르웨이)	노르웨이, 헤르포스	2008년 11월 13일
머리카락(남성)	81.5kg	압두라흐만 압둘라지조프(러시아)	러시아, 주부틀리 미아틀리	2013년 11월 16일
한쪽 귀(고정)	82.6kg	라케시 쿠마르(인도)	터키, 이스탄불	2013년 7월 25일
치아	281.5kg	월터 아르퓨이(벨기에)	프랑스, 파리	1990년 3월 31일
목	453.59kg	에릭 토드(미국)	미국, 터니	2013년 10월 19일
숨(봉투)	=1,990.25kg	브라이언 잭슨(미국)	중국, 장인	2015년 1월 12일
	=1,990.25kg	딩짜오하이(중국)	중국, 장인	2015년 1월 12일

그 외 여러 가지

대상	기록	이름	장소	날짜
벽돌 가슴높이로 많이 들기	102.73kg (20개)	프레드 버튼(영국)	영국, 치들	1998년 6월 5일
통나무(150kg, 1분)	900kg	지드루나스 사비카스(리투아니아)	이탈리아, 밀라노	2014년 7월 3일
건초더미(포스 바스크, 45kg 더미를 도르래로 7미터 올리기, 2분)	990kg	이나키 베르서 세인(스페인)	이탈리아, 밀라노	2009년 4월 25일
모루(18kg 이상, 90초)	1,584kg	알랭 비다(프랑스)	프랑스, 숄락-쉬-메르	2005년 8월 17일
바위 (포스 바스크, 100kg, 1분)	2,200kg	'이제타 2세' 호세 라몬 이루에타고이에나(스페인)	스페인, 마드리드	2008년 2월 16일
들기 최고 기록 (1회, 자동차 2대, 운전자와 플랫폼까지)	2,422.18kg	그렉 에른스트(캐나다)	캐나다, 브리지워터	1993년 7월 28일
바위(50.2kg 아틀라스 스톤, 1시간)	13,805kg	닉 맬러리(영국)	영국, 헤멜헴프스테드	2011년 10월 28일
맥주 통(62.5kg 통, 6시간)	56,375kg	톰 개스킨(영국)	영국, 뉴리	1996년 10월 26일

▲ 스쿼트 최다 기록(2분, 130kg 바, 여성)

마리아 스트리크(네덜란드)는 2012년 4월 4일, 이탈리아 로마의 <로 쇼 데 레코드>에서 130kg짜리 바를 2분 동안 스쿼트 자세로 29번 들어 올려 아네트 본 데 웨픈(독일)과 니나 거리아(우크라이나)의 도전을 물리치고 기록을 수립했다.

100m 최고 기록 FASTEST 100 M...

100m는 어느 정도일까? 볼링 레인의 5배 정도 되는 길이다.
일반인 걸음으로 150보 정도이고, 모래알 한 알의 8만 배 정도 된다.

▲ 스페이스 호퍼 (여성)
디 맥두걸(영국)은 2004년 9월 26일, 영국 파이프 세인트앤드루스 대학교에서 100m를 39.88초에 통통 튀면서 달렸다. **스페이스 호퍼 100m 최고 기록**은 아시리타 퍼먼(미국)이 2004년 11월 16일, 미국 뉴욕 플러싱 메도스 공원에서 세운 30.2초다.

붐 워크(땅에 앉아 엉덩이로 걷기)
미키 사카베(일본)는 2009년 10월 25일, 일본 홋카이도 후카가와 시 육상 경기장에서 대둔근에 힘을 모아 100m를 11분 59초에 통과했다.

우표 입으로 불어 날리며 걷기
2010년 10월 3일, 크리스티안 쉐퍼(독일)는 독일 다하우에 있는 ASV 다하우에서 땅바닥의 우표를 입으로 불며 100m를 3분 3초에 통과했다.

욕조를 타고
토니 베인(뉴질랜드)은 2013년 8월 17일, 영국 카디프에서 열린 〈오피셜리 어메이징〉에서 물 위에 띄운 욕조를 타고 노를 저어 100m를 26.41초에 갔다.

외줄타기
아이시카이에르 위불리카시무(중국)는 2013년 6월 6일, 중국 저장 성 원저우 시에서 외줄을 타고 100m를 38.86초에 통과했다. **외줄 타고 뒤로 100m 가기 최고 기록**은 마우리치오 자바타(이탈리아)가 2014년 5월 20일, 중국 허난 성 카이핑에서 세운 1분 4.57초다.

페달 달린 보트(개인)
2013년 10월 13일, 주세페 치안티(이탈리아)는 이탈리아 레지오 칼라브리아의 마리나 디 실라에서 보트의 페달을 밟으며 100m를 38.7초에 갔다.

문워크
루오 란투(중국)가 2010년 12월 8일, 중국 베이징에서 100m를 문워크로 32.06초에 통과하는 퍼포먼스를 선보였다.

몬티스타(오른쪽 참조)는 몸에 감은 벨트에 세스타 비행기를 연결한 뒤 100m 끌기에 도전했다. 비행기는 500kg 이상으로 북극곰의 무게와 같다.

경비행기를 끌며
몬티스타 아가라왈(인도)은 2011년 2월 23일, 세스타 비행기를 끌고 100m를 29.84초에 갔다.

조빙
크리켓의 전설 앤드루 플린토프(영국)는 2012년 3월 19일, 'BT 스포트 릴리프 챌린지: 플린토프의 기록 경신' 행사에서 100m 코스를 조빙(2중으로 된 커다란 고무공 안에 사람이 들어가 구르는 액티비티)으로 26.59초에 통과했다.

트램펄린
스티브 존스(영국)는 2009년 2월 26일, 영국 크로손에서 열린 〈기네스 세계 기록 박살내기〉에서 100m 거리로 연결된 트램펄린을 24.11초 만에 주파했다.

Q: 우사인 볼트가 빠를까, 집고양이가 빠를까?

A: 집고양이가 빠르다. 볼트는 2009년 100m 세계 신기록을 세울 때 44.71km/h로 달렸지만, 고양이는 47.9km/h로 달릴 수 있다.

나막신을 신고
럭비 스타 드루 미첼(호주)은 2016년 3월 3일, 프랑스의 럭비 촬영장에서 나막신을 신고 100m를 14.43초에 달렸다. 이 발 빠른 왈라비 윙어는 같은 날 3가지 기록을 더 세웠다! 미첼은 극한의 고통을 참고 달려 2013년 10월 25일 안드레 오톨프(독일, 옆 페이지 참조)가 세운 이전 최고 기록 16.27초를 깨버렸다.

랩 점핑
건물 꼭대기에서 레펠을 몸에 감고, 벽에 발을 붙인 채 땅을 바라보며 서서 내려오는 랩 점핑 100m 최고 기록은 2011년 10월 23일, 루이스 펠리페 드 카르발류 레알(브라질)이 브라질에 있는 RB1 빌딩에서 세운 14.09초다.

외발 손수레를 밀며
오티스 고와(호주)는 2005년 5월 15일, 호주 퀸즐랜드 주 마리바에 위치한 데이비스 공원에서 외발 손수레를 끌고 100m 트랙을 14초 만에 질주했다.

말 모양 탈을 쓰고
셰인 크로퍼드와 아드리안 모트(둘 다 호주)가 2009년 7월 30일, 호주 멜버른에서 열린 〈더 푸티 쇼〉에 나와 2인용 말 모양 탈을 쓰고 100m를 12.045초에 통과했다. 사만다 카바나흐와 멜리사 아처(둘 다 영국)도 2005년 8월 18일, '클레이던 힐리 존스 메이슨'이 기획한 행사에서 **말 모양 탈을 쓰고 100m 달리기 최고 기록**(여성)을 달성했다(18.13초).

죽마를 타고
리앙 샤오룬(중국)이 2013년 8월 17일, 중국 베이징 사범대학교 아시아퍼시픽 부속학교에서 죽마를 타고 100m를 11.86초에 통과했다.

스키를 뒤로 타고
2009년 4월 27일, 앤디 버넷(영국)은 스키를 타고 거꾸로 내려오며 100m를 9.48초에 갔다. 이 기록은 영국 밀턴케인스에 있는 스노존 실내 슬로프에서 작성됐다.

◀ 물갈퀴 신고 100m 허들 최고 기록
2008년 9월 13일, 크리스토퍼 이름셔(독일)는 독일 쾰른에서 열린 기네스 세계기록 쇼 〈독일 최고 기록을 깨라〉에 나와 100m 허들 트랙을 물갈퀴를 신고 14.82초에 통과했다. 2년 뒤에는 베로니카 토르(뉴질랜드)가 **물갈퀴 신고 100m 허들 최고 기록**(여성)을 작성했다(18.523초). 이 기록은 2010년 12월 8일, 중국 베이징에서 열린 기네스 세계기록 스페셜 '젱 다 종 이'에서 달성되었다.

신기록을 만들고 싶은가?
아래는 아직 작성되지 않은 100m 종목이다. guinnessworldrecords.com에서 도전을 신청할 수 있다.

코에 숟가락을 붙이고

앞구르기로

인라인스케이트를 타고

조리 샌들을 신고

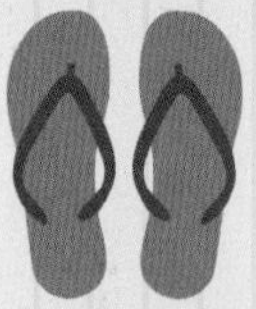

수자폰을 연주하며

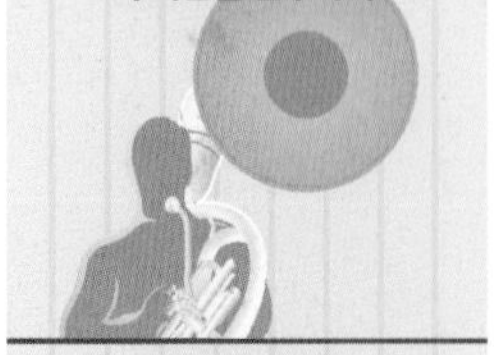

웨이터 모습으로

안대를 하고

외골격 로봇 장비를 착용하고

등 짚고 뛰어넘기로

1 2 3 4 5 6 7 8 9

◀ 하이힐 롤러스케이트를 신고

2013년 8월 21일, 마라와 이브라힘(호주)은 영국 런던의 레전트 공원에서 하이힐 롤러스케이트를 신고 100m를 26.1초에 미끄러지듯 지나갔다. 재주가 많은 마라와는 4년 뒤인 2017년 2월 1일, 미국 뉴욕 센트럴 파크 십 메도에서 **훌라후프를 하며 100m 달리기 최고 기록**을 세웠다(17.87초). 이 영상은 기네스 세계기록 페이스북 라이브에 남아 있다.

▲ 의자에 타고

안드레 오톨프(독일)는 2014년 8월 15일, 바퀴가 6개 달린 회전의자를 타고 100m를 31.92초에 주파했다. 그는 같은 해 **스키 부츠를 신고 100m 달리기 최고 기록**도 세웠으나, 현재 최고 기록은 맥스 윌콕스(영국)가 세운 14.09초다. 안드레는 2016년 6월 30일, **소방관 옷을 입고 뛴 4×100m 계주 최고 기록**을 세우기도 했다(59.58초). 계주 동료들은 마르쿠스 에플러, 피터 메이어, 안셀름 브리거(모두 독일)였다.

▲ 목발로 물구나무

2014년 3월 6일, 놀라운 힘과 체력에 균형감각까지 보여준 타메루 제계(에티오피아)가 독일 바이에른 주 퓌르트에서 목발로 물구나무를 서 100m를 57초 만에 통과했다. 타메루는 태어날 때부터 다리가 기형이라 쓰지 못하지만, 상체 근력을 엄청나게 길러 현재는 서커스 공연자로 활동 중이다.

▲ 호박을 타고

드미트리 갈리친(영국)은 2013년 5월 23일, 영국 햄프셔 포트체스터에 있는 트라팔가 부두에서 호박에 타고 노를 저어 100m를 2분 0.3초에 통과했다. 기네스 세계기록의 지침에 따라 드미트리는 일반적으로 구할 수 있는 평범한 카약 노를 사용했다. 호박은 속을 파낸 것 이외에 다른 변화를 주지 않았다.

▶ 하이힐을 신고(여성)

2015년 5월 2일, 마이켄 시클라우(덴마크)는 9.5cm의 힐을 신고 100m 트랙을 13.557초에 주파했다. 덴마크 코펜하겐의 토른뷔 스타디움에서 열린 2015년 토른뷔 대회였다.

◀ 숟가락에 달걀 올리고 달리기

2013년 9월 23일, 〈기네스 세계기록 2014〉의 시작을 알리는 행사에서 샐리 피어슨(호주)이 뉴사우스웨일스 시드니에서 숟가락에 달걀을 올리고 100m를 16.59초 만에 통과했다. 사실 그녀는 100m 허들을 주 종목으로 하는 육상선수로 2012년 올림픽에서는 금메달도 획득했다.

▲ 팔다리를 다 써서

2015년 11월 6일, 겐이치 이토(일본)는 일본 도쿄 세타가야에 있는 고마자와 올림픽 공원에서 팔과 다리를 모두 써 100m를 15.71초에 종종걸음쳐 갔다. 겐이치는 그의 트레이드마크 자세를 연마하기 위해 거의 10년 동안 노력했다. 이 자세는 아프리카 파타스원숭이가 달리는 모습을 기초로 해 만들었다.

▶ 슬랙라인 위에서

루카스 밀리아(프랑스)는 2016년 6월 12일, 중국 쓰촨 성 루딩에서 해로구 국립 빙하 산림 공원과 후웨이 닷컴(Huway.com)이 주최한 특별행사에 참여해 1분 59.73초 만에 100m 길이의 슬랙라인(느슨하게 매어진 줄)을 지나갔다.

슬랙라인 100m 뒤로 빨리 가기 최고 기록은 테오 상송(프랑스)이 세운 6분 1초다. 윈드 팀(중국)이 기획한 이 행사는 2016년 11월 6일 중국 허난 성 윈타이 산에서 진행됐다.

루카스의 도전은 해로구 계곡을 가로질러 지상 70m 높이에 아찔하게 설치된 슬랙라인 위에서 시행됐다.

서커스 묘기 CIRCUS PERFORMERS

세계 서커스의 날은 매년 4월 셋째 주 토요일에 열린다. 이날은 모나코의 스테파니 공주가 지정했다.

▲ 저글링 최다 횟수
(전기톱과 공 2개)
2016년 5월 13일, '스페이스 카우보이' 체인 홀트겐(호주)은 호주 뉴사우스웨일스 바이런 베이에서 작동 중인 전기톱과 공 2개로 162개의 저글링에 성공했다. 이번에 홀트겐이 저글링에 사용한 것은 가솔린 전기톱과 일반 저글링 공 한 쌍이다.

가장 돈을 많이 번 마술사(현재)
〈포브스〉가 발표한 수입이 높은 유명인 목록을 보면 마술사이자 일루셔니스트인 데이비드 카퍼필드(미국)가 2015년 6월~2016년 6월까지 약 6,400만 달러를 벌었다. 수입 대부분은 미국 네바다 주 라스베이거스에서 오랫동안 진행하고 있는 자신의 쇼에서 벌었다.

최장 시간 농구공 저글링
2016년 10월 7일, 일본 미야기 현 센다이 시에서 모리 모리(슌 이시모리, 일본)가 농구공 3개를 1시간 37초 동안 저글링했다.

외발자전거에 올라 물건 3개를 저글링하면서 이동한 최장 거리
올레 야코브 호벵엥(노르웨이)은 2015년 8월 9일, 노르웨이 드람멘에서 외발자전거를 타고 저글링을 하며 6,400m를 이동했다.

가장 빠른…

150m 눈 가리고 줄타기
마우리치오 자바타(이탈리아)는 2016년 11월 15일, 중국 충칭 시 우룽 현에서 〈CCTV 기네스 세계기록 스페셜〉에 출현해 눈을 가린 상태로 팽팽한 줄을 4분 55.12초 만에 건넜다. 기네스 세계기록 기준에 따르면 줄은 지상에서 10m 이상의 높이에 있어야 한다.
마우리치오는 아찔한 높이인 212.8m 위에 있는 줄을 타고 건너, **눈 가리고 건넌 가장 높은 줄타기** 기록도 세웠다.

100m 뒤로 외줄타기
2016년 11월 6일, 프랑스인 테오 상송이 100m 거리의 슬랙라인(느슨한 줄타기)을 뒤로 걸어 6분 1초 만에 지나갔다. 이 도전은 중국 허난 성 윈타이 산에서 윈드 팀(중국)이 기획했다.

녹 가문은 유서 깊은 공연단 집안이다. 1840년 스위스에서 처음 서커스단을 결성했다. 1954년에는 엘리자베스 2세 여왕 앞에서 공연해 '겁 없는 녹'이라는 별명을 하사받았다.

가장 많은…

1분 동안 혀로 끈 가스 토치
스페이스 카우보이는 2016년 5월 13일, 호주 뉴사우스웨일스 바이런 베이에서 48개의 가스 토치를 혀로 껐다.

1분 동안 채찍질 많이 하기
잭 레피어츠(미국)가 2016년 10월 16일, 미국 매사추세츠 주 카버에서 채찍을 278번이나 '짝' 소리가 나게 휘둘렀다.

Q: '서커스'는 라틴어다. 무슨 뜻일까?

A: 원형 또는 고리

신체 여러 부위로 훌라후프 동시에 많이 돌리기
2016년 4월 16일, 둔야 쿤(독일)이 영국 런던에서 열린 〈토요일 쇼〉 무대에서 다양한 신체 부위를 사용해 43개의 훌라후프를 동시에 돌렸다.
가장 많은 훌라후프를 돌린 기록은 2015년 11월 25일, 마라와 이브라힘(호주)이 미국 캘리포니아 주 로스앤젤레스에서 세운 200개다.
기네스 기록 파괴자로 오랫동안 활약하고 있는 아시리타 퍼먼(미국)은 **1분 동안 2kg짜리 훌라후프를 가장 많이 돌린 기록**을 가지고 있다. 그는 2016년 7월 22일, 미국 뉴욕 시에서 열린 〈데스피에르타 아메리카〉 쇼에서 142개를 성공했다.

1분 동안 혀에 쥐덫 많이 물리기
케이시 세번(미국)은 2016년 4월 16일, 미국 메릴랜드 주 볼티모어에 있는 볼티모어 타투 아츠 컨벤션에서 60초 동안 혀에 쥐덫을 13번이나 작동시켰다.

1분 동안 저글링 많이 하기(공 5개)
마이클 페레리(스페인)는 2016년 11월 10일 벨기에 '페스티벌 두 서크 드 나뮈르'에서 공 5개로 60초 동안 저글링을 388번 했다.
데이비드 러시(미국)는 2016년 2월 27일, 미국 아이다호 주 가든 시티에서는 **저글링 중간에 머리에 공굴리기 최다 기록(공 3개)**을 세웠다(194개). '머리에 공굴리기'는 저글링 도중 공 하나를 손으로 잡아 머리에 굴리고 다른 손으로 받아 저글링을 이어가는 기술이다.
같은 해 4월 2일에는 미국 아이다호 주 보이시 타코벨 아레나에서 **공 3개로 눈 가리고 저글링 많이 하기** 최다 기록도 세웠다(364개).
가장 최근인 6월 4일에는 **1분 동안 공 3개로 저글링 많이 하기** 최다 기록인 428개를 성공했다. 이 기록은 미국 아이다호 주 머리디언에 있는 '더 빌리지 앳 머리디언 쇼핑센터'에서 세웠다.

외발자전거 위에서 눈 가리고 저글링
스페이스 카우보이는 2016년 5월 13일, 호주 뉴사우스웨일스 바이런 베이에서 외발자전거를 타고 눈을 가린 채 저글링 10개를 성공했다.

◀ '죽음의 바퀴' 최다 회전(1분)
2016년 2월 12일, 아날리즈 녹(미국)은 미국 플로리다 주 새러소타에 있는 '서커스 새러소타'에서 죽음의 바퀴에 타고 60초 동안 4회 회전하는 데 성공했다. 그녀의 가족은 8대째 서커스 공연을 이어오고 있으며, 이 도전은 아버지 벨로 녹(미국, 왼쪽 사진 참조)과 함께했다. 벨로는 다른 기네스 기록 보유자이기도 한데, 2010년 11월 10일 **도구 없이 줄타기 최장거리** 기록(130m)을 세우는 데 성공했다. 벨로의 조카 프레디 녹(스위스)도 많은 기록을 가지고 있다. 2009년 8월 30일에 **케이블카 케이블 위 걸어가기** 기록(995m), 2015년 9월 7일에 **오토바이로 줄타기 최장 거리** 기록(85m)을 세웠다.

칼 많이 삼키기

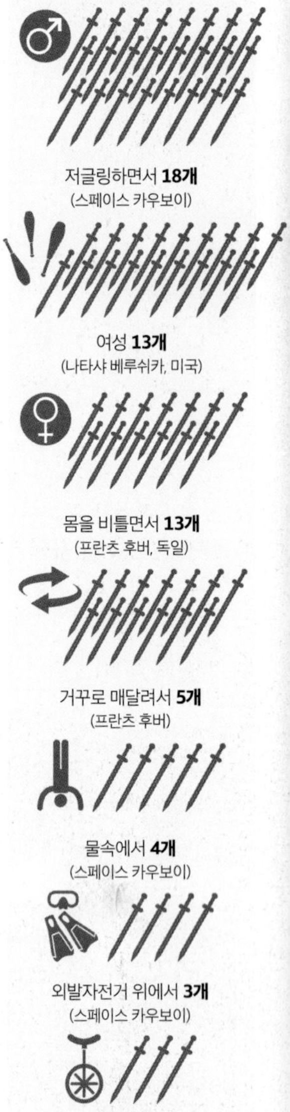

남성 **24개**
(스페이스 카우보이, 호주)

저글링하면서 **18개**
(스페이스 카우보이)

여성 **13개**
(나타샤 베루쉬카, 미국)

몸을 비틀면서 **13개**
(프란츠 후버, 독일)

거꾸로 매달려서 **5개**
(프란츠 후버)

물속에서 **4개**
(스페이스 카우보이)

외발자전거 위에서 **3개**
(스페이스 카우보이)

가장 무거운 물체 삼키기
38kg짜리 디월트 D25980 대형 드릴을 토마스 블랙손(영국)이 삼켰다.

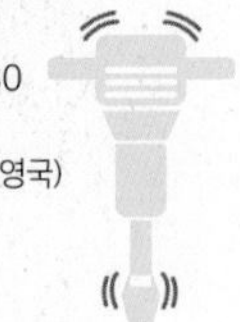

삼킨 칼에 끈 달아 차 끌기
라이언 스톡(캐나다)이 1,696.44kg의 2002 아우디 A4를 끌었다.

한 물체를 삼킨 최다 인원

4명, 토마스 블랙손, 스페이스 카우보이, 캡틴 프로도(노르웨이), 고르도 갬스비(호주)가 '술집용 의자'를 삼켰다.

▲ 인간 3층 탑 줄넘기 최다 횟수(30초)

2016년 1월 7일, 타고우 무술학교(중국)의 학생 6명이 인간 3층 탑을 쌓고 30초 동안 줄넘기를 실수 없이 32회 성공시켰다. 뛰어난 힘과 민첩성을 보여준 이 협동 곡예는 중국 베이징에서 열린 〈CCTV 기네스 세계기록 스페셜〉 무대에서 펼쳐졌다. 이 기록은 중화 무술학교와의 치열한 경쟁 속에 탄생했다.

▲ 유리병 위를 걸어 10m 빨리 이동하기

탕후이(중국)는 2016년 1월 12일, 중국 베이징에서 열린 〈CCTV 기네스 세계기록 스페셜〉 쇼에 출현해 10m 거리에 일렬로 세워진 유리병 위를 57.1초 만에 밟고 지나갔다. 이 정도 거리를 병 위에서 떨어지지 않고 빨리 이동하기는 절대 쉽지 않다. 그녀도 3회 마지막 도전에서 간신히 성공했다.

▲ 30.46cm 이하 림보 최장 거리 통과

2016년 1월 14일, 쉬미카 샤를즈(트리니다드토바고)는 중국 베이징에서 열린 〈CCTV 기네스 세계기록 스페셜〉에서 30.48cm 높이의 바 밑으로 3.1m를 통과했다. 유연하기로 소문난 쉬미카는 **가장 낮은 림보 통과** 기록도 가지고 있다. 그녀는 2010년 9월 16일, 미국 뉴욕 시에서 열린 〈라이브! 위드 레지스 앤드 켈리〉 쇼에서 21.59cm를 통과했다.

2002년 애리조나 대학교의 알랭 고리엘리와 타일러 맥밀런은 채찍을 휘두를 때 구부러진 부분이 끝으로 이동하며 내는 속도를 측정했다. 이때 생기는 '짝' 소리는 채찍 끝이 음속을 돌파하며 내는 것이다.

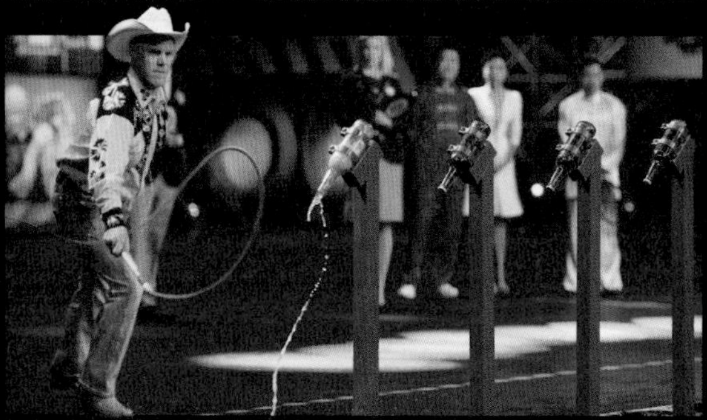

▲ 채찍으로 1분 동안 음료수병 많이 따기

애덤 윈리치(미국)는 2016년 1월 12일, 중국 베이징에서 열린 〈CCTV 기네스 세계기록 스페셜〉 쇼에서 60초 동안 12개의 병뚜껑을 채찍으로 날려버렸다. 그가 가진 다른 기록으로는 **1분 동안 채찍으로 병 많이 잡기(18개)**와 **1분 동안 2개의 채찍을 휘둘러 소리 많이 내기(646번)**가 있다.

▲ 서커스 곡마단장으로 가장 오래 활동한 사람

노먼 바렛(영국)은 1956~1957년 겨울에 처음으로 로버트 형제 서커스의 진행자가 됐다. 그 후 다양한 서커스단에서 진행을 맡았고 2016~2017년 겨울에는 경력 60주년을 기념하기도 했다. 노먼은 2010년 작위를 받았고, 1년 뒤에는 국제 서커스 명예의 전당에 헌액됐다.

▲ 채찍으로 젠가 블록 많이 빼기(1분)

2016년 9월 27일, 에이프릴 최(미국)는 미국 일리노이 주 피오리아에서 채찍으로 60초 동안 젠가 탑에서 4개의 블록을 빼냈다. 같은 날 에이프릴은 피오리아의 브래들리 공원 **슬랙라인 위에서 1분 동안 목동용 채찍 많이 휘두르기(127번)** 기록도 세우며 자신에게 매우 행운의 날임을 증명했다. 이 종목에서는 채찍 소리가 분명하게 들려야 기록으로 인정된다.

슈퍼휴먼 전반 SUPERHUMANS ROUND-UP

뇌가 전달하는 메시지는 신경을 따라 몸에 약 322km/h의 속도로 전달된다.

▲ 가장 오래 지속된 인공 고관절

2015년 11월 19일까지 노먼 샤프(영국)에게 삽입된 고관절 소켓이 66년 353일째 유지되고 있다. 1925년, 겨우 5살이었던 노먼은 병원에서 감염성 관절염을 확진 받았다. 그는 영국 왕립정형병원에서 고관절을 치료하고 다시 걷는 걸 배우는 데 꼬박 5년이 걸렸다. 그 후 18년 뒤인 1948년 12월 1일, 그는 왼쪽 다리에 고관절 대치술을 받았다. 1948년 12월 22일에는 오른쪽 고관절도 다시 수술을 받았다. 위 사진은 노먼이 신기록을 세운 자신의 왼쪽 고관절 X-레이 사진을 들고 있는 모습이다.

가장 하품을 오래 한 기록

1888년, 에드워드 W 리 박사는 15세 소녀가 하품을 5주 동안 계속한 사례를 기록했다. 리 박사는 이를 〈멤피스 의학 저널〉에 보고했다.

가장 다산한 기록

공식적으로 아이를 가장 많이 낳은 기록은 69명으로, 18세기 러시아 슈야에 살았던 소작농 발렌티나 바실예프가 이 아이들의 어머니다. 27번 출산하며 쌍둥이를 16번 낳았고, 세쌍둥이를 7번, 네쌍둥이를 4번 낳았다.

가장 긴 세대를 이어온 쌍둥이 집안

3개의 가문이 같은 기록을 가지고 있다. 롤링스 가문(영국)은 1916~2002년까지 4대째 쌍둥이가 태어났다. 테일러 가문(미국)도 1919~2002년까지 같은 횟수를 기록했다. 심스 가문(영국) 또한 1931~2013년까지 4대째 쌍둥이가 대물림되고 있다.

원주율을 가장 길게 암기한 사람

2015년 3월 21일, 라지비 미나(인도)는 인도 타밀나두 주 벨로르에 있는 VIT 대학교에서 놀랍게도 원주율을 소수점 7만 자리까지 암기했다. 라지비는 안대를 한 채 숫자를 암송했고, 모두 마치는 데 10시간이 걸렸다.

1분 동안 암기한 가장 긴 2진법 수열

2015년 4월 3일, 아라빈드 파수파티(인도)가 인도 코임바토르에 있는 카서리 스리니바산 트러스트에서 60초 동안 2진수를 270자리까지 암기했다.

자발적으로 숨을 가장 오래 참은 기록(남성)

알레이시 세구라 벤드렐(스페인)은 2016년 2월 28일 스페인 바르셀로나에서 24분 3.45초 동안 숨을 참았다. 알레이스는 전문 프리 다이버다.

이륙하는 2대의 비행기를 잡고 가장 오래 버틴 기록

차드 네덜란드(미국)는 2007년 7월 7일, 미국 위스콘신 슈피리어에 있는 '리처드 1세 봉 공항'에서 서로 반대 방향으로 이륙하는 세스나 경비행기 2대를 잡고 1분 0.6초를 땅에서 버텼다.

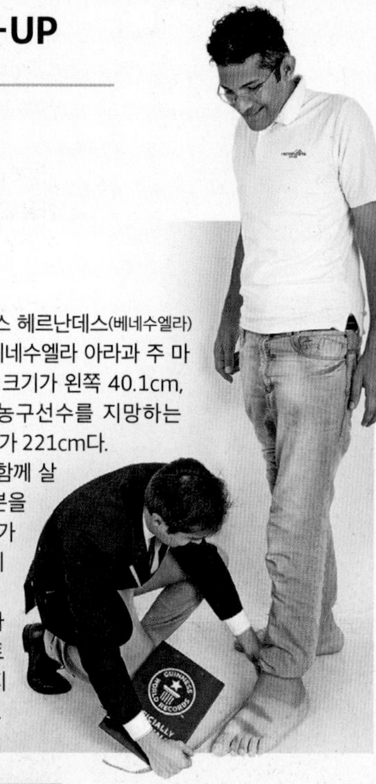

▶ 현존하는 발이 가장 큰 사람

제이슨 올란도 로드리게스 헤르난데스(베네수엘라)는 2014년 10월 6일, 베네수엘라 아라과 주 마라카이에서 측정한 발의 크기가 왼쪽 40.1cm, 오른쪽 39.6cm였다. 농구선수를 지망하는 21세의 제이슨은 현재 키가 221cm다. 마라카이에서 가족들과 함께 살고 있으며 인생의 대부분을 맨발로 지냈다. 신발 치수가 26(미국 기준)으로 독일에서 수제로 특별 제작했다. **역대 가장 큰 발**을 가진 사람은 '얼턴의 거인' 로버트 워들로로, 66~67페이지에 더 많은 정보가 나온다.

▲ 실내 스포츠 경기에서 가장 큰 관중 함성

캔자스 제이혹스(미국)의 팬들이 2017년 2월 13일, 미국 캔자스 주 로렌스에서 열린 웨스트버지니아와의 남자 농구 경기에서 지른 함성이 130.4dBA를 기록했다. 이 기록은 경기가 시작되기 전에 먼저 작성됐다. 팽팽한 경기가 이어졌고, 캔자스가 연장에서 마침내 승리를 거뒀다.

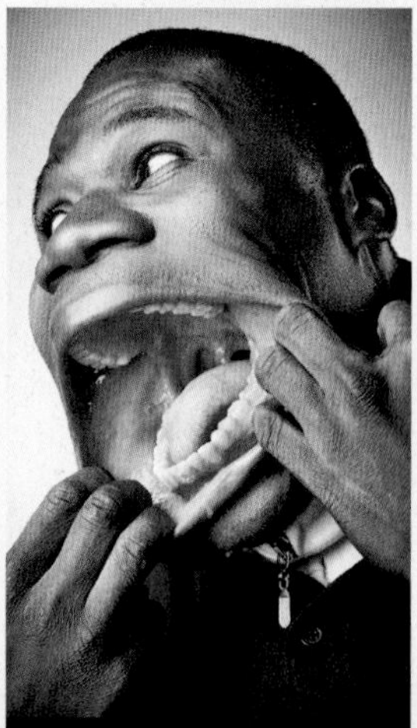

▲ 가장 큰 입

'치퀴노'로 알려진 프란시스코 도밍고 조아킴(앙골라)은 고의로 늘리지 않은 입의 크기가 17cm이며, 완전히 늘리면 330ml짜리 음료수 캔을 가로로 넣을 수 있을 정도로 크다. 치퀴노는 앙골라의 시장에서 기네스 관계자에게 발견됐으며 2010년 3월 18일, 이탈리아 로마에서 열린 〈로 쇼 데 레코드〉에 참가해 기록을 세웠다.

수술을 가장 많이 받은 기록

1954년 7월 22일~1994년 말까지 찰스 젠슨(미국)은 기저세포 모반증후군으로 생긴 수많은 종양을 제거하기 위해 총 970번의 수술을 받았다.

가장 심한 화상을 입고도 살아남은 기록

2004년 2월 15일, 토니 야리제니언(미국)은 미국 캘리포니아 주에서 일어난 폭발 사고로 전신의 약 90%에 3도 화상을 입고도 살아남았다. 토니는 3개월 동안 혼수상태에 있었고, 25번의 수술과 60번의 수혈을 거쳤다.

◀ 최고령 드래그 퀸

2016년 8월 15일, 월터 '다셀 XV' 콜(미국, 1930년 11월 16일생)은 85세 273일의 나이에도 여전히 활동 중인 드래그 퀸(남성이 여장하고 여성처럼 행동하는 것)으로 기록됐다. 그는 오리건 주에서 '다셀 XV 쇼 플레이스'를 소유, 운영하고 있다. 미국 서부에서 가장 오래 상연되고 있는 드래그 쇼다.

▲ 손가락 튕기기 최다 기록(1분, 한 손)

사토유키 후지무라(일본)는 2016년 12월 23일, 일본 오사카에서 촬영한 〈탐정! 나이트 스쿠프〉 세트에서 60초 동안 손가락을 296회 튕겼다. 오사카 출신의 대학생 사토유키는 15세 때 어머니로부터 이 기술을 배웠다고 한다.

1분 동안 탭댄스 탭을 가장 많이 한 횟수는 전문 탭 댄서 앤서니 모리제라토(미국)가 달성한 1,163회다. 기록은 2011년 6월 23일, 미국 뉴욕 주 올버니의 일리노어 스쿨에서 작성됐다.

심장 박동 없이 가장 오래 산 사람

줄리 밀스(영국)는 1998년 8월 14일, 심부전과 바이러스성 심근염으로 사경을 헤맸다. 영국 옥스퍼드에 있는 존 래드클리프 병원의 심장 수술의들은 일주일 동안 무박동 혈액펌프(Non-pulsatile blood pump, AB180)를 그녀에게 처방했다. 그 기간 중 줄리는 3일 동안 심장이 뛰지 않았다. 고문을 맡은 심장 전문의 스티븐 웨스터비가 사용한 이 장치는 미국에서 개발된 이래 4회에 거쳐 개선된 장비였다. 줄리는 환자가 치료 과정에서 생존한 최초의 사례로 기록됐다.

심장이 몸 밖에 나온 채, 가장 오래 산 사람

크리스토퍼 월(미국, 1975년 8월 19일생)은 심장 전위증을 가지고 태어나고도 가장 오래 산 사례다. 심장이 흉강 밖에 위치하는 선천적인 기형을 가진 대부분 환자는 48시간을 넘기지 못한다.

▲ 심장 이식 후 가장 오래 생존한 환자

존 맥카퍼티(영국, 1942년 7월 28일생)는 영국 미들섹스의 헤어필드 병원에서 1982년 10월 20~21일 밤 심장 이식 수술을 받았고, 당시 5년 정도 더 살 수 있을 거라는 말을 들었다. 하지만 그는 2016년 2월 9일 세상을 떠날 때까지 33년 111일을 더 살았다. 위 사진은 존(오른쪽)이 자신을 수술한 의사 마그디 야쿠브 경과 함께한 모습이다.

심장을 두 번 공여 받은 최연소 환자

소피 파커(영국)는 1992년, 2세의 나이로 영국 런던의 헤어필드 병원에서 선천적으로 약한 심장을 보완하기 위해 기증 받은 심장을 이식받았다. 그 후 1998년, 다시 소피의 심장이 약해져 제 기능을 할 수 없게 되자, 2번째 기증 받은 심장을 이식받아 처음 받은 심장을 보완하게 했다.

최장 기간 신장 투석

무리스 무이치치(크로아티아)는 1974년 5월 15일~2015년 9월 4일까지 크로아티아 리예카에서 41년 112일 동안 신장 투석을 받았다. 무리스는 이 기간에 신장 이식을 2번 받았지만 성공하지 못했다.

24시간 동안 가장 많이 시행한 유방 촬영술

2016년 9월 30일, '슈퍼 약국 레베카'와 예방보건서비스(둘 다 푸에르토리코)가 푸에르토리코 이사벨라에서 24시간 동안 유방 촬영술을 352번 시행했다.

혈장 헌혈을 가장 많이 한 사람

2015년 5월 11일까지 테리 프라이스(미국)는 미국 텍사스 주 덴턴에 위치한 '바이오라이프 플라스마(혈장) 서비스'에 894.206ℓ의 혈장을 헌혈했다.

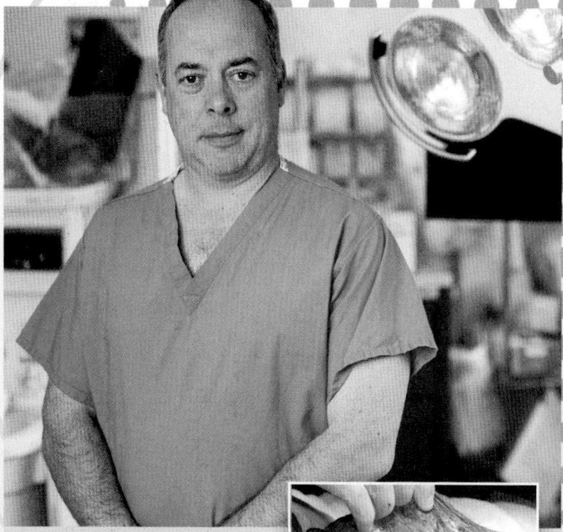

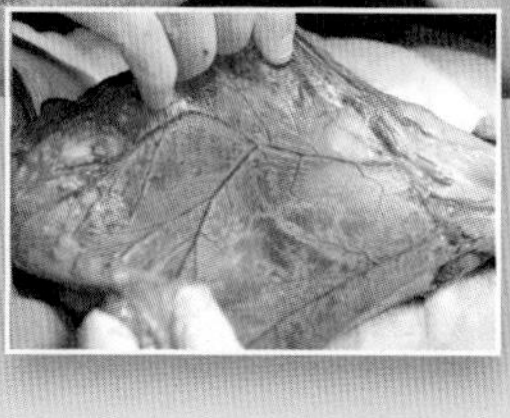

▲ 새로운 인체 장기

위와 창자를 연결하고 아래쪽의 소화기관을 고정하는 '창자간막'이 최근 인체 장기로 인정받으며, 사람은 총 79개의 장기를 가지게 됐다. 아일랜드의 의대 교수 J 칼빈 코피, FRCSI(위), D 피터 올리어리 박사가 2016년 11월, 〈란셋 위장병간장병학 저널〉에 발표한 내용에 따르면 창자간막이 장기로써 어떤 별도의 역할을 하는지는 명확한 연구가 더 필요하지만, 고유한 기능을 하는 별개의 조직으로 이루어져 있다고 한다.

▲ 동시에 가장 많은 사람이 삭발한 기록

캐나다암협회와 캘거리 소방국은 2016년 3월 12일, 캐나다 앨버타 주 캘거리에 있는 소방학교에서 329명이 동시에 머리를 빡빡 미는 행사를 진행했다. 이 도전은 암 환자들에게 전달할 기부금을 모으고, 일터에 존재하는 발암물질에 관한 지식을 알리기 위해 기획됐다. 이 행사를 통해 14만 달러 이상의 기부금이 모였다.

▶ 장기 기증자를 가장 많이 모집한 기록(1시간)

2016년 9월 6일, 인도 타밀나두 주 딘디굴에서 총 6,697명이 장기 기증을 약속했다. 인도 의학 협회 인디굴 지부, 국제로터리협회 3000 지부, PSNA 공과대학교가 마련한 이 행사는 장기 기증의 중요성과 우리 삶에 끼치는 영향을 알리기 위해 기획됐다.

가장 긴 LONGEST...

우리가 세상에 대해 막연히 상상하며 알고 있는 것 중에는 사실과 다른 것이 많다.
세상에서 가장 긴 동물이 벌레는 아닐 거다?
대왕고래 800마리보다 무거운 기차가 과연 있을까?
자동차 1,800만 대가 한 번에 모여 교통 체증을? 다음을 읽어보자!

▶ 사람의 치아(뽑은 상태)
'세계에서 가장 긴 것'에 관한 기록은 3.2cm짜리 치아부터 시작한다. 끝으로 가면 라스베이거스 스트립(라스베이거스 중심 거리)보다 긴 열차도 등장하고, 파나마 운하보다 2배나 길며 그 어떤 강보다도 길었던 교통 체증도 나와 있다.

1cm~1cm

사람의 치아(뽑은 상태)
3.2cm
루후이징(싱가포르)의 치아는 길이가 3.2cm였다. 2009년 4월 6일, 치과의사 레이 추가 싱가포르의 엘리 덴탈 서저리 치과에서 뽑았다.

혀
10.1cm
2012년 11월 27일, 닉 스토벌(미국)은 미국 캘리포니아 주 살리너스에서 측정한 혀끝에서 다문 윗입술 가운데까지의 길이가 10.1cm였다.

귀털
18.1cm
앤서니 빅토르(인도)는 외이(外耳) 가운데(귓구멍)에서 자라는 털의 길이가 최장 18.1cm에 이른다.

곤충
62.4cm
2014년에 발견된 중국긴대벌레는 길이가 62.4cm였다. 표본은 중국 청도에 있는 서중국 곤충박물관에 전시되어 있다.

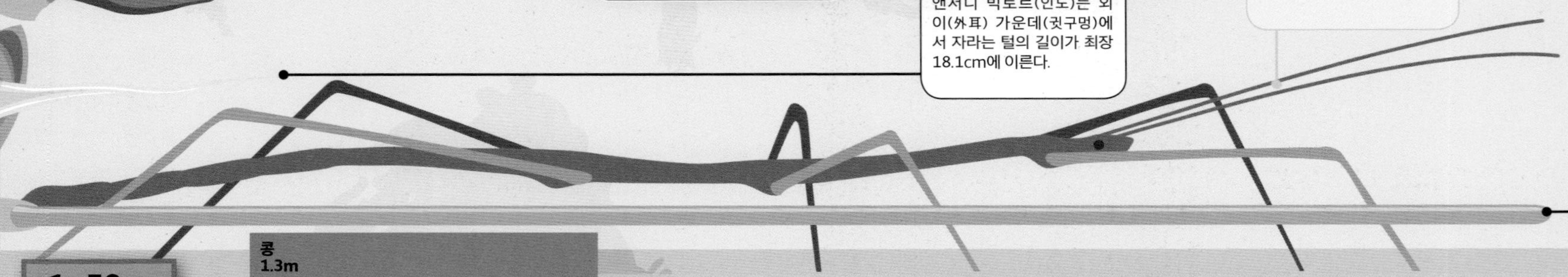

손톱(평균)
98.5cm
멜빈 부스(미국)의 손톱은 2009년 5월 30일 미국 미시건 주 트로이에서 측정한 평균 길이가 98.5cm였다. 하지만 안타깝게도 멜빈은 2009년 12월 세상을 떠났다. 역대 가장 긴 손톱 기록(평균, 여성)은 리 레드먼드(미국)가 가지고 있다. 그녀는 2008년 2월 23일 스페인 마드리드에서 열린 〈로 쇼 데 레코드〉에서 측정했는데 평균 길이가 86.5cm였다.

1~50m

콩
1.3m
미국 노스캐롤라이나의 해리 헐리가 기른 갓끈동부콩은 1997년 9월 13일, 노스캐롤라이나 주 파머스 마켓에서 길이 1.3m로 측정됐다.

머리카락(여성)
5.627m
시에 치우핑(중국)은 13세였던 1973년부터 머리카락을 기르기 시작했다. 2004년 5월 8일에 마지막으로 측정했을 당시의 길이는 5.627m였다.

물고기
7.6m
'진짜' 물고기 중 가장 긴 생선은 '청어의 왕'으로 불리는 갈치로 전 세계에 널리 분포되어 있다. 1885년 무렵 미국 메인 주 페머퀴드 포인트 연안에서 어부에게 잡힌 한 갈치는 길이 7.6m, 무게 272kg이었다. 1963년 7월 18일, 미국 뉴저지 주 애즈베리 연안에서 목격된 다른 갈치는 길이가 15.2m 정도로 추정됐다. 샌디 훅 해양 연구소의 과학자 팀에게 목격됐다.

뱀
10m
동남아, 인도네시아, 필리핀에 사는 그물무늬비단뱀은 길이가 보통 6.25m를 넘는다. 10m를 기록한 가장 긴 표본은 1912년, 인도네시아 셀레베스(현 술라웨시)에서 잡혔다.

자전거
41.42m
볼링 레인보다 약 2배가 긴 41.42m의 자전거는 에너지 회사인 산토스와 사우스오스트레일리아 대학교(둘 다 호주)가 제작했다. 2015년 1월 17일, 호주 애들레이드에서 만들어 탑승, 주행했다.

50m~5km

동물
55m
끈벌레의 일종인 긴끈벌레는 북해의 얕은 바다에서 서식한다. 1864년 태풍으로 영국 파이프 세인트앤드루스 해변에 밀려온 한 표본은 길이가 55m 이상으로 올림픽 수영장보다 길었다.

핫도그
203.80m
가장 긴 핫도그는 2011년 7월 15일, 파라과이 마리아노 로케 알론소에서 열린 2011년 엑스포페리아 행사에서 노벡스 S A(파라과이)가 만들었다.

배
399m
머스크 트리플 E급(덴마크) 컨테이너 선박은 길이가 399m로 보잉 747 비행기보다 5배 반 이상 길다. 이 거대한 배 MV 머스크 맥키니 묄러는 2013년 2월 24일, 대한민국 경상남도 거제시 옥포에 있는 대우조선해양 조선소에서 진수됐다.

소파
1,006.61m

므노고 메벨리(러시아)는 2014년 7월 25일, 러시아 사라토프에서 1006.61m 길이의 소파를 제작했다.

웨딩드레스 자락
2,599m

2015년 8월 20일, 실리란산(중국)은 중국 푸젠 성 샤먼에서 옷자락이 2,599m나 되는 웨딩드레스를 공개했다. 미식축구장보다 20배 이상 길다.

5~200km

기차
7.353km

682칸으로 이루어진 7.353km의 이 기차는 8개의 디젤-전기 기관차로 움직였다. BHP 아이언 오어 사가 조립했으며, 2001년 6월 21일 호주에서 275km를 주행했다. **가장 무거운 기차**이기도 한데 무게가 99,732.1톤이었다.

클립으로 만든 사슬
37.41km

2011년 12월 16일, 리레코 도이칠란트 GmbH(독일)의 직원들이 인터콘티넨털 베를린 호텔에서 열린 행사에서 37.41km의 클립 사슬을 만들었다.

철도 터널
57km

2010년 10월 15일, 스위스 알프스 산맥 밑 2,000m에서 작업하던 기술자들이 세계에서 가장 긴 철도 터널을 만들기 위해 마지막 바위에 구멍을 뚫었다. 고트하르트 베이스 터널은 완공까지 14년이 걸렸고, 비용도 122억 달러가 들었다. 개통식은 2016년 6월 1일에 열렸다. 2016년 12월 11일부터는 전면 개통되었는데 하루 300대의 기차가 이 터널을 통과한다.

다리
164km

중국 징후 일반철도(베이징-상하이 일반철도라고도 함)에 있는 단양-쿤산 대교는 길이가 164km에 이른다. 2011년 6월에 개통된 이 철도에는 세계에서 2번째로 긴 다리인 랑팡-칭씨앤 대교도 있다.

교통 체증
176km

1980년 2월 16일, 프랑스 리옹에서 파리로 올라가는 길 176km가 역대 가장 긴 정체 상황을 이루었다.
최다 차량 교통 체증은 1,800만 대로, 1990년 4월 12일 동독-서독 국경에서 꼬리에 꼬리를 물고 이어진 차의 숫자다.

200km 이상

협곡
446km

그랜드캐니언은 미국 애리조나 주 북부 중앙 콜로라도 강에 수백만 년에 걸쳐 형성됐다. 마블 협곡부터 그랜드 워시 절벽까지의 길이는 런던의 지하철 총 구간을 합한 것보다 길다. 협곡의 깊이는 1.6km이며, 최대 폭은 0.5~29km 정도다.

인간 사슬
1,050km

2004년 12월 11일, 방글라데시 테크나프에서 텐투리아까지 500만 명이 손을 잡고 1,050km에 이르는 인간 사슬을 만들었다. 이 행사는 언론에 공정한 선거 개표를 요구하기 위해 열렸다.

송전선
2,500km

최장 거리 고압직류송전선(HVDC)은 브라질 포르투벨류와 상파울루 사이 2,500km 이상을 흐르고 있는 마데이라 강에 있다. 이 송전선은 이타이푸 댐에서 생산되는 수력 전기를 상파울루와 아마존 우림 일대의 많은 지역에 전달한다.

벽
3,460km

중국 만리장성은 주요 성벽의 길이가 3,460km로 브리튼 섬 둘레의 3배가 넘는다. 나머지 성벽의 길이도 3,530km나 된다.

강
6,695km

나일 강의 주요 수원은 중앙아프리카 동부에 있는 빅토리아 호(湖)이며, 부룬디에 있는 가장 먼 지류(支流)부터 6,695km를 흐른다. 나일 강은 미시시피 강, 라인 강, 센 강, 템스 강을 합친 길이보다 길다!

슈퍼히어로 SUPERHEROES

브래드는 다크 나이트 수집품들을 자신의 지하실 '배트 뮤지엄'에 모아놓았다. 이중에는 그가 가장 좋아하는 《배트맨 Vol.1 #11》과 아이디얼 장난감 회사에서 1966년 출시한 유틸리티 벨트도 있다.

CONTENTS

슈퍼히어로 연대기 90
코믹 북 92
영화 속 슈퍼히어로 94
비디오게임 96
코스튬플레이 98
카파우! 100
슈퍼히어로 전반 102

최대 규모 배트맨 수집

미국 조지아 주 로즈웰에 거주하는 브래드 레드너는 2015년 4월 11일까지 배트맨과 관련된 희귀한 상품을 8,226개나 모았다. 브래드는 1988년 《배트맨: 가족의 죽음》을 자신의 책장에 꽂으며 후에 세계를 제패할 배트맨 상품 수집을 시작했다. 그는 만약 자신이 초능력을 고를 수 있다면, 배트맨은 하지 못하는 투명인간이 되는 능력을 택하겠다고 말한다.

슈퍼히어로 연대기 SUPERHEROES TIMELINE

《기네스 세계기록 2018》에는 수많은 '슈퍼휴먼'들, 특별한 재주를 가진 평범한 사람들이 등장한다. 아래에는 전통적인 슈퍼히어로들을 연대별로 정리해봤다. 만화책이나 영화, 어떤 매체든 처음 등장한 시점을 기준으로 했으며, 그림의 영웅들이 입고 있는 옷은 처음 나왔을 당시의 복장이다.

1936~1940

1936년 더 팬텀
리 포크(미국)가 창작한 **최초의 슈퍼히어로** '더 팬텀'은 1936년 2월 17일, 신문 만화 연재로 처음 데뷔했다. 주인공 키트 워커가 마스크와 보라색 옷을 입고 '걷는 유령' 팬텀이 돼 펼치는 모험을 담았다. 이 캐릭터는 눈동자를 그리지 않고 하얗게 표현했는데, 이는 나중에 배트맨, 그린 랜턴, 그린 애로 등 많은 슈퍼히어로들의 공통적인 특징이 됐다.

1938년 슈퍼맨
'맨 오브 스틸(강철의 사나이)'로 불리는 슈퍼맨이 처음 등장한 《액션 코믹스 #1》은 현재 **가장 높은 가치를 지닌 만화책**이다. 슈퍼맨은 **초능력을 지닌 최초의 슈퍼히어로**로, 고속기차보다 빠르게 달리고 빌딩을 한번에 뛰어넘는다. 나중에 발간된 호에서 슈퍼맨은 엑스레이 눈과 엄청난 힘, 날 수 있는 능력까지 선보인다.

1939년 배트맨
밥 케인이 그리고 빌 핑거(둘 다 미국)가 스토리를 쓴 '망토를 두른 정의의 사도' 배트맨은 《디텍티브 코믹스 #27》에서 데뷔했다. 케인은 처음 배트맨을 그릴 때 빨간색의 튜닉(소매가 없고 무릎까지 내려오는 헐렁한 웃옷)에 날개, 검은 눈의 마스크를 쓴 모습을 상상했지만, 핑거가 한 몇몇 주요한 제안이 반영돼 더 위협적인 모습이 됐다.

1939년 캡틴 마블
마블 유니버스에는 여러 명의 캡틴 마블이 존재하지만 여기서 말하는 캐릭터는 《휘즈 코믹스 #2》(표지 날짜 1940년 2월)에서 데뷔한, 현재 DC가 소유하고 있는 캡틴 마블이다. 이 캐릭터의 만화는 1940년대 슈퍼맨보다 더 많이 판매될 정도로 인기가 아주 많았다. '샤잠'이라고도 알려져 있는데, 이 주문을 외우면 소년 빌리 뱃슨이 힘센 캡틴 마블로 변신한다.

1940년 더 코멧
더 코멧은 1940년 1월 《펩 코믹스 #1》에서 처음 모습을 드러냈다. 그는 17호에서 **최초로 죽음을 맞이하는 슈퍼히어로**가 됐는데, 1960년대 이후 몇 번 되살아나기도 했다.

1940~1941

1940년 더 플래시
해리 램퍼트가 그리고 가드너 폭스가 글을 쓴 '스칼렛 스피드스터'라는 애칭의 더 플래시는 《플래시 코믹스 #1》(표지 날짜 1940년 1월)에 처음 모습을 드러냈다. 플래시 최초의 자아는 제이 개릭이지만 이후 주인공이 여러 번 바뀐다.

1940년 판토마/우먼 인 레드
2명의 캐릭터가 **최초의 여성 슈퍼히어로**로 거론된다. 판토마는 간행물에 실린 최초의 초능력 슈퍼히로인으로 《정글 코믹스 #2》(1940년 2월)에 처음 등장한다. 하지만 마스크와 고유한 복장으로 정체를 숨긴 최초의 슈퍼히로인('평범한' 출생)은 리처드 휴스와 조지 만델이 만든 '우먼 인 레드'로, 1940년 3월 《스릴링 코믹스 #2》에서 데뷔했다.

1940년 저스티스 소사이어티 오브 아메리카
최초의 슈퍼히어로 팀 '저스티스 소사이어티 오브 아메리카(JSA)'는 《올스타 코믹스 #3》 표지에 처음 등장한다(1940~1941년 겨울 호). 창립 멤버는 왼쪽부터 아톰, 닥터 페이트, 그린 랜턴, 호크맨, 더 플래시, 샌드맨, 아워맨(당시에는 아워-맨으로 표기)과 스펙터다.

1941년 캡틴 아메리카
조 사이먼과 잭 커비가 창작한 별이 반짝이는 옷을 입은 이 슈퍼히어로는 《캡틴 아메리카 코믹스 #1》에 처음 모습을 드러냈다(표지 날짜 1941년 3월). 캡틴의 상징인 둥근 방패는 책의 2호부터 삼각형 방패를 대신해 등장한다.

1941년 아쿠아맨
폴 노리스와 모트 와이징어가 만든 DC의 물속 영웅은 1941년 11월 《모어 펀 코믹스 #73》에 처음 모습을 드러낸다. 그는 저스티스 소사이어티 오브 아메리카의 창립 멤버 중의 하나다.

1941~1962

게임이 가장 많이 출시된 일본 슈퍼히어로 만화

토리야마 아키라의 《드래곤볼》 시리즈는 가공할 힘과 무술 실력을 지닌 원숭이 꼬리가 달린 소년, 손오공이 주인공이다. 이 만화는 1986~2016년까지, 슈퍼 카세트 비전부터 플레이스테이션, 엑스박스 원에 이르는 다양한 플랫폼에서 146개의 게임이 출시됐다. 토리야마의 원작 《드래곤볼》은 1984~1995년까지 《주간 소년 점프》에 연재됐다.

가장 많이 팔린 만화(단편)

《엑스맨 #1》(마블 코믹스, 1991)은 810만 권이 팔렸다. 크리스 클레어몬트(영국)와 짐 리(미국, 대한민국 출생)가 만든 작품이다. 리는 표지를 1A, 1B, 1C, 1D로 4개를 만들어 출시했는데, 모두 합치면 하나의 큰 그림이 완성됐다. 이 그림은 한 달 뒤 나온 1E, 접는 표지에 한 장면으로 나왔다.

출판을 가장 많이 한 작가
'만화의 왕' 이시노모리 쇼타로(일본)는 770개의 작품을 출판했다(500권).

가장 비싼 만화

슈퍼맨이 처음 등장한 1938년 《액션 코믹스 #1》이 2014년 8월 24일, 온라인 경매에서 메트로폴리스 콜렉터블스(미국)에게 320만 7,852달러에 팔렸다.

가장 비싸게 팔린 은빛시대 만화책은 스파이더맨이 처음 모습을 드러낸 《어메이징 판타지 #15》다(은빛시대는 황금시대 다음으로 흥하던 시대를 말한다). 이 책은 2011년 3월 8일, 익명의 구매자에게 온라인 경매에서 110만 달러에 판매됐다. 출판계의 은빛시대는 1956년부터 약 1970년까지를 의미한다.

표지가 가장 많은 슈퍼히어로 만화책
마블의 《어메이징 스파이더맨 #666》은 댄 스콧의 '스파이더 아일랜드' 스토리의 프롤로그 격으로 145가지의 표지가 있다. 이것들은 대부분 개인 만화 소매상에 헌정하는 의미로 만들었다.

경매에서 팔린 가장 비싼 만화책 표지는 《미국에 간 땡땡》의 특별판으로 2012년 6월, 파리에 있는 경매장 아트큐리얼이 주최한 행사에서 익명의 구매자에게 160만 달러에 팔렸다.
이 잉크와 과슈 수채물감을 이용한 예술작품은 '땡땡'의 작가 에르제(벨기에, 본명 조르주 레미)가 1932년에 창작했다.
2009년 5월 10일, 한 익명의 수집가는 땡땡의 모험 1963년 작 《카스타피오레 에메랄드》의 원화 한 페이지를 42만 5,884달러에 구매했다. 이는 **경매에서 가장 비싸게 팔린 코믹 아트 페이지**로 기록됐다.

아이스너 코믹 어워즈 수상작…

- **최고의 작가상:** 앨런 무어(영국)는 아이스너 코믹 어워즈에서 다양한 작품으로 9번이나 최고의 작가에 투표로 선발됐다. 작품에는 《워치맨》(1988), 《배트맨: 더 킬링 조크》(1989), 《프롬 헬》(1995~1997), 《슈프림》(1997), 《젠틀맨》(2000~2001, 2004)이 있다.
- **최고의 아티스트/삽화가:** P 크레이그 러셀과 스티브 루드(둘 다 미국)가 각각 4번씩 수상했다.
- **최고의 채색가:** 데이브 스튜어트(미국)는 아이스너 상을 2003년, 2005년, 2007~2011년, 2013년, 2015년까지 9번 받았다. 그가 맡은 작품에는 《헬보이》, 《캡틴 아메리카》, 《데어데블》, 《배트우먼》, 《엑스맨》 등이 있으며 다크호스, DC, 마블에서 두루 작업했다.
- **같은 부문 최다 수상자:** 만화 레터러(Letterer) 토드 클라인(미국)은 최고의 레터러 상을 16번이나 받았다. 최근 수상 연도는 2011년이다.
- **최고의 신작:** 브라이언 K 본(미국)은 최고의 신작상을 4번이나 받았다. 2005년 《엑스 마키나》, 2008년 《버피 더 뱀파이어 슬레이어》 시즌 8, 2013년 《사가》, 2016년 《페이퍼 걸스》다.
- **최고의 앤솔로지:** 다크호스 출판사가 1986년부터 출판한 《다크호스 프리젠츠》는 최고의 앤솔로지 상을 5번 받았다. 1992년, 1994년, 2012~2014년이다.

마블 코믹스 슈퍼히어로의 이름에는 캐릭터의 구분을 위해 '맨' 앞에 하이픈을 반드시 넣는다(ex.Spider-Man).

가장 큰 만화 출판사(현재)

전 세계 만화책 유통기업 '다이아몬드 코믹 디스트리뷰터스'에 따르면 마블(미국)은 2015년 말일까지 모든 만화의 총 판매 부수 중 41.82%를 차지해 다른 어떤 만화사보다 비중이 컸다. 2015년 2위를 기록한 만화 출판사는 DC(미국)로, 27.35%의 시장 점유율을 가져갔다.

가장 큰 수익을 올린 슈퍼히어로 '1편' 영화

더 넘버스 닷컴(The-Numbers.com)에 따르면 샘 레이미 감독의 〈스파이더맨〉(미국, 2002)은 2016년 12월 8일까지 8억 2,170만 6,375달러의 수익을 올렸다. 이 영화는 학생 피터 파커(토비 맥과이어 분)가 방사능 거미에게 물린 뒤 초인적인 힘을 갖게 되는 과정을 보여준다. 앤드루 가필드 주연의 〈더 어메이징 스파이더맨〉(미국, 2012) 역시 같은 내용의 프랜차이즈 영화다. 2번째 재제작(리부트) 작품인 〈스파이더맨: 홈커밍〉(미국)은 2017년 7월 개봉할 예정이다.

첫 번째 슈퍼히어로 영화

영화에 등장하는 최초의 슈퍼히어로를 가리려면 먼저 '슈퍼히어로'의 정의부터 내려야 한다. 영화 팬들은 1941년 3월 개봉한 〈캡틴 마블의 모험〉(미국)에서 평범한 남자 빌리 뱃슨(프랭크 콜란 주니어)이 옷을 바꿔 입고 초인적인 힘을 가진 영웅 캡틴 마블(톰 타일러, 위)로 변하는 모습을 처음으로 관람했다.

SUPERHEROES

영화 속 슈퍼히어로 ON SCREEN

가장 큰 수익을 올린 여성 슈퍼히어로

캣우먼인 페이션스 필립스는 자신이 주인공인 영화가 가장 크게 성공한 여성 슈퍼히어로다. 〈캣우먼〉(미국, 2004)은 전 세계적으로 8,210만 2,379달러의 수익을 올렸다. 주연을 맡은 할리 베리(미국)는 불명예스럽게도 골든라즈베리 시상식에서 '2004년 최악의 여자 주연상'을 받았는데, 시상식에 직접 참석해 상을 받아온 일화로도 유명하다.

최초로 텔레비전에 나온 슈퍼히어로

최초로 텔레비전 시리즈가 방영된 만화 속 슈퍼히어로는 슈퍼맨이다. 〈어드벤처 오브 슈퍼맨〉은 1952년 방영을 시작했고, 조지 리브스가 이 철인의 역을 맡았으며 시리얼 회사 켈로그가 제작을 지원했다.

텔레비전에 가장 많이 나온 슈퍼히어로

슈퍼맨은 4개 시리즈가 실사촬영으로 방영됐으며, 5명의 미국 배우들이 연기했다. 조지 리브스의 〈어드벤처 오브 슈퍼맨〉(외주제작, 1952~1958), 존 뉴턴과 제라드 크리스토퍼의 〈슈퍼보이〉(외주제작, 1988~1992), 딘 케인의 〈루이스 & 클라크: 슈퍼맨 뉴 어드벤처〉(ABC 방송, 1993~1997), 톰 웰링의 〈스몰빌〉(워너 브러더스, 후반 CW사, 2001~2011)이다. 6번째 배우 존 락웰(미국)이 연기한 〈어드벤처 오브 슈퍼보이〉(1961)는 파일럿 프로그램이 시리즈로 전환되지 못해 단 한 번도 방영되지 않았다. 슈퍼맨 캐릭터는 오랜 세월 동안 수많은 필름과 영화 시리즈, 애니메이션 TV 시리즈에 등장했다.

가장 많은 수익을 올린 슈퍼히어로 배우

로버트 다우니 주니어가 아이언맨인 토니 스타크 역으로 출현한 영화 여섯 편이 모두 65억 달러의 수익을 올렸다. 이는 슈퍼히어로를 연기한 모든 배우 중에 최고 성적이다. 오른쪽은 아이언맨 슈트의 가격이다.

영화로 가장 많은 수익을 올린 슈퍼히어로

더 넘버스 닷컴에 따르면, 배트맨은 2016년 12월 14일까지 전 세계에서 자신의 영화들로 45억 7,300만 달러의 매출을 올렸다. 이 어둠의 기사에 가장 근접한 라이벌은 스파이더맨인데, 5개 영화로 같은 날 기준 39억 6,300만 달러의 수익을 올렸다.

상영시간이 가장 긴 슈퍼히어로 영화

〈다크 나이트 라이즈〉(미국/영국, 2012)는 상영시간이 164분으로 가장 길다. 이 검은 망토의 영웅은 2번째로 긴 영화에도 출연한다. 〈배트맨 대 슈퍼맨: 저스티스의 시작〉의 상영시간은 151분이다.

리부트 편으로 가장 높은 수익을 올린 영화

리부트는 시리즈의 연결성을 버리고 새롭게 처음부터 다시 시작하는 편을 말한다. 〈어메이징 스파이더맨〉(미국, 2012)은 가장 성공적인 리부트 편으로, 더 넘버스 닷컴에 따르면 2016년 11월 4일까지 7억 5,789만 267달러의 수익을 올렸다.

마셔블 닷컴(mashable.com)은 토니 스타크가 〈아이언맨 3〉(미국, 2013)에서 입은 슈트를 실제로 제작하면 1억 달러라는 놀라운 금액이 든다고 말한다. 심지어 여기에 슈트를 가동해 줄 인공지능 프로그램의 가격은 포함되지도 않았다.

2008년 영국 의 한 십대 소년은 자신의 이름을 "슈퍼맨, 스파이더맨, 배트맨, 울버린, 헐크 그리고 플래시를 합친 것보다 빠른 캡틴 판타스틱"으로 개명했다.

성인 영화 중 가장 큰 수익을 올린 영화

라이언 레이놀즈가 주연한 외설적인 슈퍼히어로 영화 〈데드풀〉(미국, 2016)보다 전 세계적으로 높은 수익을 올린 성인 영화는 아직 없다. 이 영화는 2016년 12월 8일까지 7억 8,377만 709달러의 수익을 올렸다고 더 넘버스 닷컴은 전한다.

가장 높은 수익을 올린 슈퍼히어로 애니메이션 영화

〈빅 히어로〉(2014)는 전 세계 박스오피스에서 6억 5,212만 7,828달러라는 엄청난 수익을 거두며 픽사의 2004년 작 〈인크레더블〉(6억 1,472만 6,752달러)을 2위로 밀어냈다. 이 영화는 건강 관리 로봇 베이맥스가 최첨단 영웅으로 변화한 아이들과 함께 고향인 샌프란소쿄를 지킨다는 내용이다.

박스오피스 성적이 가장 좋은 영화 작곡가

한스 짐머(독일)는 94편의 영화에 자신의 곡들을 삽입했는데 여기에는 〈배트맨 대 슈퍼맨: 저스티스의 시작〉(미국, 2016), 〈어메이징 스파이더맨 2〉(미국, 2014), 〈다크 나이트 라이즈〉(미국/영국, 2012)같이 스펙터클한 슈퍼히어로 영화도 포함되어 있다. 더 넘버스 닷컴에 따르면 이 영화들은 2016년 11월 4일까지 전 세계적으로 264억 달러의 박스오피스 성적을 올렸다.

가장 긴 슈퍼히어로 영화 음악

영화 음악은 영화 전반에 거쳐 나오지만 대개 곡의 일부분만 사용된다. 한스 짐머의 〈맨 오브 더 스틸〉(미국, 2013) 사운드트랙은 28분 16초짜리 곡 '맨 오브 스틸: 한스의 오리지널 스케치북'을 포함해 총 길이가 무려 118분이 넘는다.

가장 많이 본 슈퍼히어로 영화 예고편

2015년 4월/5월에 개봉된 마블 영화 〈어벤저스: 에이지 오브 울트론〉(미국)의 온라인 예고편은 2016년 12월 15일까지 7,991만 9,121뷰를 기록했다.

사망자가 가장 많이 나오는 슈퍼히어로 영화

마블의 〈가디언즈 오브 더 갤럭시〉(미국, 2014)에 나오는 총 사망자의 수는 8만 3,871명으로 노바 군단의 사상자가 포함되는 바람에 엄청나게 늘어났다. 〈맨 오브 스틸〉(미국, 캐나다, 영국, 2013)에도 주요 도시와 스몰빌에서 엄청난 사망자가 발생하는데, 심지어 크립톤 행성의 모든 생명이 몰살당하기까지 한다. 이 장면은 〈슈퍼맨〉(미국, 영국, 1978년)에도 나온다. 크립톤에 지구와 비슷한 수의 생명이 존재한다고 가정하면, 각 영화에 나오는 사망자 수는 가늠할 수 없을 정도로 늘어나는데, 종의 숫자만 1조에 달한다.

가장 성공한 영화 100편 중 17%에 슈퍼히어로가 등장한다. 2016년 11월, 5위에 올라 있는 영화는 〈어벤저스〉다.

가장 높은 수익을 올린 슈퍼히어로 영화

전 세계 박스오피스에서 가장 성공한 슈퍼히어로 영화는 마블의 〈어벤저스〉(미국, 2012)다. 이 영화는 2012년 5월 4일~10월 4일까지 22주 동안 상영되며, 15억 1,947만 9,547달러의 수익을 올렸다. 조스 웨던(미국)이 감독한 이 영화는 당시 미국에서 5월에 개봉한 모든 영화의 수익 중 52%를 가져갔다.

가장 다양한 슈퍼히어로가 나오는 게임

미국 기반의 개발사 가질리언 엔터테인먼트의 MMORPG(대규모 다중 사용자 온라인 롤플레잉 게임) 〈마블 히어로즈 2016〉은 2017년 3월 14일까지 462가지 버전의 슈퍼히어로를 공개했다. 영웅의 복장은 모두 만화와 영화에서 정식 채용했다. 여기에는 24개 버전의 아이언맨, 21개 버전의 스파이더맨, 11개 버전의 스톰과 진 그레이가 포함되어 있다. 이 게임은 2013년 처음 공개된 후 2016년 1월에 새롭게 개편됐다.

SUPERHEROES

비디오게임 VIDEOGAMES

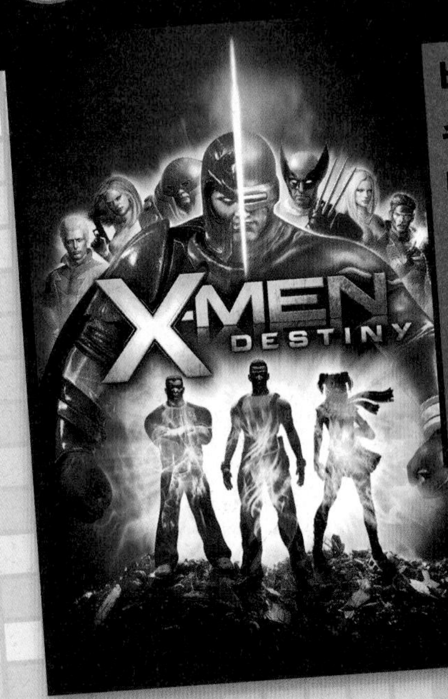

비디오게임에 가장 많이 나오는 슈퍼히어로 팀

DC 코믹스의 저스티스 리그부터 마블의 어벤저스까지, 만화책에서 나온 슈퍼히어로 팀들은 오랫동안 인기를 끌어왔다. 하지만 이중 가장 많이 나온 팀은 엑스맨이다. 2017년 3월 1일까지 자비에 교수가 이끄는 슈퍼 뮤턴트들이 주인공인 게임이 27개나 출시됐고, 엑스맨의 핵심인물인 울버린 혼자 나온 게임도 5개나 된다. 이들보다 게임에 더 많이 등장한 영웅은 스파이더맨과 배트맨뿐이다.

최초의 슈퍼히어로 1인칭 슈팅게임

〈엑스맨: 더 래비지스 오브 아포칼립스〉는 1997년에 PC 게임으로 출시됐다. 플레이어는 매그니토가 만든 사이보그가 되어 복제된 악당 엑스맨들을 추적한다. 마블이 출시한 이 게임은 이드소프트웨어의 〈퀘이크〉(1996)를 변형한 것으로 원조 게임이 있어야 플레이할 수 있다.

마블 시네마틱 유니버스로 출시된 최초의 게임

2016년 1월 4일까지 마블 시네마틱 유니버스(마블 영화의 공통된 세계관)로 만들어진 영화는 14편이다. 최초의 비디오게임은 2008년 SEGA의 〈아이언맨〉이다.

가장 오래 운영된 슈퍼히어로 MMO 게임

엔씨소프트의 MMO(대규모 다중 사용자 온라인 게임) 〈시티 오브 히어로즈〉는 8년 300일 동안 운영된 뒤 2012년 11월 30일 종료했다. **가장 오래 운영되고 있는 MMO 게임**은 〈챔피언스 온라인〉이다. 테이블 탑 게임(보드게임, 카드게임 등) 형식으로 크립틱 스튜디오가 개발했으며, 2017년 3월 14일 현재까지 7년 184일간 운영되고 있다.

슈퍼히어로가 정식으로 나오는 최초의 텍스트 어드벤처 게임

〈퀘스트프로브 피처링 더 헐크〉는 1984년 7개의 플랫폼으로 출시됐다. 개발사인 어드벤처 인터내셔널이 망하기 전까지 2개의 속편이 나왔는데 하나는 스파이더맨이, 다른 하나에는 휴먼 토치와 더 씽이 등장한다.

게임을 위해 만들어진 최초의 슈퍼히어로

1986년 ZX 스펙트럼(가정용 컴퓨터의 일종)용으로 출시된 〈레드호크〉는 플레이어가 "콰(Kwah)!"라는 주문을 타이핑하면 주인공이 힘센 영웅으로 변하는 장면이 나온다.

최초의 배트맨 비디오게임

어둠의 기사 배트맨이 처음 게임에 모습을 드러낸 건 1986년 오션 소프트웨어가 ZX 스펙트럼, MSX, 암스트래드 CPC용으로 만든 게임 〈배트맨〉(오른쪽)이다. 이 다양한 플랫폼의 게임은 프로그래머 존 리츠먼과 예술가 버니 드러먼드 단둘이 제작했다.

게임에서 배트맨과 맞서는 최초의 악당은 신추다. 이 나쁜 군대의 우두머리는 작가 플린트 딜과 만화가 짐 리가 만들었으며, 유비소프트의 2003년 작품 〈배트맨: 라이즈 오브 신추〉에 처음 등장한다. 추는 그전까지 만화에는 거의 나오지 않았다.

최초의 정식 슈퍼히어로 게임

존 던(미국)이 제작한 〈슈퍼맨〉은 1978년 개봉한 동명의 영화와 함께 아타리 2600(게임기) 전용으로 출시됐다. 플레이어는 '데일리 플래닛'에 돌아가기 전에 악당 렉스 루터를 최대한 빨리 잡아야 한다. 〈슈퍼맨〉은 아타리 4K ROM을 위해 최초로 개발된 게임이었다.

최초의 배트맨 게임(위에 삽입된 그림)은 플레이어가 배트맨의 동료 로빈을 찾기 위해 퍼즐을 풀고 아이템을 획득하며 방을 지나가야 하는 게임이다(왼쪽 참조).

만화책 캐릭터가 가장 많이 나오는 게임

〈스크리블너츠 언마스크트: 어 DC코믹스 어드벤처〉(5TH 셀 제작, 2013)에는 슈퍼히어로, 슈퍼빌런을 포함한 1,718명의 캐릭터가 나오며, 로이스 레인이나 알프레드 페니워스 같은 평범한 사람도 등장한다. 이 게임은 플레이어가 자신이 좋아하는 캐릭터를 타이핑으로 소환해 진행하는 형식이다.

게임에 가장 많이 나온 슈퍼히어로

1982년 아타리 2600 전용 〈스파이더맨〉부터 게임로프트의 러닝 게임〈스파이더맨 언리미티드〉(2014)까지, 마블의 스파이더맨은 2017년 2월 8일까지 32개 플랫폼에 37개 게임이 출시됐다. 또 이 거미 인간은 20개의 게임에 다른 영웅과 함께 나왔다. 〈마블 슈퍼히어로 스쿼드〉(2009)뿐 아니라 1989년 작 〈시노비의 복수〉에서는 상대편 왕으로 등장하기도 했다.

평점이 가장 낮은 슈퍼히어로 게임

게임트레일러스 닷컴(GameTrailers.com)에서 '역대 최악의 게임', 게임스파이 '역대 최악의 만화책 기반 게임'에 뽑힌 〈슈퍼맨: 더 뉴 슈퍼맨 어드벤처〉(티투스 소프트웨어, 1999)는 닌텐도64용 게임으로, 평점이 크립토나이트에 당한 슈퍼맨만큼이나 형편없다. 이 작품은 2017년 2월 13일까지 게임 랭킹스에서 고작 22.9%의 긍정도를 기록하고 있다.

가장 평이 좋은 슈퍼히어로 게임은 플레이스테이션 3으로 출시된 〈배트맨: 아캄 시티〉(락스테디, 2011)로 게임 랭킹스에서 긍정도 95.94%를 기록 중이다.

〈배트맨: 아캄 시티〉를 가장 빨리 완료한 게이머

'다크아트락스'(캐나다)는 락스테디의 액션 어드벤처 게임을 PC로 플레이해 2016년 12월 22일, 1시간 21분 31초 만에 끝냈다. 다크아트락스는 게임 설정을 '쉬움'으로 해 플레이했으며, 달리기를 더 오래 할 수 있는 캣우먼은 사용하지 않았다. 이 기록은 스피드런 닷컴(Speedrun.com)이 2016년 12월 24일 인증했다.

〈레고 마블 슈퍼 히어로즈〉를 가장 빨리 완료한 게이머

'섀도우스미스97'(미국)이 2015년 11월 21일 Xbox로 플레이해 2013년에 출시된 이 액션 어드벤처 게임을 2위보다 20분 이상 빠른 4시간 40분 4초 만에 완료했다. 이 유저는 'xKingofCTownx'라는 유저와 함께 **'협동 모드'로 완료한 최고 기록**도 세웠다(3시간 57분 29초).

슈퍼히어로 게임에 가장 많이 출연한 성우

베테랑 성우인 프레드 테터쇼어(미국)는 2017년 3월 23일까지 슈퍼히어로 목소리를 53번 연기했다. 그는 헐크, 베인, 더 씽 그리고 닥터 둠 같은 헤비급 영웅이나 악당을 주로 맡았다. 그가 연기한 작품에는 〈레고 마블 어벤저스〉, 〈뷰티풀 조 2〉 그리고 스파이더맨과 엑스맨 타이틀이 다수 포함돼 있다.

게임에서 하나의 영웅을 가장 많이 연기한 성우

스티브 블럼(미국)은 2004년 액티비전의 액션 RPG 〈엑스맨 레전드〉에서 처음 울버린을 연기했다. 2017년 2월 8일까지 블럼은 이 인간적인 영웅의 걸걸한 목소리를 15번이나 표현했다.

게임에서 하나의 영웅을 가장 많이 연기한 성우(여성)

DC코믹스의 할리퀸은 배트맨과 슈퍼맨 이야기에 자주 등장하는 악당이다. 타라 스트롱(캐나다)은 2017년 2월 8일까지 10개의 게임에서 할리퀸 목소리를 연기했다.

VGChartz에 따르면 배트맨은 레고 시리즈와 아캄 시리즈로 비디오게임 5,544만 장을 판매했다.

가장 많이 팔린 슈퍼히어로 게임

VGChartz에 따르면 〈레고 배트맨: 더 비디오게임〉(트레블러 테일즈 게임즈, 2008)은 2017년 3월 17일까지 다양한 플랫폼에서 1,345만 장이 판매됐다. 이는 **가장 많이 팔린 배트맨 게임**이면서 **가장 많이 팔린 DC코믹스 캐릭터 게임**이다. 트레블러 테일즈 게임즈가 오리지널 스토리를 레고 게임으로 만든 첫 작품이며 배트맨이 펭귄맨, 조커, 리들러 등 슈퍼빌런들이 이끄는 악당들에 맞서 싸우는 내용이다. 〈DC 슈퍼 히어로즈〉(2012), 〈비욘드 고담〉(2014) 2개의 속편이 있다.

《기네스 세계기록 게이머 에디션 2018》

더 많은 스피드-런, 최고 점수, 달성률과 기록들 그리고 슈퍼히어로 챕터까지. **《기네스 세계기록 게이머 에디션》**에 나와 있다!

만화책 캐릭터 복장으로 모인 최다 인원

2015년 9월 25일, 미국 유타 주 솔트레이크에서 열린 코믹콘 행사에 1,784명이 유명 만화책 캐릭터의 복장을 하고 참석했다. 이 기록에는 만화책에 나오는 캐릭터의 의상만 인정됐다(TV나 영화 제외). 현지 최고의 만화책 전문가들이 이 규정에 맞춰 검사했다.

코스튬플레이 COSPLAY

〈어벤저스: 에이지 오브 울트론〉(미국, 2015)에 나오는 슈트를 토마스가 따라 만든 코스튬이다. 토니 스타크는 헐크와 싸우기 위해 이 슈트를 만들었다.

가장 큰 코스튬플레이 의상(개인)

토마스 드페트릴로(미국)가 디자인하고 제작한 아이언맨 헐크버스터는 높이가 2.89m, 어깨 넓이 1.93m, 무게는 48.08kg다. **역사상 가장 큰 남자**인 로버트 워들로보다 17.7cm나 큰 이 슈트는 입는 데만 20분이 걸린다.

슈퍼히어로 의상으로 뛴 하프마라톤 최고 기록(남성)

2016년 10월 2일 일요일, 마이클 칼렌버그(영국)는 영국 웨일스에서 카디프 하프 마라톤에 로빈의 옷을 입고 출전해 1시간 9분 33초의 기록을 세웠다. 배트맨(카륀 존스)는 칼렌버그의 뒤를 이어 1시간 10분 45초 만에 완주했다.

코스튬플레이에 전념하는 가장 긴 행사

매년 열리는 월드 코스튬플레이 서밋의 13회 행사가 일본 나고야에서 2016년 7월 30일~ 8월 7일까지 개최됐다.

대회 참가자들은 일본 비디오게임, 애니메이션, 만화 그리고 토쿠사츠(특수촬영물)의 의상을 입어야 한다.

행사의 피날레는 월드 코스튬플레이 챔피언십이다. **역대 최다 우승(3승)은 두 팀**인데, 이탈리아가 2005년, 2010년, 2013년 대회에서 우승했고 브라질이 2006년, 2008년, 2011년에 우승했다. 영원한 홈팀인 일본은 2회 우승했다. 2016년 우승팀은 인도네시아다.

2016년 나고야에서 8월 6일부터 2일간 열린 대회에는 **코스튬플레이 토너먼트 최다 참가 기록**인 30개국이 출전해 무대에 올랐다. 중국, 호주, 인도, 쿠웨이트, 덴마크, 멕시코 등이 참가했다.

슈퍼히어로 복장 마라톤 최단 시간 기록

2016년 4월 24일, 맷 건비(영국)는 원더우먼 복장으로 버진 머니 런던 마라톤에 출전해 2시간 27분 43초 만에 완주했다.

슈퍼히어로 복장 마라톤 최단 시간 기록(여성)은 카밀 헤론(미국)이 2012년 11월 18일에 미국 오클라호마 주 툴사에서 열린 66번 국도 마라톤 대회에 스파이더맨 복장으로 참가해 세운 2시간 48분 51초다.

슈퍼맨 의상으로 모인 최다 인원

2013년 7월 27일, 영국 컴브리아 로우더 디어 파크에서 열린 켄들 콜링 축제에 867명의 강철 남자(여자와 아이들도 포함)가 집합했다. 에스카페이드(영국)가 주최했는데 영화 〈맨 오브 스틸〉(미국/캐나다/영국, 2013)의 개봉에 맞춰 자선단체 '헬프 포 히어로즈'를 알리기 위해 기획됐다.

기능이 가장 많은 코스튬플레이 의상

특수효과 전문가 줄리안 체클리(영국)가 2016년 23가지 기능이 장착된 배트 슈트를 선보였다. 여기에는 파이어볼 발사기, 추적 장치, 표창, 연막탄, 그리고 배트맨의 상징인 쇠갈퀴 총도 포함되어 있었다. 2016년 줄리안은 비디오게임 〈배트맨: 아캄 오리진〉(워너 브러더스, 2013)에 나오는 의상을 본 따 디자인하고 만들었다.

줄리안의 배트 슈트는 유연한 우레탄 고무를 3D프린터로 사출해 만들었다. 슈트에 기능성 장치들을 설치하는 데만 석 달이 걸렸다.

같은 의상으로 모인 최다 인원…

드래곤볼 캐릭터
2012년 11월 1일, 스페인 바르셀로나에서 에디토리알 플라네타(스페인) 주최로 열린 '살로 델 망가 코믹 페스티벌'에 307명이 만화 시리즈 〈드래곤 볼〉 캐릭터 의상을 입고 나타났다.

스파이더맨
구직회사 차터하우스(호주)가 2015년 7월 28일, 호주 뉴사우스웨일스 주 시드니에서 438명의 스파이더맨을 모았다.

벤 10
2016년 3월 25일 하루, 475명의 참가자가 사우디아라비아 제다에 있는 레드 시 몰에서 만화 속 영웅 '벤 10'이 됐다. 행사는 레인보우플레버드밀크(사우디아라비아)가 기획했다.

배트맨
2014년 9월 18일, 542명이 캐나다 앨버타 주 캘거리에서 검은 망토를 한 영웅의 모습으로 모였다. 이 대형 코스튬 행사는 넥슨에너지(캐나다)가 주최했다.

헐크
2012년 7월 13일, 아일랜드 캐슬블레이니에서 열린 머크노 마니아 페스티벌에서 총 574명이 녹색 괴물로 변신했다.

닌자 거북이
니켈로디언 스위트 리조트는 2014년 8월 9일 미국 플로리다 주 올랜도에 1,394명의 닌자 거북이를 모았다.

슈퍼히어로(단일 장소)
2010년 10월 2일, 미국 캘리포니아 주 로스앤젤레스에서 열린 드림웍스의 영화 〈메가 마인드〉(미국, 2010) 프로모션 행사에 1,580명이 다양한 슈퍼히어로 복장으로 참석했다. 이 행사는 파라마운트 픽처스(미국)가 주최했다.

24시간 동안 슈퍼히어로 복장을 한 최다 인원(여러 장소)

2015년 4월 18일, 세계 14개 장소에서 2,003명이 슈퍼히어로 옷을 입고 24시간 이상을 보냈다. 이 행사는 DC코믹스(미국)가 주최했으며 모두 DC코믹스에 등장하는 정의의 사도들 복장으로 참석했다. 호주 퀸즐랜드 주에서 시작해 미국 캘리포니아 주 로스앤젤레스에서 막을 내렸다.

가장 빠른

슈퍼히어로: DC의 더 플래시는 초스피드의 에너지 차원인 '스피드포스'를 받아들여 엄청난 속도로 움직일 수 있다. 플래시는 몇 대의 주인공을 거쳐왔는데, 이중 월리 웨스트(왼쪽)가 가장 빠르다. 라이벌인 마블의 속도광 퀵실버는 한정판 시리즈인《선 오브 M》에서 테리전 미스트를 사용해 시간보다 빠르게 이동할 수 있게 됐다. 하지만 이 능력은 오래 지속되지 않았다.

슈퍼빌런: '줌'으로 알려진 헌터 졸로몬(오른쪽)은 플래시보다 빠르다.《플래시 Vol.2 #199》에서 플래시 월리 웨스트는 줌을 따라잡기는커녕 달리는 모습을 눈으로 쫓아가는 것도 힘들어한다!

SUPERHEROES

카파우! KAPOW!

만화책 전문가 롭 케이브는 최고의 슈퍼히어로를 요약해 정리했다.
은하계 최고의 기록 보유자가 되기 위해 서로 경쟁하는 선과 악의 힘을 보면,
결국에는 죽어 사라지는 인간의 하찮은 노력이 조금은 허망하게 느껴진다.

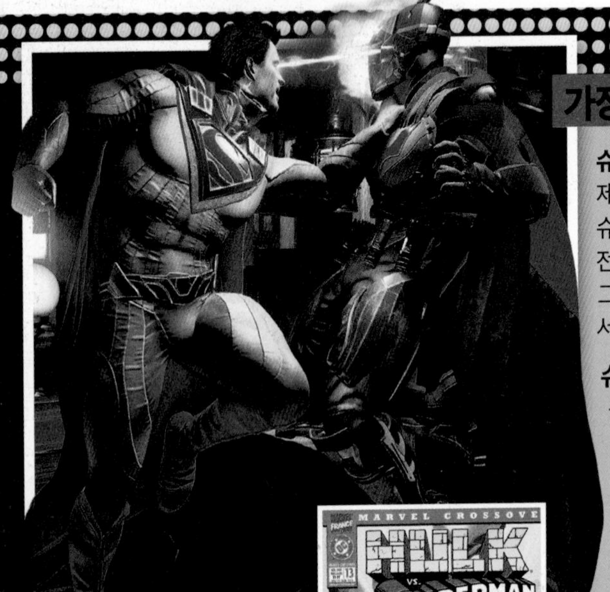

가장 힘 센

슈퍼히어로: 토르, 허큘리스, 인크레더블 헐크 모두 이 제목에 어울리는 힘을 가졌지만, 가장 힘이 센 영웅은 슈퍼맨이다. 그는《올스타 슈퍼맨 #1》에서 과하게 충전된 태양 에너지 덕분에 2해 톤을 들 수 있게 된다. 그리고 헐크(가장 힘센 남자)와의 3차례 힘 대결에서 슈퍼맨이 2번의 확실한 승리를 거둔다.

슈퍼빌런: 고대 크립톤 행성에 존재하던 괴물 둠스데이(오른쪽)는 자신의 힘으로 슈퍼맨을 죽음에 이르게 하고, 저스티스 리그를 궁지로 내몬다. 이 괴물은 절대 같은 방법에 2번 당하지 않는다.

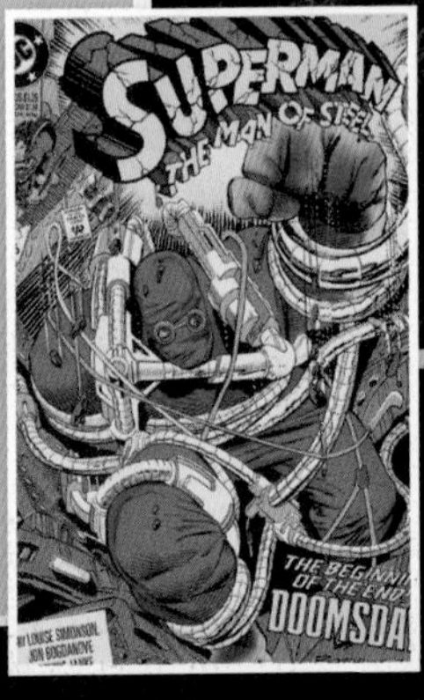

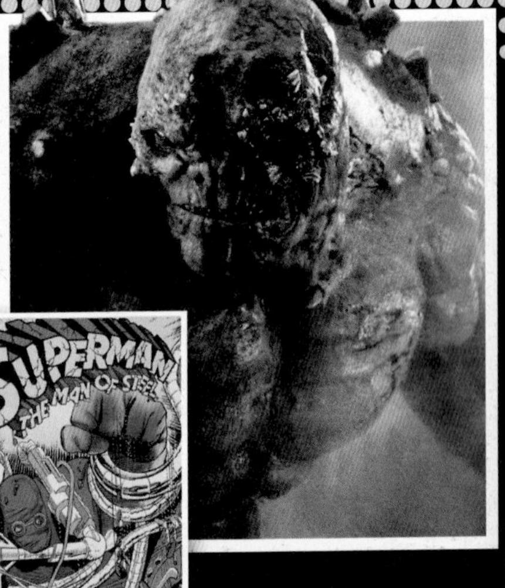

가장 큰 슈퍼히어로

미스터 판타스틱, 플라스틱맨, 일롱게이티드맨 등 수많은 영웅이 자기 모습을 바꿀 수 있지만, 질량까지 큰 폭으로 변화시키지는 못한다. 하지만 스타 보이/스타맨으로 알려진 톰 캘러는 물체의 질량과 밀도를 늘리는 능력을 지녔다. 또 오리지널 앤트맨 행크 핌은《더 마이티 어벤저스 Vol. 1 #30》에서 매크로버스(Macroverse)를 넘어 '모든 현실을 넘어서는 분리된 공간' 오버스페이스(Overspace)에 들어갈 정도로 커지기도 한다.

이렇게 크기를 조절할 수 있는 영웅들을 빼면, 가장 큰 슈퍼히어로는 모고(Mogo)다. 판단능력이 있는 행성이자 그린 랜턴 군단의 일원이다.《그린 랜턴 Vol. 2 #188》에 처음 등장한 모고는 자신만의 중력을 가지고 있을 정도로 큰 행성이다.

가장 작은 슈퍼히어로

앤트맨 행크 핌, 더 와스프(재닛 밴 다인), 아톰(레이 팔머)이 아원자 입자의 크기로 줄어들 수 있는 능력을 지녔다. 하지만 아크투러스 랜과 그의 동료 마이크로넛츠는 아원자보다 작은 상태에서만 접근할 수 있는 '마이크로버스(Microverse)'에서 태어나 살고 있다.

가장 똑똑한 슈퍼히어로

DC 유니버스의 '미스터 테리픽' 마이클 홀트는 14개의 박사학위를 가지고 있지만《인피니트 크라이시스 #5》에서 지구에 사는 사람 중 겨우 3번째로 똑똑한 인물로 평가받는다. 행크 핌은《더 마이티 어벤저스 Vol. 1 #30》에서 핌 입자를 발견해 우주적 존재인 이터니티로부터 '지구의 사이언티스트 수프림'이라는 별명을 얻는다. 하지만《판타스틱 4》의 리드 리처드는 자신의 과학적 위업을 넘어서는 영리함을 지니고 있다. 그는 스스로의 한계를 알고 자신의 아이들인 프랭클린과 발레리아를 포함한 다른 전문가들에게 정기적으로 도움을 청한다. 이런 성격 덕분에 리드는 복잡한 차원 간의 문제를 포함한 여러 난제도 풀게 된다.

가장 똑똑한 슈퍼빌런

외계의 안드로이드 빌런 브레이니악은 12레벨의 지적능력을 지녔다(20세기 지구가 6레벨). 하지만 그는 자신보다 한 수 앞선 슈퍼맨에게 여러 번 패하고 만다. 오지만디아스로 알려진 아드리안 베이트는《왓치맨》에서 '지구에서 가장 똑똑한 인간'이라는 별명을 가졌다. 완벽한 계략으로 전 세계의 정부와 닥터 맨해튼을 성공적으로 속였는데, 바로 자신이 만들어낸 가상의 외계인 습격이었다.

가장 힘이 약한 슈퍼히어로

마크 밀러와 존 로미타 주니어가 제작한《킥 애스 #1》에 등장하는 '킥-애스' 데이브 리쥬스키는 쫄쫄이 옷을 입고 악의 힘에 맞서는 평범한 10대다. 훈련도, 장비도 부족하고 특별한 능력도 없는 리쥬스키는 범죄와 맞서 싸우는 게 어렵다는 사실을 깨닫는다. 하지만 작은 사고와 부상에도 단념하지 않는다.

최초의 뮤턴트

엑스맨 뮤턴트(돌연변이체)의 적 아포칼립스는 약 5000년 전에 태어나 '최초로 나타난 자'라는 별명이 있다. 하지만《엑스-네크

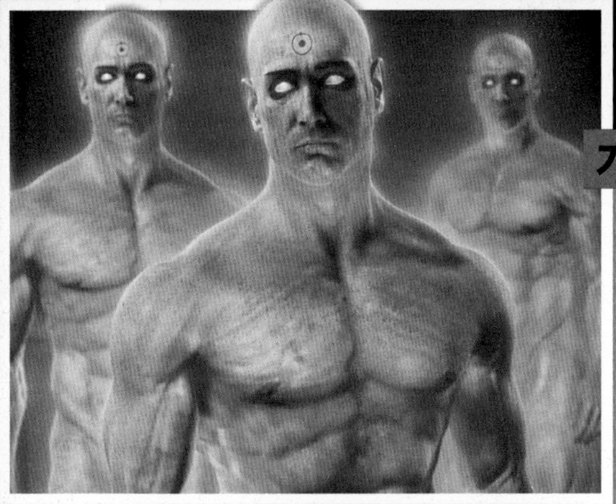

가장 강력한

슈퍼히어로: 앨런 무어의 《왓치맨》(왼쪽)에 등장하는 '수프림 슈퍼히어로' 닥터 맨해튼(왼쪽)은 핵물리학 실험 중 일어난 사고로 탄생하게 된다. 그는 물체를 원자 단위로 다룰 수 있고, 시간의 굴레 밖에서 현실을 파악한다.

슈퍼빌런: 안티 모니터(오른쪽)는 반물질 우주에 있는 쿼드 행성에서 온 전지전능한 존재다. 《무한 지구의 위기》에서 그는 별들의 힘을 흡수해 수천 개의 우주와 히어로들을 없애버린다.

가장 부유한

슈퍼히어로: 블랙 팬서라고도 하는 티찰라(왼쪽)는 아프리카의 작은 왕국 와칸다의 전제군주다. 이 국가는 외계 금속 비브라늄을 팔아 부를 얻는다. 수익의 신중한 재투자와 티찰라의 국가 자원 관리로 와칸다는 수조 달러를 보유하게 된다.

슈퍼빌런: 〈판타스틱 4〉의 악당 닥터 빅터 본 둠(오른쪽)은 뛰어난 발명가이자 라트베리아의 절대적인 통치자다. 그는 몇 번이나 권좌에서 물러나지만, 경제적 자원을 이용해 결국에는 다시 권력을 손에 넣는다.

로샤 #1》에 등장하는 뮤턴트이자 초능력 뱀파이어인 '블랙 퀸' 셀레네 갈리오는 나이가 1만 7,000세로 짐작된다. 그녀는 기록된 문명 이전인 하이보리안 시대와도 연관이 있어 보인다.

가장 느린 슈퍼빌런

단순한 은행강도인 터틀맨은 보안이 철저한 은행 금고에 들어가 숨어 있다가 나중에 경비가 허술할 때 빠져나오는 완전범죄를 계획한다. 그의 계획은 초고속 슈퍼히어로 더 플래시의 화신 배리 앨런에 의해 실패하고 만다. 플래시와 정반대인 터틀맨은 '지구에서 가장 느린 남자'로 불린다.

가장 일반적인 슈퍼히어로

마블이 '장난으로' 출시한 《제네릭 코믹북 #1》에서 데뷔한 '슈퍼히어로'는 자신의 야광 수집품에서 강력한 힘과 예민한 감각을 얻는다. 책의 표지에는 이런 주의사항이 적혀 있다. "이 만화의 내용: 개인적인 문제가 많은 신경과민의 슈퍼히어로. 신비한 방법으로 세상을 지배하려고 몰두하는 나쁜 놈."

가장 어린 슈퍼히어로

만화에 10대 슈퍼히어로가 나오는 전통은 오래전인 1940년 《디텍티브 코믹스 #38》에 딕 그레이슨이 등장하며 시작됐다. 하지만 이 '보이 원더'보다 더 어렸을 때 커리어를 시작한 초능력 아이들도 있다. 프랭클린 리처드는 《파워 팩 #17》에서 겨우 4세 반의 나이로 어린이 슈퍼히어로팀 파워 팩에 합류한다. 하지만 이것도 윈터 모란에 비하면 어리다고 할 수 없는데, 이 아이는 《미라클맨 #9》에서 출생과 동시에 세상을 구한다! 그녀는 아버지 미라클맨의 힘을 물려받았는데, 원래는 미라클맨이 과학기술을 통해 전해 받은 외계인 큐와이스(Qys)의 힘이었다. 큐와이스와 그들의 라이벌 워프스미스들은 윈터 모란의 탄생을 보고 인간을 '지적인 존재'로 여겨 지구를 침공하지 않기로 한다.

가장 이기기 힘든 슈퍼히어로

아무리 강력한 슈퍼히어로라도 어느 시점이 오면 한 번은 지기 마련이다. 하지만 '다람쥐 소녀' 도린 그린(오른쪽)은 다르다. 《마블 슈퍼 히어로즈 Vol. 2 #8》에 처음 등장한 그녀는 《천하무적 다람쥐 소녀가 마블 유니버스를 두들겨 패다!》에서 모든 등장인물의 갈등을 공평하게 두들겨 패 해결한다.

가장 비싸게 팔린 TV 시리즈 의상

1955년 방영된 〈어드벤처 오브 슈퍼맨〉(미국)에 사용된 슈퍼맨 의상은 2015년 9월 30일, 미국 캘리포니아 주 로스앤젤레스의 프로파일스인히스토리 경매에서 18만 달러에 판매됐다. 1955년 TV는 흑백으로 촬영됐기 때문에 당시 슈퍼맨 의상은 화면에 더 선명하게 나오는 갈색과 흰색으로 돼 있다.

AD 상품 최다 수집

영국 선덜랜드의 로버트 스튜어트(영국)는 2016년 3월 25일 기준 만화 〈2000 AD〉의 기념품 1만 18개를 소장하고 있다. 1977년부터 모으기 시작해 1980년대 말에 멈췄는데 가장 먼저 수집한 '저지 데스 티셔츠'는 어머니가 실수로 버렸다고 한다. 로버트가 가장 좋아하는 제품은 저지 드레드 핀볼 머신이다.

SUPERHEROES

슈퍼히어로 전반 ROUND-UP

〈늪지의 괴물〉 최다 수집

존 보이런(미국)은 미국 사우스다코타 주 수폴스에서 2015년 3월 21일 기준 797개의 희귀한 〈늪지의 괴물〉 상품을 수집했다. 존의 소장품에는 만화책, 광고지, 영화 포스터, 작은 피규어, 옷, 심지어 삽화 원화도 포함돼 있다. 그가 가장 좋아하는 수집품은 〈늪지의 괴물〉 TV 멤버 재킷, 프로모션 시계, 침낭이다.

최초의 슈퍼히어로 팀

'저스티스 소사이어티 오브 아메리카'의 창립 멤버는 아톰, 닥터 페이트, 더 플래시, 그린 랜턴, 호크맨, 아워맨(당시에는 아워-맨으로 표기), 샌드맨과 스펙터로 1940년 겨울에 발행된 《올스타 코믹스 #3》 표지에 모여 앉아 회의를 하고 있다. 조니 선더는 표지에 언급돼 있긴 하지만 실제 모습이 그려져 있지 않으며, 6호가 되어서야 멤버로 합류한다. 영웅들은 홀로 맞서기 힘든 강한 적들을 물리치기 위해 힘을 합쳤는데, 이 형식은 〈저스티스 리그〉부터 〈어벤저스〉, 〈엑스맨〉에 이르는 모든 슈퍼히어로 팀의 기준이 됐다.

13세 관람가 슈퍼히어로 영화 중 최고 수익

〈어벤저스〉(2012)는 아이언맨, 토르, 캡틴 아메리카 등 여러 마블 슈퍼히어로들이 모여 로키에 대항해 세상을 구하는 이야기다. 더 넘버스 닷컴에 따르면 이 영화는 2016년 12월 14일까지 15억 1,947만 9,547달러의 수익을 올렸다. 이 시리즈는 〈어벤저스: 에이지 오브 울트론〉(2015)까지 포함해 평균 14억 6,209만 2,708달러의 매출을 올려 **시리즈 영화 중 가장 높은 평균 수익**을 기록했다.

미성년자 관람가 슈퍼히어로 영화 중 최고 수익

〈빅 히어로〉(미국, 2014)는 마블이 원작이지만 디즈니 애니메이션 스튜디오가 제작했다. 일본 애니메이션의 영향을 받은 이 작품은 더 넘버스 닷컴에 따르면 2016년 12월 14일까지 6억 5,212만 7,828달러의 수익을 올렸다.

실사 영화가 가장 많이 나온 슈퍼히어로

애니메이션을 제외하더라도 배트맨은 영화에 10번이나 출연했다. 시작은 애덤 웨스트가 주연한 TV 방영용 영화, 〈배트맨〉(미국, 1966)이다. 그 후에도 배트맨은 마이클 키튼, 발 킬머, 조지 클루니, 크리스천 베일이 연기했다. 〈배트맨 대 슈퍼맨: 저스티스의 시작〉(미국, 2016)의 벤 애플렉은 〈저스티스 리그〉(미국, 2017, 위 참조)에서도 배트맨을 연기했다.

만화책 최다 수집

캘리포니아 주 미션비에호에 사는 밥 브레탈(미국)은 10만 1,822종의 만화책을 갖고 있다(2015년 8월 6일 확인). 밥은 수집품들을 차고 3개에 보관하고 있으며 자신의 '만화책 서재'에는 선별된 책과 상품들을 보관 중이다.

마블 영화에 가장 많이 나오는 캐릭터

사무엘 잭슨(미국)이 연기하는 닉 퓨리는 마블 영화에 7회 등장했다. 〈아이언맨〉(2008), 〈아이언맨 2〉(2010), 〈토르〉(2011), 〈퍼스트 어벤저〉(2011), 〈어벤저스〉(2012), 〈캡틴 아메리카: 윈터 솔저〉(2014), 〈어벤저스: 에이지 오브 울트론〉(2015)에 나온다. 잭슨은 TV 시리즈 〈에이전트 오브 실드〉(ABC, 2013~현재) 에피소드 2에서도 퓨리를 연기한다.

경매에서 가장 비싸게 팔린 배트포드

〈다크 나이트 라이즈〉(미국, 2012)에 등장하는 배트포드 오토바이는 프롭 스토어 라이브 경매(영국)에서 2016년 9월 27일, 40만 4,393달러에 낙찰됐다. 하지만 **가장 비싸게 낙찰된 배트맨 상품**은 따로 있다. 1960년대 배트맨 TV 시리즈에서 사용된 배트 모빌(오른쪽 끝)은 미국 애리조나 주 스코츠데일의 바렛-잭슨 자동차 옥션에서 2013년 1월 19일 판매자 프리미엄을 포함해 462만 달러에 낙찰됐다.

〈다크 나이트 라이즈〉에 나온 배트 슈트는 24만 8,857달러에 낙찰됐지만 같은 경매에 나온 베인의 의상은 12만 4,428달러에 낙찰됐다.

슈퍼맨 상품 최다 수집

마르코 조르진(브라질)은 2016년 2월 14일까지 슈퍼맨 관련 상품 1,518개를 모았다. 마르코는 마지막 클립톤인(人)인 칼-엘(슈퍼맨의 클립톤 이름)의 열혈팬으로 실제 자기 중간이름을 '슈퍼맨'으로 바꿨다. 그의 슈퍼 컬렉션에는 크리스토퍼 리브가 주연한 〈슈퍼맨〉 영화의 비디오테이프, 슈퍼맨을 소재로 만든 보온병, 도시락통, 야구모자, 손목시계, 헤드폰, 튜브로 된 펀치백 등이 있다.

가장 많이 출연한 TV, 영화, 공연 스턴트맨

로이 아론(영국, 1942~2006)은 973작품의 TV, 영화, 공연에서 스턴트 진행자, 연기자 혹은 제2 제작진 감독으로 활약했다. 여기에는 영화 148작품(영화에는 크리스토퍼 리브의 〈슈퍼맨〉 4작품, 다수의 제임스 본드 시리즈), TV쇼 739작품, 공연 13작품과 광고 37종도 포함된다.

가장 키가 작은 스턴트맨

키런 샤(영국, 케냐 출신)는 2003년 10월 20일 측정한 키가 126.3cm다. 1976년부터 52작품의 영화에 출연했는데, 이중 31작품에서 스턴트 연기를 했다. 〈반지의 제왕〉 3부작에서 일라이저 우드(프로도 역할)의 원근 스턴트 대역(액션 장면을 원거리에서 촬영)을 맡기도 했다.

2번째 출연까지 가장 오래 걸린 마블 캐릭터

윌리엄 허트(미국)가 연기한 테티우스 '선더볼트' 로스 장군은 〈인크레더블 헐크〉(미국, 2008)로 스크린에 데뷔했다. 하지만 그가 2번째로 등장한 작품은 〈캡틴 아메리카: 시빌 워〉(미국, 2016)로 7년 328일이 걸렸다.

슈퍼히어로 영화 최고의 재산 피해

〈맨 오브 스틸〉(미국/캐나다/영국, 2013)에서 슈퍼맨이 조드 장군과 벌인 격렬한 전쟁으로 메트로폴리스 시(웨인 엔터프라이즈 위성 포함)가 입은 피해 금액은 7,500억 달러에 이른다. 이 영화에는 크리스토퍼 리브가 주연한 〈슈퍼맨〉(미국/영국/파나마/스위스, 1978)과 마찬가지로 외계행성(클립톤) 전체가 파괴되는 장면이 있다.

에릭이 가장 좋아하는 기념품은 4개의 엑스맨 조각상과 피규어 원형인데, 실제 대량생산된 적이 없다.

엑스맨 상품 최다 수집

2012년 6월 28일까지 미국 아이오와 주 웨스트디모인에 사는 에릭 야스콜카(미국)는 엑스맨 관련 상품을 1만 5,400개 수집했다. 1989년 수집을 시작했는데, 처음에는 만화책만 모았지만 2년 뒤부터 장난감 등 관련 상품으로까지 넓어졌다.

가장 무거운 HEAVIEST...

가장 무거운 남자는 **가장 무거운 아기**보다 63배나 무겁지만 **가장 무거운 육상 육식동물** 무게의 절반밖에 안 된다. 그럼 **가장 무거운 종**은 **가장 무거운 탱크**보다 더 무거울까? 지구상에 대왕고래보다 무거운 동물이 존재할까? 기네스 세계기록에 그 답이 있다.

0~100kg

사과
1.849kg

2005년 10월 24일, 치사토 이와사키(일본)는 히로사키시에 있는 자신의 농장에서 1.849kg짜리 사과를 키웠다.

위에서 나온 물체
4.5kg

'모발위석(毛髮胃石)'은 위와 창자에서 단단해진 털 덩어리를 이르는 의학 용어로, 자신의 머리카락을 씹거나 삼키는 식모강박에서 비롯된다. 사람에게서 나온 가장 큰 모발위석은 무게가 4.5kg이다. 2007년 11월 미국 일리노이 주 시카고에 있는 러시 대학교 메디컬 센터에서 치료받은 18세 여성에게서 나왔는데 이 털 덩어리의 크기는 37.5×17.5×17.5cm였다.

신생아
9.98kg

키가 241.3cm인 산모 애나 베이츠(캐나다)는 1879년 1월 19일, 미국 오하이오주 세빌에 있는 자기 집에서 키 71.12cm, 몸무게 9.98kg의 남아를 출산했다.

날 수 있는 새
18.1kg

아프리카큰느시는 남아프리카와 동아프리카에 산다. 가장 무거운 수컷 표본은 18.1kg이었는데 이 새는 1936년에 유명한 사냥꾼인 H T 글린의 총에 맞아 죽었다. 글린은 이 표본의 머리와 목을 영국 대영박물관에 기증했다.

꿀벌 장막
63.7kg

루안량밍(중국)은 2014년 5월 15일, 중국 장시 성 이춘 펑시 현에서 63.7kg의 꿀벌을 몸에 붙였다. 60마리의 여왕벌을 포함한 약 63만 7천 마리의 벌이 루안량밍의 온몸을 감쌌다.

* 이미지는 실제와 비례하지 않습니다.

100~1,000kg

여성 스포츠선수
203.21kg

스모 선수 셰런 알렉산더(영국)는 2011년 12월 15일 당시 몸무게가 203.21kg이었다.

거북
417kg

골리앗이라는 이름의 갈라파고스땅거북은 길이 135.8cm, 폭 102cm, 높이 68.5cm에 몸무게는 최고 417kg까지 나갔다. 골리앗은 1960~2002년까지 미국 플로리다 주 세프너의 라이프 펠로우십 조류 보호구역에 살았다.

남성(역대)
635kg

존 브라워 미노치(미국, 1941~1983)는 어린 시절부터 소아비만을 겪었다. 1963년 당시 키 185cm에 몸무게가 178kg이었으나, 1966년에 317kg으로 증가했고 1976년 9월에는 442kg까지 늘어났다. 1978년 3월, 미국 시애틀의 대학병원에 입원한 미노치는 내분비학자 로버트 슈와르츠 박사의 계산에 따르면 635kg 이상 나갔다고 한다. 체중 대부분은 심부전으로 인한 수분의 축적 때문이었다.

탈 수 있는 자전거
860kg

제프 페테르스(벨기에)는 2015년 8월 19일, 벨기에 메헬렌에서 860kg짜리 자전거를 만들어 탑승했다. 이 자전거는 모두 재활용 부품으로 만들었다.

육상 육식동물
900kg

1960년, 미국 알래스카 코처뷰 서부 추크치 해의 얼음 덩어리에서 900kg짜리 북극곰이 발견됐다. 코에서 꼬리까지의 몸길이가 3.5m로 추정됐고, 어깨 폭은 1.5m, 발은 43cm 정도 크기였다.

1,000~7,000kg

호박
1,190.49kg

마티아스 윌렘스(벨기에)는 자신이 키운 1,190.49kg의 호박을 2016년 10월 9일, 독일 루트비히스부르크에 있는 '그레이트 펌프킨 커먼웰스(GPC)'에서 인증받았다.

도넛
1,695kg

1993년 1월 21일, 미국 뉴욕 유티카에서 햄스트라우트 베이커리, 도나토스 베이커리 그리고 라디오 방송국 WKLL-FM이 1.69톤짜리 속을 채운 도넛을 만들었다.

뼈가 딱딱한 어류(경골어류)
2,000kg

개복치의 한 표본은 무게가 약 2톤, 한쪽 지느러미 끝에서 다른쪽 지느러미 끝까지가 약 3m에 달했다.

탈 수 있는 오토바이
4,749kg

'하르처 바이크 슈미데'의 틸로와 빌프리트 니벨이 2007년 11월 23일, 독일 질리에서 '판처바이크(장갑오토바이)'라는 이름의 4.749톤의 오토바이를 제작했다.

웨딩 케이크
6,818kg

모히건 선 호텔(미국) 카지노에서 여러 명의 셰프들이 함께 6,818kg의 웨딩 케이크를 만들었다. 이 케이크는 2004년 2월 8일에 열린 뉴잉글랜드 브라이덜 쇼케이스 행사에 전시됐다.

7,000~600,000kg

뼈가 부드러운 어류(연골어류)
2만 1,500kg

연구 기록에 따르면 1949년 11월 11일, 파키스탄 카라치 인근 바바 섬에서 잡힌 고래상어는 무게 21.5톤, 길이 12.65m로 **가장 큰 어류**였다. 연골어류는 다른 많은 어종과는 다르게 뼈대가 경골(단단한 뼈)이 아닌 부드러운 물렁뼈로 되어 있다.

탱크
6만 3,000kg

제너럴 다이너믹스 랜드 시스템(미국)이 생산하는 M1A2 에이브럼스 주력 전차는 전투 중량(전투원, 장비, 물자가 모두 포함된 무게)이 63톤으로 현재 실전에 투입되는 탱크 중 가장 무겁다. 120mm 포를 장착하고 있으며 최고 68km/h로 달린다.

아직 사용 중인 종
9만 2,000kg

민군 종은 무게 92톤, 종구(鐘口)의 지름은 5.09m다. 보다우파야 왕(1782~1819) 후기 미얀마 만달레이 근방 민군 지역에서 제작되었으며 타기로 종의 바깥 부분을 쳐서 소리를 낸다.

동물
190톤

평균 길이가 약 24m인 대왕고래는 일반적으로 무게가 160톤까지 나간다. 1947년 3월 20일, 남극해에서 잡힌 거대한 표본은 무게 190톤, 길이는 27.6m로 측정됐다.

비행기(역대)
64만 kg

최대 이륙 중량의 항공기는 안토노프 An-225 '무리야(우크라이나어로 '꿈'이라는 뜻)'다. 원래 600톤이었지만, 2000년과 2001년에 바닥을 강화하면서 최대 이륙 중량이 640톤으로 늘어났다. 이 거대한 괴물 비행기는 단 2기만 생산됐다.

600,000kg 이상

로켓
290만 3,000kg

새턴 V(미국)는 가장 강력하지는 않지만 가장 큰 로켓이었다. 선두에 아폴로 우주선을 장착한 총 높이는 110.6m, 발사대 위에서 측정한 무게는 2,903톤이었다. 새턴 V의 발사 시 추력은 3,447톤이었다. 1967년에 최초로 발사됐고, 1973년에 13번째이자 마지막으로 발사됐다.

육지 운송수단
1,419만 6,000kg

오프-하이웨이 리서치에 따르면 자체 동력으로 움직일 수 있는 가장 무거운 기계는 1만 4,196톤의 '배거 293 버킷 굴착기'다. 이 땅 파는 기계는 독일 라이프치히에서 타크라프 사가 제작했다. 독일 노르트라인베스트팔렌 주에 있는 탄광 노천굴 작업에 투입될 당시 이 기계는 길이 220m, 높이 94.5m였다. 하루에 24만m³의 흙을 나를 수 있다.

잠수함
2,650만 kg

1980년 9월 23일, 나토(NATO)는 최초로 러시아의 941 아쿨라급(나토는 '타이푼'급이라 함) 잠수함을 백해의 비밀 조선소에서 진수했다고 발표했다. 총 길이 171.5m, 배수량 2만 6,500톤의 잠수정이었다. 자세한 정보는 211페이지에 나온다.

건물
7억 350만 kg

루마니아 부쿠레슈티에 있는 루마니아 의회궁이 세계에서 가장 무거운 건물이다. 70만 톤의 철과 동이 들어갔고, 100만m³의 대리석과 3,500톤의 크리스털 유리, 90만m³의 목재로 만들어졌다.

블랙홀
7.9×10^{40}kg

2009년, 천문학자들은 나사의 스위프트 감마선 우주 망원경으로 퀘이사 S5 0014+81 중심에 있는 초질량 블랙홀의 질량을 측정했다. 측정치는 태양의 약 400억 배로 우리 은하 중심에 있는 초질량 블랙홀보다 약 1만 배 정도 무거웠다.

포스터 다운로드 받는 곳: guinnessworldrecords.com/2018

기록 마니아 RECORDMANIA

당신에게 어떤 수집욕이 숨어 있을지는 아무도 알 수 없다.
기네스 세계기록에는 치약 튜브(2,037개), 비행기 토사물 봉지(6,290개), 발톱(2만 4,999명에게서 수집)을 모은 사람들도 있다.

재키는 미국의 모든 주와 29개국 사람들로부터 곰 인형을 기부받았다. 입양 가정에서 자란 그녀는 어린 시절 곰 인형을 하나도 갖지 못했다고 한다. 재키는 "그래서 지금 곰 인형을 모으고 있어요!"라고 말했다.

CONTENTS

큰 물건 108
수집품 110
큰 음식 112
재미있는 음식 114
최다 참여 기록 116
신기한 재능 118
루빅큐브 120
대단한 공 122
기록 마니아 전반 124

◀ 테디 베어 최다 수집

2012년 12월 31일, 재키 마일리(미국)는 희귀한 곰 인형 8,026개를 수집했다. 재키는 자신이 사는 미국 사우스다코타 주 힐시티의 인구보다 약간 적은 수의 인형을 모았다! 그녀의 기록적인 애장품들은 힐시티 메인스트리트에 있는 조그만 집에서 마을을 이루며 살고 있다.

큰 물건 BIG STUFF

가장 큰 찻주전자(오른쪽)는 맥주를 30통이나 담을 수 있다. 거의 욕조 10개와 맞먹는 양이다!

▲ 가장 큰 버블헤드 인형

어플라이드 언더라이터즈 보험사(미국)가 2016년 4월 8일, 미국 플로리다 주 올랜도에 높이 4.69m짜리 고개를 움직이는 인형을 전시했다. 기업의 마스코트인 이 커다란 세인트버나드는 무대 소품 판매사인 '디노 랜토스 스튜디오'가 제작했다. 목에 연결된 줄을 당기면 머리를 까딱거린다.

▲ 가장 큰 샌들

사우아요 시청(멕시코)의 기획으로 장인들이 모여 멕시코 전통 샌들 '우라치'를 제작했다. 이 샌들은 2016년 11월 24일, 멕시코 미초아칸 주 사우아요에서 길이 7.45m, 폭 3.09m로 측정됐다. 만드는 데 약 80㎡의 가죽이 들었다.

▲ 가장 큰 찻주전자

높이 4m에 가장 두꺼운 '배' 부분의 지름이 2.58m인 거대한 철제 찻주전자는 술탄 티(모로코)가 만들었으며, 2016년 4월 27일 모로코 메크네스에서 공개됐다. 무게는 약 1,200kg이다. 주전자에 물 1,500ℓ와 민트 3kg을 넣어 차를 끓여 처음 사용되었다.

▲ 가장 큰 스탠드업 패들 서핑보드

2016년 9월 25일, 트로피칼(스페인)이 스페인 라스팔마스데그란카나리아 칸테라스 해수욕장에서 14.85m 길이의 스탠드업 패들 서핑보드를 공개했다. 트로피칼은 8일 전 같은 장소에서 **가장 큰 에어 매트**(오른쪽 참조)를 공개했는데, 크기는 73.95㎡였다.

인형/꼭두각시

오타와의 연례행사인 '이탈리안 페스티벌'의 마스코트는 키가 17.82m다. 이 인형은 2008년 9월 6일 캐나다 오타와의 빌라 마르코니 장기 요양센터가 제작했다.

헝겊 인형

'최고의 세상을 위한 기금'(콜럼비아)이 제작한 세계에서 제일 큰 헝겊 인형은 키가 6.5m다. 이 인형은 2014년 4월 4일, 콜럼비아 바예델카우카 주 팔미라에서 열린 '세계 어린이 축제'를 위해 제작됐다.

루빅큐브

토니 피셔(영국)는 2016년 4월 5일, 영국 서퍽 입스위치에서 한 면의 길이가 1.57m인 큐브를 만들었다(121페이지 참조).

▼ 가장 무거운 자전거

제프 페테르스(벨기에)는 860kg짜리 자전거를 제작해 2015년 8월 19일 벨기에 메헬렌 거리를 달렸다. 다양한 기계장비들을 만들어 온 제프는 재활용품을 이용해 기록적인 자전거를 제작했다. 이 장대한 바퀴는 트랙터에서 가져왔다.

자전거를 사람의 힘으로 움직일 수 있다는 걸 증명하기 위해, 제프는 기네스 세계기록의 규칙에 맞춰 메헬렌 거리에서 100m를 탑승 주행했다.

가장 높은 수상 미끄럼틀

2016년 6월 18일, 베이스포츠(아일랜드)는 아일랜드 로스코먼 카운티 애슬론에서 6.52m 높이의 공기 주입식 고무 미끄럼틀을 공개했다. 이 설비는 베이스포츠의 보트 훈련장과 수상 스포츠 센터에서 사용한다.

가장 큰…

배드민턴 라켓

M 딜리프(인도)가 16.89m 길이의 배드민턴 라켓을 제작한 게 2016년 4월 1일 인도 케랄라 주 코지코드에서 확인됐다. 이 라켓은 일반적인 라켓보다 24배 크다.

비누

지난 루지아 주식회사는 2015년 12월 11일, 중국 산둥성 지난에서 아프리카코끼리보다 약 2배 무거운 14.45톤의 비누를 공개했다. 제작에 3개월이 걸렸다.

▲ **가장 큰 덮개 마차**

길이 12.2m, 폭 3.65m, 높이 7.6m의 대형 덮개 마차는 데이비드 벤틀리(미국)가 2001년 일리노이 참나무와 철제를 이용해 직접 만들었다. 6년 뒤 일리노이 주 로건 카운티의 에이브러햄 링컨 관광청은 이 마차를 1만 달러에 구매해 포니에 있는 벤틀리의 집에서 링컨(도시)에 있는 66번 국도로 옮겼다. 유리 섬유로 제작한 3.6m 크기의 에이브러햄 링컨이 마차에 앉아 있다. 위 사진에 함께 나온 여성은 링컨 지역 마케팅 부서의 티나 러스크다.

▶ **가장 큰 유모차**

제이미 로버츠와 콜크래프트 사(社)의 대표 톰 콜튼(둘 다 미국)은 2016년 미국 일리노이 주 시카고에서 1.38m 길이의 덮개가 달린 유모차를 공개했다. '컨투어스 블리스' 모델을 확대한 이 유모차는 어른들이 타보고 승차감을 확인한 뒤 제품을 살 수 있게 만들었다! 콜크래프트는 아기용품을 만드는 회사다.

▶ **가장 큰 장난감 총**

마크 로버(미국)는 2016년 6월 22일, 미국 캘리포니아 주 서니베일에서 1.82m 크기의 장난감 총을 제작했다. 이 총은 수영 보조 용품으로 만든 총알을 싱크대용 압축기로 발사하는데 약 64.3km/h의 속도로 날아간다.

◀ **가장 큰 놀이용 카드**

2016년 5월 14일, 클래스 빌릭트 회사(스웨덴)가 스웨덴 트라네모에서 158.4×104.4cm 크기의 놀이용 카드를 제작했다. 실제 사람 크기의 여왕이 그려진 퀸 4장을 포함한 총 55장의 대형 카드를 모두 합치면 무게가 200kg이 나간다.

흔들목마
가오밍(중국)이 만든 흔들목마는 2014년 7월 7일, 중국 산둥성 린이에서 크기가 12.727×4.532×8.203m로 측정됐다.

팽이
오카야마 가와사키 제강소(일본)의 미즈시마 공장 팀이 높이 2m, 지름 2.6m, 무게 360kg짜리 팽이를 만들었다. 공장 사람들은 1986년 11월 3일, 팽이를 1시간 21분 35초 동안 돌렸다.

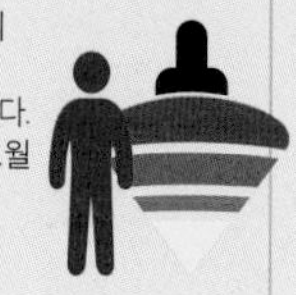

테디 베어
다나 워렌(미국)은 16.86m 크기의 '바느질로 제작한 가장 큰 테디 베어'를 만들었다. 2008년 6월 6일 완성됐으며, 미국 캔자스 주 위치토에 있는 '익스플로레이션 플레이스'에 전시했다.

요요
베스 존슨(미국)이 2012년 9월 15일, 미국 오하이오 주 신시내티에서 지름 3.62m, 무게 2,095.6kg의 요요를 선보였다. 이 요요는 68톤짜리 크레인에 묶여 36.5m 높이에서 떨어진 뒤 다시 튀어 올랐다.

명함

산토쉬 쿠마르 라이(인도)가 2016년 11월 14일, 인도 차티스가르 주에서 킹사이즈 침대와 비슷한 크기의 4.18㎡ 명함을 공개했다. 실제 라이가 사용하는 명함과 똑같이 만들었다.

우편봉투

바누와 아디티야 프라타프 싱(둘 다 인도)은 2015년 11월 24일 인도 차티스가르 주에서 길이 23.93m, 폭 13.5m의 봉투를 전시했다.

말굽 편자

아비섹 매줌더(인도)가 만든 폭 2.36m, 높이 2.47m의 편자가 2016년 11월 20일 인도 뭄바이에서 확인됐다.

허디거디(휴대용 풍금)

스티븐 조브(미국)는 2016년 6월 2일, 미국 로드아일랜드 주 워렌에서 3.04m 길이의 악기 '보시 허디거디(찰현 악기의 일종)'를 제작했다.

열쇠

아르디 가나안 레스토랑(카타르)은 2016년 5월 15일, 카타르 도하에서 길이 7.76m, 폭 2.8m짜리 열쇠를 선보였다.

모노폴리 보드

케레스 학생회(네덜란드)는 2016년 11월 30일, 네덜란드 바허닝언에서 900.228㎡ 크기의 모노폴리 게임판을 제작했다. 이 보드는 일반 제품보다 약 3,500배 크다.

위자 보드

블레어 머피와 팀 그랜드 미드웨이(미국)가 미국 펜실베이니아 주 윈드버에서 테니스 코트의 절반만 한 121.01㎡ 크기의 위자 보드(게임용품)를 공개했다.

십자드라이버

공학도인 아디티야 프라타프 싱(인도)이 2016년 6월 16일, 인도 라이푸르에서 6.32m 길이의 십자드라이버를 공개했다.

레고

- **매머드:** 높이 2.47m, 길이 3.8m, 폭 1.3m의 레고 매머드는 2015년 11월 1일, 브라이트 브릭스(영국)가 영국 버밍엄 브릭라이브에서 제작했다.
- **경기장:** 2005년 5월 12일, 레고랜드 도이칠란드 리조트(독일)는 독일 뮌헨에 있는 알리안츠아레나 축구 경기장을 1:50 비율로 만들어 공개했다. 독일 귄츠부르크에서 공개한 이 모형은 길이 5m, 폭 4.5m, 높이 1m로 레고 블록 100만 개 이상이 사용됐다.
- **배(지지대 사용):** 덴마크의 DFDS가 2016년 8월 17일 덴마크 코펜하겐에서 12.035m 길이의 모형선을 만들었다.
- **모형(최다 블록):** 랜드로버(영국)가 2016년 9월 28일 580만 5,846개의 레고 블록으로 런던 타워브리지를 만들었다. 이 모형은 폭 44m, 높이 13m로 영국 솔리헐에 있는 패킹톤 홀에 세워져 있다.

수집품 COLLECTIONS

엘리자베스 2세 여왕부터 프랭클린 루스벨트 전 미국 대통령까지, 세계의 여러 지도자가 '왕들의 취미'로 불리는 우표 수집을 했다.

▲ 부엉이 관련 상품 최다 수집

2016년 8월 4일까지 야코프 카이는 이스라엘 텔아비브에서 1만 9,100개의 부엉이 관련 상품을 수집했다. 하지만 슬프게도 야코프는 기록을 인정받기 전에 세상을 떠났다. 그의 친구들과 사랑하는 사람들이 더 많은 부엉이 상품을 기부해, 현재는 2만 239개가 모였다.

립밤

2015년 11월 29일 현재, 미국 조지아 주 매리에타의 제이스 호프만은 553개의 립밤을 갖고 있다.

〈인어공주〉 수집품

재클린 그란다(에콰도르)는 2016년 1월 16일까지 디즈니 애니메이션 〈인어공주〉 관련 상품을 847개 모았다.

〈서유기〉 수집품

배우 리우 시아오 링 퉁(중국)은 2016년 1월 30일까지 1,508개의 〈서유기〉 관련 상품을 모았다.

〈젤다의 전설〉 수집품

2016년 7월 14일 안네 마르타 하네스(노르웨이)는 노르웨이 몰데에서 비디오게임 〈젤다의 전설〉과 관련된 상품을 1,816개 소장하고 있는 게 확인됐다.

경찰 모자

안드레아스 스칼라(독일)는 2015년 12월 31일까지 2,534개의 독특한 경찰 모자를 수집했다. 이 모자들은 독일 헨니히스도르프에서 기록으로 확인됐다.

〈툼 레이더〉 수집품

로드리고 마틴 산토스(스페인)는 2016년 9월 26일까지 각기 다른 〈툼 레이더〉 상품을 3,050개 모았다.

사탕 포장지

2015년 12월 23일까지 밀란 루키치 발디비아(페루)가 32년간 수집한 사탕 포장지는 5,065개다.

악어 관련 상품

2015년 9월 2일까지 앤드루 그레이(영국)는 6,739개의 악어 관련 상품을 소장하고 있다.

스파이 관련 제품

작가이자 군사정보 사학자인 H 키스 멜턴(미국)은 카메라와 은닉 장치 등 다양한 스파이 용품을 7,000개 이상 가지고 있다. 소장하고 있는 장소는 비밀이다!

미키마우스 수집품

2016년 4월 29일까지 재닛 에스테베즈(미국)는 1만 210개의 희귀한 미키마우스 상품을 모았다.

1973년에 처음 방송된 재활용 주제의 TV쇼 〈더 웜블즈〉를 보고 자라며 환경 과학자가 된 길은 이 프로그램에서 많은 영감을 받았다. 그래서 지금도 '지속 가능한 생활'을 연구하고 있다.

Q: 미국 배우 니콜라스 케이지는 무엇을 수집할까?

A: 만화책. 그는 2016년 '어메이징 라스베이거스 코믹 콘'에서 만화책을 수집하는 데 100만 달러를 썼다고 한다.

곰돌이 푸 수집품

미국 위스콘신 주 워케샤의 뎁 호프만은 2015년 10월 18일까지 곰돌이 푸 관련 상품을 1만 3,213개 모았다.

소 관련 상품

2015년 6월 9일에 루스 클로스너(미국)는 소 관련 상품을 1만 5,144개 수집하고 있는 게 확인됐다.

바나나 관련 상품

캔 배니스터(미국)는 미국 캘리포니아 주 앨터디나에 있는 '인터내셔널 바나나 클럽 박물관'의 소유주로, 1972년부터 바나나와 관련된 물건 1만 7,000개를 수집했다.

포켓몬 수집품

2016년 8월 10일까지 영국 웰린가든시티의 리사 코트니는 1만 7,127개의 포켓몬 상품을 모았다.

동물 발자국 프린트

'레드페퍼 에이전시'와 '에어리어 메트로폴리타나 델 발레 드 아부라'는 다양한 동물의 발자국 프린트 2만 2,429개를 모았다. 이 수집은 폭죽이 동물에게 해로운 영향을 끼친다는 걸 알리기 위해 기획됐다. 2015년 10월 4일에 콜롬비아 메데인에서 기록으로 인정되었다.

코르크 따개

이온 키레스쿠(루마니아)는 2015년 6월 18일까지 부쿠레슈티에서 2만 3,965개의 코르크 따개를 모았다.

이온은 **다리미 최다 수집 기록**도 가지고 있다. 2016년 8월 3일까지 3만 71개를 수집했다.

장난감 자동차

2016년 6월 9일 나빌 카람(레바논)이 3만 7,777개의 장난감 자동차를 수집한 게 레바논 주크 모스베에서 확인됐다.

같은 해 만들어진 동전

사미르바이 파텔(호주)은 2006년에 만들어진 호주 5센트 동전을 5만 1,504개 가지고 있다. 이 기록은 호주 퍼스에서 2015년 8월 22일 확인됐다.

◀ 〈더 웜블즈〉 수집품

길 세이팡(영국)은 2016년 8월 7일까지 영국 노퍽 노리치에서 1,703개의 〈더 웜블즈〉 상품을 모았다. 길은 1970년대 원조 웜블즈를 본 따 만든 캐릭터 비누, 입욕제, 탤컴파우더로 된 화장실 세트를 가장 좋아한다. 이 제품은 40년 넘게 원 상태를 유지하고 있다.

역대 최다 수집

1. 종이 성냥갑 315만 9,119개 에드 브라사드(미국)
2. 사람의 치아 200만 744개 조반니 바티스타 오르세니고 형제(이탈리아)
3. 책 150만 권 존 Q 벤험(미국)
4. 성냥 상표 105만 4,221개 스티븐 스미스(영국)
5. 맥주 상표 105만 4,221개 스티븐 스미스(영국)
6. 단추 43만 9,900개 달톤 스티븐스(미국)
7. 긁는 복권 31만 9,011장 대런 하케(호주)
8. 볼펜 28만 5,150개 안젤리카 운퍼어하우(독일)
9. 시가 밴드 21만 1,104개 알프레드 만테(독일)
10. 버스표 20만 장 라디슬라프 세이노하(체코)
11. 비둘기 경주용 링 16만 4,023개 크리스티안 헤넥(독일)
12. 기차표 16만 3,235장 프랑크 헬커(독일)
13. 컵받침 15만 2,860개 레오 피스커(오스트리아)
14(공동). 마술 도구 15만 개 데이비드 카퍼필드(미국)
14(공동). 종이·비닐 백 15만 개 하인즈 슈미트-바헴(독일)
16. 담뱃갑 14만 3,027개 클라우디오 레베치(이탈리아)
17. 냅킨 12만 5,866장 마르티나 쉘렌베르그(독일)
18. 나이트클럽 전단 11만 3,012장 마르코 브루사델리(이탈리아)
19. 네 잎 클로버 11만 1,060개 에드워드 마틴 시니어(미국)
20. 책갈피 10만 3,009개 프랭크 디벤달(네덜란드)

▼ 모노폴리 세트

닐 스캘란(영국)이 2016년 7월 27일까지 1,677개의 모노폴리 보드게임을 모은 게 BBC TV의 〈디 원 쇼〉에서 확인됐다. 모든 상품은 정식으로 판매된 것들이며 포장도 뜯지 않은 상태다. 닐은 수집품들을 영국 웨스트서식스 크롤리와 미들섹스의 헤이스에 나누어 보관하고 있다.

▲ 〈닥터 후〉 기념품

릴리 코너스(영국)는 2016년 6월 20일까지 〈닥터 후〉와 관련된 각기 다른 상품을 6,641개나 모았다. 이미 굉장한 성과를 이뤘지만 릴리는 아직 멈출 생각이 없다. 그녀의 꿈은 〈닥터 후〉에 엑스트라로 출연하는 것과 실물 크기의 달렉 캐릭터 수집이다. 신기록 수립은 코너스 집안의 내력으로 보인다. 릴리의 오빠 토마스는 농구 관련 기네스 세계기록을 다수 보유하고 있다. 여기에는 **농구공 3개 오래 돌리기**(7.5초)와 **1분 동안 자유투 뒤로 던져 많이 넣기**가 있다(9개).

◀ 헬로 키티 기념품

마사오 군지(일본)는 지금까지 30년 넘게 헬로 키티 상품을 열정적으로 모으고 있다. 그는 2016년 11월 23일까지 일본 치바 현 요쓰카이도에서 5,169개의 상품을 모았다. 이 기록적인 수집품들에는 봉제인형, 도시락통, 수건, 문구류 등의 다양한 물품이 포함되어 있다.

▼ 스노볼

웬디 수엔(캐나다/중국, 홍콩 출생)은 2016년 11월 27일 중국 상하이에서 4,059개의 스노볼을 수집했다. 2000년에 수집을 시작한 그녀는 이미 2번째로 자신의 기록을 경신했다. 2005년, 904개의 기록을 처음 달성한 이후 꾸준히 늘고 있다.

웬디의 첫 스노볼은 남편에게 선물 받은 것이다. 볼 안에는 생쥐와 회색 고양이가 들어 있었다.

큰 음식 BIG FOOD

패스트푸드점 햄버거의 패티에는 소 100마리에서 얻은 고기가 섞여 있을 수도 있다.

▲ 가장 큰 아이스크림콘

헤닝-올슨 이스 아스와 트론드 뵈이엔(둘 다 노르웨이)이 2015년 7월 26일, 노르웨이 크리스티안산에서 평균 기린 키의 절반 정도 높이인 3.08m의 아이스크림콘을 만들었다. 95.85kg의 웨이퍼 콘 안쪽에 60kg의 초콜릿을 바르고 1,080ℓ의 아이스크림과 40kg의 잼을 넣었다.

가장 무거운…

난(인도, 중앙아시아의 납작한 빵): 로블로 식품회사(캐나다)는 2016년 4월 19일, 캐나다 온타리오 토론토에서 32kg의 난을 선보였다.

머핀: 셰어, NIP푸드(모두 이탈리아)가 이탈리아 밀라노에서 2015년 10월 16일, 무게 146.65kg의 머핀을 내놨다.

프로피테롤(초콜릿 슈크림 빵): 이탈리아 회사인 콘스에르바, 에티카 델쿠스토, 데스파르, 우오바 파스콜로 판토니, 크레스피가 힘을 합쳐 2016년 4월 17일, 이탈리아 우디네의 제모나 델 프리울리에서 그랜드 피아노의 절반 무게인 150kg짜리 프로피테롤을 만들었다.

비건 케이크(채식주의자 케이크): 스킵 커뮤니케이션스AG와 메르츠AG(모두 스위스)가 동물성 식품이 전혀 들어가지 않은 433.56kg의 케이크를 만들었다. 이 케이크는 2016년 6월 16일, 스위스 쿠르에서 사람들에게 선보이고 무게를 측정했다.

할와(중동 과자의 일종): 2015년 11월 23일, 오만 무스카트에서 알 호스니 오마니 스윗과 무르시드 빈 술라이만 알 호스니(모두 오만)가 북극곰 성체보다 무거운 630kg짜리 거대 할와를 만들었다.

비스킷 상자: 오레오(미국)와 T몰(중국)이 2016년 5월 3일, 중국 베이징에서 연 슈퍼 브랜드데이 행사에서 금괴 70개와 맞먹는 904.58kg의 비스킷 상자를 공개했다.

초콜릿 바 상자: 메이지 기업(일본)이 2016년 1월 29일, 일본 도쿄의 코토 지원센터에 2,044kg짜리 초콜릿 바 상자를 전시했다.

티라미수: 3,015kg의 초대형 티라미수가 2015년 5월 25일, 이탈리아 제모나 델 프리울리에서 만들어졌다. 합동 제작한 회사는 콘스에르바, 데스파르, 라떼 블랑, 카페 토토, 우오바 파스콜로(모두 이탈리아)다.

Q: 16세기 덴마크에서 치즈는 단순한 음식이 아니었다. 무엇으로 쓰였을까?

A: 통화(돈)

카레: 2015년 8월 1일, 싱가포르에서 인도 요리사와 요리 협회가 하마 4마리보다 무거운 1만 5,394kg의 카레를 선보였다.

라두: 2016년 9월 6일, PVVS 말리카르주나 라오(인도)가 안드라프라데시 주 타페스와람에서 이 달콤하고 동그란 인도 음식을 아프리카코끼리보다 4배 무거운 2만 9,465kg 무게로 만들어 사람들에게 대접했다.

가장 많은 양의 음식…

풀드포크(약한 불로 천천히 익힌 바비큐): 서니 BBQ(미국)가 2016년 10월 12일, 미국 플로리다 주 윈터파크 내 센트럴 파크에서 912.62kg의 풀드포크를 만들었다.

으깬 감자: 제이슨 린, 콜린 스톡데일, 타일러 휴베니, 에반 암스트롱(모두 미국)은 2015년 6월 20일, 미국 뉴욕의 빙엄턴에서 바다코끼리와 무게가 비슷한 1,197kg 무게의 으깬 감자를 만들었다.

퀴노아(곡물): 2016 FEGASUR 구성위원회와 산로만 지방자치 단체(둘 다 페루)는 2016년 6월 18일, 페루 훌리아카에서 1,680kg의 퀴노아를 사람들에게 대접했다. 이는 미국 자동차의 평균 무게와 같다.

라이스 푸딩: 2015년 5월 31일, 인도 타밀나두 크리쉬나기리에서 스리 파르스와 파드마바샤 세바 재단을 대표해 닥터 바산스 비야이지 마하라즈가 2,070kg의 라이스 푸딩을 대접했다.

검보: 브라우드&갤러거(미국)는 2015년 11월 7일, 미국 루이지애나 주 라로즈에서 크리올의 대표 음식을 2,630kg이나 요리했다. 이는 이 지역에 사는 미국악어 6마리의 무게다.

그릴드 치킨: 2016년 2월 27일, 심플리멘테 파릴야 라발란자(우루과이)는 6,487.9kg의 구운 닭요리를 우루과이 말도나도에서 요리했다. 런던 이층버스의 절반 무게다.

구운 돼지고기: 유카탄 생산기금, A C(멕시코)는 2016년 3월 6일, 멕시코 유카탄 메리다에서 6,626.15kg의 돼지고기를 사람들에게 대접했다. 이는 다 큰 백상아리 3마리보다 무겁다.

이 신기록을 세운 음료수의 양은 욕조 60개에 채운 물의 양과 맞먹는다.

◀ 가장 큰 아이스티

9,554ℓ라는 엄청난 양의 아이스티가 2016년 6월 10일, 미국 사우스캐롤라이나 주 섬머빌에서 만들어졌다. 95.2kg의 찻잎을 우리고 771.1kg의 설탕을 넣어 만들었다. 주최 측에서는 원래 136kg의 얼음으로 차를 식힐 계획이었으나 온도가 아이스티의 기네스 기록 기준인 7.2℃ 이하로 내려가지 않아 수십 kg의 얼음을 추가로 넣었다.

가장 무게가 많이 나가는 진저브레드맨(생강빵맨)
651kg

키가 가장 큰 초콜릿 산타클로스
5m

가장 큰 캔디 케인
길이 11.15m, 지름 10.1cm

가장 무거운 크리스마스 저녁
칠면조, 당근, 파스닙, 브로콜리, 콜리플라워, 구운 감자, 소시지 롤, 25개의 방울 양배추가 사용된 9.6kg의 음식들

가장 무거운 크리스마스 푸딩
3.28톤

가장 무거운 율로그(통나무 모양 케이크)
2,490kg

▲ 가장 다양한 치즈 전시

브리기타 보니노(스위스)는 2016년 5월 21일, 스위스 베른에서 590가지의 치즈를 전시했는데, 이는 스위스의 모든 치즈를 모은 것이다. 이 전시는 브리기타가 소유한 헤시 퇴리스하우스라는 치즈 가게의 25주년을 축하하기 위한 행사였다.

역대 **가장 큰 치즈 플레터**는 1,531.27kg으로 2015년 9월 11일, 네덜란드 위트레흐트 레르담에서 벨 레르다머(네덜란드)가 만들었다.

▲ 가장 큰 프레첼

모기업 인더스트리아라콘스탄시아와 자회사 필세네르(모두 엘살바도르)가 2015년 10월 25일, 엘살바도르 산살바도르의 CIFCO에서 783.81kg의 프레첼을 만들었다. 이 거대한 크기의 구운 빵은 170g의 일반 프레첼보다 4,600배 무겁고, 흰긴수염고래의 심장과 같은 무게다. 길이는 8.93m, 폭은 4.06m다.

▲ 가장 큰 스프리츠(칵테일) 한 잔

1,000.25ℓ의 이 특대 탄산음료는 2016년 5월 10일, 코스타크루즈(이탈리아)가 제작해 스페인 바르셀로나에서 프랑스 마르세유로 향하는 코스타파볼로사 여객선에서 열린 무역 행사 '프로타고니스티 델 마레'에서 선보였다.

가장 큰 모히토 한 잔은 3,519ℓ로 맥주 통 60개에 든 것과 같은 양이다. 2016년 4월 16일, 도미니카 공화국 푼타카나에서 4-잭스바&비스트로(도미니카 공화국)가 만들었다.

▲ 가장 많은 진저브레드(생강빵) 건물

위 사진에 나온 1,102개의 진저브레드 마을 건물들은 존 로비치(미국)가 만들었으며 2015년 11월 17일, 미국 뉴욕 시 코로나에 있는 뉴욕 과학관에 전시됐다.

가장 넓은 면적의 생강빵 마을은 면적이 45.29㎡이며 2015년 12월 11일, 멕시코 킨타나로 주 플라야 델 카르멘에서 엘도라도 로열 바이 카리스마(멕시코)가 공개했다. 실제 유카탄 반도의 건물들을 보고 만들었으며 216개의 빌딩이 27개의 구역을 이루고 있다. 이 작품은 16명의 셰프들이 함께 제작했다.

▲ 가장 긴 피자

나폴리 피자 빌리지(이탈리아)가 2016년 5월 18일, 이탈리아 나폴리에서 1,853.88m 길이의 피자를 구웠다. 여기에는 250m의 전통 나폴리식 피자를 포함해 세계 곳곳의 피자들이 모여 있었는데, 저 멀리 호주에서 먹는 피자도 포함되어 있었다. 2,000kg의 밀가루, 1,600kg의 토마토, 2,000kg의 모차렐라 치즈, 200ℓ의 올리브유가 들어갔는데 재료는 모두 현지에서 공급했다.

▲ 가장 많은 캐비아가 든 통

2016년 12월 28일, 암스터 캐비아 두바이(UAE)가 17.82kg의 캐비아 통을 부르즈 할리파 알 아랍 주메이라 호텔에서 공개했다. 이 캐비아에는 '마세노막'이라는 이름이 붙었는데, 미국 원주민 전설에 나오는 유령 물고기에서 따왔다. 시식한 호텔 손님들은 좋은 반응을 보였다.

▲ 가장 큰 버터 조각

2015년 9월 26일, 락탈리스 아메리칸 그룹(미국)이 미국 뉴욕 시에서 무게 1,075kg의 버터 조각을 공개했다. 오직 프레지던트 버터로만 만들었으며 외부나 내부를 받치는 구조물은 전혀 쓰지 않았다. 파리의 스카이라인이 조각 주제로 에펠탑, 노트르담, 개선문 같은 유명 랜드마크가 자리하고 있다.

재미있는 음식 FUN WITH FOOD

고추를 실컷 먹은 새는 잡아먹으면 안 된다.
'캐롤라이나 리퍼 고추' 같은 채소에 극도의 매움을 느끼는 건 포유동물뿐이다.

▲ 가장 높이 쌓은 팬케이크

센터 팍스 셔우드 포레스트(영국)는 2016년 2월 8일 영국 뉴어크 러퍼드에서 팬케이크를 101.8cm 높이로 쌓았다. 213개의 팬케이크가 사용됐는데, 제임스 헤이우드와 데이브 니콜스(둘 다 영국)가 굽고 만들었다.

타게루는 먹는 동안 몸을 털어 음식이 위장 아래로 내려가게 하는 '고바야시 셰이크'라는 동작을 한다.

◀ 3분 동안 먹은 최다 햄버거 갯수

먹기대회선수 타케루 고바야시(일본)가 2014년 7월 11일, 이탈리아 밀라노에서 열린 〈로 쇼 데 레코드〉 무대에서 3분 만에 12개의 햄버거를 우적우적 먹었다. 미리 준비된 햄버거는 패티 113g, 빵 50g이었다. 타케루의 다른 기록으로는 2009년 8월 25일에 세운 **3분 동안 먹은 최다 핫도그** 6개, 2010년 3월 8일에 세운 **1분 동안 먹은 최다 미트볼** 29개가 있다.

▲ 가장 큰 마지팬 상

작가 미구엘 드 세르반테스(스페인)의 사망 400주년을 기념하기 위해, 스페인 톨레도 시는 그가 쓴 전설적인 코믹 히어로 돈키호테를 마지팬(아몬드와 설탕을 갈아 만든 과자)으로 만들었다. 2016년 4월 23일 공개된 이 상의 높이는 3.59m로 만드는 데 300시간이 걸렸고 349kg의 아몬드가 사용됐다.

◀ 1분 동안 먹은 최다 캐롤라이나 리퍼 고추

2016년 11월 13일, 그레고리 포스터(미국)가 120g의 캐롤라이나 리퍼 고추를 먹었다. 포스터는 미국 애리조나 주 템피에서 열린 '애리조나 핫소스 엑스포'에서 퍼커버트 페퍼 사가 주최한 행사에 참여한 9명 중 1명이었다.

▶ 1분 동안 만든 가장 많은 소시지

2016년 7월 20일, 팀 브라운(영국)은 영국 노스래너크셔 무디즈번에서 60초 동안 60개의 소시지를 만들었다. 정육점을 가업으로 하는 브라운은 이전 기록인 44개를 깨기 위해 소시지 포장 제조업의 데브로 사와 팀을 이뤘다. 현장에 있던 사람들은 브라운의 소시지가 '맛있다'고 말했다.

1분 동안 가장 많이 먹은…

사과 소스 1,163g
안드레 오톨프(독일)
2016년 10월 7일

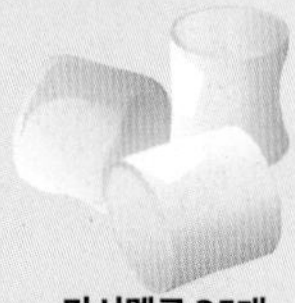

마시멜로 25개
앤서니 팰존(몰타), 2013년 3월 25일

교자 만두 10개
피트 처르윈스키(캐나다), 2016년 5월 16일

이유식 590g
압둘라흐만 아부드 이드(쿠웨이트),
2013년 3월 16일

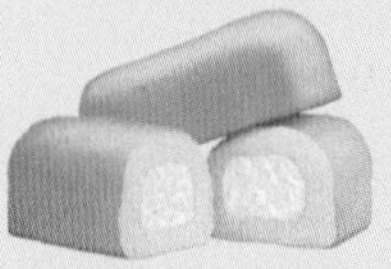

스펀지케이크 16개
패트릭 버톨레티(미국)
2013년 6월 26일

▼ 케이크에 꽂은 가장 많은 초

2016년 8월 27일, 아시리타 퍼먼(미국)과 스리 친모이 센터는 미국 뉴욕 시에서 케이크 하나에 7만 2,585개의 초를 장식했다. 케이크는 스리 친모이 명상 선생님의 85번째 생일을 축하하기 위해 준비했다. 2016년 4월 13일, 미국 캘리포니아 주 로스앤젤레스에서 '마이크스 하드 레모네이드'가 세운 5만 151개를 넘는 기록이다.

가장 큰 더트 케이크

2016년 7월 31일, 방갈로르 베이킹 버디스(인도)는 인도 카르나타카 방갈로르에 있는 파크 호텔에서 1,078kg짜리 더트 케이크를 만들었다. 제작에만 10시간 이상 걸렸고 550kg 이상의 쿠키를 갈아 넣었다. 기록 수립이 확인된 뒤 이 케이크를 지역 학교에 나눠줬다.

가장 큰 햄버거

블랙 베어 카지노 리조트(미국)는 2012년 9월 2일, 미국 미네소타 주 칼턴에서 무게 913.54kg의 햄버거를 만들었다. 여기에는 23.81kg의 토마토, 22.68kg의 양상추, 27.22kg의 양파, 18.14kg의 치즈, 7.48kg의 베이컨이 들어갔다.

가장 큰 베쉬바르마크

다진 고기와 면이 함께 나오는 베쉬바르마크는 '다섯 손가락'을 의미한다(전통적으로 맨손으로 먹는 음식). 2015년 7월 6일 카자흐 지리학회(카자흐스탄)는 카자흐스탄 아스타나에서 낙타 1마리보다 무거운 736.5kg짜리 베쉬바르마크를 만들었다.

가장 큰 부리토

2010년 11월 3일 카니락 라파스는 멕시코 바하칼리포르니아수르 주 라파스에서 5,799.44kg짜리 부리토를 만들었다. 생선, 양파, 삶아 튀긴 콩으로 속을 채웠는데 길이 2.4km, 무게 2,000kg 이상 나갔다.

판매하는 가장 큰 피자

'더 자이언트 시칠리안'은 미국 캘리포니아 주 로스앤젤레스에 있는 '빅 마마 앤 파파 피자리아'에서 판매하는 1.87㎡ 크기의 피자다. 토핑은 마음대로 정할 수 있으며, 자체 제작한 거대 사이즈 상자에 넣어 배달한다.

▲ 1분 동안 젓가락으로 먹은 가장 많은 통조림 콩

2015년 7월 1일, 체리 요시타케(일본)는 젓가락으로 콩을 하나씩 집어 60초 동안 71개를 먹었다. 영국 서퍽 RAF 벤트워터에서 열린 〈오피셜리 어메이징〉 무대에서 2명의 도전자를 물리치고 세운 기록이다. 두 도전자는 '시즐링' 스티브 크리스(65개)와 'US 레이' 레이 버틀러(36개)였다.

▲ 케첩 한 병 빨리 마시기

2012년 2월 17일, 독일의 TV 리포터 베네딕트 웨버는 독일 뉘른베르크에 있는 '총스 다이너' 식당에서 촬영한 인포테인먼트 프로그램 〈갈릴레오〉에 나와 케첩 1병을 32.37초 만에 끝내버렸다. 웨버는 이 도전에 지름 0.6cm짜리 빨대를 사용했다.

◀ 1분 동안 가장 많이 먹은 마마이트

2016년 9월 7일, 안드레 오톨프(독일)는 독일 아우크스부르크에서 252g의 마마이트를 먹어 자신의 영웅 아시리타 퍼먼(미국)이 2012년 5월 16일에 세운 218g의 기록을 경신했다. 또한 2016년 6월 17일, 아우크스부르크에서 **30초 동안 으깬 감자를 가장 많이 먹는** 기록도 세웠다. 무려 598g이나 먹어치웠다.

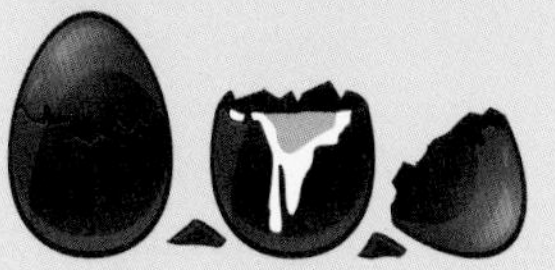

초콜릿 크림 계란 6개
피트 처르윈스키(캐나다), 2014년 4월 11일

페레로 로셰 9개
피트 처르윈스키(캐나다), 2012년 1월 4일
패트릭 버톨레티(미국), 2012년 1월 14일

포도알 73개
디네시 시브나스 우파디야야(인도), 2014년 6월 7일

햄버거 5개
'릭스 테라바이트' 리카르도 프란시스코(필리핀), 2016년 8월 27일

자파 케이크 17개
피트 처르윈스키(캐나다), 2013년 1월 9일

Q: 미국에서 가장 인기 있는 피자 토핑은?

A: 페퍼로니

가장 긴 타말리(만두 비슷한 멕시코 전통요리)

산루이스 수아로 시청(페루)은 2016년 6월 21일 페루 후닌 주 산루이스 수아로에서 대왕고래보다 긴 39.55m의 타말리를 만들었다.

음식 먹여주기 최장 릴레이 기록

2016년 12월 11일, 일본 아오모리 현 키타츠가루 이타야나기 마을에 있는 '쓰가루 신선한 사과 시장'에서 1,101명이 서로에게 갓 딴 사과를 먹여줬다. 1875년부터 사과 생산의 본고장이 된 이타야나기는 매년 약 2만 6,000톤의 사과를 수확한다.

가장 높은 케이크 피라미드

2016년 11월 11일 스트랫퍼드 대학교는 미국 버지니아 주 우드브리지에 있는 '포토맥 밀스 몰'에서 2.79m 높이의 케이크 피라미드를 쌓았다. 여기에는 직사각형 케이크 판 3,628.7kg이 사용됐고, 지지대는 따로 쓰지 않았다. 학교의 40주년을 기념해 기획된 행사로 총 1시간이 걸려 완성됐다.

최대 규모 초콜릿 시식회

'푼다시온 누에스트라 티에라'가 2016년 10월 1일 베네수엘라에서 열린 '엑스포페리아 인터네시오날 델 초콜릿 2016'에서 초콜릿 시식회를 기획했다. 총 419명이 3개 초콜릿 브랜드의 베네수엘라 초콜릿을 맛봤다.

침대에서 조식을 먹은 최다 인원

2015년 8월 16일, 중국 허베이 성 랑팡에 있는 셰라턴 랑팡 차오바이 리버 호텔에 묵은 418명의 투숙객이 침대에서 조식을 먹었다. 중국 푸동 상그릴라 이스트 상하이가 세운 388명을 넘는 기록이다.

오믈렛 빨리 만들기

TV 요리 쇼 〈세러데이 키친〉(영국)에 요리사들이 나와 달걀 3개로 오믈렛 빨리 만들기에 도전했다. 2015년 5월 2일 테오 랜들(영국)은 영국 런던 캑터스 스튜디오에 마련된 세트에서 14.76초 만에 요리를 끝냈다.

파인트 용량 우유 빨리 마시기

제임스 맥밀런(뉴질랜드)은 2015년 7월 26일 뉴질랜드 크라이스트처치에서 파이트 용량의 우유를 3.97초 만에 다 마셨다. 이 칼슘이 풍부한 기록은 기네스 세계기록 챌린저 웹사이트에 올라 있다. 2016년 5월 17일, 데니스 '더 매너스' 버뮤데즈(미국)는 미국 뉴욕에서 **빨대로 레몬주스 1ℓ 빨리 마시기** 기록(22.75초)을 세웠다.

머리에 음료 캔 많이 세우기

존 에번스(영국)는 2007년 6월 5일, 영국 더비셔 일케스턴 학교에서 머리에 429개의 음료 캔을 올렸다. 캔의 무게는 성인 남성 2명보다 무거운 173kg이었다.

최다 참여 기록 MASS PARTICIPATION

기네스 기록 중 가장 적은 수의 사람이 참가해 세운 기록은 '수영 모자에 많이 들어가기'다. 2015년 독일 마인츠에서 팀 바테카프(수영모라는 뜻)가 세운 4명이 최고 기록이다.

▲

▲ 〈닥터 후〉 캐릭터 복장으로 가장 많이 모인 수

공상과학 TV 채널 사이파이 라티노아메리카(미국)가 멕시코 멕시코시티에서 열린 라 몰 코믹콘 행사에 장소를 제공해 492명의 사이버맨, 달렉, 우즈, 우는 천사들 그리고 다양하게 재해석된 시간 여행자들이 모였다. 이 행사는 2016년 3월 19일에 열렸으며 〈닥터 후〉의 12번째 배우 피터 카팔디가 직접 참석해 증서를 받았다(위).

최대 규모 용춤
댄스 공연단 '페르사투안 타리안 나가 단 싱아 키 링 말레이시아'가 2015년 11월 15일 말레이시아 샤알람에서 99마리의 춤추는 용을 선보였다(990명의 댄서가 참가했다).

로또 백만장자가 가장 많이 모인 수
국영 로또복권(영국)이 2015년 10월 7일 영국 런던에서 억세게 운이 좋은 사람들 110명을 한데 모았다. 이들이 받은 당첨금을 모두 합치면 9억 8,040만 달러에 이른다!

저울 1개에 오른 최다 인원
2016년 1월 8일, 미국 앨라배마 몽고메리에서 열린 '몸무게 줄이기 보건 캠페인' 행사에서 157명이 트럭용 저울에 전부 올라갔다. 참가자들은 합계 1만 3,789kg으로 1인당 평균 약 87kg이 나갔다.

닌자 복장으로 모인 최다 인원
2016년 4월 17일, 268명의 닌자가 사람들 앞에 나타났을 뿐 아니라 출석까지 불렀다. 쿠니코 테라무라와 친구들(모두 일본)로 이루어진 닌자들은 함정에 빠지는 바람에 일본 시가 현 히코네시의 조세이 초등학교에 등교해 버렸다.

장기 이식 환자 최다 모집
도네이션 라이프 런/워크(The Donate Life Run/Walk, 미국)가 2016년 4월 30일, 미국 플러턴의 캘리포니아 주립대학교에서 자선 행사를 열어 장기 이식 수술을 받은 314명을 모집했다.

강아지 의상으로 모인 최다 인원
팜 보험사 NFU 뮤추얼(영국)이 2016년 4월 20일, 영국 스트랫퍼드어폰에이번에서 맹인안내견협회(영국)를 위해 주최한 행사에 강아지 모습의 원피스 의상을 입은 439명이 참석했다.

모노폴리 게임을 한 최다 인원
싱가포르의 유니버설 스튜디오가 2016년 3월 19일, '세계 모노폴리의 날'을 기념하기 위해 주최한 행사에서 605명이 참가해 모노폴리 보드게임을 동시에 했다.

펭귄 복장으로 모인 인원
리처드하우스아동호스피스(영국)가 2015년 11월 12일, 기네스 세계기록의 날을 기념하기 위해 영국 런던의 더 스쿱에 624명의 펭귄 복장 사람들을 모았다.

축구공을 공중에 띄운 최다 인원
이탈리아 축구용품 제조사인 디아도라가 새로 출시하는 축구화를 알리기 위해 1,406명의 청소년 축구선수들을 모아 '키피어피(신체 모든 부위를 써서 공을 땅에 닿지 않게 계속 튀기는 트래핑 게임)' 행사를 열었다. 이 행사는 2016년 5월 7일, 이탈리아 카에라노 디 산 마르코에 있는 디아도라의 본사에서 열렸다.

Q: 런던 마라톤이 처음 열린 해는?

A: 1981년(3월 29일)

복근 운동 최다 인원
2016년 11월 6일, 총 1,623명의 사람이 인도 뭄바이에 있는 반드라 쿨라 단지의 지오 가든에서 복근 운동 자세를 취했다.

사슴뿔 모형을 쓰고 모인 최다 인원
2016년 3월 26일, 중국의 대스타 루한(이름의 뜻을 가볍게 해석하면 '새벽 사슴'이다)의 팬 1,731명이 중국 베이징에서 열린 그의 콘서트에 야광 사슴뿔을 쓰고 갔다.

셀카봉으로 사진 찍은 최다 인원
2016년 5월 6일, 미국 캘리포니아 주 애너하임에서 열린 로스앤젤레스 에인절스와 탬파베이 레이스의 야구경기 휴식시간에 2,121명이 셀카봉으로 자신의 모습을 찍었다.

캣워크를 한 모델 최다 인원
2015년 7월 4일, 영국 리버풀의 피어헤드에서 영국 패션몰 베리(very.co.uk)가 주최한 행사에서 3,651명의 모델이 캣워크를 하며 펄럭이는 드레스부터 다스베이더 의상까지 다양하게 선보였다.

둥글게 모여 노래한 최다 인원
합창단원 4,166명이 2015년 11월 26일, 투르크메니스탄 마리에서 열린 악오유(Ak Öýü) 문화센터 개관식에서 "전진, 오직 전진, 나의 조국 투르크메니스탄"을 4부 합창으로 불렀다.

나막신을 신고 모인 최다 인원
2015년 6월 20일, 태국 타이중에 있는 난툰 초등학교의 운동장은 전통의상을 입은 5,008명이 내는 나막신 소리로 가득했다.

가짜 수염을 한 최다 인원
덴버 브롱코스 팬 6,471명은 2015년 11월 29일, 미국 콜로라도 주 덴버에서 열린 뉴잉글랜드 패트리어츠와의 풋볼 시합에 팀을 상징하는 밝은 주황색의 가짜 수염을 하고 모였다.

◀ **폭스바겐 캠퍼밴(구형)에 가장 많이 들어간 인원**

기네스 기록 중 최다 참여 인원을 세야 하는 경우에는 보통 축구장만 한 공간에 검문소를 설치하고 많은 심사관을 고용해 통제하기 마련이다. 하지만 2015년 9월 5일 영국 몰번에서 컴포트 보험사(영국)가 세운 이 기록은 심사가 훨씬 간편했다. 5명의 심사관이 캠퍼밴 옆에 서서 50명의 사람이 내리는 걸 그저 세기만 했다.

크리스마스 최고 기록

눈사람
398
2016년 11월 17일
버터크레인 쇼핑센터(영국)

천사
1,275
2015년 12월 1일
미저리코디아 건강센터재단(캐나다)

산타 요정
1,762
2014년 11월 25일
시암 파라곤 개발사(태국)

크리스마스 스웨터
3,473
2015년 12월 19일
캔자스 애슬레틱스(미국)

산타
1만 8,112
2014년 12월 27일
트리수르 대교구(인도)

캐럴 합창단
2만 5,272
2014년 12월 13일 갓즈윌 악파비오 연합 성가대(나이지리아)

▲ 과일 의상을 입고 모인 최다 인원

괴짜 DJ 듀오 다다라이프(올레 코니어, 스테판 잉브룸, 모두 스웨덴)가 2015년 7월 18일, 미국 캘리포니아 주 샌버너디노에서 〈다다랜드의 시민들〉이라는 공연을 열며, 팬들에게 바나나 복장으로 오라고 말해 629명의 관객이 동참했다. 이들은 재미있는 행사로 유명한데 2013년엔 최대 규모 베개 싸움 기록을 경신했으나(3,813명), 1년도 안 돼 깨졌다.

▲ 양치질 최다 인원

2016년 1월 7일, 마이덴탈플랜(인도)이 칫솔, 치약 그리고 한 컵의 물을 제공한 행사에 1만 6,414명이라는 어마어마한 수의 사람들이 모여 동시에 이를 닦는 신기록을 세웠다. 이 행사는 인도 카르나타카에 있는 델리 공립학교(동부 캠퍼스)의 운동장에서 열렸다. 주최측은 참가자들에게는 세계보건기구에서 제안하는 방법대로 양치할 것을 요청했는데 최소 1분 이상 칫솔질을 해야 한다.

▲ 스팀펑크 의상으로 모인 최다 인원

빅토리아 시대의 복장과 놋쇠 장식, 무언가 달린 모자. 228명의 스팀펑크 문화 애호가들이 2016년 6월 4일, 오아마루에서 열린 스팀펑크 뉴질랜드 축제에 참석했다. 스팀펑크는 공상과학 장르 중 하나로 과거 산업시대에 쓰던 기어와 증기기관을 그대로 사용하는 현대사회를 배경으로 한다.

▲ 코끼리 복장으로 모인 최다 인원

가족사별자선단체 '2 위시 어폰 어 스타'(영국)가 2016년 8월 13일, 카디프 공국 스타디움에 385마리의 헝겊 코끼리 떼를 모았다.

이 단체는 리안 버크가 설립했는데, 그녀는 젖먹이 아들 조지를 잃고 일주일 뒤에 남편 폴마저 잃었다. 단체의 마스코트인 코끼리의 이름은 '멋쟁이 조지'로 이 행사는 웨일스와 영국 전역에 가족 사별 지원 서비스를 알리기 위해 열렸다.

▲ 손가락 인형 최다 인원

2016년 5월 14일, 샌디에이고 동물원(미국)의 대변인 주리 틀 박사가 동물원의 설립을 위한 공연을 2분 45초간 진행했는데, 여기에 508명의 사자 손가락 인형이 찬조 출연했다. 동물원 설립자 해리 웨지포스는 이 사자들의 우렁찬 울음소리를 듣고 영감을 받아 신비한 동물들을 마을로 데리고 온다. 행사는 세계적으로 유명한 이 동물원의 100주년을 기념하는 시리즈 중의 하나로 기획됐다.

줄넘기 최다 인원을 기록으로 인정받으려면 한 사람도 걸리지 않고 최소 12회 넘기에 성공해야 한다.

▲ 하나의 줄로 최다 줄넘기 인원

와트람나오 학교(태국)의 학생이 2016년 1월 11일, 태국 방콕에서 줄넘기 세계 신기록을 세웠다. 300명의 학생들이 단 한 사람도 줄에 걸리지 않고(걸리면 실격) 기록 인정 최소 횟수의 2배 이상의 기록 경신에 성공했다.

신기한 재능 ODD TALENTS

아시리타 퍼먼(미국)이야말로 독보적인 신기록 제조기다.
550개 이상의 기록을 세웠고, 새로운 도전이 계속되고 있다.

▲ 턱 위에 빈 병이 든 상자 올리기 최고 기록

2016년 1월 13일, 순 차오양(중국)은 중국 베이징에서 촬영된 CCTV 〈기네스 세계기록 스페셜〉에서 44.2kg의 빈 병 상자를 턱 위에 올리고 균형을 잡았다. 이전 최고 기록은 2006년에 아시리타 퍼먼이 세운 42.40kg이었다. 차오양은 2011년 12월 8일 **턱 위에 올린 자전거 최다 기록**도 세웠다(3대).

덕트 테이프로 사람 벽에 빨리 붙이기

아시리타 퍼먼(미국)이 2015년 6월 9일, 미국 뉴욕의 스리 친모이 센터에서 알렉 윌킨슨(미국)을 26.69초 만에 테이프로 벽에 붙여버렸다. 그는 이 기록을 6번째 경신했다.

아시리타는 **덕트 테이프로 자신을 벽에 빨리 붙이기 기록**도 가지고 있다. 2011년 10월 5일, 스리 친모이 센터에서 2분 12.63초 만에 기록을 달성했다.

스포츠스태킹 개인 사이클 최고 기록

윌리엄 오렐(미국)이 2017년 1월 7일, 미국 조지아 주 콜럼버스에서 스포츠스태킹(컵 쌓고 내리기) 개인 사이클에서 최초로 5초 벽을 깨고 4.813초 만에 끝냈다. 윌리엄은 또 **스포츠스태킹 개인 3-3-3경기 최고 기록**도 가지고 있다. 2015년 11월 14일, 미국 조지아 주 이턴튼에서 1.363초를 달성했다.

2013년 10월 18일과 19일에는 모하메드 자하우이(독일)가 4,719회로 **스포츠스태킹 24시간 최다 개인 사이클 기록**을 세웠다. 기록 도전은 독일 바덴뷔르템베르크 주 슈투트가르트에 설치된 나인스 스포트콩그레스 무대에서 이뤄졌다.

최다…

불 켜진 초 입에 많이 물기

디네시 시브나스 우파디야야(인도)가 2016년 7월 10일, 인도 뭄바이에 있는 자신의 집에서 불 켜진 초 17개를 한 번에 입에 물었다. 뒤이어 2016년 7월 25일에는 **블루베리 입에 많이 넣기** 기록도 세웠다(70개).

디네시는 **오렌지 3개 빨리 까서 먹기 기록**도 가지고 있는데 2016년 2월 25일에 1분 7.94초 만에 완료했다.

스포츠스태킹 공식 컵은 선수들이 동작을 빨리할 수 있도록 디자인돼 있다. 내부에 홈과 구멍이 있어 컵이 잘 분리되고 쉽게 무너트릴 수 있다.

볼링 공 수직으로 쌓기

센 샤오시(중국)는 2016년 1월 8일, 중국 베이징에서 열린 CCTV 〈기네스 세계기록 스페셜〉 무대에 올라 관중 앞에서 10개의 볼링 공을 접착제 없이 수직으로 쌓았다. 10개를 쌓는 데 2시간 이상이 걸렸고, 11개에 도전하던 중 무너트리고 말았다. 이 기록은 1998년 11월 19일, 미국 캘리포니아 주 로스앤젤레스에서 데이브 크레머(미국)가 세운 기록과 동률이다.

수영모 많이 쓰기(1분)

안드레 오톨프(독일)는 2016년 5월 16일, 독일 아우크스부르크에 있는 고향 마을에서 60초 동안 26개의 수영모를 쓰는 데 성공했다.

◀ 컵 171개 피라미드 빨리 쌓기

2017년 1월 3일, 제임스 아크라만(영국)이 컵 171개 피라미드 쌓기 기록에 도전하기 위해 런던 GWR 본사에 왔다. 수천 명의 시청자가 〈페이스북 라이브〉로 지켜보는 가운데, 제임스는 1분 26.9초 만에 피라미드 1층 18개부터 꼭대기 층 마지막까지 쌓는 데 성공했다. 그는 8년째 열성적으로 스포츠스태킹을 하고 있는데 하루에 1~2시간씩 연습한다.

Q: 가수 저스틴 비버는 퍼즐에 재능이 있다. 어떤 퍼즐일까?

A: 루빅큐브. 비버는 2분 안에 큐브 1개를 맞출 수 있다.

크림 들어간 비스킷 많이 쌓기(30초)

'미스터 체리'라 불리는 체리 요시타케(일본)는 2016년 11월 22일, 영국 글래스고에서 CBBC의 〈오피셜리 어메이징〉 프로그램에 출현해 30초 만에 크림이 들어간 비스킷을 26개나 쌓았다. 요시타케의 라이벌인 '시즐링 스티브'라는 별명의 스티븐 키시는 25개를 세워 패했다.

또 여기에는 영국의 아크로바틱 그룹 아크로폴리스도 나와 **인간 로프 많이 넘기** 기록을 세웠다(48개). 도전은 2016년 10월 18일, 영국 더럼 카운티의 더럼대성당에서 진행됐다.

지게차로 칵테일 잔 많이 쌓기

안 리치앙(중국)은 2016년 1월 9일, 중국 베이징에서 CCTV 〈기네스 세계기록 스페셜〉 무대에 올라 16개의 칵테일 잔을 지게차로 쌓았다. 이 어려운 기록을 완성하기까지 거의 1시간 정도가 걸렸다.

스카이다이빙 신기록 3가지

스카이다이빙 신기록 3가지가 2016년 12월 6일, 호주 전역에서 시도됐고 〈페이스북 라이브〉를 통해 중계됐다. 커맷 자아들라(에스토니아)는 호주 뉴사우스웨일스 시드니에 있는 '아이플라이 인도어 스카이다이빙 다운언더'에서 **60초 동안 헤드스핀을 54번 돌았다.**

스카이다이빙 강사 데이비드 하인드먼(호주)은 웨스턴오스트레일리아에 있는 '아이플라이 인도어 스카이다이빙 퍼스'에서 **풍동(실내 스카이다이빙 시설)에서 수직 벽 달리기 최장 거리(1분) 기록을 세웠다**(227.89m).

한편, 11세의 에이미 왓슨은 퀸즐랜드에 위치한 '아이플라이 인도어 스카이다이빙 골드코스트'에서 **360도 수평 회전 최다 기록(1분)**을 세웠다. 44회 회전에 성공해 이전 최고 기록인 26회를 박살 내버렸다.

한 발로 정리한 가장 많은 양말(1분)

유이 오카다(일본)는 1분 동안 한쪽 발만 사용해 11짝의 양말을 바구니에 넣었다. 도전은 2012년 6월 3일, NHK의 TV쇼 〈위즈-키즈 TV〉 주최로 일본 도쿄 시부야에서 시도됐다.

스키 신은 채 줄넘기(1분)

세바스티안 디그(독일)는 2016년 11월 27일 독일 가르미슈파르텐키르헨에 있는 ZDF 무대에서 슬로프에 올라야 할 복장으로 스키를 신은 채 줄넘기 61개를 했다.

신기한 신체

혀에 쥐덫 물리기

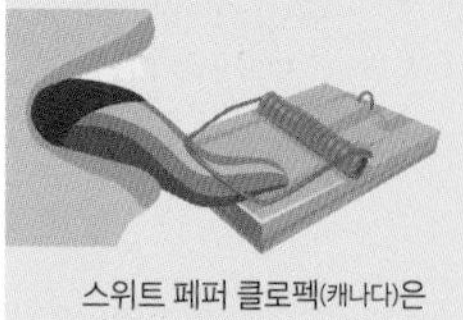

스위트 페퍼 클로펙(캐나다)은 2015년 7월 16일, 60초 동안 자기 혀에 쥐덫을 58번이나 작동시켰다.

머리에 고무줄 감기

슈리파드 크리슈나라오 바이댜(인도)는 2012년 7월 19일, 얼굴에 1분 동안 82개의 고무줄을 감았다.

테니스 라켓 통과하기

다네스와르 구라가이(네팔)는 2012년 2월 26일, 60초 동안 테니스 라켓을 38번이나 통과했다.

박수 많이 치기

2014년 5월 5일, 엘리 비숍(미국)은 미국 매사추세츠 주 보스턴에서 1분 동안 1,020번의 박수를 쳤다.

팔꿈치 바깥쪽에 쌓은 동전 손등으로 받기

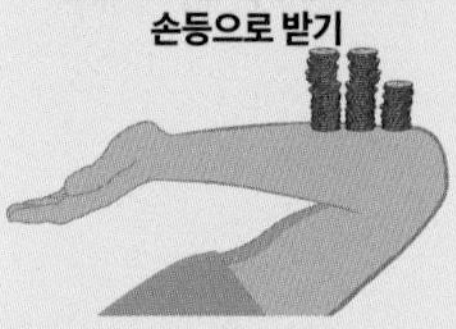

딘 굴드(영국)는 1993년 4월 6일, 팔꿈치 바깥쪽에 쌓은 10펜스 동전 328개를 손등으로 받아냈다.

수염에 이쑤시개 많이 꽂기

제프 랭검(미국)은 2014년 7월 3일, 이탈리아 밀라노에서 수염에 3,157개의 이쑤시개를 꽂았다.

▼ 파티용 폭죽 많이 터뜨리기(1분)

안드레 오톨프(독일)는 2016년 1월 9일, 독일 아우크스부르크에 있는 오래된 소방서에서 78개의 폭죽을 터트리며 새로운 기록의 해가 온 것을 축하했다. 이전 기록 보유자는 생존 전문가 에드워드 '베어' 그릴스, 크리켓 선수 앤드루 플린토프(둘 다 영국), 안드레의 영웅 아시리타 퍼먼(미국) 등이다.

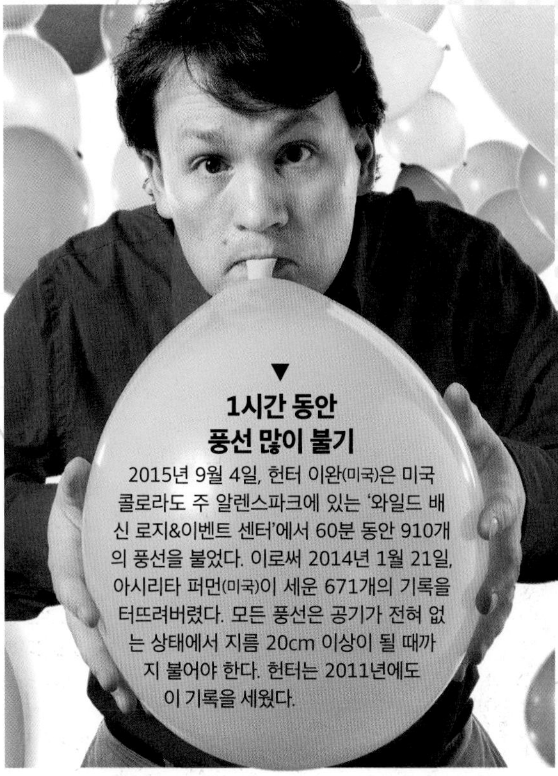

▼ 1시간 동안 풍선 많이 불기

2015년 9월 4일, 헌터 이완(미국)은 미국 콜로라도 주 알렌스파크에 있는 '와일드 배신 로지&이벤트 센터'에서 60분 동안 910개의 풍선을 불었다. 이로써 2014년 1월 21일, 아시리타 퍼먼(미국)이 세운 671개의 기록을 터뜨려버렸다. 모든 풍선은 공기가 전혀 없는 상태에서 지름 20cm 이상이 될 때까지 불어야 한다. 헌터는 2011년에도 이 기록을 세웠다.

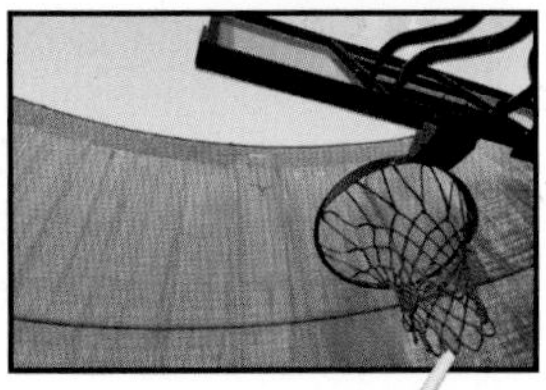

▲ 가장 높은 농구 슛 성공

2016년 9월 26일, 브렛 스탠포드, 데릭 헤런, 스콧 건슨(모두 호주, 오른쪽 사진)이 미국의 스포츠 엔터테이너 듀드 퍼펙트(미국)에게 빼앗긴 기록을 되찾기 위해 스위스 발레 주에 있는 모브와쟁 댐으로 향했다. 이 여정은 유튜브 채널 〈하우 리디큘러스〉를 통해 스트리밍됐다. 헤런은 댐 꼭대기에서 아래 180.968m에 있는 농구 골대로 슛을 던졌고 놀랍게도 단 3번 만에 골인에 성공했다.

▼ 젓가락으로 셔틀콕 많이 잡기(1분)

미스터 체리(아래 사진)와 하루카 구로다(둘 다 일본)가 2015년 8월 8일, 영국 서퍽 RAF 벤트워터스에서 〈오피셜리 어메이징〉 무대에 올라 60초 동안 젓가락으로 23개의 셔틀콕을 잡았다. 방송을 위해 특별히 구성된 '일본 팀'은 라이벌인 '미국 팀'과 '영국 팀'을 무려 19개 차이로 물리쳤다.

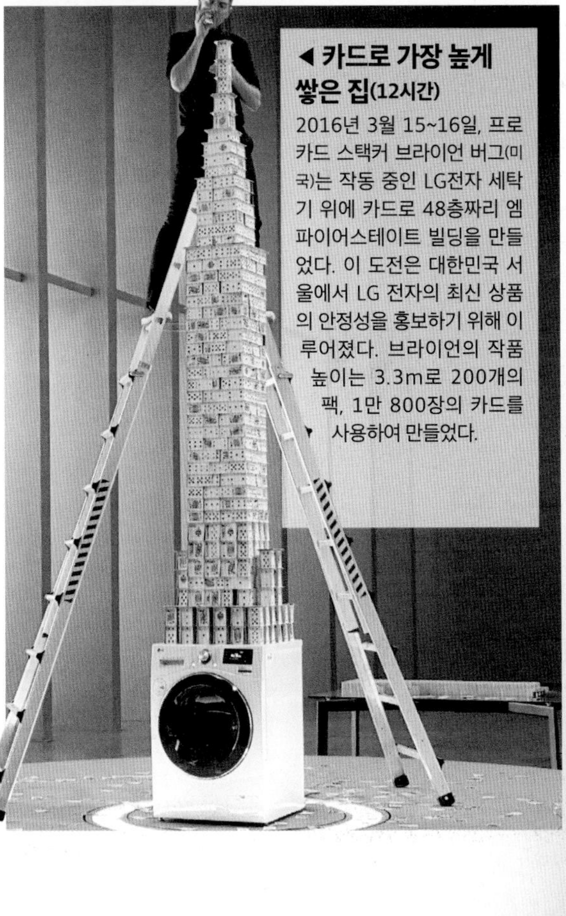

◀ 카드로 가장 높게 쌓은 집(12시간)

2016년 3월 15~16일, 프로 카드 스택커 브라이언 버그(미국)는 작동 중인 LG전자 세탁기 위에 카드로 48층짜리 엠파이어스테이트 빌딩을 만들었다. 이 도전은 대한민국 서울에서 LG 전자의 최신 상품의 안정성을 홍보하기 위해 이루어졌다. 브라이언의 작품 높이는 3.3m로 200개의 팩, 1만 800장의 카드를 사용하여 만들었다.

미스터 체리는 팔다리를 모두 써 뒤로 달리거나, 엉덩이로 견과를 깨는 등 여러 가지 신기하고 놀라운 재주를 가지고 있다. 기록이 증명한다!

루빅큐브 RUBIK'S CUBES

루빅큐브를 뒤죽박죽 섞는 방법은 43,252,003,274,489,856,000가지나 된다.
하지만 3×3 큐브는 20회 이하로 회전해 원상태로 만들 수 있다.

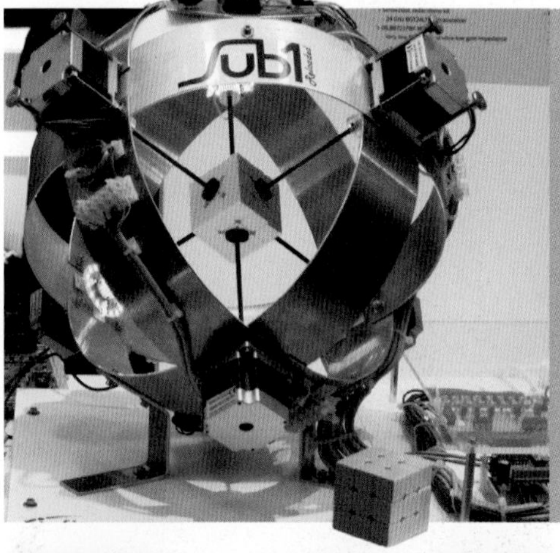

◀ 루빅큐브를 가장 빨리 맞춘 로봇

앨버트 비어(독일)가 제작한 서브1리로디드 로봇은 2016년 11월 9일, 독일 뮌헨에서 큐브를 0.637초 만에 맞췄다. 이 로봇은 2개의 웹캠으로 큐브 6면을 인식한 뒤 그에 맞는 알고리즘을 설정한다. 그리고 마이크로컨트롤러에 정보를 전달해 6개의 노광기(반도체 제조 장비의 일종)로 20회 정도 움직여 큐브를 원상태로 돌린다.

▶ 저글링하며 최단 시간에 큐브 맞추기

테오 카이 샹(싱가포르)은 2015년 2월 14일, 공 2개를 저글링하며 루빅큐브를 22.25초에 풀어냈다. 그는 오른손으로 저글링을 하고 왼손으로 퍼즐을 맞췄다. 기록은 싱가포르 국립대학교에서 열린 2015 루빅큐브 대회에서 작성됐다.

▲ 가장 큰 주문 제작 매직큐브

오스카 반 데벤테르(네덜란드)는 1,539조각으로 이루어진 17×17×17 매직큐브를 제작했다. 오스카는 미국 기업 셰이프웨이스가 3D프린트로 만든 큐브 조각을 분류하고 색칠하는 데만 10시간이 걸렸고, 또 큐브로 조립하는 데 5시간이 들었다고 했다. 이 큐브는 2011년 2월 12일, 미국 뉴욕에서 열린 '뉴욕 퍼즐 파티 심포지엄'에서 공개됐다.

▲ 최다 인원 루빅큐브 맞추기

푸네 공과대학교(COEP)는 2012년 11월 4일, 일도 마하라슈트라 주에 있는 대학 운동장에서 3,248명이 루빅큐브를 맞추는 행사를 진행했다. 총 3,267명이 도전에 참여했는데, 제한 시간 30분 안에 큐브를 완성한 사람은 3,248명이었다.

◀ 최대 규모 루빅큐브 모자이크 벽화

2012년 12월 7일, 277.18㎡ 크기의 미술 작품이 중국 관광명소 마카오에 있는 '원 센트럴 마카오'에서 공개됐다. 크리에이티브 디렉터 조시 찰롬(미국)이 주도하고 캐나다의 디자인 스튜디오 '큐브 웍스'가 제작한 68.78×4.03m의 모자이크 벽화는 총 8만 5,626개의 큐브로 이루어져 있다.

최단 시간 물속에서 큐브 2개 동시 맞추기

다비드 칼보(스페인)는 2010년 4월 1일, 이탈리아 로마에서 열린 〈로 쇼 데 레코드〉에서 1분 24초 만에 큐브 2개를 물속에서 동시에 맞췄다.

최소 회전으로 큐브를 완성한 기록

마르셀 피터스(독일)는 2016년 1월 9~10일 독일 쾰른의 큐벨로니아 대회에서 큐브를 19회 만에 완성했다. 이는 2015년 10월 11일, 미국 캘리포니아 주 어바인에서 열린 '2015년 어바인 가을 스피드 큐브 대회'에서 팀 웡(미국)이 세운 기록과 동률이다.

세계큐브협회는 대회 결선에 오른 참가자들의 3라운드 기록을 계산해 **평균 최소 회전 큐브 완성 기록도 측정**하고 있다. 피터스는 2016년 5월 28~29일 독일에서 열린 '슈반도르프 오픈'에서 3×3×3 큐브의 3회 완성 평균 24.33(24-25-24)을 기록했다.

◀ 최초의 루빅큐브

루빅큐브는 1974년 건축학 교수인 에르노 루빅이 헝가리 부다페스트에서 발명했다. 그는 학생들에게 보여줄 '특별한 물체'를 만들고 싶어 해 큐브를 제작했다. 루빅은 큐브를 처음 푸는 데 3달이나 걸렸다! 첫 번째 큐브는 오늘날 큐브보다 두 배나 무거웠으며, '마술 큐브'라는 이름으로 불렸다. 1980년대 이후 이 큐브는 약 4억 개가 판매됐다.

최다 큐브 완성…

물속에서

앤서니 브룩스(미국)는 2014년 8월 1일, 미국 뉴저지 주 저지시티에 있는 리버티 사이언스 센터에서 한 번의 호흡으로 큐브 5개를 완성했다.

눈 가리고

마르친 코왈치크(폴란드)는 2013년 11월 16일, 폴란드 쉬엘클라니에서 열린 'SLS 쉬엘클라니 2013' 대회에서 눈을 가리고 54분 14초 만에 41개의 큐브를 풀어내며 자신의 이전 기록 60분을 경신했다.

▲ 로봇이 맞춘 가장 큰 루빅큐브

2014년 5월 15일, 데이비드 길데이(영국)가 제작한 '멀티큐버 999'가 영국 버밍엄 NEC에서 열린 '빅뱅 페어'에서 9×9×9 큐브를 풀어냈다. 멀티큐버 999는 자체 제작한 스마트폰 앱으로 레고 로봇을 움직여 큐브를 맞춘다. 가능한 방법을 278자리의 수로 알아내고 로봇으로 퍼즐을 34분 25.89초 만에 완성했다. 데이비드는 ARM 사(社)의 수석 엔지니어로, 이 회사는 대부분 스마트폰에서 사용하는 프로세서를 만든다.

▲ 가장 큰 루빅큐브

일평생 큐브를 사랑해온 토니 피셔(영국)는 한 면이 1.57m인 루빅큐브를 제작해 2016년 4월 5일, 영국 서퍽 입스위치에서 공개했다. 실제 작동하는 이 큐브는 토니가 꼬박 2개월이 걸려 집에서 제작했다. 이 엄청난 크기의 퍼즐을 저 멀리 일본에서 보러 오는 사람도 있다. 토니는 가장 작은 큐브도 만들었다(오른쪽 참조)!

▲ 가장 작은 루빅큐브

폭이 겨우 5.6mm인 이 초소형 큐브는 토니 피셔(영국)가 만들었다. 비록 크기는 작지만 핀셋을 사용해 일반 큐브와 똑같이 조작할 수 있다. 손가락 끝에 올릴 수 있는 이 큐브는 멀티젯 모델링 3D프린터를 사용해 반투명 플라스틱으로 만들었다.

▶ 최단 시간 루빅큐브 맞추기

학생인 펠릭스 젬덱스(호주)는 2016년 12월 11일, 호주 멜버른에서 열린 'POPS 오픈 대회'에 출전해 3×3×3 루빅큐브를 고작 4.73초 만에 맞췄다. 펠릭스는 5주 전 매츠 볼크(네덜란드)가 세운 기록을 100분의 1초 단축했다. 매츠는 펠릭스가 기록을 깰 때 바로 옆에 앉아 있었다!

펠릭스가 신 기록을 세웠지만 2016년 대회의 우승자는 매츠였다. 그는 평균 6.83초로 펠릭스의 6.97초에 앞서며 우승을 거뒀다.

외발자전거 위에서

크리쉬넘 라주 가디라주(인도)는 2016년 10월 19일, 인도 방갈로르에서 외발자전거를 타고 170개의 큐브를 90분 안에 맞췄다.

2014년 10월 19일, 크리쉬넘은 인도 하이데라바드에서 왼손만 사용해 2,176개의 큐브를 풀어냈다. 이는 **24시간 동안 한 손으로 루빅큐브 많이 맞추기** 신기록이다. 큐브 하나를 맞추는 데 걸린 평균은 33.34초였다.

마라톤을 하며

2012년 11월 3일, 미국 조지아 주 서배너에서 열린 '로큰롤 서배너 마라톤'에 출전한 셰인 화이트(미국)가 경기 중 175개의 큐브를 맞췄다.

자전거를 타고

17세의 시리밧시 라지쿠마르(인도)가 2016년 8월 7일, 인도 타밀나두 주 첸나이에 있는 '아바쿠스 몬테소리 학교'에서 7시간 2분 56초 동안 자전거를 타며 751개의 큐브를 맞췄다.

1년 동안 대회에서 맞춘 큐브 수

세바스티안 오루(독일)는 2012년에 세계큐브협회가 주최한 여러 대회에 참가해 2,122개의 루빅큐브 중 2,033개를 맞췄다. 365일로 계산하면 하루에 5.5개를 맞춘 꼴로, 대회장 안에서 맞춘 큐브의 수만 기록에 포함했다.

1시간 동안

60분 동안 가장 많이 맞춘 큐브는 2,454개로 2016년 1월 23일, 인도 타밀나두 주 첸나이에서 9명으로 구성된 '팀 인디아'(모두 인도)가 작성한 기록이다.

24시간 동안

2013년 10월 3일, 에릭 라임백(캐나다)은 캐나다 온타리오 주 워털루에 있는 윌프리드 로리에 대학교에서 5,800개의 루빅큐브를 맞췄다. 에릭은 종료를 4시간 7분이나 남겨두고 이전 기록인 4,786개를 경신했고 마지막 5,800번째 큐브를 23시간 59분 59.7초에 완성했다. 하나를 완성하는 데 걸린 평균 속도는 14.89초였다.

큐브를 푼 최단 시간

큐브	이름(국적)	시간/분/초	연도
3×3×3	펠릭스 젬덱스(호주)	4.73	2016
2×2×2	마치에이 차피에프스키(폴란드)	0.49	2016
4×4×4	펠릭스 젬덱스(호주)	21.54	2015
5×5×5	펠릭스 젬덱스(호주)	41.27	2016
6×6×6	펠릭스 젬덱스(호주)	1:27.85	2017
7×7×7	펠릭스 젬덱스(호주)	2:18.13	2017
메가밍크스(정십이면체)	유다현(대한민국)	33.17	2016
피라밍크스(정사면체)	드루 브래드(미국)	1.32	2015
클락	나다니엘 베르크(스웨덴)	3.73	2015
스큐브	조나단 클로스코(폴란드)	1.10	2015
스퀘어-1	토미 셀리가(미국)	6.84	2016
3×3×3 눈 가리고	카이준 린(중국)	18.50	2016
3×3×3 한 손으로	펠릭스 젬덱스(호주)	6.88	2015
3×3×3 발로	야쿱 키파(폴란드)	20.57	2015

2017년 3월 23일, 세계큐브협회 제공(시간:분.초)

대단한 공 GREAT BALLS OF...

종이, 끈, 비닐 랩, 페인트, 팝콘 그리고…
지금부터 새로운 기록을 만들어낸 특이한 구체들을 만나보자.

▲가장 큰 고대 돌 공
코스타리카 디퀴스 델타 곳곳에는 1,000개 이상의 동그란 돌이 여기저기 흩어져 있다. '거인의 공들'이라고 불리는데 선사시대 컬럼비아 사람들이 자연 상태의 화강암을 연마해 만들었다고 전해진다. 가장 큰 돌 공은 지름이 2.5m에 달하며 무게는 16톤 이상이다.

가장 큰…

비닐 랩 공
헤슬 로드 네트워크 영피플 센터(영국)는 2013년 11월 14일, 그랜드 피아노 무게의 절반 정도 되는 213.2kg의 비닐 랩을 모아 공으로 만들었다.

강아지 털 공
2012년 4월 7일, 텍사스 헤어 앤 서비스 도그스(미국)는 달마티안 3마리 무게인 91.17kg의 개털 뭉치를 공개했다. 이는 8,126마리의 개를 미용해주고 얻은 털로, 미국 텍사스 주 오스틴에서 기록됐다.

비치 볼
폴란드 슈퍼마켓 체인 '리얼'은 지름 15.82m의 비치 볼을 제작했다. 공의 크기는 2012년 5월 8일, 폴란드 츠와우초프에서 측정됐다.

자기 테이프 공
EMC 사(社)는 폭 2.125m, 높이 2.030m, 무게 570kg의 자기 테이프 공을 만들었다. 6,500개의 테이프로 만든 이 공은 펼치면 영국에서 미국 뉴욕까지 닿는 길이로 2011년 1월 19일, 영국 킹스 플레이스 갤러리에 전시됐다.

맛초 볼(이스트를 넣지 않은 경단)
'노아의 방주 오리지널 델리'(미국)는 2009년 8월 6일, 미국 뉴욕에서 121.1kg 무게의 맛초 볼을 요리했다.

종이 공
미네소타 오염 방지 단체(미국)는 2014년 8월 5일, 종이로 무게 193.2kg, 폭 3.13m짜리 공을 만들었다.

이 거대한 테이프 공을 만드는 데는 꼬박 1년이 걸렸다. 들어간 테이프도 영국 하드리아누스 방벽의 길이와 맞먹는 117.8km나 된다! 정말 놀랍지 않은가!

팝콘 볼
미국의 일리노이 주 레이크 포레스트에 있는 팝콘팩토리 직원들이 2006년 9월 29일에 1,552.6kg의 팝콘으로 공을 만들었다.

홍수정 공
양친링(대만)이 지름 145.6cm 크기의 홍수정 공을 소유하고 있는 게 2015년 3월 31일에 확인됐다.

끈으로 된 공
미국 텍사스 주 벨리 뷰의 J C 페인이 1989~1992년까지 끈으로 만든 공의 지름은 4.03m, 둘레는 12.65m였다.

◀가장 큰 테이프 공
2011년 5월 6일, 미국 켄터키 주 루이빌에서 무게 907.18kg, 둘레 3.89m의 테이프 공이 제작됐다. 이 도전은 포틀랜드 프로미스 센터와 지역개발 단체가 기획했고, 센터에서 운영하는 프로그램에 참여하는 아이들이 공을 만들었다. 덕 테이프, 절연 테이프, 마스킹 테이프, 포장 테이프, 포일 테이프 그리고 운동용 테이프 등이 사용되었다.

Q: 2016년 윔블던 챔피언십에서 사용한 테니스 공은 몇 개일까?

A: 5만 4,250개

여러 가지

손으로 잡은 가장 빠른 테니스 공
앤서니 켈리(호주)는 2015년 11월 12일, 호주 뉴사우스웨일스 시드니에 있는 올림픽 공원에서 191.9km/h의 테니스 공을 손으로 잡았다.

손으로 잡은 가장 많은 테니스 공(1시간)
아시리타 퍼먼(미국)이 2015년 7월 21일, 미국 뉴욕에서 60분 동안 1,307개의 테니스 공을 손으로 받았다. 공은 최소 100km/h 이상으로 던져졌다.

가장 빠른 탁구공
부자 관계인 데이비드, 아브라함 크니림(둘 다 미국)이 2016년 5월 24일, 미국 오리건 주 윌슨빌에서 탁구공을 진공 발사기에 넣고 쏴, 806m/sec로 날렸다.

높은 곳에서 떨어진 크리켓 공 잡기
스카이 스포츠 크리켓을 위해, 전 영국 팀 주장 나세르 후세인(영국, 인도 출생)이 46m 높이까지 올라간 '배트캠' 드론에서 떨어지는 크리켓 공을 받았다. 이 도전은 2016년 6월 30일, 영국 런던에 있는 로즈 크리켓 그라운드에서 진행됐으며, 공이 떨어진 높이는 14층 건물과 맞먹는다.

가장 높은 곳에서 떨어진 축구공 트래핑
시오 월컷(영국)은 2016년 11월 29일, 영국 세인트 알반스의 아스널 FC 트레이닝 그라운드에서 34m 높이에서 떨어지는 공을 트래핑했다. 이 도전은 벳페어(영국)가 후원했다.

골프 공 높이 쌓기
미국 오하이오 주 브리지포트에 사는 돈 애시는 1998년 10월 4일, 접착제를 사용하지 않고 골프 공 9개를 수직으로 쌓았다. 이 탑은 무너지지 않고 20초 동안 있었다.

공으로 만든 가장 큰 피라미드
칼 십먼과 '더 퍼스트 티 오브 그레이터 타일러'(둘 다 미국)는 2014년 1월 31일, 미국 텍사스 주 타일러에 있는 메이미 G 그리핀 초등학교에서 1만 6,206개의 골프 공으로 피라미드를 쌓았다.

가장 많이 저글링한 공 (복합 기술)
한 번에 공 1개 이상을 던짐
14
알렉산드르 코블리코프(우크라이나), 2013년

바운스 저글링
12
알란 슐츠(체코), 2008년

가장 많이 저글링한 공 (기본)
11
알렉스 배런(영국), 2012년

입으로 저글링한 최다 탁구공
7
토니 페르코스(미국, 체코 출생)
1980년대 중반

가장 많이 저글링한 축구공
5
빅토르 루빌랄(아르헨티나), 2006년
마르코 베르메르(네덜란드), 2014년
이시드로 실베이라(스페인), 2015년

가장 많이 저글링한 볼링 공
3
밀란 로스코프(슬로바키아), 2011년

▲ 가장 큰 디스코 볼

2014년 9월 7일, 영국 아일오브와이트에 있는 로빈 힐 컨트리 공원에서 열린 베스티벌(영국) 음악 축제에서 지름 10.33m의 미러볼이 '무인도에 가져갈 디스코' 곡들과 함께 공개됐다. 뭉고 데니스(영국)이 운영하는 뉴서브스텐스 사(社)가 제작한 이 미러볼은 가수 나일 로저스와 칙이 무대에 올라 메인 공연을 하자 불이 들어오며 돌기 시작했다.

R 스탠턴 에이버리(미국)는 점착 라벨을 처음 개발한 사람이다. 그의 생일인 1월 13일은 스티커의 날로 지정됐다.

▶ 가장 큰 스티커 공

존 피셔와 스티커자이언트 팀(둘 다 미국)은 2016년 1월 13일, 미국 콜로라도 주 롱몬트에서 17만 7,000장의 스티커와 라벨로 105.05kg짜리 공을 만들었다. 이 도전은 미국의 첫 '스티커의 날'을 기념해 시도됐다. '사울'이라는 이름이 붙은 이 공은 '함께 뭉치자'는 모토하에 2016년 대통령 선거에 정식 후보로 등록됐다.

▲ 가장 큰 고무줄 공

다 자란 코뿔소 2마리 무게와 비슷한 4,097kg의 '메가톤'은 2008년 11월 13일, 기네스 세계기록의 날에 미국 플로리다 주 로더힐에서 기록이 측정됐다. 총 70만 개라는 엄청난 고무줄이 사용된 이 구체는 조엘 와울(미국)이 2004년 4월부터 제작하기 시작했다. 높이는 2m다.

▲ 가장 큰 럭비 공

캐세이 퍼시픽 항공은 2011년 5월 15일, 중국 홍콩에서 캐세이 퍼시픽/스위스은행 홍콩 세븐스 행사를 위해 길이 4.709m, 높이 2.95m의 럭비 공을 제작했다. 공의 둘레는 가로 12.066m, 세로 9.34m다. 사진 속 기네스 직원 앤젤라 유가 안고 있는 일반 럭비 공보다 20배나 크다.

▲ 가장 큰 축구공

2013년 2월 12일, 도하은행(카타르)은 인조가죽으로 만든 지름 12.19m의 축구공을 카타르 도하에서 공개했다. 둘레 38.3m, 무게 약 960kg이다. 이 거대한 공은 도하에 있는 룰루 하이퍼마켓 자동차 공원에 전시됐다.

▼ 페인트칠을 가장 여러 번 한 공

미국 인디애나 주 알렉산드리아의 마이클 카마이클은 2017년 5월 2일까지 페인트칠을 2만 5,506회나 한 야구공을 가지고 있다. 1977년 처음 공에 페인트 칠을 한 뒤로 그와 부인 글렌다는 거의 하루에 2회 꼴로 칠해왔다. 2004년 6월, 공의 가장 두꺼운 지점의 둘레는 4.57m였다.

페인트를 몇 번 칠했는지 어떻게 알까? 나무 전문가가 야구공에 1회 칠한 페인트의 두께가 0.000778인치라는 것을 알아낸 뒤 총 두께를 나눴더니 2만 5,506회 칠했다는 결과가 나왔다.

◀ 가장 큰 인간 헤어 볼

미국 미조리 주 찰스턴에서 이발사로 일하는 헨리 코퍼(미국)는 2008년 12월 8일까지 머리카락을 모아 높이 1.2m, 둘레 4.26m, 무게 75.7kg짜리 거대한 구체를 만들었다. 50년이 넘는 기간 동안 헨리는 자신이 자르고 모은 머리카락을 도로보수나 토지 거름으로 사용하는 등의 다양한 활용법을 찾아냈다.

기록 마니아 전반 RECORDMANIA ROUND-UP

기네스 세계기록을 세우기 위해 반드시 전문적인 훈련을 받아야 하는 건 아니다. 약간의 상상력만 있으면 된다.

▲ 뉘르부르크링 노르트슐라이페 서킷에서 자동차 두 바퀴 들고 빨리 주행하기

한 위에(중국)는 2016년 11월 3일, 악명 높은 뉘르베르크링 노르트슐라이페(노스 루프) 서킷을 미니 쿠퍼를 타고 오른쪽 두 바퀴를 들고 완주했다. 코너가 73번이나 있는 20.8km 길이의 코스를 끝까지 달리는 데는 총 45분 59.11초가 걸렸다. 독일 라인란트팔츠 주에 있는 도로다.

'엄지 척'한 사진이 가장 많은 온라인 사진첩

2016년 4월 9일~5월 7일까지 '유니참 컨슈머 프로덕츠'(중국)는 사람들의 열렬한 성원과 함께 5만 470개의 '엄지 척' 사인을 보내는 사진을 모았다.

가장 큰 스프링 매트리스

리쥐 호우와 그의 팀(모두 중국)이 크기 20×18.18m, 두께 0.31m의 거대한 매트리스를 제작했다. 테니스 코트와 같은 크기의 이 괴물 매트리스는 2016년 4월 15일, 중국 헤이룽장 성 하얼빈에서 열린 대중 행사에 전시됐다.

가장 큰 과일 조각품

사데딘 기업(사우디아라비아)은 2016년 11월 23일부터 사우디아라비아 제다에 높이 5.95m의 과일 조각품을 만들었다. 다 큰 기린과 높이가 비슷한 이 작품은 야자나무 모양이다.

최대 규모 장난감 풍차/바람개비 전시

이탈리아 로마에 있는 루에우르 놀이공원은 2016년 10월 27일, 다시 개장한 것을 축하하기 위해 576개의 장난감 풍차/바람개비를 전시했다. 루에우르는 이탈리아에서 제일 오래된 놀이공원으로 여겨지는데 1953년 처음 문을 열었다.

▲ 신부 부케를 가장 많이 받은 기록

미국 유타 주 드레이퍼에 사는 '부케 학살자' 제이미 잭슨은 결혼식에 많이 참석한다. 자주 참석한 경험이 부케를 받는 요령을 깨닫는 데 큰 도움이 되었다. 제이미는 1996년 이후 100번 이상의 결혼식에 참석해 50번 이상 신부 부케를 받았다. 그녀가 부케를 받은 부부 중 이혼한 커플은 단 4쌍뿐이라, 그녀는 자신이 행운을 준다고 믿는다.

▲ '짝' 소리 나게 휘두른 가장 긴 채찍

2016년 8월 18일, 채찍 공연자 네이선 그리그스(호주)는 호주 퀸즐랜드의 디파이언스 밀 공원에서 열린 공연에서 100.45m짜리 채찍을 '짝' 소리 나게 휘둘렀다.

2017년 3월 9일, 네이선은 **1분 동안 채찍 2개 많이 휘두르기** 기록도 세웠다. 양손에 캥거루 가죽 채찍을 들고 60초 동안 697번이나 소리가 나도록 휘둘렀다. 1초에 11번이 넘는 횟수다. 기록은 호주 빅토리아 알토나에서 작성됐다.

최대 규모 종이 개구리 전시

2016년 4월 1일, 일본 쿠마모토에 있는 어린이 문화센터, 쿠마모토 코도모 분카 회관에서 종이 개구리 1,578개를 이용해 거대한 개구리 모양의 모자이크 작품을 완성했다. 238명의 어린이와 아이들의 부모, 자원봉사자와 센터 직원들이 함께 만들었다.

▲ 물구나무로 다리에 축구공 끼우고 50m 빨리 가기

장 수양(중국)은 물구나무를 선 상태에서 무릎에 축구공을 끼우고 50m를 26.09초 만에 지나갔다. 기록은 2016년 4월 30일 중국서사범대학교에서 작성됐다.

현재 50m 물구나무 달리기 최고 기록은 16.93초다. 마크 케니(미국)가 꽤 오래전인 1994년 2월 19일에 작성했다.

▲ 턱에 자전거 올리고 멀리 이동하기

2016년 4월 13일, 아시리타 퍼먼(미국)은 빈티지 자전거 '롤리 슈퍼 코스'를 턱에 올리고 20.62m를 걸어갔다.

그는 2015년 6월 29일 **잔디 깎는 기계를 턱에 올리고 멀리 이동하기 기록**도 세웠다. 이동 거리는 122.92m다.

스윙을 거꾸로 해 공 멀리 날리기(골프)

2016년 3월 4일, 린 레이(미국)는 스윙을 반대로 해 골프 공을 286.2m 날렸다. 공이 땅에 닿지 않고 날아간 '비거리'의 기록이다.

다음날 그는 **1시간 동안 골프 공 300야드(274.32m) 이상 날리기 최고 기록**을 세웠다(459회).

낙하산 2인 동반 점프 최다 기록(8시간)

레드벌룬(호주)은 2016년 12월 17일, 호주 울런공에서 8시간 동안 2인 동반 낙하산 점프를 155회 시행했다.

이마에 컵 많이 올리기

2016년 7월 9일, 자르 케셀(이스라엘)은 이스라엘 미슈마르 하시바에서 81cm 높이의 플라스틱 컵 305개를 이마에 올리고 10초 동안 균형을 잡았다.

그는 **한 손가락에 포커 칩 가장**

▲ 팔꿈치로 격파한 가장 많은 음료수 캔
무술 사범 무하마드 라시드(파키스탄)는 1분 동안 자신의 팔꿈치로 77개의 음료수 캔을 찌그러트리며 새로운 세계기록을 세웠다(물론 옷도 엉망이 됐다). 이 기록은 2016년 4월 17일, 콘스엘바(Cons.erva) 연합(이탈리아)이 이탈리아 게모나 델 프리울리에서 기획한 행사에서 작성됐다. 라시드는 무술과 관련한 기록들이 많은데, 이중에는 **1분 동안 쌍절곤 많이 휘두르기**(350회)와 **불 막대기 많이 돌리기**(188회)가 있다.

여럿이 손목 잡고 인간 띠 만들기
텔레노 파키스탄 직원과 비컨하우스 스쿨 시스템(둘 다 파키스탄)의 학생들 2,950명이 2016년 9월 29일, 파키스탄 이슬라마바드에서 서로 손목을 잡고 인간 띠를 만들었다.

사람들이 모여 만든 DNA 나선 모양
2016년 4월 23일, 바르나 의과대학교(불가리아)가 4,000명의 사람을 모아 DNA 나선 모양으로 대열을 서는 행사를 마련했다. 나선 대형은 불가리아 바르나의 흑해 연안에서 만들어졌다. 참가자들은 서로 다른 색의 티셔츠와 모자를 쓰고 2개의 DNA가 나선 형태로 결합한 모습을 표현했다.

▲ 진공효과로 얼굴에 캔 많이 붙이기
제이미 '캔헤드' 키튼(미국)은 아주 특이한 능력이 있다. 이유는 확실하지 않지만, 그는 피부에 있는 구멍들로 공기를 빨아들여 캔처럼 바닥이 오목한 물건이면 무엇이든 얼굴에 붙일 수 있는 듯하다. 제이미는 2016년 1월 11일, 중국 베이징에서 촬영한 CCTV의 〈기네스 세계기록 스페셜〉에 출현해 관중들 앞에서 자신의 놀라운 능력을 선보였다. 그는 머리에 8개의 캔을 붙이는 데 성공했다.

많이 올리기 기록도 보유하고 있다(84개).

새 둥지 상자로 만든 가장 긴 줄
러시아 방송국 트리컬러 TV가 2016년 4월 23일, 러시아 모스크바에 있는 오스탄키노 공원에서 4,000개의 새 둥지 상자를 1.124km 거리에 줄 세워놨다.

가장 많은 사람이 동시에 촛불을 끈 기록
2016년 11월 21일, 참가자 1,717명이 오만 무스카트에서 촛불을 동시에 입으로 불어서 껐다. 이 행사는 무스카드 보건부(오만) 직원을 위한 모금행사에서 진행됐다.

모차렐라 500g 빨리 먹기
아시리타 퍼먼(미국)은 2016년 4월 12일, 모차렐라 치즈 500g을 1분 34초 만에 먹어 놀라운 신기록 수립 행진을 이어갔다.

▲ 로코토 레에노를 가장 많이 만든 기록
산이그나시오 로욜라 대학교와 아레키파 지방자치단체(둘 다 페루)가 2016년 11월 27일, 페루 아레키파에 있는 광장에서 542.72kg의 로코토 레에노를 사람들에게 대접했다. 피망 속을 파내고 재료를 채워 요리하는 페루의 고유 음식이다.

▼ 최대 규모 에어베드 인간 도미노
2016년 9월 17일, 트로피칼(스페인)은 스페인 라스팔마스데그란카나리아에 있는 라스 칸테라스 해변에서 603명의 참가자에게 에어베드를 주고 세운 뒤 차례대로 넘어지게 했다. 모든 참가자가 넘어져 포개지기까지는 3분 40초가 걸렸다.

최다 참가…

그리스도 성탄 장면
칸 타운 의회와 성서공회(둘 다 영국)가 2016년 12월 3일, 영국 칸에서 1,254명의 사람을 모아 그리스도 성탄 장면을 재연했다.

안아주기 릴레이
멕시코 A.C. 텔레톤 재단이 기획한 2016년 12월 10일 안아주기 릴레이 행사에 총 1,290명이 참가했다.

대형 이미지 연속으로 만들기
GEMS 교육(UAE)이 2016년 11월 28일 UAE 두바이에서 기획한 행사에서 2,223명의 참가자가 활짝 편 손 모양으로 대형을 만들었다. 이 커다란 손은 UAE 국기의 색과 디자인이었다. 그런 뒤 두바이의 통치자 셰이크 모하메드 빈 라시드 알 막툼이 해 유명해진 세 손가락 경례 모양으로 대열을 바꿨다.

▶ 몸에 숟가락을 가장 많이 붙인 기록
2016년 8월 7일, 마르코스 루이즈 세바요스(스페인)는 몸에 64개의 스테인리스 숟가락을 붙이고 기네스 기록 기준인 5초 이상을 있었다. 이 도전은 일본 카시코지마에서 진행됐으며, 시작부터 완료까지 약 4분이 걸렸다. 마르코스는 카나 오카모토(일본)가 자신의 가슴과 등에 숟가락을 올리는 동안 미동도 하지 않았다. 이 기록은 얼굴 외에 신체 아무 곳에나 숟가락을 붙이면 인정된다. 얼굴에 숟가락 붙이기는 다른 종목이다(아래 참조).

얼굴에 숟가락 많이 붙이기 기록은 31개로 2013년, 달리보르 자브라노비치(세르비아)가 세웠다.

버라이어티 공연(아마추어)
2016년 11월 25일, 호주 시드니에서 열린 스쿨스 스펙테큘러 공연의 피날레에 5,322명의 학생 공연단이 춤, 노래, 음악 공연이 어우러진 앙상블을 선보였다.

사람들이 모여 만든 숫자
2016년 5월 7일, 7,511명의 참가자가 숫자 '450' 모양을 대열로 만들었다. 이 행사는 러시아 오룔에서 오룔 정부와 빅토리 청년봉사단체(둘 다 러시아)가 기획했다. 기록은 오룔 450주년 기념행사에서 세워졌다. 450이라는 숫자를 선택한 이유기도 하다.

최연소 YOUNGEST...

109세의 증조-고조-현조-6대조 할머니부터 아직 엄마 배 속에 있는 아기까지,
기네스 세계 최연소 나이 기록자가 여기에 나와 있다.

110세 이하

109세 100일의 최연소 증조-고조-현조-6대조 할머니

1989년 1월 21일, 어거스타 벙기(미국, 1879년 10월 13일생)는 자신의 손자의 손자의 딸이 아들 크리스토퍼 존 볼리그를 낳으며 6대 조 할머니가 됐다.

107세 327일의 나이로 역대 최연소 '현존 최고령자'에 오른 사람

세계 최고령 제니 하웰(미국)이 1956년 12월 16일 사망하면서 앤 마리(미국, 1849년 1월 24일생)가 현존 최고령자에 등극했을 뿐 아니라, 역대 최연소 현존 최고령자 기록에 올랐다. 2017년 3월 20일까지 이 기록은 깨지지 않고 있다.

미국 대통령 42세 322일

시어도어 루스벨트(1858년 10월 27일생)는 전임 대통령 윌리엄 매킨리가 암살당하며 1901년 9월 14일 대통령직을 맡았다.
존 F. 케네디(1917년 3월 29일생)는 43세 236일의 나이로 1961년 1월 20일에 취임식을 해 **선거로 뽑힌 최연소 대통령**이다.

달 위를 걸은 사람 36세 201일

찰리 듀크(미국, 1935년 10월 3일생)는 1972년 4월 21일 36세의 나이로 아폴로 16 임무를 수행하며 달에 착륙한 최연소 인물이 됐다.

스카우트 대장 34세 334일

에드워드 '베어' 그릴스(영국, 1974년 6월 7일생)는 34세의 나이에 스카우트 대장에 취임했다. 스카우트협회는 이 결정을 2009년 5월 17일 영국 런던에서 발표했다. 이전 최연소 스카우트 대장은 찰리 매클린(영국)으로 1959년 취임 당시 나이는 43세였다.

30세 이하

국가 원수(현재) 약 27세

2011년 12월 17일 김정은은 아버지 김정일이 사망하며 북한의 지도자가 됐다. 김정은의 정확한 나이는 단 한 번도 공식 확인되지 않았지만, 아버지의 뒤를 이을 당시 27세로 추정된다. 그는 1982년 1월 8일 혹은 1983년이나 84년의 같은 날에 태어난 것으로 짐작된다.

대양을 혼자 노 저어 건넌 사람 20세 219일

칼럼 개더콜(영국, 1995년 5월 15일생)은 20세 때 자신의 보트 '스몰 앤 마이티'를 타고 라고메라부터 안티과까지 대서양을 동쪽에서 서쪽으로 노 저어 횡단했다. 2015년 12월 20일~2016년 2월 16일까지 총 58일 15시간 15분이 걸렸다. 출발 나이를 기준으로 했다.

억만장자 19세 236일

〈포브스〉에 따르면 마술(馬術) 선수인 노르웨이의 알렉산드라 안드레센(1996년 7월 23일생)은 2016년 3월 16일 기준으로 19세의 나이로 약 11억 8,000만 달러의 재산을 보유하고 있다. 안드레센 가문은 담배 산업으로 부를 축적 했다.

전문 로데오 선수 18세 125일

브라이언 캔터(미국, 1987년 6월 25일생)는 18세의 나이로 2005년 프로페셔널 불라이더 월드 파이널에 출전했다. 그해 탑 50위 안에 든 그는 2006년에는 랭킹 8위를 기록했다.

NBA 선수 18세 6일

앤드루 바이넘(미국, 1987년 10월 27일생)은 2005년 11월 2일 LA 레이커스 대 덴버 너게츠의 NBA 경기에 출전하며 최연소 선수에 등극했다.

18세 이하

포뮬러 원 챔피언십에서 점수를 딴 드라이버
17세 180일

맥스 페르스타펜(네덜란드, 1997년 9월 30일생)은 2015년 그랜드 프릭스에서 7위를 했다.

노벨상 수상자
17세 90일

말랄라 유사프자이(파키스탄, 1997년 7월 12일생)는 인권운동가 카일라시 사티아르티와 함께 2014년 10월 10일 노벨평화상을 받았다.

올림픽 금메달 획득(개인)
13세 268일

마조리 게스트링(미국, 1922년 11월 18일생)은 1936년 베를린 올림픽에서 13세의 나이로 스프링보드다이빙 금메달을 땄다. 구스오 기타무라(일본, 1917년 10월 9일생)는 1932년 하계 올림픽 수영 1,500m 자유형에서 14세 309일의 나이로 금메달을 때, **최연소 올림픽 개인 금메달(남성)**을 기록했다.

미국 앨범 순위 1위에 오른 솔로 아티스트
13세 103일

'리틀' 스티비 원더(미국, 1950년 5월 13일)는 앨범 〈라이브: 더 12 이어 올드 지니어스〉를 녹음할 당시의 나이가 고작 13세였다.

윔블던 출전
13세

미타 클리마(오스트리아, 1893년생)는 1907년 윔블던 단식 경기에 출전했을 당시 나이가 13세였다.

13세 이하

엑스게임 선수
11세 129일

재거 이턴(미국, 2001년 2월 21일생)은 11세에 '엑스게임 18'에 데뷔해 2012년 6월 28일~7월 1일까지 경연을 펼쳤다. 그는 스케이트보드 빅 에어 부문에서 12위에 올랐다.

축구 심판
9세 303일

사무엘 케플링어(독일, 1998년 4월 27일생)는 9세의 나이로 2008년 2월 24일 독일 바이에른 주 보빙엔에서 열린 SSV 보빙엔과 SV 레인하트사우센의 경기에 심판으로 등장했다. 이는 U7 소년 팀 대회 중의 한 경기로 0-0으로 비겼다.

해적
8~11세

기록으로 남은 최연소 해적은 존 킹이다. 악명 높은 해적 '블랙 샘' 새뮤얼 벨라미는 1716년 11월 9일 여객선 보네타를 납치했다. 이 여객선에는 킹(8~11세 사이로 추정)이 엄마와 함께 타고 있었다. 아비야 새비지(보네타 호의 선장)가 1716년 11월 30일에 진술한 내용에 따르면, 킹은 해적 선원으로 받아주지 않으면 자기 엄마를 해치겠다고 위협했다. 결국 '블랙 샘'은 킹을 받아들였다.

영화감독
7세 340일

소각 비스타(네팔, 2007년 1월 6일생)는 전문적으로 영화를 제작한 최연소 감독이다. 영화 〈러브 유 바바〉(네팔, 2014)가 개봉했을 당시 나이가 7세였다.

오스카 수상자
6세 310일

'기적의 꼬마 아가씨 셜리 템플'(미국, 1928년 4월 23일생)은 1935년 2월 27일에 6세의 나이로 '1934년의 스크린을 즐겁게 한 훌륭한 재능과 기여도'를 인정받아 아카데미 특별 아역 상을 받았다.

6세 이하

드럼 연주자
4세 319일

네 살배기 줄리안 파보네(미국, 2004년 5월 14일생)는 2009년 3월 29일 자신의 20번째 콘서트(기네스 세계기록의 최소 기준)를 열었다.

서커스 곡마단장
3세

2005년 12월 26일, 크랜스턴 치퍼필드(영국)는 3세의 나이에 영국 래넉셔 스트래스클라이드 카운티 공원에서 열린 '서커스 로열'의 공연에서 최연소 진행자가 됐다. 그는 치퍼필드 가문의 8대째 곡마단장이다.

타이태닉 생존자
72일

밀비나 딘(영국, 1912년 2월 2일생)과 그녀의 부모님, 18개월 된 오빠는 1912년 4월 10일 타이태닉 여객선의 처녀항해에 탑승했다. 이 가족은 모두 3등 칸에 타고 있었다. 이 배는 1912년 4월 14일 빙하에 부딪혀 침몰했고, 밀비나는 엄마, 오빠와 함께 살아남았다. 하지만 아빠 버트는 1,517명의 승객과 함께 추운 바다에 남았다.

심장 이식자
생후 1시간

1996년 11월 8일, 생후 1시간 된 샤이엔 파일(미국)은 미국 플로리다 주 마이애미의 잭슨 아동병원에서 심장을 기증받아 역대 최연소 심장 이식 환자가 됐다.

심장 수술 환자
임신 24주(출산 전)

터커 루센(미국, 2013년 5월 9일생)은 임신 24주차에 엄마의 자궁 안에서 심장 수술을 받았다. 수술은 2013년 2월 미국 펜실베이니아 주 필라델피아에서 진행됐다.

모험 ADVENTURES

겁 없는 모험가 에릭 웨헨메이어(미국)는 세븐 서미츠(7대륙 최고봉)를 정복하고 그랜드캐니언을 카약을 타고 내려갔다. 그는 13세 때 시각을 잃었다.

최초의 윙 수트는 발명가이자 재단사인 프란츠 라이켈트(프랑스)가 만들었다. 그는 1912년 2월 4일 프랑스 파리에 있는 에펠탑에 올라 직접 만든 낙하산을 실험했다. 안타깝게도 그는 추락해 사망했다.

CONTENTS

세계일주 130
등산 132
극지방 134
대양 조정 136
국제항공연맹 138
모험 전반 140

◀ 최대 규모 윙수트 무연결 대열

(국제항공연맹 공인)

타야 와이스(미국)가 이끄는 61명의 윙수트 스카이다이버 팀이 2015년 10월 17일, 3대의 비행기에 타고 4,114m 상공에서 뛰어내린 뒤 1,676m 지점에서 형형색색의 다이아몬드 대열을 만들었다. 이 진풍경은 미국 캘리포니아 주 페리스 밸리 상공에서 펼쳐졌다. 이들은 무연결 기록을 인정받기 위해 허공에서 서로 손을 잡지 않고 대열을 맞췄다. 국제항공연맹(FAI)에서 확인하고 인정했다.

세계일주 CIRCUMNAVIGATION

페르디난드 마젤란은 처음으로 세계일주에 성공한 사람으로 일컬어지지만, 사실 그는 모험을 마치지 못하고 대원들과 함께 사망했다.

▲ 최초의 초경량 항공기 세계일주

브라이언 밀턴(영국)은 1998년 3월 22일~7월 21일까지 페가수스 퀀텀 912 가뇨익(可撓翼) 초경량 비행기를 타고 세계를 일주했다. 브라이언의 비행기는 조종석이 외부에 노출되어 있어 극한 날씨에 비행하는 데 어려움이 많았지만, 아이슬란드의 추운 내륙과 시리아의 뜨거운 사막을 건너는 데 성공했다. 그는 주로 고도 610m 정도에서 비행했고, 평균 속도는 105km/h였다.

케인 아벨라노는 세계일주를 통해 유니세프에 어린이를 위한 기부 활동을 하고 있다. 최초의 목표 금액은 1,464달러였지만, 2017년 4월까지 두 배가 넘는 금액이 모였다.

최초의 수륙양용차 세계일주

수륙양용차를 타고 세계일주에 성공한 유일한 사례는 벤 칼린(호주)과 동료들이며, 포드 GPA 수륙양용차를 개조한 '하프 세이프'를 이용했다. 벤은 1950년 7월 19일 캐나다 노바스코샤에서 출발해 6만 2,764km의 육지를 달리고 1만 5,450km의 바다와 강을 건너 1958년 5월 8일 캐나다 몬트리올에 돌아왔다.

최초의 태양열 보트 세계일주

라파엘 돔얀(스위스)이 이끈 다국적 팀이 태양광 보트인 '플래닛솔라'를 타고 2010년 9월 27일부터 모나코 서쪽으로 항해를 시작해 1년 220일 후인 2012년 5월 4일 세계일주를 완료했다.

최초의 무동력 적도 세계일주

마이크 혼(남아프리카 공화국)은 가봉 리브르빌에서 출발해 적도를 따라 자전거, 쪽배, 삼동선(Trimaran)을 타고 세계를 일주했다. 그의 여행은 1999년 6월 2일~2000년 10월 27일까지 1년 147일이 걸렸다.

최장 거리 무정박 세계일주 항해

존 샌더스(호주)는 1986년 5월 25일~1988년 3월 13일까지 1년 239일 동안 길이 13.9m 배 '패리 인데버'를 타고 세계를 3바퀴나 돌았다. 호주 서부 프리맨틀이 시작점이자 종착점이었으며 지구를 서쪽으로 1바퀴, 동쪽으로 2바퀴를 일주했다. 그는 13만 1,535km를 항해하며, **쉬지 않고 항해한 최장 거리 기록**도 세웠다.

대중교통을 이용해 세계를 일주한 최고령자

사부로 소지(일본, 1906년 8월 16일생)는 2012년 8월 16일, 대중교통만 이용해 세계를 일주한 뒤 일본 후쿠오카에 돌아왔다. 나이는 정확히 106세였다.

가장 빠른 세계일주···

정기 항공편

1980년 1월 8~10일, 데이비드 J 스프링벳(영국)은 정기 항공편을 이용해 지구를 44시간 6분 만에 돌았다. 그는 미국 캘리포니아 주 로스앤젤레스에서 시작해 영국, 바레인, 태국, 일본, 하와이를 거쳐 동쪽으로 순회했다.

정기 항공편으로 6개 대륙을 거친 최단 시간 세계일주 기록은 커크 밀러와 존 버님(둘 다 미국)이 세운 63시간 47분이다. 2016년 9월 7일, 태국 방콕에서 시작해 호주, 미국, 남아메리카, 유럽, 아프리카를 거치며 동쪽으로 돌아 9월 10일에 완주했다.

Q: 소설가 쥘 베른이 만든 상상 속 세계일주 탐험가의 이름은?

A: 필리어스 포그

여객기(FAI 공인)

항공기록을 통제하고 관리하는 국제항공연맹(FAI)의 규정에 따라 미셸 듀폰과 클로드 에튀르(둘 다 프랑스)가 조종한 에어 프랑스 콩코드 여객기가 31시간 27분 49초 만에 세계를 일주했다. 1995년 8월 15~16일까지 비행했고, 총 80명의 승객과 18명의 승무원이 탑승했다.

헬리콥터(국제항공연맹 공인)

에드워드 카스프로비치와 승무원 스티븐 셰이크(둘 다 미국)는 '아구스타웨스트랜드 그랜드' 헬리콥터를 타고 11일 7시간 5분 만에 세계일주를 마친 뒤 2008년 8월 18일 착륙했다. 출발지이자 도착지는 미국 뉴욕이었으며 동쪽으로 그린란드, 영국, 이탈리아, 러시아, 캐나다를 지났으며, 급유를 위해 70회 이상 멈췄다.

자동차

지구를 자동차로 일주한 최초이자 가장 빠른 기록(남성과 여성)은 인도의 살루 초우드리(Saloo Choudhury)와 그의 아내 니나 초우드리(Neena Choudhury)로, 6개 대륙을 지나 적도 거리 이상을 주행해야 한다는 1989~1991년까지 적용된 규칙을 지키며 기록을 작성했다. 여행은 1989년 9월 9일~11월 17일까지 총 69일 19시간 5분이 걸렸다. 이 부부의 시작점이자 도착지는 인도 델리였으며, 1989 힌두스탄 '콘테사 클래식'을 타고 일주했다.

동력 보트

'어스레이스'는 2009년 6월 26일, 국제모터보트연맹(UIM)으로부터 세계일주 최고 기록을 인정받았다. 여정은 60일 23시간 49분이 걸렸고, 스페인 사군토에서 2008년 4월 27일 출발해 6월 27일 복귀했다.

무정박, 단독, 서쪽 항해(여성)

디 카파리(영국)는 2005년 11월 20일, 영국 포츠머스에서 22m 길이의 모노헐(단일 선체의 보트) '아비바'를 타고 출발해 2006년 5월 18일, 178일 3시간 5분 만에 복귀했다. 카파리는 2009년 2월 16일 방데 글로브 세계일주 요트 레이스에서 완주에 성공하며, **지구를 양방향으로 무정박 일주한 최초의 여성**이 됐다.

◀ 최연소 오토바이 세계일주(남성)

케인 아벨라노(영국, 1993년 1월 20일생)는 트라이엄프 본네빌 T100 오토바이를 타고 세계를 일주했다. 누구의 도움도 없이 단독으로 진행했으며, 2016년 5월 31일 고향 영국 타인위어 주 사우스실즈에서 출발해 24번째 생일 하루 전인 2017년 1월 19일 돌아왔다. 아벨라노는 233일 동안 4만 5,161km를 달렸으며, 6개 대륙 36개국을 지나왔다. 인도의 몬순(우기)과 호주 사막의 열기를 견디는 등 극한 날씨를 극복하고 세계일주에 성공했다.

최초의 세계일주

항해

후안 세바스티안 엘카노가 지휘한 비토리아 호(스페인), 1519년 9월 20일~1522년 9월 8일

비행

미국 파일럿 2명이 비행한 '시카고 앤 뉴올리언스' 호(미국), 1924년 4월 6일~9월 28일

단독 비행

윌리 포스터(미국)가 비행한 '위니 매', 1933년 7월 15~22일

수중

USS 트리톤, 1960년 2월 15일~4월 10일

우주선

유리 가가린(USSR/현 러시아) 보스토크 1호, 1961년 4월 12일

도보(검증된)

데이비드 쿤스트(미국), 1970년 6월 20일~1974년 10월 5일

헬리콥터

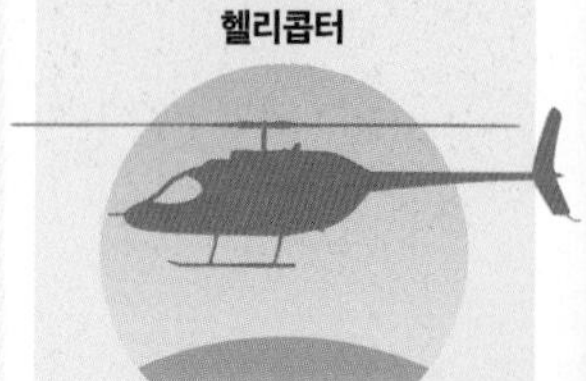

H 로스 페롯 주니어와 제이 W 코번(둘 다 미국)이 조종한 '스피릿 오브 텍사스', 1982년 9월 1일~30일

▲ 열기구 단독 세계일주(FAI 공인)

표도르 코뉴호프(러시아, 사진)는 2016년 7월 12~23일까지 뜨거운 공기와 헬륨가스를 이용하는 열기구 '로지에르'를 홀로 타고 268시간 20분 만에 세계를 돌았다. 그는 호주 서부 노샘에서 이륙해 같은 주 보니 락에 착륙했다. 코뉴호프는 이전 기록 보유자인 탐험가 스티브 포셋(미국)보다 긴 코스를 택하고도 시간을 이틀이나 앞당겼다.

▲ 최단 시간 모노헐 단독 항해

세계 요트 스피드 기록 협회(WSSRC)에 따르면 아흐멜 르 클리아시(프랑스, 위 왼쪽)는 평균 28.58km/h의 속도로 74일 3시간 35분 만에 세계를 일주했다. 2016/17년 방데 글로브 싱글 핸드 요트 레이스에 '방크 파풀레르 Ⅷ'를 타고 출전해, 2017년 1월 19일 프랑스 레사블돌론에 도착하며 우승을 거두기도 했다.

▲ 최단 시간 자전거 세계일주(여성)

파올라 지아노티(이탈리아)는 144일 동안 세계일주를 하며 2만 9,595km를 달렸다. 그녀는 2014년 3월 8일 이탈리아 토리노 이브레아에서 여정을 시작해 11월 30일 같은 장소로 되돌아왔다. 파올라는 교통사고로 척추를 다치고도 완주에 성공했다.
또한 2015년 여성 최초로 '레드불 시베리아 횡단 익스트림 사이클 레이스'를 완주했다.

◀ 최단 시간 자전거 세계일주(남성)

앤드루 니콜슨(뉴질랜드)은 뉴질랜드 오클랜드 공항에서 2015년 8월 12일 자전거 세계일주를 시작해 123일 43분 뒤인 2015년 12월 13일 같은 장소로 되돌아왔다. 앤드루는 동계 올림픽에 국가대표로 3회나 출전한 전 스피드 스케이팅 선수다. 그는 뉴질랜드 오타고 대학교의 암 연구소를 돕기 위해 세계를 일주했다.

▲ 최단 시간 세계일주 항해

프란시스 조이얀(프랑스)과 5명의 선원은 36.57m 길이의 트라이머랜(3동선) IDEC를 타고 2016년 12월 16일~2017년 1월 26일까지 40일 23시간 30분 30초 동안 무정박 항해로 세계를 일주했다. 총 4만 3km를 이동했으며 평균 속도는 40.66km/h였다. 프랑스 브르타뉴 외곽에서 시작해, 영국 콘월 리저드 포인트에서 마쳤다. 세계 요트 스피드 기록 협회에서 인증한 기록이다.

◀ 단독 항해 세계일주 최고령 여성

잔 소크라테스(영국, 1942년 8월 17일생)는 70세 325일의 나이 때 11.58m 모노헐 '네레이다'를 홀로 몰아 2013년 7월 8일 세계를 일주했다. 캐나다 브리티시 콜럼비아 빅토리아에서 출발하고 도착했으며, 총 258일 14시간 16분 36초를 바다에 머물며 4만 6,300km를 이동했다.

1999년 3월, 솔라 임펄스2의 파일럿 베르트랑 피카르와 브라이언 존스(영국)는 '브레이틀링 오비터3'를 타고 **최초의 열기구 세계일주**에 성공했다.

▲ 최초의 태양열 비행기 세계일주(FAI 공인)

2015년 3월 9일~2016년 7월 26일까지 안드레 보르슈베르그와 베르트랑 피카르(둘 다 스위스, 오른쪽 위 참조)는 솔라 임펄스2로 오로지 태양열만 사용해 세계를 일주했다. UAE 아부다비에서 출발하고 도착하기까지 505일 19시간 53분이 걸렸는데, 이중 10개월은 배터리 과열로 미국 하와이에 머물렀다.

등산 MOUNTAINEERING

네팔에서는 에베레스트 산을 '사가르마타'라고 부른다. '하늘에 있는 이마'라는 뜻이다.

▲ 최고령 킬리만자로 등반

안젤라 보로베바(러시아, 1929년 2월 4일생)는 86세 267일의 나이로 탄자니아에 있는 킬리만자로 산을 등반했다. 2015년 10월 23일, 론도로시 게이트에서 모험을 시작해 2015년 10월 29일 우후루 피크(5,895m)에 도착했다.

킬리만자로를 등반한 최고령 남성은 로버트 휠러(미국, 1929년 3월 15일생)다. 2014년 10월 2일, 85세 201일의 나이로 정상을 밟았다.

최초의 에베레스트 등반

지구에서 **가장 높은 산**인 에베레스트는 1953년 5월 29일 오전 11시 30분 에드먼드 힐러리(네덜란드)와 텐징 노르게이(인도/티베트)가 처음으로 정상을 밟았다. 이 탐험을 성공적으로 이끈 건 존 헌트 대령(영국)이었다.

에베레스트를 최초로 무산소 등반한 사람은 라인홀트 메스너(이탈리아)와 피터 하벨러(오스트리아)로 1978년 5월 8일 정상을 밟았다. 일부 산악인들은 이 도전이 고산 등반가들이 겪는 가장 큰 문제인 저산소 환경을 극복하고 성공했기 때문에 '진정한' 최초의 에베레스트 등반이라고 말한다.

에베레스트와 K2를 무산소로 최단 기간에 등반한 사람

카를 운테르키르처(이탈리아)는 2004년 7월 26일, K2 정상에 오르며 세상에서 가장 높은 산 2개를 63일 만에 정복했다.

에베레스트와 K2를 무산소로 최단 기간에 등반한 여성은 알리슨 하그리브스(영국)로 1995년 8월 13일에 92일 만에 완료했다.

에베레스트와 K2를 무산소로 최단 기간에 등반한 부부 기록은 니베스 메로이와 로마노 베네트(둘 다 이탈리아)가 세운 295일이다. 둘은 2007년 5월 17일 두 산의 정상을 밟았다.

8,000m 이상인 산을 모두 등반한 최초의 인물

라인홀트 메스너(이탈리아)는 1986년 10월 16일, 네팔과 티베트의 경계에 있는 로체 산을 정복하며 지구에 있는 **8,000m 이상 높이의 14좌를 모두 등반한 최초의 인물**이 됐다. 그는 8,000m 이상인 산을 모두 무산소로 등반한 최초의 인물이기도 하다. 2017년까지 메스너 외에 이 기록을 달성한 산악인은 단 14명뿐이다.

부탄은 1994년 해발 6,000m 이상 산의 등반을 종교적인 이유로 금지했다. 지금까지 캉카르 펀줌을 등반한 사람은 단 한 명도 없다.

최초의 사세르캉리 II 등반

일본-인도 탐험대가 1985년 9월 7일, 인도에 있는 북서쪽 정상을 정복했다. 하지만 그보다 높은 동남쪽 정상(7,518m)은 2011년 8월 24일에 마크 리치, 스티브 스웬슨, 프레디 윌킨스(모두 미국)가 처음으로 정복했다. 그전까지 사세르캉리 II는 부탄에 있는 캉카르 펀줌 산(7,570m)에 이어 등반한 적 없는 산 중에 2번째로 높은 산이었다(왼쪽 참조).

Q: 7,000m가 넘는 169개 산 중 몇 개가 비등반으로 남아 있을까?

A: 10

세븐 서미츠를 최초로 등반한 사람

각 대륙의 최고봉을 세븐 서미츠라고 한다. 패트릭 모로(캐나다)는 1986년 8월 5일 칼스텐츠 리스트를 완성했다(오세아니아의 최고봉으로 호주의 코시치우슈코가 아닌 인도네시아의 푼착자야 산을 포함한 리스트).

세븐 서미츠를 최초로 등반한 사람(코시치우슈코 리스트)은 리처드 '딕' 배스(미국)로 1985년 4월 30일 달성했다.

세븐 서미츠를 등반한 최연소 산악인

조니 콜린슨(미국, 1992년 3월 29일생)은 2010년 1월 18일, 17세 295일의 나이로 남극대륙의 빈슨 산 정상을 밟았다. 이로써 그는 정확히 1년 만에 모든 대륙의 최정상에 올랐다.

조던 로메로(미국, 1996년 7월 12일)는 2011년 12월 24일, 15세 165일의 나이로 세븐 서미츠 등반을 완료했다. 하지만 기네스 세계기록은 고산 등반의 위험성을 잘 알고 있어 16세 이하 산악인의 기록은 인정하지 않기로 했다.

눈표범 상 최다 획득

1981~2004년까지 보리스 코르슈노프(러시아, 1935년 8월 31일)는 9개의 눈표범 상을 획득했다. 눈표범 상은 구소련에 위치한 7,000m 산 5개를 모두 등반한 사람에게 주어진다. 2개는 최초 지정된 4개 산을 올라 받았고, 7개는 현재 지정된 5개의 산을 오르며 획득했다. 그는 2004년 69세의 나이로 9번째 상을 받아 **눈표범 상을 받은 최고령 산악인**에도 올랐다.

최단 시간 아이거 봉 북면 개인 등반(단독)

율리 스택(스위스)은 2015년 11월 16일 스위스 알프스의 아이거 봉 북쪽 면을 헤크마이어 루트를 따라 2시간 22분 50초에 등정했다. 그는 2007년과 2008년에 이어 3번째로 아이거 봉 최단시간 등정 기록을 경신했다.

에베레스트에 가장 많은 사람이 오른 시즌

2013년 봄 시즌에 46개국에서 온 산악인 661명이 에베레스트에 올랐다. 네팔 국적의 산악인이 362명으로 가장 많았다.

◀ 여성 최초 에베레스트 등반

준코 타베이(일본, 1939년 9월 22일생)가 2016년 10월 20일, 77세의 나이로 사망했다. 그녀는 1975년 5월 16일 에베레스트 정상을 밟으며 새로운 역사를 창조했다. 타베이는 등반 도중 눈사태를 만나 캠프가 눈에 덮이는 사고를 당해 6분간 정신을 잃었지만 살아남았다. 또 타베이는 **세븐 서미츠를 등반한 최초의 여성**이기도 하다. 그녀는 1992년 6월 28일 인도네시아의 푼착자야를 정복했고, 1992년 7월 28일 러시아의 엘브루스 산에 오르며 코시치우슈코 리스트와 칼스텐츠 리스트를 모두 완성했다.

에베레스트 2016년

2016년 네팔 쪽 에베레스트 등반 시즌(4~5월)의 기록은 다음과 같다.

34
시즌 초반 베이스캠프 수

289
등반 허가 수
2015년 265건에 비해 늘어났다
(남서면 허가는 2건, 나머지는 모두 일반 루트 허가)

1만 1,000달러
등반 허가 비용

1,500만 달러
네팔 경제에 미치는 영향

5월 11일
시즌 첫 등반 기록
9명의 네팔 산악인이 달성

5월 23일
시즌 마지막 등반 기록

20+
보고된 동상 기록

5
보고된 사망자 수

▲ 세븐 서미츠를 최단 기간에 등반한 여성(칼스텐츠 포함)

마리아 고든(영국)은 코시치우슈코와 칼스텐츠를 포함한 세븐 서미츠를 238일 23시간 30분 만에 모두 등반했다. 탄자니아에 있는 킬리만자로 등반을 시작으로 2016년 6월 16일 호주 칼스텐츠의 정상을 밟으며 기록을 완료했다. 이로써 2012~2013년 바네사 오브라이언(미국)이 세운 이전 최고 기록인 295일을 경신했다. 고든은 북극과 남극의 정상을 오를 땐 스키를 이용했다.

▲ 안데스 산맥 6,000m 봉 최다 등반

브라질 거주자인 막시모 카우쉬(영국)는 안데스 산맥의 모든 6,000m 산 정상에 올랐다. 2017년 1월 3일, 74번째 등반에서는 네바도 델 플로모(6,070m)에 오르는 데 성공했다. **안데스 산맥 12좌에 최초로 오른 사람**은 다리오 브라칼리(아르헨티나)로, 2004년에 기록을 완성했다. 그는 2008년 다울라기리에서 실종됐다.

▲ 세계 최고봉 3곳에 무산소로 최단 기간에 등반한 기록(남성)

실비오 몬디넬리(이탈리아)는 2004년 7월 26일, 에베레스트(8,848m), 칸첸중가(8,586m), K2(8,611m)를 3년 64일 만에 모두 등반했다. **세계 최고봉 3곳에 무산소로 최단 기간에 등반한 여성**은 겔린데 칼텐브루너(오스트리아)로 2011년 8월 23일, 5년 101일 만에 달성했다.

▲ 눈표범 상 최단 기간 획득

눈표범 상은 구소련에 위치한 7,000m 산 5개를 모두 등반하는 사람에게 주어진다. 안제이 바르기엘(폴란드)은 2016년 7월 14일~8월 14일까지 이 기록을 29일 17시간 5분 만에 완료했다. 5개 정상에는 이스모일 소모니 봉(7,495m), 포베다 산(7,439m), 레닌 봉(7,134m), 코르체네프스키 봉(7,105m), 한 텡그리 봉(7,010m)이 있다.

▲ 에베레스트를 정복한 최초의 우주비행사

나사의 전 우주비행사 스콧 파라진스키(미국)는 2009년 5월 20일 에베레스트 산에 무사히 오르며, 우주여행과 함께 지구에서 가장 높은 산도 오른 최초의 인물이 됐다. 나사에 따르면 파라진스키는 5회의 우주비행으로 1,381시간 이상 우주에서 머물렀다. 또 우주유영 임무를 7회 수행하며 47시간을 우주선 밖에서 보냈다고 한다. 그는 아폴로 11의 우주비행사가 가지고 온 작은 월석(月石) 하나를 에베레스트 정상에 두고 내려왔다.

에베레스트에 오르는 건 극도로 위험하다. 등반 중 약 4%의 산악인이 사망하며, 산에는 200구 이상의 시신이 있는 것으로 추정된다.

▶ 에베레스트에 여성이 가장 많이 오른 시즌

2016년 봄 등반 시즌에 68명의 여성이 에베레스트 정상을 밟았다. 가장 많이 등반한 국가는 인도로 15명이 올랐고, 미국은 12명(바네사 블래식 포함, 오른쪽 사진 참조)으로 2번째, 중국이 8명으로 3번째였다. **에베레스트 정상에 가장 많은 여성이 오른 날**은 2013년 5월 19일로 22명이 정상을 밟았다.

▲ 에베레스트와 K2를 무산소로 등반한 최초의 여성

알리슨 하그리브스(영국)는 1995년 5월 13일, **여성 최초 에베레스트 무산소 등반**에 성공했고, 1995년 8월 13일에는 무산소로 K2에 올랐다. 하지만 안타깝게도 그녀는 같은 날 K2 정상에서 목숨을 잃었다.

극지방 THE POLES

남극대륙에 있는 모든 얼음이 녹으면 전 세계 해수면은 60~64m까지 상승한다.

▲ 최초의 테라 노바 탐험

테라 노바 탐험대로도 알려진 영국 남극대륙 탐험대의 대장 로버트 팰콘 스콧(영국)은 1912년 지리남극점에 도달한 최초의 인물이다. 하지만 도전 과정에서 그와 그의 팀은 비명횡사했다. 2014년 2월 7일, 벤 손더스와 타르카 엘헤르피니에르(둘 다 영국)는 스콧이 갔던 길과 같은 로스 섬부터 남극까지 2,890km의 여정을 마치는 데 성공했다. 둘은 스키를 타고 짐을 썰매에 실어 끌고 갔는데 출발지에서의 무게가 약 200kg에 달했다. 105일의 여정은 **최장 기간 극지방 트레킹 기록**이다.

로버트 팰콘 스콧은 비극적이었던 마지막 여행 전까지 큰 성공을 누렸다. 1901~1904년에는 영국의 남극 탐사대를 이끌며 당시의 최남단 탐사 기록을 세우기도 했다.

최초의…

남극에 도달한 사람

로알 아문센이 이끈 5명의 노르웨이 팀은 1911년 12월 14일 오전 11시 남극에 도달한다. 그들은 훼일스 만에서부터 개썰매를 동원해 53일 동안 나아갔다.

남극 동력 탐험

1958년 1월 4일, 에드먼드 힐러리 경(뉴질랜드)은 코먼웰스 남극 횡단 탐사대의 뉴질랜드 팀을 이끌고 남극(South Pole)으로 향했다. 모터가 달린 차량을 사용한 최초의 탐사대다. 5대의 퍼거슨 트랙터를 개조해 썼는데, 양쪽에 바퀴를 추가로 달고 궤도를 덧씌웠다. 궤도는 상황에 따라 분리하고 바퀴로 주행하기도 했다. 트랙터는 눈에 잘 띄도록 붉은 페인트로 칠했다.

북극 횡단

영국 북극 횡단 탐험대는 1968년 2월 21일, 미국 알래스카 포인트 배로에서 출발해 464일 뒤인 1969년 5월 29일, 스피트스베르겐 제도의 세븐 아일랜즈 군도에 도착했다. 직선거리는 2,674km였으나, 4,699km를 이동했고 1,100km를 표류했다. 팀은 윌리 허버트(대장), 켄 헤지스 소령, RAMC, 앨런 길, 빙하 연구가 로이 쾨르너와 40마리의 허스키로 구성됐다.
이 탐험은 **북극해를 가장 긴 거리로 횡단**한 기록이다.

양극을 지나간 세계일주

라눌프 파인즈 경과 찰스 버턴(둘 다 영국)은 1979년 9월 2일, 영국 런던 그리니치에서 세계 횡단 탐험을 시작해 1980년 12월 15일 남극을 거쳐 1982년 4월 10일 북극에 도달했다. 그들은 5만 6,000km의 여정을 마치고 1982년 8월 29일, 그리니치로 돌아왔다.

양극을 걸어서 지나간 사람

로버트 스완(영국)은 3명으로 구성된 탐사대를 이끌고 1986년 1월 11일, 남극에 도달했다. 그는 또 8명으로 이루어진 탐사대를 이끌고 1989년 5월 14일, 북극에 도달했다.

북극에 단독으로 도달한 사람

1986년 5월 14일, 장 루이 에티엔(프랑스) 박사는 개들도 없이 단독으로 여행을 시작한 지 63일 만에 북극에 도착했다. 여행 중 몇 차례 물자를 재공급받았다.

▼ 최남단 항해

2017년 2월 26일, 드미트리 진첸코 선장(러시아)이 지휘한 '스피릿 오브 엔더비' 호가 그 어떤 배도 가본 적 없는 78°44.008'S, 163°41.434'W 지점에 도달했다. 남극대륙 로스 해 훼일스 만에서 시작한 이 탐사는 헤리티지 익스페디션스(뉴질랜드)가 기획했다. 위도는 배 위에서 휴대용 장비로 확인했다.

Q: 북극에는 1년에 일출이 몇 회 있을까?

A: 1회, 3월 20일 전 춘분에 해가 지평선 위로 떠올라 9월 23일 무렵 추분에 진다.

바퀴 트랙터를 이용한 남극 탐사

협정세계시 2014년 11월 22일, 마논 오스포르트(네덜란드)는 남극 노보 런웨이에서 '매시 퍼거슨 5610 농장용 바퀴 트랙터'를 타고 탐사를 시작했다.
그녀는 남극 주변 4,638km를 지원과 도움을 받으며 여행했는데, 모두 27일 19시간 25분이 걸렸다. 이 '남극 2 탐사대'는 2014년 12월 20일, 노보 런웨이에 돌아왔고, 트랙터의 주행시간은 438시간 17분이었다. 평균 속도는 10.58km/h다.

여러 가지

최단 기간에 자전거로 남극에 도달한 기록

2014년 1월 17일, 후안 메넨데즈 그라나도스(스페인)는 자신의 '팻바이크'를 타고 단독으로 남극에 도착했다. 팻바이크란 눈과 다양한 지형에서 달릴 수 있도록 넓은 타이어가 달린 자전거를 말한다. 그는 허큘리스 만에서 출발해 46일 동안 1,130km를 이동했다. 지원과 도움을 받지 않았고, 자전거를 탈 수 없는 상황에서는 스키를 타고 자전거를 썰매에 실어 끌고 갔다.

최단 기간에 남극에 도착한 부부(도움과 지원 없이)

크리스와 마티 페이건(둘 다 미국)은 2013년 12월 2일, 론 빙붕(氷棚)에서 출발해 48일 뒤인 2014년 1월 18일, 남극에 도착했다. 둘은 총 890km, 하루 평균 18.54km를 이동했다.

최연소 북극 여행

테섬 웨버(캐나다, 1989년 5월 9일생)는 2010년 4월 14일, 20세 340일의 나이로 오로지 걸어서 지리남극점에 도착하는 데 성공했다. 테섬을 포함한 4명의 탐사대(아버지 리처드 포함)는 2010년 3월 3일, 캐나다 누나부트준주 케이프 디스커버리의 매클린톡에서 출발해 41일 18시간 후에 극 지점에 도착했다. 출발지부터의 직선거리는 780km다.
최연소 남극 여행 기록은 루이스 클라크(영국, 1997년 11월 18일생)가 가지고 있다. 그는 2014년 1월 18일, 지리남극점에 도착할 당시 나이가 16세 61일이었다. 루이스는 론 빙붕의 허큘리스 만에서 출발해 스키로 1,123.61km를 이동했다. 2명이서 지원과 도움 없이 여행했다.

지구에는 남극과 북극이 여러 개 존재한다. 아래에 모든 남극점을 표시해봤다.

지리남극점(地理南極點)
이론상으로 지구의 자전축이 지표와 맞닿는(북극을 포함한) 2개의 극점을 뜻한다. 남극에 말뚝으로 표시되어 있는데 매년 미국 해군 위성의 정보를 기준으로 위치를 조정한다.

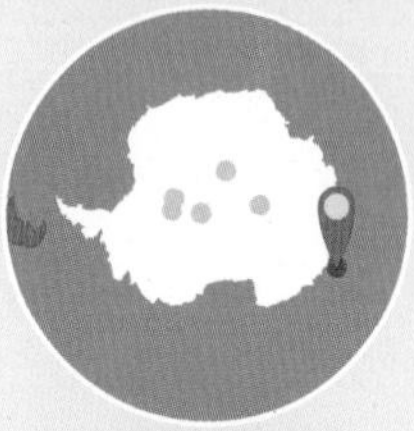

자남극(磁南極)
. 지구자기장이 지표면에서 수직으로 뻗는 지점이다. 이 극지점은 지구의 자기장에 따라 변한다.

지자기남극점(地磁氣南極點)
이론상 지구의 중심부에 존재하는 쌍극자(막대자석) 축이 지면과 만나는 점이 지자기남극점이다. 행성의 자기장을 나타낸다.

지도상 남극
세계지도의 모든 경도선이 만나는 하나의 지점

형식상 남극(Ceremonial South Pole)
지구본의 중심축이 달린 지점이다. 남극기지가 있는 곳으로 주로 이곳에서 기념사진을 촬영한다.

도달불능극
남극해에서 가장 먼 남극대륙 지점이다. 82°06'S 54°58'E

▲ 남극을 가장 많이 탐험한 인물

한나 맥킨드(영국)는 2004년 11월 4일~2013년 1월 9일까지 남극을 6번 탐험했다. 남극은 지구에서 가장 험한 환경 중 하나로, 탐험은 선택하는 루트에 따라 거리 965~1,126km, 기간 40~50일이 걸렸다. **극 지역 탐험 개인 최다 기록**은 8번으로 리처드 웨버(캐나다)가 세웠다. 그는 1986년 5월 2일~2010년 4월 14일까지 해안에서 출발해 지리북극점까지 6번 도달했다. 2009년 1월 7일~2011년 12월 29일 사이에는 연안에서 지리남극점까지 2번 도달했다.

▲ 북극에 도달한 최초의 여성

앤 밴크로프트(미국)는 1986년 5월 2일, 팀원 5명과 함께 북극에 도착했다. 그들은 3월 8일, 캐나다 엘즈미어 섬 드렙 캠프에서 개썰매를 이용해 출발했다. 위 사진에 밴크로프트(정면)와 함께 있는 리브 아니슨(노르웨이)은 **지원과 도움 없이 남극을 단독으로 탐험한 최초의 여성**이다. 아니슨은 1994년 11월 4일, 허큘리스 만에서 단독으로 출발해 50일 뒤인 12월 24일 극 지점에 도달했다.

▲ 최단 기간 남극 단독 여행(여성, 도움과 지원 없이)

요한나 데이비드슨(스웨덴)은 2016년 11월 15일, 남극대륙 가장자리에 있는 허큘리스 만에서 스키를 타고 출발해 38일 23시간 5분 뒤인 12월 24일 지리남극점에 도달했다. 그녀는 직선거리 1,130km까지는 카이트(kite) 스키를 사용하거나, 재보급을 받지 않고 탐사했다. 데이비드슨은 허큘리스 만으로 돌아오면서 카이트 스키를 이용해, 12일 만에 돌아왔다. 그녀의 총 이동거리는 2,270km였다.

▲ 세븐 서미츠를 모두 오르고 극지방 마지막 위도를 스키로 횡단한 최초의 자매

쌍둥이 자매인 타시와 능시 말릭(인도, 1991년 6월 21일생)은 세븐 서미츠(각 대륙 최고봉)를 칼스텐츠 리스트로 완등하고, 남극과 북극의 마지막 위도를 스키로 횡단했다. 둘의 모험은 2012년 2월 2일~2015년 4월 21일까지 진행됐다. '마지막 위도'는 극지방에 위치한 위도 89도부터 90도까지를 말하며 거리는 약 111km다.

▲ 최단 기간 남극 탐사(차량 지원)

2013년 12월 24일, 파커 리아타우드(프랑스/미국)와 더그 스툽(미국)은 로스 빙붕(氷棚)부터 스키와 썰매로 563.3km를 이동해 남극에 도착했다. 이 여정은 18일 4시간 43분이 걸렸다. 파커는 고산병으로 고생했지만, 둘은 하루에 약 30km를 걸었다. 이 탐사는 기후 변화에 관한 연구 기회도 제공했다.

◀ 최단 기간 세븐 서미츠 등반과 마지막 위도 스키 횡단 기록(남성)

콜린 오브래디(미국)는 138일 5시간 5분 만에 칼스텐츠 피라미드를 포함한 세븐 서미츠를 모두 등반하고, 극지방 마지막 위도(위 참조)를 스키로 횡단했다. 그는 이 기념비적인 모험을 2016년 1월 10일 남극에서 시작해, 2016년 5월 27일 미국 알래스카 주에 있는 데날리 산 정상에 오르며 완성했다.

대양 조정 OCEAN ROWING

노를 저어 대양을 건넌 사람의 수는 에베레스트를 정복한 사람보다 적다.

대서양

최초의 조정 횡단
1896년 6월 6일, 조지 하르보와 프랭크 사무엘슨(둘 다 노르웨이)은 미국 뉴욕에서 5.48m짜리 보트를 타고 영국 실리 제도까지 노를 저어 갔다. 둘은 55일 뒤인 8월 1일 도착했으며, 총 5,262km를 배로 이동했다.

최초의 단독 대양 횡단(여성, 모든 대양 포함)
빅토리아 '토리' 머든(미국)은 1999년 12월 3일, 7m 보트를 타고 과들루프 섬에서 출발해 대서양을 건너 카나리아 제도 테네리페에 도착했다. 81일 7시간 31일간의 여정 동안 머든은 4,770km를 이동했고, 129km/h의 바람과 6.1m의 파도를 견뎌냈다.

최단기 횡단 기록(여성)
앤 쿠에미어(프랑스)는 2002년 12월 26일, 라고메라 섬에서 출발해 56일 10시간 9분 뒤인 2003년 2월 21일 과들루프 섬에 도착했다. 앤은 직선거리 4,741km를 배로 이동했으며, 토리 머든이 1999년에 세운 기록을 경신했다. **최단기 단독 횡단 기록(여성, 동쪽에서 서쪽으로, 오픈 클래스)**은 일레인 호플리(영국)가 2016년 12월 14일~2017년 2월 12일에 기록했다. 일레인은 기부금을 모으기 위해 라고메라 섬에서 안티과 섬까지 59일 19시간 14분을 노 저어 갔다.

24시간 최장 거리 이동
만국표준시 2015년 6월 12일 23시~6월 13일 23시까지 톰 허드슨(영국)과 피터 플레처(호주)는 '맥팩 챌린저'를 타고 216.24km를 노 저어 갔다. 기록은 미국 뉴욕부터 영국 팰머스까지 대양을 횡단하던 중 작성됐다.

동에서 서로 횡단한 최고 기록(4명, 모두 여성)
로렌 모튼, 벨라 콜린스, 조지나 퍼디, 올리비아 볼스워스(모두 영국)로 구성된 '팀 로우 라이크 어 걸'은 2015년 12월 20일~2016년 1월 29일까지 40일 8시간 26분 동안 노를 저어 라고메라 섬에서 안티과 섬으로 갔다. 이들이 탑승한 '미시즈 넬스' 호의 평균 속도는 4.87km/h였다.

카약으로 대양을 건넌 최초의 기록(모든 대양 포함)
헝가리의 듀오 레벤트 코박식과 노르베르트 아담 사보는 2015년 10월 21일, 카약 '켈레' 호를 타고 스페인 우엘바에서 출발해 대서양 건너편에 있는 서인도 제도의 안티과 섬에 2016년 1월 30일 도착했다.

Q: 2017년 3월까지 대양을 노 저어 횡단한 사람의 수는?

A : ORS에 따르면 452명이다.

최고령 횡단(남성, 모든 대양 포함)
피터 스미스(앤티가바부다, 1941년 5월 17일생)는 74세 217일의 나이로 카나리아 제도 라고메라부터 안티과 섬까지 동에서 서로 횡단했다. 그는 4인조 팀과 함께 '와오모니' 호를 타고 기록을 작성했다. 2015년 12월 20일~2016년 2월 10일까지 총 52일 9시간 9분이 걸렸다.

미드 퍼시픽(태평양)

동에서 서로 횡단한 최단기 기록(클래식 포)
2016년 6월 5일~7월 14일까지 피안 폴(아이슬란드, 폴란드 출생, 옆 페이지 참조), 티아고 실바(브라질), 시릴 데리우맥스, 카를로 파치노(둘 다 미국)로 이루어진 다국적 팀이 39일 12시간 20분 만에 미드 퍼시픽을 횡단했다. 그들이 항해한 '다니엘' 호의 평균 속도는 4.09km/h였다.

미드 퍼시픽을 건넌 최고령 남성
그렉 블라섹(미국, 1955년 12월 30일생)은 60세 158일의 나이로 미국 캘리포니아 주 몬터레이에서 출발해 하와이 오아후 섬으로 동에서 서로 횡단했다. 그는 '이사벨' 호에 탑승한 4인조 팀의 일원이었으며 2016년 6월 5일~7월 23일까지 항해했다.

동에서 서로 횡단한 최고 기록(클래식 페어)
루이스 버드(영국)와 에르단 에루치(미국/터키)는 미국 몬터레이부터 하와이까지 54일 3시간 45분 동안 노 저어 갔다. 그들은 '이브' 호를 타고 2016년 6월 5일~7월 29일까지 항해했으며 평균 속도는 2.98km/h였다.

동에서 서로 횡단한 최고 기록(클래식 페어, 여성)
'파이트 더 클라켄' 팀의 비치 오트마니와 메건 비깅(둘 다 미국)은 '세드나' 호를 타고 2016년 6월 5일~7월 31일까지 57일 16시간 9분 동안 직선거리 3,870km를 주파했다. 둘은 미국 캘리포니아 주 몬터레이에서 여정을 시작해 하와이 오아후 섬으로 향했으며 평균 속도는 2.79km/h였다.

동에서 서로 횡단한 최고 기록(남녀 혼합, 오픈 클래스)
리안 맨서와 바스티 겔던후이스(둘 다 남아프리카 공화국)는 몬터레이에서 오아후까지 39일 4시간 46분 만에 건너갔다. 2016년 6월 15일~8월 23일까지 평균 4.11km/h의 속도였다.

◀ 최초의 동에서 서, 유럽에서 남아메리카 항해
2016년 2월 7일~3월 28일까지 맷 베넷, 올리버 베일리, 제이슨 폭스, 로스 존슨(모두 영국)으로 이루어진 팀 '엘리다'는 포르투갈 라고스부터 베네수엘라 카루파노까지 50일 10시간 36분 동안 6,176km를 항해했다. 이 '조정계의 악당'들은 영국군에서 복무하던 중 만난 사이다. 엘리다 팀은 아이들에게 기부(35만 3,450달러)하기 위해 이 위대한 항해를 계획했다.

▲ 대양 조정협회(ORS)
1983년, 대양조정협회(영국)는 케니스 F 크러치로우와 피터 버트가 창설했고, 후에 톰 린치(미국), 타티아나 레즈바야 크러치로우와 크리스 마틴(둘 다 영국)이 합류했다. 협회는 노를 저어 대양을 건너거나 태즈먼, 카리브해, 혹은 영국 근방에서 세우는 모든 횡단 기록을 관리하고 있다. 이들은 기록 분류, 확인과 더불어 대양 횡단의 성공 여부도 검증한다.

클래식-클래스 보트
선체는 V자 모양이며, 배의 구조가 선원들을 감싸게 되어 있다. 바람의 영향을 적게 받아 상대적으로 안정적이다. '클래식 페어(Pair)'와 '클래식 포(Four)'는 노 젓는 사람 수에 따른 분류다.

오픈-클래스 보트
선체 바닥이 납작하고, 상대적으로 선원들이 노출된 구조다. 바람의 영향을 많이 받아 안정감이 덜하다.

미드 퍼시픽(Mid-Pacific)
캘리포니아 주에서 하와이까지 혹은 남아메리카에서 대양 한가운데 있는 섬까지 횡단하는 걸 말한다.

대양 횡단 최초 기록:

최초의 대양 횡단
조지 하르보,
프랭크 사무엘슨
(둘 다 노르웨이, 왼쪽 참조)
1896년 대서양, 서→동

최초의 단독 횡단
존 페어팩스(영국)
1969년 대서양, 동→서

최초의 2개 대양 횡단
존 페어팩스(영국)
1969년 대서양, 동→서
1971~1972년 태평양, 동→서

최초의 대양 횡단(여성)
실비아 쿡(영국)
1971~1972년 태평양, 동→서

최초의 태평양 단독 횡단
피터 버드(영국)
1982~1983년 태평양, 동→서

최초의 2개 대양 단독 횡단
제라르 다보빌(프랑스)
1980년 대서양, 서→동
1991년 태평양, 서→동

최초의 2개 대양 횡단 여성
캐서린 사빌(미국)
1981년 대서양, 동→서
1984~1985년 태평양, 동→서

최초의 여성 단독 대양 횡단
토리 머든(미국)
1999년 대서양, 동→서

최초의 3개 대양 횡단
에르단 에루치(미국/터키)
2006년 대서양, 동→서
2007~2010년 태평양, 동→서
2010년 인도양, 동→서

최초의 3개 대양 횡단(여성)
로즈 사베지(영국)
2006년 대서양, 동→서
2008~2010년 태평양, 동→서
2011년 인도양, 동→서

최초로 1년에 2개 대양을 횡단한 사람
리바 니스테드(페로 제도)
2013년 대서양, 동→서
인도양, 동→서

▲ 대서양을 동에서 서로 가장 빠르게 횡단한 4인조 팀

제이슨 콜드웰, 매튜 브라운(둘 다 미국), 앵거스 콜린스, 알렉스 심슨(둘 다 영국)으로 이루어진 팀 '위도 35'는 2016년 12월 14일 카나리아 제도 라고메라에서 출발해 2017년 1월 19일 안티과 섬에 도착하기까지 35일 14시간 3분이 걸렸다. 이 팀은 평균 5.53km/h의 속도를 유지했다.

▶ 대서양을 서에서 동으로 횡단한 최초의 여성팀

귄 배튼, 몰리 브라운, 알렉스 홀트, 메리 서덜랜드, 길리 마라(모두 영국)는 2016년 6월 7일 미국 뉴저지 주 리버티 랜딩 마리나에서 출발해 영국 콘월에 있는 팰머스에 2016년 7월 26일에 도착했다. 총 48일 13시간 49분이 소요됐다. 팀원들은 '지옥의 주간'에서 근력과 지구력 테스트, 밤샘 트레킹 등을 거쳐 선발됐다.

▲ 대양을 횡단한 최고령 팀 (모든 대양 포함, 나이 합계)

팻 하인즈(미국, 1954년 6월 28일생)와 리즈 다이커스(미국, 1957년 8월 29일생)는 나이 합계 120세 258일로 미드 퍼시픽을 노 저어 건넜다. 둘은 미국 캘리포니아 주 몬터레이에서 하와이 오아후까지 '루스벨트' 호를 타고 갔는데, 항해는 2016년 6월 5일~7월 21일까지였다.

▲ 미드 퍼시픽을 횡단한 최고령 남성 페어 팀

릭 리치(미국, 1962년 9월 14일생)와 토드 블리스(미국, 1964년 2월 15일생)는 합계 106세 10일의 나이로 2016년 6월 5일 몬터레이에서 출발해 미국 하와이 주 오아후 섬에 있는 다이아몬드 헤드로 향했다. 대양을 동에서 서로 가르는 여정이었다. 그들이 탑승한 '로우 알로하' 호는 2016년 7월 29일 목적지에 도착했다. 두 남자는 미국 발레이오에 있는 캘리포니아 주립대학교 해양 아카데미에서 공부하다가 서로 알게 됐다.

▲ 최연소 대서양 2회 횡단 기록

숀 페들리(영국, 1992년 2월 17일생, 위 왼쪽)는 2015년 12월 20일, 23세 306일의 나이로 스페인 라고메라에서 안티과 섬으로 향하는 자신의 2번째 대서양 횡단을 시작했다. **대양 3회 횡단 최연소 기록**은 앵거스 콜린스(영국, 1989년 9월 21일생, 위 오른쪽)가 가지고 있다. 그는 2016년 12월 14일, 27세 84일의 나이로 3번째 횡단을 시작했다.

◀ 여러 대양에서 세운 연속 횡단 최고 기록

피안 폴(아이슬란드, 폴란드 출생)은 2011년 '사라 G' 소속의 선원으로 **대서양을 동에서 서쪽으로 가장 빨리 횡단한 기록**을 세운 뒤, 2014년에는 '아발론' 소속 선원으로 **인도양을 동쪽에서 서쪽으로 가장 빨리 횡단**하는 기록을 세웠다. 그는 2016년 '다니엘' 호를 타고 3번째 최단 기간 대양 횡단 기록을 세웠다.

▶ 동에서 서쪽으로, 유럽에서 남아메리카로 대서양을 횡단한 최초의 혼성팀

루크 리치먼드, 스잔나 카스, 제이크 히스, 멜 파커(모두 영국)는 2016년 2월 29일~4월 23일까지 총 54일 10시간 45분에 거쳐 포르투갈 라고스부터 브라질 폰티냐스까지 노 저어 갔다.

▼ 남대서양을 횡단한 최초의 팀

라트비아의 듀오 카를리스 바르델리스와 긴츠 바르코브스키스는 나미비아 뤼데리츠부터 브라질 리오 다스 오스트라스까지 141일 19시간 35분에 거쳐 '린다' 호를 타고 5,763km를 항해해 갔다. 둘은 대서양을 남반구에서 시작해 남반구로 횡단한 유일한 2개의 팀 중 한 팀이다. 아미르 칸 클리크(브라질)는 **남대서양을 횡단한 최초의 인물**로 1984년 6월 9일~9월 18일까지 나미비아에서 브라질로 대양을 건너갔다.

대양을 횡단한 카를리스의 위대한 여정은 이뿐만이 아니다. 이 겁 없는 라트비아인은 2013년 인라인스케이트 한 켤레를 신고 60일 동안 유럽을 횡단했다.

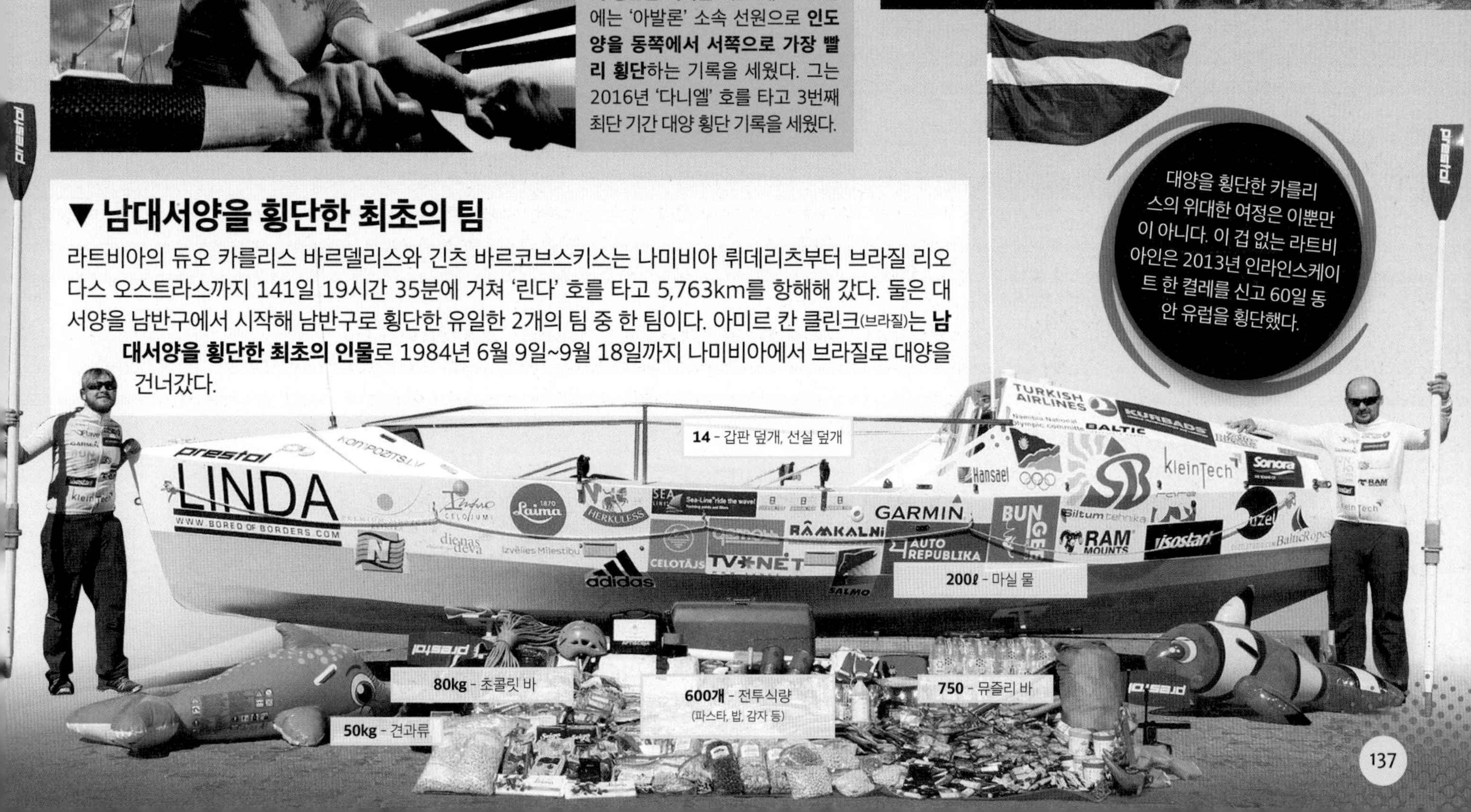

국제항공연맹 FAI

국제항공연맹(FAI)은 세계 항공 스포츠 기록을 관리하는 단체다.
이 연맹은 1905년 10월 14일, 프랑스 파리에서 설립됐다.

▲ FAI

'올림픽 수도' 스위스 로잔에 위치한 국제항공연맹(FAI, 세계항공스포츠연합으로도 알려져 있다)은 민간 비영리 단체로 항공과 우주비행 활동의 전 세계적인 확대를 추구한다. FAI는 국제 기록을 비준하며, 세계대회를 조직하고 준비한다. 기네스 세계기록에 올라간 모든 기록은 FAI에서 인정한 내용이다.

게나디는 진정한 시간 여행자다. 궤도에 머무는 동안 나이를 아주 미세하게 천천히 먹고 지구에 돌아왔다. 임무를 마치고 지구에 복귀할 때마다 약 0.02초씩 세월을 비껴갔다.

타원궤도 내 최고 고도 - 우주비행사 1명

1961년 4월 21일, 유리 가가린(구소련)은 보스토크 3KA(보스토크 1)를 타고 고도 327km에 도달했다. 이륙한 뒤 지구의 궤도를 돌고 착륙하기까지 108분이 걸렸다. 가가린은 우주선과 따로 분리되어 착륙했는데, 7km 상공에서 탈출해 낙하산을 타고 내려왔다. 그의 여정이 길지는 않았지만, 우주비행에 있어 가장 중요한 업적 중의 하나로 평가된다.

최장 거리 자유낙하

2012년 10월 14일, 스카이다이버 펠릭스 바움가르트너(오스트리아)는 미국 뉴멕시코 주 상공 3만 8,969.4m에 떠 있는 캡슐에서 뛰어내려 4분 20초 동안 3만 6,402.6m를 자유낙하했다. 이후 바움가르트너는 낙하산을 펴고 안전히 지상에 착륙했다. 그가 뛰어내린 높이는 **가장 높은 산**인 에베레스트의 4배 이상이다.

최고 고도에 도달한 태양열 비행기

파일럿이자 탐험가인 안드레 보르슈베르그(스위스)는 2010년 7월 8일, '솔라 임펄스 1'을 타고 스위스 파예른 상공 9,235m를 비행했다. 유인 태양열 비행기로 달성한 최고 고도 기록이다.

약 5년 뒤, 보르슈베르그는 '솔라 임펄스 2'를 타고 117시간 52분(4일 21시간 52분)을 비행해 **태양열 비행기 최장 시간 비행 기록**을 세웠다(단독). 그는 2015년 6월 28일, 일본 나고야에서 출발해 2015년 7월 3일 미국 하와이에 착륙했다.

이륙한 뒤 고도를
가장 큰 폭으로 높인 태양열 비행기

2016년 4월 24일, 베르트랑 피카르(스위스)는 솔라 임펄스 2를 타고 미국 하와이 칼렐루아에서 캘리포니아 주 마운틴뷰로 향하며 고도를 9,024m 올렸다. 또 피카르는 역시 솔라 임펄스 2를 타고 **태양열 비행기로 미리 지정된 최장 거리 코스 비행하기** 기록도 세웠다(5,851.3km). 이 기록은 미국 뉴욕에서 출발해 2016년 6월 23일 스페인 세비야에 도착하며 완성됐다.

오픈 클래스 글라이더
최장 거리 비행(아웃 앤 리턴)

2016년 1월 4일, 맥스 H S 린더스(네덜란드)는 솀프-히어스 님버스 4DM 글라이더를 타고 1,251.1km를 아웃 앤 리턴으로 비행했다. 기록은 남아프리카 노던케이프 더글러스에서 작성됐다. '아웃 앤 리턴'이란 단 하나의 선회지점을 도는 지정된 코스를 말한다.

클라우스 올만(독일, 옆 페이지 참조)은 같은 글라이더 모델로 2003년 1월 21일, 아르헨티나 차펠코에서 3,009km를 날아 **글라이더 최장 거리 비행을 기록**했다(3턴 포인츠). '3턴 포인츠'란 선회지점이 3개 미만으로, 시작점과 결승점이 지정된 코스를 말한다. 선회지점은 경로의 시작점과 결승점을 포함할 수 있다.

Q: 세계 인구의 몇 %가 비행을 해봤을까?

A: 약 5%

가장 먼 거리를 비행한 무인 비행기

가장 먼 거리를 비행한 풀 스케일 무인 재래식 비행기는 미국 공군의 '노스럽그러먼 글로벌 호크 서던크로스 II'로 1만 3,219.86km를 비행했다. 이 비행기는 2001년 4월 22일, 캘리포니아 주 에드워드 공군기지에서 이륙해 30시간 23분 뒤인 4월 23일 사우스오스트레일리아 주 애들레이드에 있는 에든버러 호주 공군기지에 착륙했다. 글로벌 호크는 고고도 장기 체공 스파이 비행기다.

최장 거리 논스톱 비행

스티브 포셋(미국)은 '버진 애틀란틱 글로벌플라이어'를 타고 4만 1,467.53km를 비행했다. 2006년 2월 8일, 미국 플로리다 주에 위치한 케네디 우주센터에서 이륙해 2006년 2월 11일, 아일랜드 섀넌 상공에서 장거리 비행 기록을 완성했다.

비행선 최고 고도 도달 기록

2006년 8월 17일, 스타니슬라프 후오도로프(러시아)는 열 비행선 '어거 AU-35 스노 구스'를 타고 러시아 모스크바 상공 8,180m를 날아올랐다.

최장 기간 열기구 비행

FAI 유인 열기구 장기 체공 비행 기록은 브라이언 존스(영국)와 베르트랑 피카르가 세운 19일 21시간 47분으로 1999년 3월 1~21일까지 세계일주를 하며 기록했다. 둘은 '브레이틀링 오비터 3'를 타고 스위스 샤또데에서 출발해 이집트 서부에 착륙했다.

스티브 포셋은 2002년 6월 19일~7월 2일까지 42.6m 높이의 혼합 기체 열기구 '버드 라이트 스피릿 오브 프리덤'을 타고 **최초로 열기구 세계일주(단독)**에 성공했다. 그는 웨스턴오스트레일리아 주 노샘에서 이륙해 3만 3,195km를 비행한 뒤 호주 퀸즐랜드 에로망가에 착륙했다.

◀ 우주에서 가장 오래 머문 시간(합계)

우주비행사 게나디 파달카(러시아)는 국제우주정거장(ISS)에서의 임무를 마치고 2015년 9월 12일 지상에 내려올 때, 우주에 머문 시간이 총 878일 11시간 29분 24초를 기록했다. 그의 첫 번째 우주 임무는 1998년 8월이었는데, 낙후된 미르 우주정거장에 마지막까지 남은 우주비행사 팀의 일원이었다. 198일 동안 우주정거장의 비활성화와 궤도 이탈을 준비한 뒤 1999년 2월 28일, 지구에 돌아왔다. 게나디는 2002~2012년 사이에는 새로 완성된 국제우주정거장에 3번이나 방문했으며 이중 2번은 정거장의 사령관 임무를 맡았다.

항공 분야의 대기록들

1783년 11월 21일
최초의 유인 열기구 비행
장 프랑수아 필라트르 드 로지에와 마르키스 달랑드(둘 다 프랑스), 프랑스 파리

1900년 7월 2일
최초의 경식 비행선 비행
페르디난드 아돌프 A. 본 체펠린(독일), 독일 보덴 호(湖)

1903년 12월 17일
최초의 동력 비행
라이트 형제(미국), 미국 노스캐롤라이나 주 키티호크

1997년 11월 13일
최초의 헬리콥터 비행
폴 코르뉴(프랑스), 프랑스 노르망디 칼바도스

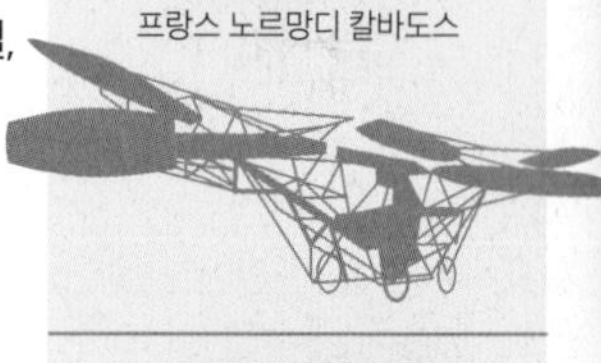

1947년 10월 14일
음속을 돌파한 최초의 인물
척 예거(미국), 미국 모하비 사막

1961년 4월 12일
최초의 유인 우주비행
유리 가가린(구소련, 현 러시아), 카자흐스탄(당시 구소련)

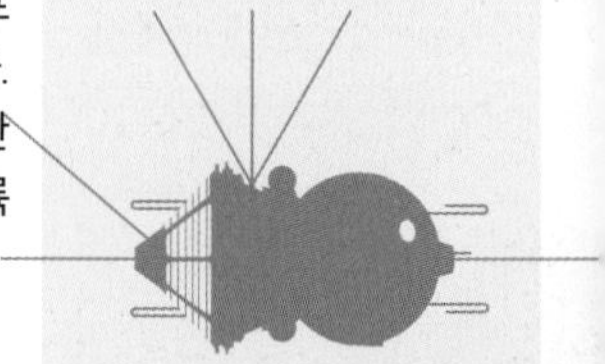

1976년 1월 21일
최초의 초음속 정기 여객기
콩코드, 런던-바레인, 파리-리우데자네이루 경로

▲ '4웨이' 연속 스카이다이빙 대형

2015년 10월 23일, 앤드 그로웰스, 데이비드 그로웰스, 제룬 놀레, 데니스 프라엣(모두 벨기에)으로 구성된 'NMP Pch 하야부사 팀'이 체코 공화국 프라하에 있는 유일한 풍동(風洞)인 '허리케인 팩토리'에서 43가지 대형을 연속으로 선보였다. 이 4명의 스카이다이버는 사상 최초로 열린 FAI 실내 스카이다이빙 월드챔피언십에서 기록을 작성했다.

▲ 글라이더 최고 속도 (아웃 앤 리턴)

클라우스 올만(독일)은 2006년 12월 22일, 아르헨티나 자팔라에서 500km 거리의 코스를 아웃 앤 리턴으로 비행하며 306.8km/h를 기록했다. 그가 탄 글라이더는 '셈프-히어스 님버스 4DM'이었다. 클라우스는 2010년 1월 12일 아르헨티나 엘 칼라파테에서 **글라이더 프리 디스턴스 최장 거리 비행 기록**도 작성했다(2,256.9km). '프리 디스턴스'는 코스에 출발점과 도착점은 지정이 되지만 선회지점은 없다.

▲ 비행선 최고 속도

스티브 포셋(미국, 위 왼쪽)과 부조종사 한스 폴 스트뢰엘러(독일)는 '체펠린 루프트쉬프테크니크 LZ N07-100' 비행선을 타고 2004년 10월 27일, 독일 프리드리히스하펜 상공을 115km/h로 비행했다.

포셋은 **최초로 재급유 없이 비행기 세계일주**에도 성공했다. '버진 애틀란틱 글로벌플라이어'를 타고 2005년 3월 1~3일까지 총 67시간 1분을 비행했다(아래 왼쪽과 오른쪽). 출발지이자 도착지는 미국 캔자스 주 살리나였다. 그의 비행기는 스케일드 컴포짓이 제작했으며, 싱글 터보팬 제트 엔진을 장착했다.

▶ 행글라이더 직선 최장 거리 비행 (도착점 지정)

2016년 10월 13일, 안드레 울프(사진 정면)와 글라우코 핀토(둘다 브라질)는 브라질 북동부 타시마에서 파라이바까지 직선거리 603km를 행글라이더를 따로 타고 나란히 비행했다. 울프는 모예스 델타 글라이더 라이트스피드 RX3.5를 사용했고, 핀토는 이카로 2000 라미나 14를 사용했다.

▶ 윙수트 최장 시간 활공

크리스 가일러(호주)는 2016년 11월 6일, 미국 플로리다 주에서 최초로 열린 FAI 월드 윙수트 퍼포먼스 플라잉 챔피언십에서 95.7초 동안 비행을 유지했다. 참가 선수들은 고도 약 4,000m까지 올라가 비행기에서 뛰어내린 뒤 '경기 지역'인 고도 3,000~2,000m 사이에서 퍼포먼스를 펼친다. 이 1,000m 정도의 '공간'에서 상대보다 더 멀리, 빠르게, 오래 날기 위해 노력하는 것이다.

'윙수트 퍼포먼스' 대회에 출전하는 참가자들은 3라운드에 거쳐 점수를 받는다. 라운드마다 다른 점프를 선보여야 하는데 채점 기준은 거리, 속도, 체공시간이다.

모험 전반 ADVENTURES ROUND-UP

사실 존오그로츠는 영국 본토의 최북단 지점이 아니다.
서쪽에 있는 더넷 헤드가 약 18km 더 뻗어 있다.

▲ 가장 높은 고도에서 한 스쿠버 다이빙
2016년 2월 21일, 에르뇌 토소키(헝가리)는 칠레와 아르헨티나의 경계에 있는 활화산 오호스델살라도의 동쪽 면에 있는 호수에 스쿠버 다이빙해 들어갔다. 호수는 해발 6,382m에 있다. 에르뇌와 애인 패트리샤 나지(헝가리)는 100kg 무게의 장비를 화산에 직접 들고 올라갔다. 등반과 스쿠버 다이빙은 신체적으로 아주 벅찬 도전이기 때문에 에르뇌는 이 도전을 위해 5년 동안 훈련했다.

일립티컬 자전거를 타고 랜즈엔드부터 존오그로츠까지 최단 기간 여행
2016년 5월 26~31일까지 이다이 마카야(영국)는 영국 최남단에서 최북단까지 일립티컬 자전거(페달이 스테퍼 형태로 된 자전거)를 타고 5일 4분 만에 주파했다. 이다이는 2014년 글렌 부르마이스터(영국)가 세운 6일 10시간의 기록을 경신했다.

포켓바이크 최장 거리 여행
시그니덜 예 운나스도티어(아이슬란드), 마이클 레이드, 크리스 파브르(둘 다 미국)는 2016년 9월 5~17일까지 미국 오하이오 주 미들타운부터 미국 뉴멕시코 주 루이도소까지 2,504.77km를 미니 오토바이로 여행했다.

한 국가 내 최장 거리 자동차 여행
2016년 3월 11일~4월 14일까지 K 라주, 자얀스 바르마 쿠나파라주, 푸르쇼담과 아룬 쿠마르(모두 인도)는 인도 내 3만 6,060.1km 거리를 여행했다. 이들의 위대한 여정은 정부가 도시와 마을을 깨끗하게 만들기 위해 시행한 '깨끗한 인도 만들기' 홍보를 위해 시작되었다.
2016년 5월 8일~7월 25일까지 수실 레디(인도)는 **최장 거리 오토바이 여행**을 마쳤다. 인도 뭄바이에서 시작해 총 7,423.88km를 주행하고 뭄바이로 돌아왔다. 수실의 오토바이는 태양열 발전을 이용했다.

▲ 열기구로 내려간 가장 깊은 곳
2014년 9월 18일, 이반 트리포노프(오스트리아)는 크로아티아 오브르바츠에 있는 마멧 동굴의 입 속을 열기구를 타고 206m 깊이까지 내려갔다. 특별 제작된 열기구가 이륙해서 착륙하는 데 걸린 시간은 26분이다.
이반은 1996년 **열기구를 타고 북극을 최초로 건넌 사람**이며, 2000년에는 **열기구를 타고 최초로 남극을 건넌 사람**으로 기록됐다.

▲ 트랙터를 이용한 최장 거리 여행
2016년 5월 8일~10월 23일까지 후버트 베거(독일)는 자신의 '1970 아이셔 티거 II' 트랙터를 타고 유럽을 돌았다. 총 거리는 2만 5,378.4km였다. 그는 36개국을 순회하며 바실리 하즈케비치(러시아)가 2005년에 세운 이전 최고 기록인 2만 1,199km를 경신했다. 후버트는 이렇게 말했다. "나는 신념을 가진 탐험가다. 내 트랙터와 함께 일상의 광기를 벗어나고자 했다."

최장 거리 인력 비행(거리)
카넬로스 카넬로포울로스(그리스)는 1988년 4월 23일, 자신의 '다이달로스 88' 비행기의 페달을 밟아 115.11km를 날아갔다. 그는 크레타 이라클리온부터 그리스 섬 산토리니까지 3시간 54분 59초를 비행했는데, 해안을 겨우 몇 피트 남기고 비행기의 꼬리가 돌풍에 부러지는 바람에 바다에 추락했다.

한 국가 내 최장 거리 오토바이 여행(개인)
다넬 린(미국)은 2014년 9월 19일~2015년 8월 29일까지 자신의 트라이엄프 본네빌 오토바이를 타고 미국 전역 7만 8,214km를 여행했다.
다넬은 애리조나 주 피닉스에서 출발해 인접한 48개 주를 모두 방문했다.

릭샤/3륜 자전거 최장 거리 여행(남성)
스콧 톰슨(영국)은 2015년 9월 27일~10월 16일까지 인도네시아 아체 반다아체부터 인도네시아 탕그랑 BSD까지 총 2,597.2km를 여행하며 4개의 인도네시아 단체를 위해 모금 활동을 했다.
릭샤/3륜 자전거 최장 거리 여행(여성) 기록은 1,672km로, 크리스털 데이비스(호주)가 2015년에 달성했다. 그녀는 10월 17일, 3륜 자전거를 타고 호주 포트 더글러스에서 출발해 12월 12일 퀸즐랜드 허비 베이에 도착했다.

▲ 최단기간 전 세계 주권국가 방문(여성)
카산드라 드 페콜(미국)은 2015년 7월 24일~2017년 2월 2일까지 195개의 주권국가를 모두 방문했다. 기네스 세계기록의 규정에 맞춰 여행을 마치는 데 1년 193일이 걸렸다. 여기에는 부탄에 있는 파로 탁상(위)과 예멘(오른쪽 위)도 포함되어 있다. 카산드라는 2017년 2월에 남극(오른쪽 아래)을 여행하며 모든 대륙을 방문했다.

전기차 최장 거리 여행(태양열 비사용)
닉 메거트와 안톤 줄미(둘 다 스위스)는 2016년 7월 29일~8월 28일까지 테슬라 모델 S를 타고 유럽 2만 2,339.7km를 여행했다. 스위스 베른이 출발지이자 도착지였고, 하루에 약 800km를 주행했다. 둘은 2014년 노먼 하자르(미국)가 세운 이전 최장 거리 기록 1만 9,607.96km를 경신했다. **태양열을 사용한 전기차 최장 거리 여행 기록**은 2만 9,753km로, '보훔 대학교 태양열 자동차 프로젝트'가 2011년 10월 26일~2012년 12월 15일에 기록했다.

텔레스코픽 핸들러 최장 거리 여행
레오 테르구예프(핀란드)는 '메를로 P 25.6 텔레스코픽 핸들러(지게차와 비슷한 형태의 중장비)'를 타고 2014년 4월 28일 이탈리아에서 출발해 6월 2일 핀란드에 도착하기까지 총 4,296km를 주행했다. 그는 슬로베니아, 헝가리, 체코 공화국, 독일, 스웨덴을 거쳤다.

▲ 24시간에 자전거로 여러 나라 방문하기(팀)

2016년 10월 2일, 파일럿 제임스 반 더 호른(위 왼쪽)과 파일럿 토마스 레이놀즈(위 오른쪽, 둘 다 영국)가 자선 모금 활동을 위해 24시간 동안 7개 국가를 자전거로 방문했다. 둘은 크로아티아, 슬로베니아, 헝가리, 오스트리아, 슬로바키아, 체코 공화국, 폴란드를 지났다.
2010년 8월 9일, 반 더 호른과 이언 매클라우드(영국)는 **고정익 비행기로 24시간 동안 여러 나라 방문하기** 기록도 세웠다(11개국).

카이트 서핑 최장 거리 이동(여성)

안케 브란트(독일)는 2016년 4월 17~19일까지 바레인 암와즈 마리나에서 알다르 섬까지 489.62km를 카이트 서핑으로 이동했다.

카이트 서핑 최장 거리 이동(남성)은 프란시스코 루피냐(포르투갈)가 2015년 7월 5~7일에 세운 862km다.

최초의 흑해 조정 단독 횡단

2016년 6월 12일~7월 11일까지 스콧 버틀러(영국)는 불가리아 부르가스부터 조지아 바투미까지 29일 6시간 2분 동안 1,207km를 노 저어 갔다.

▲ 낙하산 없이 스카이다이빙한 최고 높이

2016년 7월 30일, 루크 에이킨스(미국)는 7,620m 높이의 비행기에서 낙하산이나 윙수트 없이 뛰어내렸다. 이 스턴트 묘기를 '하늘의 선물'이라고 이름 지은 그는 미국 캘리포니아 주 남부 시미밸리에 설치된 9.2㎡ 넓이의 네트에 안전하게 착륙했다. 이 3분짜리 도전을 위해 1년 반 동안 준비했고, GPS를 사용해 네트의 위치를 정확하게 찾았다.

랜즈엔드부터 존오그로츠까지 도보로 최단 기간 이동 기록

팀 FF조글2016(영국, 남녀 혼합팀)은 2016년 3월 23~27일까지 4일 18시간 2분 만에 영국을 종단했다. 12명으로 구성된 기부금 모금자들은 낮 팀과 밤 팀으로 나눠 도전을 진행했다. 각 팀의 이름은 '폭풍의 질주'와 '밤의 감시자들'이었다.

최단 기간 호주 자전거 순회

레이드 앤더턴(호주)은 2013년 3월 10일~4월 15일까지 37일 1시간 18분 동안 1만 4,178km를 자전거로 순회했다.

수륙양용 사이클 최장 거리 여행

에브라힘 헤마트니아(네덜란드/이란)는 대서양 2,371km를 수륙양용 사이클을 타고 횡단했다.

▲ 최장 거리 맨발 여행

2016년 5월 1일~8월 12일까지 이몬 키비니(아일랜드)는 2,080.14km를 맨발로 여행했다. 그는 자살방지 위기 센터 '피에타 하우스'를 알리기 위한 모금 활동으로 이 여행을 기획했다. 초등학교 교사인 이몬은 아일랜드 카운티 마요 클래어모리스에서 시작해 103일에 거쳐 시작점으로 돌아왔다. 그는 비와 가시, 위험한 자동차들, 아픈 발을 모두 이겨내고 무사히 여정을 마쳤다.

영국해협 모노헐 최단시간 횡단

필 샤프(영국)는 2016년 11월 24일, 영국 아일오브와이트 카우스에서 협정세계시 06시 38분 27초에 출발해 영국해협을 단독으로 횡단 후 프랑스 디나르에 도착했다. 총 9시간 3분 6초가 걸렸으며 도착 시각은 협정세계시 15시 41분 33초였다. 그는 12.19m 크기의 요트 '이메리스' 호를 타고 평균 28.24km/h로 항해했다. 샤프는 2004년 11월, 장 뤽 반 덴 히드(프랑스)가 세운 12시간 1분 31초를 경신했다. 기록은 세계세일링속도위원회가 인증했다.

▲ 자전거 최장 거리 주행 기록(1년)

아만다 코커(미국)는 2017년 4월 5일 자전거 장거리 주행 도전 326일차에 커트 시어보겔(미국)이 2016년 1월 9일 세운 1년 기록, 12만 2,432.4km를 경신했다. 아만다는 326일째 12만 2,686.56km를 달렸는데, 울트라마라톤 사이클링 협회에서 인정한 기록이다. 그녀는 놀랍게도 지금까지 하루 평균 376.2km를 달리고 있다.

▶ 모노헐 24시간 최장 거리 항해 기록(싱글 핸드)

알렉스 톰슨(영국)은 2017년 1월 15일 오전 7시(협정세계시)~1월 16일 오전 7시까지 18.28m의 모노헐 보트 '휴고 보스'를 타고 994.17km를 항해했다. 톰슨은 방데 글로브 세계일주 요트 레이스에서 선두 아르멜 르 클리치를 평균 41.41km/h의 속도로 쫓는 중에 신기록을 작성했다. 하지만 그는 전체 레이스에서는 2위로 경기를 마쳤다.

알렉스는 바람의 변동이 심한 스페인 연안에서 경기 초반 우현 포일을 잃은 채 기록을 작성해 주위를 놀라게 했다.

GUINNESS WORLD RECORDS

가장 높은 HIGHEST...

이 챕터에는 아찔한 높이의 기록들이 나오니 현기증이 있는 사람은 조심하길 바란다!
포고스틱 선수의 점프와 물속에서 엄청난 높이로 튀어 오르는 상어, 건물만 한 파도와 성층권 위에 있는 집까지.
생각만 해도 아찔하지 않은가?

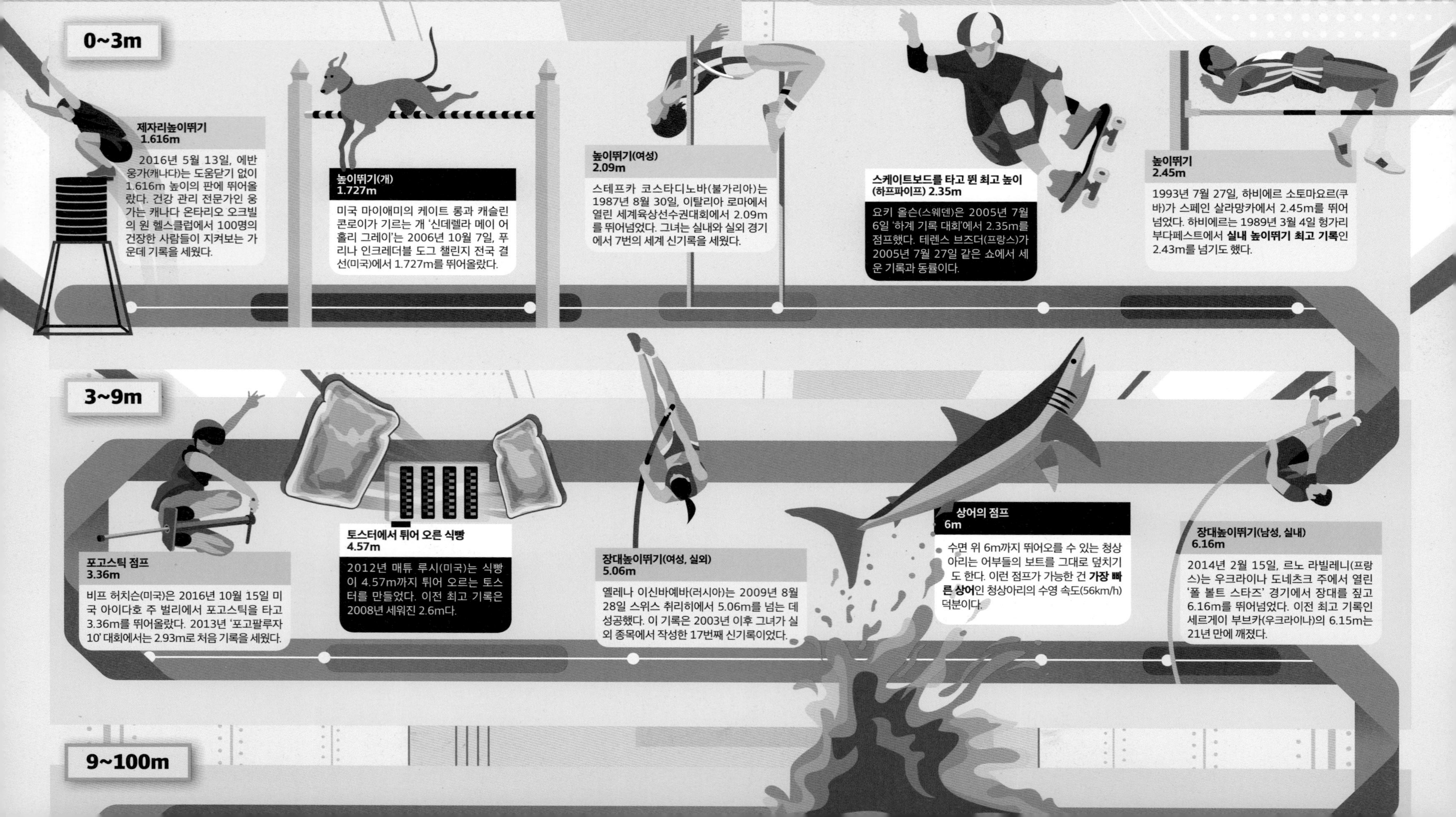

0~3m

제자리높이뛰기
1.616m

2016년 5월 13일, 에반 웅가(캐나다)는 도움닫기 없이 1.616m 높이의 판에 뛰어올랐다. 건강 관리 전문가인 웅가는 캐나다 온타리오 오크빌의 원 헬스클럽에서 100명의 건강한 사람들이 지켜보는 가운데 기록을 세웠다.

높이뛰기(개)
1.727m

미국 마이애미의 케이트 롱과 캐슬린 콘로이가 기르는 개 '신데렐라 메이 어 홀리 그레이'는 2006년 10월 7일, 푸리나 인크레더블 도그 챌린지 전국 결선(미국)에서 1.727m를 뛰어올랐다.

높이뛰기(여성)
2.09m

스테프카 코스타디노바(불가리아)는 1987년 8월 30일, 이탈리아 로마에서 열린 세계육상선수권대회에서 2.09m를 뛰어넘었다. 그녀는 실내와 실외 경기에서 7번의 세계 신기록을 세웠다.

스케이트보드를 타고 뛴 최고 높이 (하프파이프) 2.35m

요키 올슨(스웨덴)은 2005년 7월 6일 '하계 기록 대회'에서 2.35m를 점프했다. 테렌스 브즈더(프랑스)가 2005년 7월 27일 같은 쇼에서 세운 기록과 동률이다.

높이뛰기
2.45m

1993년 7월 27일, 하비에르 소토마요르(쿠바)가 스페인 살라망카에서 2.45m를 뛰어넘었다. 하비에르는 1989년 3월 4일 헝가리 부다페스트에서 **실내 높이뛰기 최고 기록**인 2.43m를 넘기도 했다.

3~9m

포고스틱 점프
3.36m

비프 허치슨(미국)은 2016년 10월 15일 미국 아이다호 주 벌리에서 포고스틱을 타고 3.36m를 뛰어올랐다. 2013년 '포고팔루자 10' 대회에서는 2.93m로 처음 기록을 세웠다.

토스터에서 튀어 오른 식빵
4.57m

2012년 매튜 루시(미국)는 식빵이 4.57m까지 튀어 오르는 토스터를 만들었다. 이전 최고 기록은 2008년 세워진 2.6m다.

장대높이뛰기(여성, 실외)
5.06m

옐레나 이신바예바(러시아)는 2009년 8월 28일 스위스 취리히에서 5.06m를 넘는 데 성공했다. 이 기록은 2003년 이후 그녀가 실외 종목에서 작성한 17번째 신기록이었다.

상어의 점프
6m

수면 위 6m까지 뛰어오를 수 있는 청상아리는 어부들의 보트를 그대로 덮치기도 한다. 이런 점프가 가능한 건 **가장 빠른 상어**인 청상아리의 수영 속도(56km/h) 덕분이다.

장대높이뛰기(남성, 실내)
6.16m

2014년 2월 15일, 르노 라빌레니(프랑스)는 우크라이나 도네츠크 주에서 열린 '폴 볼트 스타즈' 경기에서 장대를 짚고 6.16m를 뛰어넘었다. 이전 최고 기록인 세르게이 부브카(우크라이나)의 6.15m는 21년 만에 깨졌다.

9~100m

팬케이크 던지기
9.47m

2010년 11월 13일, 도미니크 커자크레아(미국)는 미국 뉴욕 주 칙토와가에 있는 월든 갤러리아 쇼핑몰에서 팬케이크를 공중 9.47m 높이로 던졌다. 또한 1999년 10월 24일엔 **팬케이크 뒤집으며 뛴 마라톤 최고 기록**도 세웠다(3시간 2분 27초).

얕은 물에 다이빙하기
11.56m

대런 테일러(미국)는 2014년 9월 9일, 중국 CCTV의 〈기네스 세계기록 스페셜〉에 출연해 11.56m 높이에서 30cm 깊이의 물로 뛰어내렸다.

부표로 측정한 가장 큰 파도
19m

2016년 12월 세계기상기구의 과학자들은 2013년 2월 4일 아이슬란드와 영국 사이에 있는 북대서양 바다에서 19m의 파도가 관측됐다고 했다.

엘리베이터 통로에서 낙하 후 생존
70m

스튜어트 존스(뉴질랜드)는 1998년 5월 미드랜드 파크 빌딩 23층에서 엘리베이터 통로로 떨어져 70m를 낙하했지만 죽지 않았다.

자전거로 외줄타기
72.5m

닉 왈렌다(미국)는 2010년 8월 28일 아틀란티스 파라다이스 아일랜드 호텔의 로열 타워 사이를 연결한 72.5m 외줄을 자전거를 탄 채 30m 이상 건넜다.

100~10,000m

수도
3,631m

볼리비아의 행정 수도 라파스는 해발 3,631m에 있다. 볼리비아의 헌법상 수도인 수크레는 2,810m에 있는데 해발 2,850m에 위치한 에콰도르의 수도 키토보다 약간 낮다.

기찻길
4,000m

중국에 있는 칭하이-티베트 철로는 대부분 해발 4,000m 이상을 지나며 가장 높은 지점은 5,072m에 이른다. 2006년 개통한 이 철로의 총 길이는 1,956km. 승차 칸은 여압실(지상의 기압과 비슷하게 공기압을 높여 놓은 방)로 되어 있고 산소마스크가 있다.

미등반 산
7,570m

해발 7,570m의 캉카르 펀줌 산(부탄)은 세계에서 40번째로 높은데, 아직 사람이 정상을 밟지 않은 가장 높은 산이다. 1980년대 몇 번의 도전 실패 이후 1994년에 등반이 금지됐다.

베이스 점프 시작점
7,700m

2016년 10월 5일, 발레리 로조프(러시아)는 중국과 네팔 국경에 있는 히말라야 산맥 중 6번째로 높은 초오유 산 7,700m에서 점프했다. 그는 낙하산을 펴기 전 90초 동안 자유낙하했고, 빙하에 착륙하기까지 약 2분이 걸렸다.

산
8,848m

인도와 중국은 히말라야에 있는 에베레스트 산의 공식 높이가 8,848m라고 발표했다. 지구에서 가장 높은 이 산의 이름은 인도의 감독관이었던 조지 에베레스트 경에게서 따왔다.

10,000m 이상

비행하는 새
1만 1,300m

1973년 11월 29일, 루펠독수리가 코트디부아르의 상아해안 상공 1만 1,300m를 날던 비행기와 충돌했다. 새가 고도 6,000m 이상에서 비행하는 경우는 드물다.

글라이더 비행
1만 5,460m

스티브 포셋(미국)은 2006년 8월 29일, 아르헨티나 엘 칼라파테의 상공 1만 5,460m를 글라이더로 비행했다. 다수의 기록을 보유한 모험가인 스티브는 미국 캘리포니아 주와 네바다 주 사이에 있는 그레이트베이슨사막을 경비행기로 횡단하다 실종됐다.

열기구 비행
2만 1,027m

싱하니아 박사(인도)는 2005년 11월 26일 '캐머런 Z-1600' 열기구를 타고 인도 뭄바이 상공 2만 1,027m까지 날아올랐다.

성층권 구름
2만 5,000m

극성층권구름인 자개구름은 얼음 결정과 과냉된 수분과 질산으로 이루어져 있으며 2만 1,000~2만 5,000m 고도에서 형성된다.

낙하산 자유낙하
4만 1,422m

앨런 유스타스(미국)는 2014년 10월 24일 헬륨으로 채운 기구를 타고 미국 뉴멕시코 주 로스웰 상공 4만 1,422m까지 올라간 뒤 뛰어내렸다.

집
33만m

국제우주정거장(ISS)은 33만~41만m 높이에서 지구 궤도를 돌고 있다. 6명 정도가 항상 거주한다.

포스터 다운로드 받는 곳: guinnessworldrecords.com/2018

브라질, 태국, 이집트를 포함한 22개국은 투표를 의무로 정해놨다. 호주는 투표하지 않으면 15.34달러의 벌금을 내야 한다.

트럼프는 선거인단에서 304표를 획득하며 227표를 얻은 클린턴에 앞서 미국 대통령으로 선출됐다. 클린턴은 '일반 득표'에서 6,585만 3,625표를 얻어 6,287만 5,106표를 득표한 트럼프에 앞섰지만 패했다.

CONTENTS

정치 & 초강대국 146
돈 & 경제 148
범죄 & 처벌 150
😂🙊👴👂👄💬🌍📖 152
깃발 154
패션의 끝 156
화장실 158
사회 전반 160

◀ 비용이 가장 많이 든 선거

2016년 미국 대선은 최근 미국뿐 아니라 전 세계적으로 크게 화제가 된 정치 뉴스였다. '정치감시센터(Center for responsive politics)'에 따르면 총 66억 달러라는 믿을 수 없는 금액이 선거를 치르는 데 들었다고 한다. 물가 상승을 고려해도 2012년에 있었던 전 대선에 비해 8,650만 달러가 더 사용됐다.

선거 활동 측면에서, 도널드 트럼프(공화당)와 힐러리 클린턴(민주당)은 **TV토론 시청률이 가장 높았던 대선 후보**로 미국에서만 8,400만 명의 시청자를 기록했다. 2016년 9월 26일 열린 토론 첫 번째 방송은 1980년 지미 카터와 로널드 레이건이 세운 8,060만 시청 기록을 경신했다.

선거에서 승리한 트럼프와 취임식 준비위원회는 9,000만 달러를 기부 받아 **가장 비용을 많이 들인 대통령 취임식**을 거행했다. 2017년 1월 20일, 미국 수도 워싱턴 DC에서 취임식이 열렸다.

정치 & 초강대국 POLITICS & SUPERPOWERS

미국의 유일한 4선 대통령은 프랭클린 D 루스벨트(1933~1945)다.
미국은 현재 법적으로 대통령은 연임만 가능하도록 제한하고 있다.

▲ 최대 규모 기밀문서 불법 유출

2016년 4월 파나마 법률회사 '모색 폰세카'의 내부 문서가 공개되며 140명의 정치인, 공무원 그리고 운동선수들의 기밀이 드러났다. 40년 전부터 축적된 1,100만 건의 기록이 유출된 이 사건은 2010년 발생한 위키리크스보다 규모가 1,500배 크다.

최초의 정치 핵티비즘

'핵티비즘'이란 정치 목적으로 컴퓨터 네트워크를 공격하는 것을 말한다. 최초의 사건은 1989년 10월 발생했는데, 나사와 미국에너지국이 '핵 살인자들에 대항하는 벌레(Worm)'라는 사이버 웜에 침투당했다.

가장 많은 죄수를 감형한 미국 대통령

버락 오바마는 2017년 1월 20일, 대통령직에서 물러나기까지 1,715명의 죄수를 감형했다. 마지막 근무일인 2017년 1월 19일에도 330명의 죄수를 감형했다. 오바마는 트위터에 이렇게 남겼다. "미국은 새로운 기회의 땅입니다. 1,715명은 기회를 얻어야 마땅합니다."

가장 많은 비용이 든 대통령 취임식

도널드 트럼프 대통령의 취임식 준비위원회는 2017년 1월 20일 취임식을 위해 9,000만 달러를 모금했다. 이는 오바마 대통령의 2013년 취임식보다 2배 많은 비용이다. 보잉, 다우 케미컬, 뱅크오브아메리카 등이 100만 달러씩 기부했다.

가장 오래 집권한 왕이 아닌 지도자(역대)

피델 카스트로(쿠바, 1926년 8월 13일생)는 2016년 11월 25일 사망했다. 그는 쿠바 정치의 최고 권력자로, 총리부터 국가평의회 의장까지 총 49년 3일 동안 집권했다.
그의 경호원이었던 파비안 에스칼란테는 카스트로를 죽이기 위한 시도가 638번 있었다고 2006년 발표했다. 이는 **최다 암살 실패 기록**이다.

여왕은 진짜 생일 외에 6월에 공식적인 생일이 있다. 이 전통은 1748년 조지 2세가 만든 것으로, 자신의 11월 생일이 퍼레이드를 하기에 너무 춥다고 생각해 여름에 2번째 생일을 지정했다.

최장기 집권당

멕시코의 제도혁명당은 1929년 창당하고 집권해, 2000년까지 71년 동안 권력을 유지했다. 원래 이름은 국가혁명당이었으나, 1938년 멕시코 혁명당으로 바뀌었고, 1946년 지금의 이름으로 다시 변경됐다.

최단기 대통령

페드로 라스쿠라인은 1913년 2월 19일, 1시간 동안 멕시코를 통치했다. 라스쿠라인은 권좌에서 물러난 뒤 살해당한 마데로 대통령의 법적 후계자였다. 당시 멕시코의 부통령은 체포당한 상태라 라스쿠라인이 대신 취임한 뒤, 빅토리아노 우에르타 장군을 후임으로 임명하고 사임했다.

가장 부유한 총리

〈포브스〉에 따르면 실비오 베를루스코니(이탈리아)는 2005년 약 110억 달러의 자산을 보유했다고 한다. 또 루머에 따르면 러시아 전 총리이자 현 대통령인 블라디미르 푸틴은 순자산액만 약 700억 달러라고 한다. 하지만 〈포브스〉는 이에 관한 사실을 아직 입증하지 못했다.

Q: 선거학자(Psephologist)들이 연구하는 중요한 정치행사는?

A: 선거

가장 큰 국회(입법부)

중국의 전국인민대표대회(전인대, NPC)는 2,987명으로 구성되어 있으며, 매년 베이징 인민대회당에서 회의를 연다. 의원들은 5년 임기의 지역 '인민대표'로 선출되거나 인민해방군(PLA)에서 선출되기도 한다.

키가 가장 큰 세계 지도자

필리프 부야노비치는 2003년 몬테네그로의 대통령에 취임했다. 신장 196cm로 2016년까지 가장 큰 대통령으로 기록됐다. 원래는 총리였으나, 몬테네그로가 독립국의 자격을 얻으며 대통령으로 선출됐다. 그는 2008년과 2013년에 재선됐다.
키가 가장 작은 세계 지도자는 1858~1872년까지 멕시코 대통령을 지낸 베니토 후아레스로 신장은 137cm였다.

최연소…

의회의 아기

'의회의 아기'는 국회의 가장 어린 의원을 비공식적으로 부르는 말이다. 안톤 아벨레(스웨덴, 1992년 1월 10일생)는 2010년 18세 277일의 나이로 스톡홀름 주의 지지를 받아 의원에 선출됐다.

국가 지도자(현재)

김정은은 아버지 김정일이 사망하자 그 뒤를 이어 2011년 12월 17일, 북한의 지도자가 됐다. 김정은의 나이는 정확히 알려지지 않았지만, 후계 당시 27세였던 것으로 추정된다.

재임 군주

오요 왕(1992년 4월 16일생)은 1995년 3세의 나이로 우간다 토로 왕국의 국왕에 즉위했다. 그는 현재 우간다의 3%가 넘는 3,300만 명을 통치하고 있다. 그의 영향력은 상징적인 부분이 많으며, 우간다는 대통령을 선출해 정부를 구성하고 있다.

◀ 통치를 가장 오래 한 군주(현존)

1952년 2월 6일 영국의 왕좌에 오른 엘리자베스 2세 여왕은 2017년 4월 4일까지 65년 57일 동안 재임하고 있다. 여왕의 역할은 형식적이며, 정치적 영향력은 행사하지 못한다. 영연방 15주(州) 1억 3,900만 명으로 구성된 영국 외에도 호주와 캐나다도 여왕을 군주로 인정하기 때문에 **가장 많은 주를 거느린 지도자**이기도 하다.

여성 정부 지도자

정부 수장으로 여성이 임명되거나 선출된 경우

- **독일** 앙겔라 메르켈
- **방글라데시** 셰이크 하시나
- **노르웨이** 에르나 솔베르그
- **나미비아** 사아라 쿠곤겔와
- **폴란드** 베아타 쉬드워
- **미얀마** 아웅 산 수지
- **영국** 테리사 메이

여성 국가 지도자

여성이 국가의 지도자나 대통령으로 임명, 선출된 경우

- **라이베리아** 엘렌 존슨 설리프
- **스위스** 도리스 로이타르트
- **리투아니아** 달리아 그리바우스
- **칠레** 미첼 바첼레트
- **몰타** 마리 루이즈 콜레이로 프레카
- **크로아티아** 콜린다 그라바르 키타로비치
- **모리셔스** 아미나 구립
- **네팔** 비디아 데비 반다리
- **마셜 제도** 힐다 하이네
- **대만** 차이잉원
- **에스토니아** 케르스티 칼리울라이드

2017년 3월 23일 확인된 자료

▲ 여성 총리가 가장 많이 나온 국가

노르웨이는 현재 총리를 포함해 총 3명의 여성 총리가 나왔다. 먼저 그로 할렘 부룬트란드가 3번 역임했다(1981년 2월 4일~1981년 10월 4일, 1986년 5월 9일~1989년 10월 16일, 1990년 11월 3일~1996년 10월 25일). 앤 엥거 란슈타인은 셸 망네 보네비크가 병환으로 자리를 비웠을 당시 총리직을 수행했다(1998년 8월 30일~1998년 9월 23일). 그리고 에르나 솔베르그(사진)는 2013년 10월 16일 총리로 선출돼, 2017년 5월 8일까지 총리직을 수행하고 있다.

▲ 당원이 가장 많은 정당

인도인민당(BJT)에는 2015년 7월까지 1억 명의 당원이 소속돼 있다. 1980년 만들어진 정치 정당으로, 인도국민단(1951년 설립)이 전신이다. 이 우익 정당은 나렌드라 모디 총리의 리더십 아래 8,600만 명의 당원(동일 기준)이 있는 중국 공산당보다 더 큰 단체가 됐다.

▲ 최연소 각료

샴마 알마즈루이(UAE)는 22세의 나이로 2016년 2월 셰이크 모하메드 빈 라시드 총리가 구성한 내각의 청년부 장관에 임명됐다. 그녀는 청년의회의 회장도 맡고 있다. 셰이크 모하메드 총리는 트위터에 이렇게 남겼다. "젊은이들은 아랍 사회의 절반을 이루고 있습니다. 그들에게 나라를 관리하는 역할과 목소리를 주는 게 당연합니다."

▲ 현직 최연소 하원의원

마리 블랙(영국, 1994년 9월 12일생)은 2015년 20세 237일의 나이로 페이즐리·렌프루셔 지역에서 국회의원으로 선출됐다. 스코틀랜드독립당의 블랙은 총 32.9%, 2만 3,548표를 얻어 노동당이 우세하던 지역에서 승리를 거뒀다.

▲ 현직 최장기 대통령

테오도로 오비앙 응게마(1942년 6월 5일생)는 1979년 대통령이던 삼촌을 축출하고 지금까지 중앙아프리카의 석유자원이 풍부한 적도기니의 대통령직을 수행하고 있다. 응게마(위 사진, 1982년 스페인 방문 당시 촬영)는 선거로 권력을 유지하고 있지만, 상대 정당에서는 조작이라고 주장한다. 2016년 4월 24일에는 90%의 지지율로 임기를 연장했다. 그는 통치를 37년 이상 이어가게 됐다.

▲ <타임> 표지를 가장 많이 장식한 정치인(여성)

힐러리 클린턴은 2016년 12월까지 <타임> 표지에 23회나 모습을 드러냈다. 전 영부인이자 대선후보인 그녀는 1992년 9월 14일 첫 표지 인물이 되었고, 가장 최근에는 2016년 2월 15일에 나왔다(위 오른쪽).

1923년 3월 3일 창간 이래 **<타임> 표지에 가장 많이 등장한 정치인**은 55회를 기록한 미국 37대 대통령 리처드 닉슨이다(위 왼쪽).

▲ 가장 평화로운 나라

2016년 세계평화지수에 따르면 아이슬란드가 1.192점을 얻어 1.246점의 덴마크를 제치고 가장 평화로운 나라에 올랐다. 아이슬란드는 2011년 조사가 시작한 이래 매년 최고의 자리를 유지하고 있다. 이 지표는 국내외적 긴장과 안전, 사회 보안 그리고 군비 등을 분석해 점수를 매긴다.

▲ 가장 많은 망명자를 수용한 국가

미국 퓨 연구센터에 따르면, 독일은 2015년 44만 2,000명의 망명자를 받아들였다. 유럽연합 28개국에 망명을 신청한 사람은 130만 명인데 전체 망명자의 절반은 시리아, 아프가니스탄, 이라크 출신으로 국제 갈등과 내전(오른쪽 참조)으로 수많은 사람이 고향을 떠났다.

▲ 트위터에 팔로어가 가장 많은 정치인

2017년 1월 25일까지 전 미국 대통령 버락 오바마(미국, @BarackObama)가 8,331만 3,483명의 팔로어를 보유하고 있다. 오바마는 팝스타 케이티 페리(9,500만 팔로어), 저스틴 비버(9,100만)에 이어 전체 3위에 올라 있다.

▼ 가장 평화롭지 않은 나라

호주의 경제평화 연구소가 발행한 2016년 세계평화지수에 따르면, 시리아는 3.806점을 기록해 가장 평화롭지 않은 나라에 꼽혔다. 중동 국가들은 2011년 이후 내전에 휩싸였으며, 시리아의 알레포 같은 도시는 상당 부분 파괴됐다. 시리아인권관측소는 2017년 1월까지 전쟁으로 31만 3,000명이 사망했다고 전했다.

돈 & 경제 MONEY & ECONOMICS

옥스팜에 따르면 전 세계 상위 1% 부자들의 재산은 나머지 99%의 재산을 합친 것과 맞먹는다고 한다.

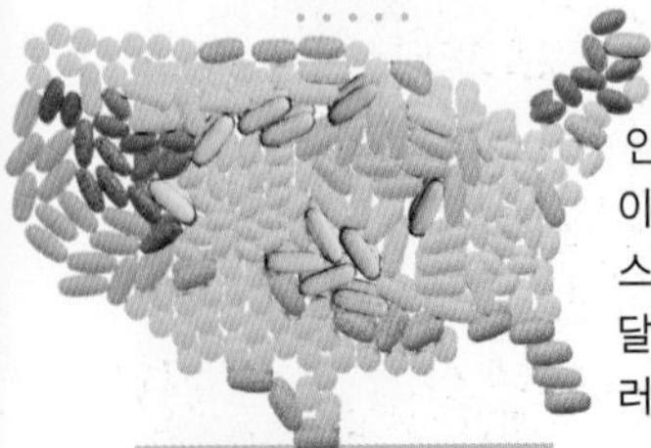

▲ 의료비 예산이 가장 높은 국가

세계보건기구(WHO)에 따르면, 미국은 GDP의 17.1%를 의료비로 지출한다(GDP란 한 나라 안에서 생산한 모든 재화와 용역의 가치를 합한 지표다). 이는 공공 및 개인이 지출한 모든 금액을 합한 수다. **의료 서비스에 예산을 가장 적게 쓰는 국가**는 동티모르로, GDP의 단 1.5%만 사용한다.

2010년 억만장자인 워런 버핏, 빌과 멜린다 게이츠는 '기빙 플레지'를 창설했다. 이 단체는 세계의 부자들이 재산의 절반 이상을 기부하도록 독려한다.

가장 빠르게 성장한 브랜드

인터브랜드에 따르면, 페이스북(미국)은 2016년에 수익이 48% 증가했다. 그 어떤 기업보다 빠르게 성장한 페이스북은 2012년 12월 12일 회계연도 기준 50억 900만 달러의 수익을 올렸고, 2015년에는 179억 3,000만 달러의 수익을 냈다.

가장 혁신적인 경제

2016년 글로벌 혁신지수에서 스위스는 66.28점을 기록했다. 이 지표는 세계지적재산권기구, 미국의 코넬 대학교, 인시아드 경영대학원(INSEAD)이 함께 작성한다. 각 나라는 82개 항목에서 얼마나 창의적이고 진보적인 경제 정책을 가졌는지 평가받는다.

가장 평등한 사회

대개 덴마크, 노르웨이 등의 스칸디나비아 국가들이 세계에서 가장 평등한 사회라고 일컬어지지만, 최근 세계 은행의 자료에 따르면(2015년) 우크라이나가 부의 격차가 가장 적은 나라로 부상했다. 가계소득의 계층별 분배 상태를 파악할 때 가장 대표적으로 사용되는 '지니계수'에서 우크라이나는 0.25점을 기록했다. 여기서 1점은 완전한 불평등을(한 개인이 모든 소득을 독점할 때), 0점은 완전한 평등을 나타낸다(모든 국민이 같은 소득을 올릴 때). 이 자료에 따르면, 남아프리카는 지니계수 0.65로 2015년 **가장 불평등한 사회**에 올랐다.

남녀 격차가 가장 적은 사회

2015년 세계경제포럼의 세계 성차별지수는 불평등에 가까울수록 0에 가깝게, 평등에 가까울수록 1에 가깝게 표시한다. 이 지표에 따르면, 아이슬란드는 0.881점으로 가장 불평등지수가 낮았다. 여성의 경제적 참여와 기회, 교육 정도, 건강과 생존, 정치적 권한의 4가지 항목을 기준으로 평가했다. **남녀 격차가 가장 큰 사회**에 관한 기록은 옆 페이지를 참조한다.

가장 큰 자산을 보유한 기업

<포브스>에 따르면, 중국공상은행(ICBC)은 3조 4,200억 달러의 자산을 기록하고 있다. 이 수치는 은행의 장부 혹은 재무제표에 드러나는 자산을 기준으로 했다.

Q: 전 세계 백만장자의 46%가 사는 나라는?

A: 미국, 스위스 은행의 2015년 <세계 부(富) 보고서> 참조

2015년 월마트(미국)는 3년 연속 **매출이 가장 높은 기업**에 올랐다. 순수익만 4,821억 달러를 거뒀다.

수익이 가장 높은 광고대행사

<에드 에이지 에이전시 리포트 2016>에 따르면 영국 기업 WPP가 2015년에 186억 9,300만 달러를 벌어들여 수익이 가장 큰 광고대행사에 올랐다. WPP는 111개국에서 17만 9,000명의 직원을 고용하고 있다.

최고…

최고경영자 연봉(현재)

<포브스>에 따르면 존 해머그렌(미국)은 2015년 6월 1일~2016년 6월 1일까지 1억 3,119만 달러를 받아 연봉이 가장 높은 최고경영자(CEO)에 올랐다. 그는 건강관리 전문 기업 매케슨 사(미국)의 회장이자 대표, 전문경영인이다.

지출

CIA 월드 팩트북에 따르면, 미국 정부는 2016년 약 3조 8,930억 달러를 지출해, 전 세계 소비의 17% 정도를 차지했다. 다른 어떤 국가보다 큰 규모다.

이 자료에 따르면 미국은 또한 2016년 약 3조 3,630억 달러를 벌어 **가장 높은 수익**을 올린 것으로 나타난다. 이는 대부분 세금과 관세로 거둔 돈이다.

경제 성장

세계은행 데이터에 따르면, 아일랜드는 일부 외국인 투자의 도움을 받아 2015년 26%의 성장을 거뒀다.

예멘은 2015년 가장 **낮은 경제성장률**을 보였다. 이 자료에 따르면, GDP가 28.1% 감소한 것으로 나타났다.

교육 지출

<이코노미스트>의 최근 자료에 따르면, 리투아니아는 GDP의 약 18%를 교육에 사용한다. 2위에 올라 있는 쿠바는 12%를 약간 넘는다. **교육 지출이 가장 낮은 국가**는 남수단으로 GDP의 약 0.8%를 교육에 지출한다.

◀ 가장 부유한 사람

<포브스>에 따르면, 미국의 소프트웨어 억만장자 빌 게이츠는 2017년 4월 가장 부유한 사람으로 약 869억 달러의 재산을 보유하고 있다. 그는 1995~2007년까지, 2009년, 그리고 2014년 이후 지금까지 세계 최고의 부자로 기록됐다.

<포브스>는 2016년 6월 1일, **가장 부유한 여성**으로 361억 달러를 보유하고 있는 로레알의 대주주 릴리안 베탕쿠르를 꼽았다. 베탕쿠르는 로레알 주식의 하락으로 전년 대비 재산이 40억 달러 감소했지만 1위를 유지했다.

인터브랜드 2016년 베스트 글로벌 브랜드 리포트* 탑 10 기업

1,781억 1,900만 달러
애플은 2017년 회계연도 시작 후 첫 3개월간 7,829만 대의 아이폰을 판매했다.

Google
1,332억 5,200만 달러
1초에 평균 6만 명이 구글 검색을 사용한다.

Coca-Cola
731억 200만 달러
코카콜라 브랜드의 제품은 매초 약 2만 2,000개가 소비된다.

Microsoft
727억 9,500만 달러
만약 1986년에 마이크로소프트의 주식을 1,000달러 샀다면 현재 가치는 74만 달러다.

535억 8,000만 달러
일본의 거대 자동차 기업 토요타는 연구와 개발을 위해 1시간에 100만 달러를 쓴다.

IBM
525억 달러
'빅 블루'로 불리는 IBM은 직원이 가장 많은 기업 중 하나로 전 세계에 38만 명이 근무하고 있다.

SAMSUNG
518억 800만 달러
언론 서비스 '스쿱'의 정보에 따르면 삼성은 2016년에 미국에서 가장 많은 특허를 받았다(8,551개).

amazon
503억 3,800만 달러
아마존은 2016년 7월 12일 열린 '아마존 프라임 데이' 행사에 1초당 636개의 상품을 선보였다.

Mercedes-Benz
434억 9,000만 달러
이 럭셔리 자동차 업체는 2016년 223만 대를 판매해 최초로 200만 대를 넘게 팔았다.

431억 3,000만 달러
제너럴일렉트릭은 전 세계 3분의 1의 전기를 생산한다.

* 인터브랜드의 브랜드 평가는 특정 요소에 따라 기업을 분석한다. 여기에는 재무성과, 브랜드 성장률, 구매에 영향을 끼치는 브랜드 자체의 영향력 등이 포함된다.

▲ 최대 규모 경제

국제통화기금의 세계 경제 전망을 보면, 미국은 2016년 10월 세계에서 가장 높은 18조 5,610억 달러의 GDP를 기록해 전 세계 GDP의 24.7%를 차지한다. 중국은 11조 3,910억 달러로 2위, 일본은 4조 7,300억 달러로 3위다. 이 3개국이 전 세계 GDP의 약 46%를 차지한다.

▲ 생계비가 가장 적게 드는 지역

세계 도시·국가 비교 통계 사이트인 넘베오 닷컴은 2016년 12월 생계비지수가 가장 낮은 나라로 이집트를 선정했다. 이집트는 22.36점으로 모든 국가 중 가장 낮았다. 점수는 일반적인 생활을 유지하는 데 드는 비용을 상대적으로 평가해 매겼다. 뉴욕의 생활비를 기준으로 미국 점수가 100점이며, 이를 기준으로 다른 나라를 평가했다.

▲ 생계비가 가장 많이 드는 지역

넘베오 닷컴의 2017년 조사에 따르면, 버뮤다의 생계비지수가 146.19로 가장 높았다. 미국 뉴욕보다 식료품이 39.55% 비싸고, 외식비는 절반이 넘는 51.39%가 더 나갔으며, 주거지 임대료는 4.76% 높았다. 그러나 버뮤다 사람들은 뉴욕과 비교해 임금 대비 구매력이 8.35% 낮았다.

▲ 경제적으로 가장 자유로운 지역

2016년 헤리티지재단의 평가에 따르면 홍콩은 경제 자유도가 88.6점으로 전 세계에서 가장 점수가 높았다. 여기에는 효율적인 규제, 부패 방지 수단, 정부의 투명성과 기업가 정신의 독려 정도가 반영된다. 아슬아슬하게 2위를 기록한 싱가포르의 점수는 87.8이었다.

▲ 남녀 격차가 가장 큰 사회

예멘은 2015년 세계경제포럼의 세계 성차별지수에서 0.484를 기록해 가장 불평등한 나라로 기록됐다. 145개국 중에서 경제적 참여와 기회 부문에서 145위, 교육 정도 부문에서 142위, 건강과 생존 부문에서 123위, 정치적 권한 부문에서 140위를 기록했다.

▲ 가장 큰 은행(전체)

중국 정부가 소유한 중국공상은행(ICBC)은 1984년 유한책임회사로 설립됐다. 〈포브스〉에 따르면 이 은행은 2016년 3조 6,160억 달러의 자산을 가지고 있다. 보유 자산의 시장가치를 반영한 수치다. ICBC는 아시아, 유럽, 미국, 오세아니아에 4억 9,000만 명의 개인 고객과 5,320개의 기업 고객을 갖고 있다.

◀ 1인당 국내총생산이 가장 낮은 국가

세계은행의 가장 최근 자료에 따르면 브루나이의 1인당 국내총생산은 227.10달러로, 가장 가난하다고 나와 있다.

그리고 모나코나 리히텐슈타인 같은 작은 공국을 제외하면 룩셈부르크 국민이 **가장 부유**하다. 국제통화기금(IMF)에 따르면 이곳 사람들의 1인당 국내총생산은 2016년 10월 기준 10만 5,829달러를 기록했다.

▲ GDP 대비 국방비가 가장 높은 나라

GDP 대비 국방비가 가장 높은 나라는 오만과 아프가니스탄이다. 〈이코노미스트〉에 따르면 두 나라 모두 2015년 국방비로 GDP의 16.4%를 지출했다. 사우디아라비아는 3위로 GDP의 13%를 썼다.

스톡홀름국제평화문제연구소(SIPRI)에 따르면, 미국은 2015년 국방비로 5,960억 달러를 써, **국방비가 가장 높은 나라**에 올랐다. 2014년에 지출한 5,870억 달러보다 증가한 수치다.

1997년, 마이크로소프트가 1억 5,000만 달러를 출자한 이후 애플은 스티브 잡스의 운영 아래 적자에서 수익을 내는 기업이 됐다. 2011년, 애플은 미국 재무부보다 더 많은 현금을 보유하게 됐다.

▲ 이윤을 가장 많이 내는 기업

미국의 기술 공룡 애플은 2016년 4월 22일, 연소득 537억 달러로 2년 연속 세계 최대 규모를 기록했다. 애플은 〈포춘〉 선정 500대 기업 중 수익이 많이 발생한 10개 회사를 자회사로 두고 있다.

범죄 & 처벌 CRIME & PUNISHMENT

시장 분석가들에 따르면 전 세계 사이버 범죄 예방에 쓰이는 금액이
2019년에는 2조 1천억 달러를 넘어설 것으로 예상되었다.

▲ 인구 대비 살인사건이 가장 많은 지역
UN에 따르면 2012년 온두라스는 인구 10만 명당 90.4명의 살인범이 있는 것으로 조사됐다. 나이지리아는 3만 3,817건의 살인이 일어나 사건 자체는 가장 많은 나라지만 인구도 많아 10만 명당 살인범의 수는 20명에 불과하다.

최초의 유명인 스토커
에드워드 존스(영국)는 1838~1841년까지 빅토리아 여왕을 스토킹했다. 버킹엄 궁전에 수차례 들어가 여왕을 훔쳐보고 속옷까지 훔쳤다. 영국 해군에 강제로 징병된 존스는 결국 호주로 파병돼 퍼스의 관리가 됐다.

최장기 사형집행인 근무
윌리엄 캘크래프트(영국)는 1829~1874년까지 45년 동안 정부의 사형집행인으로 근무했다. 그는 영국 런던에 있는 뉴게이트 교도소에서 일하며 옥내와 옥외에서 시행되는 거의 모든 사형을 집행했다.

약탈을 가장 많이 한 해적
1689년 영국에서 태어난 사무엘 벨라미는 해적 '블랙 샘'으로 악명을 떨쳤다. 1715~1717년까지 단지 2년 만에 그는 카리브 해와 대서양 연안에서 50척 이상의 배를 약탈해, 요즘 돈으로 1억 3,500만 달러의 재물을 모았다. 벨라미는 1717년 4월 26일 노예선 '휘더' 호를 빼앗아 항구로 돌아가던 중 비명횡사했다.

해적에 의해 가장 큰 피해를 본 해
세계은행은 2013년에 소말리아 동아프리카 연안의 해적들로 인해 180억 달러의 피해가 발생했다고 발표했다. 이는 2011년의 70~110억 달러를 넘는 기록이다. 배와 선원을 잃지 않기 위해 운수회사와 보험회사들은 대부분 그들이 원하는 배상금을 지급할 수밖에 없었다. **해적에게 가장 많은 배상금을 지급한 해**는 2010년으로 총 2억 3,800달러가 들었다. 사건이 일어날 때마다 평균 540만 달러가 든 셈이다.

가장 고액의 해적 배상금
200만 배럴의 기름을 실은 그리스의 초대형 유조선 M/T 아이린 SL이 2011년 2월 9일 오만 연안에서 소말리아 해적들에게 납치됐다. 배 안에 있던 25명의 선원들이 58일 동안이나 감금된 이후에 배를 안전하게 돌려받기 위해 1,350만 달러가 지급되었다.

Q: 윌리엄 캘크래프트는 몇 명이나 교수형을 집행했을까?

A: 약 450명

최대 규모 다이아몬드 도난사건
2003년 2월 한 무리의 도둑들이 앤트워프 월드 다이아몬드 센터에서 1억 달러 이상의 다이아몬드와 보석류를 훔쳐 달아났다. 이후 레오나르도 노타르바르톨로가 이끄는 이탈리아 갱단이 체포됐으나, 가장 큰 손해를 입힌 다이아몬드는 되찾을 수 없었다.

납치가 가장 많은 나라(인구 대비)
UN 마약범죄사무소의 2014년 조사에 따르면 레바논은 인구 10만 명당 18.371명이 납치를 경험했다. 벨기에가 9.959명으로 그 뒤를 따랐고, 룩셈부르크가 9.343명으로 3번째였다.

가장 부유한 반란 집단
UN이 테러 조직으로 지정한 다에시, 즉 ISIS(이슬람 수니파 무장단체 이슬람국가)는 〈포브스〉에 따르면 2014년 약 20억 달러의 순 자산을 보유하고 있다. 대다수 자산은 불법적인 석유 판매와 밀수, 착취와 강도로 벌어들였다. 2014년 ISIS는 이라크 도시 모술을 지배하며 3억 달러 이상의 은행 기금을 갈취했다.

가장 작은 감옥
영국 채널 제도 4개의 섬 중 가장 작은 사크 섬의 인구는 고작 600명뿐이다. 1856년 이곳에 지어진 감옥은 최대 2명을 수용할 수 있다.

최대 규모 DNA 데이터베이스
FBI는 1994년 내셔널 DNA 인덱스 시스템(NDIS)을 만들었다. 여기에는 2016년 4월까지 범죄자 1,220만 명의 프로필(전과자들의 유전자 프로필)과 체포된 사람 260만 명의 프로필, 68만 4,000개의 법의학 프로필(범죄 현장 증거)이 소장되어 있다.

범죄자 검거에 가장 많은 도움을 준 몽타주 작가
몽타주 작가 로이스 깁슨(미국)의 도움으로 1982년 6월~2016년 5월까지 총 751명의 범죄자가 미국 텍사스 주 법원에 신원이 확인돼 끌려왔다. 그녀는 휴스턴 경찰서에서 일을 시작하기 전, 텍사스 주 샌안토니오에서 관광객의 초상화를 그리며 기술을 연마했다.

두바이 경찰의 차고에는 슈퍼카들이 즐비하다. 부가티 베이론을 시작으로 람보르기니 아벤타도르, 맥라렌 MP4-12C, 애스턴 마틴 원-77 그리고 2대의 페라리 FF가 있다!

◀ 가장 빠른 경찰차
2016년 4월 두바이 경찰은 부유한 시민들이 타고 다니는 스포츠카에 맞추기 위해 160만 달러를 투자해 지구상에서 가장 강력한 자동차 중 하나인 부가티 베이론을 사들였다. 최고 속력 407km/h에 1,000마력, 16기통 엔진을 장착해 2.5초면 96.5km/h까지 속력을 올릴 수 있는 이 슈퍼카는 이탈리아 경찰이 도입한 람보르기니 가야르도보다 빠르다.

총기로 인한 사망 vs. 테러로 인한 사망

미국 질병통제예방센터(CDC)에 따르면, 총기 범죄로 사망하는 수가 테러로 사망하는 수보다 월등히 많았다.

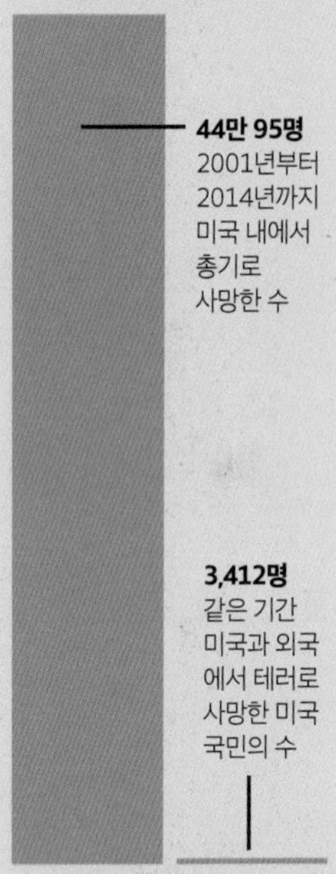

자료: CDC, CNN

테러리스트의 공격 횟수
(2006~2015)

인구 대비 최다 범죄율
(인구 10만 기준, 2014 UN 마약범죄사무소 보고)

자동차 절도 502.8건
우루과이

절도(무단침입 가택 절도)
1,506.7건
네덜란드

강도(개인에게 절도)
1,529.3건
벨기에

폭행(비치명적 공격)
1,324.7건
그레나다

▲ **종신형 최다 선고**

1995년 4월 19일, 미국 오클라호마 주 오클라호마시티에서 정부 건물이 폭발하며 168명이 사망했다. 1997년 열린 재판에서 테리 린 니콜스(미국)는 폭탄테러를 계획하고 준비한 죄로 가석방 없는 종신형을 선고받았다. 2004년 니콜스는 1급 살인 161건의 혐의로 161번의 종신형을 최종 선고받았다.

로버트 레빈슨은 2007년 납치된 후 거의 행방이 알려지지 않았다. 2013년 그의 가족은 레빈슨이 주황색 죄수복을 입고 있는 사진을 이메일로 받아 대중에 공개했다.

▲ **가장 오래 수감된 인질**

전 FBI 수사관 로버트 레빈슨(미국)은 2007년 3월 9일 이란 키시섬에서 납치됐다. 그는 담배회사를 위해 밀수업자들을 추적 중이었다고 했지만 나중에 CIA 밑에서 일하고 있던 사실이 드러났다. 레빈슨은 500만 달러의 현상금에도 불구하고 아직 행방이 묘연하다. 2016년 11월 6일, 그는 9년 242일째 실종 상태다.

▲ **최고의 몸값(현대)**

홍콩 마피아 장쯔창(사치스러운 스타일 덕분에 '큰 손'으로 불린다)은 1996년과 1997년 2명의 사업가 빅터 리, 궈빙샹을 차례로 납치해 안전하게 돌려보내는 대가로 2억 600만 달러를 받았다. 그는 대담하게도 홍콩의 10대 부자들을 납치하는 계획을 세웠으나 3번째 납치에 실패하며 1998년 12월 5일 중국에서 잡혀 처형됐다.

▲ **언론인이 가장 많이 감옥에 갇힌 해**

'언론인보호위원회(CPJ)'에 따르면 2016년 12월 1일까지 259명의 언론인이 투옥됐다. 2016년은 CPJ가 1990년부터 조사를 시작한 이래 가장 많은 언론인이 감옥에 갇힌 해다. 사진은 2016년 터키의 언론인 투옥이 최대치를 기록하자 이에 항의하는 시위대의 모습이다.

▶ **수감자가 가장 많은 나라**

국제교정연구소에 따르면 2016년 7월 미국의 수감자는 221만 7,947명이라고 한다. 중국은 164만 9,804명으로 2위지만, 인구에 비하면 미국보다 상대적으로 꽤 많이 적다. 미국은 10만 명당 693명이 감옥에 있어 799명이 수감 중인 세이셸에 이어 인구 대비 수치도 2위를 기록했다.

말라카 해협은 인도와 태평양을 잇는 곳으로 모든 교역 상품의 4분의 1이 이곳을 통과한다.

▼ **해적 사건이 가장 많았던 해**

국제해사국(IMB)에 따르면 2016년은 공해상에서 191건의 해적 사건이 일어나 1998년 이후 가장 낮은 사건 발생률을 보였다고 한다. 반대로 조사가 시작된 이래 해적 사건이 가장 많았던 해는 2000년으로 469건이 발생했다. 이 사건 중 242건은 동남아시아, 말라카 해협, 인도네시아와 싱가포르에서 일어났다. 이곳에 경찰과 해군 병력(왼쪽 참조)을 늘리자 해적의 활동이 큰 폭으로 줄었다.

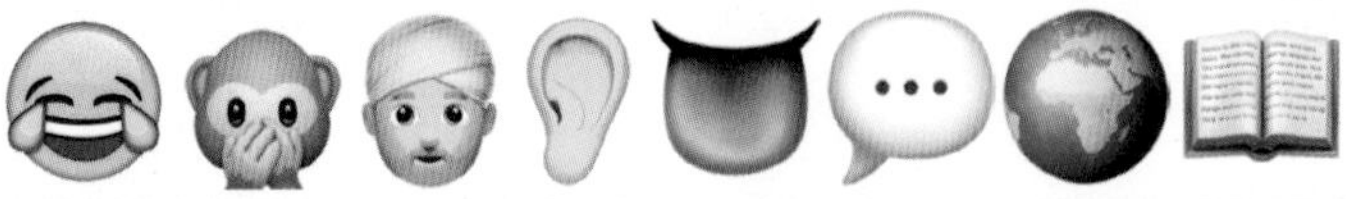

쥬뗌므(Je t"aime)… 프랑스인들은 다른 나라 사람보다 메시지를 보낼 때 4배나 많은 하트 이모지(감정, 상태 등을 나타내는 그림 문자)를 썼다.

▲ 똥 이모지 최다 이용

2015년 4월, 영국의 터치스크린 키보드 제작회사 스위프트키는 나라별로 어떤 이모지를 많이 쓰는지 조사해 발표했다. 미국에서는 해골과 생일 케이크의 인기가 가장 많았지만, 윙크하고 웃는 이모지는 영국에서 가장 많이 사용했다. '웃고 있는 똥 덩어리'는 캐나다 사람들이 가장 많이 썼는데, 전체 이모지 사용 비중의 0.48%를 차지했다.

대한민국의 알파벳, 한글은 1443년 세종대왕이 창제했다. 그전에는 문서를 한자로 썼다.

최초로 기록된 언어

1962년, 중국 산시 성 시안 인근에서 발견된 양사오문화의 도자기에는 숫자 5와 7 그리고 8을 뜻하는 고대 문자가 기록돼 있다. 기원전 5000~4000년대의 도자기다.

음운이 가장 많은 언어

꽁옹어(Ta"a 언어)는 보츠와나 남부와 나미비아 동부에서 반유목생활을 하는 소수민족 3,000명이 사용하는 독특한 언어다. 언어학자들은 연구를 통해 이 언어에 161개의 음운이 있음을 알아냈다(분절음으로 알려졌지만 크게 보면 영어에서 단어 하나 혹은 한 쌍이 내는 소리와 같다). 꽁옹어의 음운 161개 중에는 **한 언어 내 최다 자음 수**인 130개의 자음이 포함되어 있다. 자음의 발음은 끊는 소리나 끄는 소리, 무성음의 범주도 포함하고 있다. 영어권 국가에서 쓰지 않는 'tsk(트-스-크)' 같은 소리도 사용한다.

가장 희귀한 언어

에스놀로그의 언어 데이터베이스에 따르면 세계 약 400개 이상의 언어가 거의 소멸돼, 그 명맥이 '몇몇 노인들'에게만 남은 상태다. 이 언어들은 점점 사라지고 있으며, 원어민이 10명 이하거나 단 1명만 남은 경우도 있다. 한 예로 19세기 후반 남아메리카 야간족 언어를 쓰는 사람은 1만 명이었지만 1930년대에는 70명으로 줄었다. 지금 남은 원어민은 크리스티나 칼데론(칠레, 1928년생) 1명뿐이다.

공용어가 가장 많은 나라

짐바브웨는 2013년 5월 9일에 16개의 언어를 공용어로 인정하는 법안을 국회에서 승인했다. 여기에는 치와, 치바르웨, 영어, 칼랑가, 코이산(Khoisan), 남비아(Nambya), 은다우(Ndau), 은데벨레(Ndebele), 상가니(Shangani), 쇼나(Shona), 사인 어(Sign Language), 소토(Sotho), 통가(Tonga), 츠와나(Tswana), 벤다(Venda), 소사(Xhosa)가 있다(비공용어가 가장 많은 나라는 옆 페이지 참조).

가장 흔한 언어 음운

'아버지' 할 때 사용되는 'ㅏ'가 없는 언어는 없다.

Q; 현존하는 언어는 몇 개나 될까?

A: 에스놀로그 닷컴에 따르면, 현재 사용되는 언어는 7,097개다.

가장 인기 있는 이모지(현재)

미시간 대학교(미국)와 베이징 대학교(중국)가 공동 연구해 2016년 9월에 유비쿼터스컴퓨팅 학술대회에서 발표한 자료에 따르면, 가장 많이 사용된 이모지는 '기쁨의 눈물을 흘리는 얼굴('웃겨 죽는' 혹은 '웃는' 이모지라고도 부른다)'이다. 212개 국가와 지역에서 '키카 이모지 키보드 앱'을 통해 수집한 4억 2,700만 메시지를 연구해보니, 이 그림은 전 세계에서 사용하는 이모지의 15.4%를 차지했다.

이모지를 가장 많이 쓰는 국가

2015년, 연구자들이 인스타그램의 댓글을 분석해본 결과 핀란드 사용자가 남긴 댓글의 63%에 1개 이상의 이모지가 사용됐다. 핀란드는 50%를 기록한 프랑스, 48%의 영국, 47%의 독일을 크게 앞섰다. 가장 낮은 사용 국가는 탄자니아로 고작 10%였다.

최초의…

디지털 이모티콘(기호까지 포함한 이모지)

최초의 '미소'는 미국 피츠버그 카네기멜론 대학교의 스콧 팔먼(미국)이 1982년 9월 19일에 사용했다. 스콧은 게시판과 이메일에 :-)와 :-(를 썼는데 감정을 나타내는 글과 함께 사용해 오해를 방지했다.

이모지 비밀번호

2015년 6월 15일, 금융 소프트웨어 회사 인텔리전트 인바이런먼츠(영국)가 44개의 이모지 중 4개의 이모지를 비밀번호로 사용해 은행 계정에 접속하는 프로그램을 도입했다. 회사는 이 코드를 이미 자사의 안드로이드 휴대전화용 디지털뱅킹 앱에도 적용했다.

인스타그램에서 금지된 이모지

2015년 4월, 온라인 미디어 버즈피드의 직원이 인스타그램에 '가지(채소)' 이모지를 검색하니 결과가 0건이었다. 인스타그램은 가지 이모지가 남성의 성기를 상징하는 의미로 사용돼 사회 규정에 어긋난다며 이를 금지했다.

◀ 가장 많이 사용되는 고립어

'고립어'란 다른 언어들과의 연관성을 찾을 수 없는 언어를 말한다. 3번째로 많이 사용되는 고립어는 마푸둥군어로 약 30만 명의 남아프리카 마푸체 사람들이 쓴다. 2번째는 바스크어로, 스페인 북부 바스크 지역에 사는 66만 6,000명이 사용한다. 가장 많이 쓰는 고립어는 한국어로 대한민국 인근에서 약 7,800만 명이 사용한다.

가장 많이 쓰는 언어

에스놀로그 닷컴이 원어민 인구에 따른 '가장 널리 쓰이는 언어 10'을 조사 발표했다. 순위마다 언어의 모국과 사용하는 국가의 수, 총 사용자 수가 기록돼 있다.

1. 중국어
중국(35개국)
사용자 13억 200만 명

2. 스페인어
스페인(31개국)
4억 2,700만 명

3. 영어
영국(106개국)
3억 3,900만 명

4. 아랍어
사우디아라비아(58개국)
2억 6,700만 명

5. 힌두어
인도(4개국)
2억 6,000만 명

6. 포르투갈어
포르투갈(12개국)
2억 200만 명

7. 벵골어
방글라데시(4개국)
1억 8,900만 명

8. 러시아어
러시아(17개국)
1억 7,100만 명

9. 일본어
일본(2개국)
1억 2,800만 명

10. 란다어
파키스탄(8개국)
1억 1,700만 명

▲ **최다 공용어 사용**(국제기구)

유럽연합(EU)에 합류한 모든 국가는 반드시 기본언어를 등록해야 한다. 2013년에 크로아티아어의 추가로 EU는 불가리아어부터 스웨덴어까지 총 24개의 공용어를 쓰고 있다. 수천 명의 번역가가 이 언어 간의 번역 업무를 하고 있으며 매년 3억 4,900만 달러의 비용이 든다.

ENGLISH: Call me Ishmael.
EMOJI: 

▲ **이모지로 번역된 가장 긴 소설**

데이터 기술자 프레드 베넨슨(미국)은 2009년에 허먼 멜빌의 소설 《모비 딕》을 이모지로 번역하는 프로젝트를 시작했다. 책은 총 20만 6,052단어로 너무 방대해 선별해 작업했다. 수백 명이 참여해 6,438개의 문장을 번역했고, 이중 최고의 버전을 투표로 정해 하나의 작품으로 엮었다. 2010년 완성된 이 책의 이름은 《이모지 딕》이다.

▲ **가장 헷갈리는 이모지**

2016년 4월 미국 미네소타 대학교는 한 실험에서 참가자들에게 여러 개의 이모지를 보여주고 긍정과 부정의 정도를 1점에서 10점까지 표시하게 했다. 마이크로소프트의 '눈을 질끈 감고 입을 벌린 채 웃는 얼굴'은 환희의 웃음과 극도의 고통을 나타내는 점수표에서 종합 4.4점을 받았다.

▲ **비공용어가 가장 많은 나라**

태평양 남서쪽에 위치한 파푸아뉴기니에서는 840개 언어가 사용된다. 아바디어, 지마카니, 톡피진, 모투어와 영어까지 혼재되어 있다. 700만 주민 대부분은 섬으로 뚝 떨어져 살기에 그 지방 고유 언어만 쓴다. 파푸아뉴기니에서 대다수 언어의 사용자가 1,000명 미만인 이유이기도 하다.

▲ **가장 한쪽 성(性)에 국한된 언어**

서기 1,000년 무렵 중국 남부 후난 성 지역에서 사용한 '여성의 문자' 누슈는 여성들 사이에 감정을 소통하기 위해서만 썼다. 이 언어는 송나라(960~1279) 황제의 첩이 만든 것으로 여겨진다. 연구자들 외에 이 누슈를 유창하게 사용한 마지막 여성은 양환이로 2004년 9월 20일, 98세의 나이로 사망했다.

▲ **최초의 이모지**

'이모지'로 알려진 최초의 픽토그램은 1998~1999년 시게타카 쿠리타(일본, 왼쪽)가 일본 통신회사 NTT 도코모의 첫 모바일 인터넷 플랫폼 '아이-모드'를 개발하던 중 고안했다. 쿠리타는 날씨예보와 만화에서 사용하는 상징에서 영감을 얻어 약 180가지의 고유한 감정표현들을 휴대전화에서 사용할 수 있도록 간결한 형태로 만들었다.

▲ **트위터에 이모지가 생긴 최초의 브랜드**

2015년 9월 18일부터 그해 말까지, 트위터에 #shareacoke를 입력하면 코카콜라 두 병이 맞부딪치는 이모지가 나왔다. 광고 캠페인으로 활용된 이 이모지는 광고회사 와이덴+케네디가 코카콜라와 트위터의 파트너십을 알리기 위해 고안했다. 라이벌인 펩시는 트위터에 자비 광고를 했는데, 2016년 한 해 동안 트위터 사용자가 #pepsimoji를 입력하면 펩시 스티커를 사진에 첨부할 수 있게 했다.

▶ **가장 많이 쓰는 언어**

언어 정보 제공 사이트 에스놀로그에 따르면, 중국어는 35개국에서 공용어로 지정돼 있으며 13억 200만 명이 사용한다(옆 페이지 참조). 이중 8억 9,700만 명이 쓰는 만다린어는 가장 많이 사용하는 중국어다. 스페인어는 31개국에서 4억 2,700만 명이 사용하며, 영어는 106개국에서 3억 3,900만 명이 쓴다.

깃발 FLAGS

1936년 베를린 올림픽 당시, 아이티와 리히텐슈타인은 두 나라의 국기가 같다는 걸 깨달았다. 1937년에 리히텐슈타인은 자국의 국기에 왕관을 더했다.

▲ 가장 큰 깃대

2014년 9월 23일, 제다 지방자치단체와 압둘 라티프 자밀 커뮤니티 이니시에이티브(둘 다 사우디아라비아)는 171m 높이의 깃대를 사우디아라비아 제다에 세웠다. 여기에는 테니스 코드 6개와 맞먹는 32.5×49.35m 크기의 사우디 국기가 걸렸다.

국기에 가장 많이 쓰인 색

빨간색은 전 세계 국기 74%에 사용된다. 흰색과 파란색은 각각 71%와 50%로 2번째와 3번째로 인기가 많다.

가장 긴 국기(규격의 비율상)

카타르의 국기는 가로가 세로보다 2배 이상 긴 유일한 국기로, 공식 비율이 28:11이다. 9개의 톱니가 달린 세로 선이 기를 나누고 있으며 오른쪽은 적갈색, 왼쪽은 흰색으로 되어 있다. 카타르는 자국 국기를 1971년 9월 3일 영국으로부터 독립하기 전인 7월 9일에 지정했다.

가장 작은 국기

퀀텀 컴퓨팅 연구소(캐나다)가 2016년 9월 6일, 캐나다 온타리오 주 워털루에서 0.697제곱마이크로미터 크기의 캐나다 국기를 제작했다. 색은 원형노(圓形爐)에 있는 베어 실리콘웨이퍼를 산화해 극도로 얇게 칠했다. 이산화규소층에서 발생한 박막 간섭 효과가 국기에 붉은색을 냈다. 하지만 기존의 이미지 기술로 보기엔 너무 작아, 전자현미경으로 봐도 회색 톤으로밖에 보이지 않는다.

최초의 올림픽기 게양

근대 올림픽 대회의 창설자인 피에르 드 쿠베르탱(프랑스)이 1914년 디자인한 오륜기를 1920년 벨기에 앤트워프에서 열린 대회에 최초로 사용했다. 기는 5개의 원이 겹쳐진 모양으로, 각각의 원은 출전 선수들이 오는 다섯 대륙을 상징한다. 하얀 바탕에 파랑, 노랑, 검정, 녹색 그리고 빨간색의 동그라미가 그려져 있는데, 모든 국가의 국기에 적어도 하나씩은 포함돼 있는 색들로 선택됐다. 최초의 기는 앤트워프 대회가 끝난 뒤 분실돼 1924년 파리 올림픽 때 다시 제작됐다. 분실된 기는 해리 프리스트(미국 선수)가 1920년 대회 당시 깃대에서 훔친 사실이 1997년 드러났다.

최초로 올림픽 시상식에서 금메달을 딴 선수의 국기가 올라간 것은 1932년 미국 캘리포니아 주 로스앤젤레스 대회다.

수영선수 나탈리 뒤 투아(남아프리카 공화국)는 2008년 중국 베이징에서 열린 대회에서 **최초로 하계 올림픽과 패럴림픽 기수**가 됐다. 패럴림픽에서 금메달을 13회나 획득한 그녀는 올림픽과 패럴림픽에 모두 출전한 단 9명의 운동선수 중 1명이다.

이 열정적인 국기 팬은 1995년 자신의 이름을 기네스 리쉬로 개명했다. 전에는 하르 파르카시 리쉬였다.

◀ 국기 문신을 가장 많이 한 사람

기네스 리쉬(인도)는 2009년 7월~2011년 7월까지 몸에 366개의 국기를 문신으로 새겼다. 최초의 기록은 2010년 5월에 세웠으나, 그 뒤로 61개의 국기를 추가하며 기록을 경신했다. 그는 인도 뉴델리에 있는 KDz 타투 보디아트 스튜디오에서 자신의 몸에 잉크로 그림을 그렸다.

Q: 네팔 국기의 삼각형 모양(오른쪽 참조)은 무엇을 상징할까?

A: 히말라야산맥

가장 큰…

국기 장식(땅에 펼쳐진)

〈브루크 매거진〉의 모퀌 알 하지리(카다르)는 2013년 12월 16일, 카타르 도하에서 10만 1,978㎡의 국기를 제작했다. 무려 테니스장 390개와 맞먹는 크기다!

공중에 걸린 가장 큰 국기는 2,661.29㎡로 2016년 11월 30일, 태국 치앙라이에서 알비나 Co. Ltd(태국)가 만들었다. 국기는 3대의 크레인을 써서 게양했다.

자동차 여러 대로 만든 국기 모양

2009년 12월 2일, UAE 알 후자이라에서 413대의 자동차를 활용해 아랍에미리트 국기를 모자이크 방식으로 재현했다. 이 행사는 문화부와 청년·지역 개발이 기획했다.

국기 벽화

2015년 10월에 제작을 시작해 2016년 4월 14일에 완성한 1만 5,499.46㎡ 크기의 성조기 벽화가 전시됐다. 미식축구장 3개의 크기보다는 약간 작은 이 벽화는 예술가인 로버트 와일랜드(미국)가 만들었다.

최대 규모…

한 도시에서 24시간 동안 전시된 국기

2000년 5월 29일, 2만 5,898개의 성조기가 미국 뉴욕 워털루에서 전시됐다. 약 300명의 어린이가 참여해 수많은 국기로 지역 행사의 하이라이트를 장식했는데, 미국 메모리얼 데이(현충일과 비슷한 성격의 기념일)에 중요한 역할을 한 워털루 마을을 기념한 행사였다.

많은 기를 일제히 단 기록

2016년 12월 12일, '아메리칸 익스프레스 미팅 & 이벤트'(미국)가 미국 루이지애나 주에 있는 뉴올리언스 모리얼 컨벤션 센터에서 인터(INTER) 쇼케이스를 열고 462개의 희귀한 기를 달았다.

최다 인원 깃발 신호

홍콩스카우트연맹(중국)이 2010년 11월 21일, 홍콩 스타디움에서 2만 3,321명이 수기 신호를 하는 행사를 열었다. 모인 사람들은 연맹의 100주년을 기념해 'HKS100'이라는 신호를 수기로 보냈다.

네팔의 국기만 유일하게 직사각형이 아니다.

국기의 앞면과 뒷면에 다른 상징이 그려진 나라는 파라과이뿐이다.

차드와 루마니아는 국기가 똑같이 생겼다.

폴란드 국기를 거꾸로 돌리면 인도네시아와 모나코의 국기가 된다.

노르웨이의 국기에는 다른 6개국의 국기가 포함되어 있다.
1. 프랑스 2. 네덜란드 3. 폴란드 4. 태국 5. 인도네시아 6. 핀란드 (비율은 다르다).

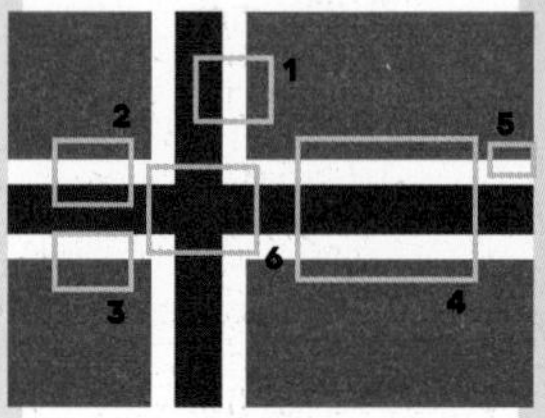

성조기 규칙에 따르면, 성조기는 '국가가 살아 있음을 상징하며, 국기 또한 하나의 생명으로 간주한다.'

일반적으로 알고 있는 것과는 반대로 성조기는 태워도 된다: 미국 보이스카우트 소년들은 매년 미국 국기 제정 기념일(6월 14일)에 수천 개의 성조기에 불을 붙인다.

국기의 구조(성조기)

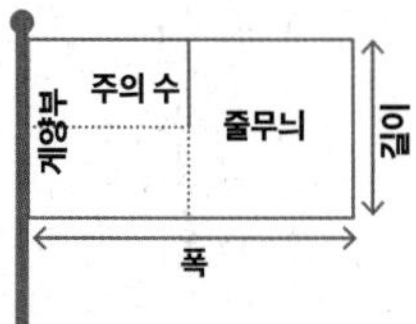

▲ 스카이다이빙 도중 펼쳐진 가장 큰 깃발

2015년 12월 10일, 래리 컴튼(미국)이 카타르 도하에서 스카이다이빙을 하는 도중 1,436.22㎡의 카타르 국기를 펼쳤다. 이 행사는 레크위야가 기획했다. 길이 60.6m, 폭 23.7m로 농구 코트의 3배 크기였다.

▲ 경매에서 가장 비싸게 팔린 국기

미국독립전쟁 깃발이 2006년 6월 14일, 미국 뉴욕 소더비 경매에서 익명의 구매자에게 수수료 포함 1,233만 6,000달러에 판매됐다. 이 국기는 제2 대륙군 경장 용기병대가 사용한 연대기로, 1779년 7월 2일 미국 뉴욕 웨스트체스터 카운티의 파운드 리지 마을에서 영국 기병대 중령 배내스터 탈턴에게 탈취됐다. 탈턴의 후손들이 경매에 내놓은 것으로, 바탕에 붉고 하얀 줄 13개가 사용된 현재 남아 있는 가장 오래된 미국 깃발이다.

▲ 가장 많은 색상이 사용된 국기

UN에 가입한 나라의 국기만 봤을 때, 1994년 4월 27일 가입한 남아프리카 공화국의 국기가 6가지 색으로 가장 많다(휘장 포함). 이 색들은 통합을 상징한다. 빨강, 하양 그리고 파랑은 보어 공화국의 색에서 차용했고 노랑, 검정 그리고 녹색은 아프리카민족회의의 기에서 가져왔다.

▲ 게양된 가장 큰 국기

테니스장 8개보다 넓은 34.3×60m 크기의 멕시코 국기가 2011년 12월 2일, 멕시코 코아우일라 주 피에드라스네그라스에서 정부가 기획한 행사로 게양됐다. 이 거대한 국기를 100m짜리 깃대에 다는 데 40명의 군인이 동원됐다.

▲ 가장 많이 바뀐 국기

새로운 주가 생길 때마다 별을 하나씩 추가하는 미국 국기는 1777년 6월 14일 2차 대륙회의 이래 26번의 수정이 있었다. 위에 보이는 〈성조기의 탄생〉은 헨리 모슬러의 작품이다. 서 있는 여성이 독립전쟁에서 국기를 처음 바느질해 만든 것으로 알려진 베시 로스다. 그녀가 최초인지에 대해서는 아직 논란의 여지가 남아 있다.

▲ 사람이 가장 많이 그려진 국기

벨리즈 국기에는 국가의 벌목 산업을 상징하기 위해 2명의 남자 나무꾼이 마호가니 나무 앞에 서 있는 모습이 그려져 있다. 1981년 9월 21일에 벨리즈가 영국으로부터 해방되며 제작된 이 기는 한가운데 사람의 모습이 그려진 유일한 국기다.

최다 인원으로 형상화한 국기

2014년 12월 7일, 총 4만 3,830명이 참가해 거대한 인도 국기의 모양을 형상화했다. 이 행사는 '인도의 다양성 속의 통합'을 기리기 위해 '로터리 인터내셔널 디스트릭트 3230'과 '뉴스7 타밀'(모두 인도)이 인도 첸나이 YMCA 그라운드 난다남에서 시행했다.

▲ 가장 오래 사용된 국기

빨간 바탕에 하얀색 스칸디나비아 십자가가 그려진 덴마크 국기는 1625년부터 공식적으로 사용되기 시작했고 십자가의 비율은 1748년에 규격화됐다. 덴마크에서는 자국의 국기를 '덴마크의 힘' 또는 '덴마크의 옷'이라고 부른다. 그린란드를 제외한 북유럽의 모든 국가는 국기의 중심이 아닌 일부분에 '북유럽 십자 무늬'를 포함하고 있다.

SOCIETY

패션의 끝 FASHION EXTREMES

매년 전 세계 니트 모자 거래금액은 48억 달러가량이나 된다.

▲ 최고령 남성 모델

모델 겸 배우인 왕 데슌(중국, 1936년생)은 2015년 3월 25일, 79세의 나이에 상체를 모두 드러내고 캣워크를 해 화제가 됐다. 중국 베이징 패션위크에서 후 셰광의 디자인을 선보이는 패션쇼였다. 패션스쿨에서 모델들을 가르치기도 하는 왕 데슌은 하루에 3시간씩 운동을 하며 몸매를 유지했다.

패션 분야에서 가장 부유한 사람

〈포브스〉에 따르면, 패션 브랜드 자라의 회장 아만시오 오르테가(스페인)는 2016년 6월 1일까지 개인 재산이 약 670억 달러라고 한다. 그는 세계에서 2번째로 부유하다. 1975년 첫 번째 자라 매장을 연 오르테가는 현재 7,000개 이상의 매장을 소유한 인디텍스 그룹을 운영하고 있다. **패션 분야에서 가장 부유한 여성**은 화장품 기업 로레알의 대주주 릴리안 베탕쿠르(프랑스)다. 그녀는 2016년 6월 1일까지 361억 달러를 소유하고 있다.(그녀의 아버지가 1909년 로레알을 창업했다.)

가장 비싼 패션쇼

2016년 11월 30일, 연례행사로 열린 빅토리아 시크릿 패션쇼에 약 2,000만 달러의 비용이 들었다. 이 화려한 란제리 쇼는 프랑스 파리의 그랑팔레에서 열렸으며 켄달 제너, 아드리아나 리마를 포함한 모델들이 82가지 의상을 선보였고, 레이디 가가의 라이브 공연도 펼쳐졌다.

가장 비싼 브라

2001년 3월 13일, 빅토리아 시크릿 패션쇼에서 공개한 '헤븐리 스타 브라'는 가격이 1,259만 달러다. 이 속옷은 1,200개의 스리랑카 핑크 사파이어로 장식되어 있으며, 중앙에 있는 에메랄드-컷 다이아몬드는 1,060만 달러의 가치가 있다.

트위터 최다 팔로어를 보유한 패션계 인물

모델이자 리얼리티 TV 스타인 킴 카다시안(미국)은 2017년 3월 24일까지 5,060만 명의 팔로어를 보유했다. 그녀는 소셜 네트워크에 팔로어가 가장 많은 패션계 인물이자, 전체에서도 13번째로 인기가 많은 사람이다.

Q: 모델 지젤 번천이 프로가 되려고 했던 스포츠는?

A: 축구

올해의 모델 상 최다 수상

케이트 모스(영국)는 '올해의 모델' 상을 1996년, 2001년, 2006년에 3회 수상했다. 샤넬, 케빈 클라인, 디올, 구찌의 메인 모델이었으며, 탑샵에서 자신이 디자인한 옷을 선보이기도 했다.

올해의 디자이너 상 최다 수상

알렉산더 맥퀸(영국)은 1996년, 1997년, 2001년, 2003년까지 총 4회 '올해의 디자이너' 상을 받았다. 그가 디자인한 옷들이 2016년 12월까지 명망 있는 시상식에서 10번이나 수상하며 **패션계 최다 수상자**에 올랐다.

〈보그〉에 나온 최고령 모델

보 길버트(영국, 1916년생)는 2016년 5월 영국판 〈보그〉에 100세의 나이로 모델이 됐다. 이는 매거진의 100주년 기념행사로 이루어졌다.

가수 티나 터너(1939년 11월 26일생)는 2013년 4월 발매된 독일판 〈보그〉에서 73세의 나이로 **최고령 〈보그〉 표지 모델**이 됐다.

미국판 〈보그〉 최다 표지모델

배우이자 모델인 로렌 허튼(미국)은 1966년 11월~1999년 11월까지 표지를 26회나 장식했다. 진 쉬림튼(영국)과 카렌 그라함(미국)보다 6회 많다.

패션지 최다 연속 표지모델

지롤라모 판체타(이탈리아)는 일본 남성 패션지 〈레옹〉이 2001년 9월 발간된 이래 2015년 11월 2일까지 모든 표지에 등장했다. 총 170회다.

유튜브 패션/뷰티 최다 구독자를 보유한 스트리머

'유야'로 알려진 마리안드 카스트레욘 카스타네다(멕시코)는 2017년 3월 24일까지 1,788만 3,628명의 구독자를 보유하고 있다. 레이디16메이크업(lady16makeup)으로도 알려진 유야는 2009년에 브이로그(vlog)를 시작했다.

최초의 디자이너 라벨

찰스 프레드릭 워스(1825~1895)는 자신의 작품에 라벨을 남긴 최초의 디자이너로, 살아 있는 모델에게 의상을 입히고 1년에 2번 계절별 컬렉션을 기획한 첫 디자이너다. 영국 링컨셔 출생이며, 1845년 프랑스로 건너가 나폴레옹 3세의 궁정에서 재능을 발휘했다. 1871년에 워스가 고용한 사람만 1,200명이었다.

◀ 연간 수입이 가장 높은 모델(현재)

〈포브스〉에 따르면 지젤 번천(브라질)은 2016년 6월까지 12개월간 3,000만 달러를 벌어들였다. 2015년 캣워크에서 은퇴했지만, 샤넬과 캐롤리나 헤레라 등과의 계약 덕분에 업계 최고의 수익을 올렸다. 통산 약 4억 달러를 번 것으로 추정되는 지젤은 **가장 부유한 모델**이다.

최근에 공개된 자료를 보면, **연간 수입이 가장 높은 남자 모델**은 2013~2014년에 150만 달러의 수입을 올린 션 오프리(미국)다. 션은 베르사체와 H&M의 광고에 등장한다.

판매량이 가장 높은 패션 브랜드

fitbit

판매량이 가장 많은 액티비티 웨어러블 전자기기 브랜드
핏빗(미국)은 2015년 약 1,902만 3,200개의 제품을 판매했다.
(2016년 8월 23일 자료)

SAMSUNG

판매량이 가장 많은 오토노머스 웨어러블 전자기기 기업
삼성전자(대한민국)는 2014년 170만 5,900개의 제품을 판매했다.
(2015년 9월 17일 자료)

판매량이 가장 많은 스마트 웨어러블 전자기기 브랜드
애플워치(미국)는 2015년 약 871만 9,700개가 팔렸다.
(2016년 8월 23일 자료)

H&M

최대 규모 의류 브랜드
패션 아울렛 H&M(스웨덴)은 2016년 약 187억 5,786만 3,800달러의 판매를 기록했다.
(2017년 1월 16일 자료)

최대 규모 신발 브랜드
나이키(미국)는 2015년 약 273억 9,544만 1,700달러의 판매를 기록했다.
(2016년 4월 27일 자료)

speedo

최대 규모 남성 수영용품 브랜드
스피도(영국)는 2015년 약 1억 3,615만 2,200달러의 매출을 기록했다.
(2016년 4월 27일 자료)

SWAROVSKI

최대 규모 럭셔리 보석과 시계 브랜드
스와로브스키(오스트리아)는 2015년 525개의 매장/아울렛을 보유했다.
(2016년 10월 24일 자료)

자료 제공: 유로모니터 인터내셔널 패스포트 데이터베이스

▲ 경매에서 가장 비싸게 팔린 운동화

1989년 영화 〈백 투 더 퓨처 2〉에서 영감을 받아 제작한 신발 '나이키 맥' 한 켤레가 2016년 11월 12일 미국 뉴욕의 '마이클 제이 폭스 재단 모금 행사'에서 20만 달러에 판매됐다. 나이키의 디자이너 팅커 햇필드와 티파니 비어스는 영화 주인공 마티 맥플라이가 신은 것과 똑같이 LED 패널과 자동 끈 조절 장치를 탑재해 신발을 디자인했다.

▲ 경매에서 가장 비싸게 팔린 운동화(중고)

시카고 불스의 농구선수 마이클 조던이 착용하고 사인한 나이키의 농구화 '에어조던 12' 사이즈 13 한 켤레가 2013년 12월, 10만 4,765달러에 판매됐다. 판매자는 1997년 조던이 몸이 아픈 와중에도 38점이나 득점해 팬들이 '플루 게임'으로 회자하는 경기 직후 그에게 신발을 받은 볼 보이였다.

▲ 쓸 수 있는 가장 큰 터번

니항 시크, 메이저 싱(인도) 소유의 터번은 400m 길이의 천으로 만들었으며 무게는 35kg이다. 머리핀이 100개 이상 사용됐고, 철로 제작한 51개의 종교적 상징이 장식돼 있다. 두말라(dumaala)로 알려진 이 둥근 터번은 니항 시크들이 주로 쓰는데, 누가 더 큰 터번을 쓰는지 겨루는 전통이 있다.

▶ 1시간에 맨 가장 많은 터번

2016년 5월 24일, 터번 예술가인 산토쉬 라우트(인도)가 인도 푸네에 있는 '푸네 언론인 재단 홀'에서 129명에게 페타(Pheta) 터번을 맸다. 페타 터번은 결혼식 같은 공식 행사에 주로 매는 터번으로 1개당 8m의 천이 필요하다. 이 기록에 사용된 천은 1km가 넘는다.

▲ 경매에서 팔린 가장 비싼 정장(옷)

2015년 2월 20일, 다이아몬드 남작 랄지브하이 툴시브하이 파텔(인도)이 인도 구자라트 주 수라트에서 열린 경매에서 69만 3,174달러를 주고 정장을 한 벌 구매했다. 이 정장은 인도의 전 총리 나렌드라 모디가 입었던 것으로, 금으로 된 세로줄 무늬는 그의 이름으로 새겨져 있다. 남작은 갠지스 강을 정화하는 프로젝트인 '나마미 갠지' 모금을 위해 열린 경매행사에서 이 정장을 구매했다.

▲ 가장 오래된 바지

2014년 5월, 중국 북서부 신장의 타림 분지에 있는 고대 무덤에서 최소 3300년 전의 것으로 보이는 바지가 발견됐다. 말을 타는 유목민의 것으로 추정되는 이 하의는 양모로 만들어졌으며, 허리를 고정하는 끈과 자수 장식이 있다. 말에 탔을 때 충격을 완화하기 위해 만들어진 최초의 바지로 보인다.

▲ 폭이 가장 넓은 가발

2017년 1월 27일, 배우 드류 베리모어(미국)가 미국 뉴욕에서 촬영한 〈더 투나잇 쇼〉에서 2.23m 폭의 가발을 선보이고 있다. 이 거대한 가발은 캘리 핸슨과 랜디 카파그노 프로덕션 유한회사(둘 다 미국)가 제작했다.

화장실 TOILETS

UN에 따르면 전 세계 70억 인구 중 60억이 휴대전화를 가지고 있는 반면, 화장실을 가진 사람은 45억 명에 불과하다.

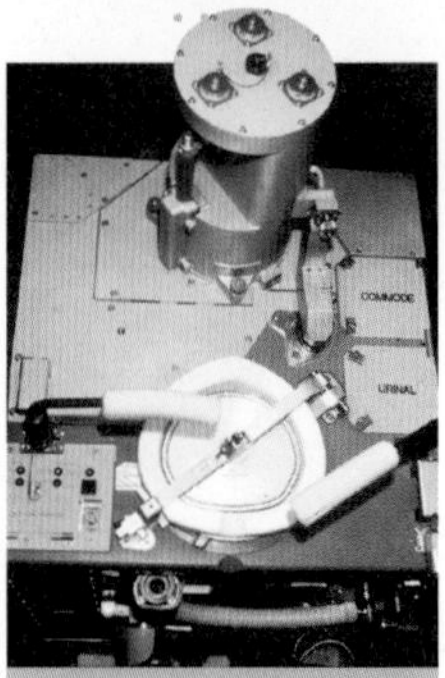

▲ 가장 비싼 화장실 시스템

우주왕복선 인데버 호가 1993년 1월 13일, 궤도에 들어갔는데 그 안에는 신형 남녀공용 화장실 시설이 탑재돼 있었다. 우주선 중앙에 설치된 2,340만 달러짜리 시설에 대해 나사(NASA)는 이렇게 말했다. "완벽한 오물 수집과 처리 시설을… 공중전화 부스 절반의 크기로 만들었습니다."

최초의 수세식 화장실

일반적으로 알려진 것과 달리 최초의 수세식 변기는 토마스 크래퍼(영국, 1836~1910, '크래퍼'는 변소란 뜻으로 쓰임)가 만들지 않았다. 최초의 수세식 기술은 크래퍼가 태어나기 245년 전인 1590년, 영국 엘리자베스 1세 여왕의 대자였던 존 해링턴 경이 고안했다. 해링턴은 자신의 발명품에 '에이잭스(Ajax)'라는 이름을 붙였다가 후에 '제이크스(jakes)'로 바꿨는데 이 단어는 아직도 화장실을 뜻하는 은어로 통한다. 변기의 핸들을 돌리면 물탱크에서 깨끗한 물이 '똥 통'에 흐르면서 밸브가 열려 내용물을 오물 구덩이로 흘려보낸다. 최초의 에이잭스는 서머셋 켈스턴에 있는 해링턴의 집에 만들어졌으며, 1592년에 여왕 폐하를 위해 리치먼드 궁전 침실에 설치됐다.

최초의 수세식 화장실 특허는 1775년 알렉산더 커밍(영국)이 받았다. 스코틀랜드의 시계 제작자이자 기술공인 알렉산더는 S자 형태로 구부러진 배수관을 해링턴의 에이잭스에 추가해, 해로운 하수 가스가 배수관의 구부러진 부분의 고인 물로 막혀 역류하지 못하게 했다. 이렇게 J, U 혹은 S자로 구부러진 배수관은 현재까지 사용된다.

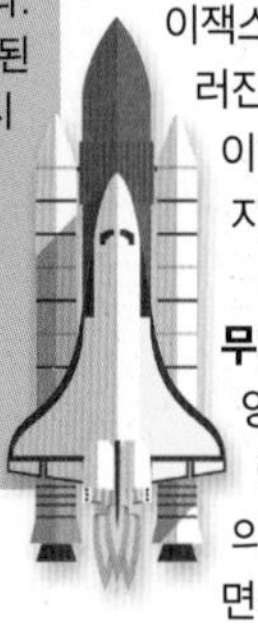

무대에 설치된 최초의 화장실

앙드레 앙트완(프랑스)이 1890년 12월 24일, 프랑스 파리에서 연출한 에드몽 드 공쿠르(프랑스)의 〈불행한 엘리자(La Fille Elisa)〉 1막에 변기와 세면대가 있는 호텔 방이 무대에 그대로 나왔다. 물론 지금은 무대에 변기를 설치해도 처벌받지 않지만 1953년까지만 해도 영국의 의전 장관은 그레이엄 그린의 〈더 리빙룸〉 무대 효과음으로 나는 변기 물 내려가는 소리도 금지했다.

마찬가지로 미국도 영화에 화장실이 나오는 건 적절하지 않다고 여겼다. **할리우드 영화에 수세식 화장실이 처음 나온 영화**는 1960년 앨프레드 히치콕의 슬래셔 영화 〈싸이코〉였다.

2010년 이베이에 《호밀밭의 파수꾼》으로 알려진 소설가 제롬 데이비드 샐린저가 썼던 화장실을 판매하겠다는 글이 올라왔다. "원 상태 그대로 청소하지 않았음." 판매 가격은 100만 달러!

가장 작은 변기 조각상

'치사이 벤조(작은 변소)'는 2005년 SII 나노테크놀로지 사(社)의 다카하시 카이토(일본)가 실리콘을 이온 빔으로 깎아 만들었다. 이 변기는 너무 작아 1만 5,000배 확대해야 눈으로 볼 수 있다. 이 작품의 전자현미경 스캔은 49회 국제 전자, 이온, 광자 빔 기술과 나노기술 콘퍼런스에서 '가장 별난상'을 수상했다.

가장 빠르게 견인된 변기

브루턴 맥클러스키(미국)는 2011년 4월 4일, 미국 조지아 주 세실에 있는 사우스조지아 모터스포츠 파크에서 83.7km/h로 견인되는 변기에 타고 있었다. 이 변기를 차로 견인한 건 브라이언 그리핀(미국)이다.

◀ 변기 모양 제품 최다 수집

우크라이나 키예프의 마리나, 미콜라 보그다넨코는 2015년 10월 19일까지 변기를 주제로 한 각기 다른 특이한 모양의 수집품을 524개나 모았다. 두 사람의 변기 모형 수집에 관한 집착은 1995년 키예프에서 '위생 공학' 사업 운영과 함께 시작됐다.

Q: 매년 화장실에 가다가 다치는 미국인은 몇 명이나 될까?

A: 미국 연방 통계에 따르면 4만 명이다.

변기 의상을 입고 세운 마라톤 최고 기록

마커스 멈포드(영국)는 2014 버진 머니 런던 마라톤에서 변기 의상을 입고 2시간 57분 28초의 기록을 세웠다.

간이 화장실 10개 빨리 넘어뜨리기

필리프 라이히(독일)는 겨우 11.30초 만에 간이 화장실 10개를 넘어뜨렸다. 각각의 화장실은 최소 높이 2m, 폭 1m였고, 이 기록은 2013년 6월 22일 독일 러스트의 유로파 공원에서 세워졌다. 라이히의 도전은 〈독일 최고의 기록을 깨라〉라는 TV 프로그램에서 촬영했다.

1분 동안 손으로 나무 변기 시트 많이 부수기

케빈 셸리(미국)는 2007년 9월 1일, 독일 쾰른에서 기네스 세계기록 무대에 올라 60초 동안 나무 변기 시트 46개를 두 동강 냈다.

변기 시트 3회 빨리 통과하기

일케르 체위크(터키)가 2010년 5월 25일, 터키 이즈미르의 포럼 보르노바에서 열린 〈기네스 세계기록 라이브! 로드쇼〉에 나와 몸을 비틀며 변기 커버를 3회 통과하는 데 걸린 시간은 고작 28.14초였다.

이 유연한 터키인은 그다음 해인 2011년 4월 8일, 이탈리아 밀라노에서 촬영한 〈로 쇼 데 레코드〉라는 TV쇼에 나와 **1분 동안 변기 시트를 9회 통과하며 최다 기록**을 세웠다.

가장 큰 두루마리 화장지

2011년 8월 26일, 차민/프록터앤드갬블 사(미국)는 스쿨버스의 폭보다 지름이 넓은 2.97m짜리 두루마리 휴지를 대중에 공개했다. 이날은 파피로필레스(휴지 애호가)들 사이에서 '휴지의 날'로 알려졌다. 이 두루마리는 일반 롤 9만 5,000개를 만들 수 있는 양으로 미국 오하이오 주 신시내티에 있는 기업 본사에 전시돼 있다. 프록터앤드갬블 사의 공장 관리인 데릭 존슨은 이 휴지 하나면 9만 2,900㎡의 면적을 덮을 수 있는데, 이는 피파 공인 축구장 16개를 합친 넓이라고 말했다.

가장 높은 두루마리 화장지 피라미드

이반 자리프 네투, 하파에우 미가니 몬테이루, 페르난두 가마(모두 브라질)는 2012년 11월 20일, 브라질 상파울루에서 2만 3,821개의 두루마리 화장지로 피라미드를 쌓았다. 최종 높이는 4.1m였다.

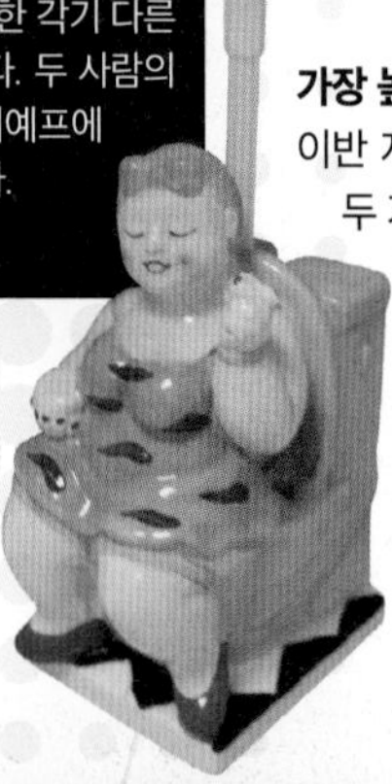

백악관에는 화장실이 **35개** 있다.

3명 중 1명은 제대로 된 화장실을 사용하지 못하고 있다.

앞으로? 뒤로?

화장지 제조사 코트넬이 소비자들에게 화장지를 앞으로 거는지 뒤로 거는지 물었고 결과는 다음과 같다.

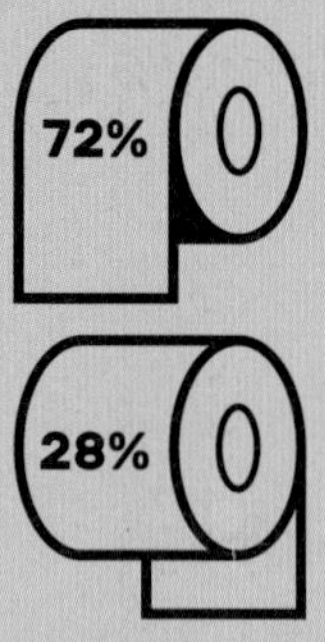

평생 동안 중 변기에 앉아 보내는 시간은 평균 **270일**이다.

4,000

평생 사용하는 두루마리의 숫자로 위로 쌓으면 엠파이어스테이트 빌딩보다 높다.

2만 7,000

그루의 나무가 매일 두루마리 화장지로 만들어지기 위해 잘린다.

▲ 가장 높은 변기 모양 집

이 거대한 7.5m 높이의 변기 모양 집은 '미스터 토일렛'이라 불리는 심재덕 대한민국 전 수원시장이자 세계화장실협회 설립자의 집으로 건축됐다. 넓이 418㎡의 이 집은 건축가 고기웅이 디자인했으며, 세계화장실협회의 첫 총회와 심재덕의 대표 선출에 맞춰 2007년 11월 11일에 완공됐다.

▲ 최초의 화장실 테마파크

화장실을 주제로 한 테마파크는 2012년 7월, 대한민국 수원에서 문을 열었다. 화장실 문화 공원은 심재덕의 소유였던 변기 모양 집(위 왼쪽 참조)을 포함한 그 주위에 조성됐다.

이 공원은 무료입장이며 월 평균 방문객은 2012년 11월 27일까지 1만 명이었다. 공원에는 똥 조각품, 한국 전통 재래식 화장실, 유럽 요강 그리고 마르셀 뒤샹이 1917년에 만든 소변기 조각상 〈샘〉이 있다. 이 공원은 여행 사이트 트립어드바이저에서 2016년 12월 8일, 5점 만점에 4점을 받았다.

▲ 가장 비싼 화장실

보석 사업가 람 사이 윙(중국)은 자신의 홍콩 가게에 350만 달러를 들여 전체를 금과 값비싼 보석으로 두른 화장실을 만들었다. 변기부터 세면기, 변기 솔, 휴지걸이, 거울 틀, 벽에 달린 샹들리에, 벽타일과 문까지 모두 24캐럿 순금으로 제작했다. 하지만 안타깝게도 람의 알현실은 2008년 그가 사망한 뒤 철거됐다.

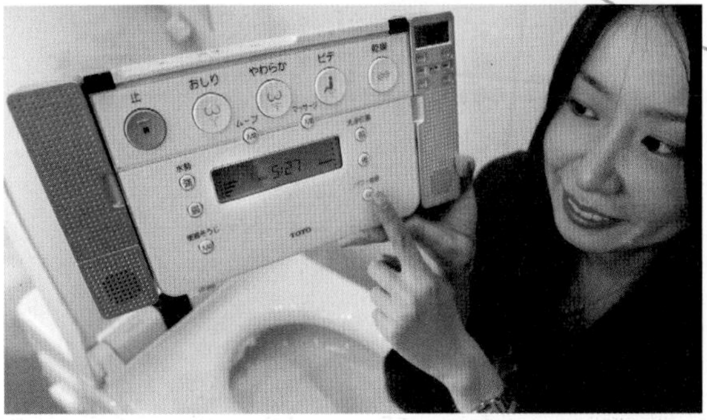

▲ 최다 기능 변기

정가 1만 200달러의 토토 네오레스트는 10가지의 첨단 기술을 보유한 변기로 일반적인 변기에 비해 성능이 월등하다. 뚜껑이 자동으로 올라가고, 시트와 발판 온도를 조절할 수 있으며, 세척과 건조, 환기, 자가 세척 기능을 가지고 있다. 네오레스트는 리모컨으로 조종 가능하고 정전 시에는 수동으로 물을 내릴 수 있다.

▲ 가장 빠른 화장실

'보그 스탠다드'는 욕조, 싱크대, 빨래 바구니 등의 화장실 세트로 뒤덮인 오토바이와 사이드카다. 자동차 애호가인 에드 차이나(영국)가 만들었으며 2011년 3월 10일, 이탈리아 밀라노에서 촬영한 TV쇼 〈로 쇼 데 레코드〉에서 일반에게 선보였다. 최고 속도는 68km/h다.

사회 전반 SOCIETY ROUND-UP

2016년 전 세계의 난민을 모아 하나의 국가를 세우면, 21세기 지구에 존재한 나라 중에 가장 큰 국가가 된다.

▲ 가장 살기 힘든 도시
시리아의 다마스쿠스는 이코노미스트 인텔리전스 유닛(EIU)이 140개 도시를 조사해 선정한 '2016년 살기 좋은 도시 순위'에서 꼴찌를 기록했다. 다마스쿠스는 100점 만점에 30.2점을 받아 35.9를 받은 리비아의 트리폴리보다 낮았다. 이 지수는 도시의 안정성, 보건, 교육, 문화 & 환경, 인프라의 5가지 항목에 근거해 평가한다.
가장 살기 좋은 도시는 호주 멜버른으로 97.5점을 기록했다.

▼

평균 키가 가장 큰 나라
2016년 7월 26일 발간된 국제 학술지 《이라이프》에 따르면 세계에서 남성 평균 키가 가장 큰 나라는 네덜란드로 182.5cm가 넘는다. 여성은 라트비아로 168cm다.
평균 키가 가장 작은 인종은 과테말라의 여성으로 149.4cm다. 남성은 동티모르로, 같은 조사에서 160cm 이하로 나타났다.

남성 대비 여성이 가장 많은 지역
2016년 CIA 월드 팩트북에 따르면 동아프리카의 국가 지부티는 여성 100명당 남성이 84명에 불과하다.
반대로 UAE는 **남초현상이 가장 심한 국가**로, 같은 조사에서 여성 100명당 남성이 218명이나 있는 것으로 나타났다.

가장 오래된 기업 체육대회
멕시코의 '은행 대회'는 1966년부터 매년 열리고 있다. 이 대회는 50년 넘게 은행과 금융기관에 종사하는 근로자 20만 7,000명 이상이 참가한다.

변호사를 가장 오래 한 사람
2016년 5월 31일 기준으로 푸아드 샤하다(팔레스타인)는 팔레스타인 서안지구 라말라에서 66년 187일 동안 전문 변호사로 활동한 기록을 갖고 있다.
언어 선생님을 가장 오래 한 사람은 렌 주용(중국)으로, 55년간 교편을 잡았다. 그는 1959년 국어를 가르치기 시작해 중국 장쑤 성 싱화에서 2014년 8월 30일까지 교직생활을 했다.
밀러드 M 조던(미국)은 **경찰국장을 가장 오래 한 사람**이다. 1962년 시작해 2014년 1월 6일 은퇴할 때까지 조던은 51년 243일을 미국 플로리다 주 로이에서 근무했다. 기록은 2016년 2월 25일 확인됐다.

가장 오래된 통치 가문
일왕 아키히토(1933년 12월 23일생)는 일본의 첫 번째 천황 진무 텐노에 이은 125대 왕이다. 진무 천황은 기원전 660년 2월 11일 즉위한 것으로 알려져 있으나, 실존 여부는 분명하지 않다.

▲ 기대수명이 가장 높은 국가
CIA의 2016년 월드 팩트북에는 모나코 시민의 기대수명이 89.5세로 나온다. 지난번 1위를 기록한 일본은 기대수명 85세로 싱가포르와 함께 2위를 기록했다.
기대수명이 가장 낮은 국가는 아프리카의 차드로 50.2세다. 차드와 기니비사우 공화국만 기대수명이 51세를 넘지 못했다.

최대 규모 사회 발전을 위한 글로벌 개발 프로젝트 대회
멕시코 할리스코 주 과달라하라에서 열린 '테크놀로지 페스티벌 캠퍼스 파티'(멕시코)에 267개 프로젝트가 출품됐다. '교외 지역의 원활한 인터넷 접속'을 주제로 열린 대회의 우승 상금은 5만 4,605달러였다. 이 대회는 긍정적이고 지속 가능한 변화로 사회 발전을 도모하기 위해 열리고 있다.

◀ 우주에서 투표한 최초의 비행사
러시아 우주비행사 유리 오뉴프리앵코(먼 왼쪽)와 유리 우사쵸프(왼쪽)는 1996년 6월 16일 미르 우주정거장에서 프락시를 이용해 지구에서 열린 대선 투표에 참여했다.
다음 해에는 미국에서 우주인 부재자 투표가 연방법으로 허용돼(텍사스 관할), 우주비행사 데이비드 울프(미국, 위)가 미르의 보안 라인을 사용해 투표했다.

가장 높은 고도에서 열린 시상식
람 바하더르 수베디와 푸스카르 네팔(둘 다 네팔)이 2016년 11월 28일 '국내 박스오피스 필름 페어 시상식'을 개최했다. 네팔 영화계의 성과를 축하하기 위해서 열린 이 행사는 해발 4,627m에 위치한 네팔 솔루쿰부에서 열렸다.

가장 높은 순례지
티베트의 가장 서쪽에 있는 카일라스 산의 53km 거리의 순례길은 해발 6,638m에 뻗어 있다. 카일라스는 불교, 자이나교, 힌두교, 원시 종교인 뵌포에서 신령한 산으로 추앙한다. 카일라스 순례 과정에는 반드시 바나사로바 호수를 도는 의식과 딜타푸리 온천 방문이 들어간다.
가장 낮은 순례지는 이스라엘의 고대 도시 예리코(성서 이름은 여리고)로 해수면보다 244m 낮다. 예리코는 **가장 낮은 지역에 위치한 호수**(해수면보다 375m 낮다)인 사해와 가까우며, 기독교와 유대교인들이 많이 찾는다. 본래 요르단 영토인 예리코는 1967년 6일전쟁 때 이스라엘군이 점령한 후 줄곧 이스라엘이 관장하고 있다.

▲ 시민상 최다 수상

츠네지로 코가(일본, 위 왼쪽)는 1982년 11월 7일~2015년 9월 30일까지 시민상을 72번 받았다. 이중 57개의 감수포장(紺綬褒章)은 공익을 위해 개인 재산을 기부한 사람에게 주는 상이다. 그는 또 범죄자의 사회 적응을 돕는 활동으로 법무부에서 메달을 하나 수여 받았으며, 욱일장 메달을 받기도 했다.

최대 규모 리마인드 웨딩

2016년 10월 8일, 미국 미시간 주 캘러머주의 웨스턴 미시간 대학교가 주최한 예식에서 1,201쌍의 커플이 다시 결혼식을 올렸다.

최대 규모 고대 멕시코 춤 의식

2016년 7월 17일, 260명이 멕시칼리와 아즈텍 의상을 입고 멕시코 주 테오티우아칸에 있는 프레-콜롬비안 피라미드 앞에서 함께 춤을 췄다.

유비쿼터스 소비자가 가장 많이 쓰는 물품

전 세계적으로 생산되는 비닐봉지의 수는 조 단위다. 미국에서만 매년 소비자들이 사용하고 버리는 비닐봉지가 1,000억 개에 이른다.

기록된 최초의 블랙 푸딩

피를 이용해 만드는 블랙 푸딩은 기원전 800년경 호메로스의 《오디세이》에 처음 언급된다. 이 그리스 시에는 "지방과 기름으로 채운 소시지를 이리저리 뒤집었다. 음식이 빨리 익기를 바라는 마음뿐이었다"라고 언급된다. 블랙 푸딩은 대개 돼지나 소의 피와 지방, 오트밀, 고기 같은 재료를 섞어 소시지처럼 만든 음식이다.

셀피(셀카)로 인한 사망이 가장 많은 나라

연구논문 〈나, 나 자신과 킬피(Killfie): 셀피 사망의 특징과 예방〉을 보면, 전 세계 셀피로 인한 사망의 59.8%는 인도에서 발생했다. 논문은 2016년 11월 미국 피츠버그에 있는 카네기멜런 대학교의 헤만크 람바(인도/미국) 등이 작성했다. 연구팀은 2014년 3월 이후 세계 언론에 보고된 '킬피(셀피로 인한 사망 사고)' 사건 127건 중에서 76건이 인도에서 일어났다는 사실을 발견했다. 이 기록은 같은 기간 상어의 공격으로 사망한 사람의 수보다 많다.

▲ 민주주의 지수가 가장 높은 국가

EIU는 매년 국가별 민주주의 수준을 평가해 목록으로 만들어 발표한다. 2017년 노르웨이는 10점 만점에 9.93점으로 사상 최고 점수를 기록했으며, 2012년 이후 계속 1위를 차지하고 있다. 2위는 아이슬란드로 9.50점이다.

북한은 10점 만점에 1.08점을 받아 **민주주의 지수가 가장 낮은 국가**에 올랐다. 2010년 이후 항상 같은 점수를 받고 있다.

▲ 감탄사가 가장 많이 들어간 마을 이름

캐나다 퀘벡 주의 한 도시 이름은 '세인트-루이스-두-하!-하!'(인구 1,318명)로 1874년에 지어졌다. 영국 콘월의 '웨스트워드 호!'보다 감탄사가 하나 더 많다. '하!하!'는 프랑스어 '하하(haha)'에서 유래했는데, 통행을 막는 자연 경계 혹은 도랑을 뜻한다. 근처에 테미스쿠아타 호수가 있어 붙여진 지명으로 추측된다.

선거가 가장 많았던 해

2004년에는 전 세계 11억 명이 58번의 대선과 총선에 참여했다. 1월 4일 조지아 대선을 시작으로 12월 26일 우크라이나 대통령 재선거까지 많은 투표가 진행됐다.

▼ 최다 난민(현재)

'세계 난민의 날'인 2016년 6월 20일 유엔난민기구(UNHCR)는 작년 국가 간 충돌과 학대, 인권 유린과 기아 등으로 6,530만 명이 고향을 등지고 떠났다고 발표했다. 이는 전 세계 113명 중의 1명꼴로, 1분마다 24명의 난민이 발생한 것이다. 세계 난민이 6,000만 명이 넘은 건 2차 세계대전 이후 처음이다.

UN의 관리 아래 있는 난민 중의 절반 이상은 시리아, 아프가니스탄 혹은 소말리아 3개국에서 왔다. 여기 사진은 2015년 10월 슬로베니아로 향하는 이주자들의 모습이다.

가장 수입이 많은 HIGHEST-EARNING...

〈포브스〉에서 발표한 2015년 6월 1일~2016년 6월 1일까지 수입이 가장 높은 유명인이다. 여기 나온 사람 중 수입이 가장 적은 사람도 미국의 평균 수입보다 500배 이상을 벌었다. 그리고 가장 부유한 인물은 올해도 변함이 없다.

가장 부유한 사람 869억 달러

빌 게이츠보다 많은 부를 축적한 사람은 없다(윌리엄 H 게이츠III, 미국). 마이크로소프트 사(社)의 공동창립자인 게이츠는 1995~2007년까지, 2009년, 그리고 2014년 이후 지금까지 가장 큰 부자다. 2017년 4월 3일, 기준으로 869억 달러의 자산을 보유하고 있다. 1999년 아내와 빌&멀린다 게이츠 재단을 세워 수백만의 사람이 가난을 극복하는 걸 돕고, 인체면역결핍바이러스(HIV)와 말라리아 등의 질병을 퇴치하는 데 앞장서고 있다.

2,000만 달러 이상

TV 배우(남성) 2,250만 달러

CBS의 시트콤 〈빅뱅이론〉의 주연(셸든 쿠퍼 역)을 맡은 짐 파슨스(미국)는 2,250만 달러의 수입을 올려 2년 연속 수입이 가장 많은 TV 배우에 올랐다.

모델 3,000만 달러

지젤 번천(브라질)은 2016년 6월까지 1년 동안 3,050만 달러를 벌었다. 샤넬의 모델로 올린 수입 외에 화장품과 란제리 사업도 하고 있다. 덕분에 2015년 모델계에서 은퇴했지만 여전히 높은 수입을 올리고 있다.

육상선수 3,250만 달러

우사인 볼트(자메이카)는 **100m와 200m 최고 기록**을 연달아 세우며 수입도 함께 올랐다. 총 3,250만 달러 중 3,000만 달러를 브랜드 모델료로 벌었다. 볼트의 가장 큰 스폰서는 푸마로 1,000만 달러 이상을 지급한다.

발리우드 배우 3,300만 달러

SRK로 부르기도 하는 샤룩 칸(인도)은 2015~2016년에 3,300만 달러를 벌었다. 〈디와나〉(인도, 1992)로 데뷔한 그는 80여 편 이상의 영화에 출연했으며 여전히 〈딜왈레〉(인도, 2015) 같은 영화의 주연배우다.

TV 배우(여성) 4,300만 달러

〈모던 패밀리〉의 배우 소피아 베르가라(콜롬비아)는 약 4,300만 달러를 벌어 5년 연속 가장 많은 수입을 올린 TV 여배우다.

4,500~6,000만 달러

영화배우(여성) 4,600만 달러

〈헝거 게임〉, 〈엑스맨〉 시리즈의 주연으로 잘 알려진 제니퍼 로렌스(미국)는 2015~2016년 약 4,600만 달러를 벌어들였다.

포뮬러 원 드라이버 4,600만 달러

F1 스타 루이스 해밀턴(영국)이 번 4,600만 달러 중에서 4,200만 달러는 경기 상금이다. 해밀턴은 2015년 자신의 3번째 F1 챔피언십을 확정지었다.

리얼리티 TV 스타 5,100만 달러

킴 카다시안 웨스트(미국)는 5,100만 달러를 벌었다. 모바일 게임 〈킴 카다시안: 할리우드〉가 주요 수입원이며, 2015년에만 7,180만 달러를 챙겼다.

풋볼 선수 5,300만 달러

캐롤라이나 팬서스의 쿼터백 캠 뉴턴(미국)은 2016년 6월까지 12개월 동안 5,300만 달러의 수입을 올렸다. 다른 스포츠 스타들과 마찬가지로 뉴턴은 대다수 수입을 연봉과 우승 수당으로 벌어들였다. 모델 수입은 '고작 1,200만 달러다.

셰프 5,400만 달러

〈헬스 키친〉, 〈마스터 셰프 USA〉, 〈고든 램지의 신장개업〉 등의 TV 요리 프로그램으로 잘 알려진 고든 램지(영국)가 약 5,400만 달러를 벌었다.

6,000~7,500만 달러

DJ
6,300만 달러

DJ 켈빈 해리스(본명 애덤 윌스, 영국)가 6,300만 달러의 수입을 올렸다. 해리스는 2년 전부터 수입이 가장 많은 DJ였다.

마술사
6,400만 달러

데이비드 카퍼필드(미국)는 2015~2016년 6,400만 달러를 벌었다. 대다수 수입은 미국 네바다 주 라스베이거스에서 오랫동안 진행 중인 자신의 쇼에서 얻었다.

영화배우(남성)
6,450만 달러

레슬러 출신 배우 드웨인 존슨(미국, 일명 '더 락')은 6,450만 달러를 번 것으로 추정된다. 그는 이 기간에 영화 〈샌 안드레아스〉(미국, 2015)와 디즈니 애니메이션 〈모아나〉(미국, 2016)에 출현해 자신의 재능을 발휘했다.

뮤지션(남성)
7,000만 달러

컨트리 뮤직 스타 가스 브룩스(미국)는 2015년 6월~2016년 6월까지 7,000만 달러의 수입을 올렸다. 컴백 투어로 인해 수입이 많이 올랐는데 2016년 9월이 컴백 3주년이었다.

방송인(여성)
7,500만 달러

배우이자 TV 스타인 엘런 드제너러스(미국)는 2003년부터 자신의 이름을 건 토크쇼를 진행하고 있다. 약 7,500만 달러를 벌었다.

7,500~9,000만 달러

농구선수
7,700만 달러

현 클리블랜드 캐벌리어스 소속의 르브론 제임스(미국)는 약 7,700만 달러를 벌었다. 그의 수입 중 5,400만 달러 정도는 나이키, 코카콜라, 삼성 등 브랜드와 최고 대우로 맺은 모델 계약에서 나왔다.

라디오 진행자
8,500만 달러

'막말꾼' 하워드 스턴(미국)은 8,500만 달러의 수입을 올렸다. 2015년 12월, 스턴은 라디오 방송국 '시리우스 XM'과 5년 계약을 발표했다.

코미디언
8,750만 달러

케빈 하트(미국)는 100회 이상의 라이브 쇼 무대에 섰고, 평균 매출 100만 달러 이상을 올려 연간 수입 8,750만 달러를 기록할 수 있었다.

운동선수
8,800만 달러

운동선수 중 가장 많은 돈을 번 인물은 레알 마드리드의 슈퍼스타 크리스티아누 호날두(포르투갈)다. 〈닥터 필〉과 동률이다. 그의 수입 중 3,200만 달러는 브랜드 계약에서 비롯됐는데, 나이키가 주 계약자다.

방송인(남성)
8,800만 달러

텔레비전 스타 닥터 필 맥그로(미국)는 CBS 토크쇼 〈닥터 필〉로 잘 알려져 있으며 2015~2016년 약 8,800만 달러의 수입을 올렸다.

9,000만 달러 이상

작가
9,500만 달러

2016년 가장 높은 수입을 올린 작가는 제임스 패터슨(미국)으로 연간 약 9,500만 달러를 버는 것으로 추정된다. 스릴러 작가인 패터슨은 **현존하는 수입이 가장 많은 유명인(남성)**이다.

밴드
1억 1,000만 달러

원디렉션(영국/아일랜드)이 약 1억 1,000만 달러의 수입을 올렸다. 대부분은 2015년 '온 더 로드 어게인 투어'에서 비롯됐다. 이 보이밴드는 현재 내부 갈등을 겪고 있다.

CEO
1억 3,119만 달러

존 해머그렌(미국)은 2015~2016년 1억 3,119만 달러를 벌어들였다. 그는 건강관리, 의약 기술과 제약 전문회사 매케슨 사(社)의 대표이자 회장, 전문경영인을 맡고 있다.

유명인
1억 7,000만 달러

팝 아이콘인 테일러 스위프트(미국)는 2014년 이후 앨범을 출시하지 않았지만 '1989 월드투어'로 2억 5,000만 달러의 매출을 올려 1억 7,000만 달러를 벌었다. 2015년에 비해 2배 이상의 수입이다.

유명인(사망)
8억 2,500만 달러

'팝의 황제'의 영향력은 여전하다. 마이클 잭슨(미국, 1958~2009)은 8억 2,500만 달러의 수입을 올렸다. 잭슨은 '가장 돈을 많이 버는 사망한 유명인' 명단에서 언제나 정상을 차지한다.

포스터 다운로드 받는 곳: guinnessworldrecords.com/2018

예술 & 미디어 ARTS & MEDIA

2017년 아카데미 시상식에서 음향감독 케빈 오코넬(미국)이 드디어 처음으로 오스카 상을 받았다. 그는 앞서 20회나 후보에 올랐지만, 결과는 모두 실망스러웠었다.

89회 아카데미 시상식에서 수상자가 적힌 봉투가 바뀌는 바람에 〈라라랜드〉가 작품상에 호명됐다. 원래 수상작은 〈문라이트〉(미국, 2016)였다.

CONTENTS

책 166
TV 168
블록버스터 170
무비 스타 172
스타워즈 174
음악 176
차트 1위 178
예술 & 미디어 전반 180

◀ 아카데미 시상식 최다 후보 지명 영화

영화 〈라라랜드〉(미국, 2016)는 2017년 1월 24일 아카데미 시상식에서 14개 부문에 후보로 지명됐다. 이는 〈이브의 모든 것〉(미국, 1950), 〈타이태닉〉(미국, 1997)과 동률이다.
엠마 스톤과 라이언 고슬링이 주연을 맡은 이 뮤지컬 코미디 로맨스 드라마는 2017년 2월 26일에 열린 제89회 아카데미 시상식에서 6개의 오스카 상을 수상했다. 〈라라랜드〉의 감독 다미엔 차젤레(미국, 왼쪽 사진, 1985년 1월 19일생)는 **최연소 아카데미 감독상**을 받았다. 그는 32세 38일의 나이로 수상해, 1931년 세워진 기록을 깨고 신기록을 세웠다.

책 BOOKS

조지 부시 미국 전 대통령이 회고록으로 번 돈은 그의 애완견 밀리의 자서전 수익보다 적다.

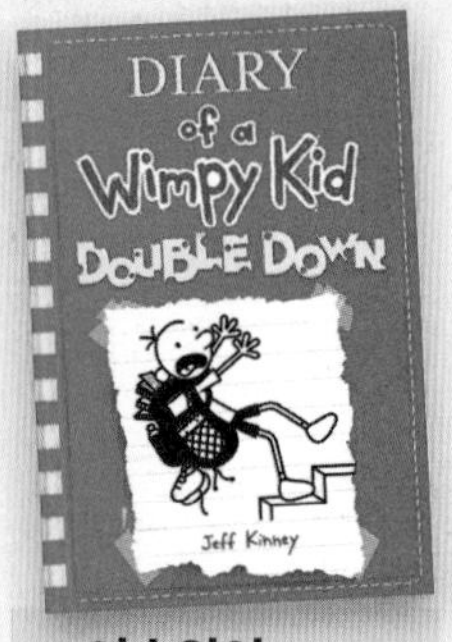

▲연수입이 가장 많은 아동 작가(현재)

2004년 교육용 검색사이트 펀브레인에 등장한 뒤, 《윔피키드의 다이어리》는 11권의 책과 3편의 영화로 세계적인 시리즈물이 됐다. 〈포브스〉는 작가이자 삽화가인 제프 키니(미국)가 2015년 6월~2016년 6월 사이에 약 1,950만 달러를 벌었다고 전했다. 작가인 키니는 다방면에 재능이 많아 게임 디자이너, 배우, 영화감독, 프로듀서 그리고 만화가로도 활동 중이다.

연수입이 가장 많은 작가(현재)

〈포브스〉에 따르면 스릴러 작가 제임스 패터슨(미국)이 2015년 6월~2016년 6월 사이에 9,500만 달러의 수입을 올렸다.

가장 많이 팔린 소설

정확한 판매 자료가 없어 가장 많이 팔린 소설을 단정하기는 어렵다. 찰스 디킨스(영국)가 쓴 《두 도시 이야기》(1859)는 2억 부 이상 판매된 것으로 알려졌다. 총 2부로 출판(1605년, 1615년)된 미구엘 드 세르반테스의 《돈키호테》도 굉장히 많이 팔렸지만 정확한 숫자는 가늠할 수 없다.

최초의 탐정소설

영국국립도서관에 따르면 가장 오래된 탐정물은 찰스 펠릭스(영국)가 쓴 《노팅힐 미스터리》로, 1862~1863년에 〈원스 어 위크〉라는 잡지에 연재됐다.

최초의 범죄소설 전문 여성 작가는 메리 포춘(호주)으로 500편 이상의 탐정 이야기를 집필했다. 그녀의 첫 번째 소설 《죽은 목격자》는 1866년 1월 20일, 〈호주 저널〉에서 발행됐다.

애거서 크리스티의 범죄소설(78작품)은 44개 언어로 번역되어 약 20억 부가 판매됐다. 크리스티는 **소설을 가장 많이 판매한 작가**다.

최초의 오디오북

1935년에 책 전체를 녹음해서 만든 최초의 오디오북이 2016년 11월 캐나다에서 발견됐다. 앨범을 구성하고 있는 4개의 셀락 레코드에는 조셉 콘라드의 1902년 소설 《타이푼》이 녹음돼 있다. 영국 왕립시각장애인협회가 녹음했고, 영국 런던 퀸 마리 대학교의 매튜 루버리가 재발견했다.

가장 비싼 타자기

1952년, 이안 플레밍(영국)은 자신의 첫 번째 소설이자, 비밀요원 제임스 본드가 처음 등장하는《카지노 로열》을 완성한 뒤 도금이 된 타자기를 주문했다. 이 타자기는 1995년 5월 5일, 영국 런던의 크리스티 경매에서 8만 9,473달러에 낙찰됐다.

가장 희귀한 책들을 기부한 사례

2015년 2월, 미국 뉴저지의 프린스턴 대학은 3억 달러 상당의 서적들을 기부 받았다고 발표했다. 미국의 독지가 윌리엄 H 샤이드가 수집한 책으로 여기에는 셰익스피어의 폴리오(초기에 만든 2절판의 대형 책), 오리지널 미국독립선언서 프린트, 바흐와 베토벤, 모차르트의 서명이 들어간 악보가 포함되어 있었다.

1800년에 설립된 미국의회도서관에서는 지금까지 2회의 화재가 발생했는데, 첫 번째는 1814년에 영국군이 지른 방화였다. 이후 1851년 12월 24일의 화재 때는 전체의 3분의 2에 달하는 5만 5,000개의 자료가 소실됐다.

Q: 2차 세계대전 당시 로알드 달은 영국 비밀정보부에서 후에 유명한 작가가 되는 사람과 함께 근무했다. 누구일까?

A: 이언 플레밍

경매에서 가장 비싸게 팔린 삽화

베아트릭스 포터가 1890년대에 수채화로 그린 〈토끼의 크리스마스 파티〉는 2008년 7월 17일, 무명의 영국 수집가에게 57만 9,232달러에 팔렸다. 이 삽화는 베아트릭스 포터의 남동생 버트램이 가지고 있었다.

가장 많은 책에 사인한 사람

비크란트 마하잔(인도)은 2016년 1월 30일, 인도 잠무에서 자신의 책 《고마워요 우주》 6,904권에 연달아 사인했다.

가장 큰 팬픽션 저장소

1998년 10월에 시작된 팬픽션넷(FanFiction.net)에는 이미 나온 책, TV쇼, 영화나 만화를 토대로 만든 팬픽션이 가득하다. 이 사이트에는 200만 명의 유저가 30개 이상의 언어로 800만 페이지의 글을 썼다. 팬픽션으로 유명한 책들로는 《해리 포터》(글 65만 개)와 만화 《나루토》(30만 개)가 있다.

인구 대비 출판 작가가 가장 많은 지역

아이슬란드는 이야기를 전하는 행위가 하나의 전통으로 자리 잡고 있다. 이곳 서점의 판매대에는 중세 영웅들의 이야기부터 스마트폰 오디오북까지 수많은 이야기가 바코드가 붙어 올라와 있다. 아이슬란드 사람들은 평생 10명 중 1명이 책을 출판한다. 2012년 통계를 보면 1,000명당 5권이 출판된 꼴로 **인구 대비 가장 많은 출판 작가**가 있다.

최장기간 연체한 도서관 책

1956년, 교수인 존 플럼 경은 1667~1668년(288년 전)에 영국 케임브리지의 시드니 서식스 대학에서 빌린 《브레멘의 대주교》라는 책을 반납했다. 다행히 플럼 교수는 연체료를 물지 않았다.

에밀리 카넬로스 심스(미국)는 그녀의 엄마가 1955년 4월 미국 일리노이 주의 케와니 공공도서관에서 빌린 시집 《데이즈 앤 디즈》를 반납하며 **역대 최고의 도서관 연체료** 345.14달러를 냈다. 하루 늦을 때마다 2센트의 연체료가 붙은 결과였다.

◀ 가장 큰 도서관

미국 워싱턴 DC의 미국의회도서관은 총 길이 1,348km의 책꽂이에 1억 6,200만 개의 자료가 있다. 3,800만 권의 책과 발행물, 360만 개의 기록물, 1,400만 개의 사진, 550만 개의 지도, 710만 개의 악보 음악, 7,000만 개의 원고가 소장되어 있다.

워싱턴 DC에는 **가장 많은 법률서를 보관하는 도서관**도 있다. 미국 의회 법률도서관에는 외국 법률 자료를 포함한 290만 권의 책이 있다.

가장 큰 책
5×8.06m
(책을 덮었을 때 폭과 높이)

가장 많은 책으로 한 도미노
1만 200
시너스 도미노 엔터테인먼트(독일), 2015년 10월 14일

가장 많은 책으로 한 피라미드
7만 247
페락주립공공도서관코퍼레이션 & 이매지카 Sdn Bhd(모두 말레이시아), 2015년 12월 26일

손가락으로 책을 가장 오래 돌린 시간

44분 20초
히만수 굽타(인도), 2016년 4월 17일

머리 위에 가장 많이 쌓아 올린 책
62
(무게 98.4kg) 존 에번스(영국), 1998년 12월 9일

×1=5권

▶ 최초의 팬픽션

특정 책이나 TV 시리즈의 팬들이 자신이 좋아하는 캐릭터로 새롭게 만든 이야기를 팬픽션이라고 한다. 이 장르의 기원은 1967년 데브라 랑잠, 셔나 코머포드(둘 다 미국)가 만든 〈스타 트렉〉의 팬진(팬잡지) 〈스팍카날리아〉의 데뷔 호다. 〈스타 트렉〉의 원작자 진 로든버리(미국)는 1968년 4월 24일, 팬진의 작가들에게 편지를 써 〈스팍카날리아〉는 "모든 신인 작가와 프로그램 제작에 관련된 사람이 읽어볼 필요가 있다"고 말했다.

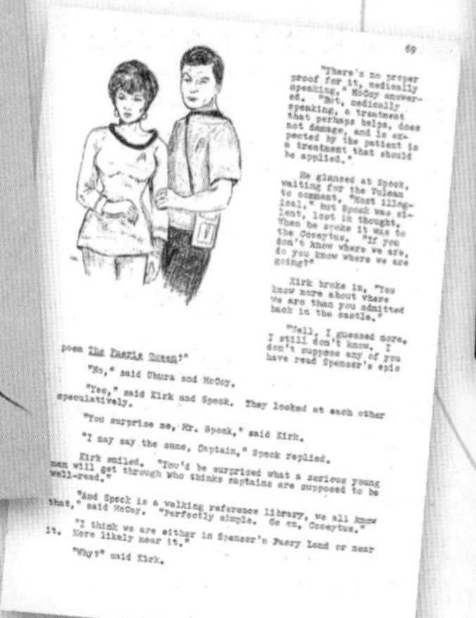

69

"There's no proper proof for it, medically speaking," McCoy answered. "But, medically speaking, a treatment that perhaps helps, does not damage, and is expected by the patient is a treatment that should be applied."

He glanced at Spock, waiting for the Vulcan to comment, "Most illogical," but Spock was silent, lost in thought. When he spoke it was to the Cocytus. "If you don't know where we are, do you know where we are going?"

Kirk broke in, "You know more about where we are than you admitted back in the castle."

"Well, I guessed more. I still don't know. I don't suppose any of you have read Spenser's epic poem The Faerie Queen?"

"No," said Uhura and McCoy.

"Yes," said Kirk and Spock. They looked at each other speculatively.

"You surprise me, Mr. Spock," said Kirk.

"I may say the same, Captain," Spock replied.

Kirk smiled. "You'd be surprised what a serious young man will get through who thinks captains are supposed to be well-read."

"And Spock is a walking reference library, we all know that," said McCoy. "Perfectly simple. Go on, Cocytus."

"I think we are either in Spenser's Faery Land or near it. More likely near it."

"Why?" said Kirk.

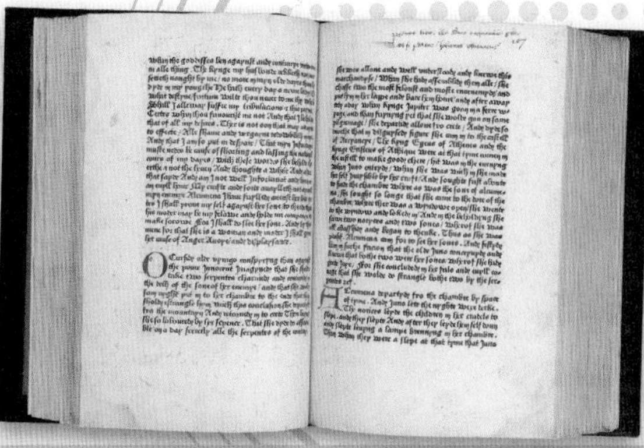

▲ 영어로 발행된 최초의 책

《트로이 역사집》은 대다수 책이 라틴어로 출판되고 영어는 잘 쓰이지 않던 1474년, 윌리엄 캑스턴(영국)이 불어를 영어로 번역한 책이다. 노섬벌랜드 공(영국)의 소유였으나 2014년 7월 15일, 영국 런던의 소더비 경매에서 185만 1,460달러에 팔렸다.

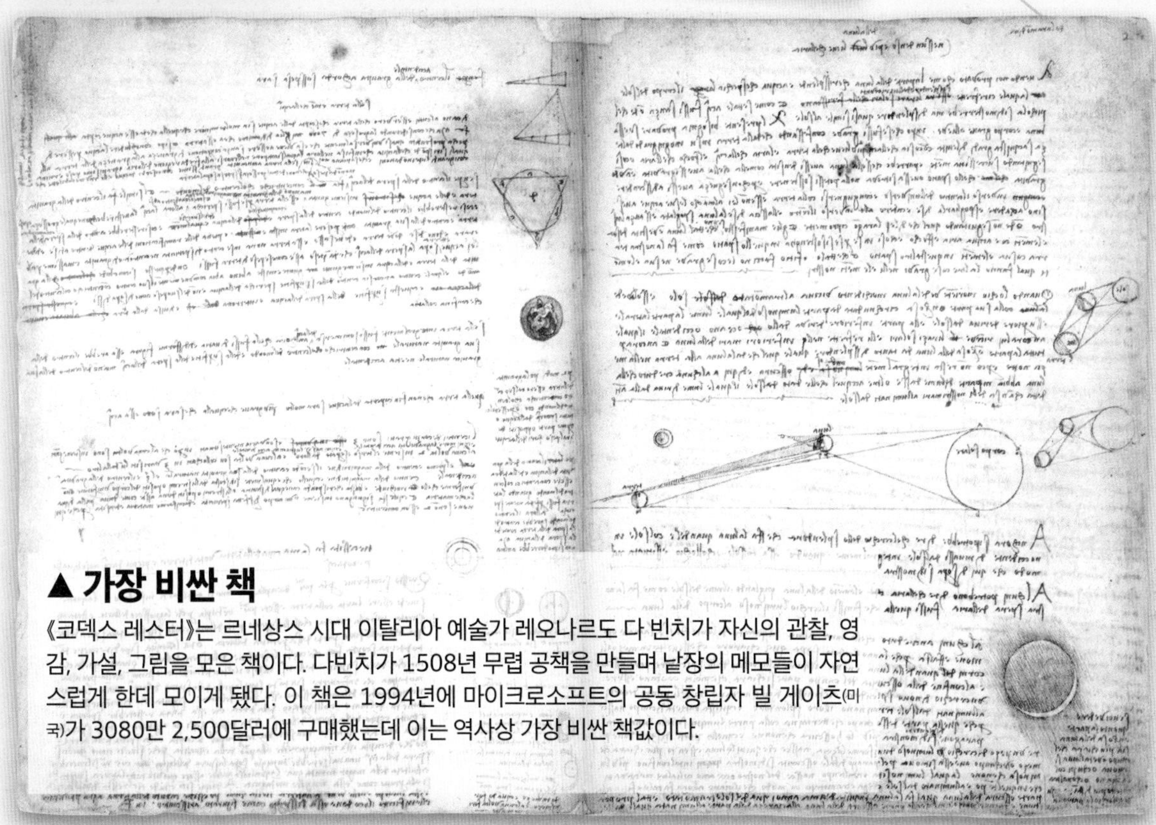

▲ 가장 비싼 책

《코덱스 레스터》는 르네상스 시대 이탈리아 예술가 레오나르도 다 빈치가 자신의 관찰, 영감, 가설, 그림을 모은 책이다. 다빈치가 1508년 무렵 공책을 만들며 낱장의 메모들이 자연스럽게 한데 모이게 됐다. 이 책은 1994년에 마이크로소프트의 공동 창립자 빌 게이츠(미국)가 3080만 2,500달러에 구매했는데 이는 역사상 가장 비싼 책값이다.

▲ 가장 많이 팔린 대본

2016년 7월 31일, 연극공연의 개막과 동시에 출판된《해리 포터와 저주받은 아이》 대본은 2016년 8월 6일까지 전 세계적으로 386만 6,156권이 팔렸다. 닐슨 북스캔에 따르면 시리즈의 작가 조앤 K. 롤링(영국)의 아이디어를 기반으로 쓴 이 대본은 2020년 무렵 어른이 된 마법사 해리 포터와 그의 아들 알버스 세베루스 포터의 이야기가 주를 이룬다고 한다.

▲ 가장 비싼 출판 서적

영국령 북아메리카 최초의 출판 서적은 1640년 매사추세츠만 식민지 거주자들이 만든 《베이 기도서》로 1,700부가 인쇄됐다. 2013년 11월 26일, 미국 사업가 데이비드 루벤슈타인은 현재 남아있는 이 책 11권 중 1권을 미국 뉴욕 소더비 경매에서 1,416만 달러에 구매했다. 루벤슈타인은 구매 당시 책을 도서관에 대여해줄 뜻이 있다고 밝혔다.

▶ 지도가 새겨진 최초의 책

목판 인쇄가 아닌 지도가 새겨진 최초의 책은 1477년 이탈리아 볼로냐에서 제작됐다. 야코포 단젤로 다 스카르페리아(이탈리아)가 코스모그라피아(우주 형상지)를 중세식으로 번역한 그림으로, 원작은 서기 150년 그리스의 이집트 작가 프톨레마이오스가 편집한 지도와 그림책이다. 다 스카르페리아의 책에 있는 26개의 동판화 역시 원작은 유명 예술가 타데오 크리벨리(이탈리아)가 만든 지도다. 1482년 출판된 스카페리아의 번역서는 볼로냐 지역에서 발견된 서적들을 보여주기 위한 수단이었던 것으로 여겨진다.

TV TV

야생 다큐멘터리 〈살아 있는 지구 II〉는 117개의 개별 촬영팀이 2,089일 동안 현장에서 촬영했다.

▲ 가장 인기가 많은 TV 속 슈퍼히어로

패럿 애널리틱스에 따르면 CW의 〈플래시〉는 2016년 하루 '전체 요청 건수'가 310만 건에 달했다. 이는 데이터 연구 회사가 스트리밍 사이트, 소셜 미디어, 그리고 일반 TV를 통해 해당 콘텐츠를 보는 모든 시청자를 계산한 숫자다.
2016년 **가장 인기가 많은 TV 프로그램**은 〈왕좌의 게임〉으로 전 세계 일일 평균 '전체 요청 건수'는 719만 1,848건이다.

프라임타임 에미 상 개인 최다 수상

HBO 다큐멘터리 필름의 사장인 프로듀서 쉐일라 네빈스(미국)는 프라임타임 에미 상을 32번이나 받았다. 그녀는 최근 2016년 〈짐: 더 제임스 폴리 스토리〉로 우수 다큐멘터리 필름메이킹 상을 받았다. 미국 종군기자의 전기를 다룬 작품이다.
네빈스는 **에미 상 개인 최다 후보**를 기록하기도 했는데, 후보에 74회 올라 카메라 감독 헥터 라미레즈(미국)와 동률을 이뤘다.

프라임타임 에미 상 최다 수상 TV 시리즈

NBC의 장수 스케치 코미디 〈세터데이 나이트 라이브(SNL)〉는 2016년 시상식에서 50번째 상을 수상했다. 공동 사회자인 티나 페이와 에이미 포엘러가 코미디-게스트 여자 배우상을 받았다.
〈세터데이 나이트 라이브〉는 총 209회 후보에 올라 **프라임타임 에미 상 후보에 가장 많이 오른 TV 시리즈**로 기록됐다.

에미 상 최다 수상 TV 드라마

2016년 9월 18일, HBO의 판타지 드라마 〈왕좌의 게임〉(미국)은 각본상, 감독상, 작품상을 받으며 지금까지 모두 38번을 수상했다. 이는 **허구를 바탕으로 한 TV 시리즈 중 에미 상 최다 수상 기록**이다.
〈왕좌의 게임〉, 〈보드워크 엠파이어〉 같은 히트작을 기반으로 HBO는 2015년에 **에미 상에 가장 많은 후보를 올린 방송사(한 해)**가 됐다(126개).

해적판이 가장 많은 TV 프로그램

다운로드 모니터링 웹사이트 토렌트프릭에 따르면 〈왕좌의 게임〉은 5년 연속 불법 다운로드가 가장 많이 된 TV 프로그램이라고 한다. 2016년 6월 26일에 방송된 시즌 6의 마지막 회가 그 절정이었는데, 토렌트에 35만 건이 동시에 공유됐다. 2위와 3위는 AMC의 〈워킹 데드〉와 HBO의 〈웨스트 월드〉(둘 다 미국)다.

최장기 TV 스포츠 프로그램과 진행자(1명)

후안 카를로스 타피아 로드리게스(파나마)가 진행하는 파나마의 복싱 프로그램 〈최고의 복싱〉은 2016년 12월 8일까지 41년 334일째 방송되고 있다.

가장 큰 TV는 소니 점보트론 컬러 TV로 24.3×45.7m였다. 이 제품은 1985년 일본 이바라키 현 츠쿠바 시에서 열린 세계 박람회를 위해 제작됐다.

Q: 미국 인디애나 주 호킨스에 세트가 있는 인기 TV쇼는(2016년 시작)?

A: 〈기묘한 이야기〉

연간 수입이 가장 높은 리얼리티 TV 스타

〈포브스〉에 따르면 킴 카다시안 웨스트(미국)는 2015년 6월 1일~2016년 6월 1일까지 5,100만 달러를 벌어들였다. 그녀의 수입 중 40%는 모바일 게임 〈킴 카다시안: 할리우드〉에서 나온 것으로 2015년에만 7,180만 달러의 매출을 올렸다.

역대 가장 높은 연간 수입을 올린 방송인

2009년 6월~2010년 6월까지 오프라 윈프리(미국)는 약 2억 7,500만 달러의 수입을 올렸다. 잡지와 라디오 계약뿐 아니라 프로덕션 회사 하포, '오프라 윈프리 네트워크'를 시작한 덕분이었다.
역대 가장 높은 연간 수입을 올린 방송인(남성)으로는 9,500만 달러로 리얼리티 TV 심사위원 사이먼 코웰(영국)과 라디오 방송인 하워드 스턴(미국)이 2013년 6월까지 12개월간 기록을 유지했다.

가장 많이 방송된 공상과학 TV 시리즈(회차)

〈닥터 후〉는 2017년 4월 29일, 819번째 에피소드가 방송됐다. 1963~1989년까지 오리지널 에피소드가 694회 방송됐고, 2005년부터는 현대극으로 다시 시리즈가 시작됐다. 이 기록에는 특집방송이나 1996년 방송된 TV 영화는 포함하지 않았다.
최연소 닥터 후 배우는 맷 스미스(영국, 1982년 10월 28일생)로 그가 시간 여행자를 연기한 첫 장면이 방영될 당시 나이가 26세였다.
최고령 닥터 후는 윌리엄 하트넬(영국, 1908년 1월 8일생)로 57세의 나이로 주인공 역할을 맡았고, 1973년에는 65세의 나이로 10주년 스페셜에 다시 출연했다.
TV 쇼로 한정했을 때, **닥터 후로 가장 많이 출연한 배우**는 톰 베이커(영국)다. 1974~1981년까지 173개의 에피소드(시즌 12~18)에 출연해, 다른 어떤 배우들보다 작품을 많이 했다. 전직 수도승이었던 베이커는 BBC의 섭외 전화를 받을 당시 건설 현장에서 일하고 있었다.

가장 많은 소설을 파생한 TV쇼

〈닥터 후〉는 원작과 소설을 합치면 600편이 넘으며, 그 외에도 같은 세계관으로 쓰인 작품이 120편 이상 존재한다.

◀ 가장 성공한 공상과학 TV 시리즈

〈스타트렉〉 시리즈가 올린 수익은 2016년까지 약 60억 달러 이상인 것으로 평가된다. 여기에는 광고와 DVD 판매, 책과 비디오게임으로 벌어들인 금액과 영화로 올린 17억 3,000만 달러의 수익이 포함됐다. 오른쪽 사진은 작품 속에서 커트 선장을 연기한 윌리엄 샤트너(왼쪽)가 2016년 10월 7일, 기네스 수석 편집장 크레이그 글렌데이에게 인증서를 받는 모습이다.

작은 화면(텔레비전)과 관련한 상품 많이 모으기

TV와 라디오 세트
1만 60개
(예란 아가르드, 스웨덴)

〈스머프〉 기념품
6,320개
(게르다 P 세어스, 미국)

〈미녀 삼총사〉 기념품
5,569개
(잭 콘던, 미국)

〈심슨네 가족들〉 기념품
2,580개
(카메론 깁스, 호주)

달렉
1,801개
(롭 힐, 영국)

〈스쿠비-두〉 기념품
1,116개
(레베카 핀들레이, 캐나다)

〈세서미 스트리트〉 기념품
942개
(실라 처스텍, 미국)

▲ 제작비가 가장 많이 든 텔레비전 프로그램

넷플릭스가 만든 호화로운 영상의 드라마〈더 크라운〉(2016)은 첫 시즌 10회 제작비가 1억 3,000만 달러로 알려져 있다. 엘리자베스 2세 여왕(클레어 포이 역)의 삶을 1940년대부터 현재까지 회고하는 드라마다. 피터 모건의 2013년 연극 〈디 어디언스〉를 일부 바탕으로, 오스카 수상작 〈더 퀸〉(영국/미국/독일/프랑스, 2006)의 제작팀 다수가 다시 뭉쳤다. 헬렌 미렌이 영화 속 군주를 맡았던 작품이다.

▲ 출연료가 가장 비싼 TV 출연진

2016년 9월 22일까지 미국 TV에 출연하는 출연료가 가장 비싼 남성 배우 4명은 〈빅뱅이론〉의 주연 짐 파슨스(2,550만 달러), 자니 갈렉키(2,400만 달러), 사이몬 헬버그(2,250만 달러, 모두 미국), 쿠널 나이어(인도/미국, 영국 출생, 2,200만 달러)다. 공동 주연인 칼리 쿠오코(미국)는 2,450만 달러로 소피아 베르가라(아래 왼쪽 참조)에 이어 출연료가 2번째로 비싼 여성 TV 스타다. 〈빅뱅이론〉은 배우들의 출연료만 모두 합쳐도 1억 달러를 훌쩍 넘는다.

▲ 현재 출연 중인 연간 최고 수입 TV 여배우

〈모던 패밀리〉의 주연 소피아 베르가라(콜롬비아)는 〈포브스〉에 따르면 2016년 6월 1일까지 12개월간 4,300만 달러를 벌어들여 5년 연속 수입이 가장 높은 TV 여배우에 올랐다. 베르가라는 2014~2015년 약 2,850만 달러를 벌었던 것에 비해 수입이 굉장히 많이 증가했다.

▲ 최장기 TV 진행자

데이비드 아텐버러 경(영국)은 1954년 〈주 퀘스트〉(영국 BBC, 작은사진 위)로 데뷔해 2017년 〈살아 있는 지구 II〉까지, 총 63년째 방송을 진행하고 있다. 동식물 연구가인 그는 영국 아카데미 시상식에서 흑백, 컬러, HD, 3D 프로그램 상을 모두 수상했다.
같은 사회자가 진행한 가장 오래된 TV쇼는 〈더 스카이 앳 나이트〉(영국 BBC)로 천문학자 패트릭 무어 경(영국)이 1957년 첫 방송부터 55년 뒤인 2012년 12월 9일 사망 전까지 진행했다.

▶ 연간 수입이 가장 높은 방송인 (여성, 현재)

TV 스타이자 배우, 자신의 이름을 건 토크 쇼의 진행자인 엘런 드제너러스(미국)는 2016년 6월 1일까지 12개월간 약 7,500만 달러의 수입을 올렸다고 〈포브스〉가 전했다.
연간 수입이 가장 높은 방송인 (남성, 현재)은 8,800만 달러를 번 닥터 필 맥그로(미국)다.

▲ 최초의 가상현실(VR) TV 시리즈(대본 有)

〈인비저블〉은 뉴욕의 초능력을 지닌 영향력 있는 가문, 애슐랜드 집안의 이야기를 담고 있다. 제작자들은 이 작품을 '360도로 가상현실을 느낄 수 있게 제작된 최초의 장편 시리즈'라고 소개했다. 각각의 에피소드는 360° VR 카메라(위 사진, 테이블에 있는 장비)로 촬영해 시청자들이 모든 전경을 감상할 수 있다. 더그 라이만(삽입된 사진)이 공동제작을 맡은 〈인비저블〉의 첫 시즌은 5~6분짜리 에피소드들로 구성되어 있으며, 2016년 삼성 VR 플랫폼을 통해 공개됐다.

▶ 평점이 가장 높은 TV 시리즈(현재)

2016년 10월 26일 첫 회를 시작한 선댄스 TV의 드라마 〈렉티파이 시즌 4〉는 메타크리틱 100점 만점에 99점, 시청자 점수 8.8을 기록하고 있다. 주인공 다니엘 홀던(아덴 영)이 살인 누명을 쓰고 감옥에 가 19년을 보낸 뒤 집으로 돌아와 분투하는 이야기다.
역대 평점이 가장 높았던 TV 시리즈는 〈브레이킹 배트 시즌 5〉(2012)로, 메타크리틱 99점에 시청자 점수 9.6을 기록했다.

〈렉티파이〉는 원래 〈쉴드〉의 월튼 고긴스가 주연을 맡아 AMC에서 방송될 예정이었다. 하지만 자매 채널 선댄스 TV로 옮겨가 방송사 최초의 오리지널 극본 시리즈로 탄생했다.

블록버스터 BLOCKBUSTERS

최초의 여름 블록버스터로 여겨지는 영화는 〈죠스〉다.
시리즈의 첫 번째 영화는 미국과 캐나다에서 2억 달러의 매출을 올렸다.

▲ 가장 비싼 슬레이트
스티븐 스필버그의 영화 〈죠스〉(미국, 1975) 촬영에 사용한 슬레이트는 2016년 9월 27일 영국 런던에서 열린 '프롭 스토어 라이브 옥션'에서 10만 8,875달러에 팔렸다. 이 슬레이트는 영화의 주제에 맞게 '상어의 이빨'을 연상시키는 톱니 모양으로 되어 있다.

가장 짧은 장면들로 구성된 장편영화
79분 59초 길이의 액션 영화 〈디레일드〉(미국, 2002)는 3,007개의 쇼트(영화의 최소 연출 단위)로 이루어져 있다. 배우 장 클로드 반담(벨기에)이 나오는 이 기록적인 영화의 평균 쇼트 길이(ASL)는 1.53초다.
가장 긴 장면으로 구성된 장편영화는 알렉산더 소쿠로프의 〈러시아 방주〉(러시아, 2002)로 전체 91분 26.3초가 하나의 쇼트로 이루어져 있다. ASL 5,486.3초로 서사 영화 중에서 압도적으로 길다.

제작비가 가장 많이 든 발리우드 영화
'로봇 2'로도 알려진 SF 블록버스터 영화 〈2.0〉(인도, 2017)은 제작에 4,410만 달러가 들었다. 주연은 악쉐이 쿠마르(캐나다, 인도 출생)가 맡았다.

박스오피스 최고 성적…

대한민국 영화
연상호 감독의 좀비 재난 영화 〈부산행〉(대한민국)은 2016년 7월 개봉 이후 자국 내 흥행 최고 성적을 경신했다. 더 넘버스(The Numbers)에 따르면 이 영화는 2017년 2월 16일까지 전 세계적으로 9,906만 3,777달러를 벌어들이며 대한민국에서 가장 성공한 영화로 기록됐다.

악당이 없는 영화
2017년 1월까지 역대 흥행 22위에 올라 있는 디즈니/픽사의 영화 〈도리를 찾아서〉(미국, 2016)는 이야기에 '나쁜 놈'이 나오지 않고도 전 세계적으로 10억 달러가 넘는 수익을 올린 최초의 영화다. 더 넘버스에 따르면 이 영화는 2016년 12월 29일까지 10억 2,261만 7,376달러의 매출을 올렸다.

영화사
2016년 12월 19일 언론 보도에 따르면, 월트 디즈니 스튜디오는 한 해 동안 전 세계 박스오피스에서 70억 달러의 수익을 올린 최초의 영화사가 됐다. 디즈니는 2016년 최종 76억 500만 달러의 수익을 올렸으며, 이중 29억 달러는 미국과 캐나다에서, 47억 달러는 전 세계 시장에서 벌어들였다.

최다…

오스카 상 후보가 가장 많이 나온 슈퍼히어로 영화
〈배트맨 대 슈퍼맨: 저스티스의 시작〉(미국, 2016)에는 오스카 상 수상 경력이 있는 4명(벤 에플렉, 제레미 아이언스, 홀리 헌터, 케빈 코스트너)과 오스카 상 후보에 올랐던 5명(에이미 아담스, 제시 아이젠버그, 다이안 레인, 로렌스 피시번, 마이클 섀넌)까지 총 9명이 출현했다. 2017년 1월까지 개봉한 슈퍼히어로 영화 중 가장 많은 숫자다.

Q: '마블 시네마틱 유니버스' 중 가장 긴 영화는?

A: 〈캡틴 아메리카: 시빌 워〉로 상영 시간이 2시간 27분이다.

연간 수익 10위에 가장 많은 영화를 올린 영화사
디즈니는 루카스필름, 픽사, 마블엔터테인먼트의 자회사들이 제작한 영화들, 그리고 디즈니가 배급하는 마블엔터테인먼트의 영화까지 합하면 2016년 최고 성적을 거둔 영화 10편 중 5편을 제작했다. 〈캡틴 아메리카: 시빌 워〉, 〈로그 원: 스타워즈 스토리〉, 〈도리를 찾아서〉, 〈주토피아〉, 〈정글북〉은 모두 디즈니가 출시해, 탑 5를 기록했다.

골든 글로브 최다 수상작
뮤지컬 코미디 드라마 〈라라랜드〉(미국, 2016)는 골든 글로브 7개 부문 후보에 올라 모든 상을 석권했다. 수상 내용은 다음과 같다.
- 작품상 - 뮤지컬 코미디
- 여우주연상(엠마 스톤)
- 남우주연상(라이언 고슬링)
- 감독상(다미엔 차젤레)
- 각본상(다미엔 차젤레)
- 음악상(저스틴 허위츠)
- 주제가상(〈시티 오브 스타즈〉 저스틴 허위츠 곡, 엠마 스톤, 라이언 고슬링 노래)

그래픽으로 만든 최다 엑스트라
영화 〈엑스맨: 아포칼립스〉(미국, 2016)에는 29만 5,000명의 이집트인 행렬 장면이 나오지만, 실제 촬영 현장에는 단 25명의 배우만 있었다. 나머지는 '디지털 시각효과(VFX)'로 만들어냈다.

더 넘버스
더 넘버스는 영화 관련 정보를 담고 있는 최대 규모 데이터베이스로 2만 5,000편 이상의 영화와 12만 5,000명 이상의 영화계 인물들에 관한 숫자가 나와 있다. 1997년 브루스 내시가 만들었으며, 매년 500만 명 이상이 방문하고 있다. 영화팬은 물론이고 주요 제작사, 독립 제작사, 투자자들이 활용하는 이 사이트는 영화의 제작 정보나 개봉 시기도 제공한다. 더 넘버스는 제작사와 배급사에서 수집한 정보, 새로운 기사나 다른 정보를 '오푸스 데이터'라는 데이터베이스에 보관 중이다. 이곳에는 700만 건이 넘는 영화계 정보가 있다.

THE NUMBERS

◀ 시리즈가 가장 많이 출시된 CG 애니메이션
'아이스 에이지'는 2016년 7월 〈아이스 에이지: 지구 대충돌〉(미국)이 출시되며, 컴퓨터 그래픽(CG) 애니메이션 최초로 5편까지 나온 시리즈가 됐다. 영화는 구석기시대 동물 친구들이 모험을 떠나는 이야기다. 블루 스카이 스튜디오가 제작했으며, 시리즈 1편인 〈아이스 에이지〉(미국)는 2002년 개봉했다. 1편을 포함한 3편의 후속작은 그해 개봉한 애니메이션 영화 중 최고 수익을 올렸다. 프랜차이즈 영화사상 가장 큰 성공을 거둔 〈아이스 에이지: 공룡시대〉(미국, 2009)는 더 넘버스에 따르면 2016년 12월 11일까지 전 세계 박스오피스에서 8억 5,970만 1,857달러의 수익을 올렸다.

2016년 최고 수익을 올린 영화 10편

〈캡틴 아메리카: 시빌 워〉(미국)
11억 5,168만 4,349달러

〈로그 원: 스타워즈 스토리〉(미국/영국)
10억 5,044만 1,501달러

〈도리를 찾아서〉(미국)
10억 2,261만 7,376달러

〈주토피아〉(미국)
10억 1,992만 2,983달러

〈정글북〉(미국/영국)
9억 6,390만 1,123달러

〈마이 펫의 이중생활〉(일본/미국)
8억 7,595만 8,308달러

〈배트맨 대 슈퍼맨: 저스티스의 시작〉(미국)
8억 6,816만 194달러

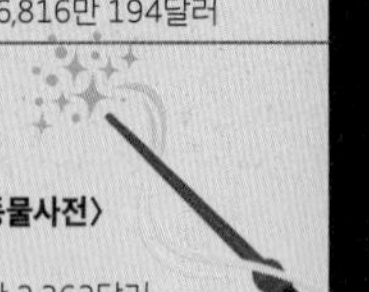

〈신비한 동물사전〉(영국/미국)
8억 470만 2,363달러

〈데드풀〉(미국)
7억 8,377만 709달러

〈수어사이드 스쿼드〉(미국)
7억 4,610만 54달러

1월 1일~12월 31일까지의 기록이며 2017년 3월 13일에 조사했다.

▲ 가장 많이 불법 다운로드된 애니메이션 영화(현재)

토렌트프릭에 따르면 디즈니와 픽사의 〈도리를 찾아서〉(미국, 2016)는 그해 불법 다운로드가 가장 많이 된 애니메이션 영화다. 온라인 다운로드의 횟수는 정확한 파악이 힘들어, 순위만 언급했다. 토렌트프릭은 **가장 많이 불법 다운로드가 된 영화**로 〈데드풀〉(미국, 2016)을 꼽았다.

▲ 발리우드 영화사상 최대 규모 국제 개봉작

발리우드의 메가스타 아미르 칸(인도)의 출연으로 화제가 된 〈당갈〉은 여성 레슬러 가족의 삶을 생생하게 담고 있다. 이 영화는 2016년 12월 21일 개봉한 이후 3일 만에 7개국 박스오피스에서 3,120만 달러를 벌어들였다. 2014년 12월 개봉한 아미르의 코미디 영화 〈PK〉(인도)의 2,880만 달러를 경신했다.

▲ 미국 8월 개봉작 최고 기록

영화 정보 사이트 더 넘버스에 따르면, 2016년 8월 5일 미국 4,255개 극장에서 개봉된 〈수어사이드 스쿼드〉(미국)는 당일에만 6,489만 3,248달러의 수익을 올렸다. 또 개봉 후 3일 동안 미국 내에서 1억 3,368만 2,248달러를 벌어들여 **미국 박스오피스 8월 주말 최고 기록**을 세웠다.

▲ 마블 슈퍼히어로로 가장 많이 출연한 배우

2016년 3월까지 '마블 시네마틱 유니버스(마블 영화 간에 공유하는 세계관)'로 개봉한 14편의 영화에 가장 많이 출연한 사람은 미국 배우 사무엘 L 잭슨(닉 퓨리 역)과 로버트 다우니 주니어(토니 스타크/아이언맨 역)다. 두 명의 스타는 자신의 대표 캐릭터로 마블 영화에 7회나 출연했다.

◀ 수익을 가장 많이 올린 외국어 영화

2016년 2월, 전 세계에 개봉된 주성치의 판타지 모험 영화 〈미인어〉(중국, 2016)는 더 넘버스에 따르면 2016년 6월 9일까지 5억 5,219만 8,479달러를 벌어들였다. 촬영과 최초 개봉이 영어로 진행되지 않은 영화로, **할리우드 영화 외 최고 수익**을 올렸다.

▲프랜차이즈 영화들이 가장 좋은 성적을 올린 해

2016년 최고 성적을 올린 영화 100편 중 총 37편이 시리즈물이거나 외전, 프랜차이즈 작품으로 3년 연속 기록이 경신되고 있다. 최고 수익을 올린 20편 중 13편이 프랜차이즈 영화로, 여기에는 〈쿵푸 팬더 3〉(중국/미국, 위 사진)과 해리 포터의 외전 격인 환상 속 동물들이 나오는 〈신비한 동물사전〉(영국/미국, 위 오른쪽 사진)이 포함되어 있다. 상위 10편 중 6편이 시리즈물 혹은 프랜차이즈 영화다.

▲ 여성 주인공 영화가 가장 좋은 성적을 올린 해

가장 많은 수익을 올린 2016년 개봉작 100편 중에서 여성이 주연을 맡은 영화는 31편이다. 2015년의 20편보다 많은 역대 최고 기록이다. 위 사진부터 시계 방향으로 에이미 아담스, 자넬 모네, 타라지 P. 헨슨, 옥타비아 스펜서, 펠리시티 존스다.

무비 스타 MOVIE STARS

〈포브스〉에 따르면 2016년 가장 많은 수익을 올린 영화배우 10명의 수입을 모두 합하면 4억 7,150만 달러에 이른다.

▲ 오스카 후보에 가장 많이 오른 인물

음향감독 케빈 오코넬은 1984년 〈애정의 조건〉(미국, 1983)을 시작으로 아카데미 시상식에서 오스카 상 후보에 20번이나 올랐지만 단 한 번도 수상하지 못했다. 다행히 2017년 영화 〈핵소 고지〉(미국/호주, 2016)로 앤디 라이트, 로버트 매켄지, 피터 그레이스와 함께 음향믹싱상을 수상했다.

톰 크루즈(미국)는 로버트 다우니 주니어보다 먼저 〈아이언맨〉의 출연 섭외를 받았다. 또 윌 스미스보다 먼저 〈나는 전설이다〉의 주연으로 물망에 오르기도 했다.

카메오 출연으로 가장 많은 수익을 올린 배우

자기 작품을 토대로 한 영화가 매번 박스오피스 기록을 세운다면, 누구라도 그 영화에 얼굴을 내밀고 싶을 것이다. 마블 코믹스의 수장 스탠 리(미국)도 마찬가지다. 그는 〈몰래츠〉(미국, 1995)로 데뷔한 이래 〈닥터 스트레인지〉(미국, 2016)에 이르기까지 영화에 총 36번 카메오 출연을 했다. 더 넘버스 닷컴에 따르면 그가 나온 영화들은 2017년 3월 24일까지 187억 7,770만 2,132달러의 수익을 올렸다.

가장 몸값을 잘한 할리우드 배우(여성)

〈포브스〉에 따르면 할리우드 여배우 중 출연료 대비 영화 성적이 가장 좋았던 사람은 〈어벤저스〉의 스칼렛 요한슨(미국)이다. 그녀는 〈캡틴 아메리카: 시빌 워〉(2016), 〈루시〉(2014)를 포함해 2016년 6월 1일까지 출연한 3편의 영화에서 출연료 1달러당 88.6달러의 수익을 기록했다. **가장 많은 수익을 올린 배우**는 옆 페이지에 나온다.

출연료가 가장 높은 제임스 본드

다니엘 크레이그(영국)는 영화 〈007 스펙터〉(영국/미국, 2015)에서 제임스 본드를 연기하는 대가로 약 3,900만 달러를 받았다. 그는 물가 상승을 고려하더라도 역대 가장 높은 출연료를 받은 제임스 본드다.

또 〈007 스펙터〉에서 크레이그가 입은 의상과 액세서리의 가격을 모두 합치면 최소 5만 6,220달러 이상으로, **의상에 가장 돈이 많이 든 영화 캐릭터**이기도 하다.

숀 코네리와 로저 무어(둘 다 영국)는 영국의 비밀요원 007을 7번씩 연기해 **제임스 본드를 가장 많이 연기한 배우**에 올랐다. 코네리는 최초의 본드 영화 〈007 살인번호〉(영국, 1962)부터 출연했고, 무어는 〈007 죽느냐 사느냐〉(영국, 1973)에서 처음 본드를 연기했다.

제스퍼 크리스텐슨(덴마크)은 007 영화 3편에서 같은 악당을 연기한 최초의 배우로, **본드 시리즈에 가장 많이 출연한 악당**에 올랐다. 크리스텐슨이 연기한 '미스터 화이트'는 〈007 카지노 로열〉(영국/미국/체코/독일/이탈리아, 2006), 〈007 퀀텀 오브 솔러스〉(영국/미국, 2008), 〈007 스펙터〉에 등장한다.

최고 흥행 영화에 출연한 최고령, 최고 출연료 배우

해리슨 포드(미국, 1942년 7월 13일생)는 2015년 12월 16일 〈스타워즈 Ⅶ: 깨어난 포스〉(미국)가 개봉했을 때 나이가 73세 156일이었다. 이 엄청난 스페이스 오페라는 2016년 6월 2일까지 전 세계 박스오피스에서 20억 5,866만 2,225달러의 수익을 올렸다.

Q: 마블 시네마틱 유니버스 최초의 영화는?

A: 〈아이언맨〉(미국, 2008)

최고령 배트맨

벤 애플렉(미국, 1972년 8월 15일생)은 2016년 3월 25일 영화 〈배트맨 대 슈퍼맨: 저스티스의 시작〉(미국)이 개봉할 당시 43세 223일로 영화 속 배트맨을 연기한 최고령 배우가 됐다. 벤에 근접한 라이벌은 마이클 키튼(미국, 1951년 9월 5일생)으로, 1992년 6월 19일 그가 배트 슈트를 입고 찍은 영화 〈배트맨 2〉(미국/영국)가 개봉했을 때 나이가 40세 288일이었다.

최다…

디즈니 영화 한 해 출연 횟수

이드리스 엘바(영국)는 〈도리를 찾아서〉의 플루크, 〈주토피아〉의 보고 서장, 〈정글북〉(모두 미국, 2016)의 벵골호랑이 시어 칸의 목소리를 연기했다.

영화 속 늑대인간

파울 나스치(스페인)는 '프랑켄슈타인의 피의 복수'로도 알려진 영화 〈마크 오브 더 울프맨〉(스페인, 1968)에서 처음으로 '늑대인간' 역할을 맡았다. 그는 그 후 40년 동안 14편의 영화에서 늑대인간을 연기했다. 여기에는 광기어린 캐릭터 월더머 다닌스키로 명성을 드높인 〈늑대인간과 예티〉(스페인, 1975)와 일본 영화 〈괴물과 마법의 검〉(스페인/일본, 1982), 남아메리카 영화이자 마지막 늑대인간 연기를 선보인 〈아마존의 늑대인간〉(브라질, 2005)이 포함돼 있다.

오스카 수상자가 가장 많이 출연한 영화

로버트 알트만 감독의 〈플레이어〉(미국, 1992)에는 23명의 오스카 상 후보 지명자들이 등장한다. 이중 13명이 오스카 상을 수상했다(팀 로빈스, 우피 골드버그, 시드니 폴락, 셰어, 제임스 코번, 조엘 그레이, 잭 레먼, 마리 매트린, 줄리아 로버츠, 수잔 서랜든, 로드 스테이거, 루이즈 플레처, 안젤리카 휴스턴). 다른 10명은 후보에만 올랐다(딘 스톡웰, 카렌 블랙, 게리 부시, 피터 포크, 샐리 켈러먼, 샐리 커클랜드, 버트 레이놀즈, 릴리 톰린, 테리 가, 닐 놀테).

◀▶ 가장 큰 수익을 올린 영화배우(역대)

〈포브스〉에 따르면 영화배우가 한 해 기록한 가장 큰 수익은 8,000만 달러다. 최초로 달성한 건 윌 스미스(미국, 오른쪽)로 2007~2008년 영화 〈나는 전설이다〉(미국, 2007)와 〈핸콕〉(미국, 2008)이 연달아 성공하며 8,000만 달러의 수익을 달성했다. 아이언맨의 로버트 다우니 주니어(미국, 왼쪽)는 2014~2015년 〈어벤저스: 에이지 오브 울트론〉(미국, 2015)이 개봉하며 같은 수익을 올렸다.

더 넘버스 닷컴의 수익 자료에 따라, 최고의 블록버스터를 제작하는 데 필요한 요소들을 나열해봤다.

주연배우
톰 행크스(미국)
92억 8,373만 3,292달러

주연배우(여성)
엠마 왓슨(영국)
77억 8,785만 2,895달러

조연배우
워윅 데이비스(영국)
132억 5,445만 305달러

조연배우(여성)
셔리 린(미국)
79억 1,873만 8,027달러

감독
스티븐 스필버그(미국)
97억 5,548만 7,265달러

제작자
케빈 파이기(미국)
108억 9,616만 7,397달러

촬영 감독
앤드루 레즈니(호주)
79억 6,020만 2,614달러

각본가
스티브 클로브스(미국)
75억 7,552만 5,594달러

작곡가
한스 짐머(독일)
263억 3,953만 9,415달러

자료: 더 넘버스 닷컴

▲ 가장 몸값을 잘한 할리우드 배우

〈포브스〉에 따르면 2년 연속 할리우드에서 출연료 대비 영화 성적이 가장 좋은 배우는 〈캡틴 아메리카〉의 크리스 에반스(미국)다. 그는 2016년 6월 1일까지 〈캡틴 아메리카: 시빌 워〉(미국, 2016)를 포함한 최근 3편의 영화에서 출연료 1달러당 135.80달러의 수익을 낸 것으로 드러났다.

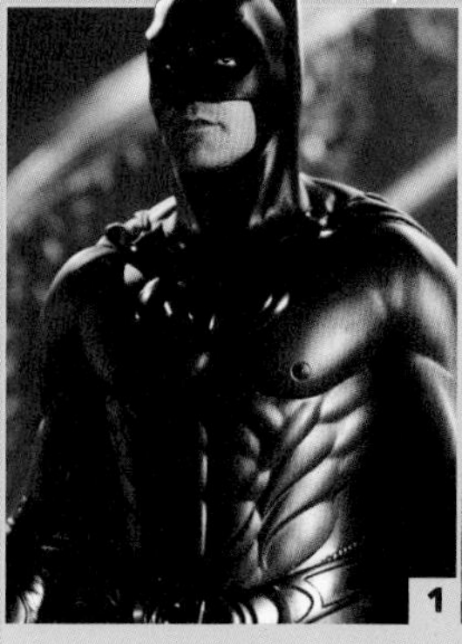

▲ 오스카 수상자들이 가장 많이 연기한 슈퍼히어로

지금까지 출시된 배트맨 영화 10편에서 3명의 오스카 수상자들이 배트맨을 연기했다. **1.** 조지 클루니(미국; 〈배트맨 4-배트맨 & 로빈〉[미국/영국, 1997])는 영화 〈시리아나〉(미국/UAE, 2005)로 남우조연상을 수상했다. **2.** 벤 애플렉(미국; 〈배트맨 대 슈퍼맨: 저스티스의 시작〉[미국, 2016])은 〈굿 윌 헌팅〉(미국, 1997)으로 각본상, 〈아르고〉(미국, 2012)로 작품상을 받았다. **3.** 크리스찬 베일(영국; 〈배트맨 비긴즈〉[미국/영국, 2005], 〈다크 나이트〉[미국/영국, 2008], 〈다크 나이트 라이즈〉[미국/영국, 2012])은 〈파이터〉(미국, 2010)로 남우조연상을 받았다.

▲ 골든 글로브 최다 수상자

메릴 스트립(미국)은 골든 글로브 시상식에서 1980년, 1982~1983년, 2003~2004년, 2007년, 2010년, 2012년 수상했다. 〈크레이머 대 크레이머〉(미국, 1979)로 받은 여우조연상이 최초였으며 가장 최근에는 〈철의 여인〉(영국/프랑스, 2011)으로 여우주연상을 수상했다. 또 그녀는 2017년 '엔터테인먼트계에 기여한 점'을 인정받아 세실 B 데밀상(공로상)을 받았다. 그녀는 후보에 총 30회 올라 골든 **글로브 후보에 가장 많이 오른 배우**이기도 하다.

▶ 마블 영화 최연소 주연

톰 홀랜드(영국, 1996년 6월 1일생)는 〈스파이더맨: 홈커밍〉의 촬영을 마쳤을 당시 나이가 고작 20세 123일이었다. 9페이지에 톰과 기네스 세계기록 팀이 나눈 인터뷰를 참조하길 바란다.

▶ 연간 수익을 가장 많이 올린 배우 (여성, 현재)

〈포브스〉에 따르면 제니퍼 로렌스(미국)는 2015년 6월~2016년 6월까지 세전 4,600만 달러를 벌어들였다. 제니퍼는 '헝거 게임'과 '엑스맨' 시리즈의 개봉으로 2년 연속 수익이 가장 높은 여배우가 됐다. 2015~2016년 2위를 차지한 여배우는 〈고스트버스터즈〉의 주연 멜리사 매카시(미국)로 세전 3,300만 달러를 벌었다.

▼ 가장 많은 수익을 올린 영화배우(현재)

전 프로레슬러 드웨인 존슨(미국, 별명 '더 락')은 〈포브스〉에 따르면 2015년 6월~2016년 6월까지 약 6,450만 달러를 벌어들였다. 그는 디즈니 영화 〈모아나〉(미국, 2016)에서 '마우이'의 목소리 연기를 한 것 외에도 여러 히트작에 출연했다. 2015~2016년 2번째로 수입이 높은 배우는 6,100만 달러를 번 성룡(중국)이며, 3번째는 5,500만 달러의 맷 데이먼(미국)이다.

마우이는 자신의 거대한 낚싯바늘 모양 무기만 가지고 있으면 마음대로 변신할 수 있다. 영화 속에서 그는 〈겨울왕국〉(미국, 2013)에 나오는 순록 '스벤'으로 변신하기도 하는데 둘 다 디즈니의 작품이다.

스타워즈 STAR WARS

미국 박스오피스에서 가장 많은 수익을 올린 영화 10편 중 4편이 〈스타워즈〉다. 모두 합쳐서 24억 달러를 벌어들였다.

▲ 가장 많이 팔린 스타워즈 비디오게임
〈레고 스타워즈: 컴플리트 사가〉(2007)는 2017년 2월 23일까지 1,529만 달러의 수익을 올렸다. 이 엄청난 판매를 기록한 비디오게임은 2개의 전작, 〈레고 스타워즈: 더 비디오게임〉(2005)과 〈레고 스타워즈 II : 디 오리지널 트릴로지〉(2006)를 집약한 편이라고 할 수 있다.

▲ 최대 규모 레고 스타워즈
(블록 수 기준, 지지대 있음)
2013년 5월, 레고 사(社)는 미국 뉴욕 타임스퀘어에 레고 블록 533만 5,200개로 만든 1:1 실물 크기의 〈X-윙 스타파이터〉를 공개했다. 제작하는 데 1년이 걸린 이 작품은 내부에 강철 지지대를 사용했다.

◀ 가장 가치가 높은 영화 시리즈
〈포춘〉에 따르면, 2016년 12월 24일까지 스타워즈 프랜차이즈의 가치는 410억 달러를 기록했다. 이중 시리즈로 이어지는 8편의 영화가 올린 수익은 전체 수익 중 5분의 1에 지나지 않는다. 나머지 수익은 홈 비디오와 디지털 판매, 장난감, 기념품, 책, 게임, 지적 재산권으로 발생했다.

기네스 세계기록에서 지금까지 나온 〈스타워즈〉 영화의 전 세계 박스오피스 기록을 정리해 봤다.

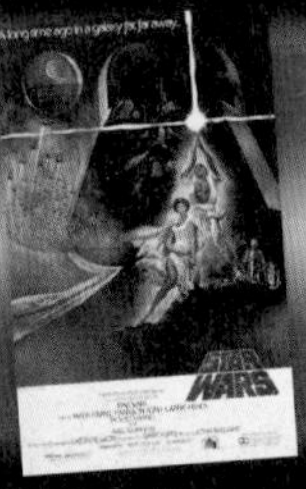

〈스타워즈: 에피소드 4 - 새로운 희망〉
개봉일: 1977년 5월 25일(미국)
박스오피스 기록: 7억 8,659만 8,007달러

〈스타워즈: 에피소드 5 - 제국의 역습〉
개봉일: 1980년 5월 21일(미국)
박스오피스 기록: 5억 3,417만 1,960달러

〈스타워즈: 에피소드 6 - 제다이의 귀환〉
개봉일: 1983년 5월 25일(미국)
박스오피스 기록: 5억 7,270만 5,079달러

〈스타워즈: 에피소드 1 - 보이지 않는 위험〉
개봉일: 1999년 5월 19일(미국)
박스오피스 기록: 10억 2,704만 4,677달러

박스오피스 최고 수익을 올린 공상과학 영화 시리즈
더 넘버스에 따르면 스타워즈 영화 시리즈는 2017년 1월 16일까지 전 세계 박스오피스에서 74억 5,607만 6,338달러의 수익을 올렸다.
이중 가장 성적이 좋은 스타워즈 영화는 〈스타워즈: 깨어난 포스〉로 전 세계에서 20억 5,866만 2,225달러를 벌어들였다. 이 영화는 **최단 기간에 1억 달러 수익을 올리는 기록**을 세웠는데, 걸린 시간은 고작 12일이다(전 세계 개봉일인 2015년 12월 16~27일까지). 2015년 영화 〈쥬라기 월드〉가 세운 이전 최고 기록 13일을 하루 앞당겼다.

스타워즈 영화 최다 출연
안소니 다니엘스(영국)는 스타워즈 영화 시리즈에 프로토콜 드로이드 'C-3PO'로 8번 모두 출연했다. 〈로그 원: 스타워즈 스토리〉에는 카메오로 잠깐 출연했고, 2017년 개봉 예정인 〈스타워즈: 더 라스트 제다이〉에도 출연할 것으로 팬들은 기대하고 있다.

오스카 후보에 가장 많이 오른 스타워즈 영화
〈스타워즈: 에피소드 4 - 새로운 희망〉은 아카데미 상 10개 부문 후보에 올라 6개를 수상했다. 미술상, 의상상, 음악상, 음향상, 편집상, 시각효과상이다.
오스카 후보에 가장 적게 오른 스타워즈 영화는 〈스타워즈: 에피소드 2 - 클론의 습격〉(시각효과상)과 〈스타워즈: 에피소드 3 - 시스의 복수〉(분장상)로 각각 1개 부문에 후보로 올라 모두 수상에 실패했다.

미니어처가 가장 많이 사용된 스타워즈 장면
〈스타워즈: 에피소드 1 - 보이지 않는 위험〉 속 모스 에스파 포드레이싱 장면에 대경기장을 가득 메운 45만 관중은 손으로 색칠한 면봉들이다.

시각효과가 가장 많이 사용된 스타워즈 영화
〈스타워즈: 에피소드 2 - 클론의 습격〉과 〈스타워즈: 에피소드 3 - 시스의 복수〉는 각각 2,200개의 시각효과(VFX)가 사용됐다. 아이러니하게도 후자는 지금까지 나온 스타워즈 시리즈 중 유일하게 오스카 시각효과상 후보에 오르지 못한 작품이다.

Q: 스타워즈 영화를 맡았던 최연소 감독은?

A: 조지 루카스(33세 11일)

가장 많은 배우가 연기한 스타워즈 캐릭터
다스 베이더/아나킨 스카이워커는 10명의 배우가 연기했다. 한 배우가 목소리를 연기하면, 다른 배우는 스크린에 나오는 모습을 연기했다. 먼저 소개할 2명은 데이비드 프로우즈(영국, 에피소드 4~6)와 제임스 얼 존스(미국, 베이더의 목소리, 에피소드 4~6, 로그 원에 참여했고 에피소드 3에도 나왔다는 이야기가 있다)다. 스턴트 코디네이터 밥 앤더슨은 에피소드 4에서 베이더의 옷을 입었고, 이후 두 편에 더 출연했다. 다른 배우들로는 세바스티언 쇼(영국, 에피소드 6), C 앤드루

▲ 최고 수익을 올린 여성이 주인공인 라이브 액션 영화
펠리시티 존스(영국)가 극중 가장 비중이 높은 '진 어소' 역을 맡은 〈로그 원: 스타워즈 스토리〉는 2017년 4월 12일까지 전 세계에서 10억 5,078만 9,328달러의 수익을 올렸다. 이는 제니퍼 로렌스가 '캣니스 에버딘' 역을 맡아 8억 6,400만 달러의 흥행수익을 올린 〈헝거게임: 캣칭 파이어〉를 뛰어넘는 기록이다.

▶ 최대 규모 스타워즈 코스튬 단체
1997년 앨빈 존슨(미국)이 '스톰트루퍼 팬클럽'으로 창단한 '501st 군단(Legion)'은 2017년 4월 26일까지 1만 1,019명의 회원을 보유하고 있다. 현재는 모든 은하제국의 동맹과 더불어 현상금 사냥꾼들, '제국의 거주자'도 자유롭게 합류할 수 있다. 이 모임의 지침서에는 이렇게 쓰여 있다. "코스튬을 입음으로써 스타워즈 영화를 찬양한다. 의상과 소품의 질을 향상시키고 지역 사회에 이바지한다."

◀ 스타워즈 기념품 수집 최고 기록
스티브 샌스윗(미국)은 미국 캘리포니아 주 북부 란초 오비-완에 약 50만 개의 스타워즈 아이템을 소장하고 있다. 하지만 이중 정확하게 확인되고 분류된 건 2017년 1월 14일까지 '겨우' 13만 1,000개에 불과하다. 그런데도 이전 기록을 6배나 뛰어넘는 수이며, 샌스윗의 수집품은 여전히 늘어나고 있다.

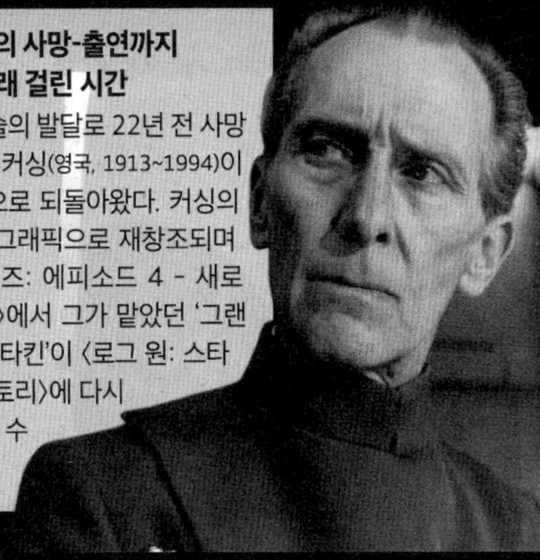

▶ 배우의 사망-출연까지 가장 오래 걸린 시간
CGI 기술의 발달로 22년 전 사망한 피터 커싱(영국, 1913~1994)이 스크린으로 되돌아왔다. 커싱의 모습이 그래픽으로 재창조되며 〈스타워즈: 에피소드 4 - 새로운 희망〉에서 그가 맡았던 '그랜드 모프 타킨'이 〈로그 원: 스타워즈 스토리〉에 다시 등장할 수 있었다.

〈스타워즈: 에피소드 2 클론의 습격〉
개봉일: 2002년 5월 16일(미국)
박스오피스 기록: 6억 5,669만 5,615달러

〈스타워즈: 에피소드 3 - 시스의 복수〉
개봉일: 2005년 5월 19일(미국)
박스오피스 기록: 8억 4,899만 8,877달러

〈스타워즈: 깨어난 포스〉
개봉일: 2015년 12월 18일(미국)
박스오피스 기록: 20억 5,866만 2,225달러

〈로그 원: 스타워즈 스토리〉
개봉일: 2016년 12월 16일(미국/영국)
박스오피스 기록: 10억 5,078만 9,328달러

〈스타워즈: 더 라스트 제다이〉
개봉 예정일: 2017년 12월 15일(미국)

넬슨(미국, 1997 에피소드 5 스페셜 에디션), 헤이든 크리스텐슨(캐나다, 에피소드 2~3), 스턴트맨 진 브라이언트(미국, 에피소드 3), 스펜서 와일딩과 스턴트맨 다니엘 내프로우스(둘 다 영국, 로그 원)가 있다.

가장 비싼 스타워즈 기념품(스크린 밖 아이템)
조지 루카스가 1976년 〈스타워즈: 에피소드 4 - 새로운 희망〉의 프린서플 포토그래피 촬영에 사용한 파나비전 PSR 35mm 카메라가 2011년 12월 경매회사 프로파일즈인히스토리에서 경매 수수료 포함 62만 5,000달러에 판매됐다. 카메라는 영화에서 레아 공주를 연기한 캐리 피셔의 어머니, 여배우 데비 레이놀즈가 소유했었다.

가장 비싼 스타워즈 기념품(스크린 속 아이템)
〈스타워즈: 에피소드 4 - 새로운 희망〉 시작 장면에서 제국의 스타 디스트로이어에게 쫓기던 '레벨 블럭케이드 러너 십'의 모형이 2015년 10월 1일, 미국 캘리포니아 주 칼라바사스에 있는 프로파일즈인히스토리에서 경매 수수료 포함 45만 달러에 판매됐다. 이 40cm 크기의 미니어처는 영화의 수석 모델 제작자이자 미니어처, 광학 효과 소품을 담당한 그랜트 매큔이 소장하고 있었다.

가장 비싼 스타워즈 액션 피겨
1980년 〈스타워즈: 에피소드 5 - 제국의 역습〉과 함께 출시된 프랑스판 보바펫 피겨가 2016년 7월 19일, 영국의 경매장 벡티스에서 3만 4,491달러에 팔렸다.

가장 많은 레고 테마 세트가 나온 프랜차이즈
2016년에 구매가 가능한 레고 '스타워즈' 세트는 46개로, 블록을 모두 합치면 2만 개가 넘고 가격은 합계 2,400달러에 이른다. 여기에 한정판 세트, 잡지나 책에 부록으로 나오는 미니 피겨, 증정품, 홍보용 상품까지 모두 합치면 67개에 달한다.

가장 빨리 개봉한 후속작
2016년 12월 16일 전 세계에 개봉한 〈로그 원: 스타워즈 스토리〉는 2015년 12월 18일에 〈스타워즈: 깨어난 포스〉가 처음 개봉한 뒤 고작 364일 뒤에 나온 후속작이다.

▼ 가장 판매가 많이 된 기악 싱글
메코(본명 도메니코 모나르도, 미국)가 1977년, 존 윌리엄스의 스타워즈 음악을 디스코로 편곡한 '스타워즈 테마/칸티나 밴드'를 발표했다. 미국음반산업협회(RIAA)가 인정한 플래티넘 곡으로 200만 장이 넘게 판매됐다. 〈스타워즈 앤 아더 갈라틱 펑크〉(아래) 앨범에 포함돼 있다.

음악 MUSIC

드레이크의 〈원 댄스〉를 지금까지 스포티파이에 스트리밍된 횟수만큼 다시 들으려면 총 5,447년이 걸린다.

▲ **최초의 재생 가능한 퍼즐 레코드 음반**
2016년 9월, 슈가 코트(영국)는 7인치 버전의 레코드 〈미 인스테드〉를 턴테이블에서 재생이 가능한 퍼즐로 제작했다. 슈퍼마켓 그림이 있는 이 레코드는 35가지 디자인 중 하나로, 런던을 기반으로 하는 트리오가 처음 내놓은 데뷔 싱글앨범이다. 다른 버전으로는 거울이나 인조 모피로 돼 있기도 하고, 석탄가루가 뿌려진 앨범도 있다.

가장 비싼 레코드(싱글)
폴 매카트니, 존 레논, 조지 해리슨이 비틀스 활동을 하기 전 '쿼리멘'이라는 팀(드럼 연주자 콜린 핸튼과 피아니스트 존 '더프' 로우도 포함)으로 영국 리버풀 홈 스튜디오에서 녹음한 '댓 윌 비 더 데이', '인 스파이트 오브 올 더 데인저'는 약 12만 4,400달러의 가치가 있다.

최연소 전문 음악 프로듀서
브랜든 베일리 존슨(미국)은 2015년 2월 21일, 12세 363일의 나이에 스스로 제작한 데뷔 앨범 〈마이 저니〉를 발표했다.

최다…

영국 앨범 순위에 동시에 가장 많은 앨범을 올린 가수
2016년 1월 21일, 영국 오피셜 차트 탑 100에는 데이비드 보위(영국, 본명 데이비드 존스) 앨범이 19개나 순위에 올랐다. 2016년 1월 암으로 쓰러진 이 뮤지션의 앨범은 탑 40위 안에 10개나 자리했다. 그중 14만 6,168장의 판매로 발매 첫 주에 1위를 기록했던 25번째 스튜디오 음반 〈블랙스타〉는 '더 씬 화이트 듀크'로 불린 보위에게 10번째 1위를 선사했다.

빌보드 차트에 솔로 히트곡이 가장 많은 남매
조와 캐서린 잭슨 부부의 9남매인 레비, 재키, 티토, 저메인, 라토야, 말론, 마이클, 랜디, 자넷(모두 미국)은 전부 미국에서 솔로 음반으로 순위에 올랐다. 마이클 잭슨이 가족의 애정사를 담은 '갓 투 비 데어'로 1971년 10월 30일 빌보드 차트 핫 100의 89위에 오르며 기록의 처음을 장식했다. 그 후 거의 45년이 지난 뒤인 2016년 6월 4일 티토 잭슨의 '겟 잇 베이비'가 성인 R&B 차트에서 29위에 오르며 온 가족이 순위에 이름을 남겼다.

셀레나 고메스의 이름은 '테자노 음악의 여왕' 셀레나에서 따왔다. '테자노'는 미국 텍사스 주 멕시코계 미국인들 사이에서 발생한 포크/팝 음악이다.

영국 탑 20 싱글 순위에 동시에 가장 많은 곡을 올린 가수
2017년 3월 16일, 오피셜 싱글 차트 탑 20위 중에 영국의 싱어송라이터 에드 시런의 노래가 16곡이나 올랐다. 탑 5를 모두 점령한 그의 곡은 '셰이프 오브 유'(9주 연속 1위), '골웨이 걸'(2위로 진입), '캐슬 온 더 힐'(3위 고수), '퍼펙트'(4위로 진입) 그리고 '뉴 맨'(5위 진입)이다.
16개의 곡은 모두 시런의 3번째 스튜디오 앨범 〈÷(디바이드)〉의 디럭스 에디션에 실려 있다. 이 앨범은 2017년 3월 16일, 67만 2,000장 판매로 1위에 오르며 **영국 남성 가수 앨범 판매 최고 속도**를 기록했다.

Q: 마이클 잭슨의 조카 티토, 타릴, TJ는 무엇으로 유명할까?

A: R&B 팝 그룹 3T

미국 싱글 차트에 가장 많은 곡을 동시에 올린 솔로 아티스트
2017년 4월 8일, 빌보드 핫 100 순위에 드레이크(캐나다)의 노래가 24곡이나 올랐다. 그는 **핫 100에 가장 많은 곡을 올린 솔로 아티스트**에도 등극했다(154곡).

미국 핫 컨트리 송 탑 20에 수십 년 동안 곡을 올린 가수
돌리 파튼(미국)은 탑 20에 드는 히트곡을 60년째 내고 있다(1960~2010). 그녀의 첫 20위 진입곡은 1967년에 나온 '섬씽 피시'다. 이후 인정받는 아티스트가 된 돌리는 탑 20위 곡을 73개나 남겼다. 1974년 발표한 곡 '졸린'은 5인조 아카펠라 그룹 펜타토닉스(미국)가 다시 불러 2016년 10월 8일, 18위로 순위권에 진입했다. 이는 돌리의 107번째 차트 진입곡으로 그녀는 **미국 핫 컨트리 송에 가장 많은 곡을 올린 여성 아티스트**다.

빌보드 트로피컬 앨범 차트 최다 1위 가수
'살사의 신사' 질베르토 산타 로사(푸에르토리코)는 2015년 2월 28일, 〈네세시토 운 볼레로〉로 12번째 앨범 1위를 달성했다.

최다 판매 중동 아티스트 월드 뮤직 수상
싱어송라이터이자 '지중해 음악의 아버지' 아므르 디압(이집트)이 1996년, 2001년, 2007년 그리고 2013년까지 4회 수상했다.

한 번에 가장 많이 CD에 사인한 아티스트
멕시코 보이밴드 CD9은 2016년 4월 25일, 멕시코 멕시코시티에서 CD 6,194장에 쉬지 않고 사인했다. 이 5인조 그룹은 앨범 〈에볼루션〉의 스페셜 에디션에 4시간 54분 동안 사인한 것이다.

곡이 가장 많은 디지털 앨범
더 포켓 갓즈(영국)는 2016년 12월 2일, 111곡이 포함된 〈100xmas30〉을 발표하며 가장 많은 곡이 든 디지털 앨범 기록을 되찾아왔다. 각각 100곡씩 포함된 〈100×30〉(2015)와 〈셰익스피어 vs. 스트리밍〉(2016)에 이어 3번째 발표한 앨범이다. 디지털 음악 시장의 과도한 로열티에 항의의 뜻을 담고 있다. 더 포켓 갓즈는 2016년 캡틴 허리케인(스웨덴)이 제목을 잘못 붙여 발표한 〈100 락송〉(2016, 101곡 포함)에 빼긴 기록도 되찾아왔다.

◀ **인스타그램에 팔로워가 가장 많은 가수**
가수 겸 배우 셀레나 고메스(미국)는 2017년 2월 21일까지 사진 위주의 소셜 네트워크 인스타그램에 1억 1,060만 7,553명의 팔로워를 보유하고 있다. 이는 테일러 스위프트(9,785만 4,110명)와 아리아나 그란데(9,736만 5,150명)보다 많은 숫자다. 고메스는 '셀레나 고메스 & 더 신'으로 3장의 앨범을 냈으며, 솔로로 처음 낸 2장의 앨범 〈스타스 댄스〉(2013)와 〈리바이벌〉(2015)은 모두 첫 주에 빌보드 200 순위에 1위로 진입했다.

극한 공연-미친 콘서트 기록

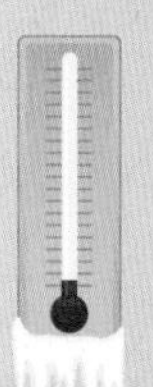

가장 추웠던 기록
찰리 심슨(영국)은 2012년 11월 24일, 러시아 오미야콘에서 영하 30도에 공연했다.

지하 깊은 곳에서 한 공연
아고나이저(핀란드)는 핀란드 피아살미 광산 지하 1,271m에서 공연했다.

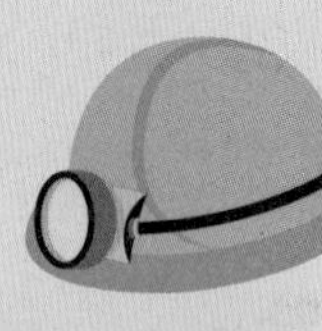

가장 수심 깊은 곳에서 한 공연
케이티 멜루아(영국, 조지아 출생)는 2006년 10월 1일, 노르웨이의 트롤 A 가스 설비 내 수심 303m에서 공연했다.

가장 빠른
자미로콰이(영국)는 2007년 2월 27일, 독일 뮌헨에서 출발해 1,017km/h로 비행한 ZT6902 여객기 안에서 공연했다.

우주로 보낸 최초의 라이브 공연
폴 매카트니(영국)는 2005년 11월 12일 캘리포니아 주 애너하임에서 국제우주정거장으로 공연 실황을 보냈다.

최초의 7개 대륙 공연
메탈리카(미국)는 2013년 12월 8일, 남극 칼리니 기지에서 공연했다.

가장 높은 곳에서 한 공연
오즈 베일던(영국)은 2012년 5월 16일, 네팔 메라피크 해발 6,476m에서 공연했다.

▲ 팝스타 사상 연간 최고 수입(여성)

〈포브스〉에 따르면 테일러 스위프트(미국)는 2016년 6월 1일까지 12개월간 약 1억 7,000만 달러를 벌어들였다. '셰이크 잇 오프'를 포함해 수백만 장이 판매된 곡을 다수 보유한 싱어송라이터로 2017년 3월 25일까지 **빌보드 아티스트 100 차트 최장기 1위**(31주)를 포함해 여러 기록을 가지고 있다.

▲ 엠넷 아시아 뮤직 어워드 최다 대상 수상

2016년 엠넷 아시아 뮤직 어워드에서 보이밴드 엑소(대한민국/중국)가 〈EX'ACT〉로 올해의 앨범상을 받았다. 매년 열리는 이 시상식에서 엑소가 받은 5번째 대상으로 2013~2015년 올해의 앨범, 2014년 올해의 아티스트 상을 받았다. 이는 빅뱅과 동률로, 빅뱅은 2007년과 2015년 올해의 노래, 2008년, 2012년, 2015년에 올해의 아티스트 상을 받았다.

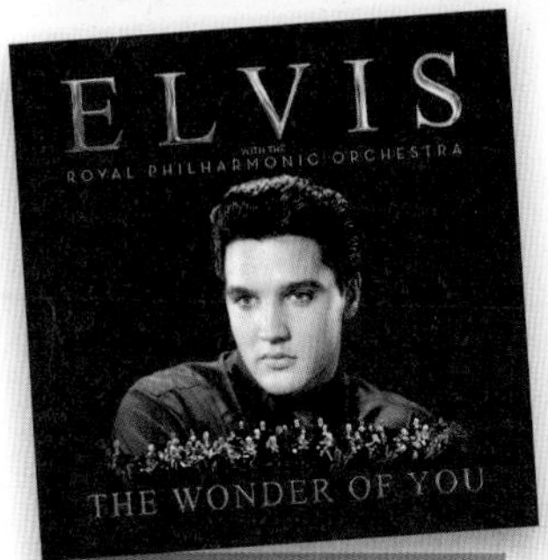

▲ 영국 앨범 1위에 가장 많이 오른 솔로 아티스트

2016년 11월 3일, 엘비스 프레슬리(미국, 1935~1977)는 로열 필하모닉 오케스트라가 피처링한 〈더 원더 오브 유〉로 영국 오피셜 앨범 차트에 13번째로 1위에 올랐다. 12번 솔로 앨범 1위를 한 마돈나와 동률을 이루던 '로큰롤의 왕'은 1956년 11월 10일에 〈로큰롤〉로 처음 영국 차트 1위에 올랐다.

▶ 노벨 문학상을 받은 최초의 작곡가

2016년 싱어송라이터 밥 딜런(미국, 본명 로버트 짐머만)은 "미국의 전통 가요로 표현한 새로운 형태의 시"라는 평과 함께 노벨 문학상을 받았다. '블로잉 인 더 윈드', '더 타임스 데이 아 어-체인징', '라이크 어 롤링 스톤' 등 걸출한 곡으로 명성이 높다. 밥 딜런은 1901년부터 상을 주기 시작한 노벨 문학상 수상자 중에서 가수로서는 최초의 인물이다.

◀ 빌보드 핫 100에 오른 가장 짧은 노래

피코타로(일본)가 공연한 'PPAP'의 노래 시간 길이는 총 45초다. "Pen-Pineapple-Apple-Pen"으로 시작되는 이 노래는 2016년 10월 29일, 빌보드 핫 100에 진입했다.

드레이크의 '원 댄스'는 15주간 오피셜 싱글 차트 1위에 머물렀다. 이는 영국 차트에 오래 머문 공동 3위 기록으로, 프랭키 레인의 '아이 빌리브'(1953)보다 3주 짧다.

◀ 사망한 유명인 최고 수입

〈포브스〉에 따르면 마이클 잭슨은 2016년 10월까지 12개월 동안 8억 2,500만 달러(세전)라는 엄청난 수입을 올렸다. 보유하고 있던 소니/ATV 뮤직 지분의 절반을 7억 5,000만 달러에 매각했기 때문이다. 소니/ATV 뮤직은 비틀즈 음반의 판권을 소유한 회사다. 잭슨의 2015~2016년 수입은 생존 여부를 막론한 **유명인 역대 최고 수입** 기록이다.

▶ 스포티파이에서 가장 많이 스트리밍된 곡

2017년 4월 13일까지 드레이크의 노래 '원 댄스'는 음악 스트리밍 서비스를 통해 11억 8,292만 493회 재생됐다. 2016년 앨범 〈뷰즈〉에 포함된 이 트랙은 위즈키드와 카일라가 피처링했다.

2017년 4월 8일, 빌보드 스트리밍 송 차트에서는 드레이크의 No.1 앨범 〈모어 라이프〉에 수록된 22곡 중에 21곡이 3억 8,480만 번 스트리밍되었다는 기록을 공개했다.

차트 1위 CHART-TOPPERS

데이비드 보위(영국)가 죽은 지 하루 뒤인 2016년 1월 11일, 영상 공유 플랫폼 베보(VEVO)에서 그의 앨범들이 5,100만 뷰를 기록했다.

스포티파이

2016 스트리밍 최고 기록	가수	스트리밍 횟수	
남성	드레이크(캐나다)	5,800,000,000	
여성	리아나(바베이도스)	2,900,000,000	
그룹	트웬티 원 파일럿츠(미국)	2,600,000,000	
곡(남성)	'원 댄스', 드레이크, 피처링 위즈키드 & 카일라(캐나다/나이지리아/영국)	1,000,000,000	
곡(여성)	'칩 스릴스', 시아(호주)	623,000,000	
곡(그룹)	'돈 렛 미 다운', 더 체인스모커스, 피처링 다야(둘 다 미국)	710,000,000	
앨범(남성)	뷰스, 드레이크(캐나다)	2,600,000,000	
앨범(여성)	안티(ANTI), 리아나(바베이도스)	1,600,000,000	
앨범(그룹)	블러리 페이스, 트웬티 원 파일럿츠(미국)	1,400,000,000	
인기 아티스트	제인(영국)	894,000,000	
역대	**가수**	**스트리밍 횟수**	**날짜**
아티스트	드레이크(캐나다)	11,000,000,000	2017년 4월 26일
여성	리아나(바베이도스)	6,600,000,000	2017년 4월 26일
곡	'원 댄스', 드레이크, 피처링 위즈키드 & 카일라(캐나다/나이지리아/영국)	1,100,000,000	2017년 4월 26일
곡(24시간)	'셰이프 오브 유', 에드 시런(영국)	10,000,000	2017년 4월 26일
곡(1주)	'셰이프 오브 유', 에드 시런(영국)	64,000,000	2017년 4월 26일
앨범	퍼포스, 저스틴 비버(캐나다)	4,600,000,000	2017년 4월 26일
앨범(1주)	÷(디바이드), 에드 시런(영국)	374,000,000	2017년 4월 26일

▲ **리아나**
바베이도스 출생의 로빈 리아나 펜티(본명), '리아나'는 팝의 세계를 평정했다. 2017년 4월 26일까지 그녀는 **스포티파이에서 가장 많은 스트리밍 수**를 기록하고 있다. 리아나의 노래는 66억 번 스트리밍됐다. 2016년 발표한 앨범 〈안티〉에 수록된 드레이크 피처링의 '워크'는 6억 번 스트리밍되며 리아나의 곡 중 가장 인기가 많다.

유튜브 (2017년 5월 11일까지)

가장 많이 본 채널	이름	뷰(횟수)
엔터테인먼트	T-시리즈(인도)	17,933,029,645
남성	저스틴비버VEVO(캐나다)	15,116,431,053
여성	케이티페리VEVO(미국)	11,816,049,727
미디어	GMM 그래미 오피셜(태국)	9,699,943,749
그룹	원디렉션VEVO(영국/아일랜드)	7,269,976,966
커뮤니티	트랩 네이션(미국)	4,609,314,422
브랜드	비츠 바이 드레(미국)	260,037,674
가장 많이 본 영상	**이름**	**뷰(횟수)**
남성	'강남스타일', 싸이(대한민국)	2,834,806,435
듀엣	'씨 유 어게인', 위즈 칼리파, 피처링 찰리 푸스(둘 다 미국)	2,707,093,131
여성	'셰이크 잇 오프', 테일러 스위프트(미국)	2,110,214,601
그룹(남성)	'슈가', 마룬5(미국)	1,989,872,721
어린이	'휠스 온 더 버스', 플러스 라츠 모어 너서리 라임스, 리틀베이비범(영국)	1,869,854,000
그룹(여성)	'워크 프롬 홈', 피프스 하모니, 피처링 타이 달라 사인(둘 다 미국)	1,543,630,467
유튜브가 생기기 전 영상	'노벰버 레인', 건스 앤 로지스(미국), 1992	788,028,638
24시간 최고 시청 기록	'젠틀맨', 싸이(대한민국)	38,409,306

◀ **저스틴 비버**
2012년 10월 22일, 가수 저스틴 비버(캐나다)는 **음악 채널이 3억 뷰를 기록한 최초의 뮤지션**이 됐다. 전 세계에 수많은 팬 '빌리버스'를 보유한 그는 소셜 미디어를 장악하고 있다. 비버의 베보(VEVO) 채널은 **유튜브에서 가장 많은 뷰를 기록한 음악 채널**로 2017년 5월 11일까지 151억 1,000만 뷰를 기록해 전체에서도 3위다.

페이스북·인스타그램·트위터·뮤지컬리 (2017년 5월 11일까지)

페이스북 최다 팬 보유	이름	팬 수
여성 뮤지션	샤키라(콜롬비아)	104,547,254
남성 뮤지션	에미넴(미국)	90,634,055
사망한 뮤지션	마이클 잭슨(미국)	75,179,320
그룹 뮤지션	린킨 파크(미국)	61,774,733
미디어	MTV(미국)	49,177,020
커뮤니티	음악	41,721,716
브랜드	아이튠스(미국)	30,910,151
엔터테인먼트	더 보이스(네덜란드)	16,759,244
인스타그램 최다 팔로어	**이름**	**팔로어 수**
여성 뮤지션	셀레나 고메스(미국)	120,135,089
남성 뮤지션	저스틴 비버(캐나다)	86,485,071
그룹 뮤지션	원 디렉션(영국/아일랜드)	17,484,094
트위터 최다 팔로어	**이름**	**팔로어 수**
여성 뮤지션	케이티 페리(미국)	97,740,227
남성 뮤지션	저스틴 비버(캐나다)	93,739,524
그룹 뮤지션	원 디렉션(영국/아일랜드)	31,747,631
미디어	MTV(미국)	15,091,798
커뮤니티	애플 뮤직(미국)	9,046,269
엔터테인먼트	더 X 팩터(영국)	7,017,137
브랜드	사운드클라우드(독일)	2,218,096
트위터 최다 인게이지먼트(활동)	**이름**	**리트윗 수**
남성 뮤지션	해리 스타일스(영국)	180,607
그룹(남성)	방탄소년단(대한민국)	152,112
여성 뮤지션	비욘세(미국)	33,038
그룹(여성)	피프스 하모니(미국)	11,103
뮤지컬리 최다 팔로어	**이름**	**팔로어 수***
여성 듀오	리사 앤 레나(독일)	19,100,000
여성	아리엘 마틴('베이비 아리엘', 미국)	19,000,000
남성	제이콥 사토리어스(미국)	16,700,000
여성 가수	셀레나 고메스(미국)	11,100,000
남성 가수	부르노 마스(미국)	1,200,000

지역별 최다 판매 싱글

지역	곡	가수	연도	판매 기록
세계	화이트 크리스마스	빙 크로스비(미국)	1942	5,000만
미국	화이트 크리스마스	빙 크로스비(미국)	1942	2,500만
일본	そばにいるね(곁에 있을게)	아오야마 테루마, 피처링 소울자(둘 다 일본)	2008	920만
대한민국	벚꽃엔딩	버스커 버스커(대한민국)	2012	650만
프랑스	쁘띠 파파 노엘	티노 로시(프랑스)	1946	570만
영국	썸싱 어바웃 더 웨이 유 룩 투나잇 / 캔들 인 더 윈드 1997	엘튼 존(영국)	1997	490만
독일	썸싱 어바웃 더 웨이 유 룩 투나잇 / 캔들 인 더 윈드 1997	엘튼 존(영국)	1997	450만
캐나다	Pour que tu m'aimes encore(당신이 날 다시 사랑하도록)	셀린 디온(캐나다)	1995	210만
호주	파티 락 앤썸	LMFAO, 피처링 로런 베넷, 군록(미국/영국/미국)	2011	100만
스페인	아모르 히타노	알레한드로 페르난데스(멕시코) & 비욘세(미국)	2007	48만

▲ 빙 크로스비

성탄절마다 울려 퍼지는 〈화이트 크리스마스〉는 빙 크로스비(미국)가 영화 〈홀리데이 인〉에서 불러 아카데미 시상식에서 주제가상을 받은 노래다. 이 외에도 그가 부른 곡들은 1937년부터 1951년까지 총 4번이나 오스카 상을 수상했다. 그는 **오스카 상 수상 곡을 가장 많이 부른 가수**다.

▶ 스릴러

마이클 잭슨이 1982년 발표한 명곡으로 미국음반산업협회가 플래티넘의 29배 이상 판매를 인정해 **가장 많이 팔린 앨범**으로 기록됐다. 잭슨은 〈스릴러〉 앨범으로 1984년 그래미 시상식에서 올해의 앨범상, 올해의 레코드('빗 잇')를 포함해 총 8개 상을 받아 **한해 개인 최다 그래미상 수상 기록**을 세웠다.

지역별 최다 판매 앨범

지역	앨범	가수	연도	판매 기록
세계	스릴러	마이클 잭슨(미국)	1982	6,600만
미국	스릴러	마이클 잭슨(미국)	1982	3,200만
일본	퍼스트 러브	우타다 히카루(일본)	1999	760만
영국	그레이티스트 힛츠	퀸(영국)	1981	610만
프랑스	D'eux	셀린 디온(캐나다)	1995	440만
브라질	스릴러	마이클 잭슨(미국)	1982	380만
이탈리아	La vita è adesso	클라우디오 발리오니(이탈리아)	1985	380만
대한민국	잘못된 만남	김건모(대한민국)	1995	330만
독일	멘쉬	헤르베르트 그뢰네마이어(독일)	2002	310만
캐나다	스릴러	마이클 잭슨(미국)	1982	240만
스페인	마스	알렉한드로 산스(스페인)	1997	220만
호주	뱃 아웃 오브 헬	미트 로프(미국)	1977	170만

최다 주간 1위

(싱글)

지역	순위 기관(기업)	곡	가수	연도	기록(주)
브라질	빌보드	아이 원 투 노 왓 러브 이즈	머라이어 캐리(미국)	2009~2010	27
프랑스	SNEP	해피	퍼렐 윌리엄스(미국	2013~2014	22
영국	오피셜 차트 컴퍼니	아이 빌리브	프랭키 레인(미국)	1953	=18
벨기에	울트라탑	헬로	아델(영국)	2015~2016	=18
독일	Gfk 엔터테인먼트	리버스 오브 바빌론	보니 M(자메이카/몬트세랫/아루바)	1978	17
미국	빌보드	원 스윗 데이	머라이어 캐리 & 보이즈 투 맨(둘 다 미국)	1995~1996	=16
벨기에	울트라탑	Kvraagetaan	픽스케스(벨기에)	2007	=16
캐나다	빌보드	아이 가타 필링	블랙 아이드 피스(미국)	2009	=16
		셰이프 오브 유	에드 시런(영국)	2017	=16
호주	ARIA	셰이프 오브 유	에드 시런(영국)	2017	=15
네덜란드	스티흐팅 네덜란드스	셰이프 오브 유	에드 시런(영국)	2017	=15

▼ 머라이어 캐리

머라이어 캐리(미국)가 부른 노래들이 미국과 브라질의 차트에서 마라톤 기록을 세웠다. 미국에서는 보이즈 투 맨과 부른 곡이 성공했고, 브라질에서는 포리너의 곡을 커버해 인기를 끌었다. 1990년 8월 4일, '비전 오브 러브'가 빌보드 1위에 오르며 **미국에서 싱글 1위 곡을 가장 많이 발표한 여성 아티스트**에 등극했다. 총 18곡으로 엘비스 프레슬리와 동률이며, 비틀스는 20곡을 기록하고 있다.

최다 수상

(2017년 5월 11일까지)

상	아티스트	수상 기록
빌보드 뮤직 어워즈(미국)	마이클 잭슨(미국)	40
그래미 어워즈(미국)	게오르그 솔티 경(영국, 헝가리 출생)	=31
틴 초이스 어워즈-뮤직(미국)	원 디렉션(영국)	=31
아메리칸 뮤직 어워즈(미국)	마이클 잭슨(미국)	26
주노 어워즈(캐나다)	앤 머레이(캐나다)	=24
MTV 비디오 뮤직 어워즈(미국)	비욘세(미국)	=24
CMA 어워즈(컨트리 음악 협회)	조지 스트레이트(미국)	23
라틴 그래미 어워즈(미국)	카예 13(푸에르토리코)	22
ARIA 뮤직 어워즈(호주)	실버체어(호주)	21
MTV 유럽 뮤직 어워즈	저스틴 비버(캐나다)	20
브릿 어워즈(영국)	로비 윌리엄스(영국)	18
에코 뮤직 프라이즈(독일)	헬레네 피셔(독일, 러시아 출생)	16
멜론 뮤직 어워즈(대한민국)	소녀시대(대한민국)	=13
Mnet 아시안 뮤직 어워즈(대한민국)	엑소(대한민국)	=13
NRJ 뮤직 어워즈(프랑스)	M 포코라(프랑스)	11
MTV 비디오 뮤직 어워즈 재팬	에그자일(일본)	=10
니켈로디언 키즈 초이스 어워드-뮤직(미국)	셀레나 고메스(미국)	=10
더 헤디스(나이지리아)	모드 9(나이지리아)	9
산레모 뮤직 페스티벌(이탈리아)	도메니코 모두뇨 & 클라우디오 빌라(둘 다 이탈리아)	4

* 모든 판매 기록은 2017년 5월 8일 기준이다.

예술 & 미디어 전반 ARTS & MEDIA ROUND-UP

루브르 박물관의 전시 공간은 넓이가 6만 386㎡로 백악관보다 10배나 넓다.

▲ 2000년 이후 출생 세대 아이들이 가장 많이 보는 유튜브 채널
2015년 3월 16일 시작한 '라이언 토이스 리뷰'는 2017년 5월 4일까지 120억 7,612만 6,791뷰를 기록하며 2000년 이후 출생 세대 아이들에게 가장 인기가 많은 유튜브 채널로 기록됐다. 이 채널은 6세의 라이언(미국, 2010년 10월 6일생)이 장난감이나 게임들을 가지고 놀면서 평가하는 모습을 업로드한다(가족들이 하기도 한다).

▲ 아직 운영 중인 가장 오래된 극장(영화관)
미국 아이오와 주 워싱턴에 있는 '스테이트 극장'은 1893년 문을 열고 1897년 5월 14일부터 영화 상영을 시작했다. 당시 표 한 장의 가격은 15, 25 혹은 35센트였다. 이 극장은 2017년 3월 27일까지 119년 317일째 운영 중이다. 초기에는 오페라 공연도 함께 상연했으나 1931년 이후에는 영화만 볼 수 있다. 아래 사진은 1894년 11월 극장이 개관하고 약 1년 뒤 모습이다.

셰익스피어의 모든 연극 최단기 관람

댄 윌슨(영국)은 37번째 생일을 기념해 뭔가에 도전하길 원했고, 윌리엄 셰익스피어의 연극 37편을 모두 관람하기로 계획했다. 그는 2014년 11월 27일, 영국 이스트서식스의 루이스 시청사에서 중학생들이 상연한 〈줄리어스 시저〉를 시작으로 328일에 걸쳐 모든 공연을 관람했다. 마지막 공연은 2015년 10월 21일, 미국 애슐랜드에서 열린 오리건 셰익스피어 축제에서 본 〈페리클레스〉였으며, 이 날은 댄의 38번째 생일이었다.

브로드웨이에서 가장 큰 수익을 올린 극장

'브로드웨이 리그'에 따르면 2016년 1월 3일 주말~2017년 1월 1일 주말까지 미국 뉴욕 브로드웨이에서 열린 모든 공연에서 총 14억 1,600만 달러의 표가 판매됐고 1,361만 명의 관객이 관람했다.

처음으로 생방송된 브로드웨이 쇼

'라운드어바웃 시어터 컴퍼니'의 작품 〈쉬 러브즈 미!〉는 2016년 6월 30일 오후 8시, 미국 뉴욕 웨스트 54번가의 스튜디오 54에서 방송됐다.

▲ 최단기 공연 준비 후 상연
'샤프 아카데미 오브 시어터 아트'(영국)는 뮤지컬 〈애니〉를 고작 15시간 동안 준비해 2016년 8월 29일, 영국의 워터스밋 극장에서 상연했다. 극단은 자신들이 공연할 작품을 오전 6시에 무대 위에 있는 포장된 상자를 열어보고 나서야 처음 알았다. 공연의 막은 오후 9시 정각, 무대에 걸린 디지털시계를 본 유료관객들의 카운트다운과 함께 열렸다. 이 극단은 뮤지컬 공연을 마친 뒤 기립박수를 받았다.

로렌스 올리비에 상 최다 수상작

소니아 프리드먼 프로덕션, 소니 칼렌더 경, 해리 포터 시어터 프로덕션은 《해리 포터와 저주받은 아이》(2016)를 연극으로 제작했다. 잭 손, 조앤 K 롤링, 존 티파니(모두 영국)의 원작을 손이 각색했다. 이 작품은 2017년 4월, 올리비에 시상식에서 9개의 상을 받았다. 감독상(존 티파니), 최고의 신작, 최고 주연상(제이미 파커), 최고 조연상(노마 더메즈웨니), 무대디자인상(크리스틴 존스), 의상디자인상(카트리나 린제이), 음향상(가레스 프라이), 조명상(닐 오스틴)이다.

〈저주받은 아이〉는 11개 부문 후보에 오르며, **가장 많은 부문에 후보로 오른 작품** 뮤지컬 〈헤어스프레이〉(2008)와 동률을 이뤘다. 〈헤어스프레이〉는 이중 4개의 상을 수상했다.

2016년 가장 큰 수익을 올린 서커스 공연은 '태양의 서커스' 팀의 〈바레카이〉다. 약 5,300만 달러를 벌어들였다.

▶ 가장 높은 수익을 올린 서커스 투어(현재)
폴스타가 선정한 연간 탑 100 순회공연 목록에 따르면, 태양의 서커스(캐나다) 팀의 작품 〈토룩〉은 2016년 약 6,660만 달러를 벌어들였다. 이들은 44개국 293개 도시를 순회하며 공연을 선보였고, 전 세계적으로 95만 7,446장의 표를 판매했다. 〈토룩〉은 **역대 최고 수익을 올린 영화** 〈아바타〉(미국/영국, 2009)의 캐릭터와 배경을 바탕으로 만들었다.

단편영화 최다 제작

에피파니 모건과 칼 메이슨(둘 다 호주)이 70개 도시에서 365개의 단편영화를 제작한 사실이 2016년 6월 7일 확인됐다. 두 사람은 5개 대륙을 여행하며 '365 도코바이츠' 프로젝트의 일환으로 영화를 만들었다. 〈이방인의 하루〉라는 작은 다큐멘터리로 전 세계를 소개하는 게 둘의 목표다. 이 시리즈는 웹사이트를 통해 처음 공개됐고, 현재는 호주의 SBS 2채널이 유통하고 있다.

▲ 스냅챗의 뮤지션들

위 사진에 나온 팝/록 4인조 그룹 '5 세컨즈 오브 서머'(호주, @wearefivesos)는 2017년 3월 10일까지 **스냅챗에서 가장 인기가 많은 그룹**이었다. 아래에 나온 영국의 4인조 걸그룹 '리틀 믹스'는 같은 날 **스냅챗에서 가장 인기 많은 여성 그룹**에 올랐다.

DJ, 프로듀서, 라디오 진행자, 음반사 경영진인 DJ 칼리드(미국, @djkhaled305)는 2017년 3월 10일까지 **스냅챗에서 가장 인기 많은 뮤지션**이었다. 같은 날 **스냅챗에서 가장 인기 많은 여성 뮤지션**은 테일러 스위프트(미국, @taylorswift)였다.

11일, 미국 뉴욕 크리스티 경매에서 12%가 약간 넘는 판매자 수수료를 포함해 1억 7,930만 달러에 팔렸다. 구매자는 전화로 응찰했고, 이름은 밝히지 않았다.

같은 날 같은 장소에서 조각가 알베르토 자코메티(스위스)의 1947년 작품 〈손가락으로 가리키는 남자〉 청동상이 1억 4,128만 5,000달러에 팔려 **경매에서 팔린 가장 비싼 조각품**이 됐다. 이 작품은 180cm의 크기로, 키 큰 막대기 같은 모습의 사람(자코메티 작품의 특징)이 한쪽 팔을 뻗은 모습을 하고 있다.

가장 높은 수익을 올린 음악 축제

2016년 10월 7~9일과 14~16일 주말에 미국 캘리포니아 주 인디오에 위치한 엠파이어 폴로 클럽 경기장에서 처음 개최한 '데저트 트립 페스티벌'은 폴스타 연례 보고에 따르면 15만 장의 표가 판매되어 1억 6,011만 2,532달러를 벌어들였다고 한다. 이 페스티벌에는 베테랑 로커 닐 영, 폴 매카트니, 밥 딜러, 더 후, 롤링 스톤즈 등 많은 스타가 참여해 공연을 펼쳤다.

가장 많이 본 비디오게임 음악 콘서트

2015년 8월 13일, 중국 전시극장에서 펼쳐진 '비디오게임 라이브(VGL)'의 공연은 총 72만 2,109명이 봤다. 이중 75만 23명은 중국 동영상 공유 사이트 유쿠를 통해 시청했고 현장에서 콘서트를 즐긴 사람은 2,086명이다. 이 기록은 VGL이 2013년 아마존과 트위치의 후원으로 열린 샌디에이고 코믹콘 행사에서 기록한 32만 명을 경신하는 숫자다.

▲ 하나의 게임 캐릭터에 헌정해 전시한 최대 규모의 순수 예술 작품

영국 런던의 캐슬 파인 미술관에서 열린 '소닉 더 헤지호그 25주년 컬렉션'은 한 개의 게임 캐릭터를 바탕으로 열린 최대 규모의 순수 예술 전시회다. 세가에서 라이센스를 주고, 워싱턴 그린이 기획했다. 8명의 예술가가 소닉을 주제로 한 25개의 오리지널 예술작품을 제작했다. 각각의 가격은 4만 9,912달러 이상이었다.

최고령 비디오게임 음악 작곡가

스기야마 고이치(일본, 1931년 4월 11일생)의 〈드래곤 퀘스트 히어로즈 II〉가 발매된 2016년 5월 27일은 그의 나이가 85세 46일이 된 날이었다.

애플리케이션을 바탕으로 만든 최초의 영화

더 넘버스에 따르면 2017년 2월 21일까지 〈앵그리버드 더 무비〉(미국/핀란드, 2016)는 전 세계 박스오피스에서 3억 4,933만 4,510달러를 기록했다.

가장 많은 사람이 방문한 갤러리

세계 테마 엔터테인먼트협회(TEA)와 AECOM의 연례 보고서에 따르면, 프랑스 파리의 루브르 박물관은 2015년에 870만 명이 방문했다. 가장 최근 공개된 자료의 기록이다.

개인 거래된 가장 비싼 그림

2015년 2월, 폴 고갱(프랑스)의 작품 〈너 언제 결혼하니?〉(1892)가 약 3억 달러에 비공개로 판매되었다고 한다. 폴 세잔(프랑스)의 〈카드놀이하는 사람들〉(1890년대)은 2011년 카타르 왕족에게 2억 5,000만 달러에 팔렸다. 재계의 거물 켄 그리핀(미국)은 2015년 9월 윌럼 데 쿠닝(네덜란드/미국)의 〈인터체인지〉를 3억 달러에 사들였다.

경매에서 판매된 가장 비싼 그림은 파블로 피카소의 1955년 2월 14일 작, 〈알제의 여인들〉이다. 이 작품은 2015년 5월

▼ 브로드웨이 일주일 최다 수익

뮤지컬 〈해밀턴〉(미국, 2015)은 미국 뉴욕 리처드로저스시어터에서 2017년 1월 1일까지 일주일 동안 333만 5,430달러를 벌어들였다. 이 작품은 2016년 5월 3일, **토니 상 최다 후보**에 올라(16개 부문) 이중 11개의 상을 획득했다. 하지만 **토니 상 최다 수상작**은 2001년 12개를 받은 〈프로듀서스〉로, 〈해밀턴〉보다 1개 많다. 린 마누엘 미란다(오른쪽)는 작곡상과 작품상 등을 받았다.

〈해밀턴〉은 미국 헌법 제정자 중의 한 사람인 알렉산더 해밀턴의 삶을 바탕으로 만들었다.

최고령 OLDEST...

가장 오래 산 애완동물부터 우리가 사는 행성의 조각까지,
지구의 45억 5000만 년의 역사 속에 다양한 형태로 세워진 최고령 기록을 알아보자.

0~100세

개
29세 5개월

개의 최고령 기록은 29세로, 호주 빅토리아 주 로체스터에 살았던 레스 홀이 키운 '블루이'라는 이름의 오스트레일리언 캐틀 도그다. 블루이는 1910년 강아지 시절 농장에 들어와 20년 넘게 소와 양들 사이에서 일하다가 1939년 11월 14일 영원히 잠들었다.

고양이
38세 3일

1967년 8월 3일 태어난 '크림 퍼프'는 놀랍게도 38년을 살다가 2005년에 생을 마감했다. 주인 제이크 페리와 미국 텍사스 주 오스틴에서 살았다.

금붕어
43세

영국 노스요크셔에 거주한 힐다와 고든 핸드가 키운 금붕어 티시는 43년을 살았다. 티시는 힐다의 아들 피터가 1956년 축제 가판대에서 얻었다.

올림픽 메달리스트
72세 280일

1920년 7월 26일, 앤트워프 올림픽에서 오스카 스완(스웨덴, 1847년 10월 20일생)은 72세 280일의 나이로 **올림픽 최고령 메달리스트**가 됐다. 스완은 8년 전인 1912년 7월 4일 열린 스톡홀름 올림픽 100m 러닝 디어 더블 샷 단체전에서 64세 258일의 나이로 금메달을 획득해 **올림픽 최고령 금메달 기록**을 세우기도 했다. '100m 러닝 디어'는 1908~1948년까지 올림픽에서 시행된 사격의 한 종목이다.

집권 군주
91세 11일

엘리자베스 2세 여왕(영국)은 1926년 4월 21일생으로 2015년 1월 23일, 88세 227일의 나이로 세계 최고령 군주에 등극했다. 2017년 5월 2일 기준, 그녀의 나이는 91세 11일이다.

100~500세

병 속의 편지
108년 138일

1906년 11월 30일, 해양생물협회(영국)가 북해(52° 4.8'N, 003° 37'E)에서 병에 담아 보낸 편지가 108년 138일 동안 바다를 떠돌다 2015년 4월 17일, 독일의 암룸 섬에서 발견됐다.

최고령자
122세 164일

잔 루이즈 칼망(프랑스)은 1875년 2월 21일, 니콜라스(1837~1931)와 마가레트(1838~1924) 사이에서 태어났다. 그녀는 122년 뒤인 1997년 8월 4일, 프랑스 남부의 요양원에서 사망했다.

동물원
265년

현재 운영 중인 가장 오래된 동물원은 오스트리아 빈에 있는 쇤브룬 동물원이다. 이곳은 1752년에 왕족을 위해 만들어졌고 1779년에 대중에게 공개됐다.

토피어리 정원
약 327년

영국 캄브리아 주의 레벤스 홀에는 1690년대에 심고 관리한 토피어리(식물을 여러 가지 모양으로 자르고 다듬는 기술 또는 작품) 나무들이 있다. '체스 말', '판사의 가발', '우산' 모양으로 나무가 다듬어졌다.

놀이동산
434년

덴마크 코펜하겐 북부 클람펜보리에 위치한 바켄은 1583년에 문을 연 세계에서 가장 오래된 놀이동산이다. 이곳에는 1932년 설치된 나무 롤러코스터를 포함해 150개가 넘는 놀이시설이 있다.

500~800년

레슬링 대회
557년

크르크프나르 오일 레슬링 축제는 터키 에디르네 인근에서 1460년부터 매년 열리는 행사다. 참가자들은 황금 벨트를 차지하기 위해 몸에 기름을 바르고 경기를 치른다.

현존하는 의회
1087년

아이슬란드의 의회 '알싱'은 930년에 설립됐다. 원래는 39개 지역 족장이 팅벨리르에 모였으나, 1800년 폐지되었다. 하지만 1843년에 덴마크에 의해 협의 지위를 얻어 복원되었고, 1874년부터 입법부가 됐다.

호텔
1312년

일본 야마나시에 있는 온천 호텔 '니시야마 온센 게이운칸'은 705년부터 운영됐다.

나무
약 5200년

'프로메테우스'로 알려진 그레이트 베이슨 브리슬콘 소나무는 미국 네바다 주 휠러피크에서 1963년에 벌목됐다. 척박한 환경에서 천천히 자랐음에도 이 나무에는 4,867개의 나이테가 있었다. 진짜 나이는 약 5,200세로 추정된다.

이집트 상형문자
약 5300년

가장 오래된 이집트 상형문자는 1999년, 카이로 남부 483km에 위치한 아비도스에서 발굴됐다. 점토에 새겨진 문양과 상아 표시는 기원전 3400~3200년의 것으로 추정된다.

8000~1억 년

술을 위한 경작
8000년

포도는 가장 오래전부터 술을 만들기 위해 경작된 과일이다. 기원전 6000년 메소포타미아에서 와인을 만들기 위해 포도를 재배한 기록이 가장 오래된 증거로 남아 있다.

음식을 위한 경작
1만 1500년

신석기 시대에 8가지 작물이 최초로 경작됐다. 초기 홀로세 시대부터 서남아시아의 비옥한 초승달 지대에서 농사를 지었다. 기원전 9500년으로 4개의 콩과 식물과 3가지 곡물, 아마를 주로 경작했다.

동굴 벽화
4만 800년

1903년, 스페인 칸타브리아 푸엔테비에스고에 있는 엘 카스티요 동굴에서 선사시대 암벽화가 발견됐다. 동물 그림과 그 주변에 그려진 붉은 원반은 최소 4만 800년 전의 것이었다. 손 모양을 스텐실처럼 찍어낸 그림은 최소 3만 7300년 전의 것이었다.

빙핵
74만 년

가장 오래된 빙핵에는 74만 년의 기후 역사가 담겨 있다. 10개국으로 구성된 EPICA(유럽 남극 빙핵 프로젝트)가 남극 돔 C 지역을 드릴로 뚫어 지름 10cm, 길이 3,139m의 빙핵을 채취했다고 2004년 6월 9일 발표했다.

석기
330만 년

2015년, 〈네이처〉에 330만 년 전의 석기가 여러 증거와 함께 발표됐다. 돌가루, 모루와 함께 2011년 케냐 북부 트라카나 호수 인근에서 발굴됐다. 미국 스토니브룩 대학교의 소니아 아르망과 그녀의 팀이 찾아냈다.

1억 년 이상

토사물
1억 6000만 년

2002년 2월 12일, 피터 도일(영국) 교수가 이끄는 고생물학자 팀이 거대한 물고기처럼 생긴 해양 파충류, 즉 어룡이 뱉은 토사물 화석을 찾았다고 발표했다.

오래된 공룡
2억 4000만 년

니아사사우루스 패링토니는 탄자니아의 니아사 호수 인근 만다 베드에서 일부 골격이 화석으로 발견되며 그 존재가 입증됐다. 약 2억 4000만 년 전의 뼈대로 크기는 래브라도 견종과 비슷하다. 니아사사우루스 패링토니는 2012년 12월, 정식으로 기록됐다.

척추동물
5억 3000만 년

하이코익시스는 가장 오래된 척추동물이다. 초기 어류로 여겨지며 머리와 꼬리가 또렷이 구분되고, 아가미와 등지느러미가 있다.

산맥
36억 년

남아프리카에 있는 바버턴 녹암 벨트는 36억 년 전 암석으로 형성됐다. 이 산맥 중 가장 높은 봉우리는 해발 1,800m다.

지구의 파편
43억 7400만 년

호주 서부 잭힐스에서 찾은 다이아몬드 형태의 크리스털 지르콘($ZrSiO_4$)은 지구에서 가장 오래된 광물이다. 2014년 발표한 연구에 따르면 지르콘의 나이는 약 43억 7400만 년에 이른다고 한다. 지구가 생긴 뒤 '겨우' 1억 6000만 년 뒤에 생긴 광물이다.

과학기술 & 엔지니어링 SCI-TECH & ENGINEERING

1900년까지 인간의 지식은 한 세기가 지날 때마다 2배로 늘어났다고 미국의 지식인 리처드 버크민스터 풀러는 말했다. 오늘날, 인간의 지식은 평균 13개월마다 2배가 된다.

2016년, FAST 제작에 참여한 과학자의 말에 따르면, 이 안테나 접시를 와인으로 가득 채우면 지구의 모든 사람에게 4병씩 나눠줄 수 있는 양이라고 한다.

CONTENTS

우주의 끝 186
혜성 188
3D프린팅 190
사진 & 이미지 192
불꽃놀이 194
과학기술 & 엔지니어링 전반 196

◀ 가장 큰 전파망원경

중국 구이저우 성 핑탕 현에 설치된 세계 최대 전파망원경 FAST(Five-hundred-metre Aperture Spherical radio Telescope)의 모습이다. 지름 500m로 이전 최대 전파망원경이었던 푸에르토리코의 아레시보전파관측소(305m)의 것을 장난감으로 보이게 할 만큼 크다. FAST의 위성 접시는 11m짜리 삼각형 패널 4,450개로 이루어져 있으며, 완공까지 5년이 걸렸다. 이제 천문학자들은 FAST로 은하계와 별들의 아주 작은 신호도 예민하게 찾아낼 수 있다. 중국 국영 언론인 〈신화통신〉은 "항성 간 신호 교환이 가능하다"고 전했는데, 다르게 표현하면 우주의 지적 생명체들이 보내는 신호를 감지할 수 있다는 뜻이다.

우주의 끝 EDGE OF SPACE

나사(NASA)에 따르면, 지구 대기의 무게는 5,100조 톤(5.1 x 1015)으로 행성 자체의 무게보다 100만 배 가볍다.

▲ 민간 우주비행사가 도달한 최고 고도

2004년 10월 4일, 브라이언 비니(미국)가 스페이스십원을 타고 미국 캘리포니아 주 모하비 사막 상공 11만 2,010m까지 올라갔다. 비니의 비행은 **날개가 있는 비행선으로 도달한 최고 고도 기록**이다. 종전 기록은 1963년 나사의 연구 파일럿 조 워커가 X-15기로 달성한 107.96km다.

최초의 적색 낙뢰, 스프라이트 사진

스프라이트는 높은 고도에서 일어나는 번개와 관련된 전기 현상이다. 이 희귀한 섬광은 뇌우(雷雨) 상단에서 발생한 번개가 땅이 아닌 지표면 100km 위로 뻗으며 생긴다. 원래 이 현상에 관한 가설은 사실로 인정받지 못했으나 1989년 7월 6일, 미네소타 대학교의 존 R 윈클러 교수가 로켓 발사를 촬영하기 위해 저조도 TV 카메라를 실험하던 중 적란운 위로 밝은 빛의 기둥이 솟구치는 모습을 찍으면서 인정받게 됐다.

최대 규모 유성 파열 통신

유성 파열 통신은 유성(별똥별)이 지구 대기 76~100km 상공을 지날 때 발생하는 효과다. 유성은 대기권을 통과하며 타버리는데 이때 이온화된 입자들이 공중에 남는다. 이 작은 흔적들이 전파에 영향을 주어 약 2,250km 정도 떨어져 있는 라디오 방송국과 일시적인 장거리 무선통신이 가능해진다. 미국 서부에는 '스노텔'이란 무인 강설측정장비와 안테나가 세워져 1970년대부터 적설량과 기후를 관측하고 있다. 730개의 관측소로 이루어진 스노텔은 데이터 분석을 위한 자료를 송신할 때 유성 파열 통신을 사용한다.

최고 고도…

인간이 살아남기 힘든 비가압 환경

암스트롱 한계선은 항공 의학의 선구자인 해리 암스트롱(미국)이 처음 세운 가설이다. 일정 고도에 달하면 기압은 0.0618atm까지 낮아지고(1atm은 해수면에서 측정한 값이다), 물이 사람의 체온(37℃)에서 끓기 시작한다. 고도 1만 8,900~1만 9,350m에서 일어나는 현상으로 인간은 여압복(與壓服)을 입거나 가압 캡슐에 들어가야만 생존할 수 있다. 암스트롱 한계선을 넘으면 폐 속의 유체와 타액, 눈물이 모두 끓어서 증발한다.

카르만 라인은 나사와 국제항공연맹(FAI)에서 항공 임무와 우주 임무를 나누는 기준이다.

비가압 환경에 노출되고도 살아난 인간

1996년 12월 14일, 짐 르블랑(미국)은 미국 텍사스 주 휴스턴의 나사 감압 장치 내부에서 열린 우주복 실험에 자원했다. 실험 도중 르블랑의 우주복에 압력을 맞춰주는 호스가 분리됐고, 기압이 0.0068atm으로 떨어지며 고도 3만 6,576m에서와 맞먹는 부분 진공 상태에 노출됐다. 르블랑은 기절했고 87초 후 고도 4,267.2m와 동일한 압력으로 복구되자 깨어났다. 그는 회상하길, 기절하기 직전 혀의 타액이 끓어서 날아가는 느낌이 들었다고 한다.

◀ 인간이 최초로 우주에 쏘아 올린 물체

카르만 라인으로 알려진 지구와 우주의 경계선은 테오도르 폰 카르만(미국, 헝가리 출생)의 이름에서 따온 명칭이다. 그는 해발 100km 이상이 되면 궤도 속도보다 더 빨리 이동해야 항공 역학적 양력을 얻어 비행을 유지할 수 있다는 걸 알아냈다. 1944년 6월 20일, 영국 런던을 공격하기 위해 제작된 독일 V-2 미사일은 시험 발사에서 고도 174.6km에 도달했다.

Q: 위성항법시스템(GPS) 위성이 지구 궤도를 도는 데 얼마나 걸릴까?

A: 약 12시간

수평비행 최고 고도

미공군(USAF) 대위 로버트 C 헬트(파일럿)와 소령 래리 A 엘리엇(궤도 안전 장교)이 1976년 7월 28일, 미국 캘리포니아 주 빌 공군기지에서 록히드 SR-71A '블랙버드' 기를 타고 2만 5,929m 높이로 수평비행을 유지했다. 보잉 747 여객기의 평균 비행고도인 1만 668m보다 2배나 높다.

종이비행기 발사

케스그레이브 고등학교 학생들이 과학 선생님 데이브 그린(모두 영국)과 함께 2015년 6월 24일, 영국 케임브리지셔 엘즈워스 상공 3만 5,043m에서 종이비행기를 날렸다. 비행기는 헬륨 풍선에 부착돼 떠올랐고, 지상에서 신호를 보내 비행기를 고정하고 있던 끈을 분리했다. 단순히 '발사'만 한 것이다.

무연결 임무 수행(궤도 비행 외)

몇몇 우주비행사들은 궤도에서 우주선에 연결되지 않은 채 임무를 수행했다. 하지만 궤도 비행을 제외하면 기록은 펠릭스 바움가르트너(오스트리아)가 가지고 있다. 그는 2012년 10월 14일, 헬륨으로 가득 찬 풍선을 타고 미국 뉴멕시코 주 상공 3만 9,068.5m까지 올라 캡슐 난간에 앉아 있다가 마지막 순간 목숨을 걸고 지구로 뛰어내렸다(옆 페이지 참조).

총으로 발사된 발사체

1966년 11월 19일, 84kg짜리 발사체가 미국 애리조나 주 유마에서 HARP(고고도 도달 프로젝트) 총으로 발사돼 고도 180km에 올랐다. 이 무기는 42cm 구경의 총열 2개를 연결해 길이 총 36.4m, 무게는 150톤이다.

▲ 최초의 열권 스카이다이빙

1959년 11월 16일, '더 높이' 프로젝트의 하나로 파일럿 조 키팅거(미국)가 전용 헬륨 풍선 기구를 타고 2만 3,287m 상공으로 올라가 스카이다이빙을 했다. 그는 곤돌라가 달린 기구를 타고 올라가 뛰어내리는 3회의 연속 퍼포먼스를 진행했다. 위 사진은 1960년 8월 16일에 있었던 그의 3번째 점프로 **최고 높이 낙하산 자유낙하 기록**을 세웠다.

▲ 자유낙하 최고 속도

펠릭스 바움가르트너(오스트리아)는 2012년 10월 14일, 미국 뉴멕시코주 상공에서 지구를 향해 1,357.6km/h라는 심장 떨리는 속도로 자유낙하했다. 우주 끝에 떠 있는 기구에서 뛰어내린 바움가르트너는 **자유낙하로 음속을 돌파한 최초의 인물**이 됐다. 그의 도전으로 52년 묵은 세계기록이 8개나 한 번에 깨졌는데, 여기에는 1960년 8월 16일, 조 키팅거가 세운 **최고 높이 낙하산 자유낙하**가 포함되어 있다(위 왼쪽 참조). 하지만 이 기록과 **최고 높이 유인 기구(풍선) 비행** 기록은 현재 앨런 유스타스가 가지고 있다(왼쪽 참조).

▲ 가장 높이 올라간 유인 기구(풍선) 비행

2014년 10월 24일, 앨런 유스타스(미국)는 미국 뉴멕시코 주 4만 1,419m 상공에서 성층권 스카이다이빙에 성공했다. 그는 기구에 캡슐이나 곤돌라를 장착하지 않고 여압복을 입은 채 매달려 올라갔는데, 비행에만 2시간이 걸렸다(2012년 펠릭스 바움가르트너는 캡슐을 사용했다). 하지만 지구로 떨어지는 시간은 15분이면 충분했다. 유스타스는 점프할 당시 구글의 부사장이었는데, 이 사실은 언론에 알리지 않고 비밀리에 진행했다.

▶ 가장 빠른 유성우

사자자리 유성군(流星群)은 매년 11월 15~20일 사이 나타난다. 지구 대기권에 약 71km/sec로 진입하는데 고도가 155km쯤 되면 속도가 증가하기 시작한다. 이 속도는 모혜성인 55P/템펠-터틀의 진행 방향에서 기인하는데, 태양 근처에서 혜성은 지구의 궤도와 거의 정반대로 이동한다. 그 때문에 작은 입자들이 지구에 거의 수직으로 떨어진다.

▲ 성층권에서 최초로 재생된 레코드판

서드 맨 레코드(미국)는 2016년 7월 2일, 이카로스 우주선을 이용해 고도 2,878m까지 올라 케빈 카리코가 제작한 턴테이블(레코드 재생기)로 〈어 글로리어스 던〉을 재생했다. 미국 뮤지션 잭 화이트(미국)가 공동창립자로 있는 음반사의 300만 번째 레코드판으로, 칼 세이건과 스티븐 호킹의 목소리가 들어 있으며 음악은 존 보스웰이 편곡했다. 이는 '과학 프로젝트 심포니'의 일부로 마련됐다. 2015년 4월 23일, 매트 킹스노스와 필 세인트피어(둘 다 영국)는 **풍선으로 가장 높이 올라간 X-윙**(스타워즈에 나오는 우주선) 기록을 세웠다. 이 우주선 모형은 상공 3만 6,190m까지 올라갔다. **최고 고도에 올라간 라즈베리파이(싱글 보드 컴퓨터) 장착 테디 베어**는 2013년 8월 24일, '배비지 더 베어'가 기록했고, 높이는 41km를 조금 넘겼다(라즈베리파이가 장착된 기상관측 기구로 올라갔다). 라즈베리파이 재단과 데이브 애커먼(둘 다 영국)이 행사를 기획했다.

▶

▲ 가장 높은 곳에서 일어나는 기상 현상

하늘에서 관측되는 모든 현상 중에서 가장 높은 곳에서 일어나는 것은 북광과 남광으로 알려진 오로라다(정확히는 북극광과 남극광이다). 밤에 저고도와 고고도에서 자주 보이는 이 아름다운 색의 현란한 빛은 태양풍 입자들이 상층대기에서 공기 입자와 충돌하며 생기는 현상이다. 오로라는 낮은 고도라면 약 100km 상공, 높은 고도라면 400km 상공에서 일어난다.

혜성 COMETS

혜성은 주로 얼음, 가스, 먼지 그리고 암석으로 이루어져 있다.
그래서 '더러운 눈덩이'라는 별명도 붙었다.

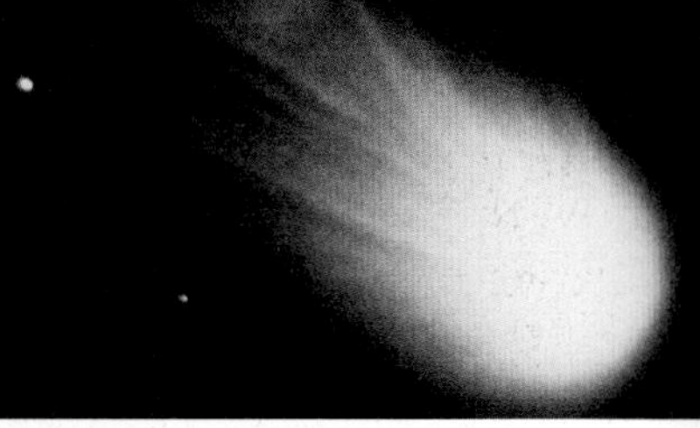

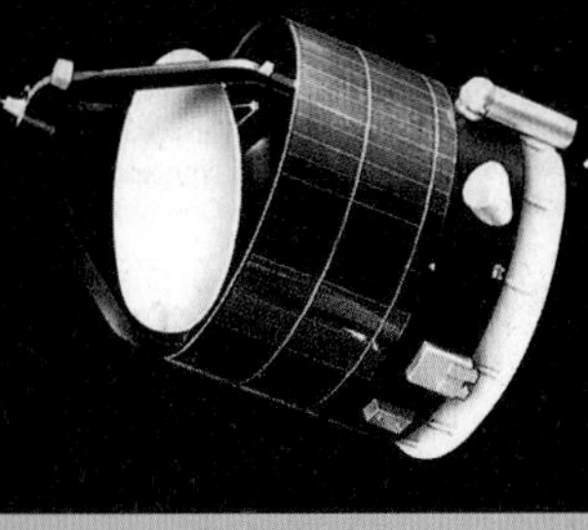

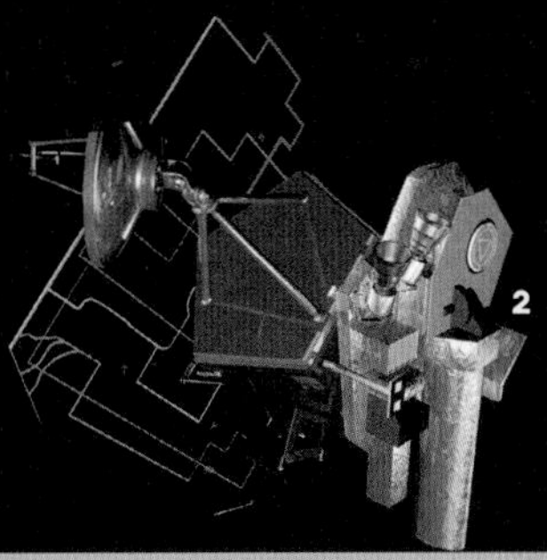

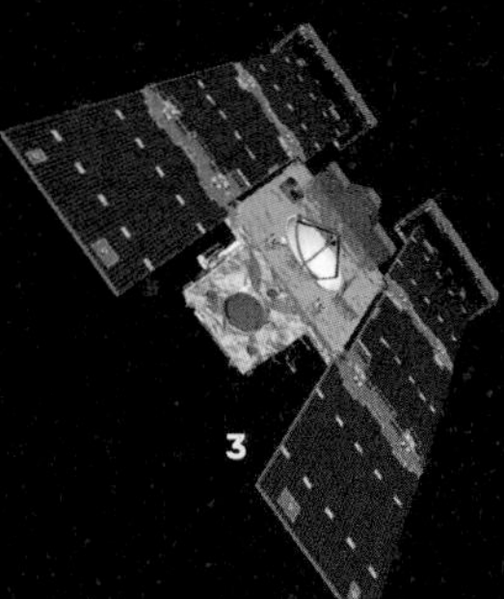

▲ 혜성 탐사 우주선

2016년 10월까지 3대의 우주선이 각각 2개의 혜성을 가까이에서 관찰했다. 유럽우주기구(ESA)의 지오토 우주선(1)은 1986년 핼리혜성에, 1992년에는 그리그-스켈러럽혜성에 다가갔다. 나사의 딥 임팩트 호(2)는 2005년 템펠혜성에, 2010년에는 하틀리혜성에 방문했다. 나사의 스타더스트 우주선(3)은 2004년 와일드혜성에, 2011년에는 템펠혜성에 접근했다.

▲ 우주선으로 처음 다가간 혜성

나사의 국제혜성탐사선이 1985년 9월 11일 자코비니-지너 혜성의 플라즈마 꼬리를 통과했다. 핵까지 거리는 7,800km였다. 1P/Halley(핼리혜성으로 더 많이 알려져 있다)는 1986년 무인 우주선 5개로 구성된 함대로 처음 다가간 혜성이다. ESA의 지오토는 1986년 3월 14일 혜성 핵의 596km 거리까지 접근한 유일한 우주선이다.

▲ 혜성에서 처음 수집한 샘플

샘플을 처음 수집한 혜성은 '와일드2'다. 1999년 2월 7일 발사된 스타더스트 우주선은 2004년 1월 2일 와일드2혜성에 접근했다. 이 우주선은 혜성의 코마를 통과하며 에어로겔(신소재)로 만든 장치에 혜성의 소중한 먼지 샘플을 수집했다. 이 귀한 물질은 2006년 1월 15일 지구에 전해졌다. 현재는 이 원시적이고 차가운 덩어리가 어떤 화학물질들로 구성되었는지 연구하고 있다.

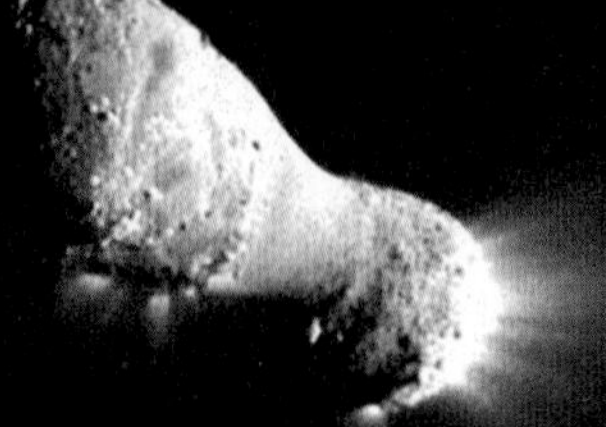

▲ 우주선으로 방문한 가장 작은 혜성

2005년 1월 12일 발사된 나사의 딥 임팩트 우주선은 2007년 7월 3일 태양계 밖의 행성들을 연구하고, 하틀리혜성의 곁을 비행하는 EPOXI 미션을 시행하게 된다. 우주적인 관점에서 '작은' 이 혜성은 길이 2.25km, 무게 약 3억 톤에 달한다.

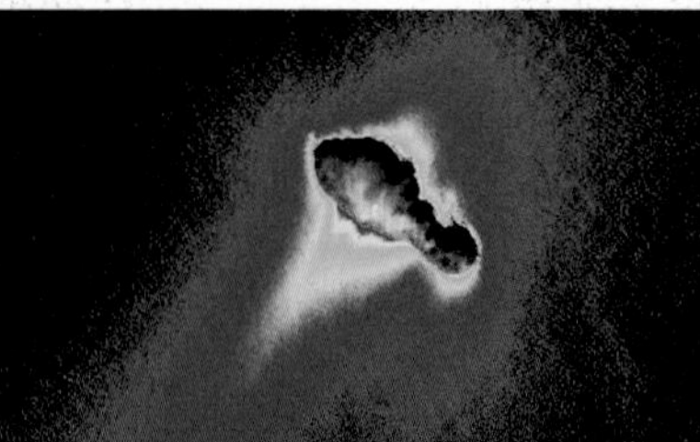

▲ 태양계에서 가장 어두운 물질

현재까지 발견된 태양계에서 가장 빛 반사율이 낮은 물체는 보렐리혜성이다. 이 8km 길이의 혜성 중심부는 2001년 9월 22일 무인 우주선 딥 스페이스 1호가 촬영했다. 보렐리의 표면을 감싸고 있는 먼지 코팅은 태양 빛의 3% 이하만 반사해 혜성을 어둡게 만드는 요인이다. 참고로 지구의 태양빛 반사율은 약 30%다.

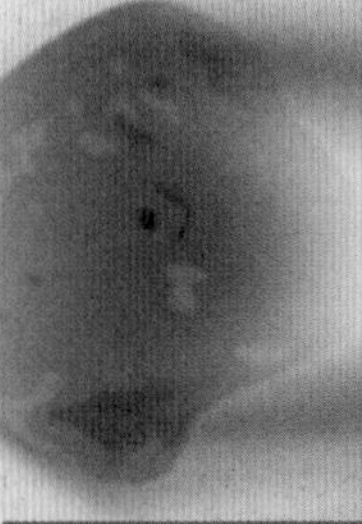

태양에 가까워지면 혜성 중심부가 뜨거워진다. 이때 혜성의 얼음이 증발하며 거대한 구름(혹은 코마)을 만들어내는데 몇몇 행성보다 크게 형성된다. 태양풍과 방사선이 코마에 영향을 끼쳐 혜성의 꼬리가 태양의 반대편으로 수백만 킬로미터까지 이어진다(아래 참조).

혜성의 평균 크기는
작은 마을과 비슷하다.

헤일-밥혜성은 1997년 태양계를 지나며
250톤의 가스와 먼지를 뿜었다.
매초 방출하는 양이 대왕고래의 1.5배에 달하는 무게였다.

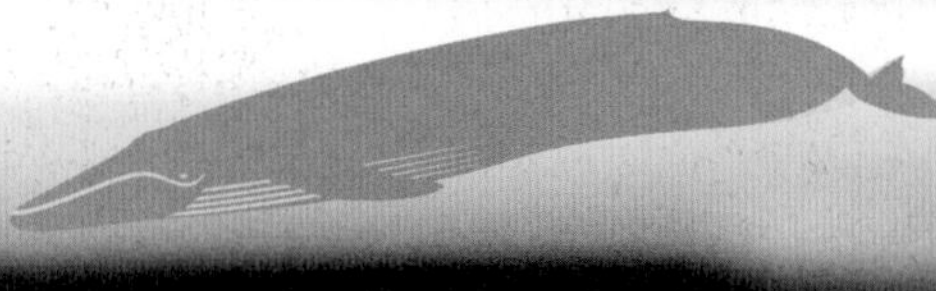

▼ 밀도가 가장 낮은 고체

2013년 2월 27일 보고에 따르면, 중국 저장 대학교의 가오차오(중국) 교수가 이끄는 연구팀은 밀도가 고작 0.16mg/cm^3(0.04 grains/cu in)인 그래핀 에어로겔을 만들었다고 한다. 공기(1.2mg/cm^3)보다 7배나 가벼운 물질로, 풀잎 위에도 세울 수 있다(아래 네모 참조). 밑의 사진은 그래핀으로 처리하지 않은 에어로겔 덩어리의 모습이다. 활용도가 높은 에어로겔은 혜성의 꼬리에서 먼지를 수집하는 데에도 사용된다.

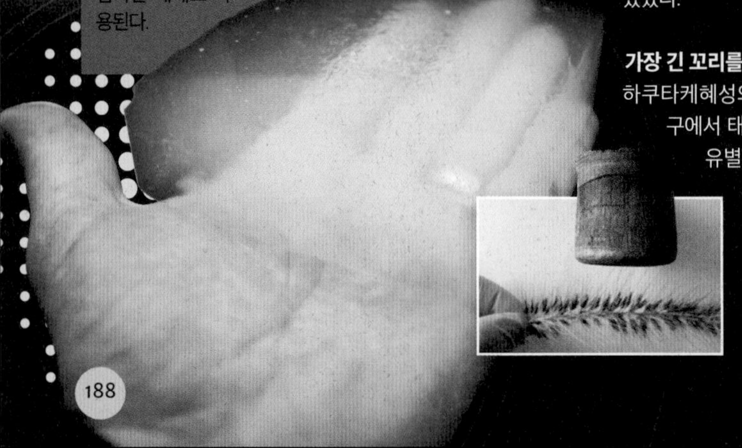

가장 큰 혜성

1977년 11월에 발견된 켄타우로스 2060 케이론혜성은 지름이 182km나 된다.

관측된 가장 큰 코마

오노레 플로제르그(프랑스)가 1811년 3월 25일 발견한 '대혜성'은 지름 약 200만km로 추정되는 코마를 가지고 있었다.

가장 긴 꼬리를 가진 혜성

하쿠타케혜성의 꼬리는 5억 7,000만km로 지구에서 태양 간 거리보다 3배 이상 길다. 이 유별나게 긴 꼬리는 임페리얼 칼리지 런던의 제레인트 존스 연구팀이 1999년 9월 13일 발견했다. ESA와 나사가 공동제작한 우주선 율리시스가 1996년 5월 1일 우연히 이 혜성과 만나며 과학자들이 정보를 수집할 수 있었다.

지구에 가장 가까이 접근한 혜성

1770년 7월 1일 렉셀혜성은 13만 8,600km/h의 속도로 태양을 향해 이동했고, 지구에 220만km 거리까지 근접했다.

태양계 최대 규모 충돌

1994년 7월 16~22일 사이, 슈메이커-레비9혜성이 20개 이상의 파편으로 분리돼 목성에 충돌했다. 이중 파편 'G'는 지구의 모든 핵무기를 합친 것보다 600배나 센 에너지로 폭발했다. TNT 600메가톤이 폭발한 것과 맞먹는 힘이었다.

혜성의 최대 근원지

해왕성바깥천체란 해왕성 바깥쪽에서 태양 주기를 돌고 있는 카이퍼 벨트, 산란분포대, 오르트 성운을 말한다. 오르트 성운은 수천 수억 개의 혜성 핵으로 이루어진 둥근

▲ 가장 빠른 속도로 지구 대기권에 진입한 물체

2006년 1월 15일, 나사의 스타더스트 호는 와일드2혜성에서 7년 동안 수집한 샘플을 캡슐에 넣어 지구로 돌려보냈다. 캡슐은 4만 6,660km/h의 속도로 대기에 진입했고, 낙하산이 펴져 미국 유타 지역에 착륙하기 전까지 일부 지역에서 한 줄기 빛(위)의 모습으로 관찰됐다.

위 사진은 ESA의 우주선 '로제타'의 모습이다. 함께 보이는 작은 기체는 67P/추루모프-게라시멘코혜성에 착륙한 필레로, 로제타에 실려 있다가 탐사를 위해 분리됐다.

▲ 혜성 표면에서 찍은 최초의 이미지

ESA의 탐사선 '필레'는 2014년 11월 12일 67P/추루모프-게라시멘코혜성에 착륙했다. 이 착륙선에는 주위 360° 촬영이 가능한 카메라 CIVA가 장착되어 있었다. 위 장면은 2014년 11월 13일 CIVA 카메라 2대를 사용해 최초로 촬영한 사진으로, 필레가 착륙한 절벽 지형과 본선의 모습이 함께 나와 있다. 필레는 착륙한 지 239일 뒤인 2015년 7월 9일 연락이 끊겼는데, **혜성 위에서 가장 오래 버틴 탐사선** 기록이다.

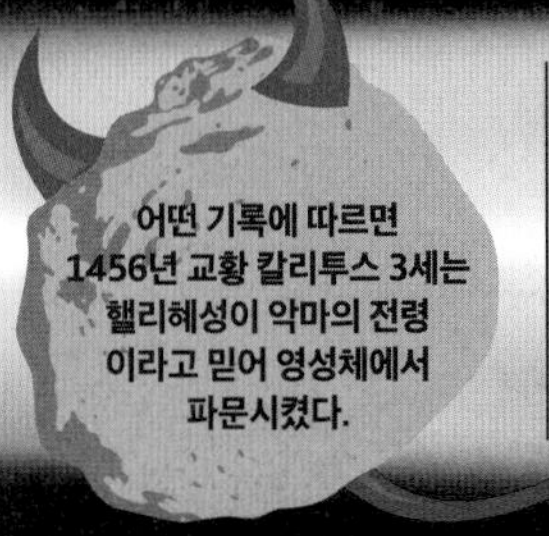

어떤 기록에 따르면 1456년 교황 칼리투스 3세는 핼리혜성이 악마의 전령이라고 믿어 영성체에서 파문시켰다.

혜성의 중심부는 지금까지 알려진 가장 검은 물질 중의 하나로, 빛의 단 4%만 반사한다. 흑탄보다 더 검다.

에드먼드 핼리는 성서 속 노아의 방주 때 일어난 홍수는 혜성이 지구에 충돌해 발생했다는 가설을 내놨다.

영어의 '혜성'이라는 말은 '머리에 나는 털'이라는 고대 그리스어에서 왔다. 아리스토텔레스가 혜성을 보고 '머리카락이 달린 별'이라고 묘사하며 처음 이름을 붙였다.

구름으로 5만 AU(1AU=지구에서 태양 간 거리)의 거리에서 태양을 감싸고 있다. 이는 태양에서 명왕성까지 거리의 약 1,000배 정도 된다. 태양계를 방문하는 혜성 대부분은 이 오르트 성운에서 생기는 것으로 여겨진다.

가장 먼 거리에서 발견한 혜성

2003년 9월 3일, 칠레 파라날에 있는 유럽남방천문대의 천문학자들이 태양에서 42억 km 거리에 있는 핼리혜성의 이미지를 공개했다. 그 속의 혜성은 광도 28.2로 아주 희미한 점으로 보였는데, 맨눈으로 볼 수 있는 광도보다 수십억 배 희미했다.

태양의 열기로 파괴되는 장면이 목격된 첫 혜성

2011년 7월 6일, 나사의 태양활동관측위성은 C/2011 N3혜성이 태양의 대기권으로 들어가며 산산이 조각나는 모습을 연속 이미지로 촬영했다. 이 혜성은 파괴되기 고작 이틀 전에 발견됐는데, 중심부의 크기는 9~45m 정도였다. C/2011 N3혜성은 부서져서 완전히 사라져 버리기 직전 약 210만km/h의 속도로 태양표면 10만 km 거리까지 다가갔다.

우주선이 가장 많이 다가간 혜성

75~76년 주기로 태양을 타원형 궤도로 공전하는 핼리혜성이 1986년 태양계에 들어오자 5대의 우주선(핼리 함대'라는 별명이 붙었다)이 이 혜성이 태양에 가장 가까워지는 근일점에서 만나기 위해 출발했다. 지오토(옆 페이지 참조)는 혜성의 옆을 지나며 코마에서 나온 먼지 입자에 심각한 타격을 받았지만, 최초로 혜성의 중심부 이미지를 촬영하는 데 성공했다. 소련이 보낸 베가 1과 베가 2는 금성에 먼저 들러 착륙선과 풍선 기구를 내려두고 핼리혜성으로 향했다. 일본이 보낸 수이세이와 사키가케는 혜성 중심부의 15만 1,000km, 699만km 거리까지 다가갔다.

혜성을 가장 많이 발견한 우주선

ESA/나사의 우주선 소호(SOHO)는 1995년 12월 2일 태양과 지구의 인력이 상쇄되는 L1 지점에서 조사 활동을 하기 위해 발사됐다. 혜성의 발견은 순전히 우연에 의한 것이었지만 소호는 2015년 9월 13일까지 3,000개의 혜성을 찾았다.

최장 기간 혜성 궤도 조사

2014년 8월 6일 ESA의 로제타 우주선은 67P/추루모프-게라시멘코 혜성의 궤도에 진입했고, 2014년 11월 12일 착륙선 필레를 투입했다(**혜성 표면에서 찍은 최초의 사진, 위**). 혜성이 태양에서 멀어지자 로제타의 태양열 패널의 가동률이 낮아졌다. 이론상으로는 우주선을 동면상태로 전환한 뒤 혜성이 다시 태양에 다가오면 가동할 수 있지만 성공하리라는 보장은 없었다. ESA는 우주선을 혜성의 표면으로 보내 마지막까지 이미지와 데이터를 수집하기로 결정했다. 2016년 9월 30일 협정세계시 10시 39분, 로제타는 혜성의 표면에 착륙했고, 67P/추루모프-게라시멘코에서 2년 55일 만에 임무를 종료했다.

SCI-TECH & ENGINEERING

3D프린팅 3D PRINTING

2016년 102명의 항공 전문가들에게 조사한 결과, 70%가 2030년엔 항공기 부품이 공항에서 바로 프린트되리라고 예상했다.

▲ 3D프린트로 만든 가장 큰 인공 부리

큰부리새 '그레시아'는 2015년 1월 7일, 부리의 반을 잃은 채 코스타리카 알라후엘라에 있는 동물 보호소로 이송됐다. 많은 사람이 모금에 참여한 덕에 그레시아는 총 길이 약 19cm, 무게 18g의 인공 부리를 얻을 수 있었다. 2016년 1월 수술을 받은 이 큰부리새는 이제 혼자 밥을 먹고 깃털을 다듬는다. 인공 부리를 얻은 며칠 뒤부터는 노래도 다시 하기 시작했다.

최초의 3D프린팅 특허

1967년 7월 12일, 윈 캘리 스웨인슨(미국)은 덴마크에서 '홀로그래피 3D 조형 제작법'이라는 제목의 특허를 출원했다. 여기에는 한 쌍의 레이저 간섭계로 3차원 물체를 스캔해 그 정보를 컴퓨터에 저장하는 시스템이 구상돼 있었다. 컴퓨터는 입력된 정보를 다른 한 쌍의 레이저에 전달해 빛에 민감한 감광 플라스틱 덩어리를 선별적으로 경화시켜 재생산하는 방식이었다.

3D프린터 직물로 만든 최초의 드레스

2000년 6월, 디자이너 지리 에벤휘스(네덜란드)는 나일론 입자로 만든 3D프린팅 직물을 활용해 '선택적 레이저 소결 기술(SLS)'로 드레이프 드레스를 만들었다. 이 드레스는 미국 뉴욕의 현대미술관에 소장되어 있다.

모조 달 토양을 써서 만든 가장 무거운 3D프린팅 물체

2013년 1월 31일, 유럽우주기구(ESA)는 달의 토양을 활용해 3D프린터로 달에 기지를 건설하는 계획을 발표했다. 실행 가능성을 증명하기 위해 ESA 컨소시엄은 진공실에서 1.5톤의 블록을 3D프린트로 만들었다. 이는 벌집 구조로 돼 있으며, 모조 달 토양에 산화마그네슘을 섞고, 염으로 결합해 만들었다.

최초의 3D프린트 자동차

2014년 9월, 디자이너 미셸 아노에(이탈리아)는 미국 일리노이 주 시카고에서 열린 시카고 국제공작기계박람회(IMTS)에서 자신이 디자인한 자동차 '스트래티'의 섀시와 차체가 단 5일 만에 프린트되는 모습을 봤다. 미셸 아노에는 미국 애리조나 주 피닉스에서 크라우드 펀드로 운영되는 회사인 '로컬 모터스'의 아이디어로 진행된 '3D프린트 자동차 디자인 대회'에서 200명 이상의 참가자를 물리쳤다. 로컬 모터스는 오크리지 국립연구소(미국)와 사우디아라비아 제조회사인 사빅의 도움으로 차량 제작을 완료했다.

최초의 3D프린트 모터사이클

2015년 래피드 쇼에서 TE 커넥티비티(스위스/미국)는 100가지 부품 중에 76가지를 3D프린터로 만든 주황색과 파란색의 할리 데이비슨 오토바이 복제품을 공개했다. 제작에는 6.95km의 ABS 플라스틱 필라멘트가 사용됐다. 부품을 만들기 위해 여러 대의 프린터가 1,700시간 동안 가동됐다.

2020년에 발사되는 유럽우주기구(ESA)의 로켓 아리안 6에는 3D프린터로 만든 부품이 많이 사용될 것이라고 에어버스 사(社)가 말했다. 이로 인해 약 50% 정도의 비용 절감이 가능하다.

Q: 미국 보청기 중에 몇 %가 3D프린트로 제작될까?

A: 100%

최초의 3D프린트 알약

아프레시아(미국)의 스프리탐은 발작 관련 증상을 진정시키는 약으로, 2015년 7월 최초로 3D프린트됐다. 이 알약은 다공성 구조로 돼 있어 약이 단 4초면 녹는다. 처방전 없이 살 수 있는 일반 약보다 훨씬 빠른 속도다.

3D프린트로 제작한 가장 작은 의료장치

세계의 과학자들은 환자들에게 고통 없이 주사할 수 있는, 바늘을 대체할 장비를 연구하고 있다. 그중 한 예가 애크런 대학교와 텍사스 대학교 팀이 3D프린트로 만든 미세바늘이다. 생분해 플라스틱으로 만든 이 바늘은 1mm 지름 안에 25개를 배열할 수 있을 만큼 얇다. 각각의 폭이 20마이크로미터로, 머리카락의 5분의 1 정도 두께다.

금속으로 3D프린트한 가장 긴 물체

2016년 10월, 크랜필드 대학교 과학자들이 양면에 알루미늄을 덧댄 길이 6m, 무게 300kg의 날개 보(Spar)를 만들었다고 발표했다. 여기에는 10m 길이의 와이어 아크 첨가 3D프린터가 사용됐다.

3D프린터로 만든 가장 빠른 로봇

2015년 5월, 미국 버클리에 있는 캘리포니아 대학교의 기술자들이 3D프린터로 특별 제작된 부품을 활용해 X2-벨로시로치라는 바퀴벌레 로봇을 제작했다. 유연한 부품 덕에 이 인공벌레는 약 17.7km/h의 속도로 기어갈 수 있다. 인간의 평균 조깅 속도보다 빠르다.

3D프린트가 가장 많이 사용된 3D프린터

3D프린터는 현재 자동차 부품부터 식품까지 모든 것을 만들어내고 있어, 3D프린터가 3D프린터를 만든다고 해도 놀랄 일은 아니다. 가스 미네트(미국)가 디자인한 오픈소스 RepRap Snappy 1.1c 프린터는 110개의 부품 중 86개를 2.4kg의 플라스틱 필라멘트를 사용해 만든다.

▲ 3D프린트로 만든 최초의 항공기

2016년 6월 1일, 독일 베를린에서 열린 베를린에어쇼에서 전자 시스템을 제외한 모든 부품을 3D프린터로 제작한 에어버스 사(社)의 토르가 베일을 벗었다. 무게가 고작 21kg인 토르(이름에는 '현실에서 첨단기술을 시험하는 물체'라는 뜻이 담겨 있다)는 2015년 11월 처녀비행한 무인 시험기다. 이 비행기는 2마력의 전기 모터를 장착했고, 대부분 플라스틱 폴리아미드로 프린트했다. 토르의 첫 비행을 지휘한 수석 엔지니어 군나르 하제는 이렇게 말했다. "아름답게 날았고 매우 안정적이었다."

3D프린트의 뿌리는 1980년 스테레오리소그래피의 발명에 있다. 액체 원료에 레이저를 분사해 만들고자 하는 형상대로 고체화시키면서 3차원의 결과물을 만들어내는 것이다.

3D프린터는 플라스틱으로만 프린트하지 않는다. 금속, 유리, 세라믹, 초콜릿 심지어 치즈, 훔무스(이집트 음식), 피자 반죽으로도 프린트할 수 있다.

3D프린터로 만든 음식만 (3D프린터로 만든 식기로 먹는다) 파는 레스토랑이 2016년 4월, 네덜란드에 문을 열었다.

영화 〈스카이폴〉에 나오는 애스턴 마틴 DB5 차량은 VX4000 3D프린터로 만들었다.

'세계 3D프린팅 데이'는 2013년에 최초로 시작됐다. 2015년 행사에서는 더 컬리네리 인스티튜트 오브 아메리카가 3D프린터로 먹을 수 있는 요다를 만들었다.

2014년, 요시토모 이무라(일본)는 3D프린터로 권총을 만들어 감옥에 갔다.

▲ 최초의 3D프린트 다리

2016년 12월 14일, 스페인 마드리드의 카스티야라만차 공원에 3D프린터로 만든 다리가 놓였다. 길이 12m, 폭 1.75m로 '카탈루냐 첨단 건축 연구소'(스페인)가 만들었다. 이 보행자용 다리는 열가소성 폴리프로필렌으로 미세하게 강화와 융합시킨 콘크리트 층으로 된 8개의 구획으로 이루어져 있다.

▲ 3D프린터로 만든 최초의 산호초

2012년, 국제 컨소시엄 '리프 아라비아'의 전문가들이 바레인 연안에 3D프린터로 만든 2개의 산호초를 심었다. 이 사암 형태의 무독성 인공 암초는 무게가 약 500kg이며, 산호 유생(幼生)과 다른 해양 생물들을 끌어들이기 위해 설계됐다. 이전에 쓰던 콘크리트 인공 암초와는 다르게 이 3D프린트 구조물은 중성(Ph)을 띤다.

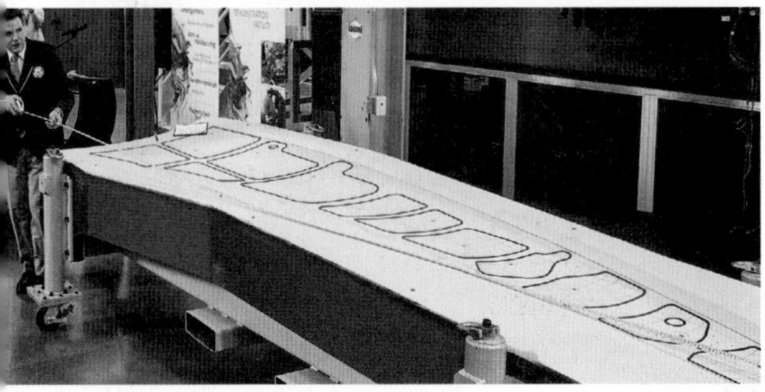

▲ 3D프린터로 만든 가장 큰 물건

오크리지 국립연구소와 보잉 사(社)는 보잉 777 항공기의 날개를 제작하는 데 쓸 2.33㎥ 크기의 연장을 2016년 8월 29일, 미국 테네시 주 오크리지에서 프린트했다. 이 연장을 3D프린터 BAAM(Big Area Additive Manufacturing)으로 제작하는 데 30시간이 걸렸다.

▼

◀ 3D프린터로 만든 가장 큰 보트

매년 미국 워싱턴 주 시애틀에서 열리는 '시페어 우유통 더비'는 참가자들이 재활용 우유통으로 보트를 만들어 겨루는 대회다. 2012년 6월, 워싱턴에서 참가한 '오픈 오브젝트 패브리케이터스 그룹'은 우유 통을 녹여 3D프린터로 만든 창작물을 가지고 42번째 더비에 출전했다. 길이 2.13m, 무게 18.14kg의 이 보트는 2위를 기록했다.

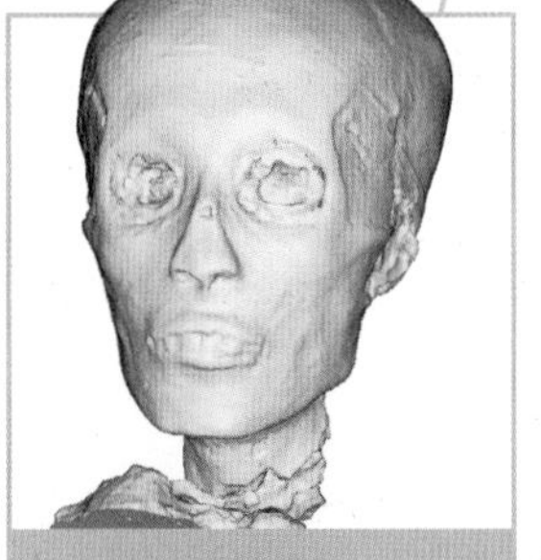

▲ 3D프린터로 처음 재구성한 옛 군주의 얼굴

2010년 〈내셔널 지오그래픽〉은 모형 제작자 게리 슈타브(미국)에게 이집트의 파라오 투탕카멘(기원전 약 1341~23년)의 모형을 3D프린터로 정교하게 만들어달라고 주문했다. 그는 투탕카멘 미라를 CT 촬영해 3D 컴퓨터 모델로 전환한 뒤 스테레오리소그래피 기계로 프린트했다. 슈타브는 미국 미주리에 있는 자신의 작업실에 프린트한 모델을 보낸 뒤, 색과 질감을 더했다.

▲ 3D프린터로 만든 가장 큰 골격

미국 뉴욕에 있는 미국자연사박물관이 2016년 1월 15일, 티타노사우르스의 골격을 3D프린트로 만들어 대중에 공개했다. 모델이 된 화석은 아르헨티나 파타고니아 사막에서 발견된 것으로 백악기 후기에 살았던 것으로 여겨진다. 길이 37m로 장식용 골격이 전시실보다 살짝 크다. 머리와 목은 관람객들을 놀래켜주기 위해 엘리베이터 쪽으로 뻗어 있다.

▼ 가장 인기 있는 3D프린터

네덜란드 회사 '3D 허브'에 따르면, 2016년 7~9월 전 세계에서 가장 인기 있는 3D프린터는 푸르샤 i3였다. 총 2,795대가 사용 중이며, 전체 3D프린팅 업무 중 8.3%를 처리한다. 푸르샤 i3는 오픈 소스로 일부는 렙랩 프로젝트(3D프린터가 스스로 복제할 수 있게 한다는 개념, 프린터의 부품을 프린터로 제작)로 이뤄져 있다. 최초의 모델은 2012년 요세프 푸르샤(체코)가 디자인했다.

사진 & 이미지 PHOTOGRAPHY & IMAGING

오늘날 2분마다 찍는 사진의 평균 양은 19세기 동안 찍은 총량과 맞먹는다.

▲ **최초의 셀피**
로버트 코넬리우스(미국)가 1839년 10월에 자신의 모습을 스스로 촬영했다. 초창기 촬영기법인 다게레오타입으로 촬영했는데, 은판에 요오드화은 감광막을 만들어 찍은 뒤 수은 증기로 현상하는 방식이다. 그는 미국 필라델피아 주에 있는 집 뒷마당에서 충분한 노출을 위해 램프와 샹들리에에 가게의 빛을 모두 동원한 채 15분간 앉아 있었다. 그는 사진 뒷면에 이런 글을 남겼다. "1839년 찍은 최초의 광선화"

최초의…

장난 사진
〈물에 빠진 사람의 자화상〉(1840)에서 이폴리트 바야르(프랑스)는 마치 자살한 사람처럼 몸을 한쪽으로 기대고 있다. 그는 자신이 사진술을 발명한 사실을 인정받지 못하는 현실에 대한 저항으로 이 사진을 찍었다. 사진을 만든 공은 루이 자크 망데 다게르(프랑스)와 윌리엄 헨리 폭스 탤벗(영국)에게 돌아갔다.

컬러사진
제임스 클라크 맥스웰(영국)은 1855년 최초로 삼원색 기법을 이용해 색상 이미지를 만들었다. 그는 1861년 5월 5일, 토마스 서튼(영국)에게 격자무늬 리본을 3개의 다른 필터로 찍게 한 뒤 하나로 합쳐 컬러사진을 완성했다.

수중 컬러사진
1926년에 〈내셔널 지오그래픽〉 사진작가 찰스 마틴과 윌리엄 롱리 박사가 미국 플로리다 키스에서 호그피시를 컬러로 촬영했다. 마틴은 특별 제작된 방수 카메라 케이스를 사용했고, 배 위에서 해수면을 향해 마그네슘 플래시 파우더로 빛을 비춰 현장을 밝게 했다.

궤도에서 찍은 지구 사진
1959년 8월 14일, 2만 7,358.8km 상공에서 궤도를 선회하던 나사의 익스플로러 6 위성이 최초로 지구 사진을 촬영했다. 위성의 카메라는 '텔레비트'로 불리는 소형 아날로그 회로가 탑재된 장치였다. 위성이 7,000픽셀의 사진 한 장을 지구로 보내는 데는 40분이 걸렸다. 이 최초의 사진은 초승달 모양의 지구를 담고 있었다.

화학반응 중 원자가 결합하는 사진
2013년 5월, 미국 캘리포니아 주에 있는 에너지부 산하 로렌스버클리국립연구소의 연구원들이 화학반응 중 탄소원자가 결합하는 이미지를 최초로 촬영했다. 연구팀은 그래핀 나노 구조물을 만드는 중이었으며, 자세한 연구를 위해 원자간력현미경(AFM)을 사용하고 있었다.

엄청난 고해상도로 촬영한 파노라마 사진은 일부를 아주 크게 확대해도 건물의 선이 또렷하게 나온다.

Q: '사진(photography)'은 문자 그대로 무슨 뜻일까?

A: 빛으로 그리는 그림

최대의…

디지털 달 사진
2011년 12월 11일, 프로젝트 시작 후 4년 만에 나사의 달 탐사 궤도선(LRO)이 협각 카메라(NAC)와 광각 카메라(WAC)를 이용해 달의 북극을 놀라울 만큼 정교하게 촬영했다. LRO 팀은 총 1만 581개의 이미지를 합쳐 680기가픽셀의 달 북극 지역 사진을 만들었다.

원화
〈더 그레이트 픽처〉로 불리는 원화는 2006년 7월 12일에 '레거시 프로젝트'라는 6명의 사진작가 팀이 9개월 만에 완성했다. 사진에는 미국 캘리포니아 남부에 있는 미국 엘토로 해병 공군기지의 관제탑, 건물 그리고 활주로가 나와 있다. 400명의 봉사자와 예술가, 전문가들의 도움으로 오래된 격납고를 하나의 거대한 핀홀 카메라로 만들었다. 80ℓ의 은할로겐감광제와 가로 34m 세로 9.8m 크기의 단일 캔버스가 사용됐다. 인화에만 2,300ℓ의 현상액과 4,500ℓ의 정착액이 쓰였다.

사진
신이치 야마모토(일본)는 2000년 12월 18일에 길이 145m, 폭 35.6cm로 사진을 인화했다. 원본 필름은 길이 30.5m, 폭 7cm였으며 직접 만든 파노라마 카메라를 사용했다.

디지털 필름이 있기 전에 가장 크게 인화된 사진
영국 여왕 엘리자베스 2세의 다이아몬드 주빌리(즉위 60주년 행사)를 위해 실버 주빌리(25주년 기념행사) 때 촬영한 왕족의 사진을 100×70m 크기로 인화해 영국 런던 씨컨테이너 하우스 앞에 전시했다. 2012년 5월 25일에 8명의 전문가가 각각의 부분을 맞춰 완성하기까지 45시간이 걸렸다.

◀ **가장 큰 파노라마 사진**
2015년 8월 6일, 846.07기가픽셀의 고해상도 파노라마 사진을 찍었는데 여기에는 화창한 날씨의 말레이시아 쿠알라룸푸르의 모습이 담겨 있다. 쿠알라룸푸르에서 림콕윙 박사와 림콕윙 대학 창조기술 팀(둘 다 말레이시아)이 쿠알라룸푸르 타워에서 촬영해 제작했다. 1기가픽셀은 10억 픽셀로, 아이폰 7 카메라의 해상도보다 80배 좋다(오른쪽 참조).

매년 찍는 사진의 수

- 1930: **10억**
- 1960: **30억**
- 1970: **100억**
- 1980: **250억**
- 1990: **570억**
- 2000: **860억**
- 2012: **3,800억**
- 2015: **1조**
- 2017: **1조 3,000억**(예상)

3억 5,000만
페이스북에 매일 추가되는 새로운 사진

6,000만
인스타그램에 매일 올라오는 새로운 사진

280만 달러
가장 비싸게 팔린 카메라. 2012년 5월 12일에 팔린 라이카 35mm 필름 카메라 프로토타입.

12
아이폰 7 = 12메가픽셀

168
후지 벨비아 35mm 필름의 픽셀 해상도 = 168메가픽셀

12
아폴로 우주비행사들이 달에 놓고 온 핫셀블라드 카메라의 수

▲ **가장 오래된 항공사진**

1860년 10월 13일, 제임스 월리스 블랙(미국)은 미국 매사추세츠 보스턴에서 열기구 '퀸스 오브 디 에어'에 타고 고도 609m에서 사진 촬영을 했다. 최초의 항공사진은 나다르(프랑스, 본명 가스파르 펠릭스 투르나숑)가 1858년에 찍었다. 사진은 80m 상공에서 열기구를 타고 촬영한 프티-비세트르(현 프티-클라마르)의 모습이 담겨 있다. 그의 항공사진은 현재 남아 있지 않다.

▲ **월드와이드웹에 게시된 최초의 사진**

1992년 7월 18일, 컴퓨터 과학자 실바노 데 젠나로(이탈리아)는 자신의 여자친구 미켈레 뮬러와 그녀가 속한 코미디 두압 밴드 '레 오라블 세레네테'의 사진을 찍었다. 몇 주 후 동료인 팀 버너스 리(미국)가 월드와이드웹의 새로운 기능을 실험할 사진을 달라고 요청했고, 실바노는 위 사진을 120×50픽셀의 GIF로 전송했다.

▲ **현존하는 가장 오래된 사진**

현재 남은 가장 오래된 사진은 1827년, 조세프 니세포르 니에프스(프랑스)가 핀홀 카메라를 사용해 찍은 것이다. 그의 집 창문에서 보이는 풍경이 담겨 있는데, 프랑스 부르군디 지역 르 그라의 모습이다. 1952년 발견된 이 사진은 현재 미국 오스틴의 텍사스 대학교 게른스하임 컬렉션에 보관돼 있다.

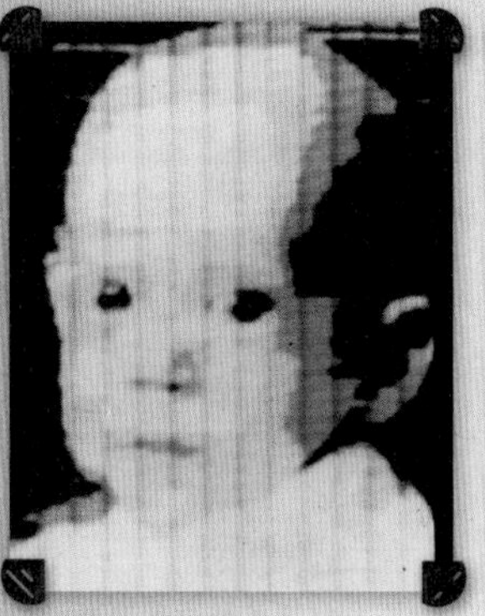

▲ **최초의 디지털 이미지**

러셀 키르쉬(미국)가 1957년 미국 워싱턴DC 미국 국립표준사무국에서 아들 월든의 이미지를 디지털로 제작했다. 당시 키르쉬는 미국 최초의 프로그램 축적형 컴퓨터 시크(SEAC)를 연구 중이었고, 사진을 2진코드로 바꾸는 장치를 개발하게 된다. 이미지의 크기는 176×176픽셀이었다.

▲ **최초의 인스타그램 사진**

2010년 7월 16일, 인스타그램의 공동창립자이자 CEO인 케빈 시스트롬(미국)이 앱에 '코드 네임'으로 알려진 골든 리트리버의 사진을 업로드했다. 사진에는 주인이나 개의 이름에 관한 단서는 없고 여자친구의 발만 나와 있었다. 이 장면은 멕시코 토도스 산토스에 있는 타코스 칠라코스라는 이름의 타코 가판대에서 촬영됐다.

▲ **최초의 JPEG**

JPEG(Joint Photographic Experts Group)는 가장 널리 알려진 디지털 이미지 포맷 중 하나다. 이 포맷은 인터넷과 디지털카메라의 이미지를 활성화하고 압축하는 기술을 표준화하기 위해 개발됐다. 1987년 6월 18일, 덴마크 코펜하겐에서 JPEG 압축에 처음으로 사용된 이미지는 보트, 바바라, 장난감, 젤다라는 이름의 4개의 테스트용 이미지였다.

▲ **최초의 수중 인물사진**

동물학자 루이스 마리 어거스트 보탕(프랑스)이 1893년에 자신이 발명한 수중 카메라로 촬영했다. 하지만 그가 1899년 맞춤 플래시를 개발하기 전까지는 수중에 있는 물체를 알아보기 어려웠다. 위 사진은 그가 플래시 개발 후 프랑스 남부 바뉼 쉬르 메르에서 촬영한 해양학자 겸 생물학자 에밀 라코비차(루마니아)의 인물사진이다.

▲ **최초의 홀로그램**

물리학자 데니스 가보르(영국, 헝가리 출생)가 1947년 홀로그램 가설을 처음 세웠다. 하지만 1960년이 되어서야 간섭성빛인 레이저로 홀로그램 이미지를 실제로 만들 수 있었다. 첫 홀로그램 이미지는 미시간 대학교의 에미트 리드(미국)와 주리스 우파트닉스(미국, 라트비아 출생)가 1962년에 만든 장난감 기차였다.

▲ 사람이 나오는 최초의 사진

루이 다게르(프랑스)가 1838년경에 찍은 사진이다. 장시간 노출로 찍은 이 초창기 사진에는 한산한 파리 템플 대로에 어떤 남자가 가만히 서서 구두닦이가 작업을 마치기를 기다리고 있다. 이 남자와 구두닦이는 후대에 알려진 최초의 사진 속 인물이다.

불꽃놀이 FIREWORKS

불꽃의 다양한 색은 금속염이 타며 나타나는 현상이다.
예를 들어 염화구리는 푸른 불꽃을, 염화칼슘은 오렌지색 불꽃을 만든다.

▲ 실내 최대 규모 불꽃놀이

싱가포르의 국경일 축하 퍼레이드는 8월 9일에 열린다. 2016년에는 개막과 메인 축하 무대가 내셔널 스타디움에서 열렸는데, 이곳에 설치된 98개의 불꽃 상자에는 평균 14개의 폭죽이 들어 있었다. 모든 상자에는 점화 선이 연결되어 있었고, 무대를 따라 36개, 무대로 향하는 4개의 경사로의 옆에 26개가 설치됐다. 총 1,372개의 폭죽이 사용됐다.

▲ 가장 높은 불꽃놀이 구조물

2014년 12월 7일 멕시코 멕시코 주 힐로테펙 자치 당국은 66.5m 높이의 불꽃놀이 구조물을 설치했다. 영국 런던의 닐슨 기념탑과 프랑스 파리의 개선문보다 한참 높은 이 구조물은 동그란 화관이 날아오르는 듯한 모양으로 제작됐다. 불꽃놀이는 힐로테펙의 역사를 나타내는 음악, 이미지가 함께 등장하며 시작됐다.

◀ 가장 큰 불꽃 로켓

2014년 9월 27일 미국 네바다 주 호손에 있는 '서부 불꽃협회 컨벤션'에 97.01kg의 불꽃 로켓이 설치됐다. 이 로켓은 데이브 퍼거슨과 BFR 보이즈(모두 미국)가 제작했다. 로켓의 폭발 반경은 360m 이상이었다.

▲ 최대 규모 불꽃놀이

2016년 1월 1일 이글레시아 니 그리스도 교회(필리핀)가 '카운트다운 2016'이라는 새해 축하행사에서 81만 904개의 폭죽으로 무대를 꾸몄다. 필리핀 아레나에서 열린 불꽃놀이는 자정에 시작해 비가 쏟아지는 와중에도 1시간 1분 32.35초간 지속됐다.

▲ 가장 큰 양초 모양의 폭죽

2015년 새해 전날, 유리 이 야니브(우크라이나)는 엄청난 폭죽 덩어리를 만들었다. 1만 개의 폭죽을 도자기에 넣고 판지와 흙, 주방용 은박지로 단단히 고정했다. 불을 붙이자 50kg짜리 양초 모양의 폭죽은 지름 약 2m의 엄청난 불꽃을 일으키며 타올랐다.

브로케이드 모양
각각 터지는 별 갈래가 모여 하나의 모양을 이룬다.

국화 모양
꼬리가 달린 별이 길고 동그랗게 뻗는다.

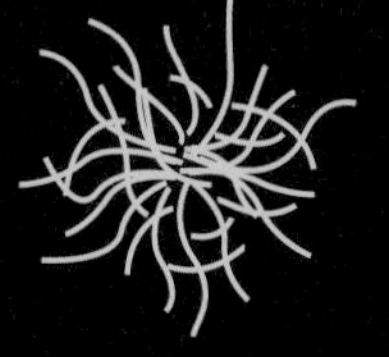

꿀벌 모양
여러 불꽃이 다양한 방향으로 퍼진다.

모란 모양
불꽃이 여러 색으로 변하며 터진다.

물고기 모양
불꽃들이 각자 독립적으로 빠르게 이동한다.

역사에 기록된 최초의 불꽃

최초의 화약은 2000년 전 중국에서 여러 화학약품을 섞다가 우연히 발견됐다. 최초의 중국 폭죽은 리 티안이라는 승려가 제작했다. 그는 9세기 당나라 시대(618~907)에 후난 성 류양 시 인근에 살았는데, 화약을 속 빈 대나무 줄기에 넣고 터뜨리면 시끄러운 폭발음을 낸다는 걸 알아냈다. 중국은 오래전부터 길한(좋은) 시간에 시끄러운 소리를 내면 잡귀를 쫓을 수 있다고 믿었기 때문에 그는 화약을 채운 대나무 여러 개를 한데 묶어 사용하기 시작했다. 그리고 이 폭죽이 현재 전통적으로 쓰는 새해 불꽃의 시초가 됐다. 중국 사람들은 매년 4월 18일이 되면 리 티안의 발명을 축하하는 행사를 연다.

최초의 로켓 사용

화약 발명에 이어 '날아가는 불꽃(숯, 초석, 유황을 포함하고 있다)'도 1042년 중국의 증공량이 쓴 책에 최초로 기록되어 있다. 로켓을 처음 사용한 때는 1232년 일어난 중국과 몽골 간의 전쟁에서다. 당시 중국군은 몽골 침입자들을 향해 '나는 불꽃 화살'을 쏘았다.

폭죽이 설치된 가장 높은 빌딩

새해 전날이 되면 828m의 **가장 높은 빌딩**인 UAE의 부르즈 할리파 꼭대기와 건물 양쪽에 폭죽이 설치된다. 10분이 안 되는 시간 동안 1.6톤의 불꽃이 소진된다.

실수로 짧게 끝나버린 불꽃놀이

2009년 8월 21일 영국 도싯 해변에 세계기록 도전을 위해 11만 개라는 엄청난 수의 폭죽이 설치됐으나 예상치 못한 이른 시간에 끝나버리고 말았다. 불꽃은 영국해협에 있는 2개의 부두 사이에 띄운 바지선에 아주 조심스럽게 설치됐다. 하지만 처음 터진 로켓이 선상에 있는 모든 폭죽에 불을 붙이면서 고작 6초 만에 전부 타버렸다.

폭죽 의상에서 터진 가장 많은 불꽃

2014년 6월 13일, 마주엘 로랑 넷(프랑스)이 입은 폭죽 의상에서 642개의 불꽃이 솟구쳤다.

Q: 폭죽의 90%를 만드는 나라는?

A: 중국

최대의…

공중 불꽃 옥피

공중에서 터지는 폭죽의 '옥피(폭죽에서 빛을 내며 폭발하는 부분)'에는 별(점화되면 색을 내며 터지는 금속염)과 활약(쏘아 올린 폭죽 안에 불이 붙게 하는 역할), 도화선과 속화선(원하는 위치와 시간에 터지게 하는 장치)이 들어 있다. 욘샤쿠다마 불꽃은 일본 혼슈 니가타 현 카타카이에서 매년 9월 9일과 10일에 열리는 카타카이-마츠리 축제에서 발사된다. 2014년 9월 9일 최초로 발사된 폭죽은 지름 120cm, 무게 464.8kg으로 그랜드 피아노와 맞먹는 크기였다. 이 폭죽은 미사노리 혼다의 카타카이 폭죽 회사(일본)에서 제작했다.

▲ 최장 거리 불꽃놀이

매년 8월이 끝날 무렵이면 이탈리아 베니스 인근 카발리노-트레포르티 해변의 아름다운 거리가 거대한 불꽃축제의 현장으로 바뀐다. 2016년 8월 27일에 열린 행사는 현지 관광객 컨소시엄인 파르코 투리스티코와 파렌치 파이어웍스(모두 이탈리아)가 기획했는데, 푼타 사비오니부터 카발리노 등대까지 총 13km에 이르는 해변 중 11.38km에 폭죽을 설치했다.

▼ 최초의 다중감각 불꽃놀이

영국 런던에서 2013~2014년 새해 전날 열린 불꽃놀이는 미각과 후각까지 동원된 행사였다. 웨스트민스터 다리와 헝거포드 다리에 서 있던 약 5만 명의 사람들은 다양한 색의 불꽃과 함께 과일 향까지 즐길 수 있었다. 붉은 폭죽이 터질 때면 딸기 향의 연기, 다른 불꽃들도 색에 맞춰 사과, 체리, 딸기 향의 연기가 피어올랐다. 또 '떠다니는 오렌지들(세빌 오렌지 맛의 연기가 담긴 비눗방울이 뿌려졌다)'과 먹을 수 있는 바나나 종이가 흩날렸다. 식품과학자 그룹인 봄파스앤파르(영국)가 제작에 참여했다.

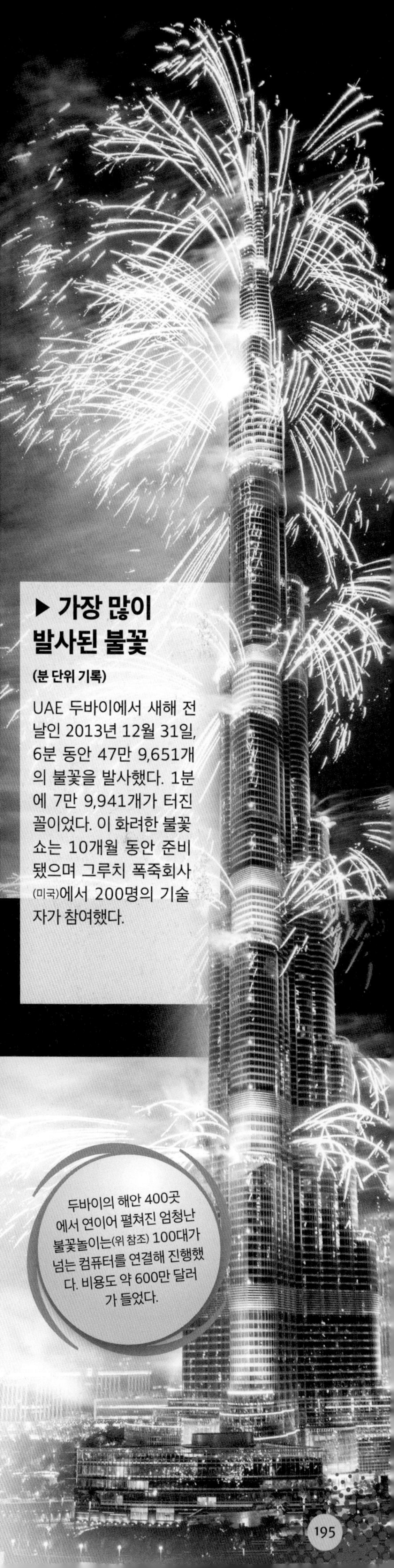

▶ 가장 많이 발사된 불꽃

(분 단위 기록)

UAE 두바이에서 새해 전날인 2013년 12월 31일, 6분 동안 47만 9,651개의 불꽃을 발사했다. 1분에 7만 9,941개가 터진 꼴이었다. 이 화려한 불꽃쇼는 10개월 동안 준비됐으며 그루치 폭죽회사(미국)에서 200명의 기술자가 참여했다.

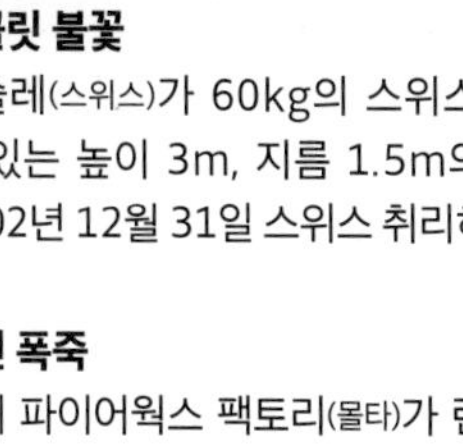

별 모양
빛나는 하나의 원형,
각기 다른 색을 낼 수 있다.

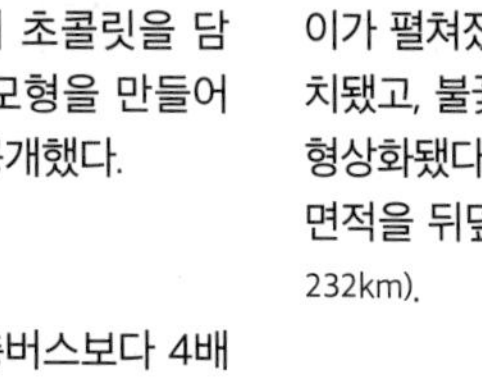

섬광 모양
반짝이며 빛나는 모양

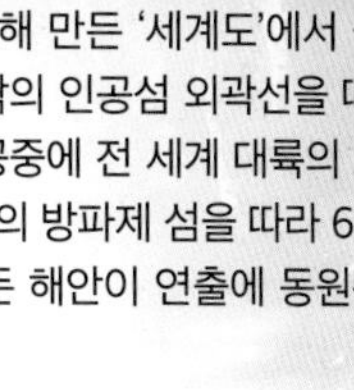

버드나무 모양
터져나간 별들이 천천히 하강한다.

초콜릿 불꽃

네슬레(스위스)가 60kg의 스위스 까이에 초콜릿을 담고 있는 높이 3m, 지름 1.5m의 폭죽 모형을 만들어 2002년 12월 31일 스위스 취리히에서 공개했다.

회전 폭죽

릴리 파이어웍스 팩토리(몰타)가 런던 이층버스보다 4배나 긴 32.044m 지름의 회전 폭죽을 제작했다. 구조물의 크기는 2011년 6월 18일 몰타 임캅바에서 확인됐다.

불꽃으로 만든 국기

그루치(미국)가 2015년 3월 28일 UAE 두바이 메이단 경마장에서 두바이 월드컵 경마 20주년 행사를 위해 6만 5,526㎡ 크기의 이미지를 불꽃으로 만들었다. 바로 UAE의 국기였다.

불꽃으로 만든 세계지도

2013년 12월 31일, UAE 두바이에서 새해를 기념한 불꽃놀이가 열렸다. 페르시안 만 앞바다에 세계의 7대륙을 300개의 인공섬으로 축소해 만든 '세계도'에서 불꽃놀이가 펼쳐졌다. 폭죽은 각각의 인공섬 외곽선을 따라 설치됐고, 불꽃이 터지면서 공중에 전 세계 대륙의 모양이 형상화됐다. 불꽃은 타원형의 방파제 섬을 따라 6×9km 면적을 뒤덮었다. 섬의 모든 해안이 연출에 동원됐다(약 232km).

두바이의 해안 400곳에서 연이어 펼쳐진 엄청난 불꽃놀이는(위 참조) 100대가 넘는 컴퓨터를 연결해 진행했다. 비용도 약 600만 달러가 들었다.

과학기술 & 엔지니어링 전반 SCI-TECH & ENGINEERING ROUND-UP

나사에 따르면, 태양이 매초 내뿜는 에너지는 1,000억 톤의 다이너마이트가 폭발하는 에너지와 같다.

▲ 최초의 냉동인간

심리학 교수인 제임스 베드퍼드(미국, 1893~1967)는 신장과 폐에 암이 생겨 사망한 뒤 미국 캘리포니아 주 인체냉동보존학협회에 저온상태로 보존됐다. 그는 영하 196℃의 듀어(진공관)에 실려 미국 애리조나 주 피닉스에 있는 '냉동보관 장치회사'로 옮겨졌다. 사진은 캡슐을 준비하는 모습이다. 1991년 5월 25일까지 그의 시신은 원래 보관하던 듀어에서 몇 차례 이동해 보다 고성능의 보관실로 옮겨졌다.

스포츠 대회에서 최초로 사용된 안면 인식 카메라 안경

브라질 경찰은 2014년 피파 월드컵 준비를 위해 2011년부터 안면 인식 카메라 안경을 실험하기 시작했다. 안경에 부착된 소형 카메라는 일반적인 감시로는 불가능한 초당 400명의 얼굴을 인식해 데이터베이스에 보관된 1,300만 명의 얼굴과 비교한다. 범죄자와 일치하는 얼굴이 나타나면 안경에 부착된 작은 화면에 붉은 신호가 보여 경찰들이 보다 빠르고 정확하게 신원확인과 조사를 할 수 있게 되었다.

▲ 삼킨 칼에 방전시킨 최장 거리 번개

2013년 4월 20일, 호주 서부 퍼스에서 '스페이스 카우보이'로 불리는 체인 홀트겐(호주)이 자신이 삼킨 칼에 1.16m 거리에서 전기를 방전시켰다. 이 도전에는 50만 볼트의 전기를 만들 수 있는 대형 테슬라 코일이 사용됐다. 피터 테렌 박사가 기기를 조종했다.

▼ 점프를 가장 잘하는 로봇

수직 점프가 가능한 로봇 살토('거친 지형을 뛰어넘는'이라는 의미)는 1초 동안 연속으로 점프해 1.75m까지 뛰어오를 수 있다. 구조적으로 잘 뛸 수 있게 만들어진 이 로봇은 키가 26cm이며 최대 1m까지 한 번에 뛸 수 있다. 미국 버클리에 있는 캘리포니아 대학교 팀이 제작했다.

자연 상태에서 가장 둥근 물체

2016년 11월 16일, 천문학자 팀이 자연 상태로 우주에서 가장 둥근 물체를 찾았다고 발표했다. 케플러 11145123 A형 별로 5000광년 떨어져 있다. 연구팀은 51개월에 거쳐 이 별의 자연 진동을 관찰하고 우주 지진학을 활용해 크기를 측정했다. 이 과정에서 이 별의 반지름은 150만km이며, 극반경(행성의 중심에서 극까지의 거리)과 적도반경(행성 중심에서 적도까지의 거리)의 차이가 고작 3km밖에 나지 않는다는 걸 발견했다.

▲ 핵융합로 내 최고 플라스마 압력

핵융합 반응은 엄청난 에너지를 발산한다. 과학자들은 별에서 발생하는 이 반응을 핵융합로 안에서 일으키려고 노력한다. 그러기 위해서는 기체 분자들이 '플라스마' 상태로 있어야 하며, 일정 공간 안에 과열된 상태로 고압을 받아야 한다. 2016년 9월, MIT의 과학자들은 미국 매사추세츠 주 케임브리지의 MIT 플라스마 과학과 퓨전 센터에서 '알카터 C 모드' 토카막 융합로를 사용해 2.05 플라스마 기압을 만드는 데 성공했다.

MIT의 플라스마 실험에서 융합로 안에 형성된 온도는 3,500만 ℃에 이른다.

호박에서 발견된 가장 오래된 깃털

2016년 12월 8일, 중국지질대학교의 과학자들이 이끄는 다국적 연구팀이 호박 속에서 발견한 깃털을 분석해 발표했다. 9900만 년 전의 것으로 꼬리 일부가 갈색 깃털로 덮였으며, 안쪽은 흰색을 띠고 있었다. 아직 다 자라지 않은 코엘루로사우루스의 꼬리로 추정된다.

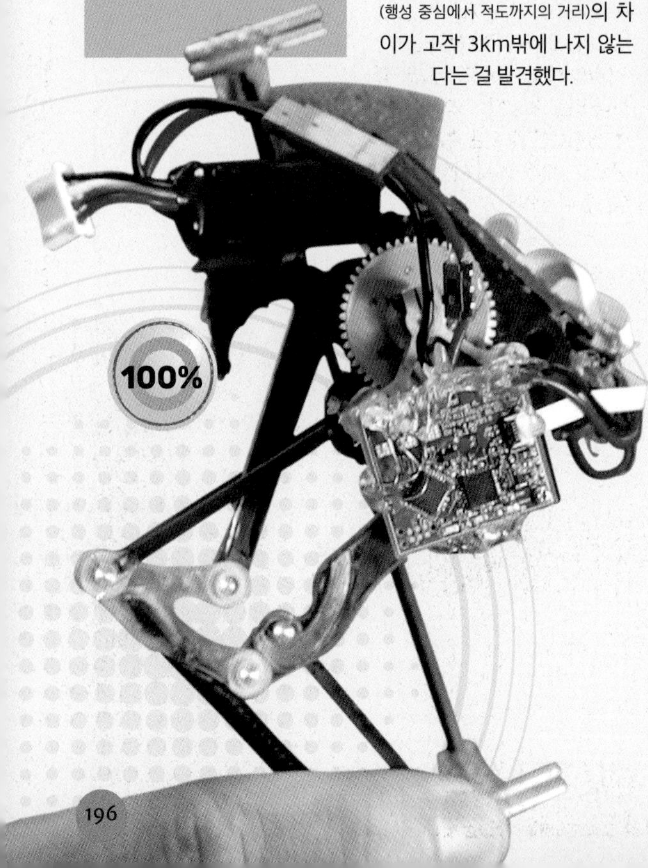

3D프린터로 만든 가장 밀도가 낮은 구조물

2016년 2월 캔자스 주립대, 뉴욕 주립대, 하얼빈 공업대학교의 연구원들은 그래핀으로 겨우 0.5mg/cm³인 에어로겔을 제작했다. 에어로겔은 가볍고 다공성 구조로 고체 물질에 액체를 섞어 겔의 형태로 만든다. 이후 액체는 제거하고 가스로 대체한다. 에어로겔은 복잡한 구조를 잡기 위해서 영하 25℃에서 3D 프린팅된다.

▲ 가장 부드러운 로봇

뉴욕의 웨일 코넬 의과대학교와 매사추세츠 케임브리지의 하버드 대학교 연구원들이 2016년 8월, '옥토봇'을 만들어 공개했다. 부드러운 재료만 써서 만든 최초의 로봇으로, 배터리 같은 딱딱한 부품은 전혀 사용하지 않았다. 옥토봇은 전력원을 따로 연결할 필요가 없다. 대신 과산화수소를 주입하면 내부의 백금이 가스를 발생시키고 이 가스가 로봇을 움직이게 한다. 옥토봇의 부품은 3D프린터로 제작했다.

▲ 가장 높은 곳에 있는 다리

중국 구이저우 성에 있는 베이판장 대교(사장교)는 강의 수면 위 565m 높이에 설치되어 있다. 2016년 12월 29일 개통한 이 다리는 최초의 500m 이상 높이에 설치된 다리로, 가장 높은 다리에 등극했다. 물론 세계의 모든 사장교(케이블로 교량을 비스듬히 당겨 놓은 다리) 중에서도 가장 높다.

콘크리트로 만든 4차선 도로는 총 1,341m이며, 다리 자체의 높이는 269m다. 최대 지간(Span)은 720m다.

▲ 최장 거리 태양열 도로

2016년 12월 22일, 프랑스 정부는 노르망디 투루브르-오-패르슈에 광발전 패널로 포장한 1km 거리의 도로를 개통했다. 하루에 자동차 약 2,000대 정도가 지날 것으로 추정되는 이 도로는 제작에 520만 달러가 들었다. 앞으로 2년간 여기서 생산되는 태양열 전기로 마을 도로의 램프를 켤 수 있는지 시험할 예정이다.

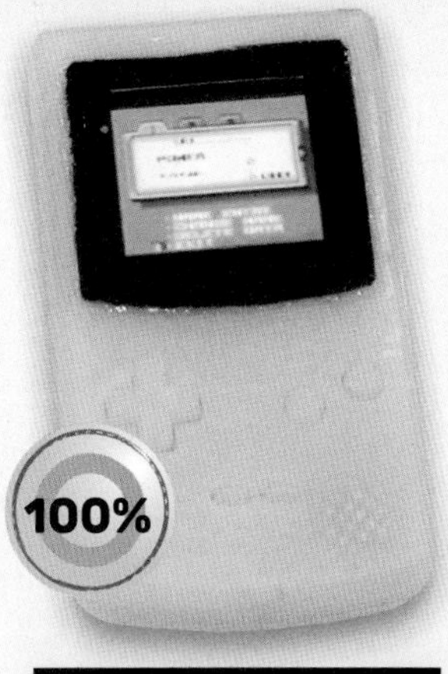

▲ 가장 작은 게임보이

제룬 돔뷔르흐(네덜란드)가 디자인하고 제작한 길이 54mm의 초소형 게임보이가 2016년 12월 15일, 중국 상하이에서 확인됐다. 열쇠고리로 알맞은 이 게임기에는 원본 게임보이의 게임들이 들어 있다.

일한 위날(벨기에)이 만든 **가장 큰 게임보이**는 제룬의 작품보다 19배 크다. 길이 1.01m, 넓이 0.62m, 높이 0.2m로 2016년 11월 13일, 벨기에 앤트워프에서 크기가 기록됐다.

사람 몸에 존재하는 새로운 항생물질

독일 튀빙겐 대학교 연구진은 2016년 7월, 인간의 콧속에 존재하는 박테리아 스타필로코쿠스 러그두넨시스이 항생물질인 루그더닌을 만든다는 연구를 발표했다. 항생물질들은 다른 박테리아의 성장을 억제하거나 없애기도 한다. 그래서 인간이 치명적인 박테리아에 감염되지 않고 사는 데 꼭 필요한 요소로 여겨진다. 하지만 일부 박테리아(슈퍼 박테리아)들은 일반 항생물질에는 금세 적응하기 때문에 학자들은 새로운 항생제를 만들기 위해 노력 중이다. 루그더닌은 슈퍼 박테리아 중 하나인 MRSA를 포함한 몇몇 박테리아에 활발히 반응한다.

최대 규모 스텔라레이터

(핵융합 반응 연구용 실험장치)

벤델스타인 7X는 실험용 핵융합로다. 제어핵융합을 하기 위한 장치로, 토카막 융합로와는 다른 기술을 적용한다(옆 페이지 참조). 지름 15m, 무게 725톤으로 스텔라레이터 안에 30m^3의 플라스마를 가두는 공간이 설비되어 있다. 이 장비는 플라스마를 1억 2,999만 9,727℃ 이상으로 유지하기 위해 초전도 자기 코일을 사용한다. 핵융합로는 2014년 4월 완성되었으며, 2015년 12월 10일 1mg의 헬륨에 0.1초 동안 100만 ℃의 열을 가해 처음으로 플라스마를 생성했다. 벤델스타인 7X는 독일 그라이프스발트에 위치한 막스플랑크플라스마물리학연구소에 있다.

가장 작은 세포 외 침전극

2016년 10월 25일, 토요하시 기술대학교의 과학자들은 지름 5마이크로미터의 세포 외 침전극을 만들었다고 발표했다. 1마이크로미터는 100만 분의 1m다. 1×1mm 블록에 부착된 이 실리콘 바늘은 뇌 조직 사이의 좁은 공간에 사용할 수 있어, 뇌 연구나 뇌-기계 인터페이스에 발전을 불러올 것으로 보인다.

가장 작은 광검출기

광검출기는 빛을 전기 신호로 변환한다. 2016년 11월 9일, 대한민국의 기초과학연구원 과학자들은 1.3나노미터 두께의 광검출기를 만들었다고 발표했다. 1나노미터란 0.000000001m로, 머리카락보다 5만 배 얇다. 그래핀 사이에 몰리브덴을 끼운 형태로 스마트 기기나 웨어러블 기기에 활용할 수 있다.

▲ 최대 규모 LED 조형물

LLC 조디악일렉트로(러시아)가 2015년 12월 12일, 러시아 모스크바에 만든 거대한 크리스마스트리 장식용 공 모양의 조형물에는 2만 3,120개의 LED가 사용됐다. 러시아의 새해맞이 행사를 위해 제작됐다.

▶ 실제 판매하는 가장 가벼운 14인치 노트북 컴퓨터

100%

LG전자(대한민국)가 제작한 'LG 그램 14'는 2016년 12월 14일 SGS 테스팅 서비스에서 다른 경쟁작들과 비교를 위해 측정한 무게가 826g이다.

LG전자는 **가장 가벼운 판매용 15인치 노트북**도 만들었다. 2016년 6월 29일, 프로스트 앤드설리번(글로벌 시장조사회사)이 발표한 내용에 따르면 이 컴퓨터의 무게는 980g이다.

가장 비싼 MOST EXPENSIVE...

돈으로 사랑을 얻을 수는 없지만, 분명 많은 것을 살 수는 있다. 빛나는 다이아몬드부터 값을 매길 수 없는 예술작품까지, 우뚝 솟은 건물부터 엄청나게 비싼 치즈 샌드위치까지. 여기 전 세계에서 가장 비싼 물건들, 그 이상의 것들이 기록되어 있다.

0~1,000달러

영화 표
17.91달러

머서의 연간 생활비 조사에 따르면, 2016년 영국 런던의 평균 영화 표 가격은 17.91달러다.

택시비
32.10달러

'2015 UBS 가격과 소득 조사'에 따르면 노르웨이의 수도 오슬로에서 택시를 타고 5km를 가면 승객은 32.10달러를 지급해야 한다. 인도 뉴델리에서 같은 거리를 갔을 때는 겨우 1.54달러만 내면 된다.

샌드위치
214달러

미국 뉴욕의 세렌디피티 3 레스토랑은 2014년 10월 29일 기준으로 214달러짜리 메뉴 '그릴드 치즈 샌드위치의 정수'를 판매했다. 이 메뉴는 프렌치 풀먼 샴페인 빵에 흰 송로버섯 버터와 아주 희귀한 카치오카발로 포돌리코 치즈를 곁들인 뒤, 랍스터 토마토 비스크 소스와 함께 나왔다.

초콜릿 바(경매)
687달러

100년 된 초콜릿 바가 2001년 9월 25일, 경매에서 687달러에 판매됐다. 로버트 스콧 선장이 1901~1904년 첫 남극 탐험 때 가지고 갔던 그대로 담배 케이스 안에 포장된 채로 있었다.

포스트잇 노트(경매)
940달러

R B 키타즈(미국)가 파스텔과 목탄으로 포스트잇에 렘브란트를 모작한 작품이 2000년 12월 경매에서 940달러에 팔렸다. 이 작품은 포스트잇 노트의 20주년을 기념해 예술가들이 만든 시리즈 중 하나다.

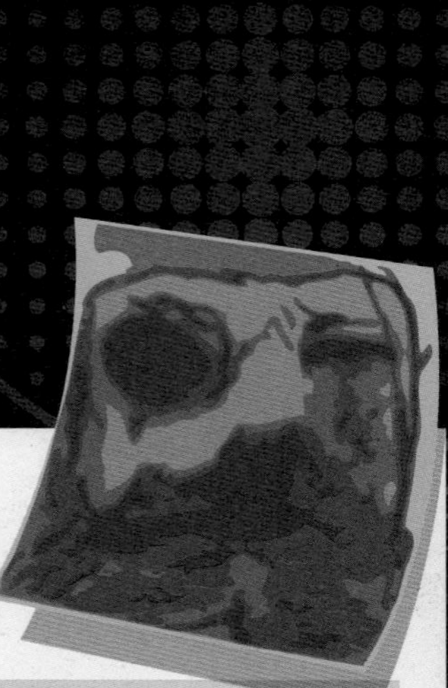

1,000~50만 달러

햄버거
5,000달러

미국 오리건 주 코밸리스에 위치한 '주시스 아웃로 그릴'은 352.44kg 무게의 햄버거를 2011년 7월 2일까지 메뉴판에 올리고 5,000달러에 판매했다.

레고 블록
1만 2,500달러

14캐럿 금으로 된 레고 블록이 2012년 12월 3일, '브릭 엔비'(미국)에서 1만 2,500달러에 판매됐다. 이 25.6g짜리 블록은 1979년과 1981년 사이에 레고의 장기 근속한 직원들에게 선물로 지급되었다.

양치기 개(경매)
2만 1,392달러

패드릭 도허티(아일랜드)가 기르던 16개월 된 보더 콜리종 '캡'이 2016년 5월 13일, 영국 노스요크셔 스킵턴에 위치한 경매장에서 2만 1,392달러에 팔렸다. 양치기 훈련을 받은 목장 개들은 보통 2,890달러 정도에 팔린다.

팝스타 의상
30만 달러

1973년에 빌 블루가 디자인하고 엘비스 프레슬리(미국)가 입었던 '흰 공작 점프수트'가 한 미국인 투자가에게 30만 달러에 판매됐다. 온라인 경매장 '가타해브잇닷컴(gottahaveit.com)'에서 2008년에 거래됐다.

비둘기(경매)
39만 8,493달러

비둘기 사육사 레오 헤만스(벨기에)는 2013년 5월 18일, 자신의 레이싱 비둘기 '볼트'를 39만 8,493달러에 판매했다. 이 새는 다양한 종목에서 신기록을 보유한 스프린터인 우사인 볼트에서 이름을 따왔다.

50만~1억 달러

기타(경매)
270만 달러

음악계 전설들(에릭 클랩튼, 키스 리차드, 브라이언 메이)의 사인이 담긴 펜더 스트라토캐스터 기타가 2005년 11월 17일에 열린 자선 경매에서 270만 달러에 판매됐다.

자동차(경매)
3,810만 달러

2014년 8월 14일, 미국 캘리포니아 주 카멜의 본햄스 퀘일 로지 경매에서 '1962 페라리 250 GTO 베를리네타'가 수수료 포함 3,811만 5천 달러에 판매됐다. 경매에서 가장 비싸게 팔린 차 10대 중 8대가 페라리다.

결혼식
5,500만 달러

2004년, 프랑스 베르사유에서 6일 동안 열린 바니샤 미탈과 아밋 바티아의 결혼식은 5,500만 달러의 비용이 들었다. 이 돈은 바니샤의 억만장자 아버지 락슈미가 냈다. 결혼 피로연에는 샤룩 칸과 카일리 미노그 등이 공연을 했다.

현존하는 예술가의 작품(경매)
5,840만 달러

2013년 11월 12일, 제프 쿤스(미국, 1955년 1월 21일생)의 '풍선 개'가 미국 뉴욕에서 5,840만 달러에 팔렸다. 3.6m 높이의 스테인리스 조각품은 익명의 사람이 구매했다.

보석(경매)
7,120만 달러

타원형(Oval-shaped)의 59.6캐럿 다이아몬드 '핑크 스타'가 2017년 4월 4일, 홍콩 소더비 경매에서 7,120만 달러에 판매됐다. 이 보석은 경매를 통해 가장 비싸게 팔린 가공 다이아몬드다.

1억~5억 달러

축구선수
1억 1,640만 달러

2016년 8월 9일, 맨체스터 유나이티드(영국)는 유벤투스(이탈리아)의 미드필더 폴 포그바(프랑스)를 1억 1,640만 달러에 이적하는 데 합의했다. 포그바는 원래 맨체스터 유나이티드의 유스 선수였다.

조각상(경매)
1억 4,128만 달러

알베르토 자코메티(스위스)의 〈손가락으로 가리키는 남자〉 조각상이 2015년 5월 11일, 1억 4,128만 5,000달러에 판매됐다. 1.8m 높이의 이 청동상은 키 큰 막대기 같은 모습의 사람(자코메티 작품의 특징)이 한쪽 팔을 뻗은 모습을 하고 있다.

물질
1억 6,300만 달러

'디자이너 카본 매터리얼스'(영국)가 2015년 12월, 영국 옥스퍼드에서 200마이크로그램의 내면체성 풀러린(Endohedral fullerenes)을 3만 2,611달러에 팔았다. 1g 기준 1억 6,300만 달러다. 이 물질을 사용하면 극도로 작은 원자시계를 만들 수 있다.

그림(비공개 거래)
3억 달러

2015년 2월, 폴 고갱(프랑스)의 작품 〈너 언제 결혼하니?〉(1892)가 약 3억 달러에 비공개로 판매됐다고 한다.

영화
4억 2,500만 달러

더 넘버스에 따르면 〈아바타〉(미국, 2009)는 제작 예산이 약 4억 2,500만 달러였다고 한다. 제임스 카메론(캐나다) 감독은 '리얼리티 카메라 시스템'을 사용해, 영화 제작의 신기원을 개척했다. 투자는 매우 성공적이었고, 〈아바타〉는 2017년 4월 5일 기준, **박스오피스 수익이 가장 높은 영화로 기록**됐다. 전 세계에서 27억 8,000만 달러라는 엄청난 수익을 올렸다.

5억 달러 이상

비행기
13억 달러

미국이 제작한 'B-2 스피릿'은 대당 가격이 13억 달러를 넘는다. 긴 사정거리의 멀티 롤 폭격기인 B-2는 특수 코팅과 날개 디자인으로 레이더에 거의 잡히지 않는다.

집 건설
20억 달러

2010년에 완공한 '안틸라'는 약 20억 달러를 들인 27층짜리 개인 소유 건물이자 집으로, 사업가 무케시 암바니(인도)가 인도 뭄바이에 지었다. 총 주거 공간은 3만 7,000㎡이며, 헬리콥터 이착륙장 3곳과 헬스 스파, 극장이 갖춰져 있다.

군함
130억 달러

2017년 임관 예정인 'USS 제럴드 R 포드'는 제작에 130억 달러가 들었다. 2개의 활주로가 있어 하루에 220번의 공습이 가능하다. 니미츠급 항공모함보다 선원이 500명 적게 탑승해, 운용하는 동안 40억 달러를 절감할 수 있다.

인간이 지구에 만든 물체
270억 달러

브라질과 파라과이의 경계에 있는 파라나 강 이타이푸 수력발전 댐은 1984년에 270억 달러를 들여 만들었다. 4개의 댐이 연결되어 있으며 총 길이는 7,235m다. 2016년에는 이곳에서 시간당 103.1테라와트의 에너지가 생산됐다.

인간이 만든 물체
1,500억 달러

1998년부터 건설하기 시작해 2011년 완공한 국제우주정거장은 총 1,500억 달러의 비용이 들었다.

포스터 다운로드 받는 곳: guinnessworldrecords.com/2018

이동수단 TRANSPORT

1900년경 도로 위의 자동차 중에서 3분의 1은 전기로 움직였다. 뉴욕 시에만 60대 이상의 전기차 택시가 있었다.

크라이슬러의 전 엔지니어인 짐 마리올이 디자인한 '코지쿠페'는 1979년 처음 출시됐다. 1991년 미국에서 50만 대가 팔려 '진짜' 자동차들을 제치고 최다 판매 차량에 등극했다.

CONTENTS

기차 & 철도 202
도시 이동수단 204
커스텀 카 206
몬스터트럭 208
군용차량 210
이동수단 전반 212

◀ 가장 큰 코지쿠페

존과 조프 빗미드 형제(둘 다 영국)가 만든 2.7m 길이의 코지쿠페가 2016년 8월 14일, 영국 옥스퍼드셔 앰브로스덴의 '에티튜드 오토스'에서 확인됐다. 이 차량은 리틀 타익스의 어린이용 장난감 자동차를 크게 제작한 것으로 대우 마티즈 차량과 엔진을 바탕으로 만들었다. 사진 속 신기록 차량에 탑승한 사람은 조프이며, 그의 손녀 릴리는 장난감 코지쿠페에 타고 있다.

기차 & 철도 TRAINS & RAILWAYS

모스크바의 떠돌이 개들이 지하철 타는 방법을 터득했다.
이제 개들은 전철노선을 따라 러시아 수도 곳곳을 누빈다.

▲ 가장 가파른 철로

호주 뉴사우스웨일스 블루 산에 있는 카툼바 관광열차는 52도로 기울어진 철로를 달린다. 길이 301m의 이 강삭철도는 1878년 탄광에 사용할 목적으로 설치됐으나 1945년 관광용으로 전환되었다. 총 84명이 탑승할 수 있으며 4m/sec 속도로 이동한다.

▼ 최대 규모 고속철로

2017년 1월 현재 중국에는 2만km 이상의 고속철로가 깔렸는데, 이는 중국을 제외한 전 세계 모든 고속철로를 합친 것보다 길다. 게다가 2025년까지는 1만 5,000km를 추가로 깔 예정이다. 이 철로를 달리는 기차의 평균 시속은 200km/h다.

◀ 가장 긴 무인 메트로 시스템

두바이 메트로는 레일 2개, 총 길이 74.694km의 무인 메트로 시스템을 운용한다. 두바이 교통국이 만든 이 메트로는 2011년 9월 9일 공식 개통했다. 단일 레일로 가장 긴 무인 메트로 시스템은 두바이 메트로 레드 라인으로, 길이는 52.1km다.

▲ 가장 바쁜 역

일본 도쿄에 있는 신주쿠 역은 세계에서 가장 바쁘다. 하루 평균 364만 명이 지나는 이 역은 도시의 서쪽 교외와 도심을 잇고 있는데 도시철도와 지하철도 통과한다. 이 역은 1885년에 처음 생겼고 1933년에 대규모 개축을 했다.

▲ 최초의 등산 랙식 철도

실베스터 마시(미국)가 건설한 미국 뉴햄프셔 주 코어스 카운티 브레턴우즈에 있는 '워싱턴 산 톱니 궤도 열차'는 1869년 7월 3일 개통했다. 이 '톱니 궤도 열차'는 오늘날까지 그대로 사용 중이며, 마시필드 역에서 승객들을 태우고 4.8km를 올라 워싱턴 산 정상까지 간다.

가장 빠른…

기네스 세계기록에서는 역사상 가장 빠른 기차들을 구간별로 소개한다. 목록에 제일 먼저 올라 있는 '말라드(청둥오리)'는 증기 기관차로는 놀랄 만한 속도를 내지만, 제일 마지막에 나오는 기차보다 50배나 느리다.

증기 기관차

1938년 7월 3일, '클래스 A4' No.4468 말라드 기차는 영국 러틀랜드 에센다인 인근의 스토크 뱅크에서 201km/h로 질주했다. 최고 속도는 202.7km/h까지 나왔지만, 주행 거리가 짧아 기록으로 인정받지 못했다.

프로펠러로 주행하는 기차

쉬넨체펠린(레일 체펠린)은 1931년 6월 21일, 독일 함부르크와 베를린 사이에서 열린 실험 주행에서 230km/h를 기록했다.

디젤 기관차

영국 국영 철도의 '클래스 43' 초고속 디젤 열차(HST)는 1987년 11월 1일, 영국 달링턴과 요크 사이를 238km/h로 주행했다.

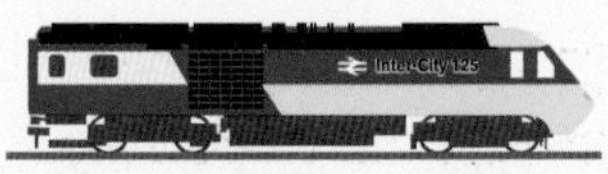

▼ 가장 긴 어린이 철도

11.7km 길이의 협궤(狹軌, 레일 사이 간격이 좁은 철로) 어린이 철도가 헝가리 부다페스트에서 운행되고 있다. 10~14세의 어린이들이 어른의 감독하에 운영하고 있는데 편도로 7개 역을 지난다. 총 운행 시간은 50분이다. 1948년 7월 31일, 처음 3.2km 구간이 개통된 이래 계속 운영되고 있다.

가장 빠른 속도로 주행한 열차(1,000km)

2001년 5월 26일, 프랑스 SNCF TGV 열차는 칼레부터 마르세유까지 1,000km 구간을 평균 306.37km/h로 주행했다. 열차는 3시간 29분 만에 1,067km를 주파했고, 최고 속도는 366km/h였다.

가장 큰 철도역(플랫폼 기준)

1903~1913년까지 지어진 미국 뉴욕 파크 애비뉴 42번가의 그랜드센트럴역에는 44개의 플랫폼이 있다. 지하 2층으로 구성된 이 역의 위층에는 41개의 선로가, 아래로는 26개가 지난다.

가장 높은 곳에 있는 선로

중국에 있는 칭하이-티베트 선로는 총 1,956km 중 대부분이 해발 4,000m에 있다. 가장 높은 지점은 5,072m로 가장 높은 산인 에베레스트의 반 이상이다. 객실은 여압실(與壓室, 지상의 기압과 비슷하게 공기압을 높여 놓은 방)로 되어 있으며, 산소마스크가 갖춰져 있다. 2005년 10월 완공됐다. 이 선로에는 **가장 높은 철도 터널**도 있다. 2001~2003년 건설된 펑훠산 터널은 칭하이-티베트 선로가 지나는 고도 4,905m에 위치한다.

가장 높은 철도역은 해발 5,068m에 있는 티베트 탕구라 역이다. 칭장 선에 있는 무인역으로 플랫폼의 길이는 1.25km다.

가장 높은 곳에 있는 철도교

중국 구이저우 성 류창샹에 있는 나지해교는 우장 강 수면 위 310m 높이에 있다. 이 다리는 아치트러스로 경간(徑間, 기둥 사이 거리)이 352m다.

가장 오래된 모형 기차 동호회

영국 런던 킹스크로스에서 1910년 12월 3일, 첫 모임을 한 '모형 기차 클럽'은 아직도 매주 회원들이 모이고 있다.

▼ 가장 북쪽에 있는 역

카르스카야 역은 천연가스와 기름이 풍부한 러시아의 야말반도, 북극권 깊은 곳에 있다. 이 역은 옵스카야에 위치한 교차점부터 보바넨코보까지 이어진 러시아 광궤철도(레일 사이의 폭이 넓은 철도, 1,520mm)의 종착역이다. 국가가 아닌 개인이 지은 선로이며, 러시아 가스회사 가스프롬이 소유, 운영 중이다. 2011년 2월에 개통했다.

▲ 가장 남쪽에서 운영되는 철로

아르헨티나 티에라델푸에고의 '남 푸에고 철로' 혹은 '땅끝 철도'는 원래 1902년 무렵 교도소의 물자를 운송하기 위해 만들어졌다. 요즘에는 관광 열차로 '땅끝 역'부터 티에라델푸에고 국립공원 내 '국립공원 역'까지 7km 구간에서 운영 중이다.

▲ 아직도 운영 중인 최초의 전기 철도

영국 브라이튼 해안 1.62km를 달리는 볼크스 전기 철도는 1883년 8월 4일 사업용으로 처음 개통됐다.
최초의 공공 전기 철도는 1881년 5월 16일, 독일 베를린 인근 리히터펠데에서 운행을 시작했다. 총 2.5km 구간에 180V로 가동되는 이 열차는 26명의 승객을 싣고 48km/h로 달린다.

▲ 국영 철도 중 가장 빠른 열차

프랑스 국영 철도(SNCF)가 TGV를 개조해 만든 V150(기존보다 큰 바퀴에 2개의 엔진, 3칸의 2층 객실로 이루어져 있다)은 2007년 4월 3일, 574.8km/h를 기록했다. 열차의 최고 속도는 뫼즈에서 상파뉴 아르덴 TGV 역으로 향하던 중 르 슈망 인근에서 나왔다. 모든 국영 철도 중 가장 빠른 열차 속도다(아래는 실험 선로의 기록이다).

'실내' 최고 속도 열차
2009년 2월 9일, ETR 500 Y1 열차는 이탈리아 볼로냐와 플로렌스 사이에 있는 몬테 비벨레 터널을 362km/h로 통과했다.

국영 철도에서 가장 빠른 열차
SNCF TGV POS Set No. 4402는 2007년 4월 3일 574.8km/h를 기록했다(위 참조).

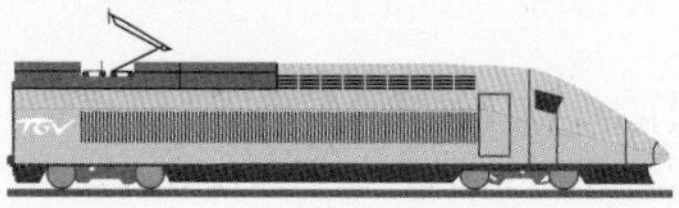

자기부상열차 최고속도
센트럴재팬레일웨이의 시리즈 LO(A07) 열차가 2015년 4월 21일 일본 야마나시에 있는 실험 선로에서 603km/h를 기록했다.

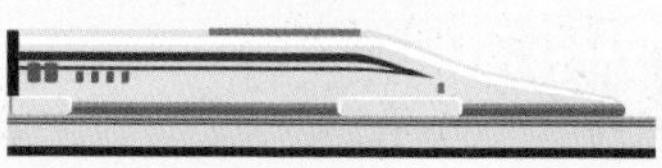

철도 차량
4단 로켓 썰매가 2003년 4월 30일, 미국 뉴멕시코 주 홀로만 초고속 실험 선로에서 유료하중(여객기의 승객, 화물 등의 중량의 합계) 87kg으로 6.031초 만에 1만 385km/h에 도달했다.

Q: 중국이 증기 기관차 생산을 중단한 때는?

A: 1988년

최초의…

철로를 달린 최초의 증기 기관차

철로를 달린 최초의 증기 기관차는 엔지니어 리처드 트레비식(영국)이 영국 머서티드빌 주 패니다랜 제철소에서 제작했다. 최초 개통일은 1804년 2월 21일이다.

지하 선로

1863년 1월 9일, 영국 런던 지하철 구간이 최초로 개통했다. 최초의 도시철도는 패딩턴과 파링던 사이 6km 구간에 생겼다. 건설에는 '개착식(開鑿式)' 공법이 사용됐는데, 땅을 판 도랑에 철로를 설치한 뒤 그 위에 터널을 만들고 다시 땅을 덮는 방식이었다.

내부 연소 전동차

노스 이스턴 레일웨이가 1903년 영국 요크에 내연 전동차를 설치했다. 3170의 번호를 받은 이 최초의 전동차 2대는 '자동' 차량과 흡사했다. 효율성이 떨어지는 증기 엔진 대신 전기 모터를 사용했는데 모터를 가동하기 위해서는 전기가 필요했다. 전기는 차량에 설치된 내부 연소 휘발유 엔진이 공급한다. 2대 모두 1931년까지 운용되다가 철수 뒤 1대는 전시용으로 사용됐다. 2006년 이후 구동에 필요한 차대를 교체하는 등 전체적인 복원작업이 진행 중이다.

러시아워 여성 전용칸 열차

여성 전용칸 열차는 일본에서 2002년 7월에 생겼다. 서일본여객철도(본사 오사카에 있음)는 러시아워에 여성 전용칸이 따로 있는 열차를 최초로 도입했다.

대륙을 잇는 수중 철도

2013년 10월 29일, 터키 보스포루스 해협을 가로질러 유럽과 아시아를 잇는 마르마라이 터널이 개통했다. 아시아와 유럽 이스탄불 통근자들을 위해 만들어진 12.8km의 터널은 문화도시의 교통을 개선하기 위한 '마르마라이' 프로젝트의 일환으로 계획되었다. 물에 잠긴 부분은 11개의 콘크리트 구획으로 이루어져 있는데, 각각의 길이는 135m다. 지상에서 제작해 바닷속으로 옮긴 뒤에 조립을 하고 땅에 묻은 다음 물을 빼내 완성했다. 물속 터널의 총 길이는 1.4km다.

도시 이동수단 URBAN TRANSPORT

런던의 지하철은 절반 이상인 55%가 실제로는 지상에 있다.

▲ 가장 빠른 엘리베이터

미쓰비시 전기(일본)가 제작한 고속 승강기 '넥스웨이'는 73.8km/h로 이동한다. 이는 가젤이 뛰는 속도와 거의 비슷하다. 넥스웨이는 2016년 7월 7일, 중국에 있는 632m 높이의 상하이 타워 전망대에 설치됐다.

최초의 에스컬레이터

발명가 제시 W. 리노(미국)가 1895년 9월, 미국 뉴욕 코니아일랜드의 올드아이언 부두에 에스컬레이터를 놀이기구로 잠시 설치했다. 리노의 '기울어진 승강기'는 2.1m 높이까지 25도의 경사면을 따라 올라갔다. 탑승자가 다리를 벌린 채 철판 위에 앉으면 벨트는 분당 22.8m의 속도로 움직였다. 설치 후 2주 만에 약 7만 5,000명이 탑승했다.

최초로 완전히 가동된 나선형 에스컬레이터는 1985년 일본 오사카 박람회장에 미쓰비시 전기가 설치했다. 나선형 에스컬레이터는 여러 개의 중심점과 가이드 롤러를 추가로 설치해, 일반 에스컬레이터보다 훨씬 복잡하고 가격도 비쌌다.

에스컬레이터가 가장 많이 설치된 메트로 시스템

미국 워싱턴 DC 지하철에는 618개의 에스컬레이터가 설치돼 있다. 이 에스컬레이터들은 북아메리카의 기술자 90명과 계약을 맺어 큰돈을 들여 관리하고 있다.

역대 가장 긴 무빙워크

최초의 무빙워크가 역대 가장 긴 설비였다. 콜롬비안 무버블 사이드워크 사(社)가 1893년 미국 일리노이 주 시카고에서 열린 '시카고 만국박람회'에 설치했다. 이 무빙워크는 연락선을 타고 부두로 들어오는 관람객들을 박람회 입구까지 1km 거리를 이동시켰다. 서서 탑승하는 경우에는 3.2km/h로, 의자에 앉은 경우에는 6.4km/h로 이동했다. 1894년 화재로 소실됐다.

도시에 있는 **가장 긴 무빙워크(현재)**는 시드니 도메인의 공원과 정원에 있는 207m 길이의 자동보도다. 시드니 왕립식물원이 미래지향적 환경을 조성하기 위해 설치했는데 1961년 6월 9일 공식적으로 사용을 시작했고, 1994년 교체됐다. 약간의 경사가 있고 2.4km/h로 이동한다. 한 방향을 완전히 지나가는 데 5분이 조금 더 걸린다.

사무용 빌딩에 설치된 가장 큰 엘리베이터(중량)

일본 오사카의 우메다 한큐 빌딩의 엘리베이터는 승객 80명, 총 5.25톤까지 실을 수 있다. 2009년에 미쓰비시가 설치했고 탑승 공간은 폭 3.4m, 길이 2.8m, 높이 2.59m다.

2001년과 2010년 사이, 뉴욕 맨해튼의 지하철공사는 2,500개의 낡은 지하철을 대서양 바닷속으로 옮겼다. 현재 이 인공 암초에는 많은 해양 생물들이 바글거리고 있다.

최장 거리 도로 네트워크

	국가	거리(km)	인당(1,000명)	거리(km)
1	미국	658만 6,610	핏케언 제도	139.13
2	인도	469만 9,024	사하라 서부	22.71
3	중국	410만 6,387	키프로스	17.8
4	브라질	158만 964	생피에르 미클롱	16.26
5	러시아	128만 3,387	유럽연합	10.14
6	일본	121만 8,772	월리스푸투나 제도	7.49
7	캐나다	104만 2,300	리히텐슈타인	7.19
8	프랑스	102만 8,446	세인트키츠네비스	6.67
9	호주	82만 3,217	저지	6.35
10	남아프리카	74만 7,014	아메리칸사모아	6.0

자료 제공: CIA 월드 팩트북

Q: 세계에서 가장 바쁜 10개의 철도역 중에 7개가 속한 도시는?

A: 일본 도쿄

건물에 있는 가장 높은 엘리베이터 통로

상하이 타워 유닛 FR/FLH 1과 2(왼쪽 참조)에 있는 고속 엘리베이터 넥스웨이는 578.5m까지 올라간다. UAE 두바이에 있는 세계에서 **가장 높은 빌딩** 부르즈 할리파 엘리베이터의 작동 범위보다 높다.

남아프리카 가우텡 주에 있는 앵글로골드 아샨티 사(社)의 음포넹 금광에 있는 승강기는 3분간의 하강으로 2,283m를 내려가는 **가장 긴 엘리베이터 통로**를 가지고 있다. 이어서 2번째 엘리베이터를 타고 3,597m 깊이까지 더 내려갈 수 있다. 매일 4,000명의 근로자가 3층짜리 철장으로 된 승강기에 타고 64.3km/h의 속도로 금광에 내려간다.

가장 큰 자동차 공유 시장

모바일 기술의 혁신으로 전 세계 곳곳에서 자동차 공유 네트워크가 큰 폭으로 성장하고 있다. 2014년 10월, 세계에서 가장 큰 자동차 공유 시장은 유럽으로 글로벌 멤버십의 46%, 전체 공유 차량의 56%를 차지한다.

대중교통 사용률이 가장 높은 도시

홍콩은 km²당 5만 7,120명이 사는 세계에서 가장 인구 밀도가 높은 도시 중 하나다(km²당 2만 6,000명이 사는 맨해튼보다 2배나 높다). 이곳은 효율적이고 진보적인 교통시설을 갖추고 있는데 하루 유동인구 중 80%인 1,130만 명이 대중교통을 이용한다.

자전거 '수단 분담'이 가장 높은 도시

'수단 분담'이란 교통 이용자가 자동차나 자전거 등의 특정 방법을 선택하는 비율을 뜻한다. 네덜란드 흐로닝언 주는 50%가 자전거로 이동하며 도심은 60%로 더 높다. '세계 자전거의 도시'로 알려진 이유이기도 하다. 도시 계획자들은 1970년대부터 도심에 차량을 제한하는 대신 자전거나 도보 이동을 권장했다.

하지만 **자전거 주행을 위한 기반 시설이 가장 잘된 도시**는 덴마크 코펜하겐이다. 덴마크의 수도인 이 도시는 자전거 제반시설에 엄청난 투자를 해 1990년대 이후 이용률이 70%나 증가했고, 도심의 자동차 이용률은 25% 감소했다. 이 수치는 자전거 친화 도시를 뽑는 '코펜하게나이즈 인덱스'에서 2015년 122개 도시의 정보를 분석한 자료에 나와 있다.

택시요금이 가장 비싼 도시

2015 'UBS 가격과 소득 조사'에 따르면 택시요금은 노르웨이의 수도 오슬로가 제일 비쌌다. 5km 이동에 평균 32.1달러가 들었다. 인도 뉴델리의 택시는 같은 거리를 1.54달러로 갔는데, 20위에 해당하는 금액이다.

로마의 콜로세움에서는 야생동물을 경기장에 들여놓기 위해 엘리베이터를 사용했다. 이 설비는 200명 이상의 노예가 손으로 올리고 내렸다.

엘리베이터에서의 음악은 탑승을 불안해하는 사람을 위해 1920년에 처음 도입됐다.

거울은 초기 엘리베이터의 느린 속도를 답답해하는 사람들의 주의를 끌기 위해 부착됐다. 공간이 넓어 보이는 효과도 준다.

'닫힘' 버튼을 누른다고 문이 빨리 닫히지는 않는다. 단지 승객들에게 자신이 엘리베이터를 조종하고 있다는 느낌을 주기 위해 설치됐다.

오티스 엘리베이터 사의 엘리베이터에는 5일마다 세계 인구와 맞먹는 사람들이 탑승한다.

통계적으로 엘리베이터는 가장 안전한 교통수단 중의 하나로, 계단보다 사고가 적게 난다.

▲ **가장 바쁜 횡단보도**

일본 도쿄 시부야 전철역 외부에 있는 횡단보도에는 매일 약 100만 명의 사람들이 오간다. 이 세계에서 가장 바쁜 장소는 5개의 길이 만나는 교차점으로 가장 붐빌 때는 1시간에 10만 명이 지나다닌다. 30분이면 미국 뉴욕에 있는 양키스타디움을 채울 만큼의 많은 사람이 이동하는 것이다.

▲ **통근이 가장 오래 걸리는 도시**

167개 도시 5,000만 명이 사용하는 구글의 교통 앱 '웨이즈'를 분석한 결과 2015년 필리핀 마닐라의 통근자들은 평균 45.5분이 걸렸다(편도). 도심 속 차들이 거북이걸음을 하는 로스앤젤레스나 뉴욕도 각각 35.9분과 38.7분이 걸렸다.

▲ **최대 규모 대중 케이블카**

볼리비아 라파스에 있는 마이 텔레페리코는 3개의 라인이 공중으로 10km 거리에 이어져 있다. 도시가 구불구불한 산악지형이기에 지하철이나 경전철 설치가 어렵다. 매일 6만 명이 사용하는 이 케이블카는 2015년에만 통근시간을 6억 5,200분 줄였으며 연간 8,000톤의 배기가스를 예방한다.

▲ **최대 규모 보행자용 스카이웨이 네트워크**

미국 미네소타 주 미니애폴리스는 혹독한 겨울을 견디기 위해 도시 전역의 보행자 도로를 공중으로 올려버리는 기획을 단행했다. '미니애폴리스 스카이웨이 네트워크'로 공식 명명된 13km 길이의 온도 조절 공중 보행자 통로는 도시 내 69개 블록을 연결하고 있다. 매일 약 26만 명이 공중 통로를 사용한다.

◀ **최대 규모 공공 자전거 프로그램**

중국 항저우의 공공자전거 프로그램은 세계 최대 규모의 자전거 공유 시스템이다. 2008년 자전거 2,800대와 정거장 60곳으로 시작한 이곳 시스템은 그 후 엄청난 확장을 거듭했다. 2016년 9월 현재, 8만 4,100대의 자전거와 3,582개의 정거장이 운용되고 있다. 세계 최대 규모의 자전거 공유 네트워크 10개 중 9개가 중국에 있다.

▲ **가장 붐비는 도로 네트워크(국가)**

최근 〈더 이코노미스트〉가 발표한 신뢰도 높은 자료에 따르면 자동차가 엄청나게 많은 일본은 2014년에 도로 1km마다 628.4대의 차량이 있었다고 한다. 2위 UAE는 479대로 상당한 차이가 난다. 아시아와 중동 국가들이 순위표의 상위를 차지하고 있는데, 가장 붐비는 도로 네트워크 10위 중 9개가 이곳 지역에서 나왔다.

▼ 최초의 자율주행 택시

2016년 8월 25일, 싱가포르에서 6대의 자율주행 택시가 운행을 시작했다. 이 '로보-카'는 탑승한 승객을 '원-노스'로 불리는 6.5km² 지역 내 어디든 데려다준다. 서비스를 개발한 소프트웨어 회사 누토노미(싱가포르)는 자동운전 택시가 싱가포르 내의 차량 수를 90만 대에서 30만 대로 줄여줄 것으로 믿는다. 차량 내부에는 교통신호를 읽는 카메라가 설치돼 있다.

커스텀 카 CUSTOMIZED CARS

투명 자동차는 제임스 본드 영화에만 존재하는 게 아니다. 2009년 영국의 미대생 사라 왓슨은 낡은 스코다 차에 스프레이 페인트로 주차장 주변과 비슷하게 그림을 그려 차가 없어진 것처럼 보이게 했다.

▲ 가장 비싼 타이어

2016년 5월 10일, Z타이어닷컴(Zyre.com)의 두바이 본사에서 타이어 4개, 한 세트가 개인 구매자에게 59만 9,350달러에 팔렸다. 이 타이어는 제니시스의 CEO 하지브 칸드하리가 디자인했다. 고성능 Z1 타이어에 다이아몬드를 끼우고 보석상 '조알제 브리베'가 3D프린트로 백금을 이용해 고정했다. 타이어는 금박으로 장식돼 있다.

가장 낮은 캠퍼 밴

영국 베드퍼드셔 포딩턴에서 2008년 8월 18~22일에 '버그 잼 22 페스티벌'이 열렸다. 여기서 디자이너 앤디 손더스와 엔지니어 짐 찰머스(둘 다 영국)가 2.34m 높이의 1980 T25 폭스바겐(VW) 캠퍼 밴을 0.99m 버전으로 개조했다. '밴 케이크'로 알려진 완성 차량은 안전하게 주행할 수 있으며, 최고 128.75km/h까지 속도를 낼 수 있다.

머리술이 가장 많은 차

마리아 루치아 무뇨와 발렌티노 스타사노(둘 다 이탈리아)는 150시간을 들여 마리아의 자동차 피아트 500 내외부에 사람의 머리카락을 심었다. 2014년 3월 15일, 이탈리아 살레르노 파둘라 스칼로에 있는 공공 계량대에서 무게를 재어 본 결과, 피아트에 심은 머리카락의 무게는 120kg이었다.

주행 가능한 가장 낮은 차

'미라이'는 지면부터 차의 가장 높은 곳까지 측정한 높이가 45.2cm다. 이 차량은 2010년 11월 15일, 일본 아사쿠치에 있는 오카야마 산요 고등학교 자동차 엔지니어링과의 교사와 학생들이 제작했다. 그전까지 최고 기록은 2008년 페리 왓킨스(영국)가 만든 '플랫모빌(납작한 차)'이라는 딱 맞는 별명을 가진 차로 높이가 48.26cm였다.

주행 가능한 가장 작은 차

오스틴 콜슨(미국)이 제작한 주행 가능한 가장 작은 차는 높이 63.5cm, 폭 65.4cm, 길이 126.3cm로 측정됐다. 2012년 9월 7일, 미국 텍사스 주 캐럴턴에서 확인된 이 자동차는 일반 도로에서 40km/h 이하 주행이 허가가 돼, 지역 재향군인 퍼레이드에 자주 모습을 드러낸다.

가장 빠른…

모터 달린 통나무

2016년 1월 20일, 브라이언 레이드 시니어(캐나다)는 미국 애리조나 주 챈들러에 위치한 와일드호스 패스 모터스포츠 파크의 캐나다 HGTV 〈팀버 킹스〉 촬영장에서 '삼나무 로켓'을 타고 76.66km/h 속도로 달렸다. 브라이언은 마쓰다 RX-8 자동차를 분해해 캐나다 브리티시 콜럼비아에서 온 북미산 적삼목에 접합시켰다.

도널드 트럼프 대통령의 캐딜락 원은 2017년 3월 30일에 도입됐다. 자세한 사항은 모두 기밀이지만, 알려진 단 한 가지는 문이 너무 무거워서 밖에서 열어야 한다는 사실이다.

Q: 컷아웃(Cutout), 레이크(Lake), 주미(Zoomy)는 차의 어떤 부분을 개조할 때 쓰는 용어일까?

A: 배기관

모터 달린 쇼핑 카트

맷 맥커운(영국)은 2013년 8월 18일, 영국 노스요크셔에 있는 엘빙턴 비행장에서 쇼핑 카트에 모터를 달아 113.29km/h 속도로 질주했다. 그는 쇼핑 카트에 개조한 치누크 헬리콥터 스타터 엔진과 250cc 혼다 엔진을 달아 성능을 높였다.

침대

호텔스닷컴이 제작하고 레이싱 선수 톰 온슬로-콜(영국)이 운전한 더블베드가 2016년 12월 13일, UAE 움 알콰인에 있는 에미레이트 모터스포츠 콤플렉스에서 135km/h의 속도를 기록했다. 이 침대는 포드 머스탱 GT 차량의 부품을 탑재했다. 2008년 11월 7일 에드 차이나(영국, 아래 참조)가 세운 111km/h를 경신한 기록이다.

〈행복배달부 팻 아저씨〉 밴

레이싱 광인 톰 아미티지와 데이비드 테일러(둘 다 영국)는 어린이 인기 TV 시리즈 〈행복배달부 팻 아저씨〉에 나오는 차 모양으로 된 놀이기구를 사서(동전을 넣고 타면 제자리에서 움직이는 기구), 레이싱 휠베이스와 타이어, 500cc 4행정 엔진을 달았다. 이 개조 차량은 2012년 8월 30일, 영국 이스트요크셔에 있는 요크 자동차 경주로에서 4분의 1마일을 드레그 레이싱으로 달렸는데, 종단속도 135.6km/h를 기록했다.

우유 배달용 소형 전기차

2014년 6월 25일, '위타빅스 온 더 고 브랙퍼스트 드링스'가 만들고 랍 길(둘 다 영국)이 운전한 우유 배달용 차량이 영국 레스터셔 브런팅솔프에서 136.081km/h의 속도를 달성했다.

사무실

디스커버리 채널 〈휠러 딜러스〉의 전 진행자이자 기술자인 에드 차이나(영국)는 차를 괴상하게 개조하는 데 천재다. 그는 2006년 11월 9일, 책상을 차로 개조해 영국 런던의 웨스트민스터 다리를 최고 140km/h로 건넜다. 이 기록은 기네스 세계기록의 날 행사 중 하나로 진행됐다. 차이나는 **가장 빠른 헛간**도 만들었다. 그의 작품 '곤 투 스피드'는 2011년 4월 1일, 이탈리아 밀라노에서 열린 〈로 쇼 데 레코드〉에서 94km/h로 질주했다.

◀ 문이 가장 두꺼운 제작 차량

'더 비스트'라고 불리는 미국 대통령 전용 차량, 리무진 캐딜락 원의 문은 보잉 757 여객기 문과 무게가 비슷하다. 2009년 1월 20일 처음 도입됐으며 따로 열쇠를 사용하지 않는다. 문을 여는 비밀 기술은 미국 대통령 경호실만 알고 있다. 또 여기에는 로켓 추진식 수류탄, 산소탱크, 야간투시경, 산탄총 그리고 대통령의 혈액형과 일치하는 혈액이 탑재되어 있다. 내부 탑승자는 어떤 화학 공격에도 100% 안전하다.

▲ 가장 오래된 소시지 모양 차

'위너모빌스'는 가공육 생산기업인 오스카 메이어(미국)를 상징한다. 최초의 개조 차량은 1952년 미국의 거스텐슬레거 사(社)가 제작했다. 6.7m 크기의 소시지를 핫도그처럼 올린 모형을 닷지 트럭 차에 달았다. 1952년에 만든 이 최초의 위너모빌스는 미국 미시간 주 디어본에 있는 헨리 포드 모터 박물관에 가면 볼 수 있다.

▲ 가장 도금을 많이 한 차

브루나이 술탄(정치적 지배자)의 수집품에는 롤스로이스와 벤틀리만 500대 이상 있다. 그는 결혼식에 사용하기 위해 롤스로이스 실버 스퍼 리무진을 마차 형태로 개조하고 순금으로 도금했다. 의자 위에 설치된 덮개부터 가문의 상징과 범퍼까지 모두 금으로 덮었다. 가격으로 따지면 1,400만 달러다. 사진은 딸의 결혼식에 사용된 차량의 모습이다.

▶ 가장 긴 바나나 자동차

'빅바나나카'는 영국 출생의 스티브 브레이스웨이트가 2009~2011년까지 제작했다. 바나나는 길이 6.97m, 높이 3.09m다. 트럭 차대에 철골구조를 보강하고 철망, 폴리우레탄 발포체로 형태를 잡은 뒤 섬유 유리와 페인트로 마무리했다. 바나나 자동차는 최고 136.79km/h 속도로 달릴 수 있다.

▲ 가장 빠른 욕조

하네스 로스(스위스)는 2014년 9월~2015년 4월까지 달리는 욕조를 만드는 데 300시간 이상을 투자했다. 그는 고카트 차대에 욕조를 붙이고 그 안에 120마력의 야마하 R6 엔진을 끼웠다. 스위스 브플랑의 다이내믹 테스트 센터에서 달린 가장 빠른 2회 주행의 평균이 186.82km/h를 기록했고, 최고 속도는 189.9km/h까지 나왔다.

◀ 가장 빠른 범퍼카

콜린 퍼즈(영국)가 '도젬'이라고 불리는 오래된 범퍼카를 복원하고 개조해 최고속도 161.476km/h를 기록했다. 1960년대 스타일의 범퍼카에 600cc 혼타 오토바이 엔진을 달았다. 이 차량은 BBC 방송 〈탑 기어〉의 전문 드라이버 '스티그'가 2017년 3월 23일, 영국 서퍽 입스위치 인근 벤트워터즈 비행장에서 시험 주행했다. 원래 이 범퍼카의 평균속도는 8km/h다.

▲ 가장 빠른 온수 욕조

2014년 8월 10일, 필립 웨이커와 던컨 포스터(둘 다 캐나다)는 직접 만든 '카풀 드빌'을 타고 미국 유타 주 웬도버에서 달려, 가장 빠른 2회 주행 평균 84.14km/h, 최고 속도 88.19km/h를 기록했다. 둘은 1969년식 캐딜락 드빌 내부를 유리섬유 탱크로 교체했다. 액체-액체 열교환기와 엔진 냉각수를 사용해 35분 동안 물을 38.88℃까지 뜨겁게 만들 수 있다.

▼ 가장 긴 슈퍼카

댄 컬리가 상상하고 주문한 7m 길이의 슈퍼카를 크리스 라이트(둘 다 영국)가 제작했다. 페라리 360 모데나 차량의 가운데를 잘라 2.89m를 추가해 8명이 앉을 수 있는 의자를 설치한 이 차는 6초 안에 최고 속도 267km/h에 도달할 수 있다. 왼쪽 사진은 차에 설치한 걸윙 도어(Gull-wing door)를 열어 놓은 모습이다.

몬스터트럭 MONSTER TRUCKS

이 커다란 기계 괴물들은 평균 무게 약 4,535kg에 폭 3.6m, 높이 3.6m, 길이 6m에 달한다.

▲ 보잉 727 비행기를 뛰어넘은 최초의 몬스터트럭

1999년 댄 런트(미국)는 '빅풋 14'를 타고 보잉 727 여객기를 뛰어넘었다. 점프 거리는 62m로 볼링 레인 3개와 비슷하다. 이 신기록은 미국 테네시 주 스머나에서 작성됐다.

최초의 몬스터트럭

포드 F-250 픽업트럭에 높이 1.21m 타이어를 장착한 빅풋 넘버 1을 밥 챈들러(미국)가 1970년대 중반 미국 미주리 주 세인트루이스에서 제작했다. 빅풋은 1979년 대중에 공개됐는데, 최초로 소개된 몬스터트럭 콘셉트 차다.

대회에서 성공한 최초의 몬스터트럭 백플립

캠 맥퀸(캐나다)이 2010년 2월 27일 미국 플로리다 주 잭슨빌에서 열린 잭슨빌 '몬스터 잼'에 출전해 공중 뒤돌기를 성공적으로 수행했다. 몬스터 잼은 모터스포츠 투어 시리즈로 시즌은 1~3월까지 진행된다. 미국 핫로드협회에서 승인하는 대회로 '몬스터 잼 월드 파이널'은 매년 미국 네바다 주 라스베이거스에서 열린다. 종목은 '레이싱'과 '프리스타일'로 나뉘며, 2000년부터 챔피언이 꾸준히 나오고 있다.

몬스터트럭 최고 속도

마크 홀(미국)은 '람 트럭'이 후원하는 '라미네이터'를 타고 2014년 12월 15일 **가장 빠른 포유류**인 치타의 최고 속도보다 1.5배 빠른 159.49km/h로 질주했다. 기록은 미국 텍사스 주 오스틴에 있는 서킷 오브 아메리카에서 세웠다.

몬스터트럭 400m 최고 기록

2012년 3월 17일, 미국 테네시 주의 랜디 무어가 '워 위저드'를 타고 정지 상태에서 출발해 402m를 13.175초 만에 통과했다. 최고 속도는 155.8km/h로 이 기록은 미국 노스캐롤라이나 주 샬럿에 있는 zMAX 드레그웨이에서 세웠다.

몬스터 잼 월드 파이널 프리스타일에서 2회 우승까지 걸린 가장 긴 시간

짐 퀼러(미국)는 '어벤저'를 운전해 2003년 몬스터 잼 월드 파이널 프리스타일 타이틀을 획득했다. 그리고 8년 뒤인 2011년이 되어서야 영광을 재현했다. 퀼러의 업적은 애덤 앤더슨(미국, 1985년 12월 5일생)과 동률인데, 앤더슨은 '타즈'를 몰고 2008년에 우승한 뒤 '그래이브 디거'로 2016년에 또다시 우승했다.

그의 2008년 우승은 **몬스터 잼 월드 파이널 챔피언십 최연소 우승** 기록으로 당시 나이는 22세였다.

몬스터트럭 경사면 점프 최장 거리 기록

조 실베스터(미국)는 2013년 9월 1일 미국 펜실베이니아 주 콜럼버스에서 4,535kg의 '배드 헤빗' 트럭을 몰고 72.42m 거리를 점프했다. 실베스터는 136.7km/h로 경사대를 날아올라 기록을 세운 뒤 이렇게 말했다. "몬스터트럭이 높게 점프할수록 위험성도 커집니다. 이처럼 빠른 속도로 날아오른 뒤 땅에 착지할 때의 충격은 정말 엄청납니다."

미셀리의 별명 'Madusa(마두사)'는 프로레슬러로 활동할 때 생겼다(얼룬 드라 블레이즈라는 이름으로 활동하며 WWF 챔피언에 오르기도 했다). 이 별명은 'Made in USA'를 줄인 말이다.

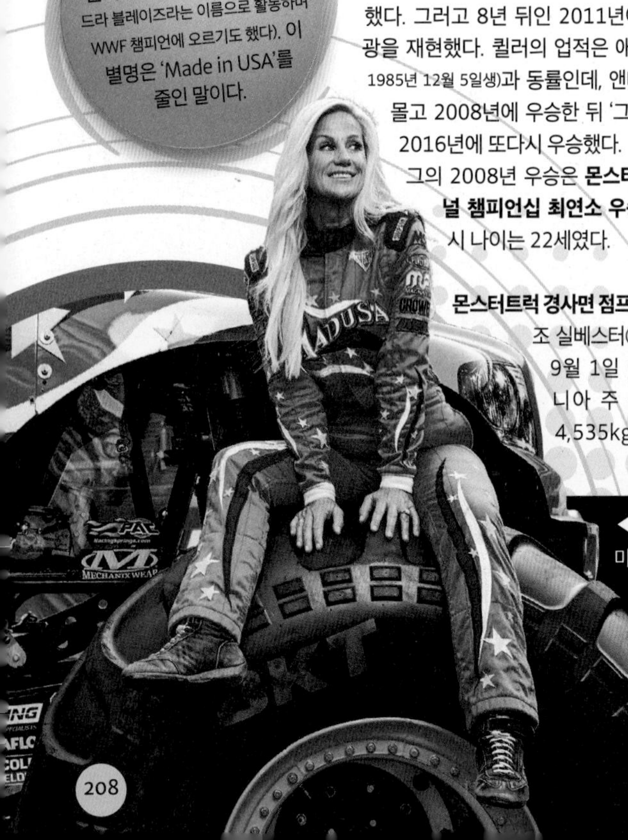

◀ 여성 최초 몬스터 잼 드라이버

미국 플로리다 주의 데브라 미셀리는 1999년 몬스터 잼 대회에 여성 최초로 출전했다. 그녀가 운전하는 트럭의 이름은 '마두사'인데, '학살의 여왕'으로 잘 알려진 데브라의 여러 별명 중 하나다. 데브라는 5년 만에 **여성 최초로 몬스터 잼 월드 챔피언**에 등극했다. 2004년 3월 미국 네바다 주 라스베이거스에서 열린 프리스타일 대회에서도 같은 기록을 세웠다.

Q: 몬스터 잼에서는 매년 평균 몇 대의 차가 부서질까?

A: 3,000대

후진으로 점프한 가장 긴 거리

마이클 바타스는 2002년 미국 인디애나 주 인디애나폴리스에서 '블랙 스텔리언'을 후진으로 몰아, 런던 버스 2대 길이에 해당하는 21.3m를 점프했다.

몬스터트럭으로 뛰어넘은 최다 몬스터트럭

톰 민츠(미국)는 2016년 4월 23일 미국 뉴저지 주 이스트러더포드에 있는 멧라이프 스타디움에서 '맥시멈 디스트럭션'을 타고 6대의 몬스터트럭을 뛰어넘었다.

차로 찌그러트린 가장 많은 깡통(3분)

이안 배티(영국)가 2010년 3월 6일 UAE 두바이에 있는 주메이라 비치 레지던스에서 9,071kg짜리 몬스터트럭을 타고 '번 에너지 드링크' 캔 6만 1,106개를 납작하게 만들었다.

최다 우승…

몬스터 잼 월드 파이널

현재 '맥시멈 디스트럭션'을 운전하는 톰 민츠(미국)는 1999년부터 몬스터 잼 월드 파이널에서 총 11회 우승했다(레이싱과 프리스타일을 합한 횟수).

몬스터트럭 내셔널 챔피언십

마크 홀(미국)은 2016년 말일까지 내셔널 챔피언십 25회 우승으로 그 어떤 드라이버보다 앞서 있다. 여기에는 몬스터트럭 선더 드래그 12회 우승, 내셔널 레이싱 6회 우승, 내셔널 프리스타일 5회 그리고 몬스터트럭 내셔널스 2회 우승이 포함되어 있다.

몬스터 잼 프리스타일 한 시즌 연속 우승

'팀 핫 휠스 파이어스톰'에 속한 스캇 뷰토(미국)는 2016년 10월 8일 호주 멜버른 대회부터 6회 연속으로 프리스타일 부문에서 우승을 차지했다.

가장 큰…

지게차
FLT 90-2400

칼마르 LMV(스웨덴)는 슈퍼 사이즈 지게차를 3대 제작했다. 각각 무게 11만 6,500kg, 지게를 포함한 길이 16.6m, 폭 4.85m다.

픽업트럭
7300 CXT

ITEC 사(社)(미국)가 6,577kg짜리 차량을 제조했다. 길이 6.55m, 높이 2.74m다.

몬스터트럭
빅풋 5

밥 챈들러(미국)가 만든 이 거대 괴물은 높이 4.7m, 무게 1만 7,236kg이다. (옆 페이지 오른쪽 맨 위 참조)

세미 트럭
트랙토마스 TR 10×10 D100

니콜라스 인더스트리 SAS(프랑스)가 제작한 총 무게 71톤의 이 트럭은 2005년 10월 28일 프랑스에서 처음으로 모습을 드러냈다.

덤프트럭(2축)
BelAZ 75710

BelAZ(벨라루스)가 만든 이 트럭은 탑재 용량이 450톤에 달한다.

▲ 가장 긴 몬스터트럭

'빅 토이즈 레이싱'의 브레드과 젠 캠벨(둘 다 미국)이 만든 몬스터트럭은 2014년 7월 10일 미국 애리조나 주 화이트힐스에 있는 라스트 스탑에서 측정했을 때 길이가 9.75m였다. 이 '신시티 허슬러' 트럭은 원래 라스베이거스의 관광객을 태우기 위한 리무진으로 제작됐다. 현재는 러스 만(미국)이 가지고 있다.

▲ 가장 큰 몬스터트럭

지름 3m의 타이어를 장착한 빅풋 5의 총 높이는 4.7m, 무게는 1만 7,236kg이다. 미국 미주리 주 세인트루이스의 밥 챈들러가 만든 빅풋 시리즈 중의 하나로 1986년 여름에 제작됐다. 현재는 세인트루이스에 고정 주차돼 있으며, 가끔 지역 쇼에 모습을 드러내기도 한다.

▲ 최초의 전기 몬스터트럭

2012년 11월 공개한 빅풋 20은 전기 모터만 사용하는 최초의 몬스터트럭이다. 무게 5,000kg의 이 거대 괴물은 오디세이 배터리 30개로 가동되는 특별 제작 전기 모터(350마력)를 사용한다. 또 조향 장치와 브레이크를 위해 6개의 배터리가 추가로 장착되었다. 빅풋 17의 드라이버 나이젤 모리스(영국)가 제작한 빅풋 20은 2012년 10월 30일 미국 네바다 주 라스베이거스에서 열린 SEMA 쇼에서 데뷔했다.

▲ 가장 높은 리무진

세계에서 가장 키 큰 리무진의 지붕까지 높이는 3.33m다. '개리 앤 셜리 듀발'(호주)이 제작했으며, 8개의 몬스터트럭 타이어가 독립 현가 방식으로 가동된다. 8,000cc 캐딜락 엔진이 2개 부착되어 있는데 제작에 4,000시간이 조금 넘게 걸렸다.

▶ 대회에서 성공한 몬스터트럭 연속 백플립

미국 일리노이 주의 조지 발한이 2012년 3월 23일에 미국 네바다 주 라스베이거스에서 열린 몬스터 잼 프리스타일 경기에서 '모호크 워리어'를 타고 2회 연속 공중 뒤돌기에 성공했다. 트럭의 이름은 조지의 독특한 헤어스타일에서 따왔다.

▼ 대회에서 성공한 몬스터트럭 2회전 백플립

한 번의 공중회전으로는 만족하지 못한 톰 민츠(미국)가 2015년 6월 20일 미국 매사추세츠 주 폭스버러에서 열린 몬스터 잼 대회에서 자신의 4,535kg짜리 '맥시멈 디스트럭션'을 운전해 뒤로 공중 2회전을 하는 데 성공했다. 이 믿기 어려운 스턴트 묘기는 4번의 시도 끝에 가능했다. 오른쪽은 톰이 백플립하는 모습을 연속으로 촬영한 사진이다.

'초현대적 SUV'로 분류되는 노란 차체의 맥스 D(1,500마력)는 서킷에서 가장 눈에 띄는 트럭 중 하나다.

군용차량 MILITARY VEHICLES

태평양에 있는 추크 환초 지역은 2차 세계대전 중 미국이 '우박 작전'을 수행하는 동안 30척 이상의 일본 군함이 난파된 장소다.

▲ 5세대 전투기 최대 이륙 중량

5세대 전투기들은 향상된 전자장비와 스텔스 기능을 가지고 있다. 2016년까지 단 3종만 생산되었으며 모두 록히드 마운틴 사(社)가 만들었다(러시아와 중국의 시험 기종도 있다). F-22 랩터, F-35B 라이트닝 II, F-35A 라이트닝 II다. 이 중 F-22랩터가 이륙 중량 3만 8,000kg으로 가장 무겁다. 미국은 이 전투기들의 설계 유출을 막기 위해 수출을 금지했다.

최초의 탱크

영국 링컨셔의 윌리엄 포스터 사가 1915년 9월 초 처음으로 '리틀 윌리'로 알려진 No.1 링컨을 제작했다. 탱크는 1년이 지난 1916년 9월 15일 프랑스 플레흐 꾸흐스레트 전투에서 최초로 모습을 드러냈다. 리틀 윌리를 발전시킨 마크 I '수컷' 탱크는 기관총 군단(현 왕립 탱크 연대)의 중화기 부대로 편성됐다. 이 탱크에는 6파운더 포가 2개, 기관총이 4개 장착되었고 무게는 28.4톤이 나갔다. 105마력의 모터를 장착해 최고 4.8~6.4km/h의 속도를 낼 수 있었다.

가장 오래된 탱크 디자인은 레오나르도 다빈치(1452~1519)의 것이다. 이탈리아의 예술가이자 발명가인 그는 나무 장갑으로 둘러싸인 바퀴 달린 몸체에 총을 정면으로 장착한 콘셉트를 고안했다(오른쪽 참조).

가장 많이 생산된 탱크

M-4 셔먼 배틀 탱크는 2차 세계대전이 한창이던 1942년에 미국이 처음 출시했다. 생산하기 쉽게 설계됐고, 내구성이 좋으며 정비가 쉬워, 3년이 약간 넘는 기간에 4만 8,000대가 만들어졌다.

가장 무거운 탱크

1923년 처음 제작된 프랑스의 72.5톤짜리 12인용 탱크, 샤르 2C에는 155mm 곡사포가 탑재되었다. 250마력의 엔진을 써 최고 12km/h의 속력을 냈다.

2차 세계대전 당시 독일이 더 무거운 탱크를 만들었지만 상용화되지는 않았다. 무려 188톤의 전차 Maus II는 우주왕복선보다 2.5배나 무거웠다. 1945년까지 단 2대의 프로토타입(시제품)만 만들어졌다. 이 전차 2대는 소련이 사들여 한쪽의 몸체에 다른 전차의 포탑을 달아 온전한 하나의 탱크로 만들었다. 합쳐진 탱크는 러시아에 있는 쿠빈카 탱크 박물관에 전시돼 있다.

가장 큰 포

1942년 7월, 독일군은 구소련의 세바스토폴을 장악할 때 구경 800mm, 총열 32.5m의 포를 사용했다. 이 포의 독일 내 명칭은 슈베러 구스타프였다. 포의 총 길이는 42.9m였고 무게는 1,344톤이었다.

마우스 II 탱크의 프로토타입은 너무 무거워서 다리를 건널 수 없어서 두 대가 짝을 지어 번갈아 강바닥을 주행해 건넜는데, 한 탱크에 케이블로 전력을 몰아주고, 대형 스노클로 공기를 주입해 지나갔다.

Q: 1918년 4월 24일 탱크끼리 벌어진 최초의 전투에 몇 대가 참전했을까?

A: 6대

가장 멀리까지 주행 가능한 기계화 보병 전투 차량

컴뱃 비히클 90(CV90)은 장갑 궤도 보병 전투 차량으로 BAE 시스템스 사가 스웨덴 군대를 위해 생산했다. 3명의 승무원에 8명의 병력이 탑승할 수 있으며, 보포스 기관포가 주 무기로 장착돼 있다. 1984년 개발되었는데 도로 주행 시 최대 900km를 이동할 수 있고 최고 속도는 68km/h다.

최대 규모 순양함대

20세기 후반 전함의 시대가 저물며 순양함이 오늘날 사용되는 가장 큰 전투함이 됐다. 3개 국가에서 순양함을 실제 운용 중인데 미국이 22척, 러시아가 3척, 페루가 1척이다. 미국 해군의 배는 모두 타이콘데로가 급으로 유도탄을 장착하고 있다. 이 무기는 수직 발사 체계로 대공, 대잠수함, 대함선 공격이 가능하다.

가장 비싼 군용 항공기(프로그램)

2012년 록히드 마운틴 F-35 라이트닝 조인트 스트라이크 파이터의 가격은 3,361억 달러까지 치솟았다. 여기에 사용되는 미국의 다국적 프로그램 운영 비용은 기체의 수명이 다하는 50년 동안 약 8,500억 달러에서 1조 5,000억 달러가 들 것으로 보인다.

가장 비싼 군용 항공기는 미국이 만든 노스럽 그러먼 B-2 스피릿이다. 재래식 무기부터 수소폭탄까지 장착할 수 있는 이 전투기는 1대당 가격이 13억 달러가 넘는다.

가장 비싼 초대형 항공모함

2017년부터 복역 예정인 USS 제너럴 R 포드 항모는 130억 달러를 들여 제작되고 있다. 전장(全長) 332.8m로 전투기 75대를 실을 수 있으며, 새로운 형태의 캐터펄트(항공기 발진 장치), EMALS가 탑재될 예정이다. 2개의 활주로가 있어 220번의 공습이 가능하다.

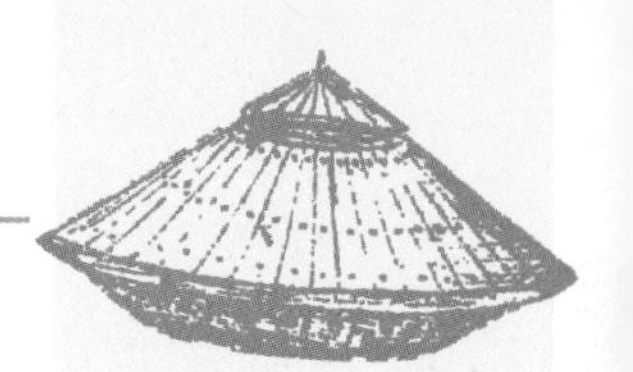

레오나르도 다빈치는 거북딱지에서 영감을 받아 1487년 전차를 설계했다.

2차 세계대전 당시 영국은 톱밥(혹은 펄프)을 얼음과 섞은 물질인 파이크리트로 전함을 축조하는 것을 고려하기도 했다.

2015년 국방비 순위

2015년 국방비 투자 분야

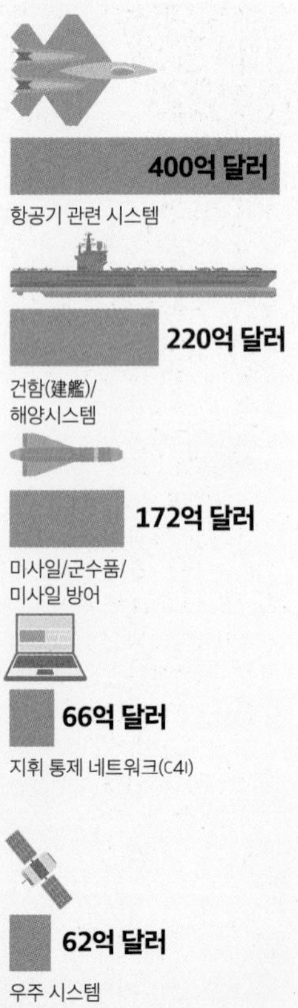

◀ 가장 큰 로켓 포

2013년 처음 공개된 조바리아 방어 시스템 다중 발사대는 터키의 도급업체 로케산과 UAE 군대가 개발했다. 조바리아의 10륜 세미 트레일러에는 4대의 로켓 발사대가 설치되었고, 최대 사정거리 37km의 122mm 로켓 240발이 장착되어 있다. 한 번의 일제사격으로 4km² 면적을 초토화할 수 있는 위력을 지녔다.

▲ 가장 큰 잠수함

1980년 9월 23일 나토는 백해 세베로드빈스크에 있는 러시아 조선소에서 941 아쿨라급 잠수함을 진수한다고 발표했다. 이 심해 괴물의 길이는 보잉 747 여객기보다 2.5배 긴 171.5m였다. 이 잠수함은 사정거리 8,300km의 SS-N-20 미사일을 20발 장착하고 있었다. 러시아어로 아쿨라는 '상어'라는 뜻이다.

▲ 가장 큰 파도 가름 선형 함선

파도 가름 선형의 배는 길고 얇다. 바다에서 파도를 타고 이동하기보다는 가르며 지나가게 설계되어 있기 때문이다. 덕분에 함선은 더 부드럽고 안정되게 항해한다. 2016년 10월 15일 복역을 시작한 USS 줌월트 호는 파도 가름 선형 함선 중 가장 크다. 총 길이 185m의 이 전투함에는 스텔스 기능이 탑재돼 있다.

▲ 유리 강화 플라스틱으로 만든 가장 큰 군함

영국 해군의 헌트급 군함은 기뢰 제거함이자 연안 순찰선으로도 활동하고 있다. 이 군함의 장갑은 철이 아닌 유리 강화 플라스틱으로 되어 있어 자석에 영향을 덜 받는다. 이런 특성은 기뢰로부터 배를 보호할 뿐 아니라, 철로 된 다른 전함을 조준하기 쉽게 만든다. 750톤급으로 길이는 60m이다.

▲ 가장 빠른 군용 헬리콥터

치누크 헬리콥터는 1961년 9월 21일 처음 이륙했다. 그 후 1,200개가 넘는 변형 기종이 나왔고 아직도 최소 20개국에서 운용되고 있다. CH-47F 치누크는 최고 315km/h의 속도를 낸다. 탠덤 로터(2개의 회전 날개)를 사용하기 때문에 기체의 후미에 따로 테일 로터(꼬리 날개)를 달지 않는다. 주로 물자나 병력을 나르는 데 사용되지만 CH-47F는 기관총을 3개까지 장착할 수 있다.

▲ 무인 포탑이 장착된 최초의 주력 전차

러시아 T-14 아르마타 탱크는 4년의 연구와 시험 끝에 2015년 모스크바 승전일 퍼레이드에서 처음 대중에 모습을 드러냈다. 탱크의 승무원은 3명으로 내부 장갑 캡슐에 탑승한다. 주포에는 따로 사람이 배치되지 않고 조종석에서 조종한다. T-14 탱크는 포를 제외한 무게가 48톤이며, 길이는 8.7m다.

▲ 가장 큰 가변익 항공기

나토의 코드네임 '블랙잭', 러시아산 항공기 Tu-160은 2005년 처음으로 복역을 시작했다. 이 전략적 초음속기는 날개를 접었다 펼 수 있는 '가변익'을 가지고 있다. 전투 시에는 접고 높은 고도에서 비행할 때는 상황에 맞게 효율적으로 조절한다. Tu-160의 날개 길이는 접었을 때 36.5m, 완전히 폈을 때 55.7m다.

▲ 가장 무거운 틸트로터 항공기(현재)

미국의 벨 보잉 V-22 오스프리는 최대 이륙 무게가 2만 3,859kg이다. 오스프리는 로터(프로펠러)의 방향을 위로 돌려 수직으로 이착륙할 수 있다. 비행 중에는 로터를 앞으로 향하게 해 최고 565km/h로 날아가는데, 이는 일반적인 헬리콥터보다 훨씬 빠른 속도다.

이동수단 전반 TRANSPORT ROUND-UP

언제 어느 때든, 미국 상공에는 6만 명가량이 비행을 하고 있다.

▲ 최초의 지붕 없는 2층 케이블카

해발 1,898m인 스위스 슈탄저호른 산을 오르다 보면 10개의 호수를 포함한 멋진 알프스 산맥의 전경을 감상할 수 있다. 이 풍경을 가장 잘 즐기는 방법이 바로 지붕 없는 '카브리오' 케이블카를 타는 것이다. 6분 24초 동안 멋진 경관을 감상할 수 있는데 특히 30명이 탈 수 있는 2층은 탁 트인 경관을 온몸으로 만끽하게 해준다.

최장거리 도로 네트워크

최근 공개된 CIA 월드 팩트북에 따르면, 미국에는 658만 6,610km 거리의 도로가 깔려 있다. 인도는 469만 9,024km로 2번째다.

가장 오래된 신호등

테디 부어(미국)가 설계한 4방향 적록 램프 신호등은 1932년, 미국 오하이오 주 애슈빌에 있는 메인과 롱 도로의 교차점에 설치되었다. 1982년까지 사용된 후, 도시의 박물관으로 옮겨졌다. 이 신호등은 아직도 작동 중이다.

가장 가파른 도로

뉴질랜드 더니든에 있는 볼드윈 스트리트는 총 길이 350m를 지나다 보면, 시작점보다 점차 가팔라져 해발 69.2m를 오르게 된다. 평균 경사는 약 20°이며 가장 가파른 구간은 경사가 1:2.86(수평 거리 2.8m에 높이가 1m)에 이른다. 자동차들이 미끄러지지 않도록 콘크리트에 홈을 만들었다.

▲ 최대 규모 버스 개보수 계획

이층버스는 영국 런던의 상징적인 존재다. 현재 이 새빨간 버스들은 친환경 버스로 바뀌고 있다. 2014년 7월, 도시의 교통을 담당하는 런던교통국(TfL)은 오래된 버스에 대한 개보수 프로그램을 발표했다. 현재 50개 노선을 달리는 노후된 버스 1,015대에 '선택적 환원 촉매(SLR)' 시스템을 설치해 산화질소 배출량을 줄였다. 런던교통국은 1,800대의 버스에 이를 확대 적용할 계획이다.

가장 길게 이어진 도로

호주의 1번 도로는 나라 전체를 순회하며 여러 다른 도로와 연결된다. 총 1만 4,523km로 가장 비슷한 라이벌인 트랜스 시베리아 도로보다 3,500km나 더 길다. 1번 도로는 호주의 모든 주를 지나는데 하루에 일부라도 이 도로를 이용하는 사람이 100만 명이 넘는다.

가장 긴 편도도 호주에 있다. 사우스오스트레일리아 주 애들레이드에 있는 M2 동부 고속도로는 총 길이가 21km다. 메인 동부 도로의 체증을 완화하기 위해 건설되었으며, 아침에는 북부에서 애들레이드로 일방통행되고, 오후에는 방향을 바꿔 남부에서 일방통행이 된다.

일직선으로 가장 길게 뻗은 도로

파드 국왕(사우디아라비아)의 전용도로로 건설된 10번 국도는 하라드 지역에서 75번 국도와 이어지며 사우디아라비아 서부 95번 국도와 만나는 240km를 연결하고 있다. 이 도로는 왼쪽이나 오른쪽으로 우회하지 않을뿐더러 경사도 없이 곧게 뻗어 있다. 완전히 일직선인 이 도로는 차로 지나는 데 약 2시간이 걸린다.

▲ 가장 꼬불꼬불한 도로

미국 캘리포니아 주 샌프란시스코에 1922년 만들어진 롬바드 가(街)를 고대 로마 사람들이 봤다면 심장병에 걸릴지도 모른다. 하이드 가부터 러시안 힐에 있는 레번워스 가를 잇는 400m짜리 코스에는 8군데의 헤어핀 코너가 있어 총 1,440°나 구부러져 있는 것으로 유명하다. 이 도로는 한쪽으로만 통행할 수 있으며 1:3.7의 경사도가 있고, 제한 속도는 8km다.

가장 짧은 도로

영국 케이스네스 윅에 있는 에버니저 플레이스는 2006년 10월 28일, 측정 거리가 2.05m였다. '폭스바겐 비틀' 자동차의 약 반, 런던 루트마스터 버스(영국에서 가장 사랑받는 옛날 이층버스)의 4분의 1 정도 거리다.

가장 긴 버스 노선

페루 회사 오르메뇨는 세계 최장 거리인 6,200km짜리 버스 노선을 운행한다. 그랜드캐니언의 14배에 달하는 거리로, 페루 리마부터 브라질 리우데자네이루까지 연결하고 있다. '대양 횡단'이라고 부르는 이 노선은 아마존과 안데스 산맥을 지나 102시간(4일 이상)을 주행한다. 이 버스는 해발 3,500m의 현기증 나는 높이까지 올라간다.

▲ 가장 높은 곳에 있는 로프웨이 정거장

중국 다구 빙하의 방문객들은 녹음이 진 숲에서 곤돌라를 타고 3km를 이동해 빙하의 장관이 펼쳐진 눈 덮인 산꼭대기로 올라간다. 한 번에 8명이 탈 수 있으며 주행 시간은 10분 미만이다. 종착지는 해발 4,843m로 승객들은 말 그대로 산소 부족을 느끼기도 한다. 방문객들은 '세상에서 가장 외로운 카페'에서 숨을 돌리곤 한다.

▲ **가장 높은 수중익선**(좌식)

수중익선은 항해하는 동안 선체가 물 위에 떠서 이동하는 보트나 선박을 말한다. 2015년 8월 22일, 워터 스키 분야의 전설 마이크 머피(미국)가 미국 캘리포니아 주 롱비치에서 3.42m 높이의 좌식 수중익선을 몰았다. 그는 수중 '날개'로 물살을 가르며 수면 위 최대 높이까지 올라가 30.48m 이상을 주행했다.

가장 큰 회전 교차로

말레이시아 푸트라자야에 있는 '페르시아란 술탄 살라후딘 압둘 아지즈 샤' 도로의 회전교차로는 길이가 3.4km이며, 총 15개의 출입지점이 있다. 말레이시아의 2번째 왕궁 '이스타나 멜라와티'와 총리의 페르다나 푸트라 집무실 그리고 푸트라자야 샹그릴라 5성급 호텔이 모두 이 교차로의 중심에 있다.

가장 긴 순환도로

국도 1번, A01 도로는 아프가니스탄 중심의 거대한 지역을 순환하는 2,092km의 2차선 도로로, 34개 주 중 16개를 연결한다.

가장 긴 아이스 스케이팅 둘레길

2014년 2월 14일, 캐나다 브리티시컬럼비아 인버미어에 있는 윈더미어 호수가 얼어붙어 만들어진 '화이트 웨이' 둘레길은 측정 거리가 29.98km로 확인됐다.

최초의 카페리

캐나다 태평양 철도회사가 1923년 '모터 프린세스'를 BC 연안 서비스에 사용하기 위해 진수했다. 이 배는 약 60년 뒤인 1980년 은퇴했다.

가장 높은 배 리프트

크라스노야르스크 댐은 러시아 예니세이 강에 있다. 이곳의 배 리프트에는 물이 채워진 공간이 있어 그곳에 배를 싣고 9m 폭의 레일을 따라 124m의 높이를 오르내린다. 레일의 길이는 1,510m다. 배가 들어가는 공간은 길이 113m, 폭 26m로 1.5톤짜리 배도 실을 수 있다. 리프트는 1m/s의 속도로 이동한다.

▲ **가장 큰 순회형 배 리프트**

2002년 5월 24일, 엘리자베스 2세가 참여해 정식으로 개통식을 한 영국의 '폴커크 휠'은 높이 30m, 폭 35m, 길이는 30m다. 한 번에 보트 8대를 실을 수 있는 이 설비는 포스 앤 클라이드 운하와 유니언 운하를 연결한다. 예전에는 배들이 두 운하를 지나려면 수문을 11개나 거쳐야 했기 때문에 꼬박 하루가 걸렸지만, 현재는 폴커크 휠 덕분에 15분이면 된다. 무려 1,200톤의 철이 쓰였고, 조립하는 데 1,000명의 현장직원이 투입됐다. 하지만 휠을 1바퀴 돌리는 데 드는 전력은 가정용 전기 주전자 8개를 사용하는 만큼의 1.5kW면 충분하다.

▲ **가장 바쁜 공항**(국내외 승객 모두 포함)

국제공항협회(ACI)에 따르면, 2015년에 1억 148만 9,887명의 승객이 미국 조지아 주 애틀랜타에 있는 애틀랜타국제공항을 드나들었다. 이는 8,993만 8,628명이 사용해 2번째로 바쁜 공항에 오른 중국 베이징의 베이징서우두국제공항을 훨씬 앞선 수치다.
2015년, 애틀랜타국제공항은 비행기가 이륙 혹은 착륙한 횟수가 88만 2,497건으로 **가장 많은 비행기가 출입한 공항**에도 올랐다.

가장 높은 곳에 있는 공항

다오청 야딩 공항은 해발 4,411m에 있는 중국 쓰촨 성 티베트족자치 주의 공항이다. 2013년 9월 16일 문을 열었다.

가장 큰 공항(면적)

사우디아라비아 담맘 근교에 있는 킹파드국제공항은 면적이 780km²다. 사우디 인근 국가, 바레인보다 면적이 넓다.

가장 붐비는 해변 공항

영국 웨스턴아일스 바라에 있는 해변 공항은 조수로 인해 매일 물에 잠기지만, 1년에 1,000대 이상의 비행기가 이착륙하는 공항이다.

화물이 가장 많은 공항

국제공항협회의 자료에 따르면, 홍콩국제공항은 2015년 12월 31일까지 12개월 사이에 총 446만 65톤의 화물이 지나갔다.

가장 가까운 공항

영국 오크니의 파파 웨스트레이 섬 공항과 웨스트레이 섬 공항은 겨우 2.83km 떨어져 있다. 두 공항 모두 국제항공운송협회로부터 정식으로 공항명 코드를 받았다(PPW와 WRY다). 두 공항을 이동하는 비행시간은 평균 96초다.

▼ **가장 큰 항공사**(현재)

미국 조지아 주 애틀랜타에 본사가 있는 델타 항공은 800여 기의 항공기로 57개국 323개 목적지로 비행한다. 2015년 델타 항공은 '유로모니터 인터내셔널 패스포트 데이터베이스'를 기반으로 한 항공권 판매 금액이 267억 5,248만 4,100달러로 추정된다. 2번째로 큰 항공사는 유나이티드 항공(미국)으로, 같은 기간 판매 금액이 242억 2,691만 8,500달러다.

미국의 델타 항공은 연간 1억 8,000만 명 이상의 승객을 실어나른다. 이는 영국, 스페인 그리고 프랑스의 인구를 합친 것보다 많다.

가장 작은 SMALLEST...

가장 작은 나라가 가장 작은 대륙보다 약 1,750만 배나 작다. 그런데 역대 가장 작은 고양이가 가장 작은 경찰견보다 4배나 더 작다는 게 사실일까? 그리고 우주에서 가장 짧은 길이의 단위는 뭘까? 기네스 세계기록을 통해 별부터 아원자까지, 상대적인 크기를 알아보자.

태양은 지금까지 알려진 가장 작은 별보다 11.6배 크다(아래 참조).

15km 이하

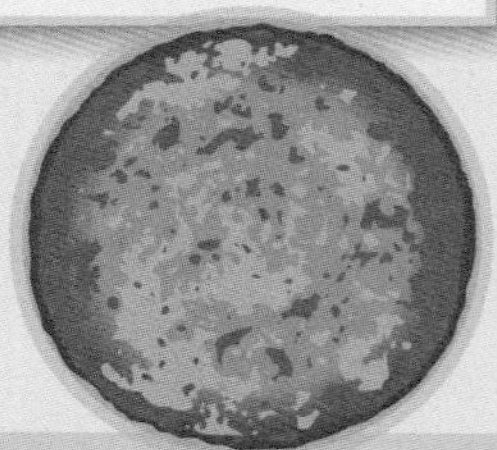

별
11만 9,660km

지금까지 알려진 가장 작은 별은 지구에서 40광년 떨어진 곳에 있는 2MASS J05233822-1403022로, 이 별의 지름은 약 11만 9,660km로 태양(위)의 0.086배 크기다.

대륙
4,000km

오세아니아 혹은 오세아니아/오스트랄라시아가 가장 작은 대륙이라고 주장하는 자료도 있지만, 여기에서는 일반적인 기준으로 비교해보고자 한다. 기네스 세계기록과 대다수 자료에서 인정하는 가장 작은 대륙은 오스트레일리아(호주)로 서쪽에서 동쪽까지 폭이 4,000km이며, 면적은 769만km²다. 6번째로 큰 국가이기도 하다.

외계행성
1,930km

외계행성(혹은 태양계외 행성)이란 우리 태양 외 다른 태양의 궤도를 도는 행성을 말한다. 별 케플러 37의 궤도를 도는 케플러 37b는 지구에서 약 210광년 떨어진 거문고자리 성좌에 있다. 2013년 2월 20일, 나사의 케플러 우주선이 발견해 발표했다. 케플러 37b는 지름이 약 1,930km에 불과해 수성보다 작다.

중력을 가진 구체
396.6km

토성의 달, 미마스는 지름이 겨우 396.6km다. 이 위성은 중력을 가진 둥근 형태의 물체 중 가장 크기가 작다. 미마스는 태양계에서 20번째로 큰 위성이다.

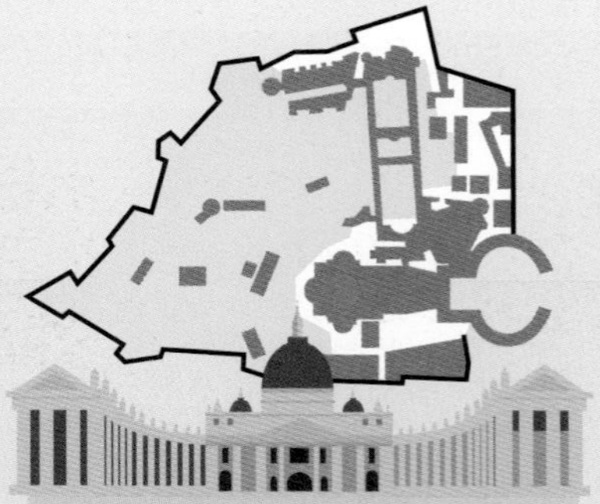

국가
0.44km²

가장 작은 독립국가는 바티칸시국, 즉 교황청으로, 이탈리아 로마 내에 있는 고립 영토다. 면적이 0.44km²로 **세계에서 가장 큰 정부 건물**인 펜타곤(미국 국방부)보다 작다.

5m 이하

유인 여압(與壓) 우주선
3.34×1.89m

머큐리 우주비행선은 나사의 유인 임무에 1961~1963년까지 6번 사용됐다. 높이 3.34m, 지름 1.89m 크기의 원뿔형 캡슐에 1명의 우주비행사가 탑승했다.

비행기
2.69m

로버트 H 스타(미국)가 디자인하고 제작한 복엽기 '범블 비 II'는 길이 2,69m, 날개 길이 1.68m, 비행기 자체 무게가 179.6kg이었다. 탑승 가능한 인원은 1명이다.

도로 주행이 가능한 자동차
63.5×65.4×126.3cm

오스틴 콜슨(미국)이 제작한 실제 도로에서 주행이 가능한 가장 작은 자동차는 높이 63.5cm, 폭 65.4cm, 길이 126.3cm다. 기록은 2012년 9월 7일, 미국 텍사스 주 캐럴턴에서 측정됐다.

여성(역대)
61cm

파울라인 공주로 알려진 파울라인 무스터스(네덜란드)는 1876년 2월 26일, 네덜란드 오센드레흐트에서 출생할 당시 키가 30cm였다. 1895년 3월 1일, 미국 뉴욕에서 폐렴과 뇌수막염으로 19세의 나이에 사망했으며 사후 측정한 키는 61cm였다.

남성(역대)
54.6cm

찬드라 바하두르 단기(네팔)는 2012년 2월 26일, 네팔 카트만두의 CIWEC 병원에서 확인한 키가 54.6cm였다.

50cm 이하

공룡
39cm

깃털 공룡인 미크로랍토르 자오이아누스는 길이가 39cm인데, 이중 24cm가 꼬리다. 1999년에 중국에서 발굴된 한 화석 표본은 1억 1000만~1억 2000만 년 전의 것으로 추정된다.

경찰견
28cm

치와와 종과 랫 테리어 종이 섞인 '미지'는 서 있을 때 키 28cm, 몸길이는 58cm다. 이 암컷 개는 자신의 주인인 댄 맥크렐랜드(미국)와 미국 오하이오 주의 지아거 카운티 보안관 사무실에서 정식 경찰견으로 근무했다. 미지는 2006년 11월 7일 오하이오 주에서 마약탐지견 자격을 획득했으며, 2017년 1월 1일 보안관 맥크렐랜드와 함께 은퇴했다.

아케이드 게임기
12.4×5.2×6cm

2009년, 컴퓨터 엔지니어 마크 슬레빈스키(캐나다)는 플레이가 가능한 아케이드 게임기를 12.4×5.2×6cm 크기로 제작했다. 그는 테트리스, 스페이스 인베이더, 벽돌게임을 복제해 넣기 위해 운영 시스템, FunkOS를 만들었다.

고양이
7cm

히말라얀 페르시안 고양이인 푸른 눈의 '팅커 토이'는 다 자랐을 때 키가 7cm, 몸길이가 19cm였다(2.5세 당시). 이 수컷 고양이의 주인은 미국 일리노이주 테일러빌에 사는 카트리나와 스콧 포브스였다.

새
5.7cm

쿠바와 후벤투드 섬에 서식하는 수컷 벌새(*Mellisuga helenae*)는 길이가 5.7cm이며, 이중 반은 부리와 꼬리다. 수컷은 무게가 1.6g이지만, 암컷은 이보다 약간 크다.

5.5cm 이하

100%

리볼버
5.5cm

회전식 연발 권총 C1ST는 길이 5.5cm, 높이 3.5cm, 폭 1cm에 무게는 19.8g이다. 스위스미니건(스위스)이 제작했다.

100%

만화책
2.58×3.7cm

마틴 로데베이크(네덜란드)가 집필해 1999년에 출판된 〈에이전트 327〉의 특별호 '도시어 미니멈 버그'는 크기가 겨우 2.58×3.7cm였다. 2,000부가 발행된 이 16페이지 풀 컬러 만화책은 공짜 돋보기가 부록으로 포함돼 있었다.

작동하는 드릴
17×7×13.5mm

가장 작은 무선 드릴은 17×7×13.5mm 크기로, 11.75mm 길이의 나선형 송곳이 탑재돼 있다. 3D프린터로 만든 이 공구는 랜드 에버네시(뉴질랜드)가 디자인하고 2015년 3월 21일에 제작되었다.

100%

100%

실제로 판매한 바느질 테디 베어
9mm

셰릴 모스(남아프리카 공화국)가 손으로 만든 테디 베어는 크기가 겨우 9mm다. 그녀는 이 '초소형 곰 인형'을 몇 년째 만들어 테디 베어 전문점에 팔아 왔다.

인간 뼈
2.6~3.4mm

등자뼈는 가운데귀에 있는 3개의 귓속뼈 중 하나로 길이 2.6~3.4mm, 무게 2~4.3mg이다.

100%

1mm 이하

사람 모양의 조각상
80×100×30마이크로미터

존티 후르비츠(영국)가 3D프린터로 만든 이 조그만 여성 모양의 조각 '트러스트'는 80×100×30마이크로미터다. 작가가 27년 만에 첫사랑을 만난 뒤 영감을 받아 제작했다. 크기는 카를스루에 나노 마이크로 기관에서 2015년 2월 13일에 확인했다.

기타 모형
10마이크로미터

실리콘 블록을 깎아 머리카락 두께의 20분의 1, 즉 10마이크로미터 크기의 펜더 스트라토캐스터 기타를 만들었다. 이 모형은 1997년 미국 뉴욕에 있는 코넬 대학교의 과학자들이 겨우 20분 만에 제작했다. 기타의 줄은 두께가 0.05 마이크로미터로, 원자 100개가 줄을 이루고 있는 것과 같다고 한다.

나노카(Nanocar)
3~4나노미터

2005년, 제임스 투어가 이끄는 미국 라이스 대학교의 과학자들이 탄소원자로 이루어진 분자로 만든 차대, 차축, 4개의 바퀴가 달린 '자동차'를 공개했다. 바퀴는 버키볼(buckyball) 분자로 이루어져 있다. 이 자동차의 전체 길이는 3~4나노미터로 DNA 한 가닥보다 약간 길다.

인간이 만든 물체
원자 하나

필드 이온 현미경과 주사터널링현미경의 기구 끝을 이용하면 원자 하나를 떼어내 움직일 수 있다. 이 기술을 이용해 인간이 만든 세계에서 가장 작은 3층짜리 피라미드는 원자 7개, 3개, 1개로 각각의 층을 이루고 있다.

길이의 단위
$1.6×10^{-35}$m

우주에서 측정 가능한 최소 단위는 '플랑크 길이'로 $1.6×10^{-35}$m 간격이다. 1cm의 약 10억 분의 10억 분의 10억 분의 100만 분의 1이다(소수점 뒤로 공을 34개 붙인 뒤 1을 붙이면 된다). 이는 양자 거품이 존재한다고 여겨지는 공간의 크기와 같다. 양자학에서 시공간은 새로운 차원이 찰나의 순간에 새로 펼쳐졌다 접히는, 무한히 작은 영역의 소용돌이치는 거품으로 이루어져 있다고 말한다. 이 양자 거품은 원자핵과 비교될 정도로 작다.

포스터 다운로드 받는 곳: guinnessworldrecords.com/2018

마이클 펠프스(미국)가 획득한 23개의 금메달은
인도, 나이지리아, 포르투갈이 딴 금메달 수를 모두 합친 것과 같다.

▶ 400m 최고 기록

2016년 리우 올림픽에서 웨이드 반 니커크(남아프리카 공화국)는 8월 14일 열린 남자 400m 결승에서 43.03초를 기록하며 17년 전 마이클 존슨(미국)이 세운 43.18초 기록을 박살 내버렸다. 웨이드는 이 기록을 8번 레인에서 세워 더 놀라운데, 이 레인은 경쟁자들을 잘 볼 수 없어 페이스를 맞추기 매우 어렵다.

2016년 3월 12일, 웨이드는 **'10, 20, 44 이하' 기록을 달성한 최초의 선수**가 됐다. 그는 남아프리카 블룸폰테인에서 열린 프리스테이트 챔피언십 대회에서 100m 9.98을 기록했다. 이로써 스프린트 종목 3개의 벽으로 여겨지는 100m 10초 이하, 200m 20초 이하, 400m 44초 이하를 모두 깬 선수가 됐다. 대회에서 이 기록을 세운 선수는 웨이드뿐이다.

CONTENTS

피파 월드컵 218
클럽 축구 220
국제 축구 경기 221
미식축구 222
야구 223
농구 224
아이스하키 225
럭비 226
테니스 227
복싱 228
무술 229
크리켓 230
골프 231
오토 스포츠 232
사이클 233
과녁 스포츠 234
역도 235
트랙 & 필드 236
마라톤 238
수영 240
수상 스포츠 241
겨울 스포츠 242
동계 올림픽 미리 보기 243
익스트림 스포츠 244
엑스게임 245
스포츠 전반 246

우사인 볼트(자메이카)는 300m 경기에서 웨이드와 경쟁을 펼쳤다. 두 사람은 역대 2위와 3위 기록을 가지고 있다. 최고 기록은 마이클 존슨의 30.85초다.

SPORTS

피파 월드컵 FIFA WORLD CUP PREVIEW

월드컵 기네스 기록들을 보며
러시아에서 열리는 2018 피파 월드컵을 예상해보자.

▲ 월드컵 최다 출장 선수

미드필더 로타어 마테우스(독일)는 1982~1998년 사이에 열린 모든 월드컵 대회에 국가대표로 선발됐다. 1982년과 1998년에는 교체 선수였지만 1986년(결승 진출), 1990년(우승), 1994년(4강)에는 주요 선수로 활약했으며, 총 25경기에 출장했다.

주최국이 되기 전 가장 많이 출전한 나라

러시아(혹은 구소련)는 1958년부터 총 10회 월드컵에 모습을 나타냈다. 대회 유치에 몇 번의 고배를 마신 뒤 2018년에는 주최국으로 선정됐다.

2018년 러시아 월드컵에 사용될 경기장 중 하나인 **소치 피시트 올림픽 스타디움은 최초로 동계 올림픽과 월드컵에 모두 활용**된다. 2014년 동계 올림픽과 패럴림픽을 위해 건설된 이 경기장에서 2018년 월드컵 6경기가 치러질 예정이다.

2018년 러시아 월드컵 예선전에는 **역대 최다인 210개국**이 참가해 진행 중이다. 이 나라들 중 러시아에서 열리는 본선에 참가할 수 있는 건 단 32개국뿐이다.

월드컵 최초의 골

시간제 자동차 정비공 루시엥 로랑(프랑스)이 1930년 7월 13일, 우루과이 몬테비데오 경기장에서 열린 프랑스와 멕시코 간의 경기에서 월드컵 최초의 골을 넣었다. 프랑스는 로랑이 경기 19분에 넣은 발리슛을 시작으로 멕시코에게 4-1로 승리했다. 이 경기는 1930년 월드컵 대회의 개막전 중 하나였다. 1930년 대회는 단 18경기만 펼쳐졌지만 총 70골, 경기당 평균 3.89골이라는 상당히 많은 골이 터졌다. **경기당 득점이 가장 많았던 대회**는 1954년 스위스 월드컵으로 평균 5.38골이 들어갔다. 하지만 1962년 평균 2.89골로 떨어진 이래 평균 3골이 넘은 대회가 단 한 번도 없었다.

월드컵 한 경기 최다 퇴장

2006년 6월 25일, 포르투갈이 16강전에서 네덜란드를 상대로 승리한 경기는 월드컵 역사상 가장 거친 경기 중 하나였다. 이 '뉘른베르크 전쟁(경기가 열린 도시의 이름을 따옴)'에서는 4명의 선수가 퇴장당했고(팀당 2명씩), 총 16장의 옐로카드가 나왔다. 1962년 월드컵에서 있었던 '산티아고 전쟁'도 과격했기로 유명한데, 심판 캔 애스턴(영국)은 이 경기를 보고 레드카드와 옐로카드 제도를 처음 고안했다.

Q: 월드컵 트로피는 도난당한 적이 한 번 있다. 몇 년도일까?

A: 1966년. 트로피는 영국 런던에 전시되어 있었는데, 그해 3월 사라졌다. 하지만 일주일 만에 되찾았다.

월드컵 경기 최단 시간 골

하칸 쉬퀴르(터키)는 2002년 6월 29일, 대한민국과의 월드컵 경기에서 킥오프 11초 만에 골을 넣었다.

세아드 콜라시나츠(보스니아헤르체고비나)는 2014년 6월 15일, 정반대의 기록을 세웠는데 재수 없게도 경기 2분 8초 만에 **월드컵 최단 시간 자살골**을 기록한다. 보스니아헤르체고비나는 아르헨티나에 2-1로 패했다.

월드컵 최장 시간 무실점

골키퍼 왈테르 젠가(이탈리아)는 1990년 대회에서 518분 동안 골을 허락하지 않았다.

월드컵 최고령 득점자

전설적인 스트라이커 로저 밀라(카메룬)는 1994년 6월 28일, 미국 캘리포니아 주 스탠퍼드에서 러시아를 상대로 42세 39일의 나이로 득점했다. 밀라는 카메룬의 1994년 대회 마지막 경기에 출장하며 월드컵 최고령 출장 선수 기록도 세웠으나, 후에 파리드 몬드라곤(콜롬비아)에 의해 깨졌다(옆 페이지 참조).

최연소 득점자는 펠레(옆 페이지 참조)인데 그의 골은 1958년 6월 19일, 브라질과 웨일스의 월드컵 경기에서 나온 유일한 골이었다. 펠레의 나이는 고작 17세 239일이었다.

한 경기 최다 관중

17만 3,850명이란 엄청난 숫자의 사람들이 1950년 월드컵 결승전을 보기 위해 7월 16일 브라질 리우데자네이루의 마라카낭 스타디움에 빼곡히 자리 잡았다.

경기는 홈팀 브라질이 라이벌 우루과이에 2-1로 지는 충격적인 결과로 끝이 났다. 이 패배는 브라질의 국가적인 참사로 불리는데 지금도 '마라카낭의 비극'으로 회자되곤 한다.

▲ 월드컵 최다 우승

남아메리카 축구의 지배자인 브라질은 월드컵에서 5회 우승을 차지했다. 첫 우승은 1958년이었고, 그 뒤로 1962년, 1970년, 2002년(왼쪽 사진)에 우승했다. 브라질은 1930년 첫 대회부터 지금까지 모든 대회의 본선에 진출한 유일한 나라다.

다른 우승국들로는 독일과 이탈리아가 4회 우승, 아르헨티나와 우루과이가 2회 우승, 그리고 영국, 프랑스, 스페인이 1회씩 우승했다.

FIFA WORLD CUP RUSSIA 2018

제21회 월드컵은 러시아가 주최하며 2018년 6월 14일~7월 15일까지 열린다. 경기는 11개 도시에 있는 12개 경기장에서 펼쳐진다. 과연 어떤 월드컵 기록이 깨지게 될까?

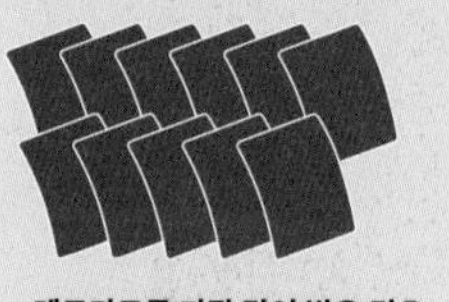

레드카드를 가장 많이 받은 팀은 브라질로 1938년부터 지금까지 11장의 레드카드를 받았다. (레드카드 10장, 옐로카드 2장 누적)

4

한 경기에 최다 레드카드 4장(팀당 2장씩)이 나왔던 경기는 2006년 6월 25일 열린 포르투갈과 네덜란드 경기다.

2.91

월드컵 본선의 평균 골 숫자다. 가장 높은 대회의 평균은 왼쪽에 나와 있다.

2.21

경기당 득점이 가장 낮았던 대회의 골 숫자다. 수비로 유명한 이탈리아가 결승전에 올랐던 1990년 대회다.

16

월드컵 한 경기 최다 선방은 팀 하워드(미국)가 2014년 7월 1일, 벨기에를 상대로 세웠다.

최연소 심판은 프란시스코 마테우치(우루과이)로 1930년 7월 17일, 유고슬라비아 대 볼리비아의 경기를 진행할 당시 나이가 27세 62일이었다.

◀ 월드컵 최고령 선수

골키퍼 파리드 몬드라곤(콜롬비아, 1971년 6월 21일생)은 2014년 6월 24일, 브라질 쿠이아바에서 열린 조별 예선 일본과의 경기에 43세 3일의 나이로 출전했다. 그는 콜롬비아가 4-1로 여유롭게 이기는 상황에서 늦게 교체 투입됐다. 몬드라곤의 출장으로 1994년 월드컵에서 스트라이커 로저 밀라가 세운 기록은 깨지게 됐다(옆 페이지 참조).

▲ 월드컵 최연소 출전 선수

노먼 화이트사이드(1965년 5월 7일생)는 1982년 월드컵에서 북아일랜드의 그룹 예선 첫 번째 경기에 주전으로 출장했다. 당시 상대는 유고슬라비아였으며 그의 나이는 고작 17세 41일이었다. 경기는 스페인 사라고사에서 6월 17일에 열렸고 골은 나오지 않았다. 화이트사이드는 1982년 대회에서 북아일랜드의 모든 경기에 출장했다(주최국 스페인을 상대로 승리한 충격적인 경기에도 출전했다).

▲ 월드컵 본선 최다 골(개인)

마무리 전문가 미로슬라프 클로제(독일)는 2002~2014년까지 월드컵 24경기에 나와 총 16골을 득점했다. 2006년 월드컵에서는 5골을 넣어 '골든 부트(대회 최다 득점자에게 주는 상)'를 수상했다. 또한 클로제는 1930년에 열린 첫 대회부터 지금까지 오직 46명의 선수만 성공한 월드컵 해트트릭을 기록한 선수다.

주장과 감독으로 월드컵에서 우승한 최초의 인물

1974년 프란츠 베켄바워(위, 당시 28세)는 서독의 주장으로 월드컵 경기에 출전해 결승에서 네덜란드를 꺾고 우승한다. 그리고 정확히 16년 뒤 44세가 된 그는(위 오른쪽) 국가대표팀의 감독이 되어 1990년 월드컵에서 서독을 우승으로 이끈다. **선수와 감독으로 월드컵에서 우승한 최초의 인물**은 마리우 자갈루(브라질)다. 그는 브라질 국가대표 선수로 출전해 1958년과 1962년에 우승했고, 1970년에는 감독으로 팀을 이끌며 우승을 맛봤다.

▲ 최연소 월드컵 우승팀 선수

펠레(브라질, 1940년 10월 23일생, 위 오른쪽)는 1958년 스웨덴에서 열린 월드컵에서 처음 조국을 위해 뛰었다. 그는 등장과 함께 **월드컵 최연소 선수**에 등극했으며(1982년에 깨짐, 위 참조), 이어 **최연소 득점자**에 올랐다(옆 페이지 참조). 6월 29일에는 17세 249일의 나이로 월드컵 우승팀에 속한 최연소 선수가 됐다. 펠레는 통산 7개의 기네스 세계기록을 가지고 있으며 2013년에 인증서를 받았다(사진 위).

아르헨티나의 슈퍼스타 리오넬 메시는 마라도나를 "역사상 가장 위대하다"고 말한다.

◀ 월드컵 주장 최다 골

공격형 미드필더 디에고 마라도나는 월드컵에서 8년간(1986~1994) 아르헨티나 국가대표팀의 주장으로 활약하며 총 6골을 득점했다. 아르헨티나는 그가 주장으로 있는 동안 1986년(우승)과 1990년(서독에 패배)에 2회 결승에 올랐다. 이로 인해 마라도나는 **월드컵 경기에 주장으로 가장 많이 출전한 선수**가 되었다(16회).

◀ 월드컵 출장시간이 가장 긴 선수

믿음직한 수비수 파올로 말디니(이탈리아)는 1990~2002년까지 이탈리아의 월드컵 전 경기에 베스트 11로 출전했다. 말디니는 경기가 연장전으로 가거나 승부차기까지 가더라도 절대 교체되지 않았다(수비적인 팀이었기에 이런 경우가 많았다). 그는 월드컵 경기에 총 2,217분 출장했다(36시간, 즉 하루 반나절이다).

클럽 축구 CLUB SOCCER

폴 포그바(프랑스)는 2016년, 1억 1,640만 달러에
맨체스터 유나이티드로 이적하며 가장 비싼 축구선수에 등극했다.

▲ UEFA 대항전 최다 출전 선수
FC 포르투(포르투갈)의 골키퍼 이케르 카시야스(스페인)는 2017년 3월 14일, 이탈리아 토리노에서 열린 유벤투스(이탈리아)와의 경기에 나서며 UEFA 대항전 175번째 출장을 기록했다. 이케르는 포르투에 합류하기 전 1999~2015년까지 레알 마드리드에서 뛰며 UEFA 챔피언스리그 최다 출장 기록을 세웠다(168경기).

분데스리가 승격 팀 연속 무패 기록
RB 라이프치히(독일)는 2016년 8월 28일~12월 3일까지 13경기에서 무패를 기록했다. 첫 번째 경기에서 거의 패할 뻔했지만 마지막 1분에 극적인 동점을 이뤄냈고, 그 후 9월 30일~12월 3일까지 8연승을 기록했다. 라이프치히는 잉골슈타트에 1-0으로 패하며 기록을 마감했다.

분데스리가 최연소 감독
율리안 나겔스만(독일, 1987년 7월 23일생)은 2016년 2월 11일, 28세 203일의 나이로 TSG 1899 호펜하임의 감독을 맡았다.

리그 앙(Ligue 1) 연속 무패 기록
파리 생제르맹은 프랑스 1부 리그에서 2015년 3월 15일~2016년 2월 20일까지 36경기 동안 한 번도 패하지 않았다. 32승 4무, 총 98골을 넣어 경기당 2.72골을 기록했다. 이전 최고 기록은 낭트가 1994~1995년에 기록한 32경기 무패다.

세리에 A 최초의 전 선수 외국인 출장 경기
2016년 4월 23일 열린 인터밀란과 우디네세(둘 다 이탈리아)의 경기에 선발 출장한 22명 중 이탈리아 선수는 단 1명도 없었다. 인터밀란이 3-1로 승리하며 선두에 올랐다.

챔피언스리그 홈경기 최다 연승
바이에른 뮌헨(독일)은 2014년 9월 17일~2017년 2월 15일까지 챔피언스리그 홈경기에서 16연승을 거뒀다. 총 58골을 넣었다.

라리가(스페인 프로축구 리그) 최다 연승
레알 마드리드(스페인)는 스페인 프로축구 1부 리그에서 2016년 3월 2일~9월 18일까지 16연승을 거뒀다. FC 바르셀로나가 2010년 10월 16일~2011년 2월 5일까지 세운 기록과 같다.

UEFA 챔피언스리그 개인 최다 득점
2017년 4월 18일, 크리스티아누 호날두(포르투갈)는 바이에른 뮌헨과의 8강 2차전 경기에서 해트트릭을 기록하며 챔피언스리그 합계 100득점에 성공했다. 처음 15골은 맨체스터 유나이티드(영국)의 소속으로 기록했다.

UEFA 챔피언스리그에 가장 많은 팀으로 진출한 감독
카를로 안첼로티(이탈리아)는 1997~2016년까지 7개 팀의 감독으로 유럽 최고의 프로축구 대회에 진출했다. 그가 맡은 팀은 파르마 FC, 유벤투스, AC밀란(모두 이탈리아), 첼시(영국), 파리 생제르맹(프랑스), 레알 마드리드(스페인), 바이에른 뮌헨(독일) 등이다.

잉글리시 프리미어리그(EPL) 최다 옐로카드 경기
2016년 5월 2일, 토트넘 홋스퍼 FC의 선수 9명이 경고를 받았다. 영국 런던 스탬퍼드 브리지에서 열린 첼시와의 2-2 무승부 경기에서 기록됐다.

메이저리그 사커(MLS) 최다 점수 차 승리
2016년 5월 21일, 뉴욕 레드불스는 지역 라이벌 뉴욕 시티 FC를 7-0으로 물리쳤다. 이 경기는 1998년 6월 4일 LA 갤럭시가 FC 댈러스를 8-1로 이긴 경기와 2001년 7월 4일 시카고 파이어스가 캔자스시티 워저즈(모두 미국)를 7-0으로 완파한 경기와 동률을 이뤘다.

▲ UEFA 유로파리그 연속 우승
세비야(스페인)는 2016년 5월 18일, 스위스 바젤의 장크트 야콥 파크에서 열린 UEFA 유로파리그 결승전에서 리버풀(영국)을 3-1로 물리치고 타이틀을 3연속으로 거머쥐었다. 우나이 에메리 감독(스페인)은 3번의 우승을 모두 이끌며, **UEFA 컵/유로파리그 최다 우승 감독 기록**에서 지오반니 트라파토니(이탈리아)와 동률을 이뤘다.

▲ 세리에 A 개인 최다 골
아르헨티나의 히트맨 곤살로 이과인이 2015~2016년 시즌 나폴리(이탈리아) 선수로 36골을 득점하며 세리에 A의 오래된 기록을 갈아치웠다. 이전 최고 기록은 35골로 AC밀란(이탈리아)의 군나르 노달(스웨덴)이 1949~1950년 기록했다. 이과인은 시즌 마지막 날 프로시노네와의 경기에서 해트트릭으로 신기록을 세웠는데, 마지막 골은 환상적인 오버헤드킥이었다.

데포르티보 라코루냐(스페인) 팀은 2004년 챔피언스리그 2차전에서 같은 기록을 세웠다. AC밀란에 1-4로 패한 뒤, 2차전에서 4-0으로 복수했다.

▶ 챔피언스리그 최다 골 역전 경기
2017년 3월 8일, FC 바르셀로나(스페인)는 1차전에서 0-4로 패한 파리 생제르맹에게 스페인 바르셀로나 캄프 누에서 6-1로 복수하며 1, 2차전 합계 6-5로 역전승을 거뒀다. 이 카탈루냐 팀은 마지막 7분 동안 3골을 넣었는데, 네이마르가 먼저 2골을 넣고 세르히 로베르토(사진)가 경기 95분에 결승 골을 터뜨렸다.

▲ 자신이 득점한 EPL 경기에서 패하지 않은 기록
EPL 경기에서 제임스 밀너(영국)는 2002년 12월 26일~2017년 3월 19일까지 47골을 기록했고, 득점한 경기에서 단 한 번도 패하지 않았다. 그는 리즈 유나이티드, 뉴캐슬 유나이티드, 애스턴 빌라, 맨체스터 시티, 리버풀(모두 영국)에서 기록을 이어가며 37승 10무를 거뒀다.

국제 축구 경기 INTERNATIONAL SOCCER

유로 2016 대회에서 아이슬란드 팬들이 해 유명해진 '바이킹 박수'는 스코틀랜드의 축구클럽 머더웰 팬들의 응원에서 유래했다.

▲ UEFA 유러피언 챔피언십 예선을 통과한 인구가 가장 적은 나라

2016년 유러피언 챔피언십 예선을 통과한 아이슬란드는 인구가 겨우 33만 1,918명이다. 아이슬란드는 프랑스에서 열린 본선 16강전에서 영국을 2-1로 물리쳤지만 7월 3일 프랑스와의 8강전에서 5-2로 패했다.

아프리카네이션스 컵 결승에 출장한 최고령 선수

골키퍼 에삼 엘 하다리(이집트, 1973년 1월 15일생)는 44세 21일의 나이로 2017년 아프리카네이션스 컵 결승에 출전했다. 그는 2월 6일 가봉 리브르빌에서 열린 카메룬과의 결승전에서 5번째 우승을 이루기를 바랐지만, 2-1로 패하며 실패했다.

UEFA 유러피언 챔피언십 최고령 선수

가보르 키랄리(헝가리, 1976년 4월 1일)는 2016년 6월 14일, 프랑스 보르도의 스타드 마트뮈 아트란티크에서 열린 오스트리아와의 1라운드 경기에 출전할 당시 나이가 40세 74일이었다. 그는 1998년 같은 국가의 소속으로 데뷔전을 치렀다.

▲ 피파 풋살 월드컵 개인 최다 골

'팔카오'로 더 잘 알려진 알렉산드로 로사 비에라(브라질, 오른쪽)는 2000년 11월 18일~ 2016년 9월 21일까지 48골을 넣었다. 실내 축구의 가장 위대한 선수로 거론되는 그는 풋살 월드컵에서 2회 우승했고, 최우수 선수로도 1회 선정됐다. 자신의 마지막 경기에서 해트트릭을 기록하며 이란을 꺾은 팔카오는 2016년 월드컵에서 총 10골을 득점했다.

국제 경기에서 가장 오랫동안 이기지 못한 팀

안도라는 2004년 11월 17일~2016년 11월 13일까지 86경기에서 승리를 거두지 못했다. 안도라 국가대표팀은 2017년 2월 22일, 산마리노와의 친선 경기에서 2-0으로 승리하며 이 기록을 마감했다.

하나의 국가대표팀에서 최다승을 기록한 감독

요아힘 뢰브(독일) 감독의 지휘 아래 독일 국가대표팀은 2006년 8월 16일~2017년 3월 26일까지 97승을 거뒀다. 2014년에는 월드컵에서 우승을 거두는 업적도 세웠다.

연간 최고 수입을 올리는 축구선수(현재)

크리스티아누 호날두(포르투갈, 옆 박스)는 <포브스>에 따르면 2016년 6월 1일까지 12개월간 약 8,800만 달러의 수입을 올렸다.

▶ 유러피언 챔피언십 개인 최다 골

크리스티아누 호날두(포르투갈)는 2016년 7월 6일 열린 웨일스와의 유러피언 챔피언십 4강전 경기에서 자신의 대회 9번째 골을 기록하며 2-0으로 승리했다. 그는 유로 1984 대회에서 9골을 기록한 미셸 플라티니(프랑스)와 동률을 이뤘다. 호날두는 **UEFA 유로 본선 최다 득점 선수**에도 올랐다. 2004~2016년까지 4골을 기록했다.

▲ UEFA 유러피언 챔피언십에서 대결한 최초의 형제

그라니트 샤카와 툴란트 샤카는 2016년 6월 11일, 프랑스 랑스에서 열린 유러피언 챔피언십 조별 경기에서 각각 스위스와 알바니아의 선수로 대결했다. 동생 그라니트는 선발로 나와 스위스의 1-0 승리를 이끌었고, 툴란트는 교체로 출전했다. 이 형제는 스위스에서 알바니아인 부모 아래 태어났다.

최장기 국가대표팀 감독

오스카 타바레즈(우루과이)는 1988~1990년, 2006~2017년, 2번에 걸쳐 우루과이 축구대표팀 감독을 맡아 171경기나 이끌었다. 이전 최고 기록은 167경기로 제프 헤르베르거(독일) 감독이 기록했다.

서로 가장 많이 상대한 국가대표팀

2016년 9월 2일까지 아르헨티나와 우루과이는 187번의 경기를 치렀다. 아르헨티나가 87승, 우루과이가 57승을 거뒀고 무승부는 43번이다.

코파아메리카에서 승부차기로 가장 많이 패한 팀

아르헨티나는 코파아메리카 대회에서 1995년, 2004년, 2011년, 2015년, 2016년에 승부차기로 패했다.

▲ 피파 월드컵 예선 최단 시간 골

크리스티안 벤테케(벨기에)는 2016년 10월 10일, 포르투갈 알가르브의 이스타디우 알가르브에서 열린 지브롤터와의 경기에서 킥오프 8.1초 만에 골망을 갈랐다. 지브롤터의 공격으로 시작했지만, 2번의 터치 만에 벤테케가 골을 넣었다. 그는 2골을 더 넣으며 벨기에의 6-0 승리에 일조했다.

2016년 코파아메리카 결승전 승부차기에서 실축한 리오넬 메시는 국가대표 은퇴를 선언한다. 하지만 팬들의 엄청난 노력으로 은퇴 결정을 번복했다.

◀ 코파아메리카 교체 출전 최다 득점

2016년 6월 10일, 리오넬 메시(아르헨티나)는 미국 일리노이 주 시카고의 솔저필드에서 아르헨티나의 교체 선수로 경기에 나서서 파나마를 상대로 3골을 넣었다. 이는 1959년 3월 26일, 파울로 발렌틴(브라질)이 아르헨티나 부에노스아이레스의 모누멘탈 경기장에서 열린 우루과이와의 경기에서 해트트릭을 기록한 것과 동률이다.

미식축구 AMERICAN FOOTBALL

슈퍼볼 경기에서 심판이 던지는 동전이 앞이 나올지 뒤가 나올지 맞히는 내기는 미국의 전통이라고 할 수 있다. 51번 치러진 슈퍼볼에서 뒷면이 27-24로 앞서고 있다.

▲ 포스트 시즌에서 3가지 방법으로 득점한 최초의 선수

2017년 1월 14일, 뉴잉글랜드 패트리어츠의 디온 루이스는 휴스턴 텍슨스를 상대로 3가지 다른 방법(러시, 캐칭, 킥)으로 터치다운에 성공하며 팀의 31-16 승리에 일조했다. 게일 세이어스(1965)와 타이릭 힐(2016)도 성공한 적이 있지만, 정규 시즌 경기였다.

* 모든 팀과 선수는 별도의 표시가 없으면 미국 국적이다.

NFL 시즌 컴플리션 최고 기록(성공률)

미네소타 바이킹스의 쿼터백 샘 브래드퍼드는 2016년 시즌 71.6%의 컴플리션(전진 패스, 리시버가 잡으면 성공으로 기록된다) 성공률을 기록하며 2011년 드류 브리스가 기록한 71.2%를 경신했다.

NFL 통산 필드골 최고 기록(성공률)

볼티모어 레이븐스의 저스틴 터커는 2016년 12월 31일까지 187번의 필드골 시도 중 168번을 성공해 89.8%의 성공률을 기록하고 있다.

NFL 신인 컴플리션 최고 기록(횟수)

카슨 웬츠는 2016년 필라델피아 이글스의 선수로 뛰며, 379번의 전진 패스에 성공했다. 웬츠는 2010년 샘 브래드퍼드가 세인트루이스 램스 소속으로 기록한 이전 최고 기록 354회를 뛰어넘었다.

NFL 최다 시즌 5,000야드 이상 패스 기록

뉴올리언스 세인츠의 쿼터백 드류 브리스는 전진 패스를 5,000야드 이상 기록한 시즌이 5번이나 된다. 2008년, 2011~2013년, 2016년이다.

데뷔 두 시즌에서 4,000야드 패스를 기록한 최초의 쿼터백

제이미스 윈스턴은 2015년과 2016년 시즌 탬파베이 버커니어스 소속으로 경기에 나서 4,000야드 이상 패스를 기록했다.

NFL 한 시즌 최다 4쿼터 역전승을 거둔 쿼터백

디트로이트 라이온스의 매튜 스태포드는 2016년 시즌 4쿼터에서 8번의 역전승을 기록했다.

▲ 페널티를 가장 많이 내준 NFL 경기

오클랜드 라이더스는 2016년 10월 30일, 탬파베이 버커니어스와의 경기에서 23개의 페널티를 기록하며 총 200야드를 내줬다. 이전 최고 기록인 22개의 페널티를 기록한 팀은 3팀이 있다. 브루클린 타이거스와 시카고 베어스가 1944년에, 샌프란시스코 포티나이너스가 1998년에 기록했다. 하지만 라이더스는 23개의 페널티를 내주고도 연장 시간에 30-24로 승리했다.

▲ 최다 연속 필드골 성공

인디애나폴리스 콜츠의 아담 비나티에리는 2015년과 2016년 시즌에 44번의 연속 필드골에 성공했다. 비나티에리는 마이크 반더야흐트(캐나다)가 2002년과 2003년 시즌에 세운 이전 최고 기록 42개를 경신했다.
최다 연속 엑스트라 포인트에 성공한 NFL 키커는 523득점을 올린 뉴잉글랜드 패트리어츠의 스티븐 고스트코우스키다. 그는 2006~2016년 시즌에 기록을 세웠다.

최연소 NFL 감독

션 맥베이(1986년 1월 24일생)는 2017년 1월 12일, 30세 354일의 나이로 로스앤젤레스 램스의 감독에 지명되며 최연소 NFL 감독에 올랐다.

NFL 경기에서 터치다운 패스와 러닝을 가장 많이 한 선수

캐롤라이나 팬서스의 캠 뉴턴은 2016년 9월 8일, 덴버 브롱코스를 상대로 터치다운 패스를 던지고, 또 직접 달려 터치다운에 성공했다. 뉴턴의 통산 32번째 기록으로 스티브 영(1985~1999)의 이전 기록을 1회 앞질렀다.

터치다운 패스를 던진 가장 무거운 선수

캔자스시티 치프스 돈테리 포는 2016년 12월 26일, 덴버 브롱코스를 상대로 터치다운 패스에 성공하며 팀의 33-10 승리를 도왔다. 그의 몸무게는 156.94kg이다. 포는 또 2015년 11월 22일에 샌디에이고 차저스를 상대로 1야드 터치다운에 성공하며 33-3 승리에 일조했다. **NFL에서 터치다운 러시에 성공한 가장 무거운 선수**로 기록됐다.

▶ 슈퍼볼 경기 가장 큰 점수 차 역전승

2017년 2월 5일, 뉴잉글랜드 패트리어츠는 미국 텍사스 주 휴스턴 NRG 스타디움에서 열린 슈퍼볼 경기에서 25점 차를 극복하고 승리를 거뒀다. 패트리어츠는 상대 애틀랜타 팰컨스에 3쿼터 3-28로 뒤져 있었지만, 연장전에서 34-28로 역전승을 거뒀다. 쿼터백 톰 브래디(왼쪽, 오른쪽 사진)는 **슈퍼볼 경기에서 가장 많은 패스 성공**(43개)과 가장 긴 전진 패스를 기록했다(466야드). 그는 슈퍼볼 5회 우승으로 **슈퍼볼 개인 최다 우승자**인 찰스 헤일리와 동률을 이뤘다. 또 MVP를 4번이나 받아 **슈퍼볼 최다 MVP 수상 선수**에 등극했다.

야구 BASEBALL

2016년, 뉴욕 메츠와 마이애미 말린스는 메이저리그에서 가장 비싼 핫도그를 팔았다(6.25달러).

▲ MLB 최다 삼진

워싱턴 내셔널스의 맥스 슈어저는 2016년 5월 11일, 디트로이트 타이거스를 상대로 1경기 20개의 삼진 아웃을 잡았다. 덕분에 내셔널스는 3-2로 이겼다. 슈어저와 동률을 기록한 선수는 단 2명뿐이다. 로저 클레멘스가 보스턴 레드삭스에서 1986년과 1996년에, 케리 우드가 시카고 컵스에서 1998년에 달성했다.

* 모든 팀과 선수는 별도의 표시가 없으면 미국 국적이다.

메이저리그 최연소 통산 500홈런

2016년 8월 7일, 뉴욕 양키스의 알렉스 로드리게스는 야구선수 은퇴를 선언했다. 'A 로드'로 불린 그는 통산 696개의 홈런을 쳤는데 2007년 8월 4일, 32세 8일의 나이로 500개를 넘어섰다. 로드리게스는 **MLB 통산 가장 많은 만루 홈런**을 쳤다(25개).

가장 길었던 포스트 시즌 경기(9이닝)

2016년 10월 13일, 내셔널 리그 디비전 시리즈 5차전 로스앤젤레스 다저스와 워싱턴 내셔널스의 경기는 4시간 32분 동안 치러졌다. 미국 워싱턴 DC 내셔널스 파크에서 열린 이 경기는 다저스가 4-3으로 승리했다.

한 경기 가장 많은 대타 홈런을 기록한 팀

2016년 4월 8일, 세인트루이스 카디널스는 미국 조지아 주 애틀랜타의 터너 필드에서 열린 애틀랜타 브레이브스와의 경기에서 대타 홈런을 3번이나 기록했다. 제레미 해즐베이커, 알레디미스 디아즈(쿠바), 그렉 가르시아가 카디널스의 7-4 승리를 견인했다.

카디널스는 **메이저리그에서 한 시즌 가장 많은 대타 홈런을 기록한 팀**이다. 총 15개로 샌프란시스코 자이언츠와 애리조나 다이아몬드백스가 2001년 기록한 14개보다 하나 많다.

가장 가치가 높은 팀

〈포브스〉에 따르면 뉴욕 양키스는 2016년 3월 31일까지 34억 달러의 가치를 지녀, 야구계에서 19년 연속 1위를 기록했다. 2위는 로스앤젤레스 다저스로 25억 달러의 가치가 있다.

▲ MLB 포스트 시즌에 등판한 최연소 투수

로스앤젤레스 다저스의 훌리오 유리아스(멕시코, 1996년 8월 12일생)는 2016년 10월 19일, 시카고 컵스와의 내셔널 리그 챔피언십 시리즈 4경기에 20세 68일의 나이로 등판했다.

최연소 MLB 선수 역시 투수다. 신시내티 레즈의 조 넉스홀은 1944년 6월 10일, 15세 316일의 나이로 등판했다.

▲ MLB 개막 최다 연속 경기 홈런(개인)

콜로라도 로키스의 신인 유격수 트레버 스토리는 2016년 개막전부터 4경기 연속 1개 이상의 홈런을 때려냈다. 트레버는 4월 4일, 미국 애리조나 주 피닉스의 체이스 필드에서 열린 애리조나 다이아몬드백스와의 MLB 데뷔전에서 2개의 홈런을 쳤다. 이후 4월 5일과 6일 애리조나를 상대로 열린 경기에서도 홈런을 쳤고, 4월 8일 샌디에이고 파드리스와의 경기에 출장해 2개의 홈런을 기록했다.

월드시리즈 최다 타점

시카고 컵스의 애디슨 러셀은 2016년 11월 1일 열린 클리블랜드 인디언스와의 월드시리즈 6차전에서 6타점을 기록했다. 이는 1960년 보비 리처드슨, 2009년 마쓰이 히데키(일본), 2011년 알버트 푸홀스(도미니카 공화국)가 세운 기록과 동률이다.

한 시즌 30홈런을 기록한 최고령 선수

보스턴 레드삭스의 데이비드 오티스(도미니카 공화국, 1975년 11월 18일생)는 2016년 8월 24일, 미국 플로리다 주 세인트피터즈버그에서 열린 탬파베이 레이스와의 경기에서 40세 280일의 나이로 시즌 30번째 홈런을 날렸다. 레드삭스는 4-3으로 패했다.

MLB 최고령 1호 홈런 선수

뉴욕 메츠의 투수 바톨로 콜론(도미니카 공화국, 1973년 5월 24일생)은 2016년 5월 7일, 샌디에이고 파드리스와의 경기에서 자신의 첫 메이저리그 홈런을 기록했다. 그의 나이 42세 349일이었다.

클리블랜드 인디언스는 2016년 월드시리즈에서 패하며 불명예스러운 기록도 넘겨받았다. 인디언스는 **가장 오랫동안 월드시리즈를 우승하지 못한 팀**(현재)이 됐다. 마지막 우승은 1948년이다.

▲ 가장 오래 월드시리즈에서 우승하지 못한 팀

2016년 11월 2일, 시카고 컵스는 미국 오하이오 주 클리블랜드의 프로그레시브 필드에서 열린 월드시리즈 7차전 클리블랜드 인디언스와의 경기에서 8-7로 극적인 역전승을 거뒀다. 이로써 미국 스포츠 역사상 가장 길었던 무관의 기록이 끝났다. 컵스의 이전 우승은 108년 19일 전인 1908년 10월 14일이다.

▲ 메이저리그 한 시즌 최저 평균자책점(ERA)

볼티모어 오리올스의 잭 브리튼은 2016년 67이닝 동안 단 4점만 내줘, ERA 0.54를 기록했다. 한 시즌 50이닝 이상 투구한 선수 중 역대 최저 ERA 기록이다.

농구 BASKETBALL

1891년 12월 21일, 미국 매사추세츠 주 스프링필드에서 열린 최초의 농구 경기는 복숭아 바구니를 골대로 사용했다. 경기는 1-0으로 끝났다.

◀ NBA 경기 1쿼터 최다 득점

클리블랜드 캐벌리어스의 케빈 러브는 2016년 11월 23일 열린 포틀랜드 트레일 블레이저스와의 경기 1쿼터에 34점을 득점했다. **NBA 한 쿼터 최다 득점**(37점)은 골든 스테이트 워리어스의 클레이 톰슨이 2015년 1월 23일 새크라멘토 킹스와의 경기에서 기록했다.

* 전미농구협회(NBA)와 전미여자농구협회(WNBA)의 기록이다. 모든 팀과 선수의 국적은 미국이며, 그렇지 않은 경우에만 따로 표기했다.

결승전 시리즈에서 5가지 부문 최고를 기록한 선수

르브론 제임스는 2016년 6월 2~19일까지 있었던 클리블랜드 캐벌리어스와 골든 스테이트 워리어스의 결승전(게임 스코어 4-3)에서 208득점, 62어시스트, 79리바운드, 18스틸, 16블로킹을 기록했다. 캐벌리어스는 게임 스코어 1-3으로 수세에 몰렸으나 6월 19일 미국 캘리포니아 주 오클랜드의 오라클 경기장에서 열린 7차전에서 모든 걸 뒤집어버렸다. 이는 **결승전 시리즈 사상 가장 극적인 역전**이었다.

한 게임에서 3점 슛을 가장 많이 성공한 NBA팀

클리블랜드 캐벌리어스는 2016년 5월 4일, 애틀랜타 호크스와의 플레이오프를 123-98로 승리하면서 25개의 3점 슛을 넣었다.

골든 스테이트 워리어스는 **한 시즌 최다 3점 슛을 성공시킨 팀**이다. 2015~2016년 시즌 1,077개를 기록했다.

통산 가장 많은 수비 리바운드를 한 선수

케빈 가넷은 22년을 선수로 뛰며 1만 1,453개의 수비 리바운드를 기록했다. 그는 1995~1996년 시즌부터 2015~2016년 시즌까지 미네소타 팀버울브스, 보스턴 셀틱스, 브루클린 네츠에서 뛰었다.

▼ 최다 연속 득점(WNBA)

로스앤젤레스 스파크스의 포워드 온카니 오그미케는 2016년 6월 7~14일 열린 3번의 경기에서 23개의 필드골을 연속으로 성공시켰다.

한 게임 연속 자유투

두 선수가 NBA 한 경기에서 자유투를 24번 던져 모두 성공했다. 더마 드로잔이 2016년 3월 4일에, 더크 노비츠키(독일)가 2011년 5월 17일에 달성했다.

한 시즌 최다 턴오버(실책)

제임스 하든은 2015~2016년 시즌 휴스턴 로케츠 소속으로 뛰며 374개의 턴오버를 기록했다.

NBA 한 경기 최다 3점 슛(양 팀 합계)

댈러스 매버릭스와 골든 스테이트 워리어스의 2016년 3월 25일 경기에서 양 팀 합계 39개의 3점 슛이 나왔다.

▲ NBA 플레이오프 최다 3점 슛을 성공시킨 선수

골든 스테이트 워리어스의 클레이 톰슨은 2016년 5월 28일 11개의 3점 슛을 집어넣었다. 이 기록은 미국 오클라호마에서 열린 오클라호마 시티 선더와의 플레이오프 시리즈 6차전에서 108-101로 승리하는 과정에 기록됐다.

WNBA 통산 최다 자유투

타미카 캐칭은 2002~2016년까지 인디애나 피버의 선수로 뛰며 2,004개의 자유투에 성공했다. 다양한 재주를 가진 그녀는 **WNBA 통산 최다 리바운드** 3,316개와 **통산 최다 스틸** 1,074개 기록도 가지고 있다. 타미카는 또 올림픽에서 연속 4회 금메달을 획득했다(241페이지 참조).

WNBA 결승전 통산 최다 득점

미네소타 링스의 포워드 마야 무어는 WNBA 결승 통산 268점을 득점했다. 그녀는 2016년 10월 9일 로스앤젤레스 스파크스와의 경기에서 18점을 득점하며, 다이애나 터라시의 262점을 경신했다.

▲ 연속 경기 3점 슛 성공 기록

스테판 커리는 2014년 11월 13일~2016년 11월 3일까지 골든 스테이트 워리어스 소속으로 157경기 연속 3점 슛에 성공했다. 커리는 **NBA 결승 개인 최다 3점 슛 기록**(32개)도 가지고 있다. 2016년 클리블랜드 캐벌리어스와의 시리즈에서 작성했다.

재주가 많은 이 포인트 가드는 2015~2016년 시즌에는 **한 시즌 가장 많은 3점 슛**을 기록(402개)하기도 했다. 또 **연속 시즌 최다 3점 슛 기록**(4시즌)도 가지고 있다. 골든 스테이트 워리어스 소속으로 뛰며 2012~2013년, 2013~2014년, 2014~2015년, 2015~2016년 시즌 기록을 세웠다.

스테판 커리에게는 자극이 필요했다. 커리의 어머니는 그가 더 경기에 집중할 수 있도록 턴오버를 할 때마다 100달러씩 받고 있다.

아이스하키 ICE HOCKEY

1932년 캐나다 토론토에 있는 메이플 리프 가든은 경기용 4면 시계가 설비된 최초의 아이스하키 경기장이 됐다.

▲ 개막 최다 연승 골키퍼
몬트리올 캐나디언스의 캐리 프라이스(캐나다)는 2016년 11월 12일 디트로이트 레드 윙스에게 5-0 승리를 거두며 NHL 사상 최초로 개막 10연승을 한 골키퍼가 됐다.

* 미국과 캐나다에서 진행되는 북아메리카프로아이스하키리그(NHL)의 기록이다. 모든 팀과 선수의 국적은 미국이며 그렇지 않은 경우 따로 표기했다.

최단 시간 4골이 나온 경기

2015년 4월 3일, 미국 텍사스 주 댈러스에서 열린 세인트루이스 블루스와 댈러스 스타스의 경기에서 49초 만에 4골이 터졌다. 1983년 토론토 메이플리프스와 시카고 블랙호크스와의 경기에서 나온 53초의 기록을 경신했다. 같은 경기 2피리어드에는 38초 만에 3골이 터져 **최단 시간에 3골이 나온 피리어드**를 기록했다. 최종 결과 7-5로 세인트루이스가 승리했다.

가장 짧은 시간에 연달아 나온 골

콜럼버스 블루 재키츠의 포워드 닉 폴리뇨와 미네소타 와일드의 포워드 미카엘 그란룬드가 2016년 1월 5일, 미국 오하이오 주 콜럼버스에서 열린 경기에서 2초 만에 연달아 골을 넣었다. 이 골은 1987년 12월 19일 보스턴의 켄 린스만과 세인트루이스의 더그 길모어가 세운 기록과 동률이다.

한 시즌에 가장 많은 승리를 기록한 골텐더

2015~2016년 시즌 워싱턴 캐피털스 소속으로 뛴 브레이든 홀트비(캐나다)는 48경기에서 승리를 거두며 2006~2007년 시즌 뉴저지 데블스의 마틴 브로듀어(캐나다)가 세운 기록과 동률을 이뤘다.

슛아웃 최다 연속 득점 경기

2015년 11월 27일, 미국 플로리다 주 선라이즈에서 열린 플로리다 팬서스와 뉴욕 아일랜더스와의 경기 슛아웃(승부치기) 상황에서 9골이 연속으로 들어갔다. 그러나 아일랜더스의 10번째 슈터가 골을 놓쳐 팬서스가 승리했다.
2015년 11월 27일에는 NHL 8경기가 연장 혹은 슛아웃까지 진행돼 2007년 2월 22일과 함께 **연장 경기가 가장 많이 나온 날**로 기록됐다.

한 시즌 가장 많은 히트를 기록한 선수

'히트'란 공격적인 수비 동작으로 상대 선수에게 정당한 방법으로 몸을 부딪쳐 퍽을 뺏는 걸 말한다. 뉴욕 아일랜더스의 맷 마틴(캐나다)은 2014~2015년 시즌 382개의 히트를 기록하며 자신이 2011~2012년 시즌에 세운 374개를 경신했다.

플레이오프 최장 페널티 시간

캘거리 플레임스의 데릭 엥겔랜드는 2015년 4월 17일 스탠리컵 플레이오프 밴쿠버 캐넉스와의 경기에서 42분 동안 퇴장당했다. 이는 필라델피아 플라이어스의 데이브 '더 해머' 슐츠(캐나다)가 1976년 4월 22일 토론토 메이플리프스와의 경기에서 세운 기록과 같다.
NHL 최장 페널티 시간은 67분으로, 로스앤젤레스 킹스의 랜디 홀트(캐나다)가 1979년 3월 11일 필라델피아 플라이어스와의 경기에서 기록했다.

▲ 패트릭 케인
시카고 블랙호크스의 패트릭 케인(1988년 11월 19일생)은 기억에 남을 만한 2015~2016년 시즌을 보냈다. 그는 26경기 연속 득점에 성공하며 1923~1924년 시즌 이후 최초로 '하트 메모리얼 트로피'를 받은 미국 선수가 됐다. 또 케인은 **스탠리컵 연장전에서 결승 골을 넣은 최연소 선수**이기도 하다. 그는 2010년 6월 9일, 21세 202일의 나이로 스탠리컵 필라델피아 플라이어스와의 6차전에서 골망을 갈랐다.

데릭 스테판, 파비앙 브룬스트롬, 알렉스 스마트, 리얼 클라우티어는 모두 NHL 데뷔 경기에서 3골을 넣었다.

▲ 데뷔 경기 최다 득점
토론토 메이플리프스의 오스턴 매튜스는 데뷔전에서 4골을 넣었다. 2016년 10월 12일 오타와에서 열린 오타와 세네터스와의 경기로, 그의 팀은 5-4로 패했다.

정규 시즌 연장 골을 가장 많이 넣은 선수

워싱턴 캐피털스의 알렉스 오베츠킨(러시아)이 2017년 1월 3일 토론토 메이플리프스(캐나다)와의 경기에서 자신의 19번째 정규 시즌 연장 결승 골을 넣으며 팀의 6-5 승리를 이끌었다. 오베츠킨은 2005년 이후 캐피털스에서 뛰며 1,000골 이상을 득점했다.

신인 수비수 최다 연속 경기 득점

필라델피아 플라이어스 선수로 처음 NHL 리그에 데뷔한 셰인 고스티비히어는 2016년 1월 19일~2월 20일까지 연속 15경기에서 1골 이상씩 득점했다. 아이스하키에서는 선수가 골이나 어시스트를 기록하면 평점이 올라간다.

가장 오래 포스트시즌 진출에 실패한 팀

에드먼턴 오일러스(캐나다)는 2015~2016년 시즌까지 10회 연속 플레이오프 진출에 실패했다. 10회 연속 실패한 다른 한 팀은 플로리다 팬서스로, 2002~2011년 시즌까지 진출하지 못했다.

▲ 최연소 팀 주장
코너 맥데이빗(1997년 1월 13일생)은 2016년 10월 5일, 19세 266일의 나이에 에드먼턴 오일러스의 주장에 임명됐다. 맥데이빗의 기록은 2012년 콜로라도 애벌랜치의 주장이 된 가브리엘 란데스코그(스웨덴, 1992년 11월 23일생)보다 20일 빠르다.

럭비 RUGBY

피지는 2016년 리우 올림픽 남자 럭비 7인제 경기에서
금메달을 목에 걸며 자국 최초의 올림픽 메달을 획득했다.

▲ 럭비 포 네이션스 리그 개인 최다득점

호주의 하프백 전설 조나단 서스턴은 포 네이션스(Four nations) 대회에서 2009년, 2011년, 2016년 126점을 득점했다. 2010년과 2014년은 부상으로 참가하지 못했다. 또 서스턴은 **'스테이트 오브 오리진' 경기에 연속으로 출장한 기록**도 가지고 있는데 2005년 5월 25일~2016년 7월 13일까지 퀸즐랜드 팀으로 36번 출장했다.

파이브/식스 네이션스 럭비 유니언 최다 그랜드슬램

잉글랜드는 2016년 식스 네이션스 대회에서 우승하며 참가한 모든 대회 우승, 즉 그랜드슬램을 13번째로 달성했다. 잉글랜드가 전에 그랜드슬램을 달성한 연도는 1913~1914년, 1921년, 1923~1924년, 1928년, 1957년, 1980년, 1991~1992년, 1995년, 2003년이다.

파이브/식스 네이션스 럭비 유니언 경기 최다 페널티 킥 성공

2016년 3월 19일, 맥심 마슈나우드(프랑스)는 프랑스 파리의 스타드 드 프랑스에서 열린 잉글랜드와의 경기에서 페널티를 7번 연속으로 성공했다. 그는 대회에서 같은 기록을 달성한 8번째 선수가 됐다.

유니언 럭비 챔피언십 최다승

2012년 트라이 네이션스 대회를 대체하며 생겨난 럭비 챔피언십에는 뉴질랜드, 호주, 남아프리카, 아르헨티나가 참가한다. 2016년 10월 8일, 뉴질랜드는 이 대회에서 24번째 승리를 거뒀다. 그들은 역대 대회에서 단 2번 패했으며, 무승부가 한 번 있다.

스테이트 오브 오리진 최다 출장 기록

호주 스포츠의 최대 라이벌전인 '스테이트 오브 오리진'은 퀸즐랜드와 뉴사우스웨일즈 주의 대표선수들이 매년 3경기를 시리즈로 치른다. 후커 카메론 스미스(호주)는 퀸즐랜드 팀으로 2003~2016년까지 39회 출전했다. 그는 이중 2010년에 부상으로 딱 한 번 결장했다.

NRL에 가장 많이 출장한 포워드

원클럽맨인 코리 파커(호주)는 브리즈번 브롱코스 소속으로 2001년 3월 24일~2016년 9월 16일까지 경기에 나섰다.

▲ 인터내셔널 럭비 유니언 최다 출장(여성)

잉글랜드의 프롭 포지션을 담당한 로셸 '록키' 클락은 2017년 3월 17일까지 국제경기에 122회 출장했다. 그녀는 2016년 11월 19일 뉴질랜드전에 출장하며 스코틀랜드의 다나 케네디가 세운 115회 출장을 경신했다. 클락은 2003년 6월 28일, 캐나다를 상대로 데뷔전을 치렀다.

▲ 인터내셔널 럭비 유니언 최다승(티어 1 국가)

뉴질랜드는 2015년 8월 15일~2016년 10월 22일까지 국제경기를 18번 연속으로 승리했다. 유니폼이 온통 검은색인 이 선수들은 2016년 11월 5일, 미국 시카고 주 솔저필드에서 아일랜드에 29-40으로 패하며 연승을 마감했다. 이 기록은 잉글랜드가 2015년 10월 10일~2017년 3월 11일까지 달성한 기록과 동률인데(18연승), 잉글랜드 역시 아일랜드에 3월 18일 9-13으로 패하며 기록을 마감했다.

▲ 잉글리시 프리미어십 럭비 유니언 최다 득점

플라이하프 포지션의 찰리 호지슨(영국)은 잉글리시 프리미어십에서 2,623점을 기록한 뒤 2016년 은퇴했다. 세일 샤크스(2000~2011)와 사라센스(2011~2016)에서 16년 동안 선수생활을 한 호지슨은 트라이 39회, 컨버전 332회, 페널티 550회, 드롭골 38회를 기록했다. 그는 잉글랜드의 국가대표로도 38번 경기에 나섰다.

인터내셔널 럭비 유니언 최다 연승

티어 1에서 최다 연승을 거둔 국가는 뉴질랜드와 잉글랜드지만, 전체 연승 기록은 럭비계에서 상대적으로 덜 알려진 키프로스가 달성했다. 야생 양 '무플런'이라는 별명을 가진 키프로스 국가대표팀은 2008년 11월 29일~2014년 11월 1일까지 24연승을 거뒀다. 이 기록은 라트비아에게 20-39로 패하며 마감됐다.

럭비 유니언 올림픽 최다득점(개인, 단일 대회)

럭비는 2016년 리우 올림픽에서 1924년 이후 처음으로 정식 종목에 채택됐다. 뉴질랜드의 윙어, 포셔 우드먼은 이 대회에서 10번의 트라이로 50점을 기록했다. 그녀는 2016년 8월 8일 열린 호주와의 결승 경기에 올 블랙 복장의 뉴질랜드 선수들과 함께 출장했지만, 17-24로 패하며 은메달을 획득했다.

2016년 10월 8일, 데니 솔로모나는 사모아 국가대표 소속으로 사모아 아피아에서 열린 피지와의 경기에 출장하며 국제무대에 데뷔했다. 이는 사모아 럭비 리그 팀이 치른 최초의 홈경기였다.

◀ 슈퍼리그 한 시즌 최다 트라이

뉴질랜드 출생의 윙어 데니 솔로모나는 캐슬퍼드 타이거즈(영국) 소속으로 2016년 2월 7일~9월 25일까지 40번의 트라이로 득점을 올렸다. 그는 위드너스 바이킹스와의 정규 시즌 마지막 경기에는 자신의 시즌 7번째 해트트릭에 성공하며 기록에 방점을 찍었다. 솔로모나는 2004년 레슬리 바니콜로가 작성한 이전 최고 기록 36회를 경신했다. 현재 세일 샤크스 럭비 유니언 팀이다.

테니스 TENNIS

테니스는 프랑스의 '주 드 폼(손바닥 경기)'에서 유래했다.
라켓이 아닌 맨손으로 하는 경기였다.

▲ **그랜드슬램 대회 단식 연승 기록(남성, 오픈 시대)**
노바크 조코비치(세르비아)는 2015년 6월 29일~2016년 6월 29일까지 그랜드슬램(메이저) 대회에서 30경기 연속으로 승리를 거뒀다. 그는 윔블던과 US, 호주, 프랑스 오픈에서 연승하며 '커리어 그랜드슬램'도 이뤄냈다. '노엘'(조코비치의 별명)은 이 놀라운 연승 기록 중 90세트를 따내는 동안 단 11세트만 내줬다.

그랜드슬램 대회 최다 출장 기록
로저 페더러(스위스)는 2016년 프랑스 오픈에서 부상으로 대회를 포기하기 전까지 4개의 그랜드슬램 대회에 65회 연속으로 출전했다. 그는 2017 호주 오픈으로 복귀했고, 다시 살아난 페더러는 결승전에서 라파엘 나달을 꺾고 **그랜드슬램 남자 단식 최다 우승 기록**인 18회를 달성했다.
2017년 1월 29일까지 페더러는 **그랜드슬램 대회 단식 경기 최다승 기록**도 보유하고 있다(314경기). 또한 〈포브스〉에 따르면 페더러는 2016년 6월 30일까지 12개월 동안 6,800만 달러의 수익을 올려 **연간 수익이 가장 높은 남성 테니스 선수(당해)**에 올랐다.

연속 세계 랭킹 1위(주, 여성)
세리나 윌리엄스(미국)는 WTA 랭킹 1위를 186주 동안 지키며 슈테피 그라프(독일)와 동률을 이루는 신기록을 달성했다. 2013년 2월 18일 시작한 세리나의 집권은 2016년 9월 5일 안젤리크 케르버(독일)에게 자리를 내주며 끝났다.

▲ **데이비스 컵 복식 최다 연승**
2016년 7월 16일, 인도의 레안더 파에스(위 오른쪽)는 로한 보파나(인도, 위 왼쪽)와 인도 찬디가르에서 열린 데이비스 컵 아시아/오세아니아 1그룹 대한민국과의 복식 경기에서 42연승을 달성했다. 파에스는 1954~1972년까지 데이비스 컵 복식 경기에서 42연승을 기록한 니콜라 피에드란겔리(이탈리아)와 동률을 이뤘다.

올림픽 테니스 최다 메달 획득
비너스 윌리엄스(미국)는 2016년 8월 14일 열린 리우 올림픽 혼합 복식 종목에서 라지브 램(미국)과 함께 은메달을 획득하며 자신의 5번째 올림픽 메달을 목에 걸었다. 비너스의 다른 메달 4개는 모두 금메달인데 자매 세리나 윌리엄스와 복식에서 3번 우승했고, 2000년 시드니 대회 단식에서 금메달을 가져왔다. 비너스의 기록은 캐슬린 '키티' 맥케인 고드프리(영국)가 1920~1924년에 세운 5개와 동률이다.
비너스는 2017년 호주 오픈에 출장하며 그랜드슬램 대회에 73번째로 나섰는데, 이는 **그랜드슬램 여자 단식 최다 출장(오픈 시대)** 기록이다.

▲ **가장 많은 나이에 처음으로 세계 랭킹 1위에 등극한 선수**
2016년 9월 12일, 안젤리크 케르버(독일, 1988년 1월 18일생)는 세리나 윌리엄스를 왕좌에서 끌어내리며 28세 238일의 나이에 처음으로 여자프로테니스(WTA) 세계 랭킹 1위에 등극했다. 케르버는 호주 오픈에서 첫 그랜드슬램 대회 우승을 거뒀고, US 오픈 타이틀을 거머쥐었으며, 윔블던과 올림픽에서는 단식 결승에 올랐다.

그랜드슬램 대회 최단 경기 준결승 진출 기록
2016년 US 오픈에서 노바크 조코비치의 상대 선수 3명이 부상으로 기권했다. 지리 베슬리(체코, 팔 부상), 미하일 유즈니(러시아, 다리 부상), 조 윌프리드 송가(프랑스, 무릎 부상)가 기권하며 조코비치는 단 2경기만 치르고 준결승에 진출했다. 경기 시간은 총 6시간 24분이었다.

WTA 최다 서브 에이스 경기
크리스티나 플리스코바(체코)는 2016년 1월 20일, 멜버른에서 열린 호주 오픈 2라운드 경기에서 31개의 에이스를 기록했다. 하지만 매치 포인트 상황에서 득점에 5번이나 실패하며 모니카 푸이그(푸에르토리코)에게 패했다.

가장 길었던 휠체어 테니스 경기
2016년 9월 13일, 제이미 버드킨과 앤디 랩손(영국)은 패럴림픽 남자 복식 동메달 결정전에서 4시간 25분의 치열한 경기 끝에 승리를 거뒀다. 둘은 이스라엘의 듀오 아이타이 에렌립과 쉬라가 와인버그를 3-6, 6-4, 7-6(7-2)로 물리쳤다.

▶ 그랜드슬램 단식 타이틀 최다 획득(여성, 오픈 시대)
2017년 1월 28일, 세리나 윌리엄스(미국)는 멜버른 파크에서 열린 호주 오픈에서 언니 비너스를 6-4, 6-4로 꺾고 우승했다. 세리나는 23번째 그랜드슬램 우승 타이틀을 거머쥐며 슈테피 그라프에 1회 앞서게 됐다. 1998년 호주 오픈으로 처음 그랜드슬램 대회에 데뷔한 세리나는 316승이라는 말도 안 되는 승수를 쌓으며 **그랜드슬램 테니스 대회 단식 최다승 기록**을 수립했다.

2016년 위대한 업적을 이룬 앤디 머레이는 여왕의 신년서훈 명단에 오르며 작위를 받았다.

▲ **올림픽 단식 최다 금메달**
2016년 리우 올림픽에서 앤디 머레이(영국)는 2012년 고국 땅에서 획득한 타이틀을 성공적으로 방어하며 테니스 단식에서 2개의 금메달을 딴 최초의 선수가 됐다. 머레이는 결승에서 후안 마르틴 델 포트로와 장장 4시간 이상 겨뤄 7-5, 4-6, 6-2, 7-5로 승리했다. 런던 올림픽 단식에서 동메달을 땄었던 델 포트로는 자신의 2번째 메달로 은메달을 획득했다.

2017년 호주 오픈에 함께 결승에 오른 윌리엄스 자매는 둘이 합쳐 71세 349일의 나이로, **그랜드슬램 단식 결승 합계 최고령(오픈 시대)을 기록**했다.

복싱 BOXING

피트 레드마처(미국)는 1957년, 자신의 프로 데뷔전을 세계 헤비급 타이틀전으로 치른 유일한 선수다.

▲ 최장기 세계 챔피언(여성)
2016년 11월 11일, 모모 코세키(일본)는 일본 도쿄의 고라쿠엔 홀에서 치에 히가노(일본)를 물리치며 세계권투평의회(WBC) 아톰급 17차 타이틀 방어에 성공했다. 코세키는 2008년 8월 11일, 도쿄에서 윈유 파라돈 짐(태국)을 2회 테크니컬 녹아웃으로 이기고 챔피언 벨트를 처음 가져왔다. 2016년 방어전 승리로 코세키는 8년 92일간 챔피언 자리를 지켰다.

◀ 녹아웃(KO) 승 비율이 가장 높은 미들급 챔피언
게나디 '트리플 G' 골로프킨(카자흐스탄)은 2016년 9월 10일 영국 런던의 O2 아레나에서 열린 켈 브룩(영국)과의 경기에서 5라운드 만에 상대방의 무패행진을 끝내버렸다. 그는 23번 연속 12라운드 안에 승리를 거뒀다. 강펀치를 가진 이 카자흐스탄 남자는 36회 싸워 33회(91.67%)를 KO로 이겼다.

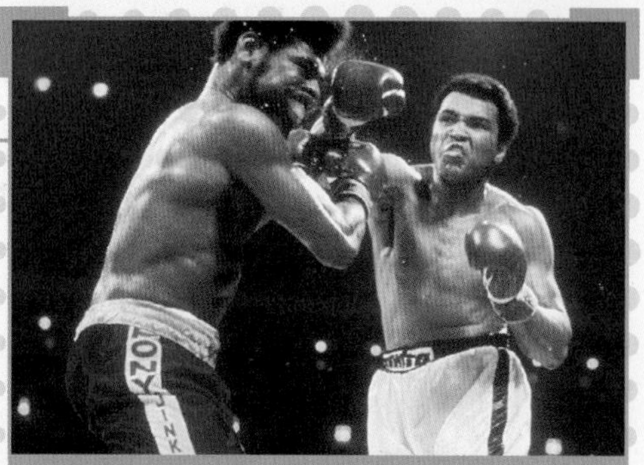

▲ 세계 헤비급 최다 리니얼(직계) 챔피언
2016년 복싱계는 무하마드 알리(미국)라는 진정한 전설을 잃었다. 알리는 자신의 체급에서 통합 챔피언을 이기고 3회나 '리니얼' 타이틀을 가져왔다. 리니얼 복싱 타이틀은 처음에는 통합 챔피언에게 있지만 이를 꺾는 선수가 타이틀을 가지고 간다. 알리는 1964년 소니 리스튼(미국)을 상대로 처음 승리했고, 2번째는 '정글 속 혈투'로 불리는 1974년 조지 포먼과의 싸움에서 승리해 리니얼 타이틀을 획득했다. 마지막 리니얼 타이틀은 1978년 9월 15일 미국 루이지애나 주 뉴올리언스에서 레온 스핑크스(미국, 위 사진 왼쪽)를 물리치고 얻어냈다. '위대한' 복서로 알려진 선수에게 어울리는 세계기록이다.

올림픽 복싱 금메달 최다 획득(여성)
클라레사 쉴즈(미국)와 니콜라 애덤스(영국)는 2012년 런던 올림픽과 2016년 리우 올림픽에서 각각 2개의 올림픽 금메달을 획득한다. 플라이급의 애덤스는 8월 20일, 33세 299일의 나이로 타이틀을 성공적으로 방어하며 **최고령 올림픽 복싱 금메달리스트가 됐다(여성)**.
미들급의 쉴즈는 2016년 8월 21일 누츠카 폰틴(네덜란드)을 물리치고 애덤스와 같은 업적을 세웠다. 쉴즈는 첫 번째 금메달을 17세 145일의 나이에 획득했는데 **최연소 올림픽 복싱 금메달리스트 기록**이다.
올림픽 복싱 금메달 최다 획득은 3개다. 파프 라슬로(헝가리)가 1948~1956년, 테오필로 스테벤손(쿠바)이 1972~1980년, 펠릭스 사본(쿠바)이 1992~2000년에 달성했다(남성).

올림픽 한 체급 최다 연속 금메달 획득(국가)
2016년 8월 17일, 다니야르 엘레우시노프의 승리로 카자흐스탄은 올림픽 웰터급 금메달을 4회 연속으로 가져갔다. 쿠바가 헤비급에서 1992~2004년까지 달성한 기록과 같은 성적이다.

최다 연속 타이틀 방어

체급	이름(국적)	방어 횟수	기간
헤비	조 루이스(미국)	25	1937~1948년
미니멈	리카르도 로페즈(멕시코)	21	1991~1998년
미들	버나드 홉킨스(미국)	20	1996~2005년
슈퍼플라이	카오사이 갤럭시(태국)	19	1985~1991년
웰터	헨리 암스트롱(미국)	18	1938~1940년
라이트 플라이	유명우(한국)	17	1986~1991년
플라이	퐁사렉 시크낙농삭(태국)	17	2001~2007년
밴텀	올랜도 카니자레스(미국)	16	1988~1994년
크루저	조니 닐슨(영국)	=13	1999~2005년
	마르코 훅(독일)	=13	2009~2014년
슈퍼 라이트	훌리오 세사르 차베스(멕시코)	12	1989~1993년
슈퍼 페더	브라이언 미첼(남아프리카 공화국)	12	1987~1991년
라이트 미들	지안프란코 로시(이탈리아)	11	1989~1994년

2016년 11월 8일 수집한 기록

리니얼 챔피언이 다시 나오는 데 걸린 최장 시간
〈더 링〉은 2016년 9월 16일, 신스케 야마나카(일본)가 1987년 이후 29년 171일 만에 처음으로 밴텀급 리니얼 챔피언에 올랐다고 전했다. 야마나카는 일본 오사카의 에디온 아레나에서 열린 안셀모 모레노(파나마)와의 경기에서 7회까지 다운이 5회나 나오는 혈전을 치른 끝에 승리를 거뒀다.

가장 나이가 많은 세계 챔피언
'집행자' 버나드 홉킨스(미국)는 52세 생일이 가까워진 2016년 12월 17일, 조 스미스 주니어(미국)와 마지막 프로경기를 치렀고, 8회에 패했다. 홉킨스는 2014년 4월 19일, 미국 워싱턴 DC에서 49세 94일의 나이로 베이부트 슈메노프(카자흐스탄)에게 승리하며 3개의 타이틀을 획득했다.

▲ 파워 펀치가 가장 많았던 페더급 경기
'파워 펀치'는 잽이 아닌 모든 펀치를 말한다. 2016년 6월 4일, 미국 캘리포니아 주 카슨의 스텁허브 센터에서 열린 프란시스코 바르가스와 올랜도 살리도(모두 멕시코)의 경기에서는 총 1,593회의 파워 펀치가 나왔다. 바르가스가 776회, 살리도가 817회의 파워 펀치를 뻗었다. 이중 615회의 펀치가 적중했음에도 경기는 12라운드 무승부로 끝났다. 심판 3명 중 2명이 채점표에서 두 사람의 우열을 가리지 못했다.

바르가스와 살리도의 경기는 74세의 나이로 세상을 등진 복싱의 전설 무하마드 알리를 기리기 위해 전통적인 '10 카운트' 벨 방식으로 진행했다.

연수입이 가장 많은 복서(현재)
〈포브스〉에 따르면 5체급 세계 챔피언 플로이드 메이웨더 주니어(미국)가 2015년 6월~2016년 6월까지 4,400만 달러를 벌었다고 한다. 이 중 3,200만 달러는 대전료로 번 돈이고 나머지 1,200만 달러는 스폰서 계약으로 얻었다.

무술 MARTIAL ARTS

2016년 리우 올림픽 태권도 경기에서 셰이크 살라 시세(코트디부아르)는 마지막 순간 날린 발차기로 금메달을 획득했다. 발은 상대방 머리에 적중했다.

▲ 복싱과 종합격투기에서 세계 챔피언이 된 최초의 선수

홀리 홈은 2015년 11월 14일, 챔피언 론다 로우지(둘 다 미국)를 꺾고 얼티밋 파이팅 챔피언십(UFC) 밴텀급 챔피언이 됐다. 이 경기로 홀리는 복싱과 종합격투기(MMA)에서 모두 세계 챔피언이 된 최초의 선수가 됐다(남성 포함). 그녀는 2006년 WBA 웰터급 타이틀을 획득한 경력이 있다.

UFC에서 최초로 동시 2체급 챔피언이 된 선수

2016년 11월 12일, UFC 페더급 챔피언 코너 맥그리거(아일랜드)는 미국 뉴욕 시 매디슨 스퀘어 가든에서 에디 알바레스(미국)와 라이트급 챔피언전을 치렀다. 맥그리거는 2라운드에서 승리를 거둬 2체급 세계 챔피언에 등극했다.

맥그리거와 알바레스의 싸움은 UFC 205 대회의 주행사로 1,770만 달러의 수입을 올렸으며, 이는 **UFC 티켓 판매 수익 최고 기록**이다.

UFC 플라이급 최다 연속 타이틀 방어(남성)

드미트리우스 '마이티 마우스' 존슨(미국)은 2012년 9월 22일~2016년 4월 23일까지 8회의 타이틀 방어에 성공했다. 존슨은 초대 챔피언전에서 조셉 베나비데스(미국)에게 판정승으로 이겨 UFC 최초의 플라이급 챔피언이 됐다.

하계 올림픽에서 가장 많은 국가가 메달을 딴 종목

2016년 리우 올림픽 유도 종목에서 쿠바와 아랍에미리트, 슬로베니아를 포함한 26개 국가가 8월 6~12일 사이에 메달을 획득했다. 여자 52kg이하급에서 승리한 마일린다 켈멘디는 코소보에 첫 번째 올림픽 메달을 안겼다.

올림픽 태권도 최다 금메달(전체)

올림픽 태권도 종목에서 4명의 선수가 금메달을 2개씩 획득했다. 하태경(대한민국)과 챈 이-안(대만)은 태권도가 시범종목이던 1988년 서울 올림픽과 1992년 스페인 바르셀로나 올림픽에서 금메달을 땄다. 황경선(대한민국)은 2008년 베이징 올림픽과 2012년 런던 올림픽 여자 미들급에서 금메달을 땄고, 제이즈 존스(영국)는 2012년과 2016년 리우 대회 때 여자 57kg급에서 금메달을 땄다. **올림픽 태권도 최다 메달 획득은 3개인데(여성)**, 황경선은 2004~2012년 대회에서, 마리아 에스피노사(멕시코)는 2008~2016년 대회에서 3개의 메달을 땄다.

▲ 올림픽 개인 종목 최다 연속 금메달(여성)

카오리 이초(일본)는 2004(아테네)~2016년(리우)까지 4회 연속 레슬링 종목 금메달을 땄다. 앞의 금메달 3개는 63kg 자유형에서, 마지막 금메달 1개는 58kg 자유형에서 획득했다. 여자 레슬링에서 독보적인 존재였던 카오리는 2016년 1월 패하기 전까지 13년간 모든 대회에서 단 한 번도 지지 않았다. 리우 올림픽 결승에서는 발레리아 코블로바(러시아)와 마지막 5초까지 접전을 펼쳐 또다시 정상의 자리에 올랐다.

스모 최고 계급 최다승

프로 스모의 최고 계급인 마쿠우치는 42명의 선수로 구성되어 있다. 하쿠호 쇼(몽골, 아래 왼쪽 참조)는 2007년 7월 8일~2016년 7월 24일까지 이 계급에서 903승을 거뒀고, 거의 모든 계급의 리키시(스모선수)에게 승리했다. 쇼는 2016년 일본 도쿄에서 열린 스모 여름 대회에서 이전 기록인 879승을 경신했다.

▲ UFC 유료 TV 시청 최고 매출

코너 맥그리거(아일랜드)와 네이트 디아즈(미국)의 재경기로 기대를 모았던 UFC 202 대회는 165만 건의 TV 유료 시청을 기록했다. 두 사람의 경기는 2016년 8월 20일 미국 네바다 주 라스베이거스에서 대회 주행사로 열렸다. 코너 맥그리거는 디아즈에게 판정승을 거두며 2016년 3월 5일에 2라운드 만에 패했던 걸 복수했다.

하쿠호 쇼의 아버지 지그지딘은 1968년 레슬링 종목에서 몽골 최초의 올림픽 메달을 획득했다.

▶ 스모 대회 최다 무패 우승

'젠쇼-우쇼'란 스모대회에서 한 번도 지지 않고 우승하는 것을 말한다. 2007~2016년까지 하쿠호 쇼(몽골, 사진 오른쪽)는 젠쇼-우쇼를 12회 성공하며 후타바야마 사다지(일본)의 1936~1943년 8회 기록과 타이호 코키(일본)의 1963~1969년 8회 기록을 4회나 뛰어넘었다. 하쿠호는 12번째 젠쇼-우쇼를 2016년 5월 22일에 성공했는데, 가쿠류 리키사부로를 '우드차리'라는 기술로 스모장 밖으로 던져버렸다.

크리켓 CRICKET

2016년 12월 12일, 샤니아-리 스와르트(남아프리카 공화국)가 팀의 169득점 중 160점을 혼자 올렸다. 동료들은 단 한 번의 진루타도 만들지 못했다!

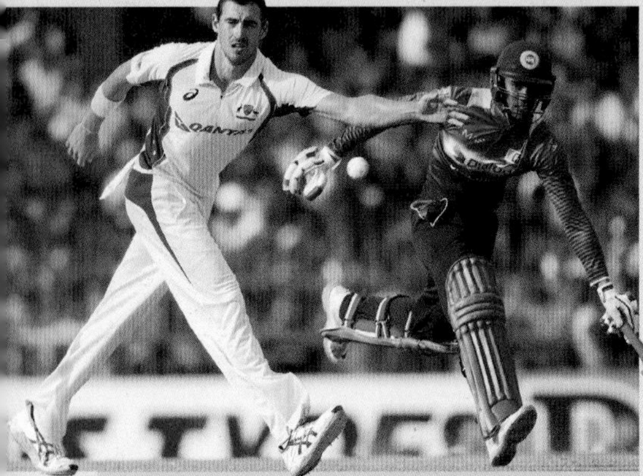

▲ 원데이 인터내셔널 대회에서 100개의 위켓을 가장 빨리 잡은 볼러(투수)

미첼 스타크는 2016년 8월 21일, 스리랑카 콜롬보에서 열린 경기에서 다난자야 드 실바(스리랑카)를 돌려세우며 원데이 인터내셔널(ODI) 52번째 경기 만에 100번째 희생자를 만들었다. ODI에서 **100개의 위켓을 가장 빨리 맞춘 선수(여성)**는 캐서린 피츠패트릭(호주)으로 1993년 7월~2003년까지 64개의 경기에 출전해 기록을 달성했다.

트웬티20 인터내셔널에서 가장 많은 득점을 한 팀

2016년 9월 6일, 호주는 스리랑카 캔디의 국제 크리켓 스타디움에서 스리랑카를 상대로 열린 20오버 경기에서 아웃카운트 3개를 내주는 동안 263점을 득점했다. 선두타자 글렌 맥스웰은 공을 65번 받아쳐 145점을 냈다.

국제경기에서 실점 없이 던진 최다 투구 수

호주는 2016년 7월 30일, 스리랑카와의 경기에서 비기기 위해 열심히 싸웠지만, 상대편이 154구, 25.4오버를 던지는 동안 득점에 성공하지 못했다. 노력은 허사가 됐고 경기에서 패했다.

▲ ODI 대회에 주장으로 가장 많이 출전한 선수(여성)

2016년 은퇴한 샬럿 에드워즈(영국)는 1997년부터 ODI 대회 117경기를 영국의 주장으로 출전했다. 국가대항전, ODI, 트웬티20 경기에서 눈부신 업적을 쌓은 에드워즈는 **ODI 크리켓 최다 득점 기록(여성)**인 통산 5,992점을 수립했다. ODI 대회에서 한 타석 100득점 이상 기록도 9번으로 **ODI 최다 100득점 기록(여성)**도 가지고 있다.

▲ 최연소 국제대회 1만 득점 선수

영국의 전 주장 알리스테어 쿡(1984년 12월 25일생)은 2016년 5월 30일, 영국 더럼 주 체스터 르 스트리트에서 열린 스리랑카와의 경기 중 자신의 타석에서 47구 동안 아웃당하지 않고 1만 번째 득점을 올리는 데 성공했다. 쿡은 2005년 3월 16일, 31세 326일의 나이로 1만 득점을 한 사친 텐둘카르(인도)의 기록을 경신했다.

국제대회에 참가하는 모든 국가를 상대로 100득점을 기록한 최연소 배트맨(타자)

1990년 8월 8일생인 케인 윌리엄슨(뉴질랜드)은 2016년 8월 6~7일 짐바브웨 불라와요에서 열린 짐바브웨와의 경기에서 25세 364일의 나이로 113득점을 기록했다. 윌리엄슨은 국제대회에 참가하는 9개 국가를 상대로 모두 100득점을 기록하며, 2007년 쿠마르 상가카라(스리랑카)가 이 부문에서 세운 30세 38일의 기록을 경신했다.

국가대항전이 연속으로 열린 기록(日)

2016년 7월 21일~8월 20일까지 크리켓 국제대회가 31일 연속으로 진행됐다. 마지막 3일에는 남아프리카와 뉴질랜드 경기가 펼쳐졌는데, 비 때문에 중간에 취소됐다.

국가대항전 최다 출장

볼러 가레스 베티(영국)는 2016년 10월 20일 방글라데시와의 경기에 39세의 나이로 다시 국가대표에 복귀했다. 2005년 6월 3~5일 경기에 처음 나선 베티는 그 후 국가대항전에 142회 출장했다. 그는 이 경기에서 4개의 위켓을 잡고, 22번의 주루 플레이를 하며 영국의 승리에 일조했다.

국가대항전 홈경기에서 가장 많은 위켓을 잡은 선수(남성)

2016년 12월까지 볼러 제임스 앤더슨(영국)은 69번의 국제대회 홈경기에서 296개의 위켓을 잡아냈다.

ODI대회 선발 볼러 최다 실점

2016년 10월 5일, 남아프리카 공화국 더반에서 열린 남아공과 호주의 경기에서 4명의 선발 볼러가 39오버를 던지는 동안 총 325번의 출루를 허용했다. 데일 스테인, 카기소 라바다(둘 다 남아프리카 공화국), 크리스 트레메인과 대니얼 워렐(둘 다 호주)은 겨우 4개의 위켓만 잡아냈다.

영국을 상대로 기록적인 실점을 기록한 파키스탄에도 한 가지 위안거리가 있었다. 모하마드 아미르가 28개의 투구를 상대하며 58득점을 올려 ODI 11번 배트맨 최다 득점을 기록했다.

◀ ODI 팀 최다 득점(남성)

영국은 2016년 8월 30일, 영국 노팅엄 트렌트 브리지에서 열린 파키스탄과의 경기에서 아웃카운트 3개로 444득점을 기록했다. 알렉스 헤일스(왼쪽)가 171점으로 최고 득점을 올렸고, 조스 버틀러(90득점, 아웃당하지 않고 51개 투구를 상대함) 그리고 주장 이오인 모건(57득점 아웃 당하지 않음)이 도왔다. 이 엄청난 기록은 스리랑카가 2006년 7월 4일, 암스텔베인에서 네덜란드에게 9개의 위켓을 내주고 443득점을 올린 기록을 1점 경신한 것이다.

인도 프리미어 리그(IPL) 최다 득점 선수

2016년 대회에서 주목받은 선수인 비라트 코힐(인도)은 로열 챌린저스 방갈로르 팀에서 4,110점을 득점했다. 그는 2008년 IPL대회에 데뷔했다.

라시드 말린가(스리랑카)는 **IPL 최다 위켓**을 기록한 선수로 98이닝 동안 143위켓을 잡았다. 부상으로 리그에 2회나 참석하지 못한 것을 고려하면 대단한 기록이다.

골프 GOLF

미국 팀은 2016년 라이더 컵에서 17-11로 승리했다. 2008년 이후 첫 승이었으며, 1981년 이후 가장 결정적인 승리였다.

▲ PGA 투어 싱글 라운드 최저타 기록

짐 퓨릭(미국)이 2016년 8월 7일, 미국 코네티컷에서 열린 트래블러스 챔피언십에서 싱글 라운드 12언더파 58타 기록을 작성했다. 퓨릭은 6~12번 홀에서 연속으로 7개의 버디를 잡아내며 27타 만에 후반으로 접어들었다. 그는 18번 그린에서 침착하게 두 번의 퍼팅을 진행했고, PGA 투어 사상 최저 타로 경기를 마쳤다.

Q: 한 홀에서 4언더파(Par)를 기록하는 걸 뭐라고 부를까(새 이름)?

A: 콘도르

메이저 대회 싱글 라운드 최저타 기록(남성)

골프에는 4개의 메이저 대회가 있다. 디 오픈 챔피언십, US 오픈, PGA 챔피언십 그리고 마스터스 토너먼트다. 이 대회 중 최저타 기록은 63타이며, 28명의 골퍼가 30번 달성했다. 필 미켈슨(미국)과 헨릭 스텐손(스웨덴)은 영국 에어셔에서 2016년 7월 14~17일까지 열린 제145회 디 오픈 대회에서 63타 클럽에 합류했다. 한 달 뒤에는 로버트 스트렙(미국)이 미국 뉴저지 스프링필드의 발터스롤 골프 클럽에서 열린 제98회 PGA 챔피언십에서 63타를 적어냈다.

전체 **메이저 대회 싱글 라운드 최저타 기록**은 61타로 김효주(대한민국)가 2014년 9월 11일 열린 에비앙 챔피언십에서 세웠다. 그녀는 당시 19세의 나이로 메이저 대회에서 우승을 거뒀다.

▲ 최연소 라이더 컵 주장

아놀드 파머(미국)가 2016년 9월 25일 세상을 떠났다. 7번의 메이저 대회 우승과 62번의 PGA 대회에서 우승한 위대한 골퍼인 그는, 대담한 경기 운영으로 '아니의 군대'로 불리는 많은 팬을 거느리고 다녔다. 1963년에 파머는 이스트 레이크 골프 클럽에서 34세 31일의 나이로 라이더 컵 미국 팀 주장으로 참가했다.

메이저 대회 최다 언더파 기록(남성)

헨릭 스텐손(스웨덴)은 2016년 7월 14~17일까지 영국 에이셔에서 로열 트룬 골프 클럽에서 열린 제145회 디 오픈 챔피언십에서 20언더파를 기록했다. 4번의 라운드에서 68-65-68-63타 총 264타를 쳤다.

이로써 스텐손은 제이슨 데이(호주)와 동률을 이뤘다. 데이는 2015년 8월 13~16일에 미국 위스콘신 주 콜러 인근 위슬링 스트레이트에서 열린 97회 PGA 챔피언십에서 같은 기록으로 우승했다.

▲ 메이저 대회 최다 언더파 기록(여성)

2016년 9월 15~18일, 프랑스 에비앙 레 뱅에서 열린 에비앙 챔피언십에서 전인지(대한민국)가 21언더파를 기록했다. 그녀는 63-66-65-69, 총 263타를 쳐 대한민국 박성현과 유소연을 4타 차이로 앞섰다. 전인지가 기록을 세우기 전까지는 4명의 골퍼가 19언더파를 친 게 최고 기록이었다.

PGA 투어 대회 36홀 최저타 기록

저스틴 토마스(미국)는 2017년 1월 12일, 미국 하와이에서 열린 소니 오픈 대회 오프닝 라운드에 59타를 쳤다. 다음 라운드에서는 64타를 쳐 대회 중반까지 총 123타 17언더파를 기록했다.

더 플레이어스 챔피언십 36홀 최저타 기록은 129타로 제이슨 데이(호주)가 2016년 5월 12~13일 미국 플로리다 주 폰테베드라 비치에 있는 TPC 소그래스에서 기록했다. 더 플레이어스 챔피언십은 **골프 대회 중 가장 많은 상금**을 주는데, 2016년에는 189만 달러였다.

US 오픈이 가장 많이 열린 코스

1903년 문을 연 미국 펜실베이니아 주 오크몬트 컨트리클럽은 1927년 처음 US 오픈 대회를 한 이후 8번이나 더 개최했다. 최근 3번의 대회에서는 더스틴 존슨(미국, 2016), 앙헬 카브레라(아르헨티나, 2007), 어니 엘스(남아프리카공화국, 1994)가 우승했는데, 모두 처음으로 우승한 선수들이었다.

▲ 라이더 컵 최다 출전 선수

필 미켈슨은 미국 미네소타 주 채스카에 위치한 헤이즐타인 내셔널 골프 클럽에서 2016년 9월 30일~10월 2일까지 열린 라이더 컵 대회에 미국 팀으로 11번째 출전했다. 자국의 17-11 승리를 도운 그는 닉 팔도(영국)가 1977~1997년까지 유럽 대표 팀으로 출전한 11회 기록과 동률을 이뤘다.

LPGA 최연소 상금 500만 달러를 달성한 선수

1997년 4월 24일생인 리디아 고(뉴질랜드)는 2016년 2월 21일 열린 호주 오픈 대회에서 2위를 기록하며 18세 303일의 나이로 상금 500만 달러를 넘어서게 됐다. 한국에서 태어난 리디아 고는 **메이저 대회 최연소 우승 골퍼**(2015년 에비앙 챔피언십에서 18세 142일의 나이로 우승)로 2015년 2월 1일에는 17세 283일의 나이로 **최연소 랭킹 1위** 또한 달성했다.

2016년 리우 올림픽에서 우승하며, 저스틴 로즈는 6개 대륙에서 우승한 5번째 골퍼가 됐다. 다른 넷은 게리 플레이어, 데이비드 그래엄, 헤일 어윈 그리고 베른하르트 랑거다.

▶ 올림픽 최초의 홀인원

2016년 리우 올림픽에서 골프는 112년 만에 최초로 정식 종목에 올랐다. 이때 저스틴 로즈(영국)는 8월 11일 대회 첫 홀인원에 성공하며 기쁨을 만끽했다. 4번 홀(파3)에서 7번 아이언을 꺼내든 로즈의 샷이 홀에 한 번에 빨려 들어갔다. 로즈는 67타로 라운드를 마쳐 1904년 이후 처음으로 골프 종목 금메달리스트가 됐다. 자코 반질(남아프리카공화국)은 바로 이틀 뒤, 올림픽 2번째 홀인원을 기록했다.

오토 스포츠 AUTO SPORTS

2016년 11월 27일, 니코 로즈버그(독일)는 처음으로 포뮬러1 대회에서 우승했다. 그리고 5일 뒤 은퇴를 선언했다!

▲ 그랑프리 모터사이클 통산 최다 폴 포지션 기록

2009년 5월 17일~2016년 10월 23일까지 마르크 마르케스는 폴 포지션(예선 1위에게 결승 레이스 가장 앞자리가 주어지는 것)을 연속 65번이나 차지했다. 이 기록은 2016년 시즌에 깨졌는데, 호르헤 로렌소가 11월 13일 발렌시아에서 열린 대회에서 마르케스를 물리치고 결승전 폴을 따냈다.

NHRA 드래그 레이싱 퍼니 카 최고 속도

드래그 레이싱의 세계에서 '퍼니 카'는 앞으로 장착된 엔진과 경사진 앞 유리, 탄소섬유로 된 차체를 가진 자동차를 말한다. 2016년 5월 20일 미국 캔자스 주 토피카에서 열린 미국핫로드협회(NHRA) 대회에서 맷 헤이건(미국)은 좋은 도로 상태와 시원한 날씨의 도움을 받아 402.3m 거리의 결승점을 종단속도 540.04km/h를 기록하며 통과했다. 2번째 우승을 거머쥔 헤이건은 이렇게 말했다. "도로 상태가 이 정도로 좋으면 퍼니 카들은 말 그대로 날아다닙니다."

나스카 경주 최장 거리 선두 유지

마틴 트룩스 주니어(미국)는 2016년 코카콜라 600 대회에서 400바퀴 중 392바퀴(946km)를 선두로 달렸다. 결승선에서 체크기를 받은 트룩스 주니어는 2016년 시즌 첫 우승이자 나스카 대회 4번째 우승을 차지했다. 경기는 5월 29일 미국 노스캐롤라이나 주 콩코드의 샬럿 모터 스피드웨이에서 개최됐다.

가장 많은 우승자가 나온 MotoGP 대회 단일 시즌

MotoGP 대회 2016년 시즌에서는 유례없이 9명의 우승자가 나왔다. 마르크 마르케스, 호르헤 로렌소, 매버릭 비날레스, 대니 페드로사(모두 스페인), 안드레아 이아노네, 안드레아 도비지오소, 발렌티노 롯시(모두 이탈리아), 잭 밀러(호주), 칼 크러치로우(영국)다. 신기하게도 챔피언십 6~13라운드에서 8명의 각각 다른 선수가 우승했다.

포뮬러1 통산 최다 득점 드라이버

메르세데스의 드라이버 루이스 해밀턴(영국)은 2016년 시즌까지 커리어 통산 2,247점의 월드 챔피언십 포인트를 기록했다. 그에 가장 근접한 라이벌은 월드 챔피언을 4번 달성한 세바스찬 베텔(독일)로 2,108점을 기록 중이다.

▲ 다카르 랠리 사륜 오토바이 부문 최다 우승

마르코스 파트로넬리(아르헨티나)는 2010년과 2013년에 우승한 데 이어 2016년에 아르헨티나 볼리비아에서 13개의 어려운 코스를 정복하며 3번째 우승을 이뤄냈다. 파트로넬리에게 사륜 오토바이 경주는 가업이라고 할 수도 있는데, 형제인 알레한드로는 다카르 랠리에서 2회 우승한 경력이 있고, 2016년에는 2위를 기록했다.

▲ 포뮬러1 시상대에 100회 오른 가장 어린 드라이버

포뮬러1 월드 챔피언을 3회나 한 루이스 해밀턴(영국)은 2016년 10월 9일 일본 미에 현 스즈카에서 열린 일본 그랑프리에서 3위를 기록하며 31세 276일의 나이로 100번째 시상대에 올랐다. 이 기록은 역사상 단 3명만 기록했는데, 전설의 드라이버 알랭 프로스트(프랑스, 1983년)와 미하엘 슈마허(독일, 2002년)다. 슈마허는 더 적은 경기에 출전에 100회를 기록했다.

스테판 피터한셀과 장-폴 코트레는 8회 우승도 할 수 있었다. 2014년 대회에서 사고를 우려한 지원팀이 선수들에게 1위와 경합을 하지 말라고 지시해 2위에 머물렀다.

월드 챔피언십 최다 연속 포인트를 획득한 제작사

2002년 1월 20일에 열린 몬테카를로 랠리에서 포드 레이싱 카 제작사의 드라이버들이 3위와 4위로 들어왔다. 이는 212개 대회 연속 포인트 획득이라는 믿을 수 없는 기록의 시작이었다. 포드는 2017년 1월 22일 기준으로 현재까지 기록을 이어가고 있다.

월드 랠리 챔피언십 최다 우승국

1973년 1월 26일~2017년 1월 22일 사이, 프랑스는 184번의 월드 랠리 챔피언십 경기에서 승리했다. 총 18명의 드라이버가 우승을 거뒀는데, 2명의 빠른 세바스티앙이 포함되어 있다. 세바스티앙 러브(78승)와 세바스티앙 오지에(39승)다.

▲ 최연소 포뮬러1 우승자

2016년 5월 15일 맥스 페르스타펜(네덜란드)은 18세 228일의 나이로 스페인 몬트멜로에서 열린 스페인 그랑프리에서 우승을 거뒀다. 레드불 팀의 신인인 그는 전 F1 드라이버이자 네덜란드 최초의 우승자인 요스 페르스타펜의 아들이다. 맥스는 우승하기 겨우 며칠 전 토로 로소 팀에서 레드불로 이적했다.

◀ 다카르 랠리 최다 승

이 오프로드 장거리 경주에는 프로와 아마추어가 모두 참가할 수 있다. 다카르 랠리는 원래 프랑스 파리에서 출발해 세네갈 다카르로 향하는 코스지만 남아프리카와 남아메리카에서 열리기도 한다. 스테판 피터한셀과 장-폴 코트레(둘 다 프랑스)가 드라이버와 네비게이터(드라이버를 보조하는 승무원)로 구성된 팀은 2004년, 2005년, 2007년, 2012년, 2013년, 2016년, 2017년 총 7회 우승을 차지했다. 피터한셀은 바퀴가 4개 달린 차량으로 거둔 성과 외에도 오토바이로 6회나 우승하기도 했다.

사이클 CYCLING

경륜장에서 달리기 위해 만들어진 사이클에는 브레이크가 없다.
사이클 선수들은 페달을 뒤로 밟아 속도를 늦춘다.

▲ 가장 빠른 4km 사이클 단체추발 팀(남성)
브래들리 위긴스, 에드워드 클랜시, 오웨인 덜, 스티븐 부르크(모두 영국)는 2016년 8월 12일 브라질 리우에서 열린 올림픽 경기 4km 남자 단체추발 경기에서 3분 50.265초로 신기록을 세웠다. 이는 리우 올림픽에서 영국 팀이 세운 2번째 세계 신기록인데, 자신들이 1라운드에 세운 3분 50.570초를 깨고 새로운 기록을 썼다.

투르 드 프랑스 최다 인원 완주 기록
7월 2~24일 열린 2016년 투르 드 프랑스 대회에서 총 174명이 완주했다. 종전 기록은 170명으로 2010년 대회였다. 마크 카벤디시(영국)는 2016년 대회 중 4개의 매스 피니시 스테이지에서 1위를 하며 30승을 기록, **투르 드 프랑스 최다 매스 피니시 승리**를 기록했다.

스탠딩 스타트 500m 최고 기록(여성)
제시카 살라자르 바예스(멕시코)는 2016년 10월 7일 멕시코 아과스칼리엔테스 주에서 열린 팬아메리칸 챔피언십에서 스탠딩 스타트로 500m를 32.268초 만에 주파했다. 바예스는 아나스타샤 보이노바(러시아)가 1년 전 스위스 그레헨에서 세운 32.794초를 경신하며 33초의 벽을 돌파한 2번째 여성이 됐다.

가장 빠른 사이클 단체스프린트 팀(여성)
2016년 8월 12일 중톈스, 공진지에(둘 다 중국)는 브라질 리우데자네이루에서 단체스프린트 예선 라운드를 31.928초에 통과했다. 이 팀은 결승에서 러시아를 물리치고 금메달을 목에 걸었다.

UCI 크로스컨트리 마운틴 바이크 월드 챔피언십 최다 우승(남성)
니노 슈러터(스위스)는 2016년 체코 노베 므네스토 나 모라베에서 열린 국제사이클연맹(UCI) 크로스컨트리 마운틴 바이크 월드 챔피언십에서 우승했다. 슈러터는 대회 5번째 우승을 거두며 줄리안 압살론(프랑스)과 동률을 이뤘다.

▲ 가장 빠른 4km 사이클 단체추발 팀(여성)
2016년 8월 13일 브라질 리우에서 열린 올림픽 대회에서 조애나 로셀 샨드, 엘리너 바커, 로라 트롯, 케이티 아치볼드(모두 영국)가 4km 여자 단체추발 경기에서 4분 10.236초로 금메달을 땄다. 영국 팀은 3회의 경기에서 모두 세계 신기록을 세웠는데, 마지막 경기에서는 미국을 2초 이상의 차이로 물리쳤다.

사이클 개인 B 추발 최고 기록(남성)
스티븐 베이트(영국)는 브라질 리우데자네이루에서 2016년 9월 8일에 열린 패럴림픽 남자 개인 B 추발 경기에서 4분 8.146초를 기록했다. 패럴림픽은 규정상 선수의 신체 능력에 따라 종목이 나뉜다. 'B' 경기는 시각장애가 있는 선수들로 2인용 자전거 앞자리에 방향을 잡아주는 파일럿이 동승해 경기를 치른다. 베이트의 파트너는 애덤 더글비(영국)였다.

사이클 개인 C5 추발 최고 기록(여성)
2016년 9월 8일 새라 스토리(영국)가 브라질 리우데자네이루에서 열린 패럴림픽 여자 개인 C5 추발 경기에서 3분 31.394를 기록했다. 사이클에서 C1은 심각한 장애를 뜻하고, C5는 정도가 심하지 않은 장애를 말한다.

▲ UCI 마운틴 바이크 크로스컨트리 월드컵 최다 우승(남성)
줄리안 압살론(프랑스)은 2003년, 2006~2009년, 2014년, 2016년에서 7회의 월드컵 타이틀을 가져갔다. 그는 2012년 런던 올림픽에서 금메달을 따기 위해 열심히 노력했으나 경주 초반 펑크가 났고, 뒤진 시간을 끝내 극복하지 못했다.

미어스는 미국 로스앤젤레스에서 목이 부러지는 부상을 당한 뒤 7개월 만에 2008년 베이징 올림픽에서 은메달을 땄다. 이 은메달은 호주 사이클 팀이 베이징에서 딴 유일한 메달이다.

▶ 올림픽 트랙 사이클 최다 메달(여성)
2004~2016년까지 안나 미어스(호주)는 4번의 대회에서 6개의 올림픽 메달을 획득했다. 2개의 금메달, 1개의 은메달, 3개의 동메달이다. 미어스의 뒤로 4개의 올림픽 메달을 딴 여자선수는 3명이 있다. 궈슈앙(중국), 로라 트롯(영국) 그리고 사라 해머(미국)다. 트롯은 4개를 모두 금메달로 딴 유일한 선수다.

카타르에서 기록을 단축하기 위해, 마틴은 화장실에서 히터를 켜 놓은 채 훈련했다.

▲ UCI 타임 트라이얼 월드 챔피언십 최다 우승자(남성)
토니 마틴(독일)은 UCI 타임 트라이얼 월드 챔피언십에서 4회 우승했다. 2011~2013년 그리고 2016년이다. 이 기록은 2006~2007년, 2009~2010년 우승한 파비앙 칸셀라라(스위스)의 기록과 같다. 마틴은 가장 최근에 카타르 도하에서 40km 코스를 44분 42.99초 만에 주파하며 4번째 우승을 했다. 그는 모든 대회를 합쳐 총 7개의 메달을 획득했다.

과녁 스포츠 TARGET SPORTS

당구의 일종인 스누커 종목 선수인 마크 킹(영국)은 25년간의 시도 끝에 2016년 11월, 북아일랜드 오픈 대회에서 마침내 랭킹에 올랐다.

▲ 최초의 올림픽 개별 자격 출전 선수 금메달

쿠웨이트 군인 페하이드 알디하니는 모국이 국제 올림픽 위원회로부터 출전 정지를 받는 바람에 2016년 리우 올림픽에 개별 자격 선수단으로 참가했다. 그는 2016년 8월 10일, 사격 남자 더블트랩 종목 결승전에서 마르코 이노센티(이탈리아)를 26대 24로 물리치고 금메달을 획득했다. 알디하니와 국적이 같은 압둘라 알 라시디도 개별 자격으로 사격 남자 스키트 종목에서 동메달을 획득했다.

영국다트협회(BDO) 주최 여성 월드챔피언십 최다 우승자

트리나 '골든 걸' 걸리버(영국)는 2016년 1월 9일, 영국 서리 프림리 그린에 위치한 레이크사이드 카운티 클럽에서 데타 헤드먼(영국, 자메이카 출생)을 3대 2로 이기고 10번째 BDO 여자 세계 타이틀을 가져갔다. 트리나는 2001년 여자부 1회 대회부터 2007년까지 챔피언십에서 7회 연속으로 우승했다.

가장 많은 대륙에서 올림픽 메달을 딴 선수

사격 더블트랩과 스키트 선수인 킴 로드(미국)는 2016년 리우 올림픽에서 6번째 메달을 목에 걸었다. 킴은 호주, 북아메리카, 남아메리카, 아시아, 유럽 5개 대륙에서 메달을 획득했다.

말발굽던지기 월드 챔피언십 최다 우승(남성)

앨런 프란시스(미국)가 2016년 말발굽던지기 월드 챔피언십 남자부에서 21번째 타이틀을 거머쥐었다. 앨런의 뒤를 잇는 선수는 테드 앨런(미국)으로, 1959년에 10번째이자 마지막 우승을 거뒀다.

마이클 반 거윈은 13세 때 평범하게 다트를 시작했다. 그리고 2년 뒤, 유럽 유스 챔피언이 되었다.

▲ 평균 득점이 가장 높았던 프리미어리그 다트 경기

2016년 2월 25일, 영국 애버딘에서 마이클 반 거윈(네덜란드)은 평균 123.4점을 달성하며 마이클 스미스(영국)를 물리쳤다.

반 거윈은 2017년 1월 1일, 영국 런던에서 **PDC 월드 챔피언십 경기 최고 평균 점수**인 114.05점을 기록하며 준결승을 통과했다. 상대인 레이먼드 반 바네벌트(네덜란드)는 역대 4번째로 높은 평균 점수 109.34를 기록하고도 경기에서 패했다!

▲ 70m 양궁 최고 득점(남성)

2016년 8월 5일, 김우진(대한민국)은 브라질 리우데자네이루 삼보드로무에서 720점 만점에 700점을 기록했다. 휘는 활, 리커브 양궁 종목의 김우진은 2012년 런던 올림픽에서 임동현(대한민국)이 세운 기록을 1점 경신했다. 그는 남자 개인 예선에서 기록을 세운 뒤 2라운드에서 리아우 에가 아가타(인도)에게 패하는 충격을 맛봤다.

개인 최다 프로 스누커 경기

월드 챔피언십 6회 우승이라는 빛나는 업적을 이룬 스티브 데이비스(영국)는 1978년 데뷔 후 2016년 은퇴할 때까지 프로에서 1,453경기를 치렀다.

마스터스 스누커 대회 최다 우승

2017년 1월 22일, 로니 오설리번(영국)은 영국 런던 알렉산드라 궁에서 열린 마스터스 인비테이셔널 스누커 토너먼트 결승전에서 조 페리(영국)를 10대 7로 물리쳤다. '더 로켓'이라 불리는 로니의 7번째 우승이었다. 그는 1995년, 2005년, 2007년, 2009년, 2014년 그리고 2016년 대회에서 우승하며 스티븐 핸드리(영국)의 기록을 1회 넘어섰다.

월드 크로케 챔피언십 개인 최다 출전

3명의 선수가 크로케 블루리본 대회에 14번 출전했다. 로버트 폴포드(영국, 1989~2013년 출전), 스티븐 뮬리너(영국, 1989~2016년 출전), 데이비드 오픈쇼(영국, 1989~2016년 출전)다.

▲ 스누커 월드챔피언십 최다 센추리 브레이크 경기

딩쥔후이(중국)는 2016년 4월 28~30일 영국 셰필드의 크루서블 극장에서 열린 월드챔피언십 준결승, 앨런 맥매너스(영국)와의 경기에서 고도의 기술을 선보이며 센추리 브레이크(한 번에 100득점 이상)를 7회 기록해 준결승에서 승리했지만, 결승전에서 마크 셀비(영국)에게 패했다.

미국프로볼링에서 돈을 가장 많이 번 텐핀스 볼링 선수

월터 레이 윌리엄스 주니어(미국)는 1980~2016년까지 463만 8,519달러의 수입을 올렸다.

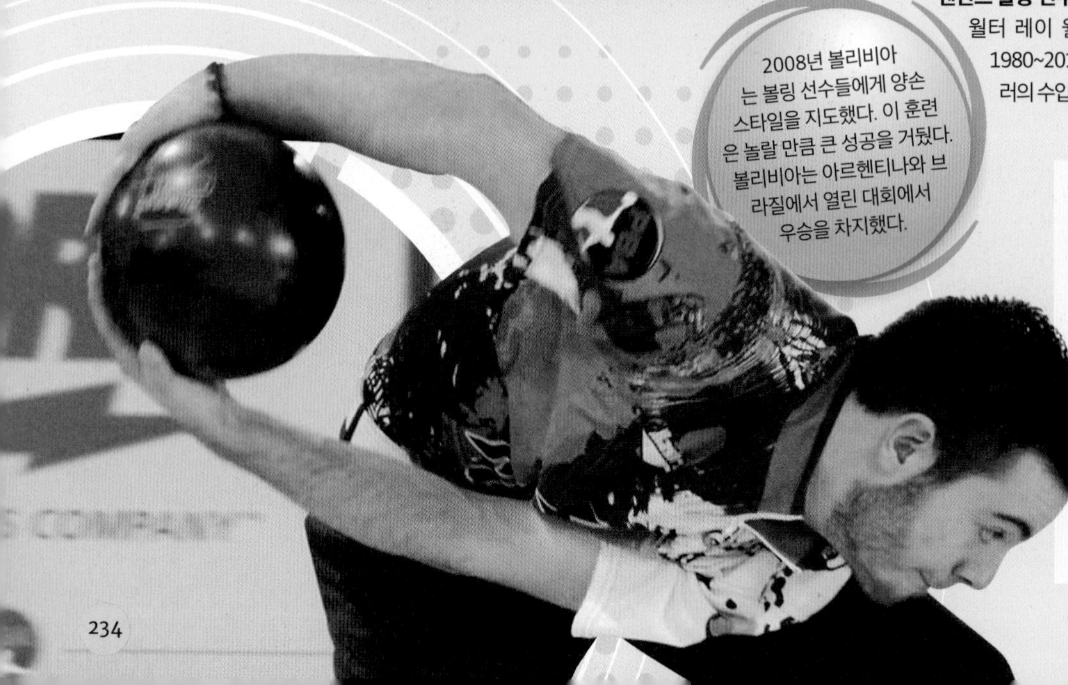

2008년 볼리비아는 볼링 선수들에게 양손 스타일을 지도했다. 이 훈련은 놀랄 만큼 큰 성공을 거뒀다. 볼리비아는 아르헨티나와 브라질에서 열린 대회에서 우승을 차지했다.

◀ 최연소 메이저 프로볼링협회 텐핀스 대회 우승자

앤서니 시몬슨(미국, 1997년 1월 6일생)은 미국 인디애나폴리스의 우드랜드 볼에서 열린 2016년 미국볼링협회(USBC) 마스터스 대회에서 겨우 19세 39일의 나이로 우승을 거뒀다. 양손으로 공을 던지는 시몬슨은 결승에서 댄 맥클랜드(캐나다, 아마추어)를 245대 207로 물리쳤다. 그가 경기 초반에 던진 9번의 투구 중에 8번이 스트라이크였다.

역도 WEIGHTLIFTING

오스카 피게로아(콜롬비아)는 2016년 리우 올림픽에서 금메달을 딴 뒤 은퇴의 의미로 자신의 신발을 매트에 벗어 놨다.

▲ 역도 56kg급 합계 최고 기록(남성)

룽칭취안(중국) 선수가 2016년 8월 7일, 리우 올림픽에서 307kg을 들어 올렸다. 용상 마지막 시도에서 170kg을 성공하며 2000년 시드니 올림픽에서 할릴 뭇루(터키)가 세운 305kg을 넘었고, 합계 점수에서 금메달을 획득했다.

▲ 스쿼트 최고 기록(남성, 도움 없이)

레이 윌리엄스(미국)는 2016년 10월 16일, 조지아 주 애틀랜타에서 열린 USA 파워리프팅 로 내셔널스에서 스쿼트 자세로 456kg을 들어 올렸다. 이는 '스쿼트 장비'를 착용하지 않고 성공한 최초의 453kg(1,000-1b) 이상 스쿼트 기록이다. 이 슈퍼헤비급 괴력의 소유자는 자신의 힘이 '옥수수빵과 버터밀크'에서 나온다고 말했다.

스쿼트 최고 기록(여성, 도움)

2016년 7월 8일, 사만다 콜먼(미국)은 미국 미네소타 주 로즈마운트에서 열린 미국파워리프팅협회 인증대회에서 299.82kg을 스쿼트 자세로 들어 올렸다. 콜먼은 같은 날 177.35kg 벤치프레스도 성공했다. 또한 그녀는 데드리프트 272.15kg 이상을 성공한 단 5명의 여성 중 1명이기도 하다. 콜먼은 '강인함 속의 아름다움'을 표현하기 위해 가끔 티아라를 쓰고 경기에 나선다.

역도 77kg급 인상 최고 기록(남성)

루샤오쥔(중국)이 2016년 8월 10일, 리우 올림픽 대회에서 인상 177kg에 성공했다. 하지만 안타깝게도 합계에서 **77kg급 용상 최고 기록**인 214kg을 들어 올린 니자트 라히모프(카자흐스탄)에게 져 은메달로 대회를 마쳤다. 라히모프는 2001년 올레크 페레페체노프(러시아)가 세운 용상 210kg의 기록을 경신했다.

역도 105kg 이상급 인상 최고 기록(남성)

베다드 살리미(이란)가 2016년 8월 16일, 리우 올림픽에서 인상 216kg에 성공했다. 하지만 105kg 이상급 용상 결선에서는 비통한 결과를 받아들여야 했다. 살리미의 3회의 시도 모두 심판의 인정을 받지 못했고, 점수를 획득하지 못한 그는 어떤 메달도 가져가지 못했다.

역도 105kg 이상급 합계 최고 기록(남성)

새로운 기록과 드라마가 가득한 리우 올림픽 대회에서 라쇼 탈라카제(조지아)는 합계 473kg이라는 신기록을 세웠다. 인상에서 215kg, 용상에서 258kg에 성공했다. 탈라카제는 경쟁자였던 고르 미나샨(아르메니아)과 이라클리 투르마니즈(조지아)를 이기고 금메달을 획득했다. 105kg 이상급 종전 합계 최고 기록은 후세인 레자자데(이란)가 세운 472.5kg이다. 그가 2004년 8월 25일, 아테네 올림픽에서 세운 **105kg 이상급 용상 최고 기록**인 263.5kg은 아직도 깨지지 않고 있다.

패럴림픽 파워리프트 최고 기록(107kg 이상급, 남성)

2016년 리우 패럴림픽 역도 최고 체급에서 이란의 라만 사만드가 9월 14일, 벤치프레스로 310kg을 성공했다. 최저 체급에서는 나즈미예 무라틀리(터키)가 2016년 9월 8일 우승했다. 그녀는 104kg을 들어 올려 **패럴림픽 파워리프트 최고 기록(41kg 이하급, 여성)**을 세웠다.

아널드 스트롱맨 클래식 최다 우승

2016년 3월 4~5일까지 열린 아널드 스트롱맨 클래식 대회에서 지드루나스 사비카스(리투아니아)가 8번째 우승을 차지했다. 그는 2003~2008년까지, 그리고 2014년에도 우승했다. 이 대회는 아놀드 스포츠 페스티벌 중의 하나로, 원래는 공동 창립자 아널드 슈워제네거의 이름을 딴 보디빌딩 대회였다.

◀ 역도 63kg급 합계 최고 기록(여성)

덩웨이(중국)는 2016년 리우에서 꿈 같은 올림픽 데뷔 경기를 치렀다. 8월 9일 그녀는 **63kg급 용상 최고 기록**인 147kg에 성공했다. 인상에서 115kg의 기록을 세운 덩웨이는 합계 262kg으로 금메달 획득과 함께 세계신기록도 세웠다.

▶ 역도 85kg급 합계 최고 기록(남성)

2016년 8월 12일, 키아누시 로스타미(이란)는 2016년 리우 올림픽 역도 85kg급에서 합계 396kg을 들어 금메달을 땄다. 키아누시는 용상에서 217kg, 인상에서 179kg을 성공해 종전 합계 기록을 1kg 경신했다.

올림픽 역도는 두 종목으로 구성되어 있다. '인상'은 한 번의 동작으로 바벨을 드는 반면, '용상'은 스쿼트 자세에서 잠시 멈춘 뒤 일어선다.

트랙 & 필드 TRACK & FIELD

2016년 리우 올림픽은 남아메리카에서 열린 최초의 하계 올림픽으로 처음으로 모든 경기가 개최국의 겨울에 진행되는 기록을 세웠다.

▲ IAAF 다이아몬드 리그 최다 승

2010년부터 시작한 국제육상경기연맹 다이아몬드 리그는 매년 14개 도시를 순방하며 32개 종목에서 겨룬다(남자 16종목, 여자 16종목). 남녀를 막론하고 이 대회에서 산드라 퍼코비치(크로아티아)보다 많이 우승한 선수는 없다. 그녀는 2012년 6월 12일~2016년 9월 1일까지 원반던지기에서 34번의 승리를 만끽했다.

가장 빠른 1마일 달리기 기록(여성, 실내)

2016년 2월 17일, 겐제베 디바바(에티오피아)가 스웨덴 스톡홀름에서 열린 국제육상경기연맹(IAAF) 월드 인도어 투어 경기에서 여자 1마일 실내 달리기에 출전해 4분 13.31초의 기록을 세웠다. 이전 최고 기록은 도이나 멜린테(루마니아)가 26년 전에 세운 4분 17.14초로, 디바바가 태어나기 1년 전에 작성된 기록이다.

이날은 스톡홀름에 많은 신기록이 세워진 밤으로, 아얀레 슐레이먼(지부티)은 **1,000m 최고 기록(남성, 실내)**인 2분 14.20초를 달성했다. 그는 2000년 2월 20일 윌슨 킵케터(덴마크)가 세운 2분 14.96을 경신했다.

▲ 휠체어 800m(T52, 남성)

레이먼드 마틴(미국)은 2016년 7월 2일 미국 노스캐롤라이나 주 샬럿에서 열린 US 트라이얼스 대회에서 휠체어 800m T52(장애등급)에 출전해 1분 51.64초를 기록했다. 그는 같은 날 1,500m 경기를 먼저 치르고 출전한 800m에서 기록을 세웠다. 4년 전인 2012년 7월 1일, 마틴은 미국 인디애나폴리스 주에서 **휠체어 200m 남자 최고 기록(T52)**도 달성했다(30.18초).

▲ 장거리 연속 2관왕

2012년 런던과 2016년 리우 대회에서 모하메드 파라(영국, 소말리아 출생)는 2개의 올림픽 장거리 메달을 획득했다(5,000m와 1만m). 이 기록은 1972년 뮌헨과 1976년 몬트리올 대회를 석권한 라세 비렌(핀란드)과 동률이다. 올림픽 5,000m에서 2회 연속 우승한 파라와 비렌은 **올림픽 5,000m 연속 공동 금메달 기록(남성)**을 갖고 있다.

파라는 **유럽 육상 선수권대회 최다 금메달(남성) 기록** 보유자이기도 하다(5개). 바르셀로나 2010년 대회, 헬싱키 2012년 대회, 취리히 2014년 대회에서 5,000m 금메달을 획득했고, 2010년과 2014년에는 1만m에서도 금메달을 땄다. 파라는 공로를 인정받아 2017년 영국에서 작위를 받았다.

Q: 2016년 리우 패럴림픽의 메달은 뭐가 달랐을까?

A: 가운데에 쇠 구슬이 들어 있어 흔들면 소리가 났다. 시각장애인 선수들을 배려한 메달이다.

1만m 최고 기록(여성)

알마즈 아야나(에티오피아)는 2016년 8월 12일 여자 1만m 경기에서 29분 17.45초를 기록하며 처음으로 올림픽 금메달을 획득했다. 이전 기록은 1993년 9월 8일 왕쥔샤(중국)가 세운 29분 31.78초로, 23년 만에 경신됐다.

3,000m 장애물 달리기 최고 기록(여성)

2016년 8월 27일 루스 제벳(바레인)은 프랑스 파리에서 열린 IAAF 다이아몬드 리그에서 8분 52.78초로 우승하며 8년 묵은 기록을 깨버렸다. 케냐에서 태어난 이 장거리 선수는 12일 전 리우 올림픽에서 금메달을 획득했다.

◀ 우사인 볼트

이 전설적인 자메이카 선수는 2016년 리우 올림픽 100m와 200m 종목에서 1위에 오르며 2008년 베이징, 2012년 런던에 이어 3회 연속 2관왕을 달성했다. 매 대회 3관왕(400m 계주 포함)에 오른 볼트는 **올림픽 최다(연속) 100m와 200m 금메달 기록**을 가지고 있다. 또 **100m와 200m 최고 기록**도 가지고 있는데 9.58초와 19.19초다.

자메이카의 2008년 베이징 4×100m 계주 우승은 2017년 네스타 카터의 약물 복용이 발각되며 취소됐다. 만약 기록이 인정됐다면 볼트는 100m, 200m, 4×100m 올림픽 트랙 경기에서 3회 연속 3관왕에 오른 최초의 선수가 될 수 있었다.

100, 200, 400m 최고 기록(합계)

웨이드 반 니커크(남아프리카 공화국)가 2016년 3종목 '10초, 20초, 44초 이하' 기록을 달성하며 새로운 역사를 썼다. 하지만 100m, 200m 400m 합계 최고 기록은 마이클 존슨(미국)이 1994~1999년 사이에 세운 72.59초다. 반 니커크의 합계 기록은 72.95초이며, 100m와 200m 세계 신기록 보유자인 우사인 볼트는 74.05초의 기록을 가지고 있다.

올림픽 3,000m 장애물 달리기 최다 메달 획득 선수

마히에딘 메키시 베나바드(프랑스)는 2016년 리우 올림픽 3,000m 장애물 달리기에서 자신의 3번째 메달을 획득했다. 2008년과 2012년에는 은메달을, 2016년에는 동메달을 획득했다.

IAAF 다이아몬드 경기 최다 타이틀
다이아몬드 리그 시즌이 끝날 때면, 각 종목에서 가장 많은 포인트를 획득한 선수가 다이아몬드 경기상을 받는다. 2010~2016년까지 르노 라빌레니(프랑스)는 장대높이뛰기 종목에서 7회나 다이아몬드 경기상을 수상했다.
IAFF 다이아몬드 경기 최다 타이틀(여성)은 5개로 발레리 아담스(뉴질랜드)가 2011~2014년, 2016년에 획득했다. 아담스의 기록은 2012~2016년 산드라 퍼코비치(크로아티아)가 원반던지기 종목에서 세운 기록과 동률이다.

휠체어 100m 최고 기록(T53, 여성)
황리샤(중국)는 9월 8일 브라질 리우데자네이루에서 열린 2016년 패럴림픽 휠체어 100m T53 경기에서 16.19초를 기록했다. T53 클래스는 팔은 자유롭게 사용하지만, 허리가 불편한 선수들이 속한다.
휠체어 400m 최고 기록(T53, 남성)은 54.43초로 홍좐 저우(중국)가 2016년 9월 11일 리우 패럴림픽에서 작성했다.

▶100m 허들 최고 기록(여성)
2016년 7월 22일, 켄드라 해리슨(미국)이 다이아몬드 리그의 영국 런던 올림픽 스타디움 여자 100m 허들 경기에서 12.20초로 결승선을 통과했다. 해리슨은 1988년 8월 20일 요르단카 돈코바(불가리아)가 불가리아 스타라 자고라에서 세운 12.21초의 기록을 경신했다.

▲100m 최고 기록(T44, 여성)
2016년 9월 17일, 소피 카믈리시(영국)는 브라질에서 열린 리우 2016년 패럴림픽 대회 100m T44 경기 예선전에서 12.93초를 기록했다. 하지만 그녀는 금메달을 따지는 못했다. 결승전 무대에서 카믈리시는 노시아 케인(트리니다드토바고)에게 600분의 1초 뒤져 동메달을 획득했다.

▲ 올림픽 최다 금메달(여성)
2016년 8월 19일, 앨리슨 펠릭스(미국)는 4×100m 계주에서 6번째 금메달을 목에 걸었다. 펠릭스는 2012년 런던 올림픽에서도 같은 종목 우승을 거뒀으며 4×400m 계주에서는 2008년 베이징부터 런던 그리고 리우까지 금메달을 목에 걸었다. 또 2012년 200m에서 딴 개인 금메달도 가지고 있다.

해머던지기 최고 기록(여성)
아니타 브워다르치크(폴란드)가 2016년 8월 28일 폴란드 바르샤바에서 82.98m를 기록했다. 그녀는 그달에만 2회 기록을 경신했는데, 8월 15일에는 82.29m를 던지며 올림픽 금메달을 획득했다.

IAAF 해머던지기 챌린지 최다 우승(남성)
파벨 파히데(폴란드)은 IAAF 해머던지기 챌린지 대회에서 2013년, 2015년, 2016년 3회 우승했다. 이로써 그는 2011~2012년, 2014년에 우승한 크리스티안 파스(헝가리)와 동률이 됐다.

장대높이뛰기 최고 기록(여성, 실내)
제니퍼 슈어(미국)는 2016년 1월 30일 뉴욕 브록포트에서 5.03m를 뛰어넘는 데 성공했다. 자신이 2013년 3월 2일 세운 5.02m의 기록을 경신했다.

IAAF 경보 챌린지 최다 우승(남성)
왕젠(중국)은 2012년과 2016년 경보 챌린지 대회에서 우승했다(2회). 앞선 2회 우승자들로는 2003~2004년의 로버트 코르제니오프스키(폴란드), 2005~2006년의 파킬로 페르난데스(스페인) 그리고 2008년과 2013년에 승리한 자레드 탤런트(호주)가 있다.

곤봉 멀리 던지기 최고 기록(F32, 여성)
마루아 브라흐미(튀니지)는 2016년 9월 9일 리우 패럴림픽 대회에서 곤봉을 26.93m 던졌다.
이틀 뒤 같은 대회 F51에서 조애너 버터필드(영국, 여성)가 22.81m로 **곤봉 멀리 던지기 최고 기록**을 작성했다. F32는 가벼운 뇌성마비를, F51은 경추 장애로 근력이나 동작에 어려움이 있는 선수들이다.

투창 최고 기록(F40, 남성)
패럴림픽 선수 아메드 나아스(이라크)는 2016년 9월 11일 투창 종목에서 35.29m를 기록했다. F40은 저신장(키)을 나타낸다.

오카그바레는 2008년 베이징 올림픽에서 멀리뛰기 동메달을 획득했다. 그녀는 영연방 경기 대회에서 금메달을 획득했고, 아프리칸 챔피언십, IAAF 월드 릴레이, 아프리카 대회에서도 금메달을 땄다.

▲ 다이아몬드 리그 최다 출전
블레싱 오카그바레(나이지리아)는 다이아몬드 리그에 50회 참가했다. 2010년 7월 3일~2016년 9월 9일까지 100m, 200m 그리고 멀리뛰기에 출전했다. 그녀의 뒤를 바짝 추격하는 선수들은 케냐의 비올라 키비워트(1,500m 5,000m 출전)와 아스벨 키프롭(800m와 1,500m 출전)으로 48회 출전했다.

마라톤 MARATHONS

2013년 보스턴 마라톤 대회에서 폭탄 테러로 다리를 잃은 패트릭 다운즈와 아드리안 해슬릿은 3년 뒤인 2016년 대회에 다시 출장해 마라톤을 완주했다.

▲ 베를린 마라톤 개인 최다 우승(여성)
아베루 케베데(에티오피아)는 2016년 자신의 3번째 베를린 마라톤 우승을 달성했다. 그녀는 앞서 2010년과 2012년에도 우승을 거뒀다. 아베루의 기록은 유타 본 하세(동독/현 독일: 1974, 1976, 1979), 레나테 코코우스카(폴란드: 1988, 1991, 1993), 우타 피픽(독일: 1990, 1992, 1995)과 동률이다.

도쿄 마라톤
완주 최고 기록(여성)
사라 쳅치르치르(케냐)는 2017년 2월 26일, 일본에서 열린 도쿄 마라톤 대회에서 2시간 19분 47초 만에 코스를 완주했다. 이 대회는 그녀가 3번째로 출전한 프로 대회였지만 자신의 개인 최고 기록을 4분 이상 앞당겼다. 사라는 2016년 2월 28일, 헬러 키프로프(케냐)가 세운 도쿄 대회 이전 최고 기록 2시간 21분 27초를 경신했다. 같은 날 윌슨 킵상(케냐)도 **도쿄 마라톤 최고 기록(남성)**을 달성했다(2시간 3분 58초). 그는 새로 변경된 코스에서 이전 최고 기록을 1분 44초 앞당겼다.

모든 연례 메이저 마라톤 대회
합계 최단 기록
헤르만 아치뮬러(이탈리아)는 2006~2015년 사이에 도쿄, 보스턴, 런던, 시카고, 뉴욕, 베를린 마라톤에 참가해 합계 14시간 16분 32초를 기록했다.

하프 마라톤 맨발 연속 완주
살라크닙 '소니' 몰리나(미국)는 2016년 9월 8~18일 하프 마라톤을 맨발로 11회 완주했다. 정형외과 간호사인 그녀는 대회에 참가하기 위해 미국 전역을 여행했고, 결국 30일 동안 18개의 공식 하프마라톤 대회에서 모두 맨발로 완주했다.

▲ 하프마라톤 최고 기록(여성)
2017년 4월 1일, 조이슬린 젭코스게이(케냐)는 체코 공화국에서 열린 프라하 하프마라톤 대회에 참가해 1시간 4분 52초로 우승을 거뒀다. 그녀는 이 과정에서 **10km 로드 런 최고 기록**(여성)인 30분 4초, **15km** 45분 37초, **20km** 1시간 1분 25초를 기록했다. 조이슬린은 하프마라톤 출전 겨우 5번째 만에 이 신기록을 작성했다.

▶ 뉴욕 마라톤 최연소 우승자
(남성)
2016년 11월 6일, 기르메이 게브레슬라시에(에리트레아)는 20세 358일의 나이로 뉴욕 마라톤 남자부에서 우승을 했다.
또한 게브레슬라시에는 **월드 챔피언십 마라톤 최연소 우승자**라는 기록도 갖고 있는데, 2015년 8월 22일, 19세 281일의 나이로 중국 베이징에서 금메달을 목에 걸었다.

뉴욕 휠체어 마라톤
최다 우승(여성)
타티아나 맥패든(미국, 러시아 출생)이 2010년과 2013~2016년까지 총 5회 우승했다. 이 기록은 이디스 울프 훈켈러(스위스)가 2004~2005년, 2007~2009년에 세운 기록과 동률이다. 태어날 때부터 척추갈림증을 앓아온 맥패든은 패럴림픽에 T54 클래스로 출전해 금메달을 7번 획득했다.
그녀는 또 **런던 휠체어 마라톤 연속 우승** 기록도 가지고 있다. 2013~2016년 4회 연속 우승을 거뒀다. 이는 프란체스카 포르셀라토(이탈리아)가 2003~2006년 연달아 우승한 기록과 동률이다.

Virgin money LONDON MARATHON 2017

2017년 4월 23일, 5만 명의 참가자가 영국 런던 마라톤 대회 출발선에 서며 **연례 자선모금 대회 최다 출전 기록**(하루, 한 장소)을 세웠다. 아래에서 멋진 옷을 입고 뛴 주자들을 살펴보자. 기록 순서대로 정리되어 있다.

1. **수영선수** 조 스프라긴스(영국) - 2:42:24
2. **요정** 애슐리 페인(영국) - 2:58:16
3. **패스트푸드 복장** 개리 맥나마라(영국) - 2:59:35
4. **바이킹** 폴 리처드(영국) - 3:03:11
5. **수도승** 말콤 트레비(영국) - 3:03:32
6. **3인 단체복** 그레이엄 오로린(아일랜드), 에반 윌리엄스, 이안 윌리엄스(둘 다 영국) - 3:13:09
7. **갑각류(남성)** 사이먼 쿠치만(영국) - 3:13:18
8. **원더우먼(여성)** 레베카 세자르 데 사(영국) - 3:16:19
9. **전신 동물 복장(남성)** 로렌스 모건(영국) - 3:16:36
10. **수녀** 다니엘 조던(영국) - 3:17:12
11. **웰링턴 부츠(승마용 부츠)** 데미안 태커(영국) - 3:21:27
12. **주교** 맥스 리빙스턴 리어먼스(영국) - 3:21:32
13. **수도승(여성)** 사라 더진(영국) - 3:21:33
14. **요리사(남성)** 테리 미즐리(영국) - 3:22:27
15. **미스터 포테이토 헤드** 필립 파웰(영국) - 3:24:19
16. **만화 캐릭터(여성)** 레베카 빈센트(영국) - 3:24:28
17. **마녀(여성)** 니콜라 누탈(영국) - 3:26:13
18. **프랑스 하녀(남성)** 케빈 데이(영국) - 3:26:43
19. **수녀(여성)** 빅토리아 카터(영국) - 3:26:53
20. **2인 단체복** 알렉스 스미스, 크리스 스톤(둘 다 영국) - 3:33:22
21. **과일(여성)** 로나 펄스글로브(영국) - 3:41:25
22. **침낭을 입고(남성)** 데이비드 스미스(영국) - 3:44:01

2010년 뉴욕 마라톤 대회에서도 데이비드 위어는 1시간 37분 29초의 기록으로 우승을 거뒀다.

▲ 휠체어 런던 마라톤 최다 우승(남성)
데이비드 위어(영국)는 2017년 4월 23일, 1시간 31분 6초의 기록으로 런던 휠체어 마라톤 남자부에서 자신의 7번째 우승을 거머쥐었다. 그는 앞서 2002년, 2006~2008년, 2011~2012년에 우승했다. 위어는 7번째 우승으로 타니 그레이 톰슨(경)의 기록을 1회 넘어 **런던 휠체어 마라톤 역대 최다 우승**을 달성했다.

올림픽 마라톤 메달 최다 획득 국가
1904~2016년까지 미국은 올림픽 마라톤 종목에서 13개의 메달을 획득했다. 미국은 초기 남자대회를 지배했는데, 1904년 세인트루이스 대회에서 모든 메달을 석권한 것을 포함해 1924년까지 7개의 메달을 땄다. 하지만 최근에는 케냐와 에티오피아가 이 로드 레이스 종목을 지배하고 있다. 2016년 리우 올림픽에서 케냐는 엘리우드 키프쵸게가 금메달을 획득하며 미국과 총 12개로 잠시 동률을 이뤘으나, 미국의 갤런 럽이 1분 21초 뒤 결승선을 통과하며 동메달을 획득했고, 미국이 다시 13개로 앞서나갔다. 럽은 1924년 이후 마라톤에서 메달을 딴 미국의 3번째 선수다.

올림픽 마라톤에 참가한 최초의 세쌍둥이
'리우로 간 일란성 트리오' 릴리, 레일라, 리나 루이크는 에스토니아 대표로 2016년 올림픽 마라톤에 참가했다. 셋 중 가장 먼저 결승선을 통과한 릴리의 기록은 97위였다.

50km 경보 최고 기록(여성)
2017년 1월 15일, 이네스 헨리케스(포르투갈)는 포르토데모스에서 열린 포르투갈 경보 챔피언십에서 4시간 8분 26초로 우승을 거뒀다. 이는 국제육상경기연맹(IAAF)에서 공식으로 인정한 이 종목 최초의 세계기록이다.

▲ 엘리우드 키프쵸게
엘리우드 키프쵸게(케냐)는 2017년 5월 6일, 이탈리아 몬차 그랑프리 서킷에서 열린 나이키 '브레이킹2' 마라톤 대회에서 2시간 25초의 기록을 세웠다. 키프쵸게는 데니스 키메토(케냐)의 **마라톤 최고 기록(남성)** 2시간 2분 57초보다 앞섰지만, 인-아웃 페이스메이커를 사용해 IAAF의 공식 기록으로 인정받지 못했다.

▲ 마라톤 최고 기록(여성, 여성 대회)
마리 케이타니(케냐)는 2017년 4월 23일, 2시간 17분 1초의 기록으로 자신의 3번째 런던 마라톤 타이틀을 획득했다. 이는 이전 최고 기록을 41초나 앞당긴 것으로, 폴라 래드클리프(영국)가 2003년 작성한 **마라톤 최고 기록(여성)** 2시간 15분 25초에 이은 2번째로 빠른 기록이다. 폴라는 남성 페이스메이커와 함께 달려 기록을 작성했다.

'울트라 트레일 후지 산' 대회 개인 최다 수상
페르난다 마시엘(브라질)은 일본 울트라마라톤 대회에 3번 출장해 3번 수상했다. 2014년과 2015년에는 2위를 기록했고, 2016년에 마침내 우승을 거뒀다. '울트라 트레일 후지 산'은 46시간 안에 165km의 코스를 완주해야 한다.

베를린 인라인 스케이팅 마라톤 최다 우승(남성)
스케이터 바트 스윙스(벨기에)는 2013~2016년까지 베를린 인라인 스케이팅 마라톤 대회에서 4회 연속 우승을 거뒀다.
또 스윙스는 2015년 9월 26일, **베를린 인라인 스케이팅 마라톤 대회 최고 기록**인 56분 49초를 작성하기도 했다.

세계 주요 마라톤 대회 최고 기록

대회명	남자 최고 기록			여자 최고 기록		
베를린	데니스 키메토(케냐)	*2시간 02분 57초	2014년 9월 28일	노구치 미즈키(일본)	2시간 19분 12초	2005년 9월 25일
보스턴	제프리 무타이(케냐)	2시간 03분 02초	2011년 4월 18일	비주네쉬 데바(에티오피아)	2시간 19분 59초	2014년 4월 21일
시카고	데니스 키메토(케냐)	2시간 03분 45초	2013년 10월 13일	폴라 래드클리프(영국)	2시간 17분 18초	2002년 10월 13일
런던	엘리우드 키프쵸게(케냐)	2시간 03분 05초	2016년 4월 24일	폴라 래드클리프(영국)	*2시간 15분 25초	2003년 4월 13일
뉴욕	제프리 무타이(케냐)	2시간 05분 06초	2011년 11월 6일	마가렛 오카요(케냐)	2시간 22분 31초	2003년 11월 2일
도쿄	윌슨 킵상(케냐)	2시간 03분 58초	2017년 2월 26일	사라 쳅치르치르(케냐)	2시간 19분 47초	2017년 2월 26일

* 남성, 여성 마라톤 최고 기록

=23. 치어리더(여성) 줄리아 미첼모어(영국) - 3:46:55
=23. 진저브레드맨(여성) 캣 다센디스(영국) - 3:46:55
25. 의료 장비 마크 콜린(영국) - 3:48:09
26. 전신 공룡 의상(여성) 젬마 스티븐스(영국) - 3:57:46
27. DNA 이중나선(남성) 존 램본(영국) - 3:58:28
28. 자물쇠(남성) 코-하우 챙(영국) - 3:59:40
29. 공중전화 박스 워런 에드우커(영국) - 4:07:57
30. 텔레비전 캐릭터(여성) 앨리스 게를라흐(영국) - 4:13:39
31. 별 마이클 로(영국) - 4:20:07
32. 용(여성) 제인 모트(영국) - 4:32:54
33. 체인 메일 (작은 쇠사슬로 엮은 갑옷, 상의) 토마스 랭다운(영국) - 4:50:16
34. 화장실 휴지(여성) 수잔 리잔(영국) - 4:54:00
35. 자동차(남성) 토마스 볼턴(영국) - 4:55:09
36. 스타워즈 캐릭터(남성) 제레미 알린슨(영국) - 4:59:12
37. 3차원 비행기(남성) 폴 커즌스(영국) - 5:03:15
38. 가전제품(백색 가전)을 메고 벤 블로우스(영국) - 5:58:37
39. 5인 단체복 데이비드 헵번, 메건 워커, 세이혼 우준, 앤드루 샤프, 홀리 비숍(모두 영국) - 6:17:26
40. 45.35kg 가방을 메고 마크 제너(루마니아, 영국 출생) - 6:47:03

수영 SWIMMING

1900년 파리 올림픽 남자 '200m 장애물 수영' 종목에서는 선수들이 폴대를 오르고, 보트 밑으로 잠수해 지나가는 코스가 있었다.

▲ 800m 자유형 장거리 최고 기록(여성)

케이티 레데키(미국)는 2016년 리우 올림픽 8월 12일에 열린 800m 경기에서 8분 4.79초의 기록을 세웠다. 그녀의 대회 4번째 금메달이자 2번째 세계 신기록이었다. 8월 7일 레데키는 **장거리 400m 자유형(여성) 최고 기록**인 3분 56.46초로 우승을 거뒀다.

평영 100m 최고 기록(남성)

2016년 8월 7일 애덤 피티(영국)는 조국에 리우 올림픽 첫 금메달을 안겼다. 기록은 57.13초였다. 이 평영 선수는 하루 전에 세계기록을 세웠지만, 다음날 결승에서 더 빠른 기록을 달성했다.

피티는 **평영 50m 최고 기록(남성)** 보유자로, 2015년 8월 4일 러시아 카잔에서 열린 FINA 세계 수영 선수권 대회에서 26.42초를 기록했다.

접영 100m 최고 기록(S13, 여성)

레베카 메이어스(미국)는 2016년 리우 패럴림픽에서 1분 3.25초 기록으로 금메달을 목에 걸었다. 희귀 유전 질환인 어셔 증후군을 앓고 있는 메이어스는 나흘 뒤 200m 자유형 최고 기록(S13, 여성) 2분 7.64초와 400m 자유형 최고 기록(S13, 여성) 4분 19.59초를 작성했다.

◀ FINA 월드컵 최다 금메달 선수(여성)

'철의 여인' 카틴카 호스주(헝가리)는 2012~2016년까지 FINA 월드컵에서 225개의 금메달을 획득했다. 호스주는 2015년 8월 3일 러시아 카잔에서 열린 FINA 월드 챔피언십에 출전해 **개인 혼영 200m 최고 기록(여성)**인 2분 6.12초로 터치패드를 찍었다.

Q: 2015년 FINA 세계수영선수권 대회에 참가한 알자인 타레크는 몇 살이었을까?

A: 10세. 대회 최연소 참가자다.

하계 패럴림픽 수영 최다 메달 선수(남성)

다니엘 디아스(브라질)는 2008년, 2012년, 2016년 패럴림픽에서 24개의 메달을 획득했다. 14개의 금메달, 7개의 은메달, 3개의 동메달이다. 팔다리가 기형으로 태어난 디아스는 16세가 돼서야 수영을 시작했지만, 겨우 2개월 만에 4가지 영법을 모두 익혔다.

접영 100m 최고 기록(여성)

2016년 리우에서 사라 요스트롬은 스웨덴 선수 최초로 여자 수영에서 금메달을 획득했다. 요스트롬은 8월 7일 접영 100m 결승에서 55.48초로 우승했다.

배영 100m 최고 기록(남성)

2016년 8월 13일 라이언 머피(미국)는 올림픽 4×100m 혼계영 결승에서 배영으로 51.85초를 기록했다. 그가 속한 미국 팀은 금메달을 획득했다.

▲ 수영 최고령 개인 금메달 획득 선수

앤서니 어빈(미국, 1981년 5월 26일생)은 2016년 8월 12일, 리우 올림픽 50m 자유형 경기에서 35세 78일의 나이로 금메달을 목에 걸었다. 2000년 시드니 대회에서 자신의 첫 금메달을 획득했는데, **2번째 금메달까지 가장 오래 걸린 선수**이기도 하다(15년 325일).

▲ 올림픽 최다 메달

2016년 리우에서 은퇴를 선언한 마이클 펠프스(미국)는 올림픽 역사상 가장 많은 메달을 획득했다. 4번의 올림픽에 출전한 펠프스는 28개의 메달을 획득해 가장 근접한 라이벌인 체조선수 라리사 라티니나(구소련/현 우크라이나)보다 10개 이상 많다. 그는 금메달만도 23개나 획득해, **올림픽에서 금메달을 가장 많이 딴 선수**이기도 하다.

평영 쇼트 코스 200m 최고 기록(남성)

2016년 11월 20일, 베를린에서 열린 독일 쇼트 코스(25m 경기장) 챔피언십에서 마르코 코흐(독일)가 200m 평영에서 2분 0.44초의 기록을 세웠다. 코흐는 8월 10일 열렸던 2016년 리우 올림픽에서 평영 200m 결승에서 7위에 머물렀던 아쉬움을 달랬다.

자유형 100m 최고 기록(여성)

2016년 7월 2일 케이트 캠벨(호주)은 호주 브리즈번에서 열린 호주 그랜드 프릭스 대회에서 자유형 100m를 52.06초 만에 완주했다. 캠벨은 2016년 리우 올림픽에서 3분 30.65초로 **자유형 계영 4×100m 최고 기록(여성)**을 세운 팀의 일원이었다. 동료는 엠마 매키언, 브리타니 엘름슬리 그리고 케이트의 자매인 브론테 캠벨이었다(모두 호주).

올림픽에서 수영 은메달이 가장 많이 나온 경기(동률)

2016년 8월 12일에 열린 리우 올림픽 남자 100m 접영 결승전은 역사상 가장 치열한 수영 경기 중 하나였다. 우승자 조셉 스쿨링(싱가포르) 뒤로 3명의 선수가 소수점 두 자리(51.14초)까지 동률을 이뤘다. 마이클 펠프스(미국), 채드 르 클로스(남아프리카 공화국) 그리고 라즐로 체흐(헝가리)가 2등이었다.

▼ FINA 수영 월드컵 최다 금메달 획득 선수(남성)

채드 르 클로스(남아프리카 공화국)는 2009~2016년까지 FINA 월드컵에서 놀랍게도 금메달을 116개나 획득했다. 그의 기록에 그나마 근접한 선수는 롤랜드 슈먼(남아프리카 공화국)인데, 금메달 64개로 절반 정도밖에 안 된다. 르 클로스는 2016년 리우 올림픽에서 2개의 은메달을 목에 걸었고, 여세를 몰아 12월 8일 캐나다 윈저에서는 **접영 100m 쇼트 코스 최고 기록**도 세웠다(48.08초).

수상 스포츠 WATER SPORTS

프리다이빙은 '애프니어(Apnea)'로도 불린다.
그리스어 '아포니(Aponi)'에서 유래한 이 단어는 '무호흡'을 뜻한다.

▲ 올림픽 카약 최다 금메달 선수(여성)
다누타 코작(헝가리)은 2016년 8월 16~20일 리우 올림픽에서 연속 금메달을 획득했다. 카약 스프린트 500m에서 여자 1인승, 2인승, 4인승까지 모두 금메달을 땄다. 코작은 블라디미르 파르페노비치(구소련, 현 벨라루스, 1980) 그리고 이안 퍼거슨(뉴질랜드, 1984)에 이어 단일 종목 3관왕에 오른 3번째 선수가 됐다.

최장 거리 프리다이빙(다이내믹 핀 잠영)
2016년 7월 3일, 마테우스 말리나(폴란드)와 기오르고스 파나기오타키스(그리스)가 핀란드 투르크에서 수평거리 300m를 물속으로 헤엄쳐 갔다. 단 한 번의 호흡으로 올림픽 수영장 50m 거리를 6번 지나간 것과 같다!

가장 깊이 내려간 프리다이빙
(프리 이멀젼/ 프리 애프니어, 여성)
2016년 9월 6일 자닌 그라스메이어(네덜란드)는 리워드 앤틸리스 보나이어의 크라렌디즈크에서 92m까지 잠수해 내려갔다. 프리 이멀젼 다이버는 어떤 추진 장비도 사용할 수 없다.

조정 페어 팀 국제대회 최다 연승 기록
해미시 본드와 에릭 머레이(둘 다 뉴질랜드)는 조정 역사상 가장 강력한 팀 중의 하나다. 이 둘은 2009년 6월 19일~2016년 8월 11일까지 8번의 시즌에서 진 적이 없으며, 69번의 경기를 모두 승리로 장식했다. 월드 챔피언십 6회, 올림픽 2회에서 전승을 거둔 것이다. 2012년 런던 올림픽에서 본드와 머레이는 6분 8.5초로 금메달을 따며 10년이나 묵은 **조정 남자 페어 최고 기록**을 6초나 단축했다.

조정 경량급 더블스컬 최고 기록(여성)
2016년 6월 19일, 폴란드 포즈난에서 열린 월드 로잉 컵에서 마이케 헤드와 일서 파울리스(둘 다 네덜란드)가 6분 47.69초를 기록했다. 이는 2015년 6월 20일 샬럿 테일러와 캐서린 코플랜드(둘 다 영국)가 세운 6분 48.38초를 앞지른 기록이다.

올림픽 카누/카약 최초의 공동 메달 수상
2016년 8월 20일에 열린 올림픽 카약 스프린트 남자 1인승 200m 결승에서 승부를 가릴 수 없는 경기가 나왔다. 사울 크라비오토(스페인)와 로날트 라우에(독일)는 35.662초로 동시에 결승선을 통과해 동메달을 획득했다.

▲ 올림픽 싱크로나이즈드 스위밍 최다 금메달 선수(개인)
2016년 리우 올림픽에서 나탈리아 이셴코(왼쪽)와 스베틀라나 로마시나(오른쪽, 둘 다 러시아)는 단체전과 듀엣 종목에서 금메달을 획득해, 각각 올림픽 금메달을 총 5개씩 가지고 갔다. 이는 전 동료 아나스타샤 다비도바(러시아)가 2004(아테네 올림픽)~2012년(런던 올림픽)까지 출전해 거둔 성적과 같다. 이 3명의 선수는 런던 올림픽 당시 한 팀이었다.

▲ 국제 수구 대회 연속 우승(남성)
수구(Water Polo)에 관한 한 세르비아가 독보적이다. 세르비아는 2016년 8월 20일 크로아티아를 11-7로 꺾으며 올림픽 금메달을 땄다. 이로써 2014년 월드컵, 2015년 월드 리그, 2015년 월드 챔피언십, 2016년 유로피언 챔피언십까지 5개의 국제대회에서 연속 우승을 달성했다.

▲ 올림픽 단체 경기 최다 연속 금메달 선수(여성)
싱크로나이즈드 다이버 우민샤(중국, 왼쪽)는 2016년 리우 올림픽에서 연속 4번째 금메달을 목에 걸며 농구선수 리사 레슬리, 수 버드, 타미카 캐칭, 다이애나 터라시(모두 미국)와 동률을 이뤘다. 이 메달은 우민샤의 5번째 금메달로, **올림픽 다이빙 종목에서 가장 많은 금메달을 딴 선수**가 됐다.

KPWT 프리스타일 월드 챔피언십 최다 우승 선수(여성)
기셀라 풀리도(스페인)는 월드 카이트 투어(전 PKRA) 프리스타일 챔피언십에서 2004~2011년, 2013년, 2015년 등 총 10회에 걸쳐 우승을 거뒀다. 풀리도는 2012년과 2014년에 캐롤리나 윈코우스카(폴란드)에게 졌으나 2015년에는 다시 승리했다.

메디나는 2009년 **최연소 서핑 세계 주요 대회 우승자**가 됐다. 그는 프로가 된 뒤 고작 10일 뒤인 15세 202일의 나이로 마레시아 서프 인터내셔널에서 우승을 거뒀다!

WSL 서핑 월드 챔피언십 시즌 최다 득점(여성)
타일러 라이트(호주)는 2016년 월드 서핑 리그(WSL) 챔피언십 투어(여성)에서 10번의 대회 중 5회를 우승해 타이틀을 획득했다. 순위 점수 7만 2,500점을 올려, 하와이 출신 카리사 무어가 세운 이전 최고 기록인 2015년의 6만 6,200점을 훨씬 앞질렀다.

▲ 서핑 월드 챔피언십 최초의 백플립
2016년 5월 14일, 가브리엘 메디나(브라질)는 브라질 리우데자네이루 바하 다티주카 해변에서 열린 오이 리우 프로(Oi Rio Pro) 2라운드 경기에서 공중 뒤돌기에 성공하며 서핑의 새 역사를 썼다. 2014년 브라질 선수 최초로 서핑 월드 챔피언에 등극한 메디나는 백플립 성공으로 5명의 심판에게 모두 10점 만점을 받았다. 그는 차원이 다른 선수였다.

겨울 스포츠 WINTER SPORTS

2016년 9월 30일, 하뉴 유즈루(일본)는
남자 피겨 스케이팅 대회 최초로 쿼드러플(4회전) 점프에 성공했다.

피겨 스케이팅 프리댄스 최고 점수(아이스댄싱)
2016년 3월 31일, 프랑스의 듀오, 가브리엘라 파파다키스와 기욤 시즈롱이 미국 매사추세츠 주 보스턴에서 열린 ISU 월드 챔피언십에서 118.17점을 기록했다.
2016년 12월 9일, 테사 버추와 스콧 모이어(둘 다 캐나다)는 프랑스 마르세유에서 열린 ISU 그랑프리 피겨 스케이팅 파이널에서 **피겨 스케이팅 쇼트댄스(아이스댄싱) 최고 점수**를 기록했다(80.50점).

월드 싱글 디스턴스 스피드 스케이팅 챔피언십 최초의 500m, 1,000m 우승(남성)
파벨 클리즈니코프(러시아)가 2016년 2월 13~14일 러시아 콜롬나에서 열린 챔피언십 대회에서 2종목을 석권했다. 그는 2015년 대회에서는 500m에서 금메달을 땄으나 1,000m 경기에서는 0.04초 차이로 은메달을 획득했다.
같은 대회에서 데니스 유스코프(러시아)는 **월드 싱글 디스턴스 스피드 스케이팅 챔피언십 1,500m 최다 연속 우승**을 기록했다(3회). 그는 2013년과 2015년에 이어 이번에도 우승했다.

캐나다 컬링 챔피언십 최다 우승 주(州)
'브라이어(찔레)'로 알려진 캐나다 컬링 챔피언십은 1927년 처음 개최됐다. 앨버타는 2016년 27번째 우승을 거두며 매니토바가 2011년에 기록한 최다 우승 횟수와 동률을 이뤘다.

인터내셔널 500 스노모빌 대회 최다 우승(제작사)
'I-500' 스노모빌 경기는 미국 미시간 주 수세인트마리에 끝없이 펼쳐진 804km 코스를 질주하는 경기다. '분케 레이싱' 팀이 2017년 2월 4일 우승 체크기를 받으며 제조사 폴라리스(미국)에 26번째 승리를 안겼다.

▶ 피겨 스케이팅 쇼트 프로그램 최고 점수(여성)
예브게니아 메드베데바(러시아)가 2016년 12월 9일, 프랑스 마르세유에서 열린 국제빙상연맹(ISU) 그랑프리 피겨 스케이팅 파이널에서 79.21점을 기록했다.
2017년 1월 27일 메드베데바는 체코 오스트라바에서 열린 ISU 유로피언 챔피언십에서 **피겨 스케이팅 프리 스케이팅 최고 점수(여성)**인 150.79를 기록했다.

▲ 스키점프 월드컵 개인 최다 우승(여성)
다카나시 사라(일본)는 2017년 2월 16일, 대한민국 평창에서 열린 FIS 월드컵에서 53번째 우승을 거머쥐었다. 2011년 12월 3일, 15세 56일의 나이로 데뷔한 그녀는 다음 해 3월 3일 열린 대회에서 처음으로 우승을 거뒀다. 다카나시는 2013년, 2014년, 2016년, 2017년에 종합 우승을 했다.

가장 많은 국가가 참가한 밴디 월드 챔피언십
밴디는 아이스하키와 비슷하지만 퍽 대신 공을 사용한다. 한 팀이 11명으로 구성되며, 축구장과 비슷한 크기의 빙판 위에서 승부를 겨룬다. 스웨덴에서 열린 2017년 월드 챔피언십에는 몽골, 네덜란드, 소말리 족을 기반으로 한 스웨덴 팀 등 18개국이 참가해 2016년 대회와 참가국 수가 동률을 이뤘다.
1957년 시작된 **밴디 월드 챔피언십에서 가장 많이 우승한 국가(남성)**는 소련, 러시아로 총 24회 이겼다. 소련으로 출전한 대회에서 1957~1979년, 1985년, 1989~1991년도에 우승했고, 러시아로 1999~2001년, 2006~2008년, 2011년, 2013~2016년 우승했다.
밴디 월드 챔피언십 최다 우승국(여성)은 스웨덴으로 총 7회 승리했다. 2004년 대회가 시작한 이래 스웨덴은 2014년을 제외한 모든 대회에서 우승했다.

▲ 쇼트트랙 1,500m 최고 기록(여성)
최민정(대한민국, 위 정면)이 2016년 11월 12일, 미국 유타주 솔트레이크시티에서 열린 ISU 월드컵 쇼트트랙 시리즈에서 2분 14.354초를 기록했다. 최민정은 심석희, 김지유, 김건희(모두 한국)와 함께 **쇼트트랙 3,000m 계주 최고 기록**도 달성했다(4분 4.222초).

바이애슬론 월드컵 최다 연속 종합 우승(여성)
마틴 푸어카드(프랑스)는 2017년 자신의 6번째 바이애슬론 타이틀을 연속으로 가져오며, 라파엘 푸아레(프랑스)와 프랑크 울리히(전 동독)의 기록을 3회 앞섰다.
바이애슬론 월드 챔피언십 최다 메달 기록(남성)은 올레 에이나르 비에른달렌(노르웨이)이 1997~2017년까지 획득한 45개다.

스키 월드컵 최다 우승(여성)
린지 본(미국)은 2017년 1월 21일, 독일 가르미슈파르텐키르헨에 위치한 칸다하르 코스에서 열린 FIS 월드컵 활강 경기에서 77번째 우승을 이뤄냈다.
활강 종목에서만 39번 우승해 **월드컵 활강 개인 최다 우승 기록(여성)**도 보유하고 있는 린지 본은 불과 몇 주 전 훈련 중에 사고를 당해 오른쪽 팔이 골절됐음에도 이 같은 성과를 올렸다.

2015년 12월 22일, 히르셔는 이탈리아 마돈나 디 캄필리오에서 열린 월드컵 스키 회전 종목에서 활강하던 중 촬영용 드론이 바로 옆에 떨어지는 바람에 큰 사고를 당할 뻔했다.

◀ FIS 알파인 스키 월드컵 최다 연속 우승(남성)
마르셀 히르셔(오스트리아)는 국제스키연맹(FIS) 알파인 스키 월드컵에서 2012~2017년까지 연속 종합 우승을 거뒀다. 그는 이번 우승으로 **FIS 알파인 스키 월드컵 최다 우승(남성)** 기록도 가지고 왔다. 마르셀은 마르크 지라델리(룩셈부르크, 오스트리아 출생)가 1985~1986년, 1989년, 1991년, 1993년에 세운 종합 5회 우승의 기록을 1회 앞질렀다.

동계 올림픽 미리 보기 WINTER OLYMPICS PREVIEW

PyeongChang 2018

2018년 동계 올림픽은 대한민국 평창에서 열린다.
누가 또 말도 안 되는 기록들을 세우게 될까?

동계 올림픽에 가장 많이 출전한 선수
스키점프 선수 가사이 노리아키(일본)와 루지 선수 알버트 뎀첸코(러시아)는 모두 1992년 알베르빌 올림픽부터 2014년 소치 올림픽까지 7회 출전했다.
알버트(1971년 11월 27일생)는 **동계 올림픽 최고령 개인 메달리스트**이기도 하다. 그는 2014년 2월 9일, 42세 74일의 나이로 은메달을 획득했다.

동계 올림픽 한 대회 최다 금메달 획득 선수
에릭 하이든(미국)은 미국 뉴욕 레이크 플래시드에서 펼쳐진 1980년 동계 올림픽 스피드 스케이팅 종목에서 5개의 금메달을 땄다. 그는 500m, 1,000m, 1,500m, 5,000m, 1만m를 석권했다.
동계 올림픽 한 대회 최다 금메달 획득 선수(여성)는 스피드 스케이팅 리디아 스코블리코바(구소련/러시아)로, 1964년 인스브루크 대회에서 500m, 1,000m, 1,500m, 3,000m까지 총 4개를 획득했다.

▲ 최초의 동계 올림픽
최초의 동계 올림픽은 1924년 1월 25일~2월 5일에 프랑스 샤모니에서 열렸다. 이 대회는 여름에는 할 수 없는 눈과 얼음을 사용하는 스포츠를 위해 시작됐다. 1만 4명의 유료 관중들 앞에서 247명의 남자선수와 11명의 여자선수가 스피드 스케이팅, 컬링, 하키(위 참조) 등의 경기를 치렀다. 찰스 주트로(미국)는 1924년 1월 26일 샤모니 올림픽 스타디움에서 열린 스피드 스케이팅 500m에서 우승하며 **동계 올림픽 최초의 금메달리스트**가 됐다.

▲ 동계 올림픽 최연소 개인 종목 금메달리스트
타라 리핀스키(미국, 1982년 6월 10일생)는 1998년 2월 20일, 일본 나가노에서 열린 피겨 스케이팅 여자 싱글 대회에서 15세 255일의 나이로 우승했다.
최연소 올림픽 금메달리스트는 대한민국의 김윤미(1980년 12월 1일생)다. 김윤미는 1994년 릴레함메르 올림픽 여자 3,000m 쇼트트랙 계주 경기에서 13세 85일의 나이로 금메달을 목에 걸었다.

▲ 동계 올림픽에서 가장 많은 메달을 딴 선수
1998~2014년까지 올레 에이나르 비에른달렌(노르웨이)은 동계 올림픽 바이애슬론 종목에서 13개의 메달을 획득했다. 바이애슬론은 크로스컨트리 스키와 사격이 혼합된 종목이다. 금메달을 8개 획득해 **동계 올림픽 최다 금메달리스트**이기도 하다. 이 기록은 크로스컨트리 선수 비에른 델리(노르웨이)가 1992~1998년 획득한 금메달 수와 같다.
비에른달렌은 2014 소치 대회 바이애슬론 10km 스프린트에서 40세 12일의 나이로 우승을 거두며 **동계 올림픽 최고령 개인 종목 금메달리스트**도 됐다.

Q: 1960년 동계 올림픽 개막식은 누가 기획했을까?

A: 월트 디즈니

올림픽 연속 메달 획득(개인)
루지 선수 아르민 죄겔러(이탈리아)는 엄청난 승부욕으로 '육식동물'이라는 별명이 붙었다. 그는 1994~2014년까지 올림픽 동계 올림픽에서 연속 6회 메달을 획득했다.

남반구 최초의 동계 올림픽 메달리스트
스키 선수 애널리스 코버거(뉴질랜드)는 1992년 알베르빌 올림픽 회전 경기에 출전해 은메달을 목에 걸었다. 그녀는 동계 올림픽이 열리고 68년 만에 남반구 출신으로는 처음 메달을 획득한 선수다.

동계 올림픽 아이스하키 최다 메달 획득 선수
캐나다는 여자 아이스하키가 처음 도입된 1998년 나가노 올림픽을 제외하고 모든 대회 결승에서 승리했다. 포워드인 제이나 해포드와 센터인 헤일리 위켄하이저는 전 대회에 출전해 4개의 금메달과 1개의 은메달을 획득했다.

동계 패럴림픽 최다 금메달
랑힐트 뮈클레부스트(노르웨이)는 1988~2002년까지 크로스컨트리, 아이스슬레지 스피드레이싱, 바이애슬론에서 22개의 금메달을 획득했다. 3개의 은메달과 2개의 동메달도 추가로 얻었다. 동계 패럴림픽 최다 금메달(남성)은 거드 쉬른페더(독일)가 1992~2010년까지 알파인 스키에서 기록한 16개다. 4개의 은메달과 2개의 동메달도 추가로 획득했다.

▶ 동계 올림픽 최다 메달 획득 선수(여성)
3명의 여성 크로스컨트리 선수들이 동계 올림픽에서 10개의 메달을 획득했다. 라이사 스메타니나(구소련/러시아, 1976~1992), 스테파니아 벨몬도(이탈리아, 1992~2002), 마리트 비에르옌(노르웨이, 오른쪽, 2002~2013)이다. 비에르옌은 이중 6개를 금메달로 따 **동계 올림픽에서 금메달을 가장 많이 획득한 선수(여성)**에 올랐다. 이 기록은 스피드 스케이팅의 리디야 스코블리코바(구소련/러시아, 1960~1964), 크로스컨트리의 류보프 예고로바(러시아, 1992~1994)와 동률이다.

2015년 마리트 비에르옌은 월드컵 크리스털 글로브 3개를 싹쓸이하며 새 역사를 썼다. 종합, 디스턴스, 스프린트 부문을 모두 석권한 자신의 2번째 기록이다. 2004~2005년에도 달성했다.

동계 올림픽 한 대회에 가장 많이 참가한 형제
1988년 캘거리 올림픽에 출전한 멕시코의 2인 봅슬레이 두 팀은 4형제로 구성돼 있었다. 조지, 에두아르도, 로버트, 아드리안 타메스다.

익스트림 스포츠 EXTREME SPORTS

2015년 보고에 따르면 고프로(GoPro) 액션 카메라로 찍은 영상이 유튜브에 1분마다 100시간 분량씩 업로드됐다.

▲ 포고 스틱 점프 최고 높이

2016년 10월 15일, 비프 허치슨(미국)은 미국 아이다호 주 벌리에서 포고 스틱(일명 스카이콩콩)으로 인류 평균 키의 2배에 달하는 3.36m 공중으로 뛰어올랐다. 그의 이전 기록은 2016년 7월 8일, 미국 펜실베이니아 주에서 열린 포고팔루자 2016년 대회에서 닉 파티뇨(미국)를 상대로 세운 3.2m로, 돌턴 스미스(미국)와 동률이었다.

스카이다이빙 최고 속도(남성)

2000년대 중반 시작된 스피드 스카이다이빙은 비행기에서 뛰어내려 누가 가장 빠른 속도로 자유낙하하는지 겨루는 경기다. 2016년 9월 13일, 헨릭 라이머(스웨덴)는 미국 일리노이 주 시카고에서 열린 국제항공연맹(FAI) 월드 챔피언십 5라운드에서 601.26km/h로 낙하해, 스피드 스카이다이빙 세계 챔피언이 됐다.

행글라이더 최장 거리 비행(여성)

요코 이소모토(일본)는 2016년 1월 7일, 호주 뉴사우스웨일스 포브스에서 윌겟까지 '클래스 1 윌스 윙 T2C' 행글라이더를 타고 367.6km를 비행했다.

행글라이더로 오른 최고 높이(남성, FAI 공인)

안톤 라우마우푸(오스트리아)는 2016년 1월 3일, 나미비아 벅스도르프와 헬머링하우젠 지역에서 상공 4,359m까지 날아올랐다.

▲ 최장 거리 자전거 뒤로 공중제비(보조 추진력 이용)

2016년 8월 13일, 엑스게임 스타 케빈 케이롭 로빈슨이 라이브 ESPN 스페셜 행사에서 자전거 뒤로 공중제비 신기록을 세웠다. 그가 목표로 한 19.5m를 성공하려면 69.2km/h의 속도가 필요했기 때문에 4륜 오토바이에 견인돼 도약했다. 첫 번째 시도에서는 착지 때 몸이 튕겨 나갔지만 바로 몇 분 뒤 25.6m라는 괴물 같은 거리를 점프하는 데 성공했다.

▲ 월드 보더크로스 챔피언십 최다 우승

보더크로스, 마운틴보드의 코스는 특히나 좁고 구불구불하며 커브가 많게 설계된다. 매트 브린드(영국, 위, 정면)는 2014~2016년까지 월드 보더크로스 챔피언십에서 3회나 우승했다. 다른 우승자는 코디 스튜어트(미국, 2013년 우승) 단 한 명뿐이다. 스튜어트는 2016년 세르비아 부코바르에서 열린 2016년 챔피언십에서 브린드에 이어 2위를 기록했다.

최장 거리 픽업트럭 점프(점프대 사용)

2016년 8월 25일, 브라이스 멘지스(미국)가 미국 유령마을에 설치된 115.64m 거리의 점프대를 뛰어넘는데 성공했다. 그는 미국 뉴멕시코 주 보난자 크릭 랜치에서 열린 TV 쇼 리허설 중 '프로 2 트럭'으로 이 기록을 세웠다. 더 많은 트럭 점프 기록은 208~209페이지에 나온다.

중력만 이용한 도로썰매 최고 속도

마이크 매킨타이어(미국)는 2016년 9월 10일, 캐나다 퀘벡 레 에블망에서 열린 '최후의 하강' 세계 스피드 기록 대회에서 164km/h를 달성했다. 매킨타이어는 2008년 세드릭 터체트(캐나다)가 세운 157.41km/h를 경신했다.

급류타기 월드 챔피언십 최다 우승(남성)

브라질 남자 팀은 2016년 국제래프팅연맹(IRF) 월드 챔피언십에서 6번째 우승을 거머쥐었다. 브라질은 2007년, 2009년 그리고 2013~2015년 대회에서 금메달을 획득했다. 이 우승으로 1995~1999년까지 월드 챔피언십에서 5회 우승한 전설의 팀 '슬로베니아 보버'를 뛰어넘게 됐다.

1km 얼음 수영 최고 기록(남성)

페타르 스토이체브(불가리아)는 독일 바이에른 부르크하우젠에서 열린 제2회 아이스 스위밍 아쿠아스피어 월드 챔피언십에서 1km를 12분 15.87초에 헤엄쳤다. 유디트 비티히(독일)는 같은 대회에서 13분 13.58초를 기록하며 **1km 얼음 수영 여성 최고 기록**을 세웠다. 대회는 2017년 1월 6일 열렸다.

130km/h로 달리는 스케이트보드를 세우려면 엄청난 균형감각과 기술이 필요하다. 선수가 천천히 일어나 팔을 벌리고 스케이트복을 열면 낙하산처럼 저항을 일으켜 멈추게 된다.

◀ 다운힐 스케이트보드 최고 속도(스탠딩)

2016년 5월 31일, 스케이트보드의 전설 에릭 런드버그(스웨덴)는 현존하는 스케이트보드 최고 속도 기록인 129.94km/h의 기록을 깨버렸다. 캐나다 퀘벡에 있는 내리막 1km 코스는 경사도가 18%에 달한다. 몇 번의 연습으로 코스를 익힌 런드버그는 130.63km/h의 속도로 질주했다. 비결은? 최대한 자세를 움직이지 않아야 한다.

엑스게임 X GAMES

오스틴 2016년 대회에서 잭슨 스트롱은 쿼터 파이프 경기에서 사고를 당한 뒤 1시간 만에 병원에서 뛰쳐나와 모토 X 베스트 트릭 경기에서 우승을 거머쥐었다.

▲ 스케이트보드 파크 엑스게임 최다 연속 메달(남성)

페드로 바로스(브라질)는 2010년 엑스게임에 데뷔한 이래 9회 연속 시상대에 섰다. 그리고 2016년 대회에서 다시 한 번 정점에 올랐다. 페드로는 총 6개의 금메달과 3개의 은메달을 획득했다. 그는 브라질 플로리아노폴리스에 있는 자신의 집 뒷마당에 대형 연습설비를 설치했는데, 이곳은 지역의 많은 스케이터들이 모이는 명소가 됐다.

서머 엑스게임에서 경쟁한 최초의 부부

서머 엑스게임 중 가장 빠르고 치열한 모터사이클 경주로 유명한 '할리 데이비슨 플랫트랙' 대회는 미국 텍사스 주 오스틴 인근 '서킷 오브 더 아메리카스 레이스 트랙'에 있는 0.8km 더트코스에서 열린다. 2015년 6월 4일 열린 첫 대회에는 자레드와 니콜 메스(둘 다 미국) 부부가 프로 레이서로 출발명단에 올라 있었다. 마지막 바퀴에서 일어난 기술 문제로 자레드는 금메달의 기회를 놓쳤지만 다음 해에 돌아와 우승을 거뒀다.

2016년 6월 2일에 열린 대회에는 코리와 셰이나 텍스터(둘 다 미국)가 **서머 엑스게임 최초로 남매 대결**을 했다. 둘은 치열하게 경쟁했지만 모두 결승에는 오르지 못했다. 하지만 셰이나는 코리보다 한 등수 앞선 21위를 기록하며 집안에서 큰소리 칠 수 있게 됐다.

윈터 엑스게임 하루 최다 관중

2016년 1월 30일, 미국 콜로라도 주 애스펀에서 열린 '윈터 엑스게임 20' 경기 3일차에 4만 9,300명의 관중이 모였다. 극악무도한 날씨와 눈 폭풍도 팬들을 돌려세우지는 못했다. 사람들은 스키와 모노스키 엑스 그리고 남자 스노보드 슈퍼파이프 경기를 즐겼다. 여기에 DJ 스네이크와 데드마우스의 공연도 더해졌다.

서머 엑스게임에서 금메달 외 메달을 가장 많이 딴 선수

사이먼 타브론(영국)은 1998~2016년까지 14회나 시상대에 올랐지만 한 번도 금메달을 따지 못했다. 총 6개의 은메달과 8개의 동메달만 BMX 버트 디시플린 종목에서 획득했다. 2016년 서머 엑스게임에서 타브론은 2회의 주행으로 최고 86.00점을 기록해, 같은 국적의 제이미 베스트윅의 90.66을 넘어서지 못하더라도 은메달은 충분해 보였다. 하지만 놀랍게도 타브론은 동메달을 땄고, 베스트윅보다 두 등수가 낮은 5회째 대회가 됐다.

윈터 엑스게임 스노보드 슬로프스타일 최다 메달 획득(여성)

제이미 앤더슨(미국)은 2016년 윈터 엑스게임에서 은메달을 따며 2006~2016년까지 총 11개의 메달을 획득했다. 그녀는 2006년 슬로프스타일 종목에 데뷔하며 금메달을 땄고, 그 뒤로 나올 때마다 시상대에 올랐다. 앤더슨은 도합 4개의 금메달과 5개의 은메달, 2개의 동메달을 가져갔다. 그녀는 2016년 애스펀에서 89.00점을 기록하며 91.00점을 기록한 스펜서 오브라이언(캐나다)에 이어 2위에 올랐다.

▲ 윈터 엑스게임 스노보드 최고 점수(여성)

백-투-백 1080s 회전과 맥트위스트 기술을 성공시키며 클로에 킴(미국)이 2016년 2월 26일, 노르웨이 오슬로에서 열린 '엑스게임 오슬로 대회' 스노보드 슈퍼파이프 부문에서 98.00점을 기록했다. 2000년 4월 23일생인 클로에는 15세 309일의 나이로 3번째 금메달을 획득하며 **최연소 엑스게임 3회 금메달리스트**가 됐다.

▲ BMX 스트리트 부문 최다 금메달(남성)

가렛 레이놀즈(미국)는 2008년 엑스게임에 처음 등장한 이래 총 9회의 대회에서 8개의 금메달을 가져가며 BMX 스트리트 세계를 지배하고 있다. 레이놀즈는 딱 한 번 정상의 자리를 놓쳤는데, 2013년 로스앤젤레스 대회에서 채드 컬리(미국)에게 밀려 은메달을 땄다. 그는 BMX 주행에서 가장 어려운 기술을 구사한다.

윈터 엑스게임 최다 금메달(여성)

여자 스노보드 크로스에는 오직 하나의 이름만 존재한다. 린지 자코벨리스(미국)다. 2003~2016년까지 미국 콜로라도와 애스펀에서 열린 윈터 엑스게임 대회에서 10개의 금메달을 땄다. 부상으로 2년간 대회에 나오지 못했는데 그렇지 않았다면 기록은 더 높았을 수도 있다. 자코벨리스는 엑스게임을 10년 넘게 지배했지만 동계올림픽에서는 2번이나 아픔을 겪었다. 2006년 이탈리아 토리노 올림픽에서는 코스 마지막까지 3초를 앞선 상황에서 메소드 그랩을 시도하다가 실패해 금메달을 타냐 프리든(스위스)에게 내줬다. 2014년 소치에서는 실수로 구르는 바람에 결선에도 오르지 못했다.

파멜라 로사가 좋아하는 스케이트보드 기술은 프론트사이드 피블로다. 보드와 함께 레일을 향해 점프해 보드 판 뒷부분을 레일에 대고 내려가는 기술이다. 이 기술을 성공시키려면 정확한 균형 감각이 필요하다.

▲ 엑스게임 스케이트보드 스트리스 최연소 금메달(여성)

1999년 7월 19일에 태어난 고등학생 파멜라 로사(브라질)는 2016년 2월 25일, 노르웨이 오슬로에서 열린 엑스게임 대회에서 겨우 16세 221일의 나이로 금메달을 획득했다. 안정된 기술을 선보인 로사는 총 3회의 기회 중 첫 번째 시도에 80.33점을 기록하며 경쟁자들을 일찌감치 물리쳤다. 연속 3회 메달 획득으로, 2014년과 2015년에는 은메달을 땄다.

스포츠 전반 SPORTS ROUND-UP

체조선수 시몬 바일스(미국)는 주특기인 뒤공중돌기를 할 때, 자기 키의 약 2배 높이까지 뛰어오른다.

▲ 올림픽 여자 배구 최다 서브 에이스

예카테리나 코시아넨코(러시아)는 2016년 8월 6일, 리우 올림픽 아르헨티나와의 경기에서 25-13, 25-10, 25-16으로 승리하며 8개의 서브 에이스를 기록했다. 디나모 모스크바에서 세터로 뛰고 있는 예카테리나는 조일라 바로스와 야넬리스 산토스(둘 다 쿠바)가 5세트까지 진행된 경기에서 기록한 7개의 서브 에이스 기록을 1개 차로 경신했다.

여자 소프트볼 월드 챔피언십 최다 우승

1965년 처음 도입된 여자 소프트볼 월드 챔피언십은 지금까지 15회 개최됐다. 2016년 7월 24일, 미국 팀은 캐나다 서리에서 일본을 7-3으로 물리치며 10번째 타이틀을 가져갔다. 대회 6회 연속 벌어진 미국과 일본의 결승전이었다. 두 팀 합계 10점은 **여자 소프트볼 월드 챔피언십 결승 최고 득점**이다.

▲ 월드 오픈 스쿼시 챔피언십 여자 최연소 우승

누르 엘 셔비니(1995년 11월 1일생, 이집트, 위 사진)는 2016년 4월 30일, 말레이시아 쿠알라룸푸르에서 열린 여자 월드 오픈 스쿼시 챔피언십에서 20세 181일의 나이로 우승했다. 2009년 역대 최연소인 13세의 나이로 월드 주니어 챔피언십에 올랐던 엘 셔비니는 세계 랭킹 1위인 로라 마사로(영국)에게 6-11, 4-11, 11-3, 11-5, 11-8로 2세트를 먼저 내줬지만 끝내 승리했다.

라켓볼 월드 챔피언십 최다 우승(남성)

국제라켓볼연맹(IRF) 월드 챔피언십은 1984년부터 2년마다 열리고 있다. 2016년 7월 23일 록키 카슨(미국)은 남자 단식 타이틀을 5연속으로 획득했다. 그는 결승에서 다니엘 드 라 로사(멕시코)를 15-11, 5-15, 11-5로 물리쳤다.

라켓볼 월드 챔피언십 여성 최다 우승은 3회로 3명의 선수가 기록했다. 미셸 굴드(미국)가 1992년, 1994년, 1996년에 우승했고, 셰럴 구디나스(미국)가 2000년, 2002년, 2004년에 우승했고, 마지막으로 파올라 롱고리아(멕시코)가 2012년, 2014년, 2016년에 우승했다.

올림픽 비치발리볼 최다 연승

2004~2016년까지 케리 월시 제닝스(미국)는 올림픽 비치발리볼 경기에서 22연승을 기록했다. 그녀는 2016년 리우 올림픽 준결승에서 아가타 베드나르주크, 바바라 세이가스(브라질) 팀에게 첫 올림픽 패배를 당하기 전까지, 미스티 메이트리너와 함께 3회 연속 금메달을 획득했다. 월시는 새 파트너 에이프릴 로스와 동메달을 땄다.

브렌트 하비는 2016년 10월 7일 노스 멜버른이 계약 갱신을 거절하자 AFL 은퇴를 선언했다. 하비는 클럽에 남아 선수들의 멘토가 될 계획이다.

▲ 호주 풋볼 경기 최다 출장

2016년 7월 30일, 노스 멜버른의 브렌트 하비는 전설적인 선수 마이클 턱(둘 다 호주)의 AFL 427회 출장 기록을 경신했다. 9월 10일 시즌이 끝난 후 하비의 출장 경기 수는 총 432경기로 늘어났다. 그는 1996년 시즌 22라운드에 18세 112일의 나이로 데뷔했다. '부머'라는 별명의 하비는 커리어 통산 총 518득점, 334비하인드를 기록했으며, 필드 위에서 약 7,300km를 달렸다.

올림픽 배드민턴 최다 메달 획득

2012년 런던 올림픽에서 이미 금메달을 획득한 장난(중국)은 2016년 리우 올림픽에서 남자복식 금메달과 혼합복식 동메달을 추가로 획득했다. 올림픽에서 3개의 메달을 획득한 선수는 그 외에 김동문(대한민국, 1996~2004), 리 총 웨이(말레이시아, 2008~2016), 푸하이펑(중국, 2008~2016) 단 3명뿐이다.

여성선수 가오링(중국)이 유일하게 이들에 앞서 있는데, 2000~2004년 대회에서 2개의 금메달과 은메달, 동메달을 1개씩 획득해 **올림픽 배드민턴 개인 최다 메달 획득 선수**가 됐다.

배드민턴 월드 팀 챔피언십 최다 우승(여성)

중국은 1956년 시작한 배드민턴 유버컵에서 14회 우승했다. 1984~2016년까지 1994년, 1996년, 2010년을 제외하고 모두 우승했다. 2016년 대회 결승에서 대한민국을 3-1로 꺾은 게 가장 최근의 기록이다.

▲ 최연소 올림픽 탁구 메달리스트

2016년 8월 16일 이토 미마(일본, 2000년 10월 21일생)는 펑 티안웨이(싱가포르)를 꺾으며 일본에 올림픽 동메달을 안겼다. 이토는 15세 300일의 나이로 동료 후쿠하라 아이, 이시카와 가스미와 함께 시상대에 올랐다. 이토는 2015 국제탁구연맹(ITTF) 월드 투어 독일 오픈에서 14세 152일의 나이로 여자 단식 타이틀을 차지하며 **최연소 ITTF 월드 투어 단식 우승자**가 되기도 했다.

▲ EHF 핸드볼 챔피언십 리그 단일 시즌 개인 최다 득점
파리 생제르맹 핸드볼 팀(프랑스)의 미켈 한센(덴마크, 위 오른쪽)은 2015~2016년 유럽 핸드볼 연맹(EHF) 챔피언십 리그 시즌에서 141골을 득점했다. 다재다능한 레프트백인 그는 플렌스부르크와의 개막전에서 9골을 넣었고, 총 6번의 경기에서 두 자릿수 득점을 기록했다. 이중 2번은 키엘체(폴란드)와 THW 키엘(독일)과의 4강 경기에서 기록했다.

IHF 비치 핸드볼 월드챔피언십 결승 최다 진출 팀
브라질은 2004년 첫 대회를 제외하고 모든 대회에 결승까지 진출했다. 2016년에 6회 연속 진출을 달성했으나 크로아티아에 패했다. 브라질은 총 4회 우승했다.

하키 챔피언스 트로피 최다 우승(여성)
아르헨티나는 2016년 여자 타이틀을 획득하며 총 7회 우승을 거뒀다. 이 암사자 군단은 2001년, 2008~2010년, 2012년, 2014년에 승리했다.
미드필더 루시아나 아이마르는 이중 처음 6번의 우승 대회에 선수로 뛰며, **여자 챔피언스 트로피 대회에서 가장 많이 우승한 선수**가 됐다.

▲ 카바디 월드컵 최다 우승(남성)
카바디(인도 전통 스포츠) 월드컵의 주최국인 인도(위, 파란 유니폼)는 2010~2014년, 2016년까지 모든 대회에서 우승했다. 인도는 2016년 11월 17일 열린 대회 결승에서 잉글랜드를 62-20으로 가볍게 이기고 6번째 우승을 차지했다. 대회는 '표준 스타일'과 정반대인 '펀자브 서클 스타일'을 고수한다. 인도는 **카바디 월드컵 최다 우승(여성) 기록**도 가지고 있다. 2012~2014년, 2016년 등 4회 우승을 기록했다.

하키 챔피언스 트로피 최다 우승(남성)
호주는 챔피언스 트로피 대회에서 14회 우승했다. 1983~1985년, 1989~1990년, 1993년, 1999년, 2005년, 2008~2012년, 2016년이다. 가장 최근 타이틀은 영국 런던의 리 밸리 하키 앤 테니스 센터에서 열린 인도와의 경기에서 승부치기까지 가는 접전 끝에 획득했다.

올림픽 체조 최다 출전
옥사나 추소비티나(우즈베키스탄)는 2016년 리우 올림픽까지 연속 7회 출전했다. 당시 그녀의 나이 41세 56일이었다. 옥사나는 1992년 바르셀로나 올림픽에 독립국가 연합 소속으로 출전해 단체전에서 금메달을 목에 걸기도 했다.

올림픽 승마 최다 메달 획득
이사벨 베르트(독일)는 2016년 리우 올림픽에서 승마 마장마술 개인전 은메달과 단체전 금메달을 획득했다. 그녀는 6개의 금메달과 4개의 은메달로 총 10개의 메달을 기록했다. 처음 출전한 1992년 바르셀로나 대회에서는 자신의 단짝 말과 함께 2개의 메달을 목에 걸었다.

FIVB 배구 여자 클럽 월드 챔피언십 최다 우승
2016년 10월 23일 터키의 엑자시바시는 국제배구연맹 타이틀을 성공적으로 지켜냈다. 1991년 대회가 시작된 이후 2회 이상 우승한 최초의 팀이다.

FIVB 배구 월드 리그 최다 참가 기록(남성)
2016년 남자 대회는 전년도보다 4팀 많은 36팀이 경쟁했다. 세르비아가 최초로 우승했다.

EHF 핸드볼 챔피언스 리그 최다 득점(개인)
1998~2017년 3월 11일까지 키릴 라자로프(마케도니아)는 EHF 챔피언스 리그에서 1,164점을 득점했다.

IHF 슈퍼 글로브 최다 우승팀(남성)
국제핸드볼연맹(IHF) 슈퍼 글로브 대회에서 3팀이 2회씩 우승했다. BM 시우다드 레알(스페인, 2007, 2010), 바르셀로나(스페인, 2013~2014) 푸체 베를린(독일, 2015~2016)이다. 베를린은 PSG를 1점 차이로 꺾고 타이틀을 지켰다.

▲ 철인 3종 경기 최고 기록
철인 3종 경기는 수영 3.86km, 자전거 180.25km, 마라톤 42.20km를 하루에 끝내는 아주 고된 운동이다. 얀 프로데노(독일)는 2016년 7월 17일, 독일 로스에서 열린 '챌린지 로스 대회'에서 7시간 35분 39초에 코스를 완주했다. 프로데노는 자전거를 타다가 넘어지는 실수를 하고도 이전 최고 기록을 6분이나 앞당겼다.

▶ ITU 철인 3종 경기 월드 시리즈 최다 우승

알리스테어 브라운리(영국)는 2016년 7월 2일 스웨덴 스톡홀름에서 열린 국제3종경기연맹(ITU) 월드 시리즈 대회에서 21번째 우승을 달성했다. 그는 2016년 9월 18일 열린 월드 시리즈에서는 지친 동생이 결승선을 통과할 수 있게 속도를 늦춰 돕기도 했다(오른쪽). 그는 2016년 리우 올림픽에서 트라이애슬론 금메달을 획득하며 2012년 런던 대회 타이틀을 성공적으로 방어했다. **올림픽 트라이애슬론에서 가장 많은 금메달을 딴 선수이기도 하다**(2개).

찾아보기 INDEX

색인의 굵게 표시된 항목은 주제에 대한 주 항목을 나타냅니다. 굵은 글씨는 전체 장을 나타냅니다

1~9

100m 최고 기록 80~81
100세 이상 68
2000 AD 기념품 102
2진법 수열 84
3D프린팅 74, **190~191**, 구조물 밀도 196, 의료장치 190, 직물 190, 프린터 190, 191

A~Z

BMX 스트리트 245
CD 사인 176
CEO 148, 163
DNA 125, 150
GDP 149
IAAF 다이아몬드 리그 236, 237
JPEG 193
K2 132, 133
LED 조각상 197
LPGA 투어 231
MotoGP 대회 232
NFL 222
PGA 챔피언십 231
TV 168~169: 가상현실 169, 공상과학 시리즈 168, 169, 상 168, 소설을 파생한 168, 수입 162, 163, 168, 169, 슈퍼히어로 94, 168, 스포츠 프로그램 168, 유료 시청 229, 의상 102, 제작비 169, 진행자 169, 평점 169, 해적판 프로그램 168
UEFA 유럽 선수권대회 221
UEFA 유로파 리그 220
UEFA 챔피언스 리그 220
US 오픈 231
X-윙 187

ㄱ

가발 157
가변익 항공기 211
가상현실 169
가속도 30
가장 긴 86~87
가장 높은 142~143
가장 무거운 104~105
가장 비싼 198~199
가장 빠른 62~63
가장 작은 214~215
가장 키가 큰 36~37
가짜 수염 116
각료 147
갈대밭 18
감옥에 갇힌 언론인 151
강력한 펀치 39
강아지 털 공 122
개 58, 59, 62: 나이 182
개발 프로젝트 160
갯벌 18
거북 54~55, 104
건강관리 예산 148
건물: 높이 37, 57, 등반 11, 무게 105, 사무실 건물들 214
건초더미 79
걷기: 경보 237, 239, 랜즈엔드부터 존오그로츠까지 141, 맨발 141, 붐 워크 80, 양극을 걸어서 지나가기 134, 일주 130
검보 112
검으로 베기 10
게으름 55
게임보이 197
겨울 스포츠 242
견갑골로 무거운 물체 들기 79
결혼식 199
결혼한 커플: 극지 탐험 134, 나이 68, 높이 70, 71, 리마인드 웨딩 161, 마라톤 선수 68, 신체 개조 72, 엑스게임 245
경기장 218: 레고로 만든 109
경단 114: 맛초 볼 122
경력 83, 160, 169
경매 155: 만화책 93, 옷(의복) 157, 운동화/트레이너 157, 조각 181, 199, 책 삽화 166, 회화 181
경보 237, 239
경사면 점프 208: 244, 휠체어 11
경제 성장 148
경제 혁신 148
경제적 자유 149
경찰: 경찰견 215, 경찰관 160, 경찰모자 110, 경찰차 150
계량기 저울 116
고관절 수술 84
고도: 공항 213, 나무 34, 대기현상 187, 대도시 143, 발사체 186, 살아난 인간 186, 순례 160, 스쿠버 다이빙 140, 시상식 160, 우주비행사 138, 186, 종이비행기 발사 186, 철도 202, 콘서트 176, 항공기 138, 186
고래 32, **56~57**
고래 이빨 56
고무줄 118: 고무줄 공 123
고속철도 202
고양이 59, 215: 나이 182, 털 58
고향 143
곤충: 크기 40, 86, 팔로어 61, 176
곤충의 주둥이 40
골: 농구 224, 럭비 226, 미식축구 222, 아이스하키 225, 축구 218, 219, 220, 패널티 골 225
골격: 3D프린트 191, 도도새 60, 동력형 외골격 75
골든글로브 170, 173
골프 124, **231**
골프 공 124: 스태킹 122
곰 104: 판다 46~47
곰돌이 푸 110
공룡 36, 60, 183, 215
공중제비 82
공항 213
과녁 스포츠 234
과일: 과일 의상을 입고 모인 최다 인원 117, 조각 124
과학기술 & 엔지니어링 184~197
과학기술 & 엔지니어링 전반 196~197
과학소설: TV 168, 169, 영화 174~175
관중 함성 84
광검출기 197
광고대행사 148
교도소 150, 151
교육 지출 148
교차로 213
교통 체증 87
구름: 사람이 모여 만든 구름 모양 14, 성층권의 143, 화재 적운 29
구운 돼지고기 112
구조 32, 33
구조학 24~25
구체 214
국가들 214: 민주주의 지수 161, 평화 147
국가원수 126
국방 예산 149
국방비 예산 210
국제 축구 경기 221
국제항공연맹 138~139
국회의원 147
군용차량 210~211
군주 160: 3D프린트로 처음 재구성한 얼굴 191, 나이 146, 182
군함 199, 211
굴착기 105
궁술 11, 234
귀: 3D프린팅 의료보조기 74, 귀털 86, 들어올리거나 당기는 강도 79, 이식한 '3번째 귀' 74, 이어폰 삽입 74, 플래시 터널 73
균류 30~31
균형: 공 위를 걸어 이동하는 개 59, 머리 위의 책 166, 머리에 음료 깡통 115, 몸에 숟가락 125, 얼굴에 숟가락 125, 이마 위의 컵 124, 코에 간식 올리기 59, 턱에 세운 원뿔형 교통표지 14, 턱 위에 빈병 든 상자 118, 턱 위의 자전거 124
균형 잡기 59: 강아지 복장 116, 경찰견 215, 못생김 58, 비싼 198, 높이 36, 59, 스케이트보드 58, 80, 인스타그램 팔로어 61, 제자리 점프 운동 142, 혀 58
그래미 상 179
그랜드슬램: 럭비 226, 테니스 227
그레이하운드 62
극장: 공연 준비 기간 180, 라이브스트리밍 180, 무대에 설치된 화장실 158, 뮤지컬 180, 181, 박스오피스 180, 181, 브로드웨이 180, 181, 셰익스피어 연극 180, 토니 상 181
극지방 134~135
근해 가스 플래트 홈 37
글라이더 138, 139, 143
긁는 복권 110
금도금을 많이 한 차 207
금붕어 182
금속 22~23
급격한 성장 70
급류 래프팅 244
기네스 세계기록의 날 14~15
기니피그 58
기록 마니아 106~125
기록 마니아 전반 124~125
기린 36, 60
기상 187
기업 체육대회 160
기온이 높았던 달 26
기차 & 철도 63, 87, **202~203**
기차표 110
기타 199, 215
길앞잡이 40
깃대 37, 154
깃발 154~155
깃발 신호 154
껍질 54
꼬리 57, 59: 공룡 60
꿀벌 장막 104
끈으로 만든 공 122
끓는점, 금속 23

ㄴ

나노 카 215
나막신 116: 달리기 80
나무: 나이 183, 높은 곳에서 자라는 34, 높이 34, 37, 목재에 생기는 균류 31, 사용 가능한 목재 18, 삼림 면적 27, 에너지 방출 28, 크리스마스트리 37
나스카 경주 232
나이트클럽 전단 110
낙하산 점프: 동계 장애인 올림픽 243, 수영 240, 역도 235, 육상 236, 237, 직렬식 124, 패럴림픽 스카이다이빙 70
난 빵 112
날개 길이 45
남극: 경유 134, 열기구 140, 탐험 134, 135
납 오염 27
납치 150, 151
냅킨 110
냉동인간 196
네비게이션: 곤충 41, 남쪽 134
네 잎 클로버 110
노벨평화상 127, 177
노인: 100세 노인 68, 문신 73
노트북 197
놀이공원 182
농구 224: 3점 슛 15, 224, 높은 농구 슛 성공 119, 눈 가리고 15, 수입 163, 슬램덩크 15, 앉아서 슛 15, 저글링 볼 15, 82, 한쪽 다리 아래로 던져 넣은 슛 15, 훅 슛 15
높이 36~37: 구조체 37, 57, 균류 30, 나무 34, 37, 동물 36, 58, 59, 60, 인간 36, 66~67, 70, 160, 214
높이뛰기 142
눈 39: 생체공학 75
눈가리개를 한: 농구 훅 슛 15, 루빅큐브 해결 120, 저글링 82, 줄타기 82
눈구멍으로 들어 올리거나 당긴 무게 79
눈사람 37, 116
눈표범 상 132, 133
느낌표 161
늑대 인간 172
늑대거북 55
늪 19: 실내 18
늪, 습지 & 맹그로브 18~19
늪지의 괴물 91: 기념품 102
닌자 거북 91: 코스튬플레이 99, 116

ㄷ

다리 87: 3D프린트 191, 높이 197, 철도교 202
다마사슴 42
다이빙: 거북 54, 55, 돼지 51, 새 62, 심해 32, 33, 얕은 다이빙 143, 잠수함 32, 포유동물 57, 프리다이빙 241
다이아몬드 도난사건 150
다중 감각 경험 195
다지증 70
다트 68, 234
닥터 후 111, 116, 168
단독 항해 131, 141
단추 110
달: 달에서 온 운석 20, 디지털 사진 192, 문워크 80, 126
달리기: 스프린팅 62, 216~217, 236, 장거리 236, 제자리 14, 트레드밀 77
달리는 욕조 207
닭고기: 구운 112
담뱃갑 110
담자포자 31
당나귀 58
대기권 진입 189
대기오염 26, 27, 34
대단한 공 122~123
대륙 25, 35, 214: 초대륙 24
대륙붕 24
대륙 충돌 지역 24
대륙 표류 25
대양 32~33: 깊이 32, 나이 25, 산성도 26, 오염 26, 죽음의 바다 26
대양 조정 136~137
대중교통: 도로 일주 130, 도시 204~205
대통령직 기간 146, 147
대화재 28~29
더블 트랩 슈팅 234
더 원블즈 110
덕트 테이프 118
던지기 237
덤벨 78
덤불멧돼지 51
데이비스 컵 227
도넛 105
도도새 60
도로: 경사도 212, 길이 212, 꼬불꼬불한 도로 212, 도로 네트워크 204, 205, 212, 순환도로 213, 이어진 도로 212, 일직선으로 뻗은 212, 태양열 발전 197, 편도 212
도마뱀 53
도미노: 간이화장실 158, 에어베드 125, 책 166
도서관 166
도서관 서적 166
도시 이동수단 204~205
독: 균류 31, 파충류 52, 53
독수리 44~45
돈 & 경제 148~149
돌: 고대 돌 공 122, 들어 올리다 79, 석기 183, 암석류 20
동계 올림픽 미리 보기 243
동계 패럴림픽 243
동굴 벽화 183
동물 38~61: 동물 전반 60~61, 분류학적 그룹 40, 44, 48, 54, 56, 사육소에서 오래 산 46, 47, 애완동물 58~59, 장수 46
동물원 52, 53, 182
동전: 수집 110, 잡아채기 118
돼지 50~51
두루마리 화장지 158
둥근 물체 196
둥글게 모여 노래 116
둥지 45
뒤로: 슬랙라인 81, 82, 줄타기 80, 활강 80
뒤로 공중제비: 몬스터트럭 208, 209, 서핑 241, 자전거 244, 휠체어 11
드래그 퀸 84
드레곤볼 코스튬플레이 99
드레그 레이싱 232
들어 올리는 사람들 78
등반: 등산 132~133, 135, 빌딩 11
등산 132~133, 135
디스코 볼 123
디스크자키 163
디자이너 라벨 156
디즈니 영화 170, 172, 173
디지털 앨범 176
디지털 영화 193
디지털 영화 엑스트라 170
딱정벌레 40~41
똑똑한 슈퍼히어로 100
똥 이모지 152

ㄹ

라두 112
라디오 호스트 163
라리가 220
라이더 컵 231
라이스 푸딩 112
라켓볼 246
란타넘족 금속 22
랜즈엔드부터 존오그로츠까지 이동 140: 걷기 141
랠리 운전 232
랩 점핑 80
럭비 226
럭비 공 123
런지 14
레고 67, 198: 비디오게임 97, 스타워즈 174, 175, 조각 8, 67, 109, 174
레드카드 218
레몬주스 마시기 115
레서판다 46
레슬링 183, 229
레코드판 176, 187
로또 백만장자 116
로렌스 올리비에 상 180
로봇: 3D프린터로 만든 190, 루빅큐브를 빨리 맞춘 120, 121, 부드러운 196, 수직 점프 196
로켓 105: 로켓 구동 항공기 63, 로켓 포 210, 불꽃 로켓 194
로코토 레메노 125
로프웨이 정거장 212

롤러스케이트 10, 81
롤러코스터 62
루빅큐브 108, **120~121**: 최단 시간 맞추기 120, 121
루지 243, 244
리그 앙 220
리무진 209
리볼버 215
리얼리티 TV 162, 168
리프트 시스템 24
림보 83
립밤 110

ㅁ

마라톤 238~239
마라톤: 결혼한 커플 68, 루빅큐브 맞추기 121, 변기 의상 158, 슈퍼히어로 복장 8, 98, 휠체어 238~239
마마이트 115
마블 시네마틱 유니버스(MCU) 9, 96, 102, 103, 173
마술 트릭과 도구 14, 110
마술사 82, 163
마시멜로 114
마을 & 도시: 감탄사가 들어간 마을 이름 161, 도시 교통 204~205, 오염 27, 최고 최소 거주 가능 160
마장 마술 247
마지팬 상 114
마차 109
마코 앵무새 48
만년설 26
만화 215: 만화 캐릭터 문신 73
많은 성별 30~31
말들 58: 승마 이벤트 247, 트위드 정장 60, 판토마임 말 80
말 모양 탈 80
말발굽 109: 말발굽 던지기 234
맛초볼 122
매머드 109
맥주 상표 110
맥주 통 들기 79
맨발로 걷기 141, 238
맹그로브 숲 19
머리: 깎기 85, 머리에 가장 많이 쌓아 올린 책 166, 머리에 음료 캔 많이 세우기 125
머핀 112
먼지버섯 31
메이저리그 야구 223
메이저리그 축구 220
멧돼지 50, 51
명함 109
모금행사 238
모노폴리 109, 111, 116
모니터 도마뱀 52, 61
모닥불 37
모델들 156: 남자의 156, 보그 표지모델 156, 수입 162, 올해의 모델 상 156, 캣워크 116
모란 앵무 48
모래섬 35
모래성 36
모래언덕 35
모루 79
모아이 36
모자이크: 모자이크 국기 154, 루빅큐브 모자이크 벽화 120
모피 58
모험 128~141
모험 전반 140~141
모히토 113
목발로 걷기 80
목발로 물구나무 경주 81
몬스터잼 월드 파이널 208
몬스터트럭 208~209
몸값 150, 151
못생긴 58
무게 104~105: 곤충 40, 균류 30, 31, 동물 104, 들어 올리거나 당긴 79, 82, 식품 112, 인간 71, 104
무리, 동물 54, 58
무비 스타 172~173
무선 드릴 215
무술 125, **229**
문, 자동차 206
문신 69, 72~73: 국기 문신 154, 작업 시간 72, 타투 기계 72
문자크 42
물 34: 오염 26, 27
물고기 61: 나이 182, 무게 105, 심해 32, 약탈 60, 크기 86, 105
뮤지컬 180, 181
미국 대통령 126: 대통령 토론 145, 취임식 145, 146
미국 핫 컨트리송 176
미네랄 183
미식축구 162, **222**
미키마우스 110
미트볼 114
민주주의 지수 161
밀도 188, 196

ㅂ

바구미 40
바나나 110: 바나나 자동차 207
바다의 눈 32
바벨 78
바비루사(사슴-돼지) 50
바실로사우리드 56
바 의자 82
바이애슬론 242, 243
바이오 나침반 74
바이오 해킹 74
바이오닉스 74, 75
바지 157
박스오피스 180
반감기 22
받침 110
발 67, 84: 신발류 108, 156, 157
발로 쏜 화살 11
발리우드 162, 170, 171
발자국 프린트 110
발톱 44
밤하늘 보호지구 27
방전 196
배 86: 군함 199, 211, 난파선 32, 33, 레고 109, 순양함대 210, 일주 130, 정기 여객선 37, 탐사선 32, 항공모함 210
배: 3D프린트 191, 속도 63, 수압장치 63, 일주 130, 태양광 발전 130, 페달동력 80
배구 246, 247
배드민턴 246
배드민턴 라켓 108
배 리프트 213
배영 240
배우와 여배우: 나이 172, 높이 70, 늑대 인간 172, 디즈니 역할 172, 성우 97, 수입 94, 162, 163, 169, 172, 173, 슈퍼히어로 역할 91, 스타워즈 174, 제임스 본드 172, 카메오 출연 172
배트맨 90: 기념품 88~89, 102, 103, 비디오게임 96, 97, 영화 172, 173, 코스튬플레이 99
밴디 월드 챔피언십 5, 242
뱀 52, 53, 86
버라이어티 공연 125
버섯 30~31
버스: 개조 212, 경로 212, 버스표 110
버터 조각 113
버팔로 60
버피 76
번개 34
번지점프 15
번지해서 머그잔에 비스킷 담그기 15
벌레 86
범죄 & 처벌 150~151
범죄소설 166
범죄율 150
범퍼카 207
법률도서 166
법의학자 150
베개싸움 117
베쉬바르마크 114
베이스 점프 143
벽 87: 수직 벽 달리기 118
벽돌 79
벽화 154
변호사 160
별 63, 214
병: 병 속의 메시지 182, 병 위를 걷기 83
병 상자 균형잡기 118
병 속에 담긴 편지 182
보그버터 18
보그 표지모델 156
보디빌더 71
보디 아트 72~73
보디 페인팅 73
보병 전투차량 210
보석류 156, 199
보트 타기: 모노헐 131, 141, 일주 130, 131
복근 운동 자세 116
복싱 228, 229
복제 51
본드 시리즈에 출연한 악당 172
볼 122~123, 저글링 122
볼링 234
볼링 공 118, 122
볼펜 110
부리 44, 190
부리고래 56~57
부리토 114
부모-자녀 나이 조합 68
부엉이 관련 상품 110
부위별 기록 70~71
부유한 126, 148: 슈퍼히어로 101, 총리 146, 패션 무역 156
부케를 받은 124
부활절 달걀 36
북극: 경유하여 일주 134, 열기구 비행 140, 탐험 134, 135
북극 횡단 134
분데스리가 220
불꽃놀이 194~195
불꽃놀이 구조물 194
불꽃 이미지 195
불도저 126
불법 복제 127, 150, 151, 영화/TV 168, 171
불평등한 사회 148
붐 워크 80
브라스 밴드 68
브래지어 156
브로드웨이 180, 181
블랙 푸딩 161
블랙홀 105
블록버스터 170~171
블루베리 118
비누 108
비단뱀 53, 86
비둘기 110, 198
비디오게임: 만화를 배경으로 한 92, 93, 96, 비디오게임을 바탕으로 만든 인공 팔 75, 성우 97, 슈퍼히어로 96~97, 스타워즈 174, 아케이드 게임기 215, 예술 전시회 181, 음악 181
비밀문서 유출 146
비스킷 112: 스태킹 118
비싼 198~199: TV 프로그램 169, 개 198, 결혼식 199, 국기 155, 균류 30, 기타 199, 레고 블록 198, 만화책 92, 93, 미술 181, 199, 보석 199, 비둘기 198, 샌드위치 198, 영화산업 199, 영화표 198, 욕실 159, 운동화 157, 인공물 199, 자동차 199, 전함 199, 정장(의복) 157, 조각 181, 199, 주택 199, 책 167, 초콜릿 바 198, 축구 220, 축구선수 199, 취임식 145, 146, 택시요금 198, 팝스타 복장 198, 패션쇼 156, 포스트잇 노트 198, 항공기 199, 햄버거 198, 화장실 시스템 158
비치발리볼 246
비치볼 122
비행선 138, 139
빌보드 차트 176, 177
빙산 37
빙하 35
빙하 표석 21
뼈들 215: 문신 72
뿔 42, 43, 116
뿔매 44

ㅅ

사과 104, 115: 분쇄 11, 사과소스 114
사륜 오토바이 63, 232
사망자 수: 셀카로 인한 사망 161, 슈퍼히어로 영화 95, 지진 24, 화재 28
사무용 빌딩 214
사세르캉리 II 132
사슴: 인간 87, 125, 클립 87
사슴 42~43, 60
사암 21
사이클 68, **233**: BMX 스트리트 245, 극지 탐험 134, 다카르 랠리 232, 여행 131, 134, 140, 141, 일주 131, 자전거 줄타기 143
사인: CD 176, 책 166
사장암 20
사진 & 이미지 192~193
사탕 포장지 110
사향노루 43
사형: 동물 51, 사형집행관 150
사회 144~161
사회 전반 160~161
삭발 85
산: 나이 183, 높이 37, 143, 등산 132~133, 135, 미등반 143, 빙하 35, 산맥 35, 183, 상승 24, 수중 25
산악보드 244
산악자전거 233
산악 철도 202
산타 116: 산타 요정 116, 초콜릿 112
산호초: 3D프린트 191, 백화 현상 26
살인율 150
삼림 소방대원 28
상: 골든 글로브 170, 173, 그래미 상 179, 노벨평화상 127, 177, 시민상 161, 에미 상 168, 오스카 127, 165, 170, 172, 173, 174, 179, 토니 상 181, 패션 156
상어 60: 도약 142
상형문자 183
새 둥지 상자로 만든 줄 125
샌드위치 198
샌들 108
생강빵 마을 113
생물 모니터링 74
생물 발광 31, 41, 51
생식력 84
생활비 149
서커스 82~83, 127, 180: 서커스 곡마단장 83, 127
서커스 묘기 82~83
서핑 241
서핑보드 108
석탄화재: 지하 28
선거 비용 145
선생님 160
선수: 나이 68, 126, 127, 182, 223, 228, 높이 70, 무게 104, 생체공학 75, 소득 162, 163, 221, 228
섬 35
성냥갑 110
성냥 라벨 110
성별 차이 148, 149
성장한 브랜드 148
성적 이형 48
성층권 186: 스카이다이빙 187, 재생된 레코드판 187
성탄절 기록 112
세쌍둥이: 마라톤 선수 239, 판다 47
세계일주 130~131, 134, 138
세계 평화지수 147
세대 126
세리에 A 220
세븐 서미츠 132, 133, 135
세포 외 침전극 197
셀카 192: 셀카봉 116, 셀카 죽음 161
셔틀콕 119
셰익스피어 연극 180
소 58, 110
소방관 옷 입고 뛰기 81
소방 대피소 28
소비재, 아주 흔한 161
소설 153, 166
소시지 114, 소시지 모양 차 207
소파 87
소프트볼 246
속눈썹 71
속도: 동물 40, 52, 54, 62, 208, 빛 63, 수송 62, 63, 202, 203, 208, 인간 62
손: 걷기 124, 달리기 124, 바이오닉 74, 한 손으로 루빅큐브 맞추기 121
손가락과 발가락: 다지증 70, 들어 올리는 무게 79, 손가락 스냅 85
손등으로 푸시 77
손뼈18
손톱: 길이 64~65, 70, 86, 들어 올리는 무게 79
쇼핑 카트 206
수구 241
수레 경주 80
수력발전소 63
수륙양용 자전거 141
수륙양용 차 130
수상 미끄럼틀 108
수상 스포츠 241
수영에 이쑤시개 꽂기 118
수영 240: 싱크로나이즈드 241, 얼음 수영 244
수영모자 116, 118
수영복 156
수익자 112
수입 162~163: CEO 148, 163, TV 유명인 162, 163, 168, 169, 디스크자키 163, 리얼리티 TV 스타 168, 마술사 82, 163, 모델 156, 162, 배우 & 여배우 94, 162, 163, 169, 172, 173, 스포츠 선수 162, 163, 221, 228, 232, 요리사 162, 유명인 162, 163, 177, 음악가 163, 177, 저자 163, 166, 코미디언 163
수중: 루빅큐브 맞추기 120, 사진 193, 수중 철도 203, 칼을 삼키는 82, 컬러 사진 192, 콘서트 176
수중익선 213
수집 & 기념품: 경찰 모자 110, 곰돌이 푸 110, 닥터 후 111, 더 웜블즈 110, 독점 상품 111, 동전 110, 립밤 110, 만화책 102, 메가 콜렉션 110, 모델 카 110, 미키마우스 110, 바나나 관련 110, 발자국 프린트 110, 서유기 110, 슈퍼히어로 88~89, 102, 103, 스노볼 111, 스타워즈 175, 스파이 행위 관련 110, 악어 관련 110, 인어공주 110, 젖소 관련 110, 젤다의 전설 110, 캔디 포장 110, 코르크 따개110, 테디 베어 106~107, 화장실 관련 158, 툼 레이더 110, 포켓몬 110, 헬로 키티 111, 희귀 도서 166
수집품 102, **110~111**: 귀중한 90, 92, 기념품 102, 만화책 아티스트 69, 비디오게임 코믹 북 캐릭터 96, 97, 슈퍼히어로 92~93, 98, 99, 102, 아이스너 코믹 어워즈 93, 커버 93, 코스튬플레이 98, 99
순례 160~161
순록 43
순양함 함대 210
순환도로 213
숟가락에 달걀 올리고 달리기 81
숨 참기 84
슈팅 234, 243
슈퍼휴먼: 로버트 워들로 66~67
슈퍼휴먼 전반 84~85
슈퍼맨 90, 103
슈퍼볼 222
슈퍼히어로 88~103: 168, 기념품 88~89, 102, 103, 뮤턴

찾아보기 INDEX

트 101, 여성 90, 91, 92, 97, 영화 92, 94~95, 102, 103, 170, 171, 173, 죽음 90, 92, 최고의 100~101, 팀 90, 96, 102
슈퍼히어로: 비디오게임 96~97
슈퍼히어로: 슈퍼히어로 전반 102~103
슈퍼히어로: 연대기 90~91
슈퍼히어로: 연합 8~9
슈퍼히어로: 영화 속 슈퍼히어로 94~95
슈퍼히어로: 최고의 팀 10~11
슈퍼히어로: 카파우! 100~101
슈퍼히어로: 코믹 북 92~93
슈퍼히어로: 코스튬플레이 98~99
스냅챗 181
스노모빌 242
스노보드 245
스노볼 111
스누커 234
스모 229
스모그 34
스카우트 대장 126
스카이다이빙 14, 63, 138, 143, 187, 244: 낙하산 없이 141, 성층권 187, 실내 139, 윙수트 128~129, 139, 최고 속도 244, 펼쳐진 깃발 155
스컬 241
스케이트보드 142, 244: 개 58, 80, 엑스게임 245
스쿠버다이빙 140
스쿼시 246
스쿼트 14, 76: 스쿼트 스러스트 76, 스쿼트 자세로 들어 올리기 235
스키 242, 243: 남극 여행 135, 뒤로 타기 80
스키 부츠 신고 달리기 81
스키점프 242, 243
스키트 234
스타워즈 174~175
스타점프 14
스타트랙 168
스턴트맨 103
스테이트 오브 오리진 출장 226
스텔라레이터 197
스토커 150
스티커 공 123
스팀펑크 117
스파이더맨 91: 코스튬플레이 99
스펀지케이크 114
스페이스 호퍼 80
스포츠 216~247
스포츠 TV 프로그램 168
스포츠 전반 246~247
스포츠스태킹 118
스포티파이 177, 178
스프라이트 186
스프리츠 113
스프링 매트리스 124
스피드 스카이다이빙 244
스피드 스케이트 242, 243
슬랙라인 81: 뒤로 81, 82, 채찍 휘두르기 83
슬레이트 170
습지 19
시가 밴드 110
시계 156
시상식 160
시작된 지질연대 35
시합 230
신기한 재능 118~119
신장 투석 85
신호등 212
실내에 장식된 전구 장식 15
실향민 147, 161
심장: 심장을 몸 밖에 두고 살기 85, 심장 이식받은 사람 85, 127
심장 박동 없이 오래 산 사람 85
심장 수술 127
심판 68, 127, 218
심해 32~33
심해 탐사 32~33
십대 36
십자드라이버 109
싱글 차트 176, 179
쌍둥이 69, 70, 84
쓰나미 34

ㅇ
아널드 스트롱맨 클래식 235
아바 노래 14
아이거 봉 132
아이스 스케이팅 213, 242
아이스크림 콘 112
아이스티 112
아이스하키 225, 243
아케이드 게임기 215
아프리카네이션스 컵 221
악어 52, 60, 110
안데스 산맥 133
안면 인식 안경 196
안아주기 릴레이 125
안테나 삽입 74
알약 190
알칼리 금속 22, 23
암석 20~21
암호 152
앞바퀴 들고 타기 124: 휠체어 11
애기사슴 42
애니메이션 영화 95: 프랜차이즈 170, 해적판 171
애벌레 40
애완동물 58~59
애플리케이션, 애플리케이션을 바탕으로 만든 영화 181
앨범 차트 176, 177, 179: 1위 127, 177
앵무새 14, **48~49**
야구 223
야구, 페인트 123
양초: 불 켜진 초 입에 물기 118, 촛불을 끈 125, 케이크 114, 폭죽 194
어휘력이 풍부한 새 49
억만장자 126
언어: 고립어 152, 공용어 152, 153, 공통 153, 교사 160, 멸종 위기에 놓인 152, 비공용어 153, 외국어 영화 171, 음운 152, 자음 152, 한쪽 성에 국한된 153
얼굴과 몸에 숟가락 많이 붙이기 125
얼음: 북극해 표면 26, 전신에 대고 있기 11, 중심 183, 해빙 26
얼음 수영 244
얼티밋 파이팅 챔피언십 229
엄지 척 124
에미 상 168
에베레스트 132, 133
에어매트 108, 125
엑스게임 127, **245**
엑스맨 91: 기념품 103
엘리베이터 204
여성 전용칸 열차 203
역도 235
연극 대본 167
연락선 213
열기구 138, 143, 고도 187, 북극과 남극 140, 일주131, 138
열쇠 109
열수구 32
염소 58
영국해협 횡단 141
영양 62
영화: R등급 영화 91, 95, 골든글로브 상 170, 173, 공상과학 소설174~175, 디렉터 127, 165, 디즈니 170, 172, 173, 디지털 필름 엑스트라 170, 런타임 94, 리부트 94~95, 박스오피스 94, 95, 102, 170, 171, 174, 175, 199, 발리우드 162, 170, 171, 블록버스터 170~171, 비싼 옷을 입은 캐릭터들 172, 생산 예산 199, 쇼트 180, 슈퍼히어로 영화 92, 94~95, 102, 103, 170, 171, 스타워즈 174~175, 스턴트맨 103, 슬레이트 170, 애니메이션 영화 95, 170, 171, 앱 기반 영화 181, 여성 주인공 영화 171, 영화 속 화장실 158, 오스카 상 후보 165, 170, 172, 외국어 영화 171, 제임스 본드 172, 음악 95, 175, 트레일러 95, 편집 170, 프랜차이즈 170, 171, 174, 할리우드 170, 171
영화관 180: 표 198
예술: 가격 199, 갤러리 181, 동굴 벽화 183, 전시회 181, 책 삽화 166, 회화 181, 199
예술 & 미디어 164~181
예술 & 미디어 전반 180~181
옐로 카드 220
오디오북 166
오렌지 118
오리걸음 10
오믈렛 115
오스카 127, 165, 170, 172, 173, 174, 179
오염 26, 27, 34
오염 & 환경 26~27
오토바이 62, 105: 3D프린트된 190, 가장 빠른 화장실 159, 그랑프리 232, 배트포드 103, 여행 130, 140, 일주 130
오토 스포츠 232
오피올라이트 24
올림픽 금메달리스트 127: 과녁 스포츠 234, 나이 182, 동계 올림픽 243, 레슬링 229, 복싱 228, 사이클 233, 수영 240, 241, 스피드 스케이팅 243, 장애물 236, 철인 247, 태권도 229, 테니스 227
올림픽 깃발 154
올해의 디자이너 상 156
옷(의복) 157
왕관앵무새 58
외발자전거: 루빅큐브 맞추기 121, 저글링 82
외부 기생충 50
요가 59
요리사 162
요요 109
욕실 159
욕조: 동력 207, 패들링 80
용암대지 20
용암호수 35
우유 배달용 차 206
우주: 오래 머문 시간 138, 음악 방송 176, 인간이 쏘아 올린 물체 186, 전화통화 32
우주비행사: 고도 186, 나이 68, 등산 133, 문워크 80, 126, 여성 68~69, 우주에서의 시간 138, 우주유영 69, 투표 160
우주유영 69
우주선 214: 속도 63, 일주 130, 혜성에서의 생존 189, 혜성 탐사 188, 189
우주의 끝 186~187
우편배달부 206
우표 입으로 불기 80
운동 수업 14
운동화 157
운석 20
원더우먼 91
원데이 인터내셔널 대회(크리켓) 230
원뿔형 교통표지 14
원주율(파이) 84
월드와이드웹 193
웨딩드레스 자락 87
위에서 나온 물체 104
위자 보드 109
위켓 230
윔블던 127
윗몸일으키기 14
윙수트 128~129, 139
유도 229
유람선 37
유명인: 사망한 163, 177, 소득 162, 163, 177, 스토커 150
유모차 109
유방조영술 85
유성우 187
유성 파열 통신 186
유유 빨리 마시기 115
유제류(발굽 동물) 42
유튜브: 밀레니엄 채널 180, 음악 채널 178, 패션/뷰티 채널 156
유황앵무새 48, 49
육상 236~237
으깬 감자 112, 115
은하계 63
은행 149
음료수 캔: 격파 125, 208, 균형 잡기 115, 머리에 붙이기 125
음속 돌파 63, 187
음식 112~115: 3D프린트 190, 많은 양 112, 125, 무게 112, 식성이 까다로운 46
음악 176~177: 상 177, 179, 스트리밍 177, 영화 점수 95, 175, 작곡가 175, 181, 차트 1위 178~179, 축제 181, 프로듀서 176
음악가 127, 수입 163, 177, 스냅챗 181, 인스타그램 팔로어 176
의료 수술 84
의상: 강아지 의상 116, 슈퍼히어로 92, 96, 98, 102, 코스튬플레이 98~99, 116, 175, 팝스타 복장 198
의자 경주 81
의회 146, 183
이구아나 52
이동수단 200~213
이동수단 전반 212~213
이마를 관통한 갈고리 79
이모지 152, 153
이모티콘 152
이산화탄소 오염 26, 27
이유식 114
이주: 동물 42, 54, 61, 실향민 147, 161
이탄지 18
익스트림 스포츠 244
인간: 보디 아트 72~73, 속도 62, 63, 장수 68~69, 126, 182, 중량 71, 104, 키 36, 66~67, 70, 160, 214, 트랜스휴먼 74~75, 부위별 기록 70~71
인간 동력 비행 140
인간 동력 차량 62
인간 사슬 87, 125
인간의 힘 78~79
인간이 만든 건설물 37, 199
인간 피라미드 83
인공(보철) 74: 3D프린트된 74, 190, 마음으로 움직이는 의수 75, 비디오게임 기반 75, 타투 기계를 장착한 손 75
인구: 남녀 비율 160, 실향민 147, 161, 키 160, 평균 기대 수명 160
인라인스케이트 239
인력거 140
인어공주 기념품 110
인질 151
인형/마리오네트 108: 손인형 117
입 56: 불 켜진 초 118, 블루베리 입에 넣기 118, 저글링한 탁구공 122,
잉글리시 프리미어 리그 220
잉꼬 48

ㅈ
자기부상열차 63
자기테이프 공 122
자동차 214: 3D프린트 190, 값비싼 199, 경찰차 150, 긴 슈퍼카 207, 끌기 82, 나노카 215, 리무진 209, 맞춤형 206~207, 모델 카 110, 모터스포츠 127, 232, 속도 63, 수륙양용 비행기 130, 여행 140, 일주 130, 자동차 공유 시장 204, 자동차로 국기를 모자이크 방식으로 재현 154, 차에 가장 많이 들어간 인원 116, 206, 카페리 213, 코지 쿠페 200~201, 타이어 206, 휠체어 124
자음 152
자전거 36, 86, 104, 108: 뒤로 공중제비 돌기 244, 동력장치 140, 루빅큐브 맞추기 121, 수륙양용 141, 수송 분담률 204, 스포츠 스태킹 118, 일립티컬 자전거 140, 자전거 보호 205, 자전거 친화적인 도시 204, 줄타기 횡단 82, 턱에 자전거 올리고 이동하기 124, 포켓바이크 140
자전거로 외줄타기 143
자파 케이크 115
작곡가 175, 177, 181
작물 183
작은 앵무새 48, 49
잠수정 32, 33
잠수함 32, 105, 211: 일주 130
장거리 달리기 236
장기 85: 기증자 85, 이식받은 사람 85, 116, 127장난감 총 109
장수: 동물 43, 46, 48, 51, 52, 53, 58, 인간 68~69, 126, 182
장애물 80, 237
장애물 달리기 236
재료 22~23
재미있는 음식 114~115
저글링: 검 삼키기 82, 공 82, 122, 농구공 15, 82, 눈 가리고 82, 루빅큐브 맞추기 120, 외발자전거에서 82, 전기톱 82
저자: 소설 166, 수입 163, 166
전기 몬스터트럭 209
전기 철도 차량 203
전기톱 저글링 82
전력질주 62, 216~217, 236
전선 87
전이금속 22
전자제품 브랜드 156
전투기 210
전파망원경 184~185
전화통화 32
점프: 경사대를 이용한 높이뛰기 11, 208, 244, 높은 점프 142, 동물 51, 58, 몬스터트럭 208, 장대높이뛰기 142, 제자리 점프 142, 포고스틱 142, 244
접영 240
젓가락: 젓가락으로 잡은 셔틀콕 119, 젓가락으로 집어서 먹은 콩 115
정당: 권력 기간 146, 회원 147
정리한 양말 118
정부 세입과 지출 148
정치 망명 신청 147
정치인: 가장 부유한 146, 트위터 팔로어 147
젖꼭지로 무거운 물체 들기 79
제임스 본드 172
젤다의 전설 수집품 110
조각상 37, 215: LED 197, 경매 가격 181, 199, 과일 124, 레고 8, 67, 109, 174, 마지팬 114, 버터 113, 화장실 158
조류: 고등학생 143, 독수리 44~45, 무게 104, 바다 새 61,

비둘기 110, 198, 속도 62, 앵무새 48~49, 크기 215
조빙 80
조정 241: 대양 건너기 126, 136~137, 흑해 141
졸업생 69
종 105
종신형 151
종이 공 122
종이봉지 110
종이비행기 186
종이접기 개구리 124
종이접기 코끼리 14
종합격투기 229
주권국가 방문 140
주장: 골프 231, 아이스하키 225, 축구 219, 크리켓 230
주택: 최고가 199, 카드로 만든 집 119, 화장실 모양의 159
주향이동단층 24~25
죽음의 바퀴 82
줄넘기: 더블더치 스타일 15, 인간 로프 넘기 118, 인간 탑 83, 최다 인원 참여 117, 스키 신은 채 118
줄타기 80: 눈 가리고 82, 도구 없이 82, 뒤로 80, 자전거를 타고 82, 케이블카 케이블 위 82
중금속 22~23
쥐덫 82, 118
증기기관차 203
지게차 118, 208
지구 16~35: 지각 21, 지구 궤도에서 찍은 사진 192
지구 기술권 35
지구 전반 34~35
지네 61
지도 167: 불꽃으로 만든 세계지도 195
지옥의 돼지 50
지의류 30
지진: 기간 25, 사망자 수 24, 위성 궤도에서 감지된 25, 지진 감지 기술 74
지하철 203
직소퍼즐: 인간 조각 14, 퍼즐 레코드 음반 176
진저브레드맨 112
진흙 화산 35

ㅊ

차트 1위 178~179
참가: 겨울 엑스게임 245, 추구경기 218
찻주전자 108
창던지기 237
채찍: 병뚜껑 제거 83, 채찍질하기 82, 83, 124
책 166~167, 168: 수집품 110, 사인 166, 책갈피 110
책상을 차로 개조 206
챔피언스 리그 220
척추동물 54, 183
천사 116
천산갑 61
철 22, 34
철도 143: 가장 빠른 202, 경사도 202, 동호회 202, 무인 메트로 시스템 202, 어린이 철도 202, 역 202, 203, 열차 속도 63, 202, 203, 전기 철도 203
철도 터널 87
철인3종 247
체조 68, 247
체중 감소 56
초경량 항공기 130
초대륙 24
초콜릿: 바 112, 198, 부활절 달걀 36, 불꽃놀이 195, 초콜릿 시음 115
총 210, 215
총리 146: 여자 147
최고령 182~183
최고령 사람들 68~69
최고의 227
최다 참여 기록 116~117: 가짜 수염 116, 과일 의상 117, 나막신을 신고 116, 대형 이미지 연속으로 만들기 125, 동물 복장 116, 117, 둥글게 모여 노래한 116, 둥글게 모인 인원 116, 로또 백만장자 116, 루빅큐브 맞추기 120, 리마인드 웨딩 161, 멕시코 춤 의식 161, 문신 73, 버라이어티 공연 125, 베개싸움 117, 복근운동 116, 사람이 모여 만든 숫자 125, 사슴뿔 모형을 쓰고 116, 삭발 85, 셀카봉으로 찍은 116, 손가락 인형 117, 수영모자 116, 스팀펑크 의상 117, 안아주기 릴레이 125, 양초 불기 125, 양치질 117, 용춤 116, 운동수업 14, 음식 먹여주기 릴레이 115, 인간 DNA 나선 125, 인간 구름 14, 인간 국기 155, 인간 사슬 87, 125, 장기 기증자 116, 줄넘기 117, 초콜릿 시식회 115, 침대에서 조식 먹기 115, 캠퍼밴에 가장 많이 탄 116, 캣워크를 한 모델 116, 코스튬플레이 98, 99, 116, 크리스마스 스웨터 116, 125, 키피어피116
최연소 126~127
축구 218~221: 가장 큰 축구공 123, 골/득점 218, 219, 221, 높은 곳에서 떨어진 축구공 트래핑 122, 레드카드 218, 선수 나이 68, 218, 219, 221, 수입 221, 심판 68, 127, 218, 오랫동안 이기지 못한 221, 월드컵 최장 무실점 218, 월드컵 퇴장 218, 이적 합의 199, 220, 저글링 122, 코치 219, 221, 키피어피 116, 피파 월드컵 218~219, 형제자매 221
출생 시 체중 104
출판사: 만화책 93
춤: 멕시코 춤 의식 161, 용춤 116
치아: 고래 56, 57, 무거운 물체 들기 79, 뽑은 상태 86, 수집품 110, 칫솔질 117
치즈 113: 섭취 125
치타 62
친칠라 58
칠레 114
침대: 동력 206, 용수철이 든 매트리스 124
침대에서의 아침식사 115
침입대 25

ㅋ~ㅌ

카누 타기 68, 241
카드 109: 카드 집 119
카레 112
카리부 61
카메라 이식 장치 74, 75
카멜레온 52
카바디 247
카약 136, 241
카이트 서핑 141
칼 삼키기 82, 196
캐럴 가수 116
캐비아 113
캔디 케인 112
캠핑 밴 116, 206
커스텀 카 206~207
컬링 242
컵: 이마에 균형 잡기 124, 피라미드 118
케이블카 205, 212, 줄타기 82
케이크: 더트 케이크 114, 스폰지 114, 양초 114, 웨딩 케이크 105, 채식주의자 112, 피라미드 115
케첩 115
케틀벨 78
코끼리: 종이접기 코끼리 14, 코끼리 복장으로 모인 인원 117
코뉴어 48
코르크 따개 110
코미디언 163
코브라 52
코뿔소 61
코스튬플레이 98~99, 116, 175
코스튬플레이 의상 도구 99
코지 쿠페 200~201
코치: 미식축구 222, 축구 221
코파아메리카 221
콘서트 176, 181
콩 86
크라톤 20
크로스컨트리 스키 243
크로케 234
크리스마스 스웨터 116
크리스마스 저녁 112
크리스마스트리 37
크리켓 122, **230**
크림 계란 115
큰 물건 108~109
큰 음식 112~113
클럽 축구 220
클립으로 만든 사슬 87
키누아 112
키피어피 116
킬라만자로 132
킬피 161
타말리 115
타이어 206
타이태닉: 생존자 127, 최연소 탐사 33
타임 트라이얼 월드 챔피언십 233
타임 표지 147
타자기 166
타투 기계를 장착한 의수 75
탁구 246
탁구공 122
탐사선 32
탐정소설 166
태권도 229
태양계: 어두운 물질 188, 충돌 188
태양력 동력: 도로 197, 보트 130, 자동차 140, 항공기 131, 138
택시: 요금 198, 204, 자동운전 205
탭댄스 85
탱크 62, 105, 210, 211
탱크 생산 210
터널: 철도 터널 87, 202, 플래시 터널 72, 73
터번 157
터치다운 패스 222
터트 케이크 114
턱 57
턱걸이 76
턱수염: 무거운 물체 들기 79, 수염에 이쑤시개 꽂기 118
턱수염도마뱀 58
털(머리카락): 가발 157, 길이 86, 머리숱이 많은 차 206, 물체 들거나 끌기 79, 인간 헤어 볼 123, 털이 많은 돼지 51, 하이 탑 페이드 71
테니스 227: 그랜드슬램 227, 서브 62, 선수 나이 68, 윔블던 127, 잡은 테니스 공 122, 휠체어 227
테니스 라켓 118
테디 베어 106~107, 109, 187: 초소형 215
테라 노바 탐험 134
테러리스트 150
테마파크 159
테이프 공 122
텐핀스 볼링 234
텔레스코픽 핸들러 140
토끼 58
토네이도 29: 화재 29
토니 상 181
토사물 183
토스터에서 뛰어오른 식빵 142
토피어리 정원 182
통과하기: 변기 시트 158, 테니스 라켓 118
통근시간 205
통나무: 동력 206, 들어 올리기 79
통로: 무빙워크 204, 보행자용 205
투르 드 프랑스 233
투표: 대통령선거 145, 선거가 많았던 해 161, 우주 160, 탐사선 이름 32,
툼 레이더 기념품 110
트랙 & 필드 236~237
트랙 사이클링 233
트랙터 140: 남극 동력탐험 134
트랜스휴머니즘 74~75
트램펄린 80
트러플 30, 31
트레드밀 77
트로곤 61
트웬티 20 230
트위드 정장 60
트위터 147, 153, 156, 178
특허 158, 190
티라미슈 112

ㅍ~ㅎ

파노라마 이미지 192
파도 34~35, 143
파워 펀치 228
파일럿 고래 56
파충류 52~53
파티 폭죽 119
판 구조론 24~25
판다 46~47
팔다리를 써서 달리기 81
팝콘 볼 122
패션 분야에서 부유한 사람 156
패션쇼 156
패션의 끝 156~157
팬케이크 114: 던지기 143
팬 픽션 166, 167
팽이 109
페널티: 미식축구 222, 아이스하키 225
페달 구동 보트 80
페디캡 149
페레로 로셰 115
페이스북 178
페커리 50
펭귄 116
평균 수명 160
평영 240
포고스틱 142, 244
포도 115, 183
포퓰러 원 127, 232: 수입 162
포스트잇 노트 198
포켓몬 110
폭발 57
폭스바겐 캠퍼밴 116
폭죽 194: 의상에서 터진 불꽃 194
폭포 37
폴 볼트 142, 237
표: 기차 110, 버스 110, 영화 198
푸른 고래 105
푸시업 77
풍동: 벽 달리기 118, 헤드스핀 118
풍선 119
풍속 62
풍차/바람개비 125
프리다이빙 241
플라스틱: 가방 110, 161, 오염 26
플라즈마 압력 196
플래시터널 72, 73
플루토늄 22
피겨스케이트 242
피라미드 37: 두루마리 화장지 158, 볼 122, 책 166, 컵 118, 케이크 115
피부: 감염 30, 신축성 있는 10
피스톨 스쿼트 76
피어싱 72~73
피자 113, 114
피트니스 광 76~77
피파 월드컵 218~219
피파 풋살 월드컵 221
하이 탑 페이드 71
하이힐: 달리기 81, 롤러스케이트 81, 무거운 물체 끌기 79
하천 87: 오염 27
하키 247
하품 84
할와 112
합금 23
핫도그 86, 114
항공기 141, 199, 214: 3D 프린트된 190, 가변익 항공기 211, 고도 138, 186, 군대 210, 211, 글라이더 138, 139, 143, 끌기 80, 논스톱 비행 139, 로켓 추진식 63, 무게 105, 무인의 138, 버티기 84, 복엽기 62, 소방 29, 속도 62, 63, 일주 130, 131, 139, 전투기 210, 종이비행기 186, 태양 전력 131, 138, 트럭 점프 208, 틸트로터 항공기 211
항공모함 210
항공사 213
항공사진 193
항생제 197
해머 던지기 237
해양보호구역 26
해저 확장 25
핵융합 196, 197
핵티비즘 146
핸드볼 247
햄버거 114, 115, 198
행글라이딩 139, 244
행성: 궤도 속도 63, 외계 214
허리 사이즈 73
헐크 91: 코스튬플레이 99
헛간으로 만든 차 206
헝겊인형 108
헤나 문신 73
헤드스핀 118
헬로키티 수집품 111
헬리콥터: 군용 211, 소방 29, 일주 130
혀 86: 가스 토치 끄기 82, 동물 56, 58, 무거운 물체 들거나 끌기 79, 쥐덫 많이 물리기 82, 118, 피어싱 73

혈장 기증 85
협곡 87
형제자매: 극지 탐험 135, 동계올림픽 243, 등산 135, 빌보드 차트 히트곡 176, 엑스게임 245, 축구 선수 221
혜성 188~189
혜성 꼬리 188
호박 60, 196
호박 105: 호박을 타고 81
호수: 데이터베이스 35, 용암호수 35
호주 풋볼 246
호텔 183
혹멧돼지 51
홀로그램 193
홀인원 231
홍수 현무암 20
화강암 21
화강암 기둥 21
화산: 나이 34, 분출 16~17, 20, 33, 35, 수중 33, 열 발산 34, 이화산 35
화산암 21
화산암 기둥 21
화상 11, 84
화석 46, 54
화장실 158~159
화장실 끌기 158
화재 28: 모닥불 37, 산불 28~29, 소용돌이 28, 화상 11, 84
화학반응 192
회사: 이익 149, 자산 148, 판매 148
회전 폭죽 195
회화 181, 199: 보디페인팅 73
횡단보도 205
훌라후프 10, 14, 81, 82
휠체어: 경사대를 이용한 높이뛰기 11, 공중 뒤돌기 11, 마라톤 238~239, 테니스 227, 트랙 이벤트 236, 237
휴대용 풍금 109
흑해 횡단 141
흔들목마 109
힐러몬스터 53
힘이 센: 동물 41, 45, 인간 78~79

도움을 준 사람들 ACKNOWLEDGEMENTS

편집장 크레이그 글렌데이
선임 편집 주간 스티븐 폴
레이아웃 에디터 톰 베커리지, 롭 디메리
선임 프로젝트 에디터 아담 밀워드
프로젝트 에디터 벤 홀링엄
게이밍 에디터 스티븐 다울트리
정보 & 연구 매니저 카림 발레리오
VP 출판 제니 헬러
사진 & 디자인 책임 마이클 휘티
사진 에디터 프란 모라레스
사진 조사 사프론 프래들리
재능 조사 제니 랭그리지, 빅토리아 트위디
삽화 빌리 워커르
교열/사실 확인 벤 웨이, 매튜 화이트
디자인 폴 윌리-디콘, 맷 벨(55design.co.uk)
오리지널 일러스트레이션 몰팅스 파트너십, 샘 골린
조달책임 패트리셔 마길
출판 관리 제인 보트필드
제작 보조 토마스 맥커디
제작 컨설턴트 로저 호킨스, 데니스 손, 토비아스 로나
그래픽 복사 레스 카흐라만(본 그룹)
원본 사진 리처드 브래드버리, 조나단 블루우닝, 제임스 캐넌, 마크 데즈웰, 알 디아즈, 제임스 엘러커, 폴 마이클 휴즈, 라날드 마케크니, 올리비에 라몬테, 케빈 스콧 라모스, 라이언 슈데
표지 개발 폴 윌리 디콘(55design.co.uk)
표지 제작 스펙트라텍 테크놀로지 사(테리 콘웨이와 마이크 포스터), API 라미네이즈 사(스티븐 엠슬레이), GT 프로덕션(베른트 살레프스키)
색인 작업 마리 로리머
인쇄, 제본 독일 귀터슬러 소재 몬 미디어 몬두르크 GmbH
자문 마크 애스톤 박사, 제임스 번스, 롭 케이브, 마틴 채프먼, 니콜라스 추, 스티븐 데일, 워렌 독터, 딕 피디, 데이비드 피셔, 마이크 플린, 벤 해거, 데이브 호크셋, T Q 제퍼슨, 에버하르트 유르갈스키, 브루스 내시(더 넘버스), 국제대양조정협회, 폴 파슨스 박사, 클라라 픽시릴로, 제임스 프라우드, 칼 P N 셔커, 이안 섬너, 매튜 화이트, 로버트 D 영

[한국]

펴낸이 이범상
펴낸곳 이덴슬리벨
번역 신용우
기획 이경원 박월
편집 김승희 김다혜 배윤주 심은정
디자인 김혜림 이미숙
마케팅 한상철 이준건
전자책 김성화 김희정
관리 이성호 이다정

초판 1쇄 발행 2017년 10월 25일
주소 우)04034 서울 마포구 잔다리로7길 12 (서교동)
전화 02)338-2411 **팩스** 02)338-2413
홈페이지 www.visionbp.co.kr
이메일 editor@visionbp.co.kr
등록번호 제2009-000096호
한국 979-11-88053-08-7 04030
978-89-91310-93-3 (SET)

기록은 언제든 경신 가능한 것입니다. 사실 이 책의 중요한 목적 중의 하나입니다. 당신이 새롭게 세울 만한 기록이 있으면, 도전하기 전에 우리에게 연락을 주시기 바랍니다.

www.guinnessworldrecords.com을 방문해 기록 경신 소식과 기록 도전 비디오 영상을 살펴 보십시오. 기네스 세계기록 온라인 커뮤니티의 회원이 되면 모든 정보를 제공 받으실 수 있습니다.

영국도서관 출판 데이터 카탈로그: 이 책의 기록에 관한 카탈로그는 영국도서관에서 볼 수 있습니다.

환경에 무해한 종이 사용
이 책에 사용된 종이는 독일 UPM 플라틀링 사에서 만든 것으로, 삼림 무해 인증서를 받았습니다. 또한 환경에 무해한 종이를 만들기 위해 ISO14001 환경 관리 시스템과 EMAS 표준 규격을 엄수하였습니다.

UPM 종이는 재생과 재활용이 가능한 소재로 만들어지는 바이오포(Biofore) 제품입니다.

기네스 세계기록협회는 정확한 기록 검증을 위해 철저한 평가 인증 시스템을 가지고 있습니다. 그러나 많은 노력에도 불구하고 실수는 생기기 마련입니다. 따라서 독자들의 피드백을 늘 환영하는 바입니다.

기네스 세계기록협회는 전통적인 도량법과 미터법을 모두 사용하고 있습니다. 그러나 미터법만 인정되는 과학적 데이터나 일부 스포츠 데이터의 경우에는 미터법만 사용합니다. 또한 특정 데이터 기록은 그 시기에 맞는 현행가치에 따라 교환율로 계산하였고, 단 한 해의 데이터만 주어진 경우 교환율은 그해의 12월 31일을 기준으로 계산했습니다.

새로운 기록 수립에 도전할 때에는 언제나 주의사항에 따라야 합니다. 기록 도전에 따르는 위험 부담과 그 책임은 모두 도전자에게 있습니다. 기네스 세계기록은 많은 기록 중 책에 담을 기록을 판단하는 데 신중을 다하고 있습니다. 기네스 세계기록 보유자가 된다 하더라도 반드시 기네스 세계기록에 이름이 실리는 것은 아닙니다.

OFFICIALLY AMAZING

THE JIM PATTISON GROUP

본사
글로벌 회장: 알리스테어 리처즈

프로페셔널 서비스
최고재무책임자: 앨리슨 오잔느
재무감사: 앤드루 우드
수취 계정 매니저: 리자 깁스
재무부장: 제이미-리 엠리스, 대니얼 랄프
보조 회계사: 제스 블레이크, 요셉 가파르
지급 계정 담당: 타즈키야 술타나
수취 계정 담당: 주스나 베굼
교역 분석 매니저: 엘리자베스 비숍
법률 책임자: 레이먼스 마셜
법률 상담: 테렌스 창
주니어 법률 상담: 시잉윤 라블렌
준법률가: 미쉘 푸아
글로벌 HR 책임자: 파렐라 라이언 코거
HR 보조: 메흐린 사에에드
사무실 매니저: 재키 앵커스
IT 책임감독: 롭 하우
IT 매니저: 제임스 에드워즈
개발자: 켄크 셀림, 루이스 에어즈
데스크톱 관리자: 알파 세란트-데포
분석/테스트: 셀린 베이컨
글로벌 SVP 기록: 마르코 프리가티
카테고리 관리 책임자: 재클린 셰록
정보 & 연구 매니저: 카림 발레리오
RMT 트레이닝 매니저: 알렉산드라 포피스탄
카테고리 매니저: 애덤 브라운, 트립 요먼, 빅토리아 트위디
카테고리 책임자: 다니엘 커비
기록 컨설턴트: 샘 메이슨

글로벌 브랜드 전략
SVP 글로벌 브랜드 전략: 사만다 페이
브랜드 매니저: 줄리엣 도슨
VP 크리에이티브: 폴 오닐
글로벌 제품 유통 책임자: 앨런 픽슬레이

글로벌 제품 마케팅
VP 글로벌 제품 마케팅: 케이티 포르데
글로벌 TV 콘텐츠 & 판매 책임감독: 롭 몰로이
시니어 TV 유통 매니저: 폴 글린
시니어 TV 콘텐츠 실무: 조너선 휘턴
디지털 책임자: 베로니카 아이언즈
온라인 에디터: 케빈 린치
온라인 작가: 레이첼 스왓먼
소셜 미디어 매니저: 댄 손
디지털 비디오 프로듀서: 매트 무손
주니어 영상 프로듀서: 세실 타이
프런트 엔드 개발자: 알렉스 왈두
브랜드 & 소비자 제품 마케팅 매니저: 루시 액필드
B2B 제품 마케팅 매니저(현장 이벤트): 루이스 톰스
B2B 제품 마케팅 매니저(홍보와 광고): 에밀리 오스본
제품 마케팅 책임자: 빅터 페네스
디자이너: 레베카 뷰캐넌 스미스
주니어 디자이너: 에드워드 딜런

EMEA & APAC
SVP EMEA APAC: 나딘 코지
출판 판매 책임자: 존 필레이
주요고객 매니저: 캐롤라인 레이크
출판 라이센싱 및 출판 매니저: 헬레네 나바레
배급 책임자: 앨리스 올루이탄
상업 계정 & 라이센싱 책임자: 샘 프로세르
사업 개발 매니저: 리 해리슨, 앨런 사우스게이트
상업 계정 매니저: 제시카 레이, 잉가 라스무센, 사디에 스미스, 페이 에드워즈
국가 상업 대표
인도 상업 대표: 이크힐 슈클라
PR 책임감독: 자키 루이스
시니어 PR 매니저: 더그 메일
B2B PR 매니저: 멜라니 드프라이스
외신 담당: 앰버-조지나 질
마케팅 책임자: 저스틴 토메이 / 크리스실라 필로젠
시니어 B2B 마케팅 매니저: 마와 로드리게스
B2C 마케팅 매니저: 크리스텔레 베트롱
콘텐츠 마케팅 책임자: 이멜다 익포
APAC 기록 관리 책임자: 벤 백하우스
유럽 기록 관리 책임자: 산타 친니아
기록 매니저: 마크 매킨리, 크리스토퍼 린치, 마틸다 하그네, 다니엘 키데인, 쉴라 멜라
기록 책임자: 메간 더블
시니어 제작 매니저: 피오나 그리쉬-크라벤
프로젝트 매니저: 카메론 켈로우
중동·북아프리카 국가 매니저: 탈랄 오마르
중동·북아프리카 RMT 책임자: 사메르 크할로우프
중동·북아프리카 기록 매니저: 호다 카차브
중동·북아프리카 B2B 마케팅 매니저: 레일라 이사
중동·북아프리카 상업 계정 매니저: 크할이드 야시네, 카멜 야신
공식 심사관: 아흐메드 마말 가브르, 안나 옥스퍼드, 브라이언 소벨, 글렌 폴라드, 잭브룩뱅크, 레나 쿨만, 로렌조 벨트리, 루시아 시니가글리에시, 파울리나 사핀스카, 피트 페어베언, 프라빈 파텔, 리처드 스테닝, 케빈 사담, 리시 나트, 세이다 수바시 게미치, 소피아 그린에이커, 솔베이 말로우프, 스와프닐 단가리카르

아메리카
SVP 아메리카: 피터 하퍼
VP 마케팅 & 상업 판매: 키이스 그린
VP 아메리카 출판 판매: 월터 웨인츠
라틴 아메리카 책임감독: 카를로스 마르티네스
서부 브랜드 개발 책임자: 킴벌리 패트릭
상업 판매 책임자: 니콜 판도,
시니어 회계 매니저: 랄프 한나
회계 매니저: 알렉스 앵거트, 조반니 브루나, 매켄지 베리
프로젝트 매니저: 케이시 드산티스
PR 매니저: 크리스켄 오트
PR 매니저 보조: 엘리자베스 몬토야
PR 코디네이터: 소피아 로체르
디지털 코디네이터: 크리스틴 스티븐슨
출판 판매 매니저: 리사 코라도
마케팅 매니저: 모건 쿠벨카
소비자 마케팅 책임자: 타비아 레비
북아메리카 시니어 기록 매니저: 한나 오트만
라틴아메리카 시니어 기록 매니저: 라쿠엘 아시스
북아메리카 기록 매니저: 마이클 푸르나리, 카이틀린 홀, 케이틀린 베스퍼
라틴아메리카 기록 매니저: 사라 케손
HR & 사무실 매니저: 켈리 페릭
북아메리카 공식 심사관: 마이클 엠프릭, 필립 로버트슨, 크리스티나 플로운더스 콘론, 지민 코긴스, 앤드루 글래스, 마이크 자넬라
라틴아메리카 공식 심사관: 나탈리아 라미레스 탈레로, 카를로스 타피아 로야스

일본
VP 일본: 에리카 오가와
사무실 매니저: 후미코 기타가와
RMT 책임감독: 가오루 이시카와
기록 매니저: 마리코 고이케, 요코 후루야
기록 책임자: 코마 사토
마케팅 책임자: 히데키 하루세
디자이너: 모모코 커닌
시니어 PR & 판촉 매니저: 카자미 카미오카
B2B 마케팅 매니저 홍보 & 광고: 아스미 후나츠
현장 이벤트 프로젝트 매니저: 아야 맥밀란
디지털 & 출판 콘텐츠 매니저: 타카후미 스즈키
상업 책임자: 비하그 쿨슈레스타
회계 매니저: 타쿠로 마루야마, 마사미치 야자키
시니어 회계 책임자: 다이스케 카타야마
회계 책임자: 미나미 이토
공식 심사관: 저스틴 페터슨, 마이 맥밀란, 굴라츠 우카소바, 레이 아와시타

중화권 국가
대표: 로완 시먼스
중화권국가 총감독: 마르코 프리가티
글로벌 & 중화권 VP 상업: 블라이스 피츠윌리엄
시니어 회계 매니저: 캐서린 가오
시니어 프로젝트 매니저: 레지 루
회계 매니저: 클로에 리우
대외 관계 매니저: 둥 칭
디지털 비즈니스 매니저: 잭키 위안
RMT 책임자: 찰스 와튼
기록 매니저: 앨리샤 자오
기록 매니저 / 프로젝트 코디네이터: 파이 지앙
HR & 사무실 매니저: 티나 시
사무 보조: 케이트 왕
마케팅 책임자: 웬디 왕
B2B 마케팅 매니저: 이리스 호우
디지털 매니저: 릴리 쟁
마케팅 책임자: 트레이시 쿠이
PR 매니저: 에이다 리우
콘텐츠 감독: 안젤라 우
공식 심사관: 브리타니 둔, 조앤 브렌트, 존 갈란드, 매기 루오, 피터 양

▼ 사진 제공

1 래널드 맥케니/GWR, **2** 몰팅스 파트너십, **4** 안드레이 알톡호프, **5** 셔터스톡, PA, 로이터, **8** 알라미, 게티, 제임스 캐넌/ GWR, **9** PA, **10** 샘 골린, **11** 셔터스톡, **12 (영국)** 폴 마이클 휴스/GWR, **13 (영국)** 리처드 브래드버리/GWR, **12** 폴 마이클 휴스/ GWR, **13** 스튜어트 G W 프라이스, 대니 힉슨, **12 (미국)** 셔터스톡, **13 (미국)** 벤 깁슨, **14** 제레미 시몬스, 멜리사 게일, **15** 맷 알렉산더, **16** 셔터스톡, **18** 르네 리스, **19** 게티, 알라미, i스톡, **20** 알라미, 셔터스톡, **21** 알라미, 게티, 알라미, **22** 셔터스톡, **23** 알라미, 셔터스톡, 데니스 s.k 컬렉션, 하인리히 프니오크, 에릭 헌트, **24** SPL, 알라미, SPL, 셔터스톡, **25** i스톡, 셔터스톡, 알라미, USGS, 크리스토퍼 스펜서, 셔터스톡, **26** 게티, 알라미, 셔터스톡, **27** i스톡, 게티, 셔터스톡, 게티, 셔터스톡, i스톡, 게티, **28** 슈퍼스톡, 알라미, 게티, 셔터스톡, **29** 게티, 알라미, 게티, NASA, 게티, 알라미, **30** 알라미, 셔터스톡, **31** 알라미, 셔터스톡, **32** NERC, **33** 게티, 셔터스톡, NOAA, 셔터스톡, 마크 티센/내셔널지오그래픽, NOAA, F 바세메이유스, 미국 해군, **34** 알라미, 게티, ESA, 게티, NASA, **35** 알라미, 슈퍼스톡, 알라미, **36** 몰팅스 파트너십, **38** 셔터스톡, **40** 크리스티나 페인팅, 알라미, **41** i스톡 포토, 네이처 PL, 샤레포, 알라미, 셔터스톡, 알라미, 우도 슈미트, 알라미, **42** 알라미, 셔터스톡, **43** 알라미, SPL, 알라미, 셔터스톡, 알라미, **44** 알라미, 셔터스톡, **45** 알라미, 스리람 MV, 알라미, 셔터스톡, **46** 알라미, 게티, 셔터스톡, **47** 알라미, 게티, 알라미, 셔터스톡, 알라미, 셔터스톡, **48** 포토샷, 셔터스톡, **49** 셔터스톡, 알라미, i스톡, 알라미, i스톡, 슈퍼스톡, 게티, 알라미, **50** 알라미, 더 윌슨 포스트, 오그니엣츠, 알라미, 셔터스톡, **51** 알라미, 셔터스톡, 알라미, 셔터스톡, **52** 케빈 스콧 라모스/GWR, **54** 셔터스톡, 프레드릭 A 루카스, 셔터스톡, **55** 알라미, 게티, **56** 게티, 아르데아, 알라미, 슈퍼스톡, 알라미, 게티, 셔터스톡, **57** 알라미, 게티, 알라미, 셔터스톡, 알라미, **58** 셔터스톡, **59** 케빈 스콧 라모스/GWR, 폴 마이클 휴스/GWR, **60** PA, 게티, 청 충-팟 & 리우 이, 로열 서스캐처원 박물관, PA, **61** 미국해양대기관리처 서부연안 수산부, 위드맨단/ 버드세어, 와룻시리웃, 게티, **62** 몰팅스 파트너십, **66** 게티, 몰팅스 파트너십, 게티, **67** 게티, 유튜브, 드림스타임, **68** 알라미, **69** 드비르 로젠, 게티, 알라미, **70** 존 라이트/GWR, 게티, 알라미, **71** 조나단 블루우닝/ GWR, 라이언 슈데/ GWR, 라이언 슈데/GWR, 리처드 브래드버리/GWR, 로이터, **72** DPA/PA, 크리스티안 바넷/ GWR, 셔터스톡, 알라미, **73** 자로슬라브 노갈, 알 디아즈/GWR, 존 라이트/GWR, 셔터스톡, **74** 알라미, 제임스 엘러커/GWR, **75** 폴 마이클 휴스/GWR, 게티, 올리버 라몬테/ GWR, 알라미, **77** 포토루어, 샘 크리스마스/GWR, **78** 존 라이트/GWR, 폴 마이클 휴스/GWR, **79** 폴 마이클 휴스/GWR, 폴 마이클 휴스/GWR, **80** 존 라이트/ GWR, 존 라이트/GWR, 셔터스톡, **81** 리처드 브래드버리/GWR, 폴 마이클 휴스/GWR, 폴 마이클 휴스/GWR, 켄 부티, 래널드 맥케니/GWR, **82** 클리프 롤스, 셔터스톡, **83** 래널드 맥케니/GWR, 케빈 스콧 라모스/GWR, **84** SWNS, 길 몬타노/GWR, 필립 로버트슨, 폴 마이클 휴스/GWR, 사라 머크, **85** SWNS, 앨런 플레이스, 알라미, **86** 몰팅스 파트너십, **88** 케빈 스콧 라모스/GWR, **90** 몰팅스 파트너십, **92** 알라미, **93** 알라미, **94** 알라미, 셔터스톡, 알라미, **95** 알라미, **98** 게티, **99** 셔터스톡, 로이터, **101** 알라미, **102** 라이언 슈데/GWR, **103** 게티, 케빈 스콧 라모스/GWR, 알라미, 래널드 맥케니/GWR, 케빈 스콧 라모스/GWR, **104** 몰팅스 파트너십, **106** 케빈 스콧 라모스/GWR, **108** 마이클 로치, 래널드 맥케니/GWR, i스톡, 셔터스톡, **109** 셔터스톡, 케빈 스콧 라모스/GWR, 케빈 스콧 라모스/GWR, 제임스 엘러커/GWR, **110** 셔터스톡, **111** 폴 마이클 휴스/GWR, 조나단 블루우닝/GWR, **112** 안데르스 마르틴센, 셔터스톡, **113** 게티, **114** 로드 커크패트릭, 폴 마이클 휴스/GWR, 제프 홈스, 셔터스톡, **115** 래널드 맥케니/GWR, 리처드 브래드버리/GWR, 폴 마이클 휴스/ GWR, 셔터스톡, **116** 칼라 다니엘리, 팀 앤더슨, 셔터스톡, **117** 알라미, 데피네이트 필름스, 매튜 허우드, 켄 본, **118** 셔터스톡, **119** 폴 마이클 휴스/ GWR, 케빈 스콧 라모스/GWR, 래널드 맥케니/GWR, **120** 알라미, C Y 포토그래피, **121** 뉴스플레어, 마크 데즈웰/ GWR, **122** 케빈 스콧 라모스/GWR, 셔터스톡, **123** 게티, 케빈 스콧 라모스/ GWR, 케빈 스콧 라모스/GWR, **125** 지우제파 라라트로, **126** 몰팅스 파트너십, **128** 바크로프트 미디어, **129** 바크로프트 미디어, **130** 셔터스톡, **131** 셔터스톡, 케빈 라이트, 알라미, 셔터스톡, 알라미, 게티, **132** 셔터스톡, **133** NASA, 알라미, PA, **134** 알라미, **135** 셔터스톡, **137** 로드 메이어, **138** NASA, 셔터스톡, **139** 빌럼 조한, 안티 아커만 & C 미첼, 알라미, 레드불, **141** 스튜어트 베일리, 게티, **142** 몰팅스 파트너십, **144** 게티, **146** 셔터스톡, 알라미, **147** 알라미, 게티, 알라미, 게티, 알라미, 게티, **148** 알라미, 셔터스톡, **149** i스톡, 알라미, **150** 알라미, 셔터스톡, **151** 셔터스톡, 알라미, 셔터스톡, 게티, 알라미, 게티, **152** 셔터스톡, 알라미, **153** 알라미, NTT 도코모, 알라미, **154** 셔터스톡, **155** 소더비, 알라미, 게티, 알라미, 셔터스톡, 알라미, **156** 셔터스톡, 알라미, 셔터스톡, **157** 게티, 그레이 플란넬 옥션, 셔터스톡, 앤드루 리포프스키, 로이터, 알라미, **158** 셔터스톡, 로이터, **159** 토일로그래피, 로이터, 로이터, 로이터, 폴 마이클 휴스/GWR, **160** 알라미, 로이터, NASA, 알라미, **161** 셔터스톡, 알라미, 게티, **162** 몰팅스 파트너십, **164** 알라미, **165** 셔터스톡, **166** 알라미, 게티, 셔터스톡, **167** 케이시 부시먼, 소더비, 소더비, **168** 알라미, 폴 마이클 휴스/GWR, 셔터스톡, **169** 게티, 셔터스톡, BBC, 게티, **170** 알라미, 셔터스톡, **171** 알라미, 셔터스톡, 알라미, **172** 게티, 알라미, 셔터스톡, **173** 알라미, 셔터스톡, 알라미, 셔터스톡, 게티, 알라미, **174** 알라미, 셔터스톡, **175** 알라미, 라이언 슈데/GWR, **176** 셔터스톡, **177** 셔터스톡, 알라미, 게티, 알라미, **178** 알라미, 게티, 알라미, **179** 알라미, **180** 케빈 스콧 라모스/GWR, 애리슨 로렌스, **181** 셔터스톡, 워싱턴 그린 파인 아트 그룹, 조안 마르코, 셔터스톡, **182** 몰팅스 파트너십, **184** 알라미, **186** 알라미, 셔터스톡, **187** SPL, 셔터스톡, SPL, 유튜브, 게티, 알라미, **188** NASA, 알라미, NASA, 게티, NASA, 셔터스톡, **189** NASA, ESA, NASA, 셔터스톡, **190** 알라미, 린드너 포토그라피, 허먼 젠슨, 셔터스톡, **191** IAAC, AMNH/D Finnin, 카를로스 존스, 워싱턴 대학교, **192** 파낙시티, 셔터스톡, **193** 셔터스톡, 길먼컬렉션, SEAC 포토그래픽 컬렉션, **194** 세아 광 팽, 유튜브, 셔터스톡, **195** 알라미, 게티, **196** 게티, 밥 멈가르드, **197** 게티, 알라미, **198** 몰팅스 파트너십, **200** 리처드 브래드버리/GWR, **202** 알라미, 셔터스톡, 알라미, 해튼스 모델 레일웨이스, **203** 보리스 럭스, 알라미, 게티, **204** 알라미, 셔터스톡, **205** 알라미, 셔터스톡, 알라미, 게티, 알라미, **206** 게티, 셔터스톡, **207** 셔터스톡, 로더릭 파운틴, 바크로프트 미디어, **208** 게티, **209** 제임스 엘러커/GWR, 리처드 브래드버리/ GWR, 로버트 챈들러, 드류 가드너/GWR, 유튜브, **210** 셔터스톡, 유튜브, 알라미, 셔터스톡, **211** 게티, 알라미, 크라운 카피라이트, 탑포토, 알라미, **212** i스톡, 마이클 가넷, 알라미, **213** 마크 보테거, 셔터스톡, 게티, 알라미, **214** 몰팅스 파트너십, **216** 알라미, **217** 알라미, **218** 게티, 셔터스톡, **219** 알라미, 게티, 알라미, 게티, 알라미, 게티, **220** 게티, 셔터스톡, 알라미, **221** 알라미, 게티, 알라미, 게티, **222** 게티, 셔터스톡, **223** 게티, 셔터스톡, 게티, **224** 게티, **225** 게티, 알라미, 게티, **226** 게티, 알라미, 게티, 셔터스톡, **227** 알라미, 셔터스톡, 게티, 셔터스톡, **228** 게티, 알라미, 게티, **229** 알라미, 게티, **230** 게티, 알라미, **231** 게티, 알라미, 셔터스톡, 알라미, **232** 레드불, 레드불, 알라미, 폴 마이클 휴스/GWR, 게티, **233** 알라미, 레드불, 알라미, 게티, **234** 알라미, 셔터스톡, 게티, 알라미, **235** 유튜브, 알라미, **236** 게티, 알라미, **237** 게티, 알라미, 셔터스톡, 알라미, **238** 알라미, 셔터스톡, **239** 셔터스톡, 로이터, 셔터스톡, **240** 알라미, 셔터스톡, **241** 알라미, 셔터스톡, 알라미, WSL, **242** 알라미, 게티, **243** 알라미, 게티, 셔터스톡, 게티, **244** ESPN, **245** 알라미, 레드불, ESPN, ESPN, **246** 실비오 아빌라, 게티, 알라미, **247** 게티.

기네스 세계기록은 이 책에 도움을 주신 다음 분들께 감사의 뜻을 표합니다.

ABC 오스트레일리아 (엠마 문게빈), 한스 아케르스테트 (1st 부대표, FAI 기구 위원회), 알렉스 버로 이벤츠 (알렉스 버로, 가렛 와이브로), 카르멘 마리아 알폰조, 앤드루 케이 외 관련 일동 (앤드루 케이, 마고트 필레), 마크 아치볼드, 소피 발링, BBC (케즈 마그리, 셰릴 테일러), 빌리 오스카 벨, 케리 벨, 레옹 스텐리 벨, 로니 알버트 벨, 벤더 미디어 서비스 (수잔 벤더, 셀리 트라이벨), 클라우디아 비네크 (베를린 동물원), 브랜든 보트필드, 조셉 보트필드, 루크 보트필드, 라이언 보트필드, 이언 보든, 안드레아 브라프, 코린 번스, 레이먼드 버틀러, CCTV 중국 (피아 링, 세레나 메이, 구오 통, 왕 웨이), 테드 샤핀, 쿠아이 추, 존 코코란, 리디아 데일, 디스커버리 커뮤니케이션즈 (벤트 엔게브렛센, 알레나 카라릭, 케리 맥이보이, 네스타 오웬스와 조나단 러드), 에미레이츠 (앤디 그랜트), 엔드몰 샤인 이탈리아(스테파노 토리시, 오르세타 발사모), 엔리치드 퍼포머스 (사라 리치스), E-비전 (파티하 벤살렘), 벤자민 폴, 레베카 폴, 존 판워스, 캐롤라인 피르, 마르코 페르난데스 데 아라오즈, 조노 필드, FJT 로지스틱스 Ltd (레이 하퍼, 게빈 헤네시), 데이비드 플레처, 저스틴가르바노비치, 카렌 길크리스트, 올리버 그랭어, 챌시 그린우드, 피트와 빅토리아 그림셸, 그리즐리 미디어 (애덤 무어), 필린 헤치메이스터 (베를린 동물원), 마커스 해게니 (스포츠 및 행사 기획, FAI – 국제 항공 연맹), 햄프셔 스포츠 앤드 프레스티지 카, 에이미 세실리아 한나 알폰조, 소피 알렉시아 한나 알폰조, 해븐 홀리데이스, 대니 힉슨, 하이 눈 엔터테인먼트 (존 코새피언), 이사벨 호프마이어, 조나단 홀트 (영국 보빙턴, 더 탱크 박물관 기록 보관소 및 도서관 담당), 마샤 후버, 콜린 휴스, 체인 홀트겐, 톰 아이비슨, ICM (콜린 버크, 마이클 케이건), 인티그레이티드 컬러 에디션 유럽 (로저 호킨스, 수잔 호킨스), ITV 아메리카 (데이비드 에일렌버그, 에릭 호버맨, 애덤 셔), 알 잭슨, 게빈 조던, 리처트 카카요르, 다니 케인, 스티븐 키시, 제인 클레인 (더 페일리 센터 포 미디어), 하루카 구로다, 커츠, 올라 랭턴, 테아 랭턴, 프레드릭 호레이스 라젤, 리암 르 길루, 아이샤 레오, 레온하르트 커츠 슈티프텅 & Co. KG, 라이온 텔레비전 (사이먼 웰턴, 수잔 쿡, 사라 클라크), 부르노 맥도날드, 마트 마에스 (위메이크VR), 미시 마틸다, 데이브 맥엘리어, 클레어 맥클라나한, 브래드밀러, 아마라, 플로렌스, 조슈아와 소피 몰로이, 로라 오브라이언 박사(노섬브리아대학교 모던 유럽 역사), 원 스탑 파티 샵 (마이크 존스, 롭 말로), 닉 패터슨, 앨리스 피블스, 테리 필립스 (파충류 가든), 알리스테어 파이크 교수 (사우샘프턴대학 고고학), 트리에스테 핀지니 (ID), POD 월드와이드 (이프 정, 크리스티 진, 알렉스 이스칸다르 리우), 프레스티지 (재키 진저), PrintForce.Com (마크 맥아이버), R 앤 G 프로덕션스 (에릭 브론, 데이비드 샬렛, 스테판 가토, 팻라이스 파르망티에, 제롬 레브논), 라이트스미스 (잭 보람, 로라 도시, 미카 이마무라, 마사토 가토, 재키 마운틴, 오마르 타헤르, 사치에 타카하시), 린제이 로스, 에릭 사코우스키, 밀레나 소에처 (FAI 지원팀), 제니퍼 세션스 박사 (아이오와대학교 역사 교수연합), 나타샤 셀든, 벤 샤이어스, 브리짓 시겔, 앤드루 W M 스미스 박사 (치체스터대학교 현대사 및 정치 시니어 강사), 가브리엘 스미스, 스칼렛 스미스, 글렌 스피어, 클레어 스티븐스, 앤디 테일러, TC 소호 (JP 대시, 스티브 랭스턴), TG4 아일랜드 (쇼반 NI 브라데 리스니닐라 카리나 피어티어), 줄리안 타운샌드, 터너 (지아 베일스, 수잔나 마출레니, 마르코 로시), 유나이티드 그룹 (블라디미르 고르디치치), UPM 페이퍼, 마틴 바세르(스포티파이), 말라와 왐프, 고래 돌고래 보호협회 (마르타 에비아), 라라 화이트, 세브기 화이트, 브라이언 위긴스, 린다 위긴스, 폴 위긴스, 비버리 윌리엄스, 헤일리 와일리-디콘, 루벤 조지 와일리-디콘, 토비아스 휴 와일리-디콘, 세리 요시타케, 에반 영거, XG-그룹

▼ 국가코드

ABW	아루바
AFG	아프가니스탄
AGO	앙골라
AIA	앙길라
ALB	알바니아
AND	안도라
ANT	네덜란드 앤틸리스
ARG	아르헨티나
ARM	아르메니아
ASM	아메리칸 사모아
ATA	남극 대륙
ATF	프랑스령 남쪽 식민지
ATG	앤티가 바부다
AUS	호주
AUT	오스트리아
AZE	아제르바이잔
BDI	부룬디
BEL	벨기에
BEN	베냉
BFA	부르키나파소
BGD	방글라데시
BGR	불가리아
BHR	바레인
BHS	바하마
BIH	보스니아헤르체고비나
BLR	벨라루스
BLZ	벨리즈
BMU	버뮤다
BOL	볼리비아
BRA	브라질
BRB	바베이도스
BRN	브루나이 다루살람
BTN	부탄
BVT	부베 섬
BWA	보츠와나
CAF	중앙아프리카 공화국
CAN	캐나다
CCK	코코스 제도
CHE	스위스
CHL	칠레
CHN	중국
CIV	코트디부아르
CMR	카메룬
COD	콩고 민주공화국
COG	콩고
COK	쿡 제도
COL	콜롬비아
COM	코모로
CPV	카보베르데
CRI	코스타리카
CUB	쿠바
CXR	크리스마스 섬
CYM	케이맨 제도
CYP	키프로스
CZE	체코 공화국
DEU	독일
DJI	지부티
DMA	도미니카
DNK	덴마크
DOM	도미니카 공화국
DZA	알제리
ECU	에콰도르
EGY	이집트
ERI	에리트레아
ESH	서사하라
ESP	스페인
EST	에스토니아
ETH	에티오피아
FIN	핀란드
FJI	피지
FLK	포클랜드 제도(말비나스)
FRA	프랑스
FRG	서독
FRO	페로 제도
FSM	미크로네시아 연방 공화국
FXX	프랑스, 메트로폴리탄
GAB	가봉
GEO	조지아
GHA	가나
GIB	지브롤터
GIN	기니
GLP	과들루프
GMB	감비아
GNB	기니비사우
GNQ	적도 기니
GRC	그리스
GRD	그레나다
GRL	그린란드
GTM	과테말라
GUF	프랑스령 기아나
GUM	괌
GUY	가이아나
HKG	홍콩
HMD	허드 맥도널드 제도
HND	온두라스
HRV	크로아티아(흐르바트스카)
HTI	아이티
HUN	헝가리
IDN	인도네시아
IND	인도
IOT	영국령 인도양 식민지
IRL	아일랜드
IRN	이란
IRQ	이라크
ISL	아이슬란드
ISR	이스라엘
ITA	이탈리아
JAM	자메이카
JOR	요르단
JPN	일본
KAZ	카자흐스탄
KEN	케냐
KGZ	키르기스스탄
KHM	캄보디아
KIR	키리바시
KNA	세인트키츠네비스
KOR	대한민국
KWT	쿠웨이트
LAO	라오스
LBN	레바논
LBR	라이베리아
LBY	리비아
LCA	세인트루시아
LIE	리히텐슈타인
LKA	스리랑카
LSO	레소토
LTU	리투아니아
LUX	룩셈부르크
LVA	라트비아
MAC	마카오
MAR	모로코
MCO	모나코
MDA	몰도바
MDG	마다가스카르
MDV	몰디브
MEX	멕시코
MHL	마셜 제도
MKD	마케도니아
MLI	말리
MLT	몰타
MMR	미얀마(버마)
MNE	몬테네그로
MNG	몽골
MNP	북마리아나 제도
MOZ	모잠비크
MRT	모리타니
MSR	몬트세라트
MTQ	마르티니크
MUS	모리셔스
MWI	말라위
MYS	말레이시아
MYT	마요트 섬
NAM	나미비아
NCL	뉴칼레도니아
NER	니제르
NFK	노퍽 섬
NGA	나이지리아
NIC	니카라과
NIU	니우에
NLD	네덜란드
NOR	노르웨이
NPL	네팔
NRU	나우루
NZ	뉴질랜드
OMN	오만
PAK	파키스탄
PAN	파나마
PCN	핏케언 제도
PER	페루
PHL	필리핀
PLW	팔로
PNG	파푸아뉴기니
POL	폴란드
PRI	푸에르토리코
PRK	북한
PRT	포르투갈
PRY	파라과이
PYF	프랑스령 폴리네시아
QAT	카타르
REU	리유니언
ROM	루마니아
RUS	러시아
RWA	르완다
SAU	사우디아라비아
SDN	수단
SEN	세네갈
SGP	싱가포르
SGS	남조지아와 남 SS
SHN	세인트헬레나
SJM	스발라르 얀마옌 제도
SLB	솔로몬 제도
SLE	시에라리온
SLV	엘살바도르
SMR	산마리노
SOM	소말리아
SPM	생피에르 미클롱
SRB	세르비아
SSD	남수단
STP	상투메프린시페
SUR	수리남
SVK	슬로바키아
SVN	슬로베니아
SWE	스웨덴
SWZ	스위스
SYC	세이셸
SYR	시리아
TCA	터크스 케이커스 제도
TCD	차드
TGO	토고
THA	태국
TJK	타지키스탄
TKL	토켈라우 제도
TKM	투르크메니스탄
TMP	동티모르
TON	통가
TPE	대만
TTO	트리니다드토바고
TUN	튀니지
TUR	터키
TUV	투발루
TZA	탄자니아
UAE	아랍 에미리트
UGA	우간다
UK	영국
UKR	우크라이나
UMI	미국령 마이너 제도
URY	우루과이
USA	미국
UZB	우즈베키스탄
VAT	상좌(바티칸시국)
VCT	세인트빈센트 그레나딘
VEN	베네수엘라
VGB	버진 아일랜드(영국령)
VIR	버진 제도(미국령)
VNM	베트남
VUT	바누아투
WLF	월리스 푸투나 제도
WSM	사모아
YEM	예멘
ZAF	남아프리카 공화국
ZMB	잠비아
ZWE	짐바브웨

▼ 면지

앞면/1열:

1. 턱에 자전거 올리고 오래 균형 잡기
2. 최대 규모 럭비 대형
3. 가장 큰 촐리/카토리 의상
4. 트라흐트 의상을 입고 모인 가장 많은 인원
5. 가장 큰 애너모픽 인도 작품

앞면/2열:

1. 가장 큰 손수레
2. 가장 많은 사람이 모여 만든 백열전구 이미지
3. 최대 규모 클래식 트랙터 퍼레이드
4. 가장 높은 음을 낸 휘파람
5. 최대 규모 짐볼 수업

앞면/3열:

1. 최장 거리 몬스터트럭 경사대 점프
2. 가장 작은 이삭시계 조각
3. 가장 효율이 좋은 전기 자동차
4. 용 문양 옷을 입고 모인 가장 많은 인원
5. 가장 긴 썰매 대열
6. 가장 많은 신부 모임

앞면/4열:

1. 유모차 끌고 하프마라톤 최고 기록(남성)
2. 가장 높은 튜브 미끄럼틀
3. 최대 규모 태권도 시범
4. 저글링 30초 개인 최고 기록(곤봉 5개)

앞면/5열:

1. 종이비행기 1분 동안 수박에 많이 꽂기
2. 최단 기간 세븐 서미츠 등정과 마지막 위도 스키 횡단(여성)
3. 가장 많은 사람이 모여 만든 움직이는 대형
4. 스케이트보드 최다 힐플립(1분)
5. 가장 무거운 잭푸르트

뒷면/1열:

1. 얼음 위에서 앞바퀴 들고 달린 가장 빠른 오토바이
2. 가장 큰 경보 사이렌
3. 가장 비싼 찻주전자
4. 가장 큰 플라스틱 컵 피라미드
5. 동시에 초를 끈 가장 많은 인원

뒷면/2열:

1. 9kg 가방 메고 1시간 동안 러닝머신 가장 빨리 달리기(팀)
2. 최연소 세븐 서미츠 정복과 마지막 위도 스키 횡단
3. 무거운 자동차 30m 끌기(남성)
4. 가장 길게 연결한 종이 클립(개인)
5. 최다 연속 치어리딩 점프

뒷면/3열:

1. 한쪽 바퀴 들고 가장 빠르게 달린 자동차
2. 나무 지팡이 최다 수집
3. 청삼을 입고 모인 가장 많은 인원
4. 최대 규모 멕시코 고대 의식 춤
5. 최대 규모 인간 DNA 이중나선

뒷면/4열:

1. 가장 큰 열쇠
2. 러닝머신 24시간 가장 빨리 달리기(남성)
3. 슬랙라인 100m 가장 빨리 지나기
4. 무릎에 축구공 올리고 가장 오래 균형 잡기

뒷면/5열:

1. 최대 규모 자유낙하 대형(여성)
2. 슈퍼히어로 복장 마라톤 최고 기록(남성)
3. 이마에 컵 많이 올리고 균형 잡기
4. 3분 동안 브리토 많이 만들기
5. 최대 규모 헬리콥터 대열 비행

전반 ROUND-UP

아래는 올해의 정식 기록 제출 기한이 지난 다음 확인돼 데이터베이스에 추가됐다.

전구로 표현한 가장 큰 이미지
2016년 6월 17일, LG전자와 인비저블 Inc(둘 다 대한민국)가 대한민국 김포에서 백열전구 1만 8,072개를 이용한 작품을 전시했다. 냉장고가 과일과 채소로 둘러싸인 모양의 디자인으로, 예술가 세르게이 벨로(캐나다)가 디자인했다.

양궁 30m 36발 경기 최다 득점(남성)
김우진(대한민국, 234페이지 참조)은 2016년 9월 5일, 대한민국 예천에서 열린 제48회 전국남녀종합선수권 대회에서 360점 만점, 26X로 신기록을 세웠다. 이 대회에서는 많은 궁수가 360점 만점에 360점을 기록하기 때문에 X의 수로 순위를 결정한다. X란 골드(10점)의 안쪽 동그라미를 맞춘 화살을 뜻한다.

가장 큰 은행 카드 모자이크
ICBC(아르헨티나)가 3만 2,400개의 은행 카드로 제작한 ICBC 골드 뱅크 카드 모자이크 작품이 2016년 3월 14일 공개됐다. 전시품의 크기는 151㎡ 이상이었다.

가장 큰 일회용 컵 모자이크
보더폰 모바일 서비스 기업(인도)이 인도 러크나우에서 새 인터넷 캠페인 출시 기념행사를 열고 일회용 컵으로 627㎡ 크기의 회사 로고를 만들었다. 약 14만 개의 컵으로 모자이크한 이 작품은 직원 250명이 4시간 반 동안 작업해 완성했다.

가장 큰 공책
2016년 4월 26일, 영국 런던 이즐링턴의 비즈니스 디자인 센터에서 0.99㎡ 크기의 공책이 공개됐다. 문구류 기업인 누코가 실제 판매 중인 공책을 크기만 키워 제작했다. 완성된 공책의 무게는 약 40kg이었다.

가장 큰 셔츠 모자이크
세제 기업인 아리엘이 2016년 6월 1일, 브라질 상파울루의 공장에서 4,224개의 셔츠를 이용해 1,482.03㎡의 모자이크 작품을 만들었다. 이 행사는 리우데자네이루에서 열리는 자국 올림픽의 성공을 기원하며 기획됐다.

유령 옷을 입고 모인 최다 인원
2016년 6월 12일, 싱가포르 마리나 베이 샌즈 컨벤션 센터에 유령 옷을 입은 263명의 사람이 모였다. 이 유령 옷 행사는 소니 픽처스의 새 영화 〈고스트버스터즈〉(미국/호주, 2016)의 레드카펫 이벤트 중 하나로 마련됐다.

몸에 숟가락 많이 붙이기
달리보르 자브라노비치(세르비아)는 2016년 6월 26일, 세르비아 스투비차에서 자신의 몸에 79개의 숟가락을 붙이는 데 성공했다. 이전 최고 기록인 마르코스 루이즈 세바요스(스페인)의 64개를 넘는 신기록이었지만 자브라노비치의 기록은 올해 제출 기한에 늦어 책에 실리지 못했다.

가장 비싼 찻주전자
N 세티아 재단(영국)이 소유한 찻주전자가 2016년 8월 9일, 영국 런던에서 300만 달러로 감정됐다. '이고이스트'라는 이름의 이 찻주전자는 보석 세공사 풀비오 스카비아(이탈리아)가 수작업으로 제작했다. 세공된 다이아몬드가 몸통을 뒤덮고, 중앙에는 6.67캐럿의 루비가 박혀 있다.

올림픽 체조 결승에서 가장 큰 점수 차이로 우승한 선수(여성)
2016년 8월 11일 열린 리우 올림픽 체조 종목에서 시몬 바일스(미국)는 합계 점수 62.198로 2위인 알렉산드라 레이즈먼(미국, 60.098점)을 2.100점 차이로 이기고 금메달을 목에 걸었다. 구글이 온라인 트렌드를 분석한 연간 리포트에 따르면 바일스는 인터넷에서 검색이 가장 많이 된 여성 스포츠 선수다(현재). 그녀는 2016년 전체 인물 중에서도 5번째로 검색이 많이 됐다. **남성 스포츠 선수 중 가장 검색이 많이 된 인물(현재)**은 수영 선수 마이클 펠프스(미국)로 전체 3위를 기록했다.

동시에 가장 많이 켠 LED 라이트
미국 라스베이거스의 네바다 대학교 학생들이 2016년 8월 31일, 1,590개의 LED 라이트를 일제히 켰다. 이들은 붉은색으로 'UNLV'라는 글자 모양 대형을 만들었다.

레고 6층 피라미드 빨리 만들기(2인 팀)
2016년 9월 17일, 샤나와 리처드 윌킨스(둘 다 미국)가 미국 버지니아 주 리치먼드에서 레고 6층 피라미드를 14.72초 만에 완성했다. 〈브릭페스트라이브!〉에서 세워진 첫 번째 기록으로 미국에서 열린 〈기네스 월드 레코드 라이브!〉 중 일부였다.
토마스 '토미' 래드(미국)는 9월 18일 열린 같은 행사에서 **30초 동안 베이스 플레이트에서 블록 많이 떼서 손에 쥐고 있기** 기록을 세웠다(16개).
같은 날 〈브릭페스트라이브!〉의 호스트 에반스 엘리아스 리처즈(미국)는 **레고 미니 피겨 3개 빨리 조립하기** 기록을 세웠다(18.44초).

가장 큰 시리얼 그릇
2016년 9월 17일, 미국 캘리포니아 주 로스앤젤레스에서 촬영한 CBS의 프로그램 〈렛츠 메이크 어 딜〉은 음식을 주제로 한 에피소드에 주는 '종크!' 상으로 1,589.4kg짜리 유기농 그래놀라 그릇을 제공했다.

가장 무거운 피망
메흐디 다호(프랑스)가 키운 고추가 2016년 9월 22일, 프랑스 아르나지에서 621.07g으로 측정됐다. 기록은 '특별한 뒤뜰(Le Potager Extraordinaire)'이 인증했다. 이 신기록을 세운 고추는 프랑스 방데에서 매년 10월에 열리는 '전국 거대 과일, 채소 대회'의 2016년 행사보다 앞서 확인됐다.

가장 큰 빔 프로젝터 이미지
러시아 모스크바에서 연례행사로 열리는 국제 페스티벌 '빛의 고리' 행사에서 LBL 커뮤니케이션 그룹(러시아)이 2016년 9월 23일, 총면적 5만 458㎡ 크기의 거대한 프로젝트 이미지를 구현했다.

다양한 치즈 전시
2016년 9월 23일, 필립 마르샹(프랑스)은 프랑스 낭시에서 730종류의 치즈 2,140개를 전시해 이전 최고 기록인 590종(113페이지 참조)을 경신했다. 행사는 '프랑스 미식 주간'에 열렸으며 이후 치즈는 낭시 푸드뱅크(복지 서비스 단체)에 기부됐다.

Q: 구글이 조사한, 2016년 인터넷에서 검색이 가장 많이 된 사람은?

A: 도널드 트럼프

최대 규모 드럼 수업
'인스파이어 웍스'와 '스트리트 차일드 유나이티드'(모두 영국)는 2016년 10월 3일, 뱅 더 드럼 프로젝트 행사를 열고 1,827명의 참가자를 영국 런던의 엘리자베스 여왕 올림픽 공원에 있는 쿠퍼 박스 아레나에 모았다.

무인 비행기(UAV) 동시에 많이 띄우기
인텔(미국)은 2016년 10월 7일, 독일 크라일링 상공에 500기의 무인 비행기를 동시에 띄웠다.

비뉴턴 유체로 채워진 수영장 연속으로 건너기
2016년 11월 26일, 남아프리카 멀더스드리프트에서 열린 '퓨어 앤 그레프티드' 축제에서 107명이 물과 옥수수 분말이 섞인 혼합물로 가득한 수영장을 건넜다. 비뉴턴 유체란 점성 법칙이 성립하지 않는 상태로, 액체에 빠지지 않고 건너는 게 가능하다.

고정된 자전거 페달을 밟아 생산한 가장 큰 역학적 에너지(1시간)
2016년 11월 26일, 300명의 참가자가 UAE 두바이 부르즈 공원에서 100대의 고정된 자전거를 이용해 1시간 동안 8,999W의 에너지를 생산했다.

높은 곳에서 떨어지는 크리켓 공 받기
크리스탄 바움가르트너(영국)는 2016년 11월 30일, 영국 버크셔 윈저에서 62m 높이에서 떨어지는 크리켓 공을 받았다. 이는 영국 크리켓 팀 전 주장인 나세르 후세인이 세운 46m를 경신하는 기록이다.

최대 규모 크리켓 수업(한 장소)
2016년 12월 2일, '크리켓 오스트레일리아'가 호주 시드니에 488명을 대상으로 수업을 열었다. 이 수업으로 청소년 여름 참가 프로그램의 개최를 알렸다.

가장 큰 루브 골드버그 장치
미국 만화가의 이름을 딴 '루브 골드버그 장치'는 아주 단순한 일을 하는 극도로 복잡한 기계를 뜻한다. 2016년 12월 2일, 라트비아 기업 스칸디웹은 라트비아 리가에 412번의 과정을 거쳐 크리스마스 전구를 점등하는 기계를 설치했다. 이 장치는 소음측정기로 작동하는데, 군중들의 함성과 비명으로 작동이 시작되었다.

최대 규모 꽃장식/구조물
72.95×78.34×21.98m 크기의 에어버스 A380 모양의 꽃장식이 2016년 12월 2일, UAE 두바이에 있는 두바이 미라클 가든에 설치됐다.

사람들이 모여 만든 최대 규모 인간 장기 대형
2016년 12월 6일, GEMS 케임브리지 인터내셔널 스쿨(UAE) 학생 3,196명이 UAE 아부다비에서 사람의 폐 한 쌍을 나타내는 대형을 만들었다. 이 행사는 노바르티스 미들 이스트 FZE(UEA)가 후원했으며, 만성폐질환에 관한 경각심을 일깨우기 위해 열렸다.

동시에 선물을 포장한 최다 인원
2016년 12월 13일, 영국 기업 주슨의 직원 876명이 영국 버밍엄에서 선물을 포장했다.

기네스 세계기록 부문에서 모자이크는 인기 있는 종목이다. 배터리, 빵, 양말, 비누, 우산, 팝콘, 구두끈 등 너무 다양해 없는 게 없을 지경이다!

경매에서 가장 비싸게 판매된 도장
건륭제(1735~1796)가 소유했던 청나라 옥새가 2016년 12월 14일, 무명의 구매자에게 2,200만 달러에 팔렸다. 건륭제는 비슷한 옥새를 1,800개 정도 소유했던 것으로 알려졌다.

모노폴리 게임을 한 가장 많은 인원(한 장소)
러스틱 커프와 에디티드 2 커프스(둘 다 미국)가 2017년 1월 12일, 미국 오클라호마 주 털사의 르네상스 호텔에서 기획한 행사에 733명이 참가해 클래식 보드게임을 즐겼다. 참가자들은 러스틱 커프가 정식으로 라이센스를 가지고 있는 모노폴리를 사용했는데, 여기에는 땅이 보석 그림으로 표시되어 있다.

대서양을 노 저어 건넌 최초의 트리오
마이크 맷슨, 데이비드 알비아, 브라이언 크라우스코프(모두 미국)로 이루어진 팀 '아메리칸 오즈만'은 라고메라부터 안티과까지 대서양을 동쪽에서 서쪽으로 49일 14시간 4분 만에 횡단했다. 이들은 '앤' 호를 타고 2016년 12월 14일~2017년 2월 2일까지 4,722km 거리를 항해했다.

공포영화 최다 속편
2017년 1월 〈위치크래프트 14: 죽음의 천사〉, 〈위치크래프트 15: 핏빛 장미〉, 〈위치크래프티 16: 할리우드 마녀들의 집회〉가 연속 개봉하며 공포 시리즈 위치크래프트(미국)는 원작 이후 15편의 속편이 더 출시됐다. 이 시리즈는 1988년 시작됐다.

ODI 경기 최다 출장(여성)
1997년 8월 8일~2017년 2월 19일까지 클레어 실링턴(아일랜드)은 19년 195일 동안 90경기의 원데이 인터내셔널(ODI)에 출전했다. 79이닝 동안 1,276 출루, 평균 17.72를 기록했고 6번의 50득점과 낫아웃 최다 95점을 올렸다.

1시간 최다 버피(여성)
피트니스 트레이너 캐서린 비일리(호주)는 2017년 2월 27일, 호주 퀸즐랜드 브리즈번에 있는 미스핏 짐에서 60분 동안 버피를 1,321회 했다. 비일리는 2015년 에바 클라크(호주)가 세운 이전 최고 기록 1,272개(76페이지 참조)를 경신했다.

스페이스 호퍼 타고 100m 달리기 최고 기록
알리 스파뇨라(미국)는 2017년 3월 9일, 미국 캘리포니아 주 로스앤젤레스에 있는 UCLA 드레이크 스타디움에서 100m를 38.22초 만에 멋지게 달려갔다. 스파뇨라는 디 맥두걸이 세운 39.88초(80페이지 참조)를 넘어섰다.

가장 높이 쌓아올린 토르티야
벤 레벤탈(미국)은 2017년 3월 10일, 미국 텍사스 주 오스틴에 있는 SXSW 마셔블 하우스에서 58.03cm 높이의 토르티야를 만들었다.

가장 큰 흉상(조각품)
이샤 재단(인도)은 힌두교의 신 '아디요기' 시바신 흉상을 높이 34.24m, 폭 24.99m, 넓이 44.9m로 제작했다. 이 동상은 나렌드라 모디 총리가 2월 24일 공개했는데 기록은 인도 타밀나두 주에서 2017년 3월 11일 측정됐다.

가장 길었던 아이스하키 프로 경기
2017년 3월 12~13일 열린 노르웨이 아이스하키 프로리그(GET-ligaen) 플레이오프, 스토르하마르 드래건스와 스파르타 워리어스의 경기는 217분 14초간 치러졌다. 노르웨이 하마르에 위치한 경기장에서 벌어진 이 마라톤 경기는 스토르하마르의 호아킴 옌센이 극적인 결승골을 넣어 팀을 승리로 이끌며 마무리됐다.
이 경기는 NHL의 디트로이트 레드 윙스와 몬트리올 마룬스가 1936년 3월 24~25일 6번의 연장 끝에 세운 176분 30초의 기록을 경신했다.

가장 큰 달걀 부활절 나무
2017년 3월 16일, 브라질 산타 카타리나 포메로드에서 열린 '9° 부활절 행사'에서 '포메로드 방문 조합'이 8만 2,404개의 색칠한 달걀로 장식된 부활절 나무를 공개했다.

최연소 클럽 DJ
이츠키 모리타(일본, 2010년 11월 26일생)는 2017년 3월 20일, 6세 114일의 나이로 일본 오사카에 있는 레스토랑 겸 바 'L&L'에서 디제잉을 했다. 이츠키는 파이오니아 XDJ-AERO DJ 시스템을 사용했고, 30명의 청중을 대상으로 1시간 정도 공연을 펼쳤다.

사람으로 만든 비행기 이미지
2017년 3월 21일, 프랑스 라발의 ESTACA 항공과 자동차 공학 대학원의 11주년을 축하하기 위해 학생 474명이 파란 옷을 입고 비행기 모양을 표현했다. 이들은 2016년 6월 29일 에티오피아 항공이 세운 350명의 기록을 앞질렀다.

최대 규모 나무 끌어안기 행사
2017년 3월 21일, 총 4,620명이 인도 케랄라 주 티루바난타푸람에서 나무와 포옹했다. 이 행사는 아시아넷 뉴스 네트워크와 자와할랄 네루 열대 식물원 연구소가 UN '세계 숲의 날'을 기념해 기획했다. 참가자들은 한 그루의 나무를 최소 60초 이상 끌어안고 있어야 기록으로 인정됐다.

한 마을에 관해 쓴 최다 하이쿠
팀 킹스턴이 이끄는 루턴 하이쿠 팀에는 앤드루 킹스턴, 스티븐 화이팅과 앤드루 화이팅(모두 영국)이 속해 있다. 이들은 2007년 1월 23일부터 매주 영국 베드퍼드셔의 루턴에 관한 하이쿠를 포스팅해왔다. 이 시들을 모아놓은 클로드 매거진'에는 2017년 3월 24일까지 작품이 2,700편 이상 있으며, 시리즈로 엮어 발행했다.

피겨 스케이팅 합계 최고 점수(여성)
예브게니아 메드베데바(러시아, 242페이지 참조)는 2017년 3월 31일, 핀란드 헬싱키에서 열린 국제빙상연맹(ISU) 세계선수권 대회에서 합계 233.41점으로 여자부 타이틀을 거머쥐었다.
다음날 유즈루 하뉴(일본)는 **피겨 스케이팅 롱 프로그램 최고점**인 223.20을 기록했다. 그는 조 히사이시의 '호프 앤드 레가시'에 맞춰 연기했다.

대학 조정 최고 기록(여성)
2017년 4월 2일, 케임브리지는 영국 런던에서 열린 여자 조정 경기에서 18분 33초로 옥스퍼드를 물리치고 트로피를 손에 넣었다.

최다 퓰리처 상 수상
2017년 4월 10일, 뉴욕타임스는 퓰리처 상 국제보도상, 특종사진상(대니얼 베어홀락, 호주), 특집기사상(C J 치버스, 호주)을 수상했다. 이로써 해당 언론은 총 122개의 상을 받은 것으로 기록됐다.

무거운 물체 들고 오래 버티기(뻗은 팔로)
2017년 4월 11일, 아나톨리 예조프(벨라루스)는 러시아 아르한겔스크에서 팔을 쭉 뻗어 20kg짜리 케틀벨을 들고 2분 35초를 버텼다. 괴력의 예조프는 자신의 이전 최고 기록을 2초 경신했다.

프로 스누커 경기 최장 프레임
2017년 4월 12일, 페르갈 오브라이언(아일랜드)과 데이비드 길버트(영국)는 영국 사우스요크셔 셰필드에 있는 폰즈 포지 국제 스포츠센터에서 열린 벳프레드 월드 스누커 챔피언십 예선 최종 라운드 마지막 프레임에서 2시간 3분 41초 동안 경합했다. 오브라이언은 이 마라톤 프레임을 73-46으로 따냈고, 경기 스코어 10-9로 승리했다.

가장 큰 종이 코뿔소
2017년 4월 19일, 리우 통과 더 믹스씨(The MixC)(둘 다 중국)는 중국 허난 성 정저우에서 길이 7.83m, 높이 4.06m 크기의 종이 코뿔소를 제작했다. 14×14m 크기의 종이가 사용됐으며 무게는 100kg 이상이었다.

텐핀볼링 최다 핀폴 기록(2인, 24시간)
2017년 4월 22일, 트레이스와 스티브 와이즈먼(둘 다 미국)은 미국 켄터키 주 루이빌에서 3만 5,976개의 볼링핀을 쓰러뜨렸다. 트레이스는 자신의 증조할아버지가 쓰던 공을 사용해 이전 최고 기록을 경신했다.

최대 규모 울타리 미로
중국 저장 성 닝보의 선후 투어 리조트에 있는 '나비 미로'는 3만 3,564.67㎡ 면적에 통로 길이가 8.38km에 달한다. 중국의 옛이야기 '호접몽'에서 영감을 받은 이 미로에는 탑과 다리, 아래쪽으로 난 길이 포함되어 있다. 2017년 4월 22일 개장했다.

인스타그램에서 가장 유명한 라쿤
'펌프킨'이라는 이름의 라쿤은 2017년 3월 3일까지 사진 공유 소셜 미디어에서 110만 명의 팔로어를 보유하고 있다. 이 암컷 라쿤은 오레오와 토피라는 이름의 2마리의 개와 함께 살고 있으며, 이들의 주인은 바하마에 사는 로라와 윌리엄 영이다.

가장 리트윗이 많이 된 트위터 메시지
웬디스의 치킨 너겟을 평생 공짜로 먹고 싶다는 카터 윌커슨(미국)의 트윗은 2017년 5월 9일까지 343만 655번 리트윗됐다. 이는 엘런 드제너러스가 찍은 '오스카 셀카'보다 더 유명해졌다.

ALBox
BOOM!
背负20磅
team a
52.5
MOUNT KILIMANJARO
CONGRATULATIONS
YOU ARE NOW AT
UHURU PEAK, TANZANIA, 5895M/19341Ft AMSL
AFRICA'S HIGHEST POINT
WORLD'S HIGHEST FREE-STANDING MOUNTAIN
mito
money
216